DICIONÁRIO DE HISTÓRIA E CULTURA DA ERA VIKING

copyright Hedra
edição brasileira© Hedra 2017
organização© Johnni Langer

edição Jorge Sallum
coedição Felipe Musetti
assistência editorial Luiza Brandino
revisão Felipe Musetti e Jorge Sallum
capa Ronaldo Alves
ISBN 978-85-7715-5491

Grafia atualizada segundo o Acordo Ortográfico da Língua Portuguesa de 1990, em vigor no Brasil desde 2009.

Direitos reservados em língua portuguesa somente para o Brasil

EDITORA HEDRA LTDA.
R. Fradique Coutinho, 1.139 (subsolo)
05416-011, São Paulo-SP, Brasil
Telefone/Fax +55 11 3097 8304

editora@hedra.com.br
www.hedra.com.br

Foi feito o depósito legal.

DICIONÁRIO DE HISTÓRIA E CULTURA DA ERA VIKING

Johnni Langer (*organização*)

1ª edição

hedra

São Paulo_2018

Sumário

Prefácio, *por Neil Price* 17

Introdução, *por Johnni Langer* 21

DICIONÁRIO DE HISTÓRIA E CULTURA DA ERA VIKING 25

A ᚠ ᚱ ᚴ 27
- AGRICULTURA 27
- ALIMENTAÇÃO 30
- ALTHING 35
- ÂMBAR 36
- ANGLO-SAXÕES E NÓRDICOS 37
- ANNÁLA ULADH (ANAIS DE ULSTER) 41
- ANNALES DE FLODOARDO DE REIMS 44
- ANNALES FULDENSES 46
- ANNALES REGNI FRANCORUM 49
- APARÊNCIA E COSTUMES 51
- ÁRABES E VIKINGS 54
- ARMAMENTO 56
- ARQUEARIA 60
- ARQUEOLOGIA DA ERA VIKING 63
- ARTE 67
- ASTRONOMIA 73
- AUD, A DE MENTE PROFUNDA 77

B ᛒ ᚡ 81
- BATALHA DE BRAVALLA 81
- BATALHA DE BRUNANBURH 83
- BATALHA DE CLONTARF 85
- BATALHA DE EDINGTON 87
- BATALHA DE HAFISFJORD 89
- BATALHA DE MALDON 91
- BATALHA DE STANFORD BRIDGE 94

BATALHA DE STIKLESTAD 98
BERGEN 101
BIRKA... 103
BÓNDI 106
BRACTEATAS 107
BRATTAHLID 110
BREVIS HISTORIA REGUM DACIE 112
BRIAN BORU (BÓRUMA) 116
BÚSSOLA SOLAR 118

C... 123
CAÇA 123
CALENDÁRIO E CONTAGEM DO TEMPO 125
CELTAS E NÓRDICOS................................... 132
CEMITÉRIO DE BORRE.................................. 136
CERCOS DE PARIS (845, 885).......................... 137
CERVEJA 140
CIDADES, POVOAÇÕES E LOCALIDADES 143
CANUTO II, O GRANDE 143
COGADH GÁEDHEL RE GALLAIBH 146
COMÉRCIO.. 149
COMPORTAMENTO....................................... 153
CONVERSÃO AO CRISTIANISMO........................... 153
COSMÉTICOS 157
COTIDIANO 158
CRIANÇAS E INFÂNCIA 158
CRÔNICA ANGLO-SAXÔNICA.............................. 161
CRÔNICA DOS ANOS PASSADOS........................... 164
CULTURA MATERIAL 168

D ↑ ᛗ 169
DANEGELD.. 169
DANELAW 170
DANEVIRKE 172
DINAMARCA DA ERA VIKING 173
DIRHEM (MOEDAS ÁRABES) 179
DORESTAD.. 181
DUBLIN.. 183
DUELOS.. 186

E I M 193

- EGILS SAGA 193
- EGIL SKALLAGRÍMSSON 198
- EKETORP 202
- EMBARCAÇÕES 205
- ENCOMIUM EMMAE REGINAE 210
- ERA VIKING 212
- ÉRICO MACHADO SANGRENTO (ERIK HARALDSSON) 221
- ÉRICO, O VERMELHO 223
- ESCANDINÁVIA 226
- ESPADA 230
- ESQUIMÓS (INUÍTES) E NÓRDICOS 237
- ESTUPRO 240
- EXPANSÃO NÓRDICA 244
- EYRBYGGJA SAGA 249

F ᚠ ᚠ 253

- FAGRSKINNA 253
- FAMÍLIA 254
- FÆREYINGA SAGA 258
- FÉLAG 261
- FERREIROS E FERRARIA 263
- FESTAS E FESTINS 265
- FINLÂNDIA DA ERA VIKING 268
- FLATEYJARBÓK 271
- FOLCLORE 273
- FONTES PRIMÁRIAS 277
- FORTIFICAÇÕES 278
- FRANÇA NA ERA VIKING 283
- FREYDIS EIRÍKSDÓTTIR 287
- FUNERAIS E ENTERROS 289

G ᚷ X 295

- GAMLA UPPSALA 295
- GENEALOGIA 297
- GESTA HAMMABURGENSIS ECCLESIAE PONTIFICUM 301
- GESTA NORMANNORUM 304
- GESTA NORMANNORUM DUCUM 306
- GODI 308
- GODOS 310
- GOKSTAD 315

GOTLAND (GOTLÂNDIA) 317
GRÁGÁS 319
GRANDE ARMADA DANESA (866-878) 323
GRETTIS SAGA 325
GROENLÂNDIA NÓRDICA 328
GUDRID THORBJARNARDÓTTIR 331
GUERRA E SIMBOLISMO 333
GUERRA E TÉCNICAS DE COMBATE 338
GUERREIRAS NÓRDICAS 343
GUTA SAGA 347

H * 351

HABITAÇÃO 351
HAROLDO DENTE AZUL (HARALDR GORMSSON) 356
HAROLDO CABELOS BELOS (HARALDR HÁRFAGRI) 358
HAROLDO HARDRADA (HARALDR SIGURDSSON) 360
HAUSTLONG 362
HEDEBY 365
HEITI 368
HELGÖ 370
HERÁLDICA 372
HIDROMEL 376
HIGIENE E SAÚDE 379
HIRD 381
HISTÓRIA DA GUERRA 384
HISTORIA DE ANTIQUITATE REGUM NORWAGIENSIUM 385
HISTORIA NORWEGIAE 387
HISTORIOGRAFIA E PSEUDO-HISTÓRIA 390
HNEFATAFL 395
HÚSKARL 397

I | 401

IBN FADLAN 401
IDADE DO FERRO GERMÂNICA 405
ILHAS FAROÉ 407
INGLATERRA DA ERA VIKING 409
INSCRIÇÕES RÚNICAS 415
IRLANDA DA ERA VIKING 423
ISLÂNDIA DA ERA VIKING 430
ÍSLENDINGABÓK 432

J ᛋ ... 435

- JELLING ... 435
- JOGOS E ESPORTES ... 437
- JOIAS E OURIVESARIA ... 441
- JORVIK ... 443

K ᚴ ᚲ ... 447

- KAUPANG ... 447
- KENNING ... 449
- KIEV ... 453

L ᛚ ... 457

- LAGERTHA ... 457
- LANDNÁMABÓK ... 461
- L´ANSE-AUX-MEADOWS ... 462
- LAPÔNIA DA ERA VIKING ... 466
- LAXDAELA SAGA ... 469
- LEIF ERIKSSON ... 471
- LINDHOLM HØJE ... 474
- LINDISFARNE ... 476
- LINGUAGEM ... 478
- LITERATURA ... 486

M ᛘ ᛉ ᛗ ... 495

- MAR BÁLTICO DA ERA VIKING ... 495
- MEDICINA E BOTÂNICA MÁGICA ... 497
- METALURGIA ... 500
- MIKLIGARDR (BIZÂNCIO) ... 502
- MOBILIÁRIO ... 505
- MOEDAS E CUNHAGEM ... 507
- MORKINSKINNA ... 511
- MULHERES ... 513
- MÚSICA ... 517

N ᚿ ᚾ ... 523

- NAVEGAÇÃO MARÍTIMA ... 523
- NJÁLS SAGA ... 528
- NORMANDIA ... 531
- NORRENO (NÓRDICO ANTIGO) ... 536
- NORUEGA DA ERA VIKING ... 539
- NOVGOROD ... 543

O ᚢ 547
- OLAVO HARALDSSON 547
- OLAVO TRYGGVASON 549
- OLGA DE KIEV 551
- OSEBERG 555

P ᚦ 561
- PATRIMÔNIO 561
- PEDRA SOLAR 566
- PENTES 568
- PERSONAGENS LITERÁRIAS E HISTÓRICAS 569
- POESIA ÉDDICA 570
- POESIA ESCÁLDICA 574
- POVOS E ETNIAS 581

R ᚱ 583
- RAGNAR LODBROK 583
- REALEZA 589
- REGIÕES E PERÍODOS HISTÓRICOS 591
- RELIGIÃO 591
- RÖK STONE 602
- ROLLO 603
- ROSKILDE 607
- RUS 610
- RÚSSIA DA ERA VIKING 612

S ᚴ ᛌ ' 617
- SAGAS DO ATLÂNTICO NORTE 617
- SAGAS ISLANDESAS 621
- SÁMI, FÍNICOS E NÓRDICOS 621
- SEPULTAMENTOS 626
- SEXO E SEXUALIDADE 631
- SIGTUNA 638
- SIMBOLISMO ANIMAL 641
- SOCIEDADE 644
- SONATORREK 647
- STARAJA LADOGA 652
- SUÉCIA DA ERA VIKING 654
- SUICÍDIO 660

T

- TAPEÇARIA DE BAYEUX ... 663
- TAPEÇARIAS DE OSEBERG ... 668
- TAPEÇARIAS DE ÖVERHOGDAL ... 673
- TAPEÇARIA DE SKOG ... 676
- TAXAÇÕES E TRIBUTOS ... 680
- TECELAGEM E TECNOLOGIA TÊXTIL ... 682
- TECNOLOGIA ... 685
- THING ... 688
- TRELLEBORG ... 689

U

- URBANIZAÇÃO ... 693

V

- VALSGARDE ... 697
- VAREGUES ... 698
- VESTUÁRIO ... 702
- VIKING ... 706
- VIKINGS E ALEMANHA MODERNA ... 719
- VIKINGS NA ÁFRICA E MEDITERRÂNEO ... 723
- VIKINGS NA FRANÇA ... 725
- VIKINGS NA ITÁLIA ... 730
- VIKINGS NA LITERATURA ... 734
- VIKINGS NA MÚSICA ... 739
- VIKINGS NA PENÍNSULA IBÉRICA ... 745
- VIKINGS NA TELEVISÃO ... 752
- VIKINGS NAS ARTES PLÁSTICAS ... 757
- VIKINGS NO BRASIL ... 764
- VIKINGS NO CINEMA ... 767
- VIKINGS NOS QUADRINHOS ... 775
- VÍNLAND ... 782
- VLADIMIR I DE KIEV ... 786

W

- WOLIN ... 789

Neil Price
Doutor em Arqueologia e professor da Universidade de Uppsala/NEVE

Teodoro Manrique Antón
Doutor em Letras pela Universidade de Salamanca, professor da Universidade de Castilla-La Mancha/NEVE

Mariano González Campo
Doutor em tradução e interpretação pela Universidade de Valladolid/NEVE

Hélio Pires
Doutor em História pela Universidade Nova de Lisboa/NEVE

Álvaro Alfredo Bragança Júnior
Pós-Doutor em História pela Ruhr-Universität Bochum, professor da UFRJ

Johnni Langer
Pós-Doutor em História Medieval pela USP, professor da UFPB/NEVE

Guilherme Queiroz de Souza
Doutor em História pela UNESP/Assis, professor da UEG

Luciano José Vianna
Doutor em História pela Universidade Autônoma de Barcelona, professor da UPE

Isabela Dias de Albuquerque
Doutora em História pela UFRJ

Luciana de Campos
Doutoranda em Letras pela UFPB/NEVE

Munir Lutfe Ayoub
Doutorando em Arqueologia pelo MAE-USP/NEVE

Pablo Gomes de Miranda
Doutorando em Ciências das Religiões pela UFPB/NEVE

Erick Carvalho de Mello
Doutorando em Memória Social pela UNIRIO

Leandro Vilar Oliveira
Doutorando em Ciências das Religiões pela UFPB/NEVE

Sandro Teixeira Moita
Doutorando em Ciências Militares no Instituto Meira Mattos, professor da ECEME/NEVE

André Araújo de Oliveira
Doutorando em História pela UFMT/NEVE

João Batista da Silva Porto Junior
Doutorando em Arquitetura e Urbanismo pela UFF

José Lucas Cordeiro Fernandes
Mestre em História pela UECE/NEVE

Andressa Furlan Ferreira
Mestre em Ciências das Religiões pela UFPB/NEVE

Yuri Fabri Venancio
Mestre em Letras pela USP

Ricardo Wagner Menezes de Oliveira
Mestre em Ciências das Religiões pela UFPB/NEVE

Hiram Alem
Mestre em História pela UFF

Leandro César Santana Neves
Mestrando em História pela UFRRJ

Michel Roger Boaes Ferreira
Mestrando em História pela UFMA

Monicy Araújo Silva
Mestranda em Ciências das Religiões pela UFPB/NEVE

Victor Hugo Sampaio Alves
Mestrando em Ciências das Religiões pela UFPB/NEVE

Vítor Bianconi Menini
Mestrando em História pela UNICAMP/NEVE

Fábio Baldez Silva
Mestrando em História pela UFRRJ/NEVE

Marlon Ângelo Maltauro
Especialista em História pela UNESPAR, professor da UNC/NEVE

Elvio Franklin Menezes Teles Filho
Graduado em História pela UFC

Thiago Brotto Natário
Graduado em História pela UFPR

Daniel Salinas Córdova
Graduado em História pela Universidade Nacional Autônoma do México

Lorenzo Sterza
Graduando em Ciências das Religiões pela UFPB

Prefácio

> *Deyr fé, deyia frændr, deyr siálfr it sama, en orztírr deyr aldregi hveim er sér góðan getr.*
>
> (O gado morre, os parentes morrem, eu vou morrer do mesmo jeito, mas a fama não morre para os que têm um bom nome.)
>
> HÁVAMÁL, 76

Essas linhas, referentes à estrofe 76 do poema em nórdico antigo *Hávamál* ou "As palavras do altíssimo" (aqui numa tradução de Johnni Langer), estão entre as mais famosas sobreviventes da Era Viking. Reproduzidas em inúmeros livros, exposições e até mesmo ressignificadas como aconselhamento empresarial, elas falam de uma preocupação permanente, que também percebemos claramente nos epitáfios das pedras rúnicas contemporâneas e nas grandes sagas islandesas medievais e épicos heroicos: o desejo de nunca ser esquecido, de ser sempre lembrado.

Os vikings nunca poderiam ter imaginado que fariam tanto sucesso, nem em seus sonhos. Mil anos mais tarde, eles são conhecidos em continentes que nem sabiam existir, e literalmente milhões de pessoas avidamente seguem dramas televisivos recontando suas aventuras. Eles aparecem nas histórias em quadrinhos, nos filmes, além de serem reapropriados em inúmeras marcas pelo mundo. Não é exagero dizer que, onde as línguas germânicas são faladas, os vikings diariamente seguem firmes na imaginação, visto que seus deuses emprestaram os nomes para os dias da semana. Para as pessoas de qualquer parte, os vikings são associados com a ideia do tornar-se *berserk* ou com a selvageria, mas também todos nós entendemos o que significa um "funeral viking". Equipes de futebol e navios de guerra levam seus nomes, assim como as sondas que saíram pelo Sistema Solar: os vikings são arquétipos de guerreiros, exploradores e viajantes. Em países a milhares de quilômetros da Escandinávia, os entusiastas recriam as vestimentas e a cultura material dos vikings com extraordinária facilidade e ainda as usam com orgulho, mesmo que às vezes tenham que viver em réplicas de habitações da Idade do Ferro.

A memória de nenhuma outra cultura antiga tem sobrevivido neste nível de engajamento público, com uma série de respostas emocionais.

Mas se "todos" estão familiarizados com os vikings, pelo menos até certo ponto, podemos ao menos perguntar o que *exatamente* eles conhecem. Além dessa popularidade, os detalhes – o que há de melhor – da Era Viking e suas pessoas ainda escapam dos estudiosos, bem como do grande público. Nem sabemos como devemos denominá-los. Ao contrário do que é comumente utilizado na maioria das línguas modernas fora dos países nórdicos, "viking" não é e nunca foi um termo genérico e não pode ser aplicado para toda a população que vivia "ali", "naqueles dias". Um *víkingr* "original" era um tipo especial de pessoa, frequentemente (mas nem sempre) um homem, com vínculo temporário ou permanente a um tipo de vida marítima e violenta; em certo sentido, um pirata. Alguém pode se tornar um viking, depois parar e fazer outra coisa, talvez volte a essa vida novamente ou não. Poderia ser viking ao mesmo tempo em que fazia muitas outras coisas, de modo que cada um possuía a sua própria escala de identidade e comunidade. A maioria das pessoas que viveram na Escandinávia nunca foram vikings e provavelmente não queriam nada com eles. Então qual nome devemos usar? A geografia não ajuda. Durante os séculos sétimo e décimo de nossa Era (um conceito que eles não reconheceriam) não havia noção de Escandinávia e na maioria das vezes nenhuma Noruega, Suécia ou Dinamarca – ou pelo menos os territórios que conhecemos com esse nome. "Nórdico" é tanto androcêntrico quanto intrinsecamente ligado ao Ocidente. As terminologias mudam com a linguagem e também na tradução – do inglês em que escrevo para o português em que este prefácio aparecerá. Precisamos de nomes para abranger tudo e na falta de algo melhor (sobrecarregado com o peso da tradição), "viking" é o que temos...

Para percorrer o mundo desses vikings, de todos os tipos, temos que entrar em locais tanto familiares como muito diferentes. Realmente encontramos todas as coisas (exceto o capacete de chifres) que compõem seu estereótipo – as invasões, os túmulos de navios ardentes, as viagens marítimas, as novas descobertas e explorações, os homens valentes e as mulheres das lendas – mas também os descobrimos subvertidos e matizados a cada passo... E, acima de tudo, conhecemos pessoas que estavam incrivelmente curiosas sobre o seu mundo e seu legado que até hoje perdura. Mas o principal é vê-los através de uma visão de mundo não cristã, com um sentido alterado da realidade, completamente diferente de qualquer coisa da Terra atualmente.

Mas para fazer tudo isso é preciso um guia.

Há muitos livros populares sobre os vikings, mostrando sua gloriosa arte e cultura material, bem como muitas sínteses e catálogos de exposições concedendo uma visão geral da cronologia. Mas um dicionário é algo diferente – uma fonte e um recurso, um lugar para procurar o que você quer saber ou seguir um rastro de informações para ver aonde ele o conduz. Se você é um estudioso em busca de uma referência acadêmica ou um leigo interessado que deseja descobrir quem Ragnar Lodbrok realmente foi, este livro foi feito para você. Os verbetes reunidos aqui levam o leitor a uma excursão mais abrangente do mundo viking do que esbocei acima, mas também para além do seu impacto contínuo em nossas vidas hoje em dia – variando em todo o mundo e em diferentes mídias, da literatura romântica aos filmes.

Este volume é também um marco de tipo diferente, que afirma as ativas tradições acadêmicas dos estudos vikings na América Latina. A maioria das pesquisas sobre os vikings tem, talvez inevitavelmente, um pesado sabor euro-escandinavo, mas não há periferias no estudo do passado. Este dicionário é uma homenagem ao trabalho de seu editor, mas também a todos os seus colegas que moldaram um ambiente de pesquisa tão gratificante e estimulante para os estudos escandinavos no Brasil e cercanias. *Miðgarðr* foi maior do que os vikings tinham percebido, mas em livros como este, eles finalmente viajaram para todo lugar.

Professor Dr. Neil Price
Dep. Arqueologia e História Antiga
(Universidade de Uppsala, Suécia)

Introdução

Os vikings ocupam um lugar especial no imaginário do Ocidente. Desde o século XIX eles fazem parte das artes plásticas, da música, das identidades nacionais. Em nossa época, eles são constante presença em filmes e televisão e fazem muito sucesso na mídia e cultura popular. A história de suas viagens e conquistas ainda é pouco divulgada em termos acadêmicos pelos países neolatinos. Assim, a falta de maiores bibliografias especializadas sobre o tema da Escandinávia da Era Viking em língua portuguesa justifica a publicação do presente livro. Ele foi escrito com auxílio de diversos pesquisadores e especialistas, brasileiros e estrangeiros, mas essencialmente por componentes do *Núcleo de Estudos Vikings e Escandinavos*. Criado em 2010, o NEVE vem dedicando-se ao estudo acadêmico e à popularização científica da história, cultura, sociedade e religiosidade nórdica durante o período medieval. Em 2015 foi publicado pela editora Hedra a primeira grande sistematização sobre o mundo escandinavo em linguagem portuguesa, o *Dicionário de Mitologia Nórdica*, a partir da qual retomamos diversos conceitos e experiências para compor o presente livro.

    A principal meta do presente *Dicionário de História e Cultura da Era Viking* é proporcionar referenciais de conteúdo para todos os interessados no tema, sejam estudantes, pesquisadores ou apenas entusiastas. Cada verbete foi escrito visando suas particularidades dentro do mundo nórdico medieval e também suas conexões, via remissões. Ao final de cada verbete, são indicadas referências bibliográficas para que o leitor possa se aprofundar nos assuntos indicados.

    A estrutura geral do Dicionário foi baseada especialmente nos livros *Encyclopaedia of the Viking Age* (John Haywood); *Historical Dictionary of the Vikings* (Katherine Holman) e *Medieval Scandinavia: An Encyclopedia* (Phillip Pulsiano), mas formulado para atender as necessidades de informações de estudantes e pesquisadores do Brasil. O eixo básico do livro foi estruturado na denominada Era Viking (tradicionalmente localizada entre os séculos VIII ao XI d.C.), mas contendo vários verbetes com conteúdo anterior e posterior a esse período. Algumas entradas têm relação indireta com o recorte, como temas envolvendo leis, literatura e localidades, sendo vinculados mais objetivamente com a Escandinávia Medieval, dentro dos critérios da arqueologia escandinava (que separa a Era Viking, considerado Idade do Ferro Tardia, da Idade Média, que se inicia após o século XI). Assim, nosso viés básico de periodização é o da historiografia francesa, que entende o período abrangido pela Era Viking como Alta Idade Média. Maiores detalhes historiográficos são definidos no verbete *Era Viking*.

Para facilitar a leitura, optamos por simplificar e transliterar muitas das grafias do nórdico antigo para o português moderno. A letra *þorn* (Þ) foi substituída pelo th, como em Thor. A letra ð foi transliterada para d, como em Odin. Os símbolos œ e æ foram omitidos em grande parte dos casos, bem como o acento agudo em vogais e o r final de nominativos, como Auðr, Ragnhildr, Leifr. Em alguns casos específicos, como citação de fontes primárias, conservamos a grafia original, tanto em nórdico antigo como em latim e outras linguagens medievais. Alguns critérios mais detalhados são esclarecidos nos verbetes *Linguagem* e *Norreno*.

Para o conceito de viking o presente livro adota tanto sua relação com o referencial ocupacional (pirata, navegador, comerciante), quanto de identidade étnica, dependendo do contexto, seja para com fontes primárias ou com ressignificações imaginárias no mundo moderno. Os principais norteadores são as considerações teóricas e historiográficas definidas no verbete *Viking*, mas também tratadas em outros momentos, como *Vikings na literatura*, *Vikings no Brasil*, *Vikings na música* etc.

A península da Escandinávia é concebida tanto dentro de critérios geográficos quanto de referenciais históricos e culturais, bem como os conceitos de Norte, povos nórdicos e escandinavos – que possuem relação direta com o imaginário sobre os vikings, desenvolvido a partir do romantismo oitocentista e popularizado no século XX em diante. Isso é tratado em detalhes no verbete *Escandinávia*.

A metodologia básica utilizada pela maioria dos colaboradores proveio da história cultural, mas também foram utilizadas as metodologias e referenciais teóricos da teoria literária, história do imaginário social e história das ideias. A bibliografia concentrou-se tanto na leitura de clássicos da historiografia escandinava, como Johannes Brøndsted, Gwyn Jones, James Graham-Campbell, como em autores da nova geração, a exemplo de Neil Price, Stefan Brink, Leszek Gardela, entre outros. A consulta direta a pesquisadores internacionais também foi essencial em diversos momentos da pesquisa; fazemos referência a eles nos agradecimentos ao final desta introdução. A equipe de modo geral empregou também dissertações e teses, artigos, banco de dados, fontes primárias disponíveis eletronicamente e outros recursos em diversas linguagens.

Visando atender especialmente aos estudantes de História e historiadores, disponibilizamos diversas entradas para fontes primárias, produzidas tanto em nórdico antigo quanto latim, árabe e outras linguagens, com o intuito de proporcionar um primeiro contato do pesquisador com documentos fundamentais para a reconstituição do passado nórdico. A maioria deles se encontra referenciada no verbete remissivo *Fontes primárias*.

A tônica principal do livro é referente a conteúdos de história, às principais personalidades históricas, acontecimentos relevantes, batalhas, armamentos, localidades e cidades, regiões, povos e etnias, aspectos sociais, cultura material, linguagem, literatura e historiografia. O presente livro deixou de lado quase todos os aspectos relacionados a mitos e religiosidades (deidades, cultos, narrativas, símbolos), visto que foram detalhados no *Dicionário de Mitologia Nórdica* (Hedra, 2015). Apena alguns verbetes foram conservados enfocando o tema, como *Religião* e *Simbolismo animal*, atualizando alguns dos aspectos mais recentes das pesquisas de Arqueologia da Religião Nórdica Antiga. A presente obra também aborda diversas entradas relativas a sagas islandesas, mas deixamos de lado algumas que já tiveram conteúdo publicado no *Dicionário de Mitologia Nórdica*, como Saga de Frithiof, Saga de Hjalmthér e Saga dos Volsungos.

Não podemos deixar de agradecer ao trabalho do professor Dr. Guilherme Queiroz de Souza, que além de elaborar alguns verbetes, também foi responsável pela revisão do Dicionário. Aos membros do NEVE pela dedicação e empenho na divulgação da Escandinavística brasileira e na elaboração básica do livro. À equipe da editora Hedra pelo empenho editorial e por abrir espaço ao tema em nosso país.

Um agradecimento especial a todos os acadêmicos estrangeiros que auxiliaram em informações para os verbetes: Neil Price (Universidade de Uppsala/Suécia, e também pela gentileza em escrever o prefácio do Dicionário), Leszek Gardela (Universidade de Rzeszów/Polônia), Lars Boje Mortensen (Universidade do Sul da Dinamarca), Michèle Hayeur Smith (Universidade Brown/Estados Unidos), Marianne Tóvinnukona (Universidade da Islândia), Gísli Sigurðsson (Universidade da Islândia), Thomas A. Dubois (Universidade da Pensilvânia/Estados Unidos), Charlotte Hedenstierna-Jonson (Universidade de Uppsala/Suécia), Aleksander Pluskowski (Universidade de Reading/Inglaterra), Eldar Heide (Bergen University College/Noruega), Kevin Smith (Universidade Brown/Estados Unidos), Regina Jucknies (Universidade de Colônia/Alemanha), Jenn Culler (Estados Unidos), Gail Kellogg Hope (Estados Unidos), Som När Det Begav Sig (Suécia), Margo Farnsworth (Islândia), Auður Hildur Hákonardóttir (Islândia), Maria Tóvinnukona (Islândia) e Daniel Serra (Suécia).

No momento da edição final da presente obra, ocorreu o falecimento do historiador Régis Boyer, o maior nome da escandinavística francesa. Fica aqui a nossa homenagem a esse importante acadêmico, a maior influência bibliográfica nos primeiros estudos da área efetuados em nosso país, ao final da década de 1990 a meados dos anos 2000 e também citado em diversos verbetes ao longo do presente livro. Dedicamos, desta maneira, o Dicionário a essa figura excepcional nos estudos e na divulgação da história e cultura da Era Viking.

João Pessoa, 31 de junho de 2017.
Prof. Dr. Johnni Langer, Universidade Federal da Paraíba
Núcleo de Estudos Vikings e Escandinavos

Dicionário de história e cultura da era viking

A ᛏ ᚠ ᛁ

AGRICULTURA

Os estudos arqueológicos realizados em toda a Escandinávia revelaram que a prática da agricultura nessa região era feita em campos e destinada principalmente ao cultivo de grãos, como diversas espécies de trigo, cevada, sorgo, centeio e aveia. Além das descobertas dos campos, algumas práticas agrícolas da Era Viking também foram reveladas. Na Dinamarca, por exemplo, foram encontrados vestígios de sulcos rasos, que comprovam o uso de uma espécie de arado simplesmente para preparar o solo antes da semeadura. Esse arado primitivo fazia um sulco no solo, mas não revolvia mais profundamente a terra, soltando apenas uma fina camada que receberia semente. Os arados simples foram usados até o final da Era Viking, quando um arado mais pesado e com uma capacidade maior de sulcar a terra foi introduzido.

Outros implementos agrícolas devem ter sido comuns nas fazendas, mas nenhum foi preservado em grandes quantidades. Os grãos mais variados e o feno eram colhidos com uma foice e a vegetação destinada à alimentação animal era cortada com uma faca simples, denominada faca de folha. Foram encontrados fragmentos de ancinhos e pás feitos de madeira, bem como lâminas e peneiras para debulhar e peneirar os grãos, provavelmente feitos também de madeira. Barris de madeira e cestos de vime eram usados para armazenamento de grãos, e o feno para alimentação animal provavelmente teria sido transportado dos campos em carrinhos de madeira. As aldeias estavam cercadas por campos cultivados, mas também havia acessos às áreas de pastagem para gado. A criação de animais era tão importante quanto o cultivo do solo. A criação de gado provavelmente ocupava uma boa parte do trabalho no campo, fornecendo leite e carne, além da força de trabalho desses animais que puxavam o arado e as carroças. Porcos e ovelhas também foram criados.

Além dos campos cultivados com grãos, havia também o cultivo de hortas e jardins. O mais comum na Era Viking era o cultivo de um "jardim da cozinha", isto é, um jardim localizado perto da habitação e caracterizado pelo cultivo em pequena escala de determinadas plantas que seriam utilizadas como condimentos e remédios. A horta, por sua vez, era delimitada, cultivada e os vegetais ali plantados destinavam-se basicamente à alimentação. O cultivo de uma horta de cozinha, geralmente, se distinguia da agricultura pelos cuidados diários que exigia, já que várias espécies diferentes eram plantadas em um mesmo espaço de terra. Em uma horta, cada espécie estava representada por um número relativamente pequeno de plantas, em contraste com o cultivo de campo em larga escala de uma única cultura. Algumas das plantas cultivadas nas hortas e jardins exigiam um cuidado mais intensivo do que as culturas de campo, uma vez que algumas plantas são mais exigentes no que diz respeito à adubação, rega e manejo do solo.

As árvores frutíferas e arbustos também podiam ser considerados um elemento comum do jardim na Era Viking. O "jardim de prazer", aquele local onde eram cultivadas somente espécies ornamentais de plantas e flores e que durante a Idade Média Central e Baixa é representado em iluminuras e descrito na literatura cortês, não existe na Era Viking. No entanto, muitas plantas úteis também podiam ser ornamentais, e um jardim com uma composição ornamental seria possível mesmo em um contexto mais rústico como o da área nórdica, embora isso não possa ser comprovado. Pesquisadores acreditam que espécies como a *Polemonium caeruleum L.*, conhecida como escada de Jacó, e a margarida comum (*Bellis perennis L.*) seriam cultivadas somente como ornamento. No entanto, é difícil encontrar evidências no material arqueológico para o cultivo de plantas apenas como ornamento.

A detecção física de um espaço onde se localizava o jardim no contexto arqueológico é frequentemente indicada por elementos como cercas de madeira, cercas de pedra, bem como terraços, aterros e estradas.

A cerca em torno de um jardim indicava o seu local na propriedade e o protegeria dos animais e do vento.

Para diferenciarmos uma planta de jardim ou horta de uma planta de campo é necessário estudar os métodos de colheita e os sistemas de cultivo rotativo, pois muitas das plantas denominadas como plantas de jardim têm o seu cultivo incompatível com os sistemas de cultivo rotativo de campo, já que são plantas perenes ou bienais. Além disso, muitas plantas ricas em óleo e fibras prosperam no cultivo de campo, como o falso linho (*Camelina sativa* L.) e linho (*Linum usitatissimum* L.), mas também foram cultivadas por métodos de horticultura no sul da Suécia durante o início da Idade do Ferro. As leguminosas, como a ervilha (*Pisum sativum* L.) e o feijão (*Vicia faba* L.), prosperavam em cultivo em larga escala e muitas vezes eram consideradas culturas de campo, mas evidências adicionais apontam que as ervilhas foram provavelmente cultivadas em jardins. As leguminosas tinham vários efeitos positivos no solo e eram utilizadas para repor nutrientes, razão pela qual eram cultivadas tanto nos jardins como nos campos.

Em algumas das primeiras fontes escritas que tratam de jardinagem e culturas de jardim, o termo *kålhave* (jardim de cauda) é mencionado; nesse jardim seriam cultivadas várias espécies de vegetais foliares da família Brassicaceae, das quais a couve, o repolho e o rabanete fazem parte. Muitas vezes é difícil determinar as espécies exatas de *Brassica* com base em macrofósseis de plantas que foram encontradas em escavações arqueológicas. As espécies selvagens de *Brassica* são frequentes em vários tipos de solos e, portanto, podem ser consideradas parte da flora local em áreas com atividade humana, como os assentamentos.

Muitas plantas comestíveis foram encontradas em muitos sítios investigados arqueobotanicamente e as sementes dessas plantas foram detectadas também no intestino dos cadáveres datados da Idade do Ferro. No entanto, é necessário levar em conta que determinadas plantas podiam ser ervas daninhas comuns em culturas de campo e que o seu consumo podia estar associado diretamente à carestia.

Luciana de Campos

Ver também Alimentação; Cotidiano; Cultura material; Era Viking.

BOYER, Régis. *Les Vikings*. Paris: Perrin, 2004.

EGGEN, Mette. The plants used in a Viking Age garden A.D. 800-1050. In: MOE, Dagfinn; DICKSON, James H; JØRGENSEN, Per Magnus (eds.). *Garden History*. PACT Belgium, Rixensart, 1994, pp. 45-46.

HAYWOOD, John. Agriculture. In: *Encyclopaedia of the Viking Age*. London: Thames and Hudson, 2000, pp. 20-21.

SLOTH, Pernille; HANSEN, Ulla; KARG, Sabine. Viking Age garden plants from southern Scandinavia – diversity, taphonomy and cultural aspects. *Danish Journal of Archaeology*, 1(1), 2012, pp. 27-38.

ALIMENTAÇÃO

Quando pensamos em alimentação na Era Viking, imediatamente imaginamos a clássica cena popularizada pelo cinema, quadrinhos, manuais de RPG e literatura de fantasia: carnes assadas em abundância acompanhadas por grandes canecas transbordantes de espumante cerveja. Essas imagens são estereótipos já cristalizados sobre os vikings, mas não correspondem ao que realmente compunha a mesa nórdica. O consumo de carne assada, como representado na arte, era muito comum, pois acreditava-se que esse alimento proporcionava poder e força, e o seu consumo era uma predileção dos guerreiros e dos nobres; não se tratava apenas de uma questão de se apreciar o alimento preparado de uma determinada maneira, há uma explicação "técnico-gastronômica" para essa predileção. Ela se opõe ao gosto dos camponeses, mais fracos, que preferiam a carne cozida: quando a carne é cozida em água, ou em ocasiões festivas em cerveja, acreditava-se que o processo de cozimento retiraria toda a força da carne e, portanto, esse seria um alimento mais rico e bem aproveitado. Os nobres e guerreiros que apreciavam especialmente a carne de caça preferiam que esse alimento fosse preparado assado, sobre grelhas ou, então, em espetos colocados diretamente no fogo, conservando assim o sabor e conseguindo muitas vezes extrair ainda um pouco de sangue presente em suas fibras.

Maneiras diferentes de se preparar o mesmo alimento têm, é claro, uma razão baseada no gosto de cada grupo social: camponeses precisavam trabalhar muitas horas e preparar a própria comida, portanto, optavam pelo método do cozimento que permitia que trabalhassem enquanto a comida era preparada praticamente sozinha, pois a carne permanecia no fogo sem a necessidade de alguém para vigiá-la. Deixavam a carne muitas vezes em pedaços grandes e duros com legumes e verduras cozinhando na água por horas a fio em grossos e pesados caldeirões de ferro. Essa forma de preparo do alimento não requeria grandes cuidados e podia ser aproveitada ao máximo. O caldo desse ensopado podia ser consumido com pedaços de pão elaborado com toda a sorte de farinhas e, mesmo velho e duro, amoleceria, permitindo que a refeição ficasse mais substanciosa. Já a carne assada, tão apreciada pelos nobres – seja nos espetos ou sobre grelhas –, exigia mais cuidados na hora do preparo. A temperatura do fogo influenciava na textura da carne: muito fogo poderia queimá-la; um fogo fraco deixaria a carne dura e com uma textura pouco agradável ao ser saboreada. Portanto, a carne assada não reflete apenas um gosto propriamente dito de saborear o alimento: mostra como grupos sociais mais abastados, além de terem acesso a carnes mais nobres, podiam contar com serviçais para prepará-la, preocupando-se apenas com a degustação.

A carne de caça, de gado criado nas pastagens, ou dos peixes com muita gordura como o salmão e bacalhau abundantes nas águas da Europa Setentrional, era alimento essencial para um homem, segundo os ensinamentos do médico medieval Antimo, que no século VI dizia que a carne possuía o mais alto teor nutritivo. Séculos mais tarde, outro médico, Aldebrandin de Siena, afirmava que a carne era o mais completo dos alimentos porque ela não somente alimenta o homem, mas, acima de tudo, o engorda e lhe concede força. Com a força advinda da carne, homens e deuses ficavam tonificados para enfrentarem seus inimigos e adversidades impostas tanto pela natureza como por seres míticos que os obrigavam a partir em jornadas para recuperarem seus objetos de poder, como Thor que vai buscar seu martelo, cuja aventura está descrita na *Þrymskviða*. Guerreiros festejando com carne em abundância, oriunda de um caldeirão que nunca esgota o seu conteúdo, é tema recorrente em várias mitologias, como por exemplo o caldeirão da abundância do deus celta Dagda, o bom. No caldeirão de Dagda nunca se esgota a comida mágica que alimenta os guerreiros em quantidade e também traz de volta à vida os guerreiros valentes e poderosos que tombaram no campo de batalha. Mas a carne não constituía o único alimento consumido pelos nórdicos e, em muitos momentos, era escassa, obrigando todos a se alimentarem muitas vezes com o que as florestas ofereciam como brotos, raízes e pequenos frutos. A alimentação era variada. Podemos constatar essa variedade na alimentação cotidiana, observando quais produtos eram consumidos ao longo do dia durante as principais refeições.

A primeira e mais importante refeição do dia para os nórdicos acontecia por volta das nove da manhã (e era denominada *dagverd*). Constituía-se de papas de cereais: centeio, aveia e cevada com pedaços de peixe, fresco ou seco, majoritariamente arenque, pães feitos com farinha de centeio ou aveia, leite (fervido ou coalhado), mel, frutas, como amoras, framboesas e mirtilos e, no caso da Islândia, consumia-se também o *skyr*, uma espécie de queijo cremoso que até hoje é consumido e fabricado praticamente da mesma maneira da época da colonização viking. Eventualmente bebia-se cerveja, mais espessa e amarga, lembrando muitas vezes um caldo grosso, de sabor forte e amargo e nacos de carnes ensopadas ou assadas com pão. A segunda refeição seria o jantar (*nåttverðr*), logo após o término dos trabalhos do dia, quando se comia ensopados de carne ou peixe com pão. Os ovos também eram consumidos nas sopas, pães e bolos e, muitas vezes cozidos com frutas, mel e alguns legumes e verduras que encorpavam os ensopados. Por volta das vinte e uma horas, finalmente, havia uma ceia, que consistia de uma sopa acompanhada de pão e legumes. Peixes assados, pernis de carneiros ou mesmo assados inteiros eram comidas reservadas às festividades, pois exigiam um preparo mais cuidadoso. No cotidiano, a alimentação era variada, mas preparada de maneira mais simples, já que os trabalhos nos campos, como a fiação, a tecelagem e a moagem de grãos exigia muita dedicação de todos.

A alimentação cotidiana de camponeses, fazendeiros e aristocratas era de certa forma de boa qualidade e contava com uma determinada variedade de alimentos. É importante ressaltar que nessas refeições não só as carnes eram consumidas – os vegetais também recebiam destaque. Legumes, como por exemplo cenouras, vagens, beterrabas, alho-poró, cebolas, nabos e favas eram muito usados em ensopados de carne e também em sopas; as frutas, como os mirtilos, morangos silvestres, framboesas, maçãs, peras e amoras eram consumidas frescas e secas para conservá-las e assim durarem boa parte do inverno. E, claro, o mel era usado em pequenas quantidades, pois seu acesso era restrito. Havia também um grande consumo de ervas em sopas, caldos e ensopados. A urtiga (*Uritca dioica*), rica em ferro, cálcio, proteínas e fibras, era utilizada principalmente na primavera, quando brotava em abundância pelos campos. O seu consumo ajudava o organismo a se recuperar de meses consumindo uma dieta rica em sódio devido aos peixes e carnes conservados em sal, aos frutos secos e cereais. Tanto a sopa como o chá da urtiga eram amplamente consumidos e essa erva é também uma das Nove Ervas de Odin, devido a sua grande importância na alimentação, medicina e magia nórdica.

É importante salientar que essa dieta possuía um caráter salutar, devido às grandes porções de peixes frescos, secos ou defumados, consumidos diariamente. Camponeses, fazendeiros e guerreiros alimentavam-se bem, mas principalmente os camponeses sempre viviam com o fantasma da fome a rondar suas portas. Colheitas ruins, invernos muito rigorosos, pouca caça e pesca eram tormentos constantes em suas vidas e mesas, tanto quanto eram comuns as papas de aveia com arenque, tão apreciadas pelo deus Thor.

Os cereais, como a aveia, trigo, trigo sarraceno (*Fagopyrum esculentum*), cevada e o sorgo eram largamente utilizados para a manufatura de farinhas. Os grãos secos eram moídos em moinhos manuais de pedra. A farinha obtida dessa moagem não era muito fina e os grãos não eram totalmente moídos, de modo que alguns pedaços ficavam inteiros e deixavam os pães mais duros, dificultando a mastigação. Para se obter uma farinha mais fina era necessário refazer a moagem várias vezes até que os grãos fossem reduzidos a pó. Esse processo era difícil e exigia muito tempo de trabalho, portanto somente os mais ricos podiam dispor de servos que se dedicavam somente à moagem de grãos para a obtenção de uma farinha mais fina. Os mais pobres consumiam o pão com a farinha mais rústica. O arroz, como se difunde atualmente, não era conhecido na Era Viking. Alguns restaurantes brasileiros que apresentam um menu dedicado à "comida viking" servem um típico prato muito apreciado nas festas natalinas da Escandinávia contemporânea: o arroz doce, que começou a ser consumido somente a partir do século XIX, bem como a canela, especiaria desconhecida pelos nórdicos medievais.

Todas as casas, das mais pobres até as mais abastadas, possuíam uma horta, onde se cultivava uma grande quantidade de vegetais. As hortaliças e os legumes dividiam espaço com uma grande quantidade de ervas, utilizadas tanto como condimento para as comidas que eram preparadas como também para fins medicinais e mágicos, sendo largamente empregadas em chás, unguentos e emplastros para curar todo o tipo de mal que os afligia.

Podemos afirmar que os nórdicos, apesar de viverem em regiões com grandes adversidades climáticas e dificuldades de cultivo da terra possuíam uma alimentação rica tanto em variedade como em nutrientes.

Luciana de Campos

Ver também Caça; Cerveja; Cotidiano; Festas e festins; Hidromel; Sociedade.

BOYER, Régis. Comer y beber. In: *La vida cotidiana de los vikingos (800-1050)*. Barcelona: José J. de Olañeta, Editor, 2000, pp. 96-101.

CAMPOS, Luciana de. Da suposta noiva que comia demais. Uma proposta de análise da alimentação na Þrymskviða. *Roda da Fortuna*, vol. 6, n. 1, 2017, pp. 159-173.

CAMPOS, Luciana de. Um banquete para Heimdallr: uma análise da alimentação viking na Rígsþula. *História, imagem e narrativas*, 12, 2011, pp. 1-14.

FLANDRIN, Jean-Louis; MONTANARI, Massimo (orgs.). *História da alimentação*. São Paulo: Estação Liberdade, 1998.

HAYWOOD, John. Food and drink/Feasts and feasting. In: *Encyclopaedia of the Viking Age*. London: Thames and Hudson, 2000.

ALTHING

A *Althing* pode ser entendida como assembleia geral da Islândia, instaurada em 930 usando um sistema legal baseado no *Gulathing* norueguês. A *Althing* era realizada em um espaço aberto na planície de Thingvellir, a aproximadamente 50 km a leste da Reykjavík contemporânea, no sudoeste da ilha. A assembleia era iniciada pelo *Allsherjargodi*, que sacralizava o início da assembleia geral. Todos os homens livres, excluindo aqueles declarados fora da lei, encontravam-se na Thingvellir por duas semanas durante o solstício de verão, e lá as disputas legais mais importantes eram resolvidas por meio do auxílio do *lögsögumadr*, o falador das leis.

O falador das leis era eleito por um período de três anos pelos *godar*, líderes, e tinha que recitar um terço das leis todo ano na *lögberg*, pedra da lei, de forma que todas as leis islandesas eram declaradas durante os três anos no cargo. O primeiro falador das leis foi um homem chamado Úlfjót, que era também responsável por rascunhar as primeiras leis da Islândia, conhecidas como *Úlfjótslög*. O falador das leis também presidia o conselho legislativo da *Althing*, a *lögrétta*, que era composta por 36 *godar* (esse número aumentou para 39 depois de 965, e 48 depois de 1005). Algum tempo depois adicionou-se dois bispos islandeses ao conselho.

Em 960 a *Althing* foi suplementada por quatro novos tribunais. As *fjórdungsdómr*, os tribunais de quadrante, eram onde os casos dos novos quadrantes regionais eram ouvidos caso não pudessem ser resolvidos nas suas respectivas *things* distritais. Em 1005, uma quinta corte, *fimtardómr*, foi criada para resolver problemas que os *fjórdungsdómr* não conseguiam resolver. Nessa corte as decisões eram feitas pelo voto da maioria, diferente do modelo das *fjórdungsdómr*, que requeria uma decisão unânime. Com a conversão ao cristianismo uma outra corte foi criada, a *préstadómr*, o tribunal dos padres, que tinha a função de administrar a lei cristã. Ao final de cada *Althing* a reunião era oficializada com o bater das armas, a *vápnatak,* palavra que também deu nome as divisões administrativas da Danelaw.

A Islândia perdeu sua independência em 1262-64 e com ela a *Althing* perdeu muito poder. Os *godar* foram substituídos por oficiais reais e uma nova legislação foi implementada, modelada a partir da prática norueguesa e introduzida oficialmente em 1271. A assembleia se encontrava somente alguns dias durante o ano, desempenhando um papel somente judiciário em vez de legislativo. Em 1798, quando a Islândia estava sob controle dinamarquês, a última sessão da *Althing* foi realizada na Thingvellir. Em 1800, o rei dinamarquês decidiu que ela deveria ser substituída por uma suprema corte em Reykjiavik. A *Althing* foi restabelecida em Reykjavik no ano de 1843 como uma assembleia consultiva. Essa nova *Althing* consistia de 20 representantes eleitos, um para cada condado, um de Reykjavik, e seis escolhidos pelo rei da Dinamarca. O Parlamento Islandês atual é chamado de Althing e clama ser o parlamento mais antigo do mundo.

André Araújo de Oliveira

Ver também: Godi; Islândia na Era Viking; Thing.

HOLMAN, Katherine. *Histocial Dictionaries of the Vikings*. Oxford: The Scarecrow Press Inc., 2003.

LINDKVIST, Thomas. Early political organisation, Introductory survey. In: HELLE, Knut. (org.). *The Cambridge History of Scandinavia*, vol. 1. Cambridge: University of Cambridge Press, 2003, pp. 160-167.

SIGURÐSSON, Jón Viðar. Iceland. In: BRINK, Stefan; PRICE, Neil (eds.). *The Viking World*. New York. Routledge, 2008, pp. 571-578.

VÉISTEINSSON, Orri. *The Christianization of Iceland*: Priest, Power and social change 1000-1300. Oxford: Oxford University Press, 2000.

ÂMBAR

O âmbar foi muito utilizado na Europa por povos como os romanos e os micênicos para a fabricação de joias, amuletos, contas, anéis e muitos outros artefatos. O âmbar em forma de matéria-prima era extraído no sul da Escandinávia, onde os achados arqueológicos da substância datam de 7000 a.C. Contudo, mesmo em regiões como a Noruega, onde o âmbar em forma bruta não existe, essa resina adquiriu também papel em produções de artefatos, como os achados de pendentes e botões em áreas como a de Trondelag, já durante o período neolítico.

O âmbar utilizado no mundo escandinavo faz parte do denominado âmbar báltico, resina proveniente de árvores coníferas que já cresciam no norte da Europa entre 55 e 35 milhões de anos atrás, durante o Período Eocênico. Nessa época a Fenoscândia, formada pelo sul da Suécia, o sul da Finlândia e o Báltico, era uma massa de terra contínua, que por cerca de 15 a 20 milhões de anos foi coberta pela denominada floresta de âmbar. Sob a ação do degelo e das águas que se moveram nas eras procedentes, a matéria-prima foi espalhada por regiões como as partes costeiras centrais e do sul do atual Báltico, a parte oeste da Jutlândia, a parte norte da atual Alemanha, os Países Baixos e a Ânglia do Leste.

Munir Lutfe Ayoub

Ver também Arqueologia da Era Viking; Arte; Cotidiano; Cultura material.

LARSSON, Lars. The Sun from the sea-amber in the Mesolithic and Neolithic of Southern Scandinavia. *Proceedings of the International Conference Baltic Amber in Natural Sciences, Archaeology and Applied Arts*, vol. 22, 2001, pp. 65-75.

RESI, Heid Gjøstein. Amber and Jet. In: SKRE, Dagfinn (ed.). *Things from the Town: artefacts and inhabitants in Viking-Age Kaupang*. Aarhus & Oslo: Aarhus University Press, 2011, pp. 107-128.

SHASHOUA, Yvonne. Raman and ATR-FTIR spectroscopies applied to the conservation of archaeological Baltic amber. *Journal of Raman Spectroscopy*, vol. 37, 2006, pp. 1221-1227.

WEITSCHAT, Wolfgang; WILFRIED, Wichard. Baltic amber. In: WEITSCHAT, Wolfgang; WILFRIED, Wichard; PENNEY, David (eds.). *Biodiversity of fossils in amber from the major world deposits*. Manchester: Siri Scientific Press, 2010, pp. 80-115.

ANGLO-SAXÕES E NÓRDICOS

As relações entre povos de origem anglo-saxã e escandinavos na Inglaterra, ao longo dos séculos IX–XI, foram marcadas por constantes contatos. A primeira fase, que vai até metade do século IX, pode ser identificada por diversos ataques esporádicos e em territórios diversos da ilha, de acordo com a *Crônica Anglo-saxônica*. A partir de 865, começamos a observar referências à permanência dos exércitos ao norte e no antigo reino anglo da Mércia na organização de *wintersetl* (acampamentos de inverno), os quais normalmente duravam a estação ou cerca de um ano. Foi certamente nesse período que uma maior quantidade de grupos de origem nórdica se dirigiu para a região.

Os ataques foram múltiplos e em locais diversos, envolvendo líderes, tais como Ivar, possivelmente associado ao rei dos vikings na Irlanda, Guthrum e Halfdan, dentre outros. Concomitantemente aos ataques escandinavos, o rei de Wessex, Alfred (871-899), direciona suas forças e estratégias para a construção dos *burhs* (fortificações), peças fundamentais para conter o avanço dos invasores.

O Tratado de Wedmore foi firmado em 878, após a vitória anglo-saxã sobre os escandinavos na batalha de Edington, no mesmo ano. O acordo entre Alfred e Guthrum delimitou a área, que posteriormente ficará conhecida como Danelaw, área das Midlands que estaria sob influência escandinava, fora do escopo de Wessex. Outra consequência gerada pelo acordo foi o batismo de Guthrum e sua incorporação ao sistema de liderança dos anglo-saxões.

A partir do século IX, já há na Inglaterra assentamentos de origem escandinava em áreas anteriormente anglo-saxãs. Os ataques são retomados depois durante os reinados de Edgar (957-975) e posteriormente de Æthelred II (978-1016), passando ao método de extorquir a população nativa, concentrando-se bem mais ao sul, no centro do poder de Wessex.

O ápice da ocupação política da ilha são as batalhas travadas entre Æthelred II e Sueno Barba Bifurcada, que resultaram na vitória deste e exílio do rei inglês na Normandia. Após a morte de Sueno, em 1014, seu filho Canuto assumia o controle da Inglaterra, dando continuidade à influência escandinava. Æthelred retornaria à ilha no mesmo ano e permaneceria como rei até 1016, quando, após o ataque de Canuto novamente, os escandinavos estariam estabelecidos como governantes da ilha uma vez mais.

Na documentação escrita em latim e em inglês antigo nos deparamos constantemente com rótulos como *Angelcyn* (inglês), *Angulsa-*

xonum (anglo-saxão), *paganus* (*pagão*) e *Dane* (danes), todas essas denominações criadas no ambiente da corte real de Wessex como uma maneira de diferenciar as rivalidades políticas, principalmente no contexto de invasão e ocupação escandinava. Todavia, as identidades impostas por externos não traduzem necessariamente os habitantes envolvidos, nem definem suas próprias identidades em si.

Os contatos entre anglo-saxões e escandinavos, fossem amistosos ou não, acabaram por impactar e transformar ambas as sociedades. Estudos arqueológicos apontam que os contatos entre anglo-saxões e nórdicos foram bem mais complexos do que apontam as denominações na documentação escrita. Nas regiões em que organizaram assentamentos, os escandinavos acabaram por se mesclar à população local, principalmente nas regiões norte e nordeste da Inglaterra, em Derbyshire, Lincolnshire, Yorkshire, Lancashire e Cumbria.

O conceito de anglo-escandinavo, portanto, é o que melhor traduz as aspirações e necessidades na compreensão acerca das identidades nos assentamentos, as quais não eram constituídas unicamente em termos étnicos, mas a partir de relações sociais específicas e das escolhas dos sujeitos em privilegiar certos elementos em detrimento de outros. As principais fontes que permitem ao pesquisador melhor compreender o período são basicamente vestígios da cultura material, haja vista que as fontes escritas produzidas na região, sejam elas narrativas ou legais, são muito escassas.

A análise das relações linguísticas entre anglo-saxões e escandinavos é um caminho para a compreensão de como era a convivência entre os dois grupos. A adoção de nomes próprios anglo-saxões por escandinavos (e vice-versa) nos dão algumas pistas das relações entre as elites locais em áreas de assentamentos. Adotar um novo nome ou um novo idioma é uma forma de reconfigurar os laços com a comunidade local.

De acordo com Julian Richards, há quatro categorias principais para se avaliar os topônimos escandinavos: 1) a partir do sufixo *-by*, que significa aldeia; 2) a partir do sufixo *-thorp*, que designa normalmente áreas secundárias subordinadas a outra em termos de exploração; 3) *Grimston hybrids*, uma combinação de elementos de nomes próprios escandinavos com o sufixo em inglês antigo *-ton*; 4) mudanças na pronúncia de palavras anglo-saxãs, a fim de evitar sons não escandinavos.

Os tipos de escultura nas quais podemos encontrar traços escandinavos são muitos, tais como cruzes, tábuas, tampos de tumbas etc. e são encontrados majoritariamente nas regiões norte e nordeste da Inglaterra. As esculturas de pedra dos séculos X-XI diferem da do período anglo-saxão não só em ornamentação, mas também com relação à sua função. A utilização destes monumentos enquanto artefatos funerários, pois a maioria se encontra em cemitérios paroquiais, sugere que estes foram feitos para uma elite escandinava. A confecção de cruzes já era uma prática recorrente no período anglo-saxão, mas com a presença escandinava podem ser nelas observados elementos estilísticos distintos, nos quais está presente a referência a um passado pré-cristão. Exemplos desses artefatos são as cruzes de Gosforth, no noroeste da Inglaterra, no cemitério da igreja de St. Mary, e a Cruz de Middleton, datada do século IX-X, que se encontra na igreja de St. Andrew, em Yorkshire

Isabela Dias de Albuquerque

Ver também Crônica anglo-saxônica; Danevirke; Danelaw; Inglaterra da Era Viking;

HADLEY, Dawn M; RICHARDS, Julian D. *Cultures in Contact: Scandinavian Settlements in England in the Ninth and Tenth Centuries.* Turnhout: Brepols, 2009.

HADLEY, Dawn M. *The Vikings in England: Settlement, society and culture.* Manchester: Manchester University Press, 2006.

HADLEY, Dawn M. Viking and native: re-thinking identity in the Danelaw. *Early Medieval Europe*, vol. 11, Issue 1, 2002, pp. 45-70.

SAWYER, Peter (ed.). *The Oxford Illustrated History of the Vikings.* Oxford: Oxford University Press, 2001.

RICHARDS, Julian D. *Viking Age England.* Stroud: The History Press, 2007.

TOWNEND, Matthew. *Language and History in Viking Age England: Linguistic Relations between Speakers of Old Norse and Old English*. Turnhout: Brepols, 2002.

ANNÁLA ULADH (ANAIS DE ULSTER)

Os *Anais de Ulster* (*Annála Uladh*) são uma das mais relevantes fontes manuscritas irlandesas medievais e fazem um registro que cobre dos anos 431 d.C. até 1540 d.C. Esse documento sobreviveu em dois manuscritos atualmente em posse da biblioteca do Trinity College em Dublin e da biblioteca Bodleian em Oxford. Seus principais escribas são Ruaidhrí Ó Luinín e Ruaidhrí Ó Caiside com o patrocínio de Cathal Mac Maghnusa. Outras informações foram adicionadas posteriormente por outros escribas. Apesar disso, o manuscrito ainda possui algumas lacunas. Existem também algumas cópias tardias, com traduções feitas em inglês e latim derivadas da pesquisa histórica de Sir James Ware e que são dignas de nota por conterem algumas adições e releituras de acontecimentos pós século XII.

Os *Anais de Ulster* são conhecidos pela fidelidade com a qual antigas estruturas léxicas em irlandês antigo foram mantidas, mesmo com arcaísmos, o que faz deles uma fonte que goza de grande autoridade em comparação a outros anais irlandeses. No entanto, o texto apresenta alguns problemas cronológicos de continuidade, sobretudo nos períodos iniciais. O texto em si é baseado nas crônicas de Iona de c. 740, bem como em anais compilados em Armagh e Clonard por volta de meados do século X.

Os *Anais de Ulster* são, das fontes irlandesas, aquela que contém o maior número de informação sobre o período inicial dos assentamentos escandinavos na ilha da Irlanda, principalmente informações sobre as primeiras invasões ao solo irlandês após o saque de Lindisfarne em 793. Bem verdade que as primeiras menções aos vikings nesse período são bem vagas, usando diferentes palavras para mencionar o ocorrido e com termos como "heathens", indicando que são grupos estrangeiros que o fazem. Nos diversos registros dos *Anais de Ulster* é possível ver uma variedade de nomes diferentes para designar os povos escandinavos que os atacam. Além de estrangeiros propriamente ditos, encontramos termos como "Homens do Norte", "Nórdico-irlandeses", "Dinamarqueses", "belos estrangeiros", "estrangeiros escuros" etc. Por conta de os relatos serem em geral curtos e bem resumidos, fica difícil inferir que estes nomes possam designar alianças da época ou algum tipo de nacionalidade, mesmo que desde o primeiro relato existente nos *Anais* todos indiquem que são grupos desconhecidos ou de fora que os atacam.

Esse primeiro registro é também um tanto quanto breve, mencionando apenas "O Incêndio de Rechru pelos estrangeiros [*heathens*], e Scí foi sobrepujada e deixada apodrecer". Sendo "Rechru" a ilha de Rathlin, localizada ao norte da costa do condado de Antrim e "Scí" a ilha de Sky nas ilhas hébridas escocesas.

Os *Anais* também relatam a formação dos primeiros assentamentos escandinavos na região irlandesa, como Dublin, por exemplo, em notas esparsas como é o caso do registro AU 841.4, onde é mencionado que "Havia um acampamento naval em Linn Duachaill, que saqueou os povos e igrejas da Tehba. Havia um acampamento naval em Duiblinn, que saqueou os Laigin e os Uí Néill, tanto as localidades quanto as igrejas até Sliab Bladma". Neste trecho fica bem claro que, para além da invasão de igrejas da região de Tehba (região onde hoje é o condado de Longford e Westmeath) e do saque de províncias como Laigin e Uí Néill, bem como as igrejas até a região de Sliab Bladma (cadeia de montanhas entre os condados de Offaly e Laois), é relatada a formação de assentamentos escandinavos como o porto de Linn Duachaill e o assentamento de Dubh Linn. Enquanto o primeiro foi abandonado com o tempo, o segundo formou o que hoje conhecemos como a cidade de Dublin.

Além de relatos fundacionais como os descritos acima, os *Anais de Ulster* também são conhecidos por relatar alguns contatos cotidianos e bélicos entre os vikings e grupos locais. Nestes relatos, algumas das batalhas mais conhecidas do período são mencionadas como a batalha de Brunanburth (AU 937.6), a batalha de Tara (AU 980.1) e a batalha de Clontarf (AU 1014.1). Esta última tem grande expressão na história irlandesa por envolver a figura de Brian Boru, líder que teria expulsado os vikings da região, decretado um fim à Era Viking e que nos dias atuais goza de certo prestígio mítico entre os heróis históricos irlandeses.

No entanto, os mesmos relatos mencionados acima comprovam uma versão diferente da que popularmente descreve os escandinavos apenas como invasores inimigos, pois em muitos deles pode-se encontrar vikings como aliados de grupos gaélicos rivais, batalhando por um lado ou outro das disputas internas da ilha, além de encontrarmos descrições de chefes gaélicos saqueando de maneira parecida com as desses estrangeiros.

Os *Anais de Ulster*, então, constituem uma das principais fontes para se compreender alguns aspectos não apenas da presença escandinava na Irlanda, mas também da sua própria história. Os *Anais* também servem de base para a concepção de estudos de linguística por conta de suas partes em irlandês arcaico e para os demais estudiosos de manuscritos históricos, visto que eles oferecem embasamento para o estudo de outros manuscritos, como os *Annals of the Four Masters* (*Anais dos Quatro Mestres*) e o texto *Cogad Gáedhel re Gallaib* (*A Guerra dos Irlandeses com os Estrangeiros*).

Erick Carvalho de Mello

Ver também Brian Boru; Celtas e nórdicos; Dublin; Irlanda da Era Viking.

DOWNHAM, Clare. Irish chronicles as a source for inter-Viking rivalry, A.D. 795-1014. *Northern Scotland*, 26, 2006, pp. 51-63.

DOWNHAM, Clare. *Viking Kings of Britain and Ireland*. Edinburgh: Dunedin Academic Press, 2007.

DUFFY, Seán. *Brian Boru and the Battle of Clontarf*. Dublin: Gill Books, 2014.

MAC NIOCAILL, Gearóid. *The medieval Irish annals*. Dublin: Dublin Historical Association, 1975.

Ó CUÍV, Brian. Ireland in the Eleventh and Twelfth Centuries c. 1000-1169. In: MOODY, Theodore W. & MARTIN, Francis X. *The Course of Irish History*. Cork: Mercier Press, 2011, pp. 107-122.

PAOR, Liam de. The Age of the Viking Wars: 9th and 10th centuries. In: MOODY, Theodore W. & MARTIN, Francis X. *The Course of Irish History*. Cork: Mercier Press, 2011, pp. 91-106.

RICHTER, Michael. *Medieval Ireland: The Enduring Tradition*. Dublin: Gill and Macmillan, 1988.

ANNALES DE FLODOARDO DE REIMS

Padre e cônego de Reims, Flodoardo (893/4-966) foi o responsável pela escrita dos anais carolíngios durante um período de mais de 40 anos. Alguns autores apontam que ele teria começado a escrevê-los em 919, outros em 925, mas há um consenso sobre o fato de que ele os escreveu até sua morte em 966. Flodoardo foi um importante ator político da porção ocidental do decadente Império Carolíngio e os anais escritos por ele têm grande relevância historiográfica devido à sua visão privilegiada sobre o conturbado período de desmantelamento e consequente desintegração do Império. Os textos foram publicados de forma completa por Phillipe Lauer em 1905 sob o título de *Les annales de Flodoard*, e além disso figuram constantemente em estudos sobre o estabelecimento viking na Normandia e em coletâneas de fontes sobre o período.

Para os propósitos do presente Dicionário, a importância de Flodoardo se dá mais especificamente por sua visão e narrativa sobre o estabelecimento do futuro ducado da Normandia, no noroeste da atual França, durante o começo do século X. Comentando sobre este fato, Elizabeth Van Houts afirma que Flodoardo é o autor que melhor oferece uma visão contemporânea do nordeste da França sobre a chegada e estabelecimento dos vikings na Normandia. Por conta disso, sua visão é bastante única e consequentemente muito difícil de ser verificada.

Por viver a uma grande distância do lugar sobre o qual narra, Flodoardo de Reims tinha sua fonte de informações em homens que lutavam contra os vikings e se engajavam em atividades missionárias. Seus relatos são curtos e parecem comunicar informações a pessoas que já sabem minimamente sobre o que ele está falando, em textos difíceis de serem interpretados. No entanto, seus relatos muitas vezes constituem a única fonte de informação existente sobre a atividade viking na costa logo após seu estabelecimento na região da atual Normandia em 911.

Os escritos de Flodoardo são também muito utilizados pelos historiadores que estudam o período de consolidação da Normandia como forma de estabelecer uma contraposição contemporânea à visão proveniente dos próprios normandos, fornecida por Dudo de St-Quentin em sua *Gesta Normannorum*. Em sua tese sobre o tema, Katherine Cross utiliza os relatos de Flodoardo, que apontam uma série de concessões de terra aos normandos, como uma forma de contrapor a versão fornecida por Dudo, que, motivado por uma série de questões políticas de seu próprio tempo, afirma que o território da Normandia teria surgido no começo do século x já com todas as suas fronteiras posteriores firmemente estabelecidas.

Em vários trechos de seus anais, Flodoardo se refere aos vikings estabelecidos na região da Normandia sob um ponto de vista não muito favorável. Em uma passagem importante, das páginas 15 a 17 na edição de Lauer, o autor fala sobre Rognvald, um líder dos normandos na região do Loire que, segundo os anais, reuniu uma quantidade razoável de homens e passou a pilhar algumas regiões francas ao longo do rio Oise. Rechaçados por hostes comandadas por alguns líderes locais francos, os normandos deixaram as áreas que antes ocupavam ao longo rio, levando consigo grande valor de saque.

É a partir desta narrativa que Flodoardo aponta que a região que havia sido concedida aos normandos por Carlos em 911 era violenta e conturbada. O autor aponta os normandos como culpados, dizendo que eles não honraram sua conversão na fé de Cristo e a paz que havia sido acordada em decorrência. Como decorrência deste episódio, aponta o autor, os normandos chegaram a um acordo de paz com os francos e acabaram por ocupar uma quantidade maior de terras através do Sena do que lhes originalmente havia sido concedido.

Em uma grande quantidade de relatos, Flodoardo aos poucos relata a violência que foi trazida pelos vikings com seu estabelecimento na região da Normandia. Sendo assim, seus relatos são extremamente importantes por nos possibilitar uma visão de um importante ator político e religioso franco sobre o estabelecimento dos povos vikings liderados por Rollo no noroeste da atual França. Além disso, por ser um dos únicos relatos sobre o período, os escritos de Flodoardo são de inestimável valor para as pesquisas sobre o estabelecimento do ducado normando, fornecendo-nos um contexto político que vai desde a liderança de Rollo, passando pela governança de seu filho Guilherme e a conturbada ascensão de seu neto Ricardo I, responsável pela consolidação do ducado da Normandia e de sua linhagem na segunda metade do século X.

Thiago Brotto Natário

Ver também França na Era Viking; Rollo; Normandia; Vikings na França.

CROUCH, David. *The Normans: the history of a dinasty*. London: Hambledon Continuum, 2002.

CROSS, Katherine Clare. *Enemy and ancestor: viking identities and ethnic boundaries in England and Normandy, c. 950-c. 1015*. Tese de Doutorado, UCL (University College London), 2014.

LAUER, Philippe (ed.). *Les annales de Flodoard*. Paris: Alphonse Picard et fils, 1905.

LE PATOUREL, John. *The Norman Empire*. Oxford: Oxford University Press, 1976.

VAN HOUTS, Elizabeth. *The Normans in Europe*. Manchester: Manchester University Press, 2000.

ANNALES FULDENSES

Os *Annales Fuldenses*, ou simplesmente *Annales de Fulda*, receberam grande atenção por parte da historiografia dedicada ao estudo do período carolíngio, principalmente por serem a principal fonte narrativa escrita sob a perspectiva da porção do Império Carolíngio que ficou a leste do rio Reno após as sucessivas divisões. Os registros abordam o período que vai desde os últimos anos do Império ainda unido sob o governo de Luís, o Pio, até o fim do domínio efetivo dos carolíngios sobre a Frância em 900.

Não há um consenso historiográfico acerca da autoria destes *annales*, mas é possível afirmar, sem grande margem de erro, que estes documentos foram escritos no monastério beneditino de Fulda, região da atual Alemanha. Alguns historiadores especulam que o responsável pela escrita dos textos seria um monge de Fulda chamado Rudolf, que teria escrito os *annales* de 838 até 863, dois anos antes de sua morte. O historiador Roger Collins corrobora tal visão, apontando que foi a presença de uma referência a tal autor em um dos manuscritos mais antigos que levou a atribuição de toda a obra ao monastério de Fulda.

Collins comenta que atualmente temos conhecimento de três diferentes versões do texto. A primeira versão narra os eventos de 838 até 863 e geralmente é lida como uma espécie de contraparte aos *Annales Bertiniani*, escritos na parte oeste do Império Carolíngio, uma vez que ambos descrevem praticamente os mesmos eventos sob perspectivas diferentes. A segunda das versões demonstra uma grande parcialidade em relação ao futuramente malfadado imperador Carlos, o Gordo, morto em 888. Já a terceira inclui uma continuação cobrindo os anos que vão de 882 até 901 e provavelmente foi escrita na região da Bavária.

A narração dos eventos começa a partir do fim do domínio de Luís, o Pio e de sua morte em 840. Os *Annales* falam também sobre a divisão do Império Carolíngio em três partes no Tratado de Verdun em 843. Após o ano de 860, o principal foco dos Annales Fuldenses passa a ser os eventos que tomam lugar na porção oriental do Império Carolíngio, discorrendo principalmente sobre Luís, o Germânico e seus filhos e sucessores.

Um dos principais usos dos *Annales Fuldenses* dizem respeito ao estudo das principais invasões sofridas pelo Império Carolíngio após suas sucessivas divisões. Um exemplo disso está presente no livro *Franks, Moravians, and Magyars: The Struggle for the Middle Danube, 788-907*, de Charles R. Bowlus. Ao falar sobre os *magyars*, denominação da época para os húngaros, Bowlus aponta para a incongruência entre as duas principais fontes sobre o período. Enquanto os *Annales Bertiniani* afirmam que os *ungri* devastaram a parte oriental do Império em 862, os *Annales Fuldenses* mantêm silêncio sobre o assunto. Utilizando os *Annales Bertiniani* e outras fontes é possível afirmar que houve de fato ataques vindos do leste sobre o Império de Luís, o Germânico, mas que os *Annales de Fulda* optaram por não mencioná-los em seus relatos.

Para os propósitos do presente Dicionário, são de extrema importância os relatos trazidos pelos *Annales Fuldenses* sobre as invasões vikings acometidas ao longo de todo Império Carolíngio a partir de 845. Os textos descrevem desde os esforços empreendidos pelos carolíngios para conter as invasões até as negociações e pagamentos realizados para afastá-los das fronteiras do Império.

Falando sobre o ano de 845 em si, os *Annales* apontam para a existência de uma grande força de homens vikings que teriam saqueado o reino de Carlos, o Calvo, navegando pelo rio Sena até Paris, e que estes teriam sido afastados após receberem uma grande quantidade em dinheiro do rei e dos habitantes da região. Já em 850, os *Annales* falam sobre um Roric, homem dinamarquês que assolou o território de Lotário e teria finalmente sido aceito em seu reino sob juramento de fidelidade. No mesmo ano há a descrição sobre um Godafrid, que teria sido também aceito sob o território de Carlos.

Os *Annales Fuldenses* são essenciais para o estudo da Era Viking e de sua integração com o Ocidente medieval porque nos mostram que as invasões vikings não foram conduzidas em lugares específicos e nem por um mesmo grupo. Os *Annales* nos dão relatos de vários episódios em que diferentes grupos e regiões da Escandinávia assolaram a costa do Império Carolíngio, tanto a oeste quanto a leste. Além disso, mostram-nos também que o estabelecimento de vikings e sua posterior cristianização e criação do ducado da Normandia em 911 têm precedentes anteriores, uma vez que os *Annales* falam sobre vários líderes integrando-se à política e ao território do Império Carolíngio.

Thiago Brotto Natário

Ver também França na Era Viking; Rollo; Normandia; Vikings na França.

BOWLUS, Charles R. *Franks, Moravians, and Magyars: the struggle for the Middle Danube, 788-907*. Filadélfia: University of Pennsylvania Press, 1995.

COLLINS, Roger. *Early Medieval Europe, 300-1000*. New York: Palgrave Macmillan, 2010.

COUPLAND, Simon. *Carolingian Coinage and the Vikings: Studies on Power and Trade in the 9th Century*. Aldershot: Ashgate Publishing, Ltd., 2007.

REUTER, Timothy (ed.). *The Annals of Fulda: Ninth-century Histories*, vol. 2. Manchester: Manchester University Press, 1992.

ANNALES REGNI FRANCORUM

Os *Annales Regni Francorum* são textos em latim escritos durante o Império Carolíngio, cobrindo o período que vai desde a morte de Carlos Martel até o início da desintegração do Império sob Luís, o Pio, em 829. A autoria dos *Annales* é desconhecida e a maioria dos historiadores afirmam que eles teriam sido escritos por diversos autores diferentes e posteriormente compilados como uma obra única.

Em sua tradução e compilação da obra em 1970, Bernhard Scholz aponta que o manuscrito mais antigo dos *Annales* foi encontrado no monastério de Lorsch, próximo a Worms, atual Alemanha. No entanto, historiadores clássicos do século XIX como Leopold Von Ranke apontaram que os textos haviam sido escritos dentro da corte real, por conta de suas características de uma escrita breve e direta, que pressupõe que seu leitor já tenha conhecimento prévio dos temas políticos, diplomáticos e militares sobre os quais os textos discorrem. Além disso, Scholz comenta que a iniciativa da escrita dos *Annales* muito provavelmente foi incentivada por Carlos Magno, como parte de sua política de preservação de documentos e da história de seu reino.

É de certa forma consenso entre os historiadores do período dividir os *Annales Regni Francorum* em três partes. A primeira, narrando eventos de 741 até 795 teria sido escrita por um único autor. Ranke apontou que essa primeira parte omite muitos problemas internos e parece demonstrar um grande e próximo conhecimento das relações políticas internas registradas no texto. Em uma visão que é de maneira geral aceita até os dias atuais, Ranke afirmou que esta primeira parte dos *Annales* era de uma compilação oficial da história carolíngia, encomendada por Carlos Magno a um monge, que teria recebido da corte todas as informações necessárias para a escrita dos textos. A segunda (795-807) e terceira (808-829) partes registram eventos aos quais muito provavelmente foram contemporâneas, com alguns autores apontando para uma subdivisão da terceira parte, com marco em 819.

De modo geral, os *Annales Regni Francorum* dividem-se em narrativas sobre cada um dos anos do período que cobrem, comentando os grandes feitos dos homens de seu tempo, em especial os monarcas, destacando as vitórias em batalha e expansão da cristandade promovida pelos carolíngios. Os relatos dão especial destaque as vitórias militares de Carlos Magno e omitem suas derrotas, principalmente as batalhas de Roncesvales e Süntel, bem como a conspiração promovida por um suposto filho bastardo de Carlos Magno, Pepino, o Corcunda.

Representando uma espécie de "visão oficial" dos carolíngios, os *Annales Regni Francorum* não relatam muitos detalhes sobre as invasões vikings sofridas no período. No entanto, podemos constatar o surgimento de alguns importantes atores vikings em diversos momentos dos textos. Emissários de um rei nórdico chamado Sigifrid aparecem em uma assembleia de Carlos Magno em 782. Já em 808 podemos encontrar um relato da tentativa de um rei chamado Godofrid de invadir a Saxônia, sendo prontamente rechaçado pelo filho do rei, Carlos. Em 810 há relatos de um novo ataque de Godofrid, que conseguiu pilhar toda a costa da Frísia, cobrando tributos dos nobres da região. Os *Annales* incluem uma série de justificativas, desde a morte do próprio Godofrid até a ocasião de uma peste dentre o gado, que teriam impedido o imperador Luís de cumprir seu desejo de lutar contra os dinamarqueses.

A partir de 814 os *Annales* falam brevemente sobre uma disputa interna em um suposto reino dos normandos, envolvendo os filhos de Godofrid e um Heriold, que veio até o imperador pedindo auxílio e recebeu o território de Riistringen, na Frísia, sob a proteção de Luís, o Pio. Em 828 os *Annales* nos informam que Luís mantinha-se como aliado de Heriold contra os filhos de Godofrid, até que Heriold ataca os normandos após tentativas de paz, gerando nova guerra entre francos e normandos. Não fica claro como o conflito termina, uma vez que os relatos se encerram com uma descrição do momento em que os filhos de Godofrid mandam uma embaixada ao imperador afirmando que haviam sido propelidos à guerra e solicitam seu arbítrio na questão.

Os *Annales Regni Francorum* foram e continuam sendo estudados por diversos historiadores, uma vez que são um dos poucos e mais completos textos sobre o período de ascensão e queda do Império Carolíngio, destrinchando boa parte de suas questões políticas internas. Além disso, como predecessores dos *Annales Fuldenses e Bertiniani*, eles nos fornecem uma grande quantidade de informações sobre as relações estabelecidas por homens vindos do norte com os carolíngios, sejam elas bélicas ou negociadas, permitindo-nos uma melhor compreensão do período.

Thiago Brotto Natário

Ver também França na Era Viking; Rollo; Normandia; Vikings na França.

BRINK, Stefan; PRICE, Neil (eds.). *The Viking World*. Abingdon: Routledge, 2008.

CROSS, Katherine Clare. *Enemy and ancestor: viking identities and ethnic boundaries in England and Normandy, c. 950-c. 1015*. Tese de Doutorado, UCL (University College London), 2014.

MCKITTERICK, Rosamond. *History and memory in the Carolingian world*. Cambridge: Cambridge University Press, 2004.

MCKITTERICK, Rosamond. *Charlemagne: The formation of a European identity*. Cambridge: Cambridge University Press, 2008.

SCHOLZ, Bernhard Walter (ed.). *Annales regni Francorum*, vol. 186. Ann Arbor: University of Michigan Press, 1970.

APARÊNCIA E COSTUMES

No que diz respeito à aparência tanto de homens como de mulheres durante a Era Viking, podemos dizer que, de um modo geral, eram elegantes, pois os mais abastados podiam vestir-se com roupas feitas com a lã de carneiros especiais que produziam uma lã macia e sedosa, ou então com linho e até com tecidos finos, como a seda vinda de Bizâncio. Além dos tecidos caros também usavam joias feitas com contas de vidro, âmbar, conchas, pedras e metais preciosos. Altos, de estatura muito próxima a dos escandinavos contemporâneos, esses homens e mulheres tinham uma altura que variava entre 1,70cm e 1,80cm, com cabelos e tez clara em sua maioria. A constituição física dos nórdicos medievais era muito parecida com a nossa. Podemos dizer que, devido aos constantes trabalhos braçais realizados tanto por homens como por mulheres, a musculatura das populações da Era Viking devia ser mais forte do que atualmente. Os rostos de homens e mulheres eram mais parecidos do que são hoje. Os rostos femininos possuíam os nervos da testa protuberantes e, por outro lado, os homens tinham o maxilar saliente e os nervos menos ressaltados. Essas características faciais ambíguas significam que é mais difícil decidir sobre o sexo de um esqueleto nórdico baseado apenas no crânio. Portanto, outros traços precisam ser estudados para identificar o sexo dos esqueletos, como a largura da pelve.

Os cabelos sempre foram um dos adornos mais importantes usados tanto por homens como por mulheres e a eles era dada uma atenção maior, daí a necessidade de pentes especiais para os seus cuidados diários. Os cabelos podiam ser utilizados simplesmente para se enfeitar ou seduzir, ou arrumados para agradar aos deuses e, assim, protegerem-se contra possíveis infortúnios, bem como demonstravam o *status* social. Uma farta cabeleira bem arrumada era mais do que um simples acessório de beleza em uma mulher. Esses penteados podiam apresentar maiores possibilidades de análise do seu uso e não apenas restringir-se à habilidade manual para a composição de tranças: essas tramas capilares são reveladoras de posições sociais, de estado civil, de serviço religioso e de utilização mágica.

Os cabelos longos sempre estiveram ligados à virilidade, à força e também à liberdade. A literatura, as artes plásticas, o cinema e mais recentemente os jogos de RPG e eletrônicos sempre apresentaram os guerreiros mais fortes e as mulheres mais belas com vastas e espessas cabeleiras – as madeixas femininas muitas vezes caíam até a altura da cintura ou ainda mais longas. A arte pré-rafaelita sempre apresentou as mulheres, que na maioria das vezes eram personagens da mitologia e do folclore nórdicos, com cabelos muito longos e geralmente soltos para reforçar o seu caráter de sedução e também mostrar que os cabelos muito longos constituíam um padrão de beleza da Era Viking. Essas representações das longas cabeleiras, tanto masculinas como femininas, que sobreviveram ao longo do tempo nas artes e no imaginário popular, foram preservadas em pingentes, em múmias e na iconografia e são fundamentais para entendermos como as tramas capilares femininas foram importantes meios de demonstração de condição social e também de práticas mágico-religiosas. Os cabelos femininos bem compridos eram deixados soltos pelas mulheres solteiras, sem necessidade de ocultá-los sob lenços ou toucas, acessórios que eram evidência de matrimônio. As mulheres trançavam seus cabelos e depois faziam um nó triplo, o *valknut*, ou nó dos mortos e envolviam toda a cabeça com uma espécie de touca.

As joias eram muito usadas por todos e os homens usavam uma grande quantidade de pulseiras de prata, que podiam ser úteis nas transações comerciais. Por serem objetos fáceis de transportar, essas joias serviam como valiosas moedas de câmbio. As mulheres usavam colares de contas caras e raras, pendurados nos broches que prendiam o avental sobre a túnica. Os broches feitos em prata trabalhada serviam de suporte para o colar, que muitas vezes tinha como maior pingente as chaves dos baús e arcas, demonstrando o poder dessa mulher naquela família. Também usavam brincos de prata com contas e pingentes.

Luciana de Campos

Ver também Cultura material; Joias e ourivesaria; Sexo e sexualidade; Sociedade; Vestuário.

BRØNDSTED, Johannes. Aparência. In: *Os vikings*. São Paulo: Hemus, s.d., pp. 228-229.

CAMPOS, Luciana de. Como elaborar tranças nórdicas da Era Viking. *Canal do NEVE/Youtube*, 2017. Disponível em: *goo.gl/9Yru2p*

HALL, Richard. Costume and appearance. In: *Exploring the world of the vikings*. London: Thames and Hudson, 2007, pp. 36-39.

Museu nacional da Dinamarca, 2017. *What did the Vikings look like?* http://en.natmus.dk

ÁRABES E VIKINGS

Quando tratamos de contato entre os vikings e os árabes, os historiadores, arqueólogos, estudiosos e especialistas em mundo viking, tendem a pensar automaticamente nos contatos ao leste, e nomes de árabes que escreveram sobre os rus logo vêm às nossas mentes. Entre esses árabes temos Ibn Fadlan e Ibn Rustah que nos apresentam detalhes físicos dos homens que viram, detalham-nos ritos (como o funerário) e fornecem-nos características geográficas do Leste Europeu e de seus povos.

Ahmad Ibn Rustah Isfahani, geógrafo persa do século X, escreveu sobre os búlgaros, os rus e os eslavos em sua obra denominada *Livro das gemas preciosas*, trabalho no qual o árabe analisa o comércio de peles que ocorria no Leste Europeu, fornecendo informações dos povos do Báltico e da Eurásia. O comércio de peles praticado no Leste Europeu pode ser evidenciado também nas fontes arqueológicas, momento de grande fluxo de dirhams do leste para o oeste escandinavo, moedas que seriam utilizadas por todo o Báltico como possível método de pagamento em momentos de troca e que foram descobertas em locais de comércio e manufatura como Kaupang, Birka e Gotland.

O que devemos a notar é que os árabes supracitados, fonte de estudos sobre os rus, eram ambos denominados árabes do leste, provenientes do Oriente Médio ou da Ásia ocidental, além de serem ambos contemporâneos do Período Viking. Ibn Fadlan era um funcionário do califa abássida al-Muqtadir, e Ibn Rustah provinha do distrito de Rosta, localizado na atual cidade de Isfahan, no atual Irã. Entretanto, os muçulmanos que nesse período ocupavam a atual região da península ibérica passaram a conhecer também os ataques e saques dos vikings, contato estabelecido depois das incursões de saque na costa de al-Andalus.

Diferente dos árabes do leste, os da Península Ibérica passaram a escrever sobre esses povos apenas em períodos posteriores, entre os séculos XII a XIV, e não os chamavam apenas de rus, mas davam a esses também a nomenclatura de mäjus, magos, devido aos seus costumes pré-cristãos de cremação de seus mortos, interpretação que aproximava os homens do norte com os zoroastras, homens que recebiam também a nomenclatura de mäjus na Pérsia pré-islâmica.

Entre os árabes ibéricos temos Ibn Idhari, que em seu livro *Al-Bayan al-Mughrib*, escrito em 1312, contava a história do Maghreb e da Península Ibérica. O árabe relata as embarcações dos vikings chamando-as de pássaros vermelho escuro e dizendo que esses saqueadores haviam enchido os corações dos ibéricos com temor. Idhari relata que esses homens haviam chegado na costa de Lisboa, de Cádis, de Sidona e de Sevilha, atacando as cidades e aprisionando ou matando seus habitantes, enchendo os copos dos ibéricos de amargura.

Outro árabe que descreveu os ataques vikings foi al-Zuhri, homem que viveu em Granada no século XII. Em seu *Livro da Geografia*, al-Zuhri relata grandes embarcações que chegaram em al-Andalus: segundo o geógrafo os povos vikings eram fortes, corajosos e os mais tenazes na arte da navegação. O árabe nos diz que quando os vikings chegavam em suas embarcações os povos da península ibérica fugiam para regiões mais ao interior, em um estado de total amedrontamento. Segundo al-Zuhri os mäjus se alçavam ao mar a cada seis ou sete anos, com uma frota composta por ao menos oito mas podia chegar a até cem embarcações, com o objetivo de aprisionar todos os homens que encontravam em seu caminho.

Pelos relatos de Ibn Fadlan, Ibn Rustah, Ibn Idhari e al-Zuhri podemos dizer que tanto os rus quanto os mäjus não podem ser determinados precisamente, pois a relação étnica desses homens se perdeu nesses relatos, mas podem ser relacionados a atividades de comércio, ataques e saques, conectando esses povos com o termo "viking", que pode ser compreendido como "pirata".

Para além do contato desses árabes com esses piratas, podemos dizer que os relatos demonstram que a preocupação não uma construção étnica antropológica, mas um discurso voltado à compreensão desses homens em suas relações geográficas e sociais. Dessa maneira, quando tratamos de fontes árabes com relação aos vikings, temos de compreender que esses árabes não possuíam todos a mesmas vivências, mas estavam espalhados por regiões geográficas diferentes, refletindo a preocupação comercial que os árabes do leste possuíam em relação aos vikings. Relatam também o temor dos cristãos da península ibérica e de outras tantas partes da Europa em relação a esses piratas, que influenciou também os árabes que escreveram sobre esses ataques e pilhagens.

As fontes aqui apresentadas podem muito mais do que evidenciar a vida dos próprios nórdicos. Devem ser compreendidas como um exemplo da multiplicidade apresentada no mundo árabe, que por baixo de nomenclaturas étnicas ou religiosas, como as de muçulmanos, possuíam vivências e experiências diversas, a depender de suas relações espaço-temporais.

Munir Lutfe Ayoub

Ver também Escandinávia; Ibn Fadlan; Rus; Viking.

CHRISTYS, Ann. The Vikings in the South through Arab eyes. In: GANTNER, Clemens (ed.). *Visions of Community in the Post-Roman World: The West, Byzantium and the Islamic World, 300-1100*. London: Routledge, 2013, pp. 447-458.

MARTIN, Janet. *Treasure of the Land of Darkness: the fur trade and its significance for medieval Russia*. Cambridge: Cambridge University Press, 2004.

MONTGOMERY, James E. Ibn Fadlan and the Rusiyyah. *Journal of Arabic and Islamic Studies*, vol. 3, 2000, pp. 01-25.

PRICE, Neil. Mythic Acts: Material Narratives of the Dead in Viking Age Scandinavia. In: RAUDVERE, Catharina; SCHJODT, Jens Peter (eds.). *More Than Mythology. Narratives, Ritual Practices and Regional Distribution in Pre-Christian Scandinavian Religions*. Lund: Nordic Academic Press, 2012, pp. 13-46.

ARMAMENTO

Na Escandinávia da Era Viking, todos os homens livres possuíam o direito de portar e utilizar armas. Tinham por obrigação se colocar à disposição dos senhores ou reis para as fileiras de combate da guerra. O modo de combate viking geralmente era a pé, porém há indícios arqueológicos de guerreiros escandinavos enterrados junto de seus cavalos, o que indica que havia também combatentes montados, ainda que não fosse o habitual. Os navios de guerra eram utilizados principalmente para o transporte dos exércitos nas batalhas em terra e nas batalhas marítimas, embora estas últimas ocorressem com menor frequência. Como itens de proteção, conforme achados da arqueologia, os vikings costumavam utilizar elmos nos modelos cônicos, escudos redondos, geralmente de madeira com ornamentos, e suas armaduras eram comumente de cotas de malha.

Esses guerreiros impunham terror a seus adversários, tanto por seu vigor e disposição para a batalha quanto pela imponência do armamento que utilizavam. Seu modo de guerra era baseado em coragem e força física, seguido de boas armas que fossem duráveis, resistentes e eficientes em combate. As principais armas utilizadas pelos escandinavos eram a espada, a lança e os machados de guerra, além de facas de combate, arcos e flechas.

A espada era um item prestigioso para o combatente nórdico e largamente encontrado em achados arqueológicos em sepulturas ou depositado em lagos e rios. Eram forjadas com sofisticadas técnicas de fabricação para garantir sua resistência e durabilidade. Costumavam ser objetos decorados com metais preciosos de acordo com a riqueza de seu portador, além de receberem nomes próprios como sinal de estima do guerreiro ou por motivos místicos e/ou devocionais. Eram consideradas as melhores espadas as produzidas pelos francos, que os vikings costumavam importar ou pilhar dos mesmos ou de outros povos contra os quais entravam em batalha. Sendo assim, era muito comum que tomassem para si as armas de outros guerreiros mortos. Importavam a lâmina básica e depois os próprios artesãos escandinavos acabavam de fabricar o restante da arma, o que não os impedia também de produzirem a arma inteira e até a exportarem. As técnicas de ferraria nórdicas foram se aperfeiçoando com o passar do tempo.

A espada padrão era reta, empunhada com uma só mão, possuía duas lâminas e media aproximadamente 90 cm. Houve também variações de tipos de espadas ao longo do tempo, como a utilização de modelos de espadas menores, que funcionavam como espadas curtas e facas de combate. As espadas, além de serem utilizadas em campo de batalha, também eram empregadas em duelos de honra, conforme o costume dos nórdicos.

As lanças eram armas mais comuns portadas por guerreiros de menor estamento social por serem mais fáceis de serem manufaturadas e disponibilizadas, embora pudessem também ser elevadas a um padrão aristocrático, podendo ser utilizadas tanto para ataques à distância quanto para ataques corpo a corpo, variando de função de acordo com o tamanho do armamento. A lança era considerada a arma preferida do deus Odin dentro da mitologia nórdica. Segundo a crença, as paredes de Valhalla, o salão dos guerreiros mortos, eram feitas de lanças e acreditava-se que o guerreiro que morresse portando sua lança teria a mesma adicionada ao salão desse deus.

As lanças mais leves eram utilizadas para arremesso, enquanto que as mais pesadas para combate corpo a corpo. As lanças leves de arremesso geralmente eram feitas de forma que dificultasse a sua retirada do corpo do inimigo atingido; já as pesadas, para combate corpo a corpo, ao contrário, eram geralmente feitas de forma que fossem rapidamente retiradas de volta do corpo do adversário, para que continuasse a ser utilizada em batalha. Costumava-se iniciar uma batalha arremessando lanças por sobre o exército inimigo, que poderiam ser defendidas pelos escudos, mas ainda assim causar desordem e prejudicar a formação de batalha dos guerreiros adversários. Como o número de lanças arremessadas era grande, poderia causar um grande número de baixas.

O machado de guerra foi uma das armas que tornaram os vikings famosos e distintos de guerreiros de outros povos, pois era mais comum que os mesmos utilizassem espadas, lanças e facas. Os machados eram considerados a marca registrada dos nórdicos no campo de batalha, as pesadas armas de corte que causavam grandes baixas aos inimigos. A popularidade dos machados se devia também ao impacto psicológico que causavam no oponente, podendo medir até um metro e meio. Possuíam uma lâmina de até 56 cm e eram empunhados com as duas mãos. A maior parte do peso se concentrava na cabeça do machado e a eficácia do seu golpe, mais que a força física, dava-se pela própria gravidade, sendo capaz de cortar o escudo, o elmo e a cota de malha do inimigo. Assim, o machado de guerra se tornava uma arma brutal e eficaz.

O machado de guerra, por conta de seu tamanho, conferia também a vantagem de um maior alcance em campo de batalha. Era usado estrategicamente para cortar uma parede de escudos para além do alcance de uma espada e empunhado por guerreiros treinados em seu manuseio. Devido a seu tamanho e eficácia em violentos ataques, aliado ao impacto psicológico, o uso do machado resultava geralmente no recuo das formações das paredes de escudo inimigas. Assim como as espadas, os machados de guerra também costumavam ser "batizados" por seus portadores com nomes próprios e possuíam também versões ornamentadas dependendo da posição social do guerreiro que os possuíssem. Além dos grandes machados empunhados no campo de batalha com as duas mãos, há evidências da existência também de versões menores e mais leves da arma, empunhadas com apenas uma das mãos e para arremesso.

As facas de combate e as espadas curtas eram utilizadas pelos nórdicos tanto como armas quanto como ferramentas e possuíam uma utilidade próxima às facas dos soldados de infantaria atuais, servindo como ótimas armas para combate corpo a corpo. As facas da Era Viking geralmente lembravam em tamanho as atuais facas de açougueiro. Além de serem usadas para o combate corpo a corpo, as facas também possuíam a possibilidade em combate de serem arremessadas. A arquearia também era inseparável do combate viking: os arcos utilizados em combate poderiam ser de vários tipos, tanto curtos quanto longos, e as pontas das flechas também variavam em estilo, podendo ser carregadas por cada arqueiro por volta de quarenta flechas. A arquearia era muito utilizada pelos nórdicos em situações de cerco, para se disparar além de paliçadas de fortificações. Em batalhas navais se disparava sobre inimigos nas proas dos navios, e em linhas de batalhas campais também era familiar o uso de arquearia montada entre os nórdicos tanto em combate como para caça.

Fábio Baldez Silva

Ver também Espada; Estratégia de combate; História da guerra; Viking.

BRØNDSTED, Johannes. *Os Vikings: história de uma fascinante civilização*. São Paulo: Hemus, s.d.

GRAHAM-CAMPBELL, James. *Os Viquingues: Origens da Cultura Escandinava*, vol. 1. Madrid: Del Prado, 1997.

GRIFFITH, Paddy. *The Viking art of war*. Newbury: Casemate, 1995.

SPRAGUE, Martina. *Norse warfare: unconventional battle strategies of the ancient Vikings*. New York: Hippocrene Books, 2007.

ARQUEARIA

Embora não seja a arma principal da cultura militar escandinava, marcada pela predominância de lanças e machados, frequentemente em conjunto com escudos, o arco e flecha é parte intrínseca do fazer militar nórdico. Podemos observar a presença da arquearia entre esses povos através dos achados arqueológicos e da literatura produzida ao longo dos séculos.

Estudos arqueológicos indicam que o tipo mais comum de arco utilizado por esses povos é o arco simples, dos quais o *longbow* (arco longo) seja talvez a expressão mais conhecida. O arco simples caracteriza-se por sua confecção a partir de uma peça única de madeira, ao contrário do arco composto, que se vale de diversos materiais em sua construção. O arco longo possui características específicas de proporção e tipo de madeira utilizada. Era feito comumente a partir de madeiras como o freixo, o olmo e o teixo, esta última a mais indicada devido às suas propriedades naturais de elasticidade de seu alburno – a parte mais externa da madeira – e compressão de seu cerne – a parte mais central. Para ser considerado um *longbow* é necessária uma proporção de aproximadamente 1.1:1 (largura e profundidade em comparação com a altura), o que confere a esse arco um formato particular: quando retesado, adquire a forma de um "D". O arco composto, por sua vez, é classificado por frequentemente utilizar chifres de animais, tendões, e outros possíveis materiais colados a uma peça central de madeira, o que garantia mais resistência e elasticidade ao arco.

Registros arqueológicos sobre o uso da arquearia podem ser encontrados em diversas regiões da Escandinávia e no norte da Germânia, sobretudo em charcos, datando de períodos tão antigos quanto o Neolítico. Além de arcos, pode-se encontrar também pontas de flecha, como as da Jutlândia, cujas datações variam entre o Neolítico e a Idade do

Cobre, o que, de acordo com a historiografia, aponta para um uso predominantemente militar, em contraponto a um uso meramente para fins de caça. Destacamos aqui também o charco de Nydam, na atual Dinamarca, onde mais de trinta arcos longos foram encontrados, além de centenas de partes de flechas, todos com datação entre os séculos II e IV a.C. Nos séculos da expansão viking é possível encontrar também diversos túmulos contendo de pontas de flecha até arcos em túmulos de guerreiros escandinavos na Islândia, na ilha de Orkney e outras regiões visitadas pelos povos do norte.

Para os arcos compostos, muito comuns entre os povos nomádicos das estepes, olhemos para o entreposto comercial de Birka (região da atual Suécia), repleta de itens relacionados à prática da arquearia comumente vistos entre os povos orientais – datando do século X, aproximadamente. Devido à natureza dos materiais utilizados (madeira, couro e tecido), a arqueologia depende dos elementos metálicos que faziam parte dos objetos. Dessa forma, alguns dos achados de Birka apontam para a presença de aljavas fechadas, "coldres", nos quais os arcos ficavam encordoados e prontos para combate, além de diversas pontas de flechas e uma estrutura de osso que pertencia a um arco composto.

A literatura escandinava é repleta de menções à arquearia em suas sagas e poemas, auxiliando-nos a compreender um pouco mais sobre a função militar do arqueiro. Como exemplo pode-se citar a saga de Njall, em que o protagonista, ao tentar defender o seu lar, exalta que enquanto possuir um arco jamais será sobrepujado por seus inimigos. O principal emprego tático da arquearia dava-se não no combate terrestre, mas no combate naval. O poema *Sexstefja*, escrito por Þjóðólfr Arnórsson sobre os feitos do rei Haroldo Hardrada e a Heimskringla de Snorri descrevem combates navais nos quais ambos os lados se fustigavam com flechas. Além desses exemplos, temos ainda a *Áns Saga Bogsveigis*, uma saga na qual o protagonista é um arqueiro, cuja arma fora confeccionada magicamente quando ainda em sua infância. A saga de Án encontra-se na *Hrafnistumannasögur* (saga dos povos de Hrafnista), datada do século XIV, ainda que os acontecimentos retratados sejam atribuídos ao século VIII.

Destarte, os arcos possuíam seu lugar no fazer militar dos povos escandinavos, presentes na cultura nórdica desde muito antes da Idade do Cobre, conforme demonstram a arqueologia e a literatura. Ademais, embora nos enfrentamentos diretos entre guerreiros a lança e o machado predominassem – sobretudo nas paredes de escudos –, era nos combates marítimos que os arqueiros obtinham seu destaque, além de seu papel defensivo contra ataques às fortificações, conforme vimos no caso de Birka.

Hiram Alem

Ver também Armamento; Espada; Estratégia de combate; História da guerra; Viking.

ALEM, Hiram. Onde estão os arcos? A arquearia na série Vikings. *Notícias Asgardianas*, n. 10, 2016, pp. 128-136.

CEOLIN, Martina. *Saga di Án l'Arciere - Proposta di traduzione con commento filológico*. Veneza: Università Ca' Foscari Venezia, 2013.

CLARK, John G. D. Neolithic bows from Somerset, England and the prehistory of archery in north-western Europe. In: *Proceedings of the Prehistoric Society*. Cambridge, vol. 29, 1963.

HUGHES, Shaun F. Saga of Án Bow-Bender. In: OHLGREN, Thomas H. (ed.). *Medieval outlaws: twelve tales in modern english translation*. Indiana: Parlor Press, 2005, pp. 290-337.

LUNDSTRÖM, Fredrik; HEDENSTIERNA-JONSON, Charlotte; OLAUSSON, Lena Holmquist; Eastern archery in Birka's Garrison. In: OLAUSSON, Lena Holmquist; OLAUSSON, Michael (eds.). *The Martial Society: Aspects of Warriors, Fortifications and Social Change*. Stockholm University: Estocolmo, 2009, pp. 105-116.

MOOSBURGER, Théo de Borba. *Brennu-Njáls Saga: Projeto Tradutório e Tradução para o Português*, 442 f. Florianópolis: Tese de Doutorado, UFSC, 2014.

POOLE, Russell G. *Viking poems on war and peace: A study in skaldic narrative*. Toronto: University of Toronto Press, 1991.

SARAW, Torben. Male symbols or warrior identities? The "archery burials" of the Danish Bell Beaker Culture. *Journal of Anthropological Archaeology*, n. 26, 2007, pp. 65-87.

STRICKLAND, Matthew; HARDY, Robert. *The great warbow: from Hastings to the Mary Rose.* Gloucestershire: Sutton Publishing, 2005.

ARQUEOLOGIA DA ERA VIKING

As fontes literárias escritas pelos escandinavos são posteriores ao Período Viking – a maioria delas data dos séculos XII e XIII. São fruto de trabalhos e retrabalhos de conhecimentos passados pela oralidade, o que provavelmente incorreu em inúmeras modificações e as mais variadas supressões. A arqueologia, é, portanto, fonte imprescindível para o estudo dessa era, única fonte direta das atividades exercidas sob o controle dos escandinavos durante tal momento histórico.

Contudo, a arqueologia também é problemática quanto à produção e organização de suas fontes. Podemos, por exemplo, apontar escavações do século XIX e início do XX que decidiram pelo descarte de artefatos e pela não produção de diários de escavação, o que levou à perda permanente desses estudos e a um grande dano aos monumentos históricos e aos fatos arqueológicos. Como exemplo dos artefatos descartados podemos apontar as ossadas, fonte que hoje poderia nos fornecer uma série de informações, como a determinação do sexo do indivíduo em um determinado depósito funerário, além da análise do isótopo de estrôncio desses ossos, que dá informações como o seu local de nascimento e os seus locais de vivência.

É essencial para compreender partes dessas problemáticas, próprias da arqueologia do Período Viking, levar em consideração que a maior parte dos achados, nas regiões da atual Suécia e Noruega, são originários de depósitos funerários, países onde o número de sepulturas é alto e onde os artefatos depositados em cada uma também são abundantes. Os depósitos funerários provenientes das atuais Suécia e Noruega são normalmente de monte funerários, mas demarcações de padrões feitos em pedra também são encontrados. Esses monumentos são pontos-chave para compreender a abundância de achados de tais depósitos, uma vez que facilitam a delimitação da área de ação, necessitando-se apenas de uma análise a olho nu das paisagens das regiões.

A arqueologia dinamarquesa, por sua vez, não conta com tantos depósitos funerários escavados, além de os depósitos não possuírem tantos artefatos quanto nos dois países supramencionados. Isso acontece porque em tal localidade grande parte dos depósitos funerários se encontra no nível do solo, o que torna mais difícil a detecção e aquisição provenientes de práticas sem a presença de métodos, como em momentos de cultivo das terras da região.

A fácil detecção de tais depósitos funerários e sua presença física na geografia das atuais Suécia e Noruega fez com que nos séculos XIX e início do XX abundassem campanhas para a escavação dos mesmos, além de muitos desses terem sido destruídos durante o intensivo processo de cultivo das terras. Antes de 1905 a Noruega não possuía nenhuma lei para proteger os antigos monumentos e os montes foram destruídos em grandes proporções. Os museus, no entanto, possuíam uma política de coleta e, dessa forma, obtiveram grande número dos achados de suas coleções. Os modos de produção dessas fontes variaram grandiosamente entre um achado e outro, mas são normalmente responsáveis por uma pobre determinação de contexto arqueológico que possibilitasse a compreensão dos artefatos, a única informação conseguida por muitas das vezes era a de que o artefato havia sido achado durante processos de trabalho das terras de uma determinada localidade.

Atualmente não é possível apresentar os números exatos dos depósitos funerários já escavados nem delimitar o número de depósitos funerários ainda não escavados que pertençam ao período viking, uma vez que os padrões de pedra e os montículos que demarcam esses depósitos não são próprios apenas desse período, mas ocorrem desde a Idade do Bronze escandinava.

Contudo, apesar de todos os problemas enfrentados pela arqueologia funerária, muitos métodos atuais têm permitido uma melhor reconstrução dos artefatos já escavados. Entre esses artefatos, podemos citar embarcações como as de Oseberg, Gokstad e Tune. As embarcações que hoje possuem papel chave no Museu das Embarcações de Oslo foram datadas por estudos dendrocronológicos, método científico de estabelecer a idade de uma árvore baseado nos padrões dos anéis internos de composição do tronco, que levou em consideração estudos botânicos feitos nas árvores do sul da Escandinávia. Os padrões de formações dos anéis, conhecidos pelos estudos botânicos, foram comparados à formação dos anéis das madeiras que fazem parte dos achados dessas embarcações. Os arqueólogos conseguiram dessa maneira aproximar as datações de Oseberg para 834, de Gokstad para 887 e de Tune para 900.

Outra problemática própria da arqueologia do Período Viking enfrenta as dificuldades de delimitação dos assentamentos, uma vez que muitas das edificações do período são de difícil detecção, pois não deixaram marcas muito claras no solo, tornando as marcas de assentamentos anteriores facilmente confundidas com as do Período Viking. Algumas edificações, como por exemplo a de Uppakra, haviam sido construídas durante a Idade do Ferro germânica, conservadas e reconstruídas sob o mesmo padrão arquitetônico até o século X, fato que dificulta ainda mais a separação de períodos durante uma escavação.

Equipamentos como o *scanner* de *laser* aéreo, o radar de penetração no solo e o detector de metais vêm sendo utilizados nas leituras e mapeamentos das regiões e de seus artefatos, com o objetivo de solucionar os problemas já supracitados. O primeiro equipamento permite uma leitura óptica de detecção remota que mede as propriedades da luz refletida para mapear distâncias geográficas e extensões de determinadas composições, podendo medir até mesmo construções derivadas da interação do ser humano com o espaço, em forma de monumentos, por exemplo. O segundo, por sua vez, é uma técnica de aquisição de informações espaciais de distribuição e localização de artefatos ou estruturas sob o solo, levando a cabo até mesmo leituras geofísicas que permitem a detecção de elementos de composição que alteraram as camadas do solo durante os diferentes períodos históricos. O radar de penetração no solo funciona por um método de alta frequência que gera imagens do subsolo se utilizando de uma antena eletromagnética, que por sua vez emite um sinal a uma frequência fixa, considerada ideal para penetração de solos, rochas, sedimentos, gelo ou outras tantas camadas naturais ou artificiais. Os métodos supracitados levaram a um aumento no número de escavações de assentamentos nas atuais Suécia e Dinamarca, bem como nos estudos que fornecem informações sobre os padrões das edificações, das construções e organizações dos assentamentos. Contudo, a metodologia contava ainda com um problema advindo da reduzida quantidade de artefatos descobertos, o que foi resolvido com a utilização de sistemas detectores de metais que funcionam por campos eletromagnéticos e podem ser ajustados a frequências diversas, a depender da quantidade de metal de detecção desejada ou até mesmo ao tipo de metal que se pretende detectar.

Os novos assentamentos escavados desde os anos 1980 fazem uso desses novos sistemas de detecção e método de escavação, e estão atualmente gerando grandes descobertas e debates, sobretudo em relação ao que seriam denominadas regiões centrais da Escandinávia, locais que integravam as residências dos chefes locais, a produção manufatureira, o comércio e os ritos. Artefatos como moedas, ferramentas de manufatura e depósitos de fundação das edificações, ocorridos nos postes de sustentação das mesmas ou nas valas para a colocação de paredes, passaram a serem detectados e escavados, revelando dois dos processos característicos dessa era: a criação das cidades e a criação de centros aristocráticos. Muitos estudos ainda estão sendo desenvolvidos e a revolução no sistema de produção presenciado nessas localidades estudadas passa agora a revelar novos mecanismos de produção em série, como por exemplo fôrmas para moldar metais derretidos e produzir objetos como broches e pingentes.

Munir Lutfe Ayoub

Ver também Cultura material; Era Viking; Escandinávia; Viking.

BONDE, Niels; CHRISTENSEN, Arne Emil. Dendrochronological dating of the Viking Age ship burials at Oseberg, Gokstad and Tune, Norway. *Antiquity*, vol. 67, n. 256, 1993, pp. 575-583.

LARSSON, Lars. The iron age ritual building at Uppåkra, southern Sweden. *Antiquity*, vol. 81, n. 311, 2007, pp. 11-25.

PEDERSEN, Unn. *I smeltedigelen: finsmedene i vikingtidsbyen Kaupang*. Tese de Doutorado. Institutt for arkeologi, konservering og historie, Det humanistiske fakultet, Universitetet i Oslo, 2010.

PRICE, Thomas; FREI, Karen Margarita; DOBAT, Andres Siegfried; LYN-NERUP, Niels; BENNIKE, Pia. Who was in Harold Bluetooth's army? Strontium isotope investigation of the cemetery at the Viking Age fortress at Trelleborg, Denmark. *Antiquity*, vol. 85, n. 328, 2011, pp. 476-489.

ARTE

Os nórdicos da Era Viking tiveram a arte como um traço bastante marcante em sua sociedade, que abrangeu um amplo leque de materiais e esteve presente em todos os espaços da vida cotidiana. Seus diversos estilos, motivos e materiais estavam diretamente ligados com a tendência e o contexto histórico de sua produção. Através dos vestígios arqueológicos de utensílios, ferramentas, joias, armas, roupas, construções, ou seja, pela cultura material, podemos perceber que esses povos apreciavam bastante a arte estética do adorno e abusavam dela.

Ainda que uma grande quantidade de objetos artísticos tenha sobrevivido até nossos dias, eles são apenas uma pequena amostra da diversidade daquela época, tendo em vista que a grande maioria das joias que sobraram foram encontradas junto a tesouros escondidos ou a sepulturas, podemos imaginar as diversas produções que foram levadas para outros donos ou derretidas e destruídas.

Mesmo recebendo influências externas, é notória a expressão de um gosto propriamente escandinavo nas execuções artísticas. Gosto este que remonta ao século v, período muitos anos antes da Era Viking, de quando são datadas as primeiras expressões artísticas propriamente escandinavas. Os estilos aos quais essas produções foram posteriormente divididas ocupam uma posição temporal de difícil precisão, pois quando uma nova moda surgia, a anterior não era esquecida. Portanto, ainda que cada estilo possua características sobressalentes, ele não está totalmente desvinculado ao estilo anterior ou posterior, logo a cronologia é relativamente flexível. Entretanto, costuma-se dividir cronologicamente as produções em estilos distintos.

Para as expressões de arte pré-viking e que serviram de base para as produções realizadas na Era Viking, utilizamos a divisão fornecida por Bernhard Salim, que cataloga em três estilos distintos as produções artísticas escandinavas dos séculos anteriores à Era Viking propriamente dita. O Estilo I, desenvolvido entre os séculos V e VI, corresponde as obras que têm sua confecção inspirada nos modelos romanos, apresentando uma arte naturalista de surpreendente qualidade na execução dos motivos, utilizando uma técnica derivada do *chip-carving*. Um bom exemplo desse tipo são os medalhões chamados bracteates. Por terem sido inspiradas em modelos de moedas romanas, pode-se perceber a semelhança nos elementos presentes, entretanto, são animais, símbolos e deuses do norte que estão ali representados.

No Estilo II, surgido nos fins do século VI, encontramos formas abstratas de grande originalidade e extrema tortuosidade, componentes inovadores da arte escandinava que serão mantidos pelos artistas durante os próximos séculos. Essa manutenção do gosto atravessou o Período de Migrações, o Período Vendel e toda a Era Viking, tornando a Escandinávia, em certa medida, um expoente cultural, pois, ainda durante o Estilo II, províncias latinas ao sul da Europa reproduziram elementos artísticos tipicamente escandinavos.

Já o Estilo III, produzido no princípio da Era Viking, diferente dos seus antecessores, não pode ser considerado pré-viking e foi nomeado Estilo Broa, sendo contemporâneo ao Estilo Oseberg, e que introduziu a *gripping beast*, um elemento decorativo constituído da reprodução de um animal em que utiliza suas patas para segurar alguma coisa próxima, podendo ser as bordas do objeto, o próprio corpo, outras feras ou qualquer outro elemento decorativo. Uma característica que o Estilo de Oseberg vai difundir no mundo escandinavo

O Estilo Oseberg é o primeiro a surgir no Período Viking. Iniciado no fim do século VIII, ele recebe esse nome devido ao local onde foi encontrado um navio-sepulcro decorado com o conjunto de características que lhe são pertinentes, na atual Noruega. Nesta sepultura, junto dos corpos humanos de duas mulheres e das oferendas animais, o navio fora carregado de bens ricamente ornamentados de diversos materiais, como tecidos, metais e madeira, incluindo cama, baú, trenó, carroça, entre outros.

A peça que define o Estilo Oseberg é a quilha da embarcação. Nela pode ser identificado o elemento *gripping beast* com bastante clareza, onde os animais entalhados aparecem com seus corpos em padrões retorcidos e entrelaçados e suas patas segurando as bordas, tanto na popa como na proa. Esse elemento é o marco definidor da separação entre este estilo e o Vendel, seu antecessor, sendo a diferença não apenas a mudança do ornamento da fita em forma de serpentina da Era Vendel para a musculosidade nodosa de Oseberg, como também a transformação da sua superfície em um entrelaçado de alto-relevo e grande efeito.

Além do trabalho da quilha, outras peças chamas a atenção. A carroça entalhada, dentre os seus painéis, ostenta uma cena em que, seguindo o motivo do estilo, uma mulher segura a mão armada de um homem que, por sua vez, agarra as rédeas de um cavalo montado, impedindo que o homem mate o cavaleiro. Os postes com cabeça de fera apresentam uma decoração que recobre toda a cabeça do animal. Composta de diversas feras retorcidas, essa decoração demonstra o desenvolvimento do Estilo Oseberg, abrindo as portas para o próximo estilo da arte viking.

Surgido em meados do século IX e preso dentro de figuras geométricas, o Estilo Borre mantém o elemento do *gripping beast* de corpo retorcido dos estilos anteriores, porém o adapta para preencher os espaços de maneira mais eficaz. Nomeado a partir de um grupo de objetos de bronze encontrados em um navio-sepulcro próximo ao vilarejo Borre, na Noruega, apresenta uma produção mais voltada para o trabalho em metais, como pingentes e arreios, onde desenvolve a fera retorcida para um modelo de laços ainda mais apertados e composições ainda mais próximas, o que resultou na ausência de plano de fundo.

O pingente encontrado em Hedeby, um centro mercantil localizado ao sul da Dinamarca, representa bem os elementos do Estilo Borre. O animal representado, aparentemente um gato, aparece abstratamente retorcido, com suas patas segurando a borda circular do pingente e a ele mesmo. A borda deste pingente também nos mostra o anel encadeado, outro aspecto desenvolvido nesse estilo. Este traço do Estilo Borre se caracteriza pelo encadeamento de adornos que, comumente seccionados por cabeças de animais, formam figuras geométricas, no caso do pingente citado, o círculo no qual o gato está inserido.

As técnicas metalúrgicas desenvolvidas durante o período foram anexadas as produções durante o desenvolvimento do Estilo Borre. Filigranas, verdadeiras ou imitações, começam a aparecer como detalhes nos corpos dos animais e nas bordas de suas molduras. Sob a forma de pequenos pontos em alto-relevo, essas adições valorizavam ainda mais o trabalho do artesão e aumentavam sua fama e prestígio, sendo essencial para que se tornasse uma moda entre a elite.

O estilo artístico Jelling, originário do fim do século XI e que durou por todo o século seguinte, apresenta um grande contraste com seu antecessor. Os retorcidos adornos de Borre foram substituídos por um arranjo mais aberto e fluido no corpo do animal. Embora os animais apareçam retorcidos e alongados, não estão mais com as patas segurando as bordas e seu corpo passa a ser representado com divisões longitudinais em formato de faixa, tornando a sua postura mais fácil de ser identificada.

O cálice que inaugura o estilo é conhecido como Cálice de Thyra. Foi encontrado na região de Jelling, na Dinamarca, e ostenta duas feras quadrúpedes enroscadas em sentidos opostos, além de uma outra decoração de difícil identificação. É uma peça de pequenas proporções, mas a taça feita em prata permite perceber as mudanças e inovações do novo estilo. No cálice, os corpos dos animais, já divididos em faixas, carregam minúsculas linhas perpendiculares, sendo um desenvolvimento, a partir da filigrana, para este novo modelo.

As mudanças implementadas pelo Estilo Jelling representam uma grande inovação nas representações artísticas. Contudo, alguns aspectos foram adaptados e mantidos: a fera não mais utiliza patas para se fixar aos elementos adjacentes, porém é comum encontrá-la mordendo ou se enroscando em algo. Essas mudanças se popularizaram principalmente durante o reinado de Haroldo I, o Dente Azul, na Dinamarca, cujas mudanças políticas levaram a uma transformação também na feitura dos monumentos pétreos, que, impulsionados pelo monumento erguido pelo próprio Haroldo, passaram a incorporar desenhos, elemento anteriormente comum apenas aos monumentos produzidos na ilha sueca de Gotland. Dessa forma, os estilos artísticos se tornaram cada vez mais comuns em pedras.

O Estilo Mammen, surgido em meados do século X, mostra uma ascensão dos motivos vegetais e valoriza uma maior quantidade de ramos. Esse estilo recebeu seu nome devido a uma lâmina de machado ornamentada com fios e pontos de prata encontrada na vila de Mammen, na Dinamarca. O principal tema era a dualidade presente entre cristianismo e paganismo de um povo recém-cristianizado que não abandonou os antigos costumes.

O machado de Mammen ostenta em sua lâmina uma ave com grande cauda que se divide em ramos, assim como suas asas, que se alongam e se entrelaçam por todo o corpo do animal. A ave, possivelmente um galo, foi confeccionada com um grande olho redondo, uma das características marcantes desse estilo. Também percebemos outra adição marcante do Estilo Mammen, que são as espirais presentes nos locais onde os membros se conectam ao corpo da fera. Na obra em questão, as formas espiraladas podem ser encontradas claramente na base das asas da ave.

O corpo desse animal contém pequenas secções nas áreas onde as asas se conectam ao pescoço, cauda e patas e, assim como no estilo anterior, possui linhas longitudinais, que por sua vez são mais discretas. A parte interna do corpo apresenta uma diferença estética do estilo antecessor, sendo preenchida por diversos pontos que substituem as linhas transversais e as imitações de filigrana.

A grande valorização dos motivos vegetais desenvolvida durante esse estilo prepara a arte viking para a mudança estética após a transição do século X para o século XI. Porém, ainda no século X, um terceiro estilo surge em suas últimas décadas. Nomeado devido à Pedra de Vang localizada no distrito de Ringerike, na Noruega, o Estilo Ringerike coloca os motivos vegetais no mesmo patamar de importância dos motivos animais, sendo possível encontrá-los como a figura central da obra em alguns casos. Esse monumento de Vang possui uma ornamentação com grande quantidade de ramos que brotam de espirais na base, dirigindo-se ao topo, e entrelaçam-se simetricamente até trespassarem uma figura em formato de cruz floreada.

Acima de tudo isso está gravada uma fera corpulenta, possivelmente um lobo, cujo corpo foi desenhado com duplo contorno, grandes olhos redondos e espirais nas articulações, aspectos similares ao Mammen. Entretanto, o novo detalhe dos pequenos cachos começa a surgir nessa fase artística e se torna um dos elementos definidores do estilo, percebido na cauda, dorso e focinho da fera de Vang.

As inovações dos ramos presentes na Pedra de Vang são a preocupação maior com a simetria e a ordem, além do retorno da "grande fera", cujo corpo passa por um aprimoramento ao longo do Estilo Ringerike: o olho do animal começa a apresentar o formato de gota apontando para o focinho em vez da forma arredondada que o precedeu. A fera torna a constituir figura de bastante importância nas representações e alcança grandes proporções, mas não ofusca as temáticas vegetais, que passam a ser utilizadas mais livremente no preenchimento dos espaços.

Essa última inovação anuncia uma mudança no gosto escandinavo e equilibra os elementos decorativos, abrindo as portas para o Estilo Urnes, o último estilo da Arte Viking. Surgido nas primeiras décadas do século XI, seu nome advém dos detalhes esculpidos na igreja de Urnes, Noruega, que possui a simplicidade, estreitamento e estilização dos corpos animais, juntamente com a popularização de serpentes e dragões, como suas principais características e a luta entre a grande fera e a serpente-dragão o seu principal tema.

O portal de madeira esculpido da igreja de Urnes exibe um grande confronto, no qual há várias serpentes, dragões e uma fera quadrúpede. Os animais apresentam corpos extremamente esguios e modelos lisos, possuindo apenas as espirais nas articulações como adorno no seu corpo. Além dos animais, o painel também possui motivos vegetais marcados pela constituição delgada e simples de seus ramos, adornados apenas com pequenas folhas.

Ainda que o portal da igreja de Urnes tenha cedido seu nome ao estilo ele é, na realidade, uma das suas últimas expressões, haja vista que é datado do século XII, havendo um intervalo de mais de meio século entre ela e as primeiras produções, categoria na qual se inserem as Pedras Rúnicas da Inglaterra. Durante o século XI, período do *danegeld* e o reinado de Canuto, o Grande, ocorreu uma aproximação entre a cultura das Ilhas Britânicas e da Escandinávia através da migração e interação entre os povos, fomentando uma partilha cultural e de vivências. Na Escandinávia, por exemplo, diversas pedras rúnicas foram erguidas com textos que se referem aos acontecimentos ocorridos durante as viagens em terras britânicas, sendo, portanto, nomeadas de Pedras Rúnicas da Inglaterra.

A Pedra Rúnica de Ölsta, integrante desse grupo, exibe em maior destaque uma grande serpente-dragão que morde a si mesma, enquanto outra fera, localizada ao lado, reproduz o mesmo ato. Junto dos grandes animais foram gravadas pequenas serpentes que compõem emaranhados, unindo todos os seres. Suas formas complexas nos enlaces, mas desprovidas de muitos detalhes, anunciavam, já no início, a marcante valorização destes elementos pelo Estilo Urnes.

Ricardo Wagner Menezes de Oliveira

Ver também Cotidiano; Cultura material; Religião; Simbolismo animal; Sociedade.

LANGER, Johnni. As Estelas de Gotland e as Fontes Iconográficas da Mitologia Viking: os Sistemas de Reinterpretações Oral-Imagéticos. *Brathair*, vol. 6, n. 1, 2006, pp. 10-41.

OLIVEIRA, Ricardo Wagner Menezes de. Esculpindo símbolos e seres: A arte viking em pedras rúnicas. *Notícias Asgardianas*, n. 7, 2014, pp. 43-49.

OLIVEIRA, Ricardo Wagner Menezes de. As religiosidades vikings em monumentos de pedra. *Notícias Asgardianas*, n. 8, 2014, pp. 43-52.

OLIVEIRA, Ricardo Wagner Menezes de. Arte. In: LANGER, Johnni & AYOUB, Munir Lutfe (orgs.). *Desvendando os vikings*: estudos de cultura nórdica medieval. João Pessoa: Idéia, 2016, pp. 84-97.

SAWYER, Birgit. *The Viking-age rune-stones*: custom and commemoration in early medieval Scandinavia. New York: Oxford University Press Inc., 2000.

WILSON, David M. & KLINDT-JENSEN, Ole. *Viking art*. New York: Cornell University Press, 1966.

ASTRONOMIA

O conhecimento astronômico dos nórdicos durante a Era Viking é difícil de ser reconstituído, mas recentemente várias abordagens e pesquisas vêm obtendo um panorama mais preciso da área, especialmente no que diz respeito aos usos para orientação náutica e suas relações com a mitologia e crenças folclóricas.

As evidências materiais apontam um sofisticado conhecimento náutico dos nórdicos durante a Era Viking, seja por suas descobertas geográficas no Atlântico Norte durante o medievo, seja pelos vestígios arqueológicos de instrumentos de navegação como bússolas solares (para indicar a latitude e certos horários). Nesse sentido, os pesquisadores concluem que esses navegantes não poderiam confundir um planeta de brilho estável e que percorre a trajetória da eclíptica com movimentos retrógrados (no caso, Vênus, o objeto mais brilhante do céu depois do Sol e Lua) com uma estrela, um objeto celeste cintilante e fixo. Como a maioria dos antigos povos navegadores do hemisfério norte, os nórdicos devem ter utilizado a estrela Polaris (alfa da Ursa Maior) como referencial indicador do Norte e principal meio de navegação astronômica durante a noite dos tempos pré-cristãos. Localizam-se as constelações da Ursa Maior e Menor para encontrar a Polaris, distante 1 grau do ponto norte celeste. Traça-se uma linha imaginária entre este ponto até o horizonte logo abaixo e obtém-se aí o norte geográfico.

Não existe nenhuma fonte escandinava que aponte o conhecimento direto da Polaris, mas ela é citada no poema rúnico anglo-saxão: "*Tir* é uma estrela guia que mantém a promessa com os príncipes; está sempre em seu curso sobre as brumas da noite e nunca cai". Aqui evidentemente temos a noção de Polaris como estrela do norte (indicadora de orientação geográfica). No final da Alta Idade Média era recorrente denominar Polaris como a estrela dos navegadores que transitavam pela Europa Setentrional – como descreve um estudo sobre calendário e astronomia da Inglaterra do século X (*De temporibus anni*, Alfirico de Eynsham) –, devido a sua utilização para localizar o norte geográfico.

Em um manuscrito islandês (GKS 1812 4to, *De ordine ac positone stellarum in signis*), na sua seção datada de 1192 d.C., existe a menção a cinco constelações que seriam conhecidas no mundo escandinavo antes da cristianização, utilizando nomes nativos: *Kvennavagn*, A carroça da Mulher ou Senhora (identificada com a moderna constelação da Ursa Menor); *Karlvagn*, A carroça do Homem ou Senhor (Ursa Maior); *Fiskikarlar*, Os pescadores (o cinturão de Órion); *Ulf's Keptr*, a Boca do lobo (o aglomerado das Híades na constelação de Touro); *Asar Bardagi*, Campo de batalha dos deuses (constelação de Cocheiro). A região abrangida por estas constelações consiste de um céu particularmente vislumbrado na Escandinávia de outubro a fevereiro – época importante para a religiosidade, especialmente no momento culminante do Jól. Ou seja, nem todo o firmamento celeste foi alvo de apropriações míticas pelos nórdicos.

Na Alemanha, a Ursa Maior foi relacionada ao deus Odin e seu veículo: *Wotanswagen* e *Irmineswagen*. Na Estônia, essa constelação era conhecida como *Otava*, e segundo alguns pesquisadores foi influenciada pela região escandinava (teria sido originada de *Óðins vagn*, carroça de Odin), do mesmo modo que o finlandês *Otawa*. O termo mais genérico usado folcloricamente na Escandinávia não se atrela individualmente e objetivamente a uma deidade, mas somente a designação da carroça de um homem, como em outras regiões da Europa (Dinamarca, *Karlsvogn*; Suécia, *Karlwagn* e *Herrenwagen*).

Odin é conhecido na poesia escáldica como *runni vagna* (condutor de carroças); *vinr vagna* (amigo das carroças); *vári vagna/vagna ver* (protetor/senhor das carroças); *valdr vagnbrautar* (protetor da estrada das carroças); *runni vagna* (movedor da carroça/constelação); *vagna Grimnir* (carroça de Grimnir) *reiðartýr* (deus da carroça). Para o mitólogo Thomas DuBois, o termo *karl* (constante na forma *karlavagnen/Karlvagn*) se refere a um homem de alta condição social nas sociedades germânicas antigas, o fazendeiro livre, membro do *comittatus* dos líderes e reis e, portanto, tendo alto significado militar. Desse modo, a associação dessa palavra à mais reconhecível constelação do hemisfério norte confere a ela um estatuto de marcialidade, explicando sua associação ao deus Odin. Concordamos com esse referencial, ainda mais se observarmos que as duas narrativas da criação de estrelas ("O dedo de Aurvandil" e "Os olhos de Tiazi") estão conectadas com o desmembramento ou morte de gigantes por parte de algum deus (ou Odin ou Thor, dependendo da versão do mito).

Existem mais dúvidas do que certezas com relação ao conhecimento astronômico nórdico na Era Viking. Muitas fontes precisam ser exploradas, assim como algumas narrativas míticas precisam receber melhores análises em relação a outros referenciais como a cosmologia, a cosmogonia, a cultura material e religiosa, entre outros aspectos. Também não conhecemos em detalhes as relações entre fenômenos puramente atmosféricos (como parélios e auroras) com os mitos celestes escandinavos. Os mitos relacionados aos planetas foram detalhados no *Dicionário de Mitologia Nórdica*. Também existem indícios de crenças relacionadas a cometas, meteoros, lua e sol na Escandinávia antes da cristianização.

Johnni Langer

Ver também Calendário e contagem do tempo; Bússola solar; Navegação marítima; Pedra solar.

DUBOIS, Thomas. Underneath the self-same sky: comparative perspectives on sámi, finnish, and medieval Scandinavia astral lore. In: TANGHERLINI, Timothy (ed.). *Nordic Mythologies: interpretations, intersections, and institutions*. Berkeley: North Pinehurst Press, 2014, pp. 184-260.

ETHERIDGE, Christian. A systematic re-evaluation of the sources of Old Norse Astronomy. *Culture and Cosmos*, vol. 16, 2013, pp. 01-12.

KNIGHT, Dorian. A Reinvestigation Into Astronomical Motifs in Eddic Poetry, with Particular Reference to Óðinn's Encounters with Two Giantesses: Billings Mær and Gunnlöð. *Culture and cosmos*, vol. 17, n. 1, 2013, pp. 31-62.

LANGER, Johnni. Thor, estrelas e mitos: uma interpretação astronômica da narrativa de Aurvandil. *Revista Brasileira de História das Religiões* (no prelo).

LANGER, Johnni. Planetas e mitos nórdicos. In: LANGER, Johnni (org.). *Dicionário de mitologia nórdica*. São Paulo: Hedra, 2015, pp. 174-177; 371-372.

LANGER, Johnni. Constelações e mitos celestes na Era Viking: reflexões historiográficas e etnoastronômicas. *Roda da Fortuna*, vol. 1, n. 4, 2015, pp. 107-130.

LANGER, Johnni. O zodíaco viking: reflexões sobre etnoastronomia e mitologia escandinava. *História, imagem e narrativas*, vol. 16, 2013, pp. 01-32.

LANGER, Johnni. O céu dos vikings: uma interpretação etnoastronômica da pedra rúnica de Eckelbo (Gs 19). *Domínios da imagem*, vol. 6, n. 12, 2013, pp. 97-112.

AUD, A DE MENTE PROFUNDA

A *Laxdaela saga* apresenta em suas linhas uma das personagens femininas mais interessantes e marcantes da literatura nórdica. Trata-se de Aud, a de mente profunda (Auðr djúpúðga Ketilsdóttir, também conhecida como Unn). Aud era filha de Ketil Flatnose, um nobre norueguês que se refugiou com sua família na Escócia para não se submeter ao rei Haroldo Cabelos Belos. Após a morte de seu marido e de seu pai na Escócia, Aud audaciosamente reuniu sua família e os seus agregados e partiu para a Islândia. A narrativa da viagem de Aud apresenta uma alternativa às narrativas de fundação e colonização da Islândia, sempre protagonizadas por personagens masculinos.

Aud vivia com a sua família em uma região do extremo norte da Escócia, chamada Caithness, onde seu filho foi morto em um ataque promovido por escoceses contrários à presença dinamarquesa em suas terras. Como seu marido e seu pai também haviam morrido, ela reconheceu não haver mais nenhuma esperança de futuro e prosperidade nessas terras. Nesse momento, Aud reúne todas as suas riquezas e, junto com o que sobrou de sua família, parte para uma nova vida nas terras islandesas. O caso de Aud é, por assim dizer, *sui generis*; é difícil encontrar outro relato de uma mulher escapando de tais hostilidades com toda a sua família, riquezas e muitos seguidores em direção a uma terra desconhecida. Em sua viagem, Aud foi acompanhada por muitos homens notáveis e bem-nascidos, que mais uma vez atestam o prestígio e poder dessa mulher. Um homem chamado Koll destaca-se entre os agregados de Aud devido ao seu nascimento aristocrático. Antes de ir para a Islândia, Aud dirigiu-se para as ilhas Orkneys e logo após para as ilhas Faroé, onde permaneceu por um curto espaço de tempo.

Nas ilhas Feroé ela organizou um casamento para uma de suas netas. Logo após o casamento, Aud ordenou que os preparativos para a partida para a Islândia fossem finalizados. Após uma boa viagem, chegaram a Vikrarskeid, no sul da Islândia, onde passaram por um naufrágio, mas felizmente não houve baixas e nenhum bem foi perdido.

Depois de desembarcar, Aud formou uma comitiva com vinte dos seus homens e foi ao encontro de seu irmão Bjorn em sua casa em Breidafjord. Quando Bjorn soube de sua chegada ele a recebeu calorosamente e a convidou para ficar, pois sabia que sua irmã pretendia estabelecer-se naquelas terras. Ali, Aud e os seus passaram o inverno. Na primavera, ela atravessou todos os vales de Breidafjord e apossou-se de várias porções de terras. Ela estabeleceu, então, sua fazenda, conhecida posteriormente como Hvamm. Nessa mesma primavera, Aud arranjou o casamento para a filha de um agregado que se chamava Thorgerd, filha de Thorstein, o Vermelho. Não poupou custos para a realização do casamento e entregou a Thorgerd o todo o *Laxdaela*, como seu dote.

A velhice impactou a vida dessa mulher ativa e decidida: passou a deitar-se cedo e não se levantava antes do meio-dia, mas ricamente vestida e sempre disposta, atendia a todos aqueles que vinham dos mais longínquos territórios pedir os seus sábios conselhos. Aud, a de mente profunda, era respeitada por sua sabedoria e também pela sua intrepidez ao comandar os seus em uma empreitada de colonização a uma terra distante e desconhecida.

Durante uma festa de mais um casamento arranjado por Aud, ela recebeu os convidados e a família com a honra que lhe era costumeira. Ao se despedir dos comensais alegando cansaço, Aud relembrou sua trajetória, suas aventuras, desventuras e tudo o que havia conquistado. Depois disso, Aud levantou-se e disse que estava se retirando para os seus aposentos, mas antes incentivou a todos a se divertirem e anunciou que havia cerveja em quantidade o suficiente para uma longa festa. Enquanto caminhava, as pessoas comentavam que, apesar da idade, Aud era alta e forte e ainda era uma mulher esplêndida.

No dia seguinte, Olavo, neto de Aud, foi até os aposentos da avó, e a encontrou sentada, apoiada nos travesseiros. Aud havia adentrado o palácio de Freya.

Olavo anunciou aos convidados o ocorrido e todos admiravam como Aud, mesmo diante da morte, havia mantido sua dignidade. O corpo de Aud foi preparado e levado para um local preparado para esse fim. Junto de seu corpo foram depositados objetos simbolizando não só o poder político e social dessa mulher, mas principalmente a sua sabedoria.

Luciana de Campos

Ver também Islândia da Era Viking; Mulheres; Sociedade.

HAYWOOD, John. Aud the Deep-Minded. In: *Encyclopaedia of the Viking Age*. London: Thames and Hudson, 2000, p. 29.

HOLCOMB, Kendall M. *Pulling the Strings: The Influential Power of Women in Viking Age Iceland*. Western Oregon University, Studen Theses, 2015.

JESCH, Judith. *Women in the Viking Age*. London: Boydell & Brewer Ltd, 1999.

JOCHENS, Jenny. *Women in Old Norse Society*. Ithaca: Cornell University Press, 1995.

BATALHA DE BRAVALLA

A batalha de Bravalla ou Bravellir foi um combate lendário que teria ocorrido provavelmente na Suécia no século VIII, entre as forças dos reis Haroldo Dente Azul da Dinamarca e Sigurd Hring da Suécia. De acordo com o historiador dinamarquês do século XIII Saxo Grammaticus, a batalha teria sido parte da chamada guerra sueca. Foi uma batalha de grandes proporções, muitos combatentes e muitas baixas. Relatos apontam o possível local da batalha como a região sueca de Braviken.

Segundo os relatos de Saxo Grammaticus, a descrição de Haroldo Dente Azul é a de um grande rei guerreiro, que teria sido escolhido desde jovem como favorito por Odin. Após conquistar um grande reino na Dinamarca, Haroldo entra em conflito com três reis suecos, pedindo aos deuses por conselhos para entrar em batalha, e o próprio Odin o teria revelado uma estratégia de guerra, segundo a lenda. Haroldo foi, então, vitorioso na batalha: dois dos reis suecos morreram em combate, e o terceiro, Ingild, aliou-se a Haroldo. Ingild tinha um filho com a irmã de Haroldo, chamado Hring.

Quando Ingild morre, Haroldo indica uma regência para governar a região enquanto Hring não atinge a maioridade, estreitando ainda mais os laços entre os dois reinos, em paz duradoura. Um amigo de Haroldo, chamado Bruni, atua como mensageiro entre os dois reis, mas morre acidentalmente; Odin assume, então, a sua forma e começa a semear a desconfiança entre Haroldo e Hring. Assim quebra-se a paz entre os dois reis e reiniciam-se as hostilidades, tendo os dois reis durante anos se preparado para a grande batalha.

Haroldo estava já idoso, cego e com dificuldades de locomoção. Teve de ser conduzido para o campo de batalha na Suécia em uma carruagem conduzida pelo próprio Odin personificado em Bruni. Em Bravalla, Haroldo enfrenta bravamente um exército inimigo muito maior do que o seu, até acabarem suas forças e suas tropas serem dizimadas. Haroldo pede a Bruni, ainda sem saber que este é Odin personificado, que o informe sobre a formação do exército inimigo, e é por ele enganado. Quando percebe a traição, Haroldo é morto pelo próprio Odin. Com o fim da batalha, Hring realizou um honroso funeral a Haroldo por ser ele considerado um grande rei guerreiro. Relata-se que muitos líderes norueguses e suecos participaram da batalha, a maioria ao lado de Hring. Saxo relata também a participação de mulheres como escudeiras na batalha de Bravalla.

Segundo a historiografia, tanto Haroldo quanto Hring (se realmente tiverem existido, pois os relatos sobre a batalha de Bravalla são permeados por muitas lendas) não podem ser considerados como soberanos de reinos unificados, e sim do que poderia se chamar de confederações de pequenos reinos, das quais os mesmos seriam os reis mais proeminentes nas regiões da Dinamarca e Suécia, além de possuírem aliados de outras regiões, como a Noruega por exemplo. Não há consenso sobre o momento correto em que a batalha teria ocorrido e se ela realmente aconteceu, mas estima-se que teria sido no século VIII, VII, ou até mesmo VI; entre os pesquisadores parece haver um maior consenso de que teria ocorrido no século VIII.

Fábio Baldez Silva

Ver também Armamento; Arquearia; Espada; Estratégia de combate; Guerra e técnicas de combate; Viking.

GRAMMATICUS, Saxo. Book Eight. *In: The Danish History.* Tradução ao inglês por Oliver Elton. Disponível em: *goo.gl/iezXrz.* Acesso em: 11 de junho de 2017.

HAYWOOD, John. Battle of Bravalla. In: *Encyclopaedia of the Viking Age.* London: Thames and Hudson, 2000, pp. 35-36.

JONES, Gwyn. *A history of the vikings*. Oxford: Oxford University Press, 1984.

BATALHA DE BRUNANBURH

A batalha de Brunanburh ocorreu na Inglaterra no século X, mais possivelmente no ano de 937 segundo a *Crônica Anglo-saxônica*. Nela se opuseram as forças do rei Athelstan de Wessex e de seu irmão Edmundo contra as forças coligadas de Olavo Guthfrithson de Dublin e Constantino II da Escócia, cuja vitória foi de Athelstan, e os relatos da batalha, contidos principalmente na *Saga de Egill Skallagrimson*, mostram a participação de mercenários vikings.

A batalha foi consequência das disputas que ocorriam na Inglaterra do século X entre o Reino de Wessex e os líderes que compunham o Danelaw no norte do país, os escoceses e os governantes nórdicos ou de descendência nórdica de Dublin. Durante os anos precedentes, os saxões passaram a construir fortalezas chamadas de *burhs* com o objetivo de se protegerem de ataques inimigos. Chegando ao poder em 924, Athelstan reforçou as fronteiras do ocidente e lançou um ataque contra o Reino de York em 927. Após construir alianças com governantes celtas, escoceses e galeses, conseguiu governar um reino unido para além da atual fronteira inglesa para o norte.

Apesar do sucesso de Athelstan em 927, no ano de 937 seu reino foi ameaçado por uma grande aliança entre os vikings de Dublin e os celtas, principalmente com intuito de levar a efeito uma campanha militar para restaurar as conquistas dos escandinavos e derrotar os ingleses. Assim, os exércitos oponentes se enfrentaram em Brunanburh, um local até hoje não identificado, em uma violenta batalha que escritores celtas posteriores passariam a chamar de "grande guerra". Foi relatado que os ingleses venceram a batalha após horas de combate, porém os domínios ingleses nos territórios do norte permaneceram em instabilidade. Após a morte de Athelstan, em 939, os governantes de Dublin retomaram sua posse, situação que perdurou até a desagregação do domínio nórdico na região devido a disputas internas, que culminaram com a morte de Érico Machado Snagrento, o último rei viking a governar York, na batalha de Stainmore em 954.

A *Saga de Egill Skallagrimson* relata que o próprio Egill e seu irmão Thorolf se encontravam entre mercenários vikings a serviço do rei Athelstan após ficarem sabendo que o mesmo estava organizando um exército para enfrentar a coligação dos governantes da Irlanda e Escócia, comandados por Olavo Guthfrithson, que ameaçava seus domínios. Relata-se que quando os dois exércitos adversários estavam frente a frente para a batalha, viu-se que ambos eram tão grandes que era impossível se dizer qual era o maior, e o exército de Olavo (composto em sua maioria por escoceses, segundo a saga) aproximou-se da coluna liderada por Thorolf para enfrentá-la, o que resultou na morte de Thorolf em combate. Egill, então, junto com o exército do rei Athelstan, que incluía seus mercenários vikings, lutou bravamente e, segundo os relatos da saga, impôs muito baixas ao exército inimigo, resultando numa retirada de suas tropas, que foram perseguidas pelas forças de Athelstan, vitorioso no confronto.

O local da batalha ainda continua incerto, pois a historiografia não tem indícios unânimes de onde teria realmente ocorrido. Tudo o que se têm são os relatos de fontes primárias um tanto quanto imprecisos; sabe-se, porém, que na batalha morreram reis e *earls* a serviço de Olavo, além do filho de Constantino da Escócia e ainda um grande número de vikings e escoceses. Na *Saga de Egill* é relatada a morte do rei Olavo, porém pesquisadores afirmam que o mesmo teria sobrevivido à batalha e retornado à Dublin.

Fábio Baldez Silva

Ver também Armamento; Arquearia; Espada; Estratégia de combate; Guerra e técnicas de combate; Viking.

BRØNDSTED, Johannes. *Os Vikings: história de uma fascinante civilização*. São Paulo: Hemus, s.d.

Egill's Saga. Tradução de Bernard Scudder. In: *The Sagas of Icelanders*. London: Penguin Books, 2001.

GRAHAM-CAMPBELL, James. *Os Viquingues: Origens da Cultura Escandinava*, vol. 1. Madrid: Del Prado, 1997.

GRIFFITH, Paddy. *The Viking art of war*. Newbury: Casemate, 1995.

JONES, Gwyn. *A history of the vikings*. Oxford: Oxford University Press, 1984.

ROESDAHL, Else. *The Vikings*. London: Penguin Books, 1998.

BATALHA DE CLONTARF

Ocorrida em 1014, na Irlanda, a norte de Dublin, foi a batalha que pôs fim à hegemonia viking sobre a ilha. O enfrentamento de celtas irlandeses e vikings em Clontarf foi decisivo para a destruição do poder viking sobre a Irlanda, embora a um alto custo, com a morte do alto rei dos irlandeses, Brian Boru.

Nos anos anteriores a 1014, a Irlanda viu uma série de embates entre seus reis e chefes guerreiros locais pelo poder no norte e no sul da ilha, em disputas que remontavam ao estabelecimento de um entreposto viking que viria a se tornar a cidade de Dublin. Outras cidades, como Arklow, Cork, Limerick, Waterford e Wexford se tornariam pontos comerciais que gerariam grande fluxo de riquezas, criando condições para que quem as dominassem tivesse poder e homens a serviço.

A chegada dos vikings na Irlanda se dá em 795, quando registros apontam os primeiros ataques esporádicos por via marítima, até 820, quando passam a se tornar frequentes, com incursões pelos rios interiores locais. Os saques a monastérios logo se expandiram e visavam também cidades, enfraquecendo os reinos locais.

Entre 830 e 840, os vikings começam a estabelecer pontos permanentes na Irlanda, além de explorarem o tráfico de escravos na ilha, entrando assim na complexa e fracionada luta pelo poder, com o estabelecimento de alianças com os reinos locais, casamentos, e derrotas frente aos reis irlandeses. Desses entrepostos, antes bases para manter as pilhagens e ataques, floresceram cidades totalmente integradas no jogo do poder pela Irlanda.

Entre 850 e 900, cresceu o poder de Dublin como reino viking na Irlanda e as frotas vikings começaram a servir como mercenárias para os reis irlandeses em suas guerras. Paradoxalmente, enquanto Dublin e as outras cidades vikings na Irlanda cresciam de importância por se tornarem pontos de apoio para ataques destes à Escócia e ao norte da Inglaterra, o poder delas se enfraqueceu com disputas dinásticas.

A partir de 900, as cidades vikings são alvos de ataques, e uma trégua entre os reis irlandeses leva à expulsão dos invasores em 902, com a tomada de Dublin. Mas eles acabam por retornar e se estabelecer na cidade, bem como em outros pontos de domínio na ilha. O retorno dos vikings acaba por colocá-los de vez dentro do processo político irlandês.

Entre 940 até 980 o que se observa é que, embora possuidora de riquezas oriundas do comércio e do tráfico de escravos irlandeses, bem como de pilhagens vindas da Escócia e Inglaterra, a presença viking na Irlanda é cada vez mais contestada e enfrentada abertamente pelos reis irlandeses, que estavam em uma grande guerra pela hegemonia local. Em 980, o reino viking de Dublin é derrotado pelas forças irlandesas na batalha de Tara e, embora não conquistado, é forçado a aceitar a soberania de um rei irlandês.

O rei de Dublin, Sigtrygg Barba de Seda, decide se revoltar contra o alto rei dos irlandeses, Brian Boru, e monta uma coalizão com alguns outros reis vikings e irlandeses locais. Em Clontarf, ao norte de Dublin, as duas forças se encontram e combatem pelo dia todo, segundo as fontes, com pesadas baixas para ambos os lados.

Brian Boru, a época com 88 anos, não tomou parte nos combates contra os vikings, que foram liderados por familiares seus, como seu filho, tios e sobrinhos. Embora vencedor, não testemunhou o fim da batalha, já que foi morto em sua tenda enquanto rezava, segundo as fontes, por vikings que fugiam da batalha.

A batalha ajudou a submeter de vez os vikings da Irlanda a autoridade dos altos reis, mas não os expulsou – muitos já se encontravam perfeitamente adaptados à vida na ilha, e foram assimilados pela população local em algumas gerações.

A batalha de Clontarf acabou por ganhar um forte peso propagandístico séculos depois, sendo utilizada como peça motivacional para lembrar aos irlandeses sobre a resistência a um invasor estrangeiro, no caso, os ingleses.

Sandro Teixeira Moita

Ver também Espada; Estratégia de combate; Guerra e técnicas de combate; Guerra e simbolismos; História da Guerra.

BRINK, Stefan; PRICE, Neil (eds.). *The Viking World*. Abingdon: Routledge, 2008.

CRAUGWELL, Thomas J. *How the Barbarian Invasions Shaped the Modern World – The Vikings, Vandals, Huns, Mongols, Goths, and Tartars who Razed the Old World and Formed the New*. Beverly: Fair Winds Press, 2008.

HARRISON, Mark; EMBLETON, Gerry. *Anglo-Saxon Thegn 449-1066 AD*. London: Osprey Publishing, 1993.

HARRISON, Mark; EMBLETON, Gerry. *Viking Hersir 793-1066 AD*. London: Osprey Publishing, 1993.

HEATH, Ian; MCBRIDE, Angus. *The Vikings*. London: Osprey Publishing, 1985.

HOLMAN, Katherine. *The A to Z of the Vikings*. Plymouth: The Scarecrow Press, 2009.

SAWYER, Peter (ed.). *The Oxford Illustrated History of the Vikings*. Oxford: Oxford University Press, 1997.

WINROTH, Anders. *The Age of the Vikings*. Princeton: Princeton University Press, 2014.

BATALHA DE EDINGTON

Batalha ocorrida em 878 na qual o rei anglo-saxão Alfredo, o Grande tornou-se um dos mais proeminentes reis anglo-saxões após vencer os vikings de Guthrum e garantir a sobrevivência do Reino de Wessex. A presença viking na Inglaterra data de 793, com o ataque ao mosteiro de Lindisfarne, e daí se seguiram uma série de invasões bem-sucedidas que logo deram lugar a tentativas de estabelecimento permanente por parte dos vikings.

Em 865 desembarcou na Inglaterra o chamado Grande Exército Pagão, composto por vikings e liderado por uma série de reis e chefes guerreiros, empreendendo campanhas contra os reinos anglo-saxônicos, com a maior força escandinava que já havia posto o pé na Inglaterra até aquele momento.

Entre 865 e 875, o Grande Exército realizou uma série de ações que acabaram por conquistar diversas áreas, destruindo reinos como o da Ânglia do Leste e Mércia, mas apesar da dura resistência, não conseguiu impedir a conquista viking. Com a divisão do Grande Exército, a parte comandada por Halfdan seguiu para Nortúmbria, para assegurar a conquista feita anteriormente, e a outra parte se manteve no sul, liderada por Guthrum.

Após conquistar Londres, Guthrum decidiu atacar Wessex e impôs uma série de derrotas a Alfredo. Atacou de surpresa seu palácio e forçou o rei a se retirar para uma área pantanosa em torno de Somerset. Ali o rei efetuou uma série de ataques de guerrilha contra os invasores, que serviram mais como reforço de sua autoridade do que efetivamente causaram danos à campanha de Guthrum de saques por Wessex.

Mas Alfredo soube usar o tempo a seu favor: concentrou forças e as organizou enquanto Guthrum enfrentava problemas de natureza diversa (em especial tentando conciliar seus interesses com outros chefes guerreiros de suas forças que tinham desejos diferentes dos seus). Alfredo reuniu seus aliados antes de Páscoa de 878 e lançou um ataque, pressionando as forças de Guthrum. Após um dia de combate, os vikings romperam a formação e fugiram para uma fortificação próxima, que já tinha tido sua comida saqueada por uma incursão a mando de Alfredo.

Sitiados por duas semanas e sem comida, Guthrum e seus homens se renderam nos termos de Alfredo, assinando o Tratado de Wedmore, que basicamente assegurou a Alfredo o controle de Wessex e parte da Mércia, enquanto reconhecia a área de soberania viking, que viria a se chamar Danelaw. Guthrum foi convertido ao cristianismo tendo Alfredo como padrinho, mas isso não pacificou as coisas.

De fato, a vitória garantiu tempo a Alfredo, que consolidou as defesas de Wessex e criou uma marinha de guerra que ajudou a impedir futuras invasões do reino, como uma outra tentativa de Guthrum em 885. Alfredo não só o derrotou como ainda retomou Londres com ataques de sua frota. Guthrum não teve alternativa senão aceitar novamente os termos de Alfredo, renovando o Tratado de Wedmore em 886. Alfredo ainda travaria combates com os vikings em algumas invasões, repelindo todas elas, mas foi a vitória em Edington que consolidou seu nome e reputação, tornando-se referência para os ingleses que resistiam aos vikings.

Sandro Teixeira Moita

Ver também Espada; Estratégia de combate; Guerra e técnicas de combate; Guerra e simbolismos; História da Guerra.

BRINK, Stefan; PRICE, Neil (eds.). *The Viking World*. Abingdon: Routledge, 2008.

CRAUGWELL, Thomas J. *How the Barbarian Invasions Shaped the Modern World – The Vikings, Vandals, Huns, Mongols, Goths, and Tartars who Razed the Old World and Formed the New*. Beverly: Fair Winds Press, 2008.

HARRISON, Mark; EMBLETON, Gerry. *Anglo-Saxon Thegn 449-1066 AD*. London: Osprey Publishing, 1993.

HARRISON, Mark; EMBLETON, Gerry. *Viking Hersir 793-1066 AD*. London: Osprey Publishing, 1993.

HEATH, Ian; MCBRIDE, Angus. *The Vikings*. London: Osprey Publishing, 1985.

HOLMAN, Katherine. *The A to Z of the Vikings*. Plymouth: The Scarecrow Press, 2009.

SAWYER, Peter (ed.). *The Oxford Illustrated History of the Vikings*. Oxford: Oxford University Press, 1997.

WINROTH, Anders. *The Age of the Vikings*. Princeton: Princeton University Press, 2014.

BATALHA DE HAFISFJORD

Batalha naval ocorrida em 872 ou entre 885 e 890 (há debates sobre a datação correta), na qual Haroldo Cabelos Belos venceu uma aliança de chefes guerreiros e se tornou rei da Noruega.

Haroldo estava em um processo de consolidação de seu poder, empreendendo a conquista da Noruega fracionadamente, derrotando reis e chefes guerreiros locais em busca de aumentar os seus domínios. Esse movimento de Haroldo é tido como causa da saída de muitos vikings noruegueses para o mar em busca de novos lugares para viver.

O processo de conquista de várias regiões e aumento de poder de Haroldo não era visto com bons olhos pelos chefes locais e, após uma série de movimentos, era óbvio que a ambição do rei seria posta à prova, com forças do norte e do oeste da Noruega formando alianças para enfrentá-lo.

A batalha ocorreu em Hafrsjord, próximo a moderna Stavanger, na Noruega. Embora se tratasse de um combate entre navios, a luta acabou reproduzindo uma lógica terrestre, com abordagens entre belonaves e uso de dardos e projéteis entre inimigos. Haroldo atacou diretamente os líderes que se opunham a ele, visando quebrar a organização da aliança contrária e afetar o moral dos homens. Não se sabe o efetivo preciso, mas as fontes registram que foi a maior batalha travada por Haroldo.

Um relato da batalha encontra-se no *Heimskringla* e conta que Haroldo era conhecido por suas tropas de *berserkir* e *ulfhednar*, combatentes distintos de outros, seja por usarem peles de urso ou lobo em suas vestes para a batalha, seja pela atuação como forças de choque, eliminando diversos líderes inimigos.

Com a dura luta, eliminando diversos oponentes, Haroldo venceu, ao final do dia, e foi declarado rei da Noruega, sinalizando uma unificação em torno de sua figura. De fato, estima-se que, com a vitória em Hafrsjord, o poder do rei não deve ter ultrapassado Trondheim, devido ao grande poder que gozavam os chefes guerreiros do norte da Noruega, e que só vieram a ser submetidos anos depois de muita luta, com os descendentes de Haroldo.

Independente da extensão da soberania de Haroldo, a vitória em Hafrsjord lançou a ideia de uma Noruega unida, objetivo a ser mantido por vários de seus descendentes, como Olavo Tryggvason. A coroa norueguesa seria objeto de muita disputa nos anos vindouros, mas sua validade não se encontrava mais em questão, sendo este o grande legado da vitória de Haroldo.

Sandro Teixeira Moita

Ver também Espada; Estratégia de combate; Guerra e técnicas de combate; Guerra e simbolismos; História da Guerra.

BRINK, Stefan; PRICE, Neil (eds.). *The Viking World*. Abingdon: Routledge, 2008.

CRAUGWELL, Thomas J. *How the Barbarian Invasions Shaped the Modern World – The Vikings, Vandals, Huns, Mongols, Goths, and Tartars who Razed the Old World and Formed the New*. Beverly: Fair Winds Press, 2008.

HARRISON, Mark; EMBLETON, Gerry. *Anglo-Saxon Thegn 449-1066 AD*. London: Osprey Publishing, 1993.

HARRISON, Mark; EMBLETON, Gerry. *Viking Hersir 793-1066 AD*. London: Osprey Publishing, 1993.

HEATH, Ian; MCBRIDE, Angus. *The Vikings*. London: Osprey Publishing, 1985.

HOLMAN, Katherine. *The A to Z of the Vikings*. Plymouth: The Scarecrow Press, 2009.

SAWYER, Peter (ed.). *The Oxford Illustrated History of the Vikings*. Oxford: Oxford University Press, 1997.

WINROTH, Anders. *The Age of the Vikings*. Princeton: Princeton University Press, 2014.

BATALHA DE MALDON

Batalha ocorrida entre vikings e anglo-saxões na Inglaterra em 991, na qual os últimos falharam em impedir uma ressurgência de dinamarqueses e noruegueses na ilha, fazendo com que novos ataques vikings se seguissem nos anos seguintes.

O rei anglo-saxão, à época Etelredo II, mostrou-se incapaz de oferecer, à maneira de seus antecessores, uma resposta rápida e enérgica frente ao renovado perigo das invasões vikings a partir de 980. De caráter vacilante, o rei é conhecido pelo apelido *unraed*, que pode ser traduzido do inglês antigo como "despreparado" ou "mal aconselhado", que parece melhor para descrever seu comportamento ao longo da vida, sempre dependente de seus conselheiros.

Ethelred descendia de reis anglo-saxões que, com dura luta, tinham conquistado o Danelaw, e tinha uma posição invejável, mas era incapaz de aproveitar tal potencial. A partir de 980, uma série de ações vikings de pilhagem, em especial feitas por dinamarqueses e que se desenvolviam sem forte oposição do rei, foram se transformando em invasões e em uma tentativa de restabelecer o Danelaw, embora o combate em Maldon ocorresse entre forças anglo-saxãs e um grupo de vikings que estava em expedição de pilhagem.

Havia uma divisão na corte sobre como responder aos ataques vikings: um grupo defendia o pagamento de tributos para que voltassem de onde tinham vindo sem atacar a Inglaterra, enquanto outro grupo defendia uma resposta militar, com mobilização de forças para deter, impedir e expulsar os vikings.

Esse último grupo tinha como um de seus líderes o *ealdorman* Bryhtnoth de Essex, cujo título de alta importância era equivalente ao de *dux* ou duque e indicava um nobre com grande responsabilidade militar. Ele tomaria a frente das forças anglo-saxãs contra Olavo Tryggvason, que liderava uma poderosa frota de 93 navios, tendo entre dois e três mil homens sob seu comando.

Não há informação exata sobre o efetivo comandando por Bryhtnoth, mas não deveria divergir muito do que os vikings tinham disposto no campo de batalha. A luta foi renhida e dura, mas as forças comandadas por Bryhtnoth eram de qualidade inferior em treinamento e equipamento frente aos vikings, o que lhe custou demasiadamente caro em combate, com a perda da própria vida.

Embora com forças inferiores, o nobre anglo-saxão estava em posição vantajosa no início da batalha, forçando os vikings a cruzar uma pequena ponte terrestre para atacar a linha anglo-saxã, que foi defendida com grande tenacidade segundo as fontes inglesas, que buscam ressaltar a bravura dos combatentes contra o invasor.

Os vikings solicitaram uma trégua e requisitaram a passagem pela ponte para terra firme, para continuar a luta, ao que Bryhtnoth aquiesceu, em um episódio que as fontes procuram demonstrar como de elevada coragem e lealdade. A despeito disto, a batalha foi retomada e a qualidade dos vikings tanto em treinamento quanto em armamento começaram a pesar, levando alguns anglo-saxões a fugir.

Bryhtnoth tinha colocado seu cavalo aos cuidados de um homem chamado Godric, e isto se provou um erro fatal. Vendo a pressão dos ataques vikings, Godric se desesperou e fugiu no cavalo de Bryhtnoth, fato que boa parte das forças anglo-saxãs interpretou como seu líder fugindo e agiu de acordo, fugindo de maneira desordenada, deixando Bryhtnoth com seus guardas pessoais, que ficaram para lutar e morrer junto a seu senhor. Ele foi morto antes do fim do combate e seus guardas tombaram defendendo seu corpo.

A derrota em Maldon foi mal recebida por Etelredo, que imediatamente fez um pagamento de dez mil libras em ouro e prata a Olavo e aos vikings vencedores da batalha, iniciando uma nova política no reino da Inglaterra quanto aos invasores: o pagamento de tributos para que simplesmente fossem embora, que ficaria conhecido pelo nome de *danegeld*.

Entretanto, a política, em vez de promover segurança, estimulou um grande número de invasões, com tributos sendo pagos por Etelredo a invasores vikings em diversos anos, com somas cada vez maiores, dada a incapacidade real em responder com força bélica aos ataques. Isso estimulou um movimento na nobreza anglo-saxã, que acabaria na criação dos *huscarls*, infantaria pesada eficiente, bem equipada e treinada, sendo decisiva em diversas batalhas no futuro contra os vikings. temida por estes.

Sandro Teixeira Moita

Ver também Espada; Estratégia de combate; Guerra e técnicas de combate; Guerra e simbolismos; História da Guerra.

BRINK, Stefan; PRICE, Neil (eds.). *The Viking World*. Abingdon: Routledge, 2008.

CRAUGWELL, Thomas J. *How the Barbarian Invasions Shaped the Modern World – The Vikings, Vandals, Huns, Mongols, Goths, and Tartars who Razed the Old World and Formed the New*. Beverly: Fair Winds Press, 2008.

HARRISON, Mark; EMBLETON, Gerry. *Anglo-Saxon Thegn 449-1066 AD*. London: Osprey Publishing, 1993.

HARRISON, Mark; EMBLETON, Gerry. *Viking Hersir 793-1066 AD*. London: Osprey Publishing, 1993.

HEATH, Ian; MCBRIDE, Angus. *The Vikings*. London: Osprey Publishing, 1985.

HOLMAN, Katherine. *The A to Z of the Vikings*. Plymouth: The Scarecrow Press, 2009.

SAWYER, Peter (ed.). *The Oxford Illustrated History of the Vikings*. Oxford: Oxford University Press, 1997.

WINROTH, Anders. *The Age of the Vikings*. Princeton: Princeton University Press, 2014.

BATALHA DE STANFORD BRIDGE

Famosa batalha, ocorrida em 25 de setembro de 1066 na qual o rei inglês Haroldo Godwinson derrotou Haroldo Hardrada, rei da Noruega, e derrotou a última grande invasão viking da Inglaterra, fato que representa para a historiografia clássica o ponto final da Era Viking.

Em 1066, a Inglaterra vivia dias bem diferentes dos tempos das batalhas de Edington e Maldon. O reino anglo-saxão era funcional, suas forças eram capazes de rivalizar com as vikings no campo de batalha, e os *huscarls* eram temidos por sua qualidade militar. Tal organização seria colocada à prova quando da invasão de Hardrada, na qual as capacidades do reino seriam testadas.

O rei inglês vivia momentos difíceis. Seu antecessor, Eduardo, o Confessor, não tinha deixado herdeiros e ainda por cima existiam reivindicações ao trono da Inglaterra por parte do duque da Normandia, Guilherme, o Bastardo, e do rei norueguês, Hardrada. O duque era poderoso, tinha um grande exército e uma boa frota, além de experiência vasta em combate. O rei norueguês não ficava atrás – tendo participado da primeira batalha de sua vida aos quinze anos, viajado pela Rússia, onde serviu o Grande Príncipe de Kiev, seguiu até o Império Bizantino onde se tornou um dos comandantes da Guarda Varangiana, força de elite imperial e guarda pessoal dos imperadores.

No serviço da Guarda, Hardrada viu ação extensiva, tendo participado de campanhas na Itália, Sicília, Bulgária e no Oriente, tendo ainda viajado a Jerusalém, possivelmente em escolta de peregrinos de alta importância no Império Bizantino. Sua vida no leste lhe garantiu fama, reputação e uma boa fortuna, que usou para financiar sua reivindicação ao trono da Noruega.

Hardrada se tornou rei em 1046 como corregente de seu sobrinho, Magno, o Bom, mas esse sistema durou pouco devido à morte de Magno em 1047. Foi um rei guerreiro, consolidando a autoridade da coroa norueguesa muitas vezes de maneira brutal, além de ter guerreado contra a Dinamarca diversas vezes sem, no entanto, conquistá-la.

A reivindicação do rei norueguês ganharia outro impulso quando Tostig, irmão do futuro rei inglês, foi deposto de seus títulos e propriedades e banido do reino em 1064 por decreto de Eduardo, o Confessor, segundo conselho do próprio Haroldo, devido ao brutal tratamento dado por Tostig aos chefes locais e a população geral. Tostig assassinou nobres sob sua proteção, violando tradições e leis anglo-saxônicas. Banido, viajou para oferecer seus serviços ao duque da Normandia, que recusou, e acabou se aliando a Hardrada, que por sua vez dizia ter direito ao trono inglês por um tratado assinado pelos reis da Inglaterra e da Noruega, no qual garantiam-se os direitos de herança caso morressem sem herdeiros.

Portanto, como Magno tinha morrido sem herdeiros, Hardrada considerava-se na posição de reivindicar o trono inglês e lançou uma invasão da Inglaterra com 300 navios, trazendo entre sete e nove mil homens consigo. Mas Haroldo não considerava sua ameaça, pois estava ocupado planejando a defesa da Inglaterra desde que tinha recebido a notícia de que Guilherme, o Bastardo, duque da Normandia, estava reunindo uma frota de 600 navios para a invasão.

Hardrada fez algumas razias no litoral e, percebendo a pouca oposição, lançou um ataque na direção de York, sendo detido pelos *earls* Edwin e Morcar, que conseguiram mobilizar três mil homens em poucos dias, valendo-se do sistema de defesa anglo-saxão. Parte dessas forças eram *huscarls* ligados aos dois chefes.

O combate se deu em Fulford, em 20 de setembro de 1066. O número das tropas e o destemor de Hardrada abriram caminho nas linhas anglo-saxãs. As forças de Morcar, apesar de uma resistência brava no primeiro momento da batalha, sofreram pesadas baixas e foram destruídas após um ataque liderado pessoalmente pelo rei norueguês.

Hardrada e Tostig seguiram para York, que foi rapidamente rendida, com promessas de tributos e reféns. Retiraram-se para as proximidades do rio Derwent, onde descansavam. Mas não sabiam que Haroldo Godwinson já se encontrava ali. O rei inglês, tendo reunido seu exército para enfrentar a invasão que viria do duque da Normandia, valeu-se de uma tempestade que danificou muitos navios no canal da Mancha para usar o tempo a favor de destruir a expedição de Hardrada e Tostig.

Assim, em 25 de setembro, em uma marcha que cobriu mais de 220 quilômetros em apenas quatro dias, Haroldo Godwinson estava pronto para atacar os vikings, que por sua vez estavam dispersos: vários homens estavam sem equipamento e armamento, além de dois a três mil estarem no litoral, junto aos navios. Hardrada estava em completa desvantagem, não só pela posição, mas também em efetivo.

Uma história é dita sobre o início da batalha, na qual Haroldo Godwinson buscou chegar a termos com Tostig e Hardrada. Ele ofereceu ao primeiro um terço de seu reino e quando foi perguntado sobre o que concederia ao rei norueguês, Haroldo respondeu que concederia "sete palmos de terra, já que ele é mais alto que a maioria dos homens".

Os vikings entraram em posição circular, formando uma parede de escudos, embora muitos estivessem sem armadura ou sequer vestidos, tamanha a surpresa causada pela chegada dos anglo-saxões. A retaguarda foi ordenada por Hardrada para deter os inimigos o máximo de tempo possível enquanto mensageiros eram enviados aos navios para que os homens que lá estavam viessem em reforço.

A mais famosa história da batalha de Stamford Bridge é justamente sobre a retaguarda viking. Os primeiros ataques anglo-saxônicos a destruíram quase completamente, com exceção de um *berserker*, alto e que sozinho na ponte os detém. Esse guerreiro, girando seu machado de batalha, acaba por matar quarenta anglo-saxões antes de ser morto por uma lança usada por um saxão que estava em um bote, atacando seu flanco em meio às tábuas da ponte. Isso deu tempo aos vikings de aprimorar sua formação defensiva e lutar contra o inimigo superior em número.

O combate foi duro, mas a qualidade dos *Huscarls* pesou, e logo a linha viking foi quebrada, bem como sua parede de escudos. Totalmente cercado, Hardrada foi atingido por uma flecha na garganta e caiu morto. Tostig assumiu o comando, mas logo tombou em seguida, e quando o contra-ataque viking chegou, a "tempestade de Orri', liderado por Eystein Orri, deteve Haroldo por pouco tempo, devido à exaustão dos guerreiros que percorreram mais de vinte quilômetros totalmente equipados.

Haroldo Godwinson perseguiu os sobreviventes que fugiram para os navios após a falha do contra-ataque de Orri, que por sua vez também foi morto em combate. Era vencedor, mas não haveria descanso para ele, visto que tinha sofrido pesadas baixas, tendo perdido um terço de seu exército. Mas tinha destruído a última grande incursão viking na Inglaterra. Dos 300 navios que tinham vindo da Noruega, apenas 24 ou 25 retornariam para lá com os sobreviventes.

Ao receber a notícia de que Guilherme da Normandia havia posto pé na Inglaterra no dia 28 de setembro, Haroldo tratou de marchar rapidamente de volta ao sul, e em 14 de outubro de 1066, os dois contendores do trono inglês lutaram na batalha de Hastings, na qual Haroldo Godwinson veio a morrer e Guilherme da Normandia foi intitulado "o Conquistador", subjugando resistências em campanhas brutais entre 1067 e 1070.

Sandro Teixeira Moita

Ver também Espada; Estratégia de combate; Guerra e técnicas de combate; Guerra e simbolismos; História da Guerra.

BRINK, Stefan; PRICE, Neil (eds.). *The Viking World*. Abingdon: Routledge, 2008.

CRAUGWELL, Thomas J. *How the Barbarian Invasions Shaped the Modern World – The Vikings, Vandals, Huns, Mongols, Goths, and Tartars who Razed the Old World and Formed the New.* Beverly: Fair Winds Press, 2008.

HARRISON, Mark; EMBLETON, Gerry. *Anglo-Saxon Thegn 449-1066 AD*. London: Osprey Publishing, 1993.

HARRISON, Mark; EMBLETON, Gerry. *Viking Hersir 793-1066 AD*. London: Osprey Publishing, 1993.

HEATH, Ian; MCBRIDE, Angus. *The Vikings*. London: Osprey Publishing, 1985.

HOLMAN, Katherine. *The A to Z of the Vikings*. Plymouth: The Scarecrow Press, 2009.

SAWYER, Peter (ed.). *The Oxford Illustrated History of the Vikings*. Oxford: Oxford University Press, 1997.

WINROTH, Anders. *The Age of the Vikings*. Princeton: Princeton University Press, 2014.

BATALHA DE STIKLESTAD

Batalha na qual Olavo Haraldsson (filho de Haroldo I), enfrentou chefes guerreiros locais, apoiados por Canuto II, o Grande, em 29 de julho de 1030, pela primazia do trono da Noruega.

Olavo é um dos mais famosos vikings e tinha como seu meio-irmão Haroldo Hardrada, que lutou em Stiklestad ao seu lado com quinze anos. Incursões militares ainda na juventude pareciam ser uma tendência na família, já que Olavo participou de sua primeira expedição com apenas doze anos. Em uma dessas expedições, foi convertido ao cristianismo em 1014, em Rouen, na Normandia, em uma campanha a serviço do rei inglês Etelredo II, exilado após uma devastadora invasão da Inglaterra por vikings dinamarqueses.

Retornando com renome e fortuna a Noruega, e sendo filho de um rei local, Olavo foi condecorado rei da Noruega em 1015, em Trondheim. Seu reino foi marcado por sua dureza enquanto governante, promovendo batalhas diversas como a de Nesjar, em 1016, e pelo seu fervor em favor do cristianismo, ao qual tentou forçar a conversão do país, erigindo igrejas e executando os que se recusassem a abraçar a nova fé.

Tais medidas acabaram por gerar forte opositores e alianças entre chefes guerreiros locais, que formaram um exército superior ao seu. Esses chefes tinham o apoio de Canuto II, rei da Inglaterra e Dinamarca, que desejava anexar a Noruega a seu império no mar do Norte. Olavo, diante da concentração de forças contra si, partiu para o exílio em 1028 no Principado de Kiev, sendo abrigado por Iaroslav, o Sábio.

A Noruega passou a ser governada pelo *earl* Hákon, um dos chefes locais que tinha deposto Olavo e era o representante de Canuto. Em 1029 ele morreu e Olavo viu uma chance de recuperar o trono perdido. Em seu retorno de Kiev pela Suécia, o rei exilado alistou homens no caminho e montou um exército que julgava ser capaz de sustentar seu retorno ao trono.

Porém, pesava contra Olavo um fato do passado, de pouco antes de sua deposição: a morte do chefe guerreiro Erling Skjalgsson, com quem tinha feito aliança após a batalha de Nesjar, e que o ajudara a se tornar rei. Embora tenho lutado contra Olavo, Erling e o rei fizeram uma aliança instável, gerando desconfianças e uma tensão que veio a explodir em 1027, quando Olavo prendeu o filho de Erling, acusando-o de assassinato. Erling mobilizou forças, mas o rei perdoou seu filho e o libertou.

Daí em diante, Erling passou a se preparar para derrubar Olavo, liderando os chefes guerreiros. No mesmo ano ele foi à Inglaterra e conseguiu o apoio de Canuto, voltando em 1028 para enfrentar Olavo na batalha de Boknafjorden, onde foi isolado de suas forças e capturado. A *Heimskringla* conta que o rei estava disposto a perdoar o antigo aliado, mas foi impedido quando um guerreiro decapitou Erling. O incidente ficou famoso, e o muitos dos aliados de Erling juraram vingança a Olavo.

A oportunidade se mostrou quando de seu retorno, com os chefes guerreiros preparando um grande exército contra as forças de Olavo. Marchando pela Suécia, Olavo tinha como objetivo atacar e tomar Trondheim, mas foi detido pelos chefes em Stiklestad. Deu-se uma batalha na qual Olavo, com três mil homens, foi cercado por quatorze mil liderados pelos chefes guerreiros.

Olavo foi ferido e morto em combate, mas os relatos de quem o matou diferem conforme as fontes e a passagem do tempo. O certo é que sua morte desintegrou o exército, que fugiu, ou já tinha sido retirado antes da batalha por ferimentos, como foi o caso de seu meio-irmão, Hardrada, que seguiria para o leste, abrigando-se em Kiev mediante a proteção de Iaroslav, tal como seu irmão tinha feito anos antes.

O rei morto foi enterrado às margens de um rio em Trondheim, e quase que imediatamente começou o culto a santidade de Olavo. A Igreja católica foi rápida em canonizá-lo, considerando histórias de milagres ocorridos até mesmo na própria batalha, quando o sangue de Olavo teria curado os ferimentos de um dos guerreiros que lhe matou. Outros milagres ocorridos em Trondheim e adjacências também foram levados em conta.

Canuto nomeou Sueno, seu filho, para ser seu regente na Noruega, mas o reinado deste não foi diferente no que tange à brutalidade no trato com a população. O fato de Sueno ser estrangeiro aumentou ainda mais a popularidade de Olavo, que teve seu culto impulsionado ao longo dos anos. Durante a Idade Média, sua figura cresceu em importância ao ponto de ser declarado rei eterno da Noruega em 1163, através da Lei de Sucessão Real. Foi também por meio de seu culto e imagem que a conversão da Noruega ao cristianismo, um de seus objetivos, consolidou-se.

Sandro Teixeira Moita

Ver também Espada; Estratégia de combate; Guerra e técnicas de combate; Guerra e simbolismos; História da Guerra.

BRINK, Stefan; PRICE, Neil (eds.). *The Viking World*. Abingdon: Routledge, 2008.

CRAUGWELL, Thomas J. *How the Barbarian Invasions Shaped the Modern World – The Vikings, Vandals, Huns, Mongols, Goths, and Tartars who Razed the Old World and Formed the New*. Beverly: Fair Winds Press, 2008.

HARRISON, Mark; EMBLETON, Gerry. *Anglo-Saxon Thegn 449-1066 AD*. London: Osprey Publishing, 1993.

HARRISON, Mark; EMBLETON, Gerry. *Viking Hersir 793-1066AD*. London: Osprey Publishing, 1993.

HEATH, Ian; MCBRIDE, Angus. *The Vikings*. London: Osprey Publishing, 1985.

HOLMAN, Katherine. *The A to Z of the Vikings*. Plymouth: The Scarecrow Press, 2009.

SAWYER, Peter (ed.). *The Oxford Illustrated History of the Vikings*. Oxford: Oxford University Press, 1997.

WINROTH, Anders. *The Age of the Vikings*. Princeton: Princeton University Press, 2014.

BERGEN

Bergen (Bjǫrgvin em nórdico antigo) atualmente é a segunda maior cidade da Noruega, e por algumas décadas foi a capital do país e seu principal centro político e econômico. Situada na costa oeste da parte sul do país, no Condado de Hordaland, Bergen hoje em dia é conhecida por ser uma cidade turística, principalmente em razão de sua bela paisagem natural. A cidade é cercada por sete montanhas, fiordes, rios, ilhas e penínsulas.

Entre as cidades escandinavas fundadas durante a época viking, Bergen encontra-se no grupo das últimas cidades criadas no período. Sua origem é normalmente associada ao governo do rei Olavo, o Pacífico (Olav Kyrre), monarca da Noruega entre os anos de 1067 e 1093, que por volta do ano de 1070 teria fundado Bergen entre sete montanhas. Tal característica foi tão significante que o nome da cidade é traduzido por alguns como "pastagens à beira da montanha".

Bergen começou como um pequeno porto de uma comunidade pesqueira e agrícola anos antes da chegada do rei Olavo. A cidade possuía acesso ao mar através da península de Bergenshalvøyen, e acesso ao interior através dos fiordes, tornando a localização da cidade bem central naquela região, que décadas depois se tornaria o polo político do país.

Com a morte do rei Haraldo Hardrada (c. 1015-1066), seu filho Olavo assumiu o trono com a idade de 16 anos. Ao retornar para a Noruega após a frustrada tentativa de conquistar a Inglaterra, o que resultou na morte de seu pai, Olavo Haraldsson tratou de consolidar seu poder no trono, restaurar a ordem no país e investir na paz e na prosperidade. Tais medidas lhe renderam o epíteto de "o Pacífico". E entre suas reformas esteve a criação de Bergen como sede de sua residência.

Além de servir de localidade para a residência real, apesar de não ser a capital do país, Bergen também se tornou, por volta da década de 1080, a capital de uma diocese. O fato de parte da Noruega já ser cristã (além do próprio rei Olavo ser convertido) contribuiu para Bergen também ganhar notoriedade como diocese. Durante o governo do rei Olavo algumas igrejas foram construídas na cidade. As bases da catedral seriam erguidas décadas depois.

Ao longo do século XII a cidade de Bergen continuou a crescer em vários sentidos, recebendo cada vez mais riquezas, produtos e habitantes. Sua catedral foi inaugurada, assim como um seminário para a formação de monges e padres. Bispos e reis passaram a ser empossados na cidade, embora Bergen tenha sido oficialmente declarada capital do Reino da Noruega apenas em 1247, pelo rei Hakon Hakonarson (c. 1204-1263), como parte da celebração pela coroação do novo monarca.

A cidade continuou a prosperar e quase um século depois ela caiu nas mãos da poderosa Liga Hanseática, coalizão formada por dezenas de cidades alemãs, que passaram a controlar os principais centros políticos e econômicos do norte da Europa ao longo de séculos. Mesmo estando sob jurisdição estrangeira, Bergen ainda continuou a ser oficialmente a capital do país até ser substituída por Oslo, atual capital norueguesa.

Entre algumas documentações mais antigas conhecidas sobre a cidade de Bergen estão o *Historia Ecclesiastica* (c. 1135) do monge inglês Orderic Vitalis, e os livros *Heimskringla*, o *Morkinskinna* e o *Flateyjarbók* datados dos séculos XIII e XIV, que narram acontecimentos do reinado do rei Olavo, o Pacífico, mencionando a condição de ele ter fundado uma cidade.

Leandro Vilar Oliveira

Ver também Comércio; Era Viking; Moedas e cunhagem; Noruega da Era Viking.

HOLMAN, Katherine. *Historical dictionary of the vikings*. Lanham: Scarecrow Press Inc, 2003.

KRAG, Claus. The Creation of Norway. In: BRINK, Stefan; PRICE, Neil (eds.). *The Viking World*. London/New York: Routledge, 2008, pp. 645-651.

KRAG, Claus. The early unification of Norway. In: HELLE, Knut (org.). *The Cambridge History of Scandinavia*, vol. 1. Cambridge: Cambridge University Press, 2008, pp. 184-201.

BIRKA

Situada no leste da Suécia, na ilha de Björko, no centro do lago Mälaren, a cidade de Birka entre os séculos IX e X foi um dos mais importantes centros urbanos da Suécia e da Escandinávia. Situada a oeste de Estocolmo, atual capital do país, Birka está desabitada há pelo menos mil anos, consistindo num dos mais notáveis sítios arqueológicos da Suécia e Patrimônio Mundial da UNESCO.

A cidade voltou à tona na história a partir da segunda metade do século XIX, quando expedições arqueológicas começaram a escavar a região denominada de *hemlanden*, a zona de cemitérios da cidade. Quase três mil túmulos foram escavados desde então, fornecendo uma grande diversidade de objetos, moedas e materiais que atestam a posição de Birka como uma cidade mercantil. Não obstante, tais objetos também revelam a extensão dos contatos culturais e econômicos que os habitantes de Birka possuíam.

Foram achadas moedas árabes, contas de vidro da Rússia, seda bizantina, espadas germânicas e, pelos detalhes de determinados trajes, alguns dos mortos ali sepultados eram estrangeiros. A cidade estiva conectada ao comércio intercontinental, mas também foi exportadora. A grande quantidade de pentes, acessórios, utensílios e peles de animais indica que essa cidade era um mercado exportador de tais produtos. Boa parte desses itens era comercializada nos portos do Báltico, como Hedeby, importante cidade comercial no sul da Dinamarca, e talvez em localidades ainda mais distantes.

Todavia, somente a partir da década de 1990 novas expedições arqueológicas voltaram a ocorrer em Birka, dessa vez focadas em escavações do território da cidade propriamente dita. A partir dessas escavações ocorridas nas últimas três décadas, os arqueólogos assinalaram que a cidade de Birka deveria cobrir em sua máxima extensão um território de 11 hectares, tendo sido cercada por um muro de madeira. Um pequeno forte foi erguido no promontório ao lado da cidade. Seu porto foi guarnecido com um molhe, que reduzia a dimensão da entrada, forçando as embarcações a terem que entrar em menor quantidade. O molhe em questão possuía uma função defensiva contra possíveis ataques marítimos e não uma defesa contra a maré.

As casas da cidade eram de madeira como o costume local, e seguiam mais ou menos um padrão, que variava entre 5 a 8 metros. Constatou-se que algumas casas possuíam dependências como forjas, armazéns e oficinas. A relativa existência de oficinas e forjas e a quantidade significativa de matéria-prima como peles, ferro, prata, madeira, osso etc. são indicativos de que Birka, além de ter sido uma cidade mercante, também tivesse sido um polo manufatureiro.

Quanto à sua história, apesar de ter sido uma cidade econômica ativa, pouco se conhece. Dagfinn Skre aponta que Birka é considerada por alguns historiadores e arqueólogos como a cidade mais antiga da Suécia, tendo surgido em meados do século VIII. A cidade teria começado talvez como um posto de parada para os viajantes que cruzavam o lago Mälaren, maior lago daquela região, com saída para o mar Báltico.

Com o tempo aquele local de parada tornou-se uma vila e posteriormente uma cidade. No século IX, Birka despontava como um núcleo urbano promissor, alcançando o auge no século seguinte. Nesse ponto, Hans Andersson comenta que, ainda no século IX, Birka teve contato com o cristianismo. Com base nos relatos de São Rimberto de Hamburgo (c. 830-888), seu amigo, o missionário São Oscar (801-865) visitou a cidade por volta dos anos de 829 a 830. De acordo com Rimberto, Oscar viajou para lá a convite do rei Bjorn. Oscar foi acolhido pelo rei e por Herigar, um representante seu, a quem Rimberto chamava de prefeito.

São Oscar somente retornou a Birka vinte anos depois. Nesse tempo houve alguns conflitos, já que alguns não aceitavam o cristianismo em sua cidade. Ainda assim, ao retornar por volta de 852, o novo monarca, o rei Olavo, concedeu um terreno para que Oscar pudesse construir sua igreja e um mosteiro. Tais características revelam como ainda no século IX o cristianismo havia conseguido se firmar rapidamente em certas localidades da Escandinávia.

Embora Birka seja lembrada por seu comércio e tenha possuído quase 900 habitantes, por volta da década de 970 a cidade começou a ser abandonada. Helen Clark assinala que os motivos para que Birka tenha perdido sua importância política e econômica não são claros. Existem duas teorias comumente citadas, mas ainda não comprovadas.

Uma das teorias, assinalada por Helen Clarke e Dagfinn Skre, indica que a foz do Mälaren (que no século X era uma enseada e não um lago) teve seu nível de profundidade reduzido, o que teria dificultado a passagem de navios de grande calado, tornando inviável que naus mercantes para ali se dirigissem, pois seria necessário recorrer à distribuição da carga em embarcações menores para poderem ser conduzidas até o porto de Birka.

A segunda teoria sugere que o emergente crescimento de Sigtuna, cidade localizada a poucos quilômetros ao norte de Birka, possa ter levado a uma competição entre as duas pela disputa das rotas comerciais e controle político. Sigtuna, que prosperou no século XI, aparentava possuir mais recursos e poder do que Birka, que se encontrava em crise no final do X.

Leandro Vilar Oliveira

Ver também Comércio; Moedas e cunhagem; Suécia da Era Viking.

ANDERSSON, Hans. Urbanisation. In: HELLE, Knut (ed.). *The Cambridge History of Scandinavia*. New York: Cambridge University Press, 2003, vol. 1: Prehistory to 1520, pp. 312-342.

CLARKE, Helen. Cidades, comércio e ofícios. In: GRAHAM-CAMPBELL, James (org.). *Os vikings*. Barcelona: Editora Folio S.A. 2006, pp. 78-88.

HOLMAN, Katherine. *Historical dictionary of the vikings*. Lanham: Scarecrow Press Inc, 2003.

SKRE, Dagfinn. The development of urbanism in Scandinavia. In: BRINK, Stefan; PRICE, Neil (eds.). *The Viking World*. London/New York: Routledge, 2008, pp. 83-93.

BÓNDI

O termo em nórdico antigo *bóndi* (*búandi*, *boándi*, pl. *boendr*) significava originalmente o senhor da casa (com a variação *húsbóndi*, que originou o inglês *husband*). Numa sociedade predominantemente agrícola e rural como na Escandinávia da Era Viking, a palavra era utilizada no sentido de fazendeiro, pessoa que possui uma fazenda. Também é encontrada frequentemente em inscrições em pedras rúnicas com o significado de marido. Posteriormente, com o desenvolvimento das cidades e do comércio após o Período Viking, o termo passou a ser utilizado como a pessoa que tinha propriedades. Nos códigos de leis islandeses, cada *bóndi* era requisitado para acompanhar o líder durante as assembleias. No poema éddico *Rígsthula*, *bóndi* era o nome de um dos filhos de Karl (homem livre).

Segundo Régis Boyer, o termo *bóndi* pode ser empregado para toda a base social da Era Viking. Seria a forma contraída de um particípio presente substantivado, *bóandi*, do verbo *búa*, cujo sentido próprio era preparar a terra para fazê-la produzir frutos. O sentido de morar/habitar é uma acepção secundária. Assim, *bóndi* seria tanto o camponês quanto o pescador e o proprietário livre, sendo uma categoria social que não se expressava em termos de riqueza, mas em critérios de antiguidade. O *bóndi* deveria ser capaz de recapitular sua linhagem em várias gerações. Tinha direito a efetuar uma ação na justiça e em caso de sofrer uma ofensa, de exigir compensação plena (*bót*). Existiam também variações da terminologia, como o *ódalsbóndi* (em norueguês *hauldr*), aquele que habita uma propriedade depois de várias gerações.

Os *stórboendr* (os grandes *boendr*) eram os grandes proprietários, aqueles que administravam e governavam a comunidade, criando certos laços de fidelidade e clientelismo com os outros estratos sociais. A maior parte dos fazendeiros eram os *smáboendr*, os pequenos proprietários. Uma outra categoria de fazendeiro era o *bryti*, geralmente encarregado da administração das propriedades e provavelmente originado da escravidão. Mas no final da Era Viking, entre os aristocratas e a realeza, essa categoria poderia desfrutar de grande *status* e prestígio.

Johnni Langer

Ver também Era Viking; Islândia da Era Viking; Sociedade; Viking.

BOYER, Régis. Les Stórboendr/Les smáboendr. In: *L´Islande Médiévale*. Paris: Les Belles Lettres, 2002, pp. 46-50.

BOYER, Régis. Le boendr. In: *Les vikings*. Paris: Perrin, 2002, pp. 260-273.

BOYER, Régis. La sociedad viking. In: *La vida cotidiana de los vikingos*. Barcelona: José J. de Olañeta, Editor, 2000, pp. 51-70.

HOLMAN, Katherine. Bóndi. In: *Historical Dictionary of the Vikings*. Oxofrd: The Scarecrow Press, 2003, pp. 49-50.

SHORT, William R. Social structure and gender. In: *Icelanders in the Viking Age*. London: McFarland & Company, 2010, pp. 32-39.

BRACTEATAS

A bracteata é um tipo de medalhão produzido na Idade do Ferro germânica entre os séculos V e VI. A maioria deles possuía ilhós que os indicavam como uma indumentária para ser usada no pescoço, já que esses ganchos eram feitos para passar cordões. Provavelmente eram peças que adornavam os pescoços de aristocratas, uma vez que a grande maioria era feita de ouro.

As bracteatas foram divididas por estudos arqueológicos em 7 tipos, divisão que leva em consideração os motivos gravados nesses artefatos e que os classificam em A, B, C, D, E, F, M. O tipo A é gravado com um rosto antropomórfico, tendo como modelo as moedas do Império Romano; o tipo B mostra de uma a três figuras antropomórficas de pé, sentadas ou de joelhos, acompanhadas geralmente por figuras zoomórficas; o tipo C é representado por uma figura antropomórfica sobre a figura zoomórfica de um quadrúpede, normalmente interpretado como Odin e Sleipnir; o tipo D apresenta apenas figuras zoomórficas; o tipo E apresenta um *trisquel* formado por figuras zoomórficas em cima de uma figura geométrica circular; o tipo F é um subgrupo dos bracteates D, apresentando também figuras zoomórficas; e o tipo M consiste de imitações bifaciais dos medalhões imperiais romanos.

Foram descobertos mais de 970 bracteatas dos tipos A, B, C, D E F; destes, cerca de 135 levam inscrições rúnicas com caracteres do futhark antigo. Dentre as inscrições que mais reverberaram na historiografia encontra-se a da bracteata Seeland-II-C, que oferece proteção para viagem a quem o leva. As gravações rúnicas das bracteatas demonstram a importância da arte de gravar runas como instrumento de ação mágica que favorece o contato entre os homens e o sagrado por meio da gravação de artefatos. Outras 270 bracteatas do tipo E, pertencentes ao Período Vendel (e portanto posteriores à maior parte das bracteatas da era das migrações), foram encontradas apenas em Gotland, na atual Suécia, e foram feitas em prata e bronze, diferente das demais, feitos em ouro.

Contudo, nem todas as bracteatas pertencem ao esquema já supramencionados. Dentre as que fogem ao padrão temos a representação do deus Týr, datada do século VI, artefato encontrado na região de Trollhättan, na atual Suécia. A bracteata mostra o deus Týr tendo uma de suas mãos mordida pelo lobo Fenrir, representação que levou arqueólogos a concluírem que alguns dos mitos que nos chegam pelas compilações do século XIII teriam surgido e ganhado certa importância perante os povos nórdicos já no século V.

O mito da perda da mão de Týr encontra-se na *Edda em prosa* e na *Edda poética* e nos diz que os deuses, ao tentarem prender o lobo Fenrir, fazem com ele uma aposta: ele não conseguiria quebrar as correntes que nele fossem colocadas. Mas as primeiras correntes foram quebradas facilmente. Depois disso, porém, os deuses pedem a alguns anões que construam uma corrente muito forte, denominada Gleipnir, feita com o som da pisada de um gato, a barba de uma mulher, as raízes de uma montanha, tendões de urso, respiração dos peixes e saliva de pássaros. O lobo Fenrir logo fica sabendo da artimanha dos deuses e pede para que algum deles cumpra o trato de colocar a mão em sua boca, para garantir que ele não seria preso porque, se acaso o fosse, iria comer a mão do deus. Týr foi o único deus a se propor a enfrentar a fera e, por esse motivo, perdeu sua mão. Por fazer com que o acordo entre os deuses e o lobo fosse cumprido, mesmo com a perda de sua mão, Týr é considerado pelos historiadores como o deus das leis e da ordem (*Gylfagining* 33).

A imagem de deuses e as inscrições de proteção presentes nas bracteatas indicam sua conexão a atividades ritualísticas, mas para compreendermos essa conexão devemos buscar a padronização de seus depósitos. Os depósitos padronizados excluem a possibilidade de que foram feitos em épocas de crise e guerra com a finalidade de serem recuperados, uma vez que os depósitos de crises e de guerras são compostos de resquícios de valor em associações aleatórias. O rito é considerado, assim, uma atividade padronizada, ou seja, pobre em potencial semântico e em sua característica argumentativa lógica. Podemos dizer, desse modo, que os estudos do rito devem compreendê-lo como forma de expressão que se difere de uma linguagem natural, na qual podemos dizer novas coisas e criarmos argumentos, e assim, a comunicação ritual se encontra protegida de rápidas modificações.

Os achados de bracteatas em depósitos singulares ou até mesmo em depósitos múltiplos de no máximo vinte bracteatas nos indicam uma padronização para o início do período da Idade do Ferro germânica. Os depósitos estavam em pântanos, terra e até mesmo em praias e lagos. Aqueles depósitos que contavam com uma ou duas bracteatas são encontrados quase em sua totalidade sem conexão alguma com qualquer outro tipo de objeto; quando se encontram conectados, estão sempre junto de colares, anéis e braceletes de ouro, mas nunca com contas de âmbar e de vidro. Os que se encontram associados com broches são em sua maioria depósitos com mais de duas bracteatas e podem contar com outras associações, como contas de vidro, contas de âmbar e com anéis em formato de espiral, mas raramente com colares, braceletes, tiras e barras de ouro que aparecem em outros depósitos. Assim, podemos concluir que os depósitos de bracteatas que ocorriam por toda a Escandinávia durante a Idade do Ferro germânica contam com certas padronizações, que nos indicam uma utilização ritualística.

Munir Lutfe Ayoub

Ver também Arqueologia da Era Viking; Cultura material; Religião.

AXBOE, Morten. The Scandinavian Gold Bracteates. Studies on their manufacture and regional variations. With a supplement to the catalogue of Mogens B. Mackeprang. *Acta Archaeologica*, 1981, vol. 52, pp. 1-100.

HEDEAGER, Lotte. *Iron Age Myth and Materiality: An Archaeology of Scandinavia ad 400-1000*. New York: Routledge, 2011.

HEDEAGER, Lotte. *Iron-Age Societies*. Tradução de John Hines. Cambridge: Three Cambridge Center, 1992.

MEES, Bernard. On the typology of the texts that appear on migration-era bracteates. *Early Medieval Europe*, vol. 22, n. 3, 2014, pp. 280-303.

STURLUSON, Snorri. Edda Snorra Sturlusonar. In: JÓNSSON, Finnur (ed.). *Edda Snorra Sturlusonar*. Reykjavík: Kostnadarmadur: Sigurdur Kristjánsson, 1907.

BRATTAHLID

Nome da localidade na Groenlândia (c. *Brattahlíð*) em que o viking norueguês Érico, o Vermelho (*Eiríkr Þorvaldsson* ou *Eiríkr hinn rauði*) constrói seu assentamento em meados do século x. O lugar fica na região sudoeste da Groenlândia, bem próxima ao litoral do fiorde de Tunulliarfik ou fiorde de Érico, composta por terras férteis e de declives e aclives, tanto que seu nome de batismo significa "encostas íngremes", em uma tradução livre. Atualmente a localidade deste assentamento se encontra a poucos metros de Qassiarsuk, que é pertencente ao município de Kujalleq, que contém um pouco mais de cem habitantes.

A presença deste assentamento é confirmada pela presença de vestígios arqueológicos e por uma série de fontes, principalmente as sagas do descobrimento da América (*Vínland sagas*), composta pela *Saga de Eiríkr, o Vermelho* (*Eiríks Saga Rauða*) e pela *Saga dos Groenlandeses* (*Grænlendinga Saga*). Uma das primeiras revelações desta última é que Érico se tornou um proscrito devido a contendas familiares, o que possibilitou sua expedição em busca de novas terras, com base nos boatos de Gunnbjörn. Ao encontrar essa nova terra – que seria a Groenlândia – chamando a localidade encontrada de Miðjökull (região de Ammassalik, leste da Groenlândia), ele seguiu costeando em direção ao sul, onde permaneceu durante o primeiro inverno na ilha de seu nome.

Após quatro verões de explorações ele retorna para a Islândia, como demonstra a *Saga dos Groenlandeses*, avisando que encontrará uma nova terra, chamando-a de *Grænland*, ou seja, Terra Verde. Após um tempo na Islândia a saga nos diz: "Ele morou em Brattahlíð, no Fiorde de Eiríkr", e depois, "Eiríkr Vermelho morava em Brattahlíð. Ele vivia lá com a máxima honra e todos buscavam o seu conselho. Eram estes seus filhos: Leifr, Thorvaldr e Thorsteinn, já a sua filha se chamava Freydís" (Anônimo, 2007a, p. 58-60).

Já na *Saga de Eiríkr, o Vermelho*, a aparição da localidade pela primeira vez no texto tem alguns problemas documentais, já que alguns não a consideram como parte original da saga, apesar de fazer parte do *Hauksbók* editado por Matthías Thórðasson, em que se lê: "Depois Eiríkr tomou posse do fiorde de Eiríkr e passou a morar em Brattahílð" (Anônimo 2007b, p. 91).

Arqueologicamente, desde o século XIX ocorreram exploração na área, mas foi em 1961, com um trabalho iniciado em Qassiarsuk, que as pesquisas e achados se ampliaram, revelando, através de cinco escavações feitas no ano seguinte, um cemitério com cerca de cento e cinquenta sujeitos enterrados ao redor de uma pequena igreja. Nove desses esqueletos foram datados via radiocarbono como pertencentes ao intervalo entre os séculos X e XI–XII. Além dessa comprovação, acredita-se que a ermida encontrada tenha sido construída pela mulher de Leifr, filho de Érico, o responsável por trazer o cristianismo para aquelas terras, que é demonstrada na *Saga de Eiríkr, o Vermelho*: "Leifr aportou no Fiorde de Eiríkr e foi em seguida para casa em Brattahlíð. Todos lá o receberam bem. Ele logo propôs o cristianismo e a fé católica na terra [...] Eiríkr não gostou muito da ideia de abandonar a sua religião, já Thjóðhildr converteu-se rapidamente e mandou construir uma igreja, num local não muito próximo da fazenda. Aquela construção foi chamada de Igreja de Thjóðhildr (*Þjóðhildarkirkja*)" (Anônimo, 2007b, p. 100-101).

Essa localidade tornou-se um marco tanto pelo assentamento do primeiro colonizador da Groenlândia e de seus descendentes como também pela fundação da primeira igreja na região (há uma reconstrução moderna desta ermida no local), e também da realização do primeiro *Þing* groenlandês. Sabe-se que até o século XV a região permaneceu habitada por descendentes de Érico, mas uma série de fatores, como uma pequena era do gelo, a erosão do solo, as disputas comerciais da liga Hanseática, a competição com os inuítes, somados a uma redução do interesse norueguês na área, acabaram por causar um isolamento da região como um todo, findando o assentamento. Os relatos mostram que o último barco da Groenlândia para a Europa teria saído em meados de 1410, revelando a conjunção de fatores que culminou no abandono da localidade.

José Lucas Cordeiro Fernandes

Ver também Esquimós (inuítes) e nórdicos; Freydis; Leif Eriksson; Sagas do Atlântico Norte; Vínland.

ANÔNIMO. A Saga do Groenlandeses. In: *As três sagas Islandesas*. Tradução de Théo Moosburger. Curitiba: Editora UFPR, 2007a.

ANÔNIMO. A Saga de Eiríkr Vermelho. In: *As três sagas Islandesas*. Tradução de Théo Moosburger. Curitiba: Editora UFPR, 2007b.

ARNEBORG, Jette. The Norse Settlements in Greenland. In: BRINK, Stefan; PRICE, Neil (eds.). *The Viking world*. London: Routledge, 2012, pp. 588-597.

DIAMOND, Jared. *Collapse: how societies choose to fail or succeed*. New York: Viking Penguin, 2005.

GWYN, Jones. *La saga del Atlántico Norte: establecimiento de los vikingos en Islandia, Groenlandia y América*. Barcelona: Oikos-Tau, S.A. Ediciones, 1992.

SHAFER, John Douglas. *Saga accounts of norse far-travellers*. Durham: Durham University, 2010.

UMBRICH, Andrew. *Early Religious Practice in Norse Greenland: From the Period of Settlement to the 12 th Century*. Reykjavík: Universidade da Islândia, 2012.

BREVIS HISTORIA REGUM DACIE

A *Brevis historia regum dacie*, também conhecida como *Compendiosa regum daniae historia*, foi escrita em latim por volta de 1188 por Sueno Aggesen. O conteúdo da obra apresenta brevemente a sucessão genealógica dos reis da Dinamarca, uma forma de escrita da história muito comum entre os séculos XII e XIII. O período abordado por Sueno é aproximadamente entre 300 e 1185, abrangendo desde o período do rei mítico Skjöld, primeiro rei da Dinamarca, até o início do reinado de Canuto VI.

A forma de escrita da *Brevis historia*, de acordo com o próprio Sueno Aggesen, foi baseada em antigas tradições orais e em fontes escritas consultadas pelo autor. Considerando a tradição histórica danesa existente antes da composição da *Brevis historia*, deve-se salientar que a obra de Sueno não pode ser destacada como a pioneira história nórdica referente ao território da Dinamarca. De acordo com Eric Christiansen, o autor da *Brevis historia* provavelmente conhecia essa tradição e fez uso da mesma para compor sua obra. Mesmo assim, Aggesen rompeu de duas maneiras com a tradição de escrita da história. Em primeiro lugar, preocupou-se em estabelecer um considerável vínculo com o passado, já que destacou em sua obra a existência da monarquia danesa como uma herança de tempos antigos, reivindicados pela coragem e pela sabedoria do seu contexto; em segundo lugar, apresentou em sua obra uma perspectiva de continuidade entre o contexto anterior e posterior à presença do cristianismo, considerando os dois momentos como uma história contínua e não como um rompimento.

Pouco se sabe sobre a vida de Sueno Aggesen. Provavelmente foi um nobre danês, cuja família tinha influência sobre os arcebispados de Lund e de Viborg. Sua família pertencia a um destacado estamento e participava da política danesa da época, já que seu avô, Kristiarn Svensen, e seu pai, cujo nome provavelmente era Aggi, foram guerreiros de elite com uma reconhecida reputação, e seu tio, Eskil, foi considerado o segundo arcebispo mais importante da Dinamarca em sua época. Provavelmente passou por uma preparação intelectual na França e suas obras estão relacionadas a um contexto no qual a independência danesa era ameaçada pela influência germânica. De acordo com Eric Christiansen, Sueno Aggesen provavelmente teve um necessário conhecimento da lei, manteve um certo contato com Saxo Gramático e fez parte de um destacado estamento político ao qual sua família pertencia.

Existe somente um manuscrito que contém o texto da *Brevis historia regum dacie*. Identificado como "A", encontra-se na Biblioteca de Copenhagen (AM 33 4°), e é uma cópia de um manuscrito medieval composto aproximadamente em 1570 e patrocinado por Claus Lyschander (1558-1624). A *editio princeps*, editada por Stephan J. Stephanius no século XVII, é identificada como "s", e é uma versão melhorada e corrigida de um manuscrito medieval perdido, composto no começo século XIII.

O conteúdo da *Brevis historia* apresenta uma perspectiva geográfica e cronológica bem rudimentar. A obra é composta de um prefácio e vinte capítulos. Logo no prefácio, Sueno explica sua decisão em narrar os feitos dos antigos reis da Dinamarca. O primeiro capítulo refere-se ao reinado de Skjöld, cuja principal característica foi a proteção feita às fronteiras do reino. Além disso, destaca também as diversas sucessões após Skjöld: Halfdan, Helghi, Rolf Kraki, Rokil Slagenback e Frothi, o Ousado. Nos dois capítulos seguintes é comentado o ataque dos Teutônicos durante o reinado de Wermund, o sábio, assim como a luta de seu filho, Uffi, contra os teutônicos. O quarto capítulo apresenta uma longa sucessão de reis, desde Dan o orgulhoso até Ingiald, com um intervalo no qual o autor explica a sucessão sendo feita não por parte dos filhos dos reis, mas somente por seus sobrinhos e netos, e retoma a narrativa sucessória a partir de Canuto (filho de Sighwarth, que por sua vez era filho de Regner Lothbrogh) até Gorm, o velho. Destaca-se na narrativa a atenção dada às ações da mulher de Gorm, o Velho, chamada Thyrwi, no quinto capítulo, assim como as negociações entre a mesma e o imperador Oto I, que se estende também pelos dois capítulos seguintes com o fim do tributo pago pelos daneses. O capítulo oitavo apresenta o reinado de Haroldo Dente Azul, filho de Gorm, o Velho e Thyrwi, primeiro rei cristão da Dinamarca, e a subida do seu filho Sueno Haraldsson ao trono durante o seu exílio, o qual foi capturado pelos eslavos e posteriormente resgatado. O reinado de Canuto, filho de Sueno Haraldsson, quando foram expandidas as fronteiras do reino, e o casamento entre sua filha, Gunilda, e o imperador Henrique III são os temas do nono capítulo. Também apresenta seus dois filhos, Canuto III (rei da Inglaterra e da Dinamarca) e Sueno Alfivason (que sucedeu o pai como rei da Noruega). O décimo capítulo apresenta a sucessão na Dinamarca pelo sobrinho de Canuto, Sueno Estrithson e, posteriormente à morte deste, a sucessão por seu filho, Haroldo. O décimo primeiro capítulo comenta sobre a sucessão no trono da Dinamarca pelo irmão de Haroldo, Canuto II, passada no capítulo seguinte para seu irmão, Olavo, seguido pelos seus outros irmãos, Érico, o Bom e Nicolau, o Velho, assim como o nascimento de

Magno, filho de Nicolau. Os dois capítulos seguintes comentam sobre a morte de Canuto de Ringsted por Magno e o início de uma guerra civil (que se estende pelos capítulos seguintes) entre Érico, o Memorável e Nicolau, o Velho, citando as batalhas de Rønbjerg e da ponte de Onsild, assim como a derrota de Nicolau. O capítulo que se sucede apresenta o reinado de Érico, o Memorável, após a sua vitória sobre Nicolau, o Velho, assim como a sua morte, e a sucessão por Érico, o Cordeiro. No décimo sétimo capítulo encontra-se a luta entre Canuto, filho de Magno, e Sueno, filho de Érico, o Memorável, a tentativa de paz entre estes dois e Valdemar, filho de Canuto de Ringsted, e a morte de Canuto, filho de Magno. A luta entre Sueno e Valdemar, a vitória deste e suas ações para assegurar as fronteiras do reino continuam a ser explicadas no capítulo seguinte, e suas características pessoais são relembradas no capítulo décimo oitavo. O capítulo décimo nono e o vigésimo apresentam o casamento entre Valdemar e a rainha Sofia e a sucessão de Valdemar pelo seu filho Canuto, o último rei presente na narrativa da *Brevis historia*.

Luciano José Vianna

Ver também Dinamarca da Era Viking; Escandinávia; Fontes primárias.

CHRISTIANSEN, Eric. Sueno Aggonis. In: *Medieval Nordic Literature in Latin. A Website of Authors and Anonymous Works (c. 1100-1530)*. Disponível em: *https://wikihost.uib.no/medieval/index.php/Sueno_Aggonis*. Acesso em 18/06/2017.

HOLMAN, Katherine. *Historical Dictionary of the Vikings*. Lanham, Maryland, and Oxford: The Scarecrow Press, Inc. 2003, pp. 54-55, 264.

MORTENSEN, Lars Boje. Comparing and Connecting: The Rise of Fast Historiography in Latin and Vernacular (12th-13th Century). *Medieval Worlds*, 1, 2015, pp. 25-39.

MORTENSEN, Lars Boje. Historia Norwegie and Sven Aggesen: Two Pioneers in Comparison. In: GARIPZANOV, Ildar (ed.). *Historical Narratives and Christian Identity on a European Periphery: Early History Writing in Northern, East-Central, and Eastern Europe (c. 1070-1200)*. Brepols: Turnhout, 2011, pp. 57-70.

The Works of Sven Aggesen. Twelfth-Century Danish Historian. Translated with Introduction and Notes by Eric Christiansen. London: Viking Society for Northern Research, 1992.

BRIAN BORU (BÓRUMA)

Brian Bóruma, conhecido como Brian Boru, é possivelmente o rei medieval irlandês mais lembrado de todos ao longo da história, principalmente por ser considerado o último grande rei da Irlanda e também porque seu nome está associado ao fim da Era Viking na ilha após sua vitória na batalha de Clontarf, em 1014.

A carreira de Brian tem início com a morte de seu irmão Mathgamain, rei dos Dál Cais em 976. Os Dál Cais formavam uma pequena dinastia familiar na região de Munster, próximo a Limerick, que teria se assentado por volta do século VIII em terras onde hoje são o condado de Clare. Com Mathgamain, os Dál Cais assumem o poder na região de Munster ao destronar os Eóganacht de Cashel e, após 976, com a liderança de Brian Boru, seu poder apenas aumentou, combinando habilidade militar e ações políticas coligadas à Igreja ou por meio de casamentos estratégicos.

Ao assumir o poder, Brian tratou de consolidar seu domínio em Munster atacando os vikings de Limerick (que teriam sido responsáveis pela morte de seu irmão) e os demais reinos menores que compunham a região. Brian não se limita apenas à sua província e marcha sobre as demais regiões irlandesas, impondo, assim, sua autoridade, principalmente à região de Leinster. Lá encontra certa oposição do rei Máel Sechnaill (Malachy), que tinha pretensões similares às de Brian, o que ocasionou uma disputa entre os dois pelo domínio de outras regiões, como Connacht, por exemplo.

Os dois reis possuíam estratégias diferentes. Brian possuía não apenas o domínio militar por terra, mas manejava bem algumas embarcações e o uso de diversos portos, muitos deles sob o domínio de populações vikings com as quais Brian fez alianças. Dessa maneira, o avanço de Brian se tornou de difícil contenção e em 996 ele já havia dominado a região de Leinster, motivo pelo qual Máel Sechnaill fora obrigado a reconhecer a autoridade de Brian sobre a região de Leth Moga (ou seja, o sul da ilha composto por Leinster e Munster).

Em 997, os dois reis entram em comum acordo e em 999 marcham juntos contra os escandinavos de Dublin, na grande batalha de Glenn Máma. Nessa batalha, as forças de Brian massacram os vikings da região e o rei de Dublin, Sitric, torna-se vassalo de Brian logo após selar o acordo de submissão ao se casar com Sláine, uma das filhas de Brian Boru.

Brian continuou seu avanço militar sobre a Irlanda e, em 1002, sua supremacia foi reconhecida sobre a região de Leth Cuinn (o norte da ilha, composto por Connacht, Ulster e Meath). Brian continua suas incursões pelo norte até o ano de 1005, quando demonstra seu poder militar e torna-se inquestionavelmente o rei de toda a Irlanda. É em 1005 também que Brian estreitará seu poder eclesiástico ao fazer boas doações para a igreja em Armagh (grande centro monástico irlandês da época) que o reconhecerá como imperador dos irlandeses (*Imperatoris Scotorum*).

Neste momento, a região de Leinster possui um novo rei chamado *Máel Morda macMurchada*. Esse rei tentará se opor ao poder de Brian Boru na região e fará alianças com o rei de Dublin, Sitric, e outros chefes escandinavos. A disputa será resolvida na famosa batalha de Clontarf (1014), narrada em diversos registros textuais, sendo o mais conhecido entre eles o *Cogadh Gáedhel re Gallaibh* (*Guerra dos irlandeses com os estrangeiros*).

Por razões de propaganda política, o *Cogadh* apresenta os vikings e Brian como forças opostas visando a dominação da Irlanda. No entanto, o próprio Brian Boru possuía aliados entre os escandinavos, notoriamente entre os que habitavam regiões como Wexford, Cork e Waterford. A vitória das forças de Brian na batalha de Clontarf muda o panorama político não apenas dos irlandeses na ilha, mas também dos nórdicos em questão.

Apesar da vitória em 1014, Brian morre em decorrência da batalha. Coincidentemente o poder político das comunidades escandinavas na Irlanda também vai diminuindo aos poucos nessa época, feito que será atribuído a Brian Boru, mesmo que não seja essa a sua intenção. Com sua morte, segundo narra o *Cogadh*, ele será enterrado com toda pompa em Armagh e seu nome preservado como o grande imperador dos irlandeses. Seus descendentes buscarão em seu nome legitimidade e muitos outros reis procurarão pleitear seu antigo *status* (surge o termo "rei com oposição", por exemplo), mas nunca conseguirão igualar seu poder sobre a ilha, que se manterá em constante disputa por um novo grande rei até a invasão normanda.

Erick Carvalho de Mello

Ver também Celtas e nórdicos; Dublin; Irlanda da Era Viking.

DOWNHAM, Clare. Irish chronicles as a source for inter-Viking rivalry, A.D. 795-1014. *Northern Scotland*, 26, 2006, pp. 51-63.

DUFFY, Seán. *Brian Boru and the Battle of Clontarf.* Dublin: Gill Books, 2014.

Ó CUÍV, Brian. Ireland in the Eleventh and Twelfth Centuries c. 1000-1169. In: MOODY, Theodore W. & MARTIN, Francis X. *The Course of Irish History*. Cork: Mercier Press, 2011, pp. 107-122.

RICHTER, Michael. *Medieval Ireland: The Enduring Tradition*. Dublin: Gill and Macmillan, 1988.

BÚSSOLA SOLAR

A bússola solar é um objeto feito de madeira ou pedra utilizado para orientação náutica no medievo, popularizada na mídia com a série *Vikings* (2013). A primeira evidência de um objeto deste tipo ocorreu em 1948, quando o arqueólogo Christen Leif Vebæk descobriu, em um convento beneditino de Uunartoq, na Groenlândia, um disco de madeira quebrado, datado de 1200 d.C. Medindo 70 mm de diâmetro, ele é atualmente conservado no Museu Nacional de Copenhagen. Tempos depois, em 1953, o capitão e historiador marítimo Carl V. Sølver reconheceu que duas linhas gravadas no disco poderiam corresponder a curvas das sombras de um gnômon (ponteiro ou haste vertical). As curvas variam segundo a altura e a estação do ano e as duas linhas gravadas no disco de madeira correspondem ao trajeto do Sol durante os equinócios e solstícios. Além disso, o artefato marcaria 32 posições diferentes. Durante os anos 1990, o arqueólogo Christen Vebæk e Soren

Thirslund publicaram alguns livros e artigos sobre o artefato. Alguns pesquisadores questionaram esse artefato como sendo uma bússola, acreditando que ele teria sido um "disco confessional", um objeto utilizado pelos sacerdotes nórdicos medievais para contar o número de confissões.

Mas outros vestígios semelhantes foram descobertos. Na Groenlândia (Vatnahverfi) foi recuperada uma peça feita de esteatite, contendo uma curva gnômica e um buraco central (talvez para portar uma haste de gnômon). Também um disco de madeira se encontra no Museu de Wolin, Polônia, datado do século XI d.C. Ele foi encontrado em uma escavação no ano de 2000, junto a uma embarcação nórdica e objetos eslavos de Wolin. Possui 81 mm de diâmetro e um buraco central, possivelmente utilizado para inserir a haste central do gnômon. Segundo análises de pesquisadores poloneses, o artefato teria sido utilizado para determinar a sombra do Sol durante os equinócios e o verão. Em 2004, um experimento náutico realizado na ilha de Møn (Dinamarca) testou uma réplica desse disco. Quatro discos de madeira foram utilizados, três em branco e uma cópia de Wolin. O experimento confirmou o artefato como sendo um marcador solar e que teria sido utilizado na latitude do Báltico e do norte europeu; suas 12 linhas demarcariam pontos específicos do horizonte. Outro objeto considerado um marcador solar foi encontrado em uma tumba escandinava da ilha de Grix (França), datado do século X e feito de metal, com quatro círculos concêntricos demarcando o Sol durante suas diversas posições diurnas.

Apesar de não existir nenhuma referência literária ou alguma menção em documentos medievais sobre bússolas solares, a maioria dos pesquisadores e navegadores acreditam que ele foi utilizado como gnômon para determinar a latitude e, portanto, determinar a localização da embarcação. Algumas réplicas foram construídas e navegadores como Robin Knox-Johnson e Mike Cowham a testaram em experimentos náuticos, com pequenas margens de erro. Um objeto muito semelhante foi o *solskuggerfjol*: um gnômon inserido dentro de um recipiente com água, utilizado para determinar a latitude do local e descrito por marinheiros modernos das ilhas Feroé.

As mais completas e atualizadas discussões sobre as bússolas solares nórdicas tiveram início a partir de 2013, com uma equipe multidisciplinar composta por pesquisadores húngaros, liderados por Bálazs Bernárth. Em uma primeira publicação, os investigadores concluíram que os artefatos foram utilizados para determinar o meio-dia solar de uma localidade e a sombra do meio-dia no mar aberto. Ele combinaria duas funções como instrumento náutico: relógio solar e marcador de borda das sombras do Sol. Pode ter funcionado como calendário portátil, mas não como relógio de Sol, pois suas marcações são incompletas para um dia inteiro. Os pesquisadores também realizaram algumas hipóteses sobre a origem do instrumento – apesar de os nórdicos não terem um equipamento semelhante na área escandinava, muitos gnômons eram conhecidos por cristãos na Europa Setentrional, incluindo áreas em que os vikings realizaram incursões. Também a experiência comercial e militar entre o mundo nórdico e outras áreas da Europa e Ásia podem ter levado ao conhecimento empírico que originou os artefatos, especialmente o mundo islâmico.

A mesma equipe húngara realizou outros estudos e testes em 2014, afirmando que a bússola solar pode ter sido utilizada conjuntamente com pedras solares feitas de calcita, especialmente no momento do crepúsculo – para determinar a posição do Sol e também associadas a bastões para demarcações de ângulos e horários solares – como por exemplo um pingente nórdico feito de osso da Estônia, datado do século XI, com forma alongada e repletos de sinalizações circulares.

Johnni Langer

Ver também Astronomia; Embarcações; Mar Báltico; Navegação marítima; Oseberg; Pedra solar; Sagas do Atlântico Norte.

BERNÁRTH, Bálazs et al. An alternative interpretation of the Viking sundial artefact: an instrument to determine latitude and local noon. *Proceedings of the Royal Society* 469, 2013, pp. 01-16.

BERNÁRTH, Bálazs et al. How could the Viking Sun compass be used with sunstones before and after sunset? *Proceedings of the Royal Society* 470, 2014, pp. 01-18.

COWHAM, Mike. The viking sun compass. *Bulletin of the Scientific Instrument Society*, 2007, pp. 01-05.

INDRUSZEWSKI, George & GODAL, Jon. Maritime skills and astronomical knowledge in the Viking Age Baltic Sea. *Studia Mythologica Slavica* 9, 2006, pp. 15-39.

STANISLAWSKI, Blazej. Dysk drewniany z Wolina jako kompas sloneczny. *Materialy Zachodniopomorskie* 46, 2000, pp. 157-176.

VEBAEK, Christen Leif; THIRSLUND, Søren. *The Viking compass: guided Norsemen first to America*. Denmark: Humlebæk, 2002.

C

CAÇA

Desde a mudança de hábitos caçadores-coletores para a agricultura e o pastoreio ostensivamente desde o final da Idade do Bronze, os grupos humanos instalados na Escandinávia, de maneira geral, praticavam pouco as atividades de caça. Essa regra foi mantida na Era Viking, mas havia exceções a depender da região e do contexto ambiental. O consumo de carne de animais domésticos era muito maior do que a selvagem, desaparecendo na dieta do sul da Escandinávia após o período das migrações germânicas. Mas nas regiões ao norte da Noruega, Suécia e grande parte da Finlândia, ao contrário, a carne provinda da caça foi bem mais recorrente do que a doméstica. Por ali, renas, alces, cervos e lebres eram muito caçados. Na área dinamarquesa da Inglaterra existem indícios de veados vermelhos (*Cervus elaphus*) perseguidos pelos nórdicos e também aves silvestres, como a tarambola dourada (*Pluvialis apricaria*). Em Dublin se consumia o ganso selvagem (*Anser anser*).

Além da carne, os animais forneciam possibilidade para a extração ou fabricação de diversos produtos. Cervídeos eram utilizados para obtenção de pele e chifres, com os quais eram fabricados pentes, colares, objetos de uso doméstico, acessórios para roupas e equipamentos. Esquilos e raposas eram os animais mais procurados para o comércio internacional de pele no norte europeu e possivelmente eram também consumidos.

Alguns animais possuíam um valor simbólico, religioso e marcial em caçadas, como os ursos (*Ursus arctos arctos*). Em Frösö (Suécia), foram encontrados indícios de banquetes rituais (*blóts*) com vários tipos de ossos de animais, como ursos marrons, alces e javalis. Não existem evidências de como esses animais foram mortos, mas provavelmente morreram em seu ambiente natural e foram transportados para a área de culto. Os pesquisadores acreditam que houve influência dos cultos sámi, mas ao contrário destes, os ossos de ursos foram encontrados mesclados e não ordenados em uma pilha e em posição ereta. A pele de urso era importante para o *status* social da elite governante e era especialmente valiosa para o comércio no norte europeu. Por sua vez, o consumo da carne e sangue de urso envolvia simbolismos relacionados diretamente com o mundo do caçador e a guerra – no mundo nórdico (citado na *Gesta Danorum* de Saxo Grammaticus) e em várias culturas euroasiáticas existem exemplos disso: os heróis matam o animal e bebem seu sangue ou comem seu coração, sendo impregnados de valentia, poder e força.

As fontes apontam dois tipos de caçadores de urso no mundo nórdico: havia os que perseguiam os animais no intuito de obter a sua pele para a venda e distribuição no comércio, e havia também uma elite marcial e aristocrática, que capturava os ursos com finalidades simbólicas específicas ou para treinamento militar. A caça aos ursos era também conectada à iniciação de jovens guerreiros: para ser admitido no grupo, o novato deveria matar o animal sozinho. Na literatura e iconografia, a morte do urso por um herói ganhava dimensão miraculosa e sobrenatural – o mais apropriado inimigo para testar as habilidades e a competência do guerreiro. O método tradicional de matar ursídeos era uma lança, arma conectada a Odin durante a Era Viking. Alguns monumentos pré-cristãos da área dinamarquesa na Inglaterra (a exemplo de hogback de Branpton, século X d.C.), estão repletos de símbolos odínicos como a triquetra e cercados por ursos. Em uma ponta de lança da sepultura XII de Vendel Kyrka (Suécia), foram esculpidas as figuras de dois ursos de cada lado da lâmina. Apesar de não refletir um padrão real durante as caçadas, a morte desse animal também está ligada ao uso de espadas, totalmente idealizado, como na imagem sueca da plaqueta de Torslunda e na *Grettis saga* 21, onde o herói Grettir mata um urso com sua espada. O encontro de restos ursídeos em sepultamentos demonstra também o seu uso como troféus de caça e insígnias do herói. E para o pesquisador Sigmund Oerhrl, o encontro de ossos em sepulturas femininas sugere que eram utilizadas como símbolos da dignidade da família – o marido teria depositado seu maior troféu no túmulo de sua esposa.

Outros animais também eram caçados pela elite nórdica com fins marciais e aristocráticos, como a prática da falcoaria e a perseguição de cervídeos e javalis utilizando cães. Em recente pesquisa, Karyn Bellamy-Dagneau concluiu que a prática da falcoaria nórdica, desde os tempos da idade do Bronze, esteve conectada fortemente a questões de espiritualidade e narrativas míticas de certas aves, como o xamanismo. Em sepulturas da elite nórdica, remanescentes de ossos de certas aves indicariam a conexão entre ideologia social e religiosidade.

Johnni Langer

Ver também Comércio; Finlândia da Era Viking; Noruega da Era Viking; Religião; Sociedade.

BELLAMY-DAGNEAU, Karyn. *A falconer´s ritual: A study of the cognitive and spiritual dimensions of pre-Christian Scandinavian Falconry*. Dissertação de Mestrado na Universidade da Islândia, 2015.

KELLER, Christian. Furs, Fish and Ivory - Medieval Norsemen at the Arctic Fringe. *Journal of the North Atlantic*, vol. 1, n. 23, 2010, pp. 01-23.

MAGNELL, Olga & IREGREN, Elisabeth. Veitstu hvé blóta skal? The Old Norse blót in the light of osteological remains from Froso church, Jamtland, Sweden. *Current Swedish Archaeology*, vol. 18, 2010, pp. 223-250.

OEHRL, Sigmund. Bear hunting and its ideological context. In: GRIMM, Oliver & SCHMOLCKE, Ulrich (orgs.). *Hunting in northern Europe until 1500 AD*. Schleswig: Wachholtz, 2013, pp. 297-332.

CALENDÁRIO E CONTAGEM DO TEMPO

Aspectos gerais: Para determinações de tempo, sazonalidade, contagem de tempo, os germanos antigos e os nórdicos medievais utilizavam principalmente referenciais astronômicos para a elaboração de calendários (a exemplo de vários povos) que pudessem auxiliá-los a determinar as épocas para a realização de cultos, plantações e colheitas, guerra, atividades políticas e institucionais etc. Os principais astros utilizados para a demarcação de calendários eram o Sol, a Lua e as estrelas. O ano era determinado pelo curso do Sol, o mês pela Lua e o início do ano pela posição de certas estrelas.

Astronomia e sazonalidade no mundo germânico antigo: Os fenômenos celestes eram parte importante da vida nas comunidades europeias da Antiguidade. Para os povos neolíticos, germanos, celtas, eslavos e habitantes do Mediterrâneo pré-clássico, o céu propiciava não só a regulamentação do calendário (com os movimentos do Sol e Lua) e da sazonalidade agrícola (determinação da época exata de plantar e colher pelo avistar de certas constelações), mas também a projeção de mitos produzidos pelo referencial cultural (as mitologias celestes e as cosmogonias). Também os medos escatológicos eram associados com fenômenos desconhecidos ou não previsíveis (como passagens de cometas, a visão de eclipses ou fenômenos atmosféricos) e transformados em mitos. Alguns rituais eram executados de acordo com o calendário astronômico, relacionados com os movimentos do Sol e da Lua e também investidos de significados simbólicos. Assim como outros povos, os germanos antigos tiveram grande interesse pela astronomia – não no referencial moderno, obviamente, mas por meio da visualização a olho nu de fenômenos celestes considerados importantes para a vida cotidiana e revestidos de sentidos mítico-religiosos. Apesar dos registros não serem detalhados ou tão elaborados como os realizados após a cristianização (fundindo-se com a tradição astronômica clássica da Europa continental e a originada no Oriente), existem algumas fontes que apontam para isso. Tácito mencionou que as atividades políticas e o calendário germânico foram baseados no ciclo lunar (*Germânia* 11). Júlio César afirmou que os germanos não realizavam batalhas antes da Lua nova (*Comentários da guerra gálica* 50). Jordanes enunciou que os antigos Godos tinham conhecimentos de constelações e do movimento de planetas e estrelas (*Sobre a origem e feito dos Godos* 10).

Arqueoastronomia e registros solares e lunares: Mas os mais surpreendentes registros são provenientes da Arqueologia. Em 1999 foi descoberto na Alemanha o disco de Nebra, datado de 1700 a.C. Trata-se de um disco de bronze contendo as figurações do Sol, da Lua e de dois arcos laterais, além de várias estrelas. Um dos arcos é interpretado como sendo uma barca solar, um mito comum a várias culturas do Ocidente. Um achado análogo é o carro solar de Trundholm, Dinamarca, datado de 1400 a.C. Essas relíquias arqueológicas representam um dos momentos fundamentais da cosmologia antiga: a jornada simbólica dos astros pelos vários mundos, especialmente o dos mortos. Além disso, o disco de Nebra também registra as Plêiades – um dos mais importantes asterismos do céu, demarcadora das épocas de colheita na Europa. Os temas da barca solar e das Plêiades vêm sendo identificadas também em diversos sítios arqueológicos de arte rupestre na Suécia da Idade do Bronze, como apontadas pelo astrônomo Göran Henriksson.

Dois sítios nórdicos estão apresentando antigas orientações solares: Ales e Tysnes. Os megálitos suecos de Ales, com formato de navio e datação incerta (Idade do Bronze Tardia ou do Ferro), foram estudados por Mörner e Lind e considerados como um sofisticado calendário solar dos solstícios de verão e inverno, as duas datas mais importantes do calendário religioso da Europa pré-cristã. O pilar cerimonial de Tysnes, Noruega (Idade do Ferro Tardia) foi encontrado entre vestígios religiosos e associado toponimicamente aos deuses germânicos desde o início do século xx. Durante o período do solstício de inverno, a luz solar incide diretamente sobre seu topo, iluminando o monólito. O fenômeno foi constatado visualmente pela primeira vez pelo pesquisador Eldar Heide e possivelmente o efeito tinha caráter intencional, mas ainda faltam medições geoastronômicas pormenorizadas nesse local. Infelizmente, a quantidade de investigações de campo e pesquisadores em Arqueoastronomia na Escandinávia ainda é muito reduzida.

Segundo Rudolf Simek e Régis Boyer, existem muitas evidências de culto ao Sol na Idade do Bronze, evidenciados pelo grande número de grafismos rupestres e do disco da carroça de Trundholm. No *Encantamento de Merseburg*, a deusa Sunna é citada como irmã de Sinthgun, mas Simek acredita que a combinação dos antigos símbolos solares com o navio nos contextos ritualísticos (que ocorrem frequentemente da Idade do Bronze aos tempos medievais), parecem estar conectados a cultos de deuses da fertilidade (como Njórd e Freyr, mas que não possuem conexões diretas com personificações solares). Em 1936 Vilhelm Kiil argumentou que o nome *Solberg* significava montanha do sol, evidenciando algum tipo de culto solar na Escandinávia. Em 1981 o francês Régis Boyer realizou um extenso estudo sobre o simbolismo dos mitos solares na Idade do Bronze da Escandinávia, inseridos em sua obra *Yggdrasill: La religion des anciens scandinaves*. Algumas das principais pinturas de Bohuslän analisadas por Boyer, embarcações transportando discos (relacionadas a procissões e rituais solares), foram analisadas pelo astrônomo Göran Henriksson em 1996, sendo associadas a eclipses totais do Sol na região.

A Lua também aparece nos registros arqueoastronômicos, confirmando os relatos de Tácito e Júlio César. Göran Henriksson identificou marcações em sepulturas da ilha de Gotland que pressupõem registros lunares (um possível calendário), indicando fases da Lua nova ou cheia durante o solstício de inverno. E o arqueólogo Mike Parker-Pearson comparou diversos sítios arqueológicos da Idade do Ferro em áreas germânicas e nórdicas que possuem alinhamentos voltados para eclipses totais da Lua durante o solstício de inverno, demonstrando observações e registros desses fenômenos. Em recente publicação, o historiador Dorian Knight analisou o episódio de Odin e Gunnlod no *Hávamál* como sendo uma descrição do ciclo lunar, com resultados surpreendentes. Em síntese, a pesquisa de Knight conclui que a descrição do relacionamento fracassado de Odin com a filha do gigante Billing (*Hávamál* 96-102) corresponde à fase da Lua cheia para nova: o astro possui ligações simbólicas com o feminino; o cachorro, no final do relato, é uma simbolização da morte, do outro mundo e da escuridão do disco (Lua nova), transfigurados no medo do desaparecimento da Lua, devorada por canídeos. A narrativa triunfante de Odin acasalando com Gunnlod (*Hávamál* 103-110), por sua vez, corresponde à fase da Lua nova à Lua cheia. Nesse caso, a interpretação de Knight leva em conta também o simbolismo do hidromel associado à Lua cheia, conhecido no folclore por lua de mel (conexão entre casamento e fertilidade).

Ano estelar: Segundo o pesquisador Otto Sigfrid Reuter, os nórdicos pré-cristãos demarcavam o início do ano quando o aglomerado das Plêiades (constelação do Touro) era visível. Também denominadas de Sete Estrelas no medievo tardio, na área nórdica o folclore as associava a galinhas e pintos. Na reconstituição do programa *Stellarium* 0.14.3 (dados para Estocolmo) as Plêiades foram visíveis na direção leste no dia 22 de agosto de 901 d.C., a partir das 18:15 horas. Outras estrelas que podem ter sido utilizadas como demarcadoras do ano são as que compõem o cinturão de Órion (conhecidas como Três Pescadores ou a Roca de Frigg).

O ano lunar entre os germanos antigos: O cronista Beda relatou que os anglo-saxões utilizavam um calendário baseado na Lua, com 13 meses, dividido entre duas metades, verão e inverno. O início do inverno se dava na Lua cheia (correspondente ao mês de outubro do calendário juliano) denominada como Winterfyllith. Nas ilhas Faroé também se utilizava um calendário lunar, influenciado pelos noruegueses.

Calendário germânico antigo: Os povos germânicos desenvolveram quatro tipos básicos de calendários, com vários formatos. O ano solar geralmente possuía 360 dias, mais cinco dias extras, baseado na observação e não intercalação (Noruega do século VI d.C.); 360 dias eram divididos geralmente em 12 meses de trinta noites e provavelmente originaram os 4 dias extras da Noruega (Islândia, século X); 364(5) dias divididos em 13 meses de 28 noites (Islândia, século X); 354 dias com semanas intercaladas (Islândia, século X). O ano lunar também foi usado na Noruega, Suécia, Dinamarca e ilhas Faroé e era intercalado com alguns meses, mas já era obsoleto na Islândia do século X, onde somente utilizava-se o ano solar.

Evidências de uso de calendário lunisolar existem nas *Eddas*, como no poema *Vafþrúðnismál* 23, que menciona a contagem da idade de um homem pelo movimento do Sol e da Lua pelo céu, bem como aponta que as fases da Lua também serviam para contar a idade de uma pessoa. No *Alvísmál* 14 a Lua também é mencionada como determinadora de idade.

Em 2006, o pesquisador Andreas Nordberg reconstituiu o antigo sistema lunisolar dos nórdicos, estabelecendo que os meses começassem na Lua nova e que a Lua cheia tivesse início na metade do mês; o próximo mês se iniciava na próxima Lua nova. Devido ao movimento anual do Sol e da Lua, esse calendário deveria ser regulado frequentemente. Assim, durante o período do *Jól* (Yule) existiriam dois meses lunares. A nova Lua do segundo mês do Yule ocorreria onze dias após o solstício de inverno. O décimo terceiro mês lunar era acrescentado treze dias após o solstício de verão. O mês bissexto era acrescentado a cada três anos. Para Nordberg, a *vetrnætr* (noites de inverno, o período dos primeiros três dias de inverno) teria início em 20 de outubro; o solstício de inverno em 21 de dezembro; o verão em 20 de abril e o *midsommar* em 21 de julho. A polêmica envolve saber exatamente a época em que era realizado o Yule, se coincidia ou não com a data do solstício de inverno (como menciona Snorri Sturluson na *Hákonar saga Góða*). No período das *vetrnætr*, as colheitas haviam terminado, o dia se tornava menos luminoso e o frio tinha início. As interpretações sobre o ritual do Yule variam entre as hipóteses de uma festa solar, um ritual para os mortos ou para fertilidade. Segundo Andreas Nordberg, os rituais sazonais refletiriam um drama essencialmente cosmológico, apelando para que a natureza tivesse seu curso de repetição e criação garantidos.

Calendário islandês antigo: O conceito antigo de ano era denominado de *ár* e envolvia noções de fertilidade e abundância, estreitamente relacionadas à vida rural. A produção do ano não requeria apenas a colheita, mas também leis, que eram determinadas pela assembleia (*þing*), quando o calendário do próximo ano era fixado. A divisão do ano era feita em dois semestres (*misseri*): inverno (*vetur*) e verão (*sumar*). No verão se produzia e o inverno era o momento de consumo. Segundo Terry Gunnell essa divisão sazonal tinha implicações de gênero: enquanto o inverno era dominado pela mulher, pela magia e a morte, o verão era dominado pelo homem, pelo comércio e a guerra.

A transição dessas épocas era marcada socialmente. Até hoje, os islandeses celebram o primeiro dia de verão (frequentemente em abril) e na Noruega o dia 14 de abril é chamado de *sommermál* (medida do verão). A natureza dicotômica do ano é refletida nos nomes dos meses. No verão, os meses recebem alcunhas relacionadas a atividades econômicas (feno, semeadura, ovelha). No inverno, recebem nomes de atividades não econômicas (*Þorri*, *gói*, termos com origens obscuras no calendário pré-histórico). No verão, muitas atividades têm relação com a produção e no inverno os rituais têm mais importância que a economia.

O dia era marcado pelo movimento do Sol (*sólarhringr*). Além da divisão em dia e noite, o *sólarhringr* era dividido em oito partes, relacionadas com os pontos cardeais, cada um tendo um nome, como *miðdegi* (meio-dia), *miðrmorgun* (hora de acordar), *dagmál* (hora da refeição). De um ponto de vista moderno, os meses não são indicadores precisos de tempo, mas o são para a perspectiva do medievo. Genericamente, o tempo medieval escandinavo era medido pela pessoa no centro de seu próprio mundo. O tempo do dia era medido pela posição do Sol no horizonte ou pela refeição que deveria ser feita. O tempo do ano era medido de acordo com as atividades sociais, definidas pelas pessoas. A escala era tanto qualitativa quanto quantitativa. Mas também o tempo era algo sagrado para o mundo pré-cristão e relacionado diretamente com as atividades religiosas.

As semanas eram um dos métodos tradicionais de contar o tempo. Eram usadas para medir intervalos de tempos e para especificar datas. Não havia um único dia fixo iniciando as semanas. Os meses tinham pouca importância. Eles foram claramente definidos em *Grágás* 18, mas são pouco citados na literatura nórdica medieval e alguns nem eram utilizados na prática. A exceção fica para *Þorri* e *gói*. Em 930 os islandeses resolveram estabilizar o *þing*. Levaram cinco semanas para determinar um registro preciso do tempo, levando à reforma do calendário em 955, registrado no *Íslendingabók*, com um calendário anual com 52 semanas.

Johnni Langer

Ver também Astronomia; Bússola Solar; Navegação; Pedras solares; Religião.

HASTRUP, Kirsten. Calendar and time reckoning. In: PULSIANO, Philip (ed.). *Medieval Scandinavia: An Encyclopedia*. New York and London: Garland, 1993, pp. 65-66.

JANSSON, Svante. The icelandic calendar. *Scripta Islandica* 62. Uppsala: Isländska Sällskapets årsbok, 2011, pp. 51-104.

NORDBERG, Andreas. *Jul, disting och förkyrklig tideräkning: Kalendrar och kalendariska riter i det förkristna Norden*. Uppsala: Kungl. Gustav Adolfs Akademien, 2006.

POWELL, Avery. *Primstav and Apocalypse: Time and its Reckoning in Medieval Scandinavia*. Universidade de Oslo, Dissertação de Mestrado em Cultura Nórdica Viking e Medieval, 2011.

REUTER, Otto Sigfrid. Skylore of the North. *Stonehenge Viewpoint* 47-50, 1982.

VILHJÁLMSSON, Þorsteinn. Time-reckoning in Iceland before literacy. In: RUGGLES, Clive (ed.). *Archaeoastronomy in the 1990s*. London: Loughborough, 1991, pp. 69-76.

CELTAS E NÓRDICOS

A relação entre grupos convenientemente chamados pela alcunha de celtas e as comunidades nórdicas é no mínimo complexa. Afinal, os dois grupos possuem uma diversidade cultural sem precedentes e sua interação alterna entre momentos de conflito e de total integração nos campos político, cultural e econômico.

Para compreender efetivamente a complexidade dessas interações é necessário antes se entender quem são os celtas, muitas vezes confundidos aos nórdicos por grande parte do senso comum, quando na verdade os dois grupos compõem culturas distintas com grande variedade e rivalidades entre si. Entre os grupos chamados de celtas essa variação é ainda maior, formando tradições culturais diversas entre as populações da Idade do Ferro e aqueles que ainda hoje advogam algum pertencimento étnico céltico contemporâneo.

O termo celta deve ser compreendido, portanto, como uma tentativa generalizante de classificar diferentes realidades culturais definidas dentro de um grupo étnico. O termo tem certo respaldo histórico, mas suas diversas apropriações ao longo da História o transformaram em um termo genérico de difícil compreensão.

Segundo a tradição histórica da Antiguidade, as populações europeias ao norte dos Alpes passaram a ser denominadas genericamente como *keltoi*, a primeira forma encontrada historicamente para definir os celtas. Os antigos helenos passaram a designar toda a população ao norte dos Alpes como *keltoi*, termo que aparece em autores como Heródoto em suas *Histórias* já no século V a.C., mas também tem relação com os textos presentes em Estrabão, Posidônio, Atheneu e Diodoro Siculus na Antiguidade entre os séculos III e I a.C. Essa visão promovida pelo mundo clássico grego e romano é quase contemporânea na maioria dos casos e sua influência sobre o que se entende por celtas dois mil anos depois de sua escrita ainda é digna de nota.

A grande questão gira em torno de apurar a ligação entre o termo "celta", tão abertamente utilizado hoje, com as realidades dessas populações da Antiguidade, já que os próprios celtas não deixaram nenhum vestígio textual que efetivamente elucide esse tópico. O que resta à análise histórica é justamente a cultura material e os textos de autores gregos e romanos. As informações sobre os celtas oferecidas pelos autores antigos não seguem o mesmo padrão, já que esses autores escreveram em diferentes épocas e com diferentes interesses. O único ponto de articulação entre os termos é que todos se referiam aos povos bárbaros, fato preponderante na associação incorreta que o senso comum fará entre as distintas culturas célticas e nórdicas já na Idade Média.

Mesmo assim, autores que redigiram documentos versando diretamente sobre os celtas, como Políbio, Posidônio e Júlio Cesar (ao escrever seu *Comentário sobre a Guerra das Gálias*) possuem definições diferentes sobre o que seriam os celtas, os gauleses, os gálatas etc. Esses termos que evocam certa identificação geográfica e encontram assimilações diferentes entre os autores clássicos gregos e romanos, o que gera um controverso debate histórico.

Segundo Barry Cunliffe, essa diferenciação de nomes se explicaria pela uma análise diferenciada de cada autor. Em termos gerais, *keltoi/celtæ* denominariam grupos de regiões mais afastadas, e *galli/galatae* seria um termo mais específico, utilizado para designar grupos com os quais os gregos e romanos mantinham mais contato, mais especificamente as tribos que interagiam diretamente com o mundo mediterrâneo na região da Gália e da Ásia Menor, respectivamente.

Por meio destas fontes percebe-se que não existia uma unidade em torno do termo "celta" que permitisse o uso modernamente a ele atribuído. A proposição de que a língua seria o fator de articulação entre esses grupos na antiguidade é também questionável, por falta de registros que a comprovem.

Dessa maneira, por mais que exista uma correlação cultural e mais especificamente linguística entre os grupos que mais tarde serão denominados como irlandeses, escoceses, galeses e bretões (franceses), é impossível afirmar que existisse uma unidade cultural entre esses grupos na Antiguidade. No entanto, pode-se inferir, por meio das fontes medievais, que nas regiões onde a presença de grupos nórdicos se fez presente, uma certa diferenciação de caráter étnico começa a ocorrer, sobretudo a partir do século VIII.

As populações de irlandeses e escoceses, por exemplo, passam a se identificar nessa época como "gaélicos", nome derivado da palavra *goídel* e que na verdade é emprestada da palavra galesa *gwyddel*, que significa, de forma pejorativa, algo como "selvagem". O termo ganha força para esses grupos justamente a partir do século VIII, data de seu primeiro aparecimento registrado nos anais.

É a partir de então que o termo ganha contornos étnicos bem claros, sobretudo para contrastar com os nórdicos invasores que aos poucos ganhavam posições e se assentavam em seus territórios. Os vikings ocupavam nessa época regiões da Escócia, da ilha de Man e Irlanda, introduzindo muito de seus costumes; ao longo dos séculos de ocupação, foram mesclando-se à população local e formando grupos designados como gáelicos-nórdicos (*Norse-Gaels*).

Este processo pode se constatar de maneira clara entre os séculos IX e XII, quando na chamada Irlanda da Era Viking e na Escócia Escandinava, populações nórdicas, identificadas popularmente como vikings, passaram a atacar e aos poucos se assentar nos territórios gaélicos.

A língua dos invasores e, posteriormente, colonizadores escandinavos foi aos poucos se adaptando à região, e a interação entre os povos, que nos primeiros anos das invasões era praticamente inexistente, foi se tornando aos poucos possível e depois extremamente efetiva, ganhando uma realidade sólida por meio de alianças políticas, culturais e econômicas.

Os invasores que originalmente eram de origem norueguesa e conhecidos pela alcunha de *fingaill* (belos estrangeiros), em oposição aos dinamarqueses que eram minoria e conhecidos como *dubhgaill* (estrangeiros negros), vão aos poucos se gaelicizando de tal maneira que gradativamente não mais identificam-se como grupos estrangeiros simplesmente.

Em meados do século IX pode-se claramente dizer que existe um grupo identificado como gaélico-nórdico. A partir desse momento seus assentamentos ficam cada vez melhor estruturados e muitos deles se tornam referenciais políticos nos territórios dominados por prosperarem sobretudo no campo econômico, como será o caso de regiões como Dublin, Limerick, Wexford, Man ou mesmo Galloway.

Estes grupos se mesclam não apenas por meio do intercâmbio econômico, mas também por meio de casamentos, conversão ao cristianismo e demais vivências cotidianas que ao longo do tempo deixaram nessas regiões vestígios linguísticos e culturais que comprovam esse processo.

Palavras ligadas a questões e afazeres nórdicos são comumente uma herança dessa época, principalmente as relacionadas ao comércio, pesca e demais assuntos marítimos. Também destacam-se os diversos nomes de clãs escoceses de origem nórdica, como MacLeod, MacDonald ou MacÍomhair. Para além da questão linguística, a própria geopolítica destas regiões foi modificada por esses grupos, que após três séculos de ocupação nórdica muda seu eixo e suas possíveis trocas e conexões para o mar irlandês.

Nesse sentido, a relação entre grupos celtas e nórdicos se transforma de um primeiro momento belicoso e de disputa para uma total integração entre os grupos, que mesclaram-se de tal maneira que tornou-se impossível distingui-los entre si e ressaltar suas diferenças, visto que os nórdicos são totalmente assimilados pelas culturas a que se assentaram, não apenas trazendo práticas novas, mas adotando os estilos de vida e participando ativamente das interações políticas e sociais destas regiões.

Erick Carvalho de Mello

Ver também Brian Boru; Dublin; Irlanda da Era Viking.

BRUNAUX, Jean-Louis. *Les Celtes: Histoire d'un mythe*. Paris: Éditions Belin, 2015.

CUNLIFFE, Barry. *The Ancient Celts*. London: Penguin Books, 1997.

DOWNHAM, Clare. *Viking Kings of Britain and Ireland*. Edinburgh: Dunedin Academic Press, 2007.

DOWNHAM, Clare. *"Hiberno-Norwegians" and "Anglo-Danes": Anachronistic ethnicities in Viking-Age England.* Mediaeval Scandinavia, vol. 19, 2009, pp. 139-169.

PAOR, Liam de. The Age of the Viking Wars: 9th and 10th centuries. In: MOODY, Theodore W. & MARTIN, Francis X. *The Course of Irish History.* Cork: Mercier Press, 2011, pp. 91-106.

CEMITÉRIO DE BORRE

Borre se localiza atualmente na parte norte do condado de Vestfold, 30 km ao norte de Sandefjord. Foram detectados, no cemitério, 40 montes funerários ainda preservados; sete deles são visíveis do alto do fiórde da região devido ao seu tamanho, que varia entre 30 e 45 m de diâmetro e 5 a 7 m. de altura. Sabe-se que pelo menos três montes similares aos encontrados na atualidade foram demolidos durante o século XIX, fator que leva Borre a ser apontado como localidade que abriga o maior grupo de montes funerários monumentais achados na Noruega.

O cemitério da região foi por muito tempo apontado como local de depósito de alguns reis citados na *Ynglinga Saga*, parte inicial da obra *Heimskringla*, que narra a origem da linhagem real apontada como responsável pela unificação do Reino da Noruega, fato dito como acontecido durante o reinado de Haroldo Cabelos Belos. É dito, portanto, que os reis Oystein Fret e Halvdan Kvitbein teriam seus depósitos mortais abrigados no cemitério aqui relatado.

Devido a sua relação com a linhagem dos Ynglingos construída na saga supramencionada, o cemitério de Borre tornou-se uma ferramenta de territorialização da história que seria construída no século XIX e XX sobre a construção da nação norueguesa. A Noruega buscava, no século XIX, sua independência em relação ao Reino da Suécia. No século seguinte, durante a Segunda Guerra Mundial, a nação sofreria pressões de domínio nazista, sendo também terreno utilizado pelo partido de ultradireita denominado Nasjonal Samlig, que durante os anos de 1940 a 1945 alçou uma construção de superioridade racial que demarcaria para sempre a história dos noruegueses em relação a suas interpretações historiográficas e construções ideológicas provenientes da utilização das fontes do período viking. Isso levou a apontamentos críticos que, a partir dos anos 1990, passaram a demandar maior historicidade das fontes, tanto a respeito do cemitério de Borre quanto a respeito da própria *Ynglinga Saga*, indicando também a impossibilidade de confirmação de Borre como local de deposito dos Ynglingos.

Munir Lutfe Ayoub

Ver também Arqueologia da Era Viking; Cultura material; Funerais e enterros; Sepultamentos.

MYHRE, Bjorn. Agrarian development, settlement history, and social organization in southwest Norway in the Iron Age. *New directions in Scandinavian archaeology*, vol. 1, 1978, pp. 224-272.

MYHRE, Bjorn. The Royal Cemetery at Borre, Vestfold: a Norway centre in a European periphery. In: CARVER, Martin (ed.). *The Age of Sutton Hoo*. Woodbridge: Boydell Press, 1992, pp. 301-314.

MYHRE, Bjorn. The early viking age in Norway. *Acta Archaeologica*, vol. 71, n. 1, 2000, pp. 35-47.

MYHRE, Bjorn. The Significance of Borre. In: FLADMARK, Jan Magnus (ed.). *Heritage & Identity; Shaping the Nations of the North*. New York: Routledge, 2002, pp. 19-34.

CERCOS DE PARIS (845, 885)

Das várias cidades atacadas, saqueadas e destruídas pelos vikings, Paris tem uma importância especial. A icônica capital francesa que se tornou conhecida por seus monumentos, museus, palácios, cafeterias e as luzes do Iluminismo era, no século IX, uma cidade bem mais modesta, limitada a Île de la Cité, em meio ao Sena. Uma cidade murada e insular, que alguns consideravam inexpugnável e acabou sendo alvo de vários ataques vikings, pois se acreditava que a capital da Francia guardasse, atrás de suas altas muralhas, grandes tesouros.

Antes de Paris ser o alvo das expedições, desde 799 ataques vikings ocorriam esporadicamente a Francia. No entanto, na década de 830, os ataques se intensificaram e cidades como Dorestad, Ruão, Saint Denis e Quentowic foram saqueadas. Em 843 foi a vez de Nantes. No ano de 845, dois importantes ataques ocorreram no continente: o rei Horik I da Dinamarca ordenou a invasão de Hamburgo (Alemanha) e, no mesmo ano, um chefe chamado Ragnar atacou Paris. Algumas crônicas posteriores a essa época sugerem que se tratava do lendário Ragnar Lothbrok, embora não se possua certeza.

Acerca do primeiro ataque a Paris, Janet Nelson cita o relato de um monge do monastério de Saint-Germain-des-Prés, onde consta que pelo menos 120 navios cercaram Paris. Eram embarcações dos normandos (termo usado pelos francos para ser referir aos vikings). Tais guerreiros brutos forçaram a invasão da cidade. Para esse monge, aquele terrível acontecimento era uma punição de Deus, pois o rei Luís, o Pio (778-840), havia decidido em vida dividir o reino entre seus três filhos: Lotário, Carlos e Luís, que entraram em guerra entre si, pois cada um queria se tornar senhor e soberano de toda a Francia. Para o monge, essa contenda familiar teria irado Deus, que teria permitido, punitivamente, o ataque daqueles bárbaros do norte.

Para evitar que a cidade sofresse maiores danos, o rei Carlos, o Calvo (823-877), que governava desde 840 tendo Paris como capital, decidiu oferecer uma proposta de rendição. Segundo os relatos da época, o rei teria oferecido 7 mil libras de prata (cerca de 3 toneladas) para que os vikings desistissem do ataque. Para alguns historiadores, tal pagamento poderia ser considerado um *danegeld*. Esse tributo de extorsão começou a ser cobrado por essa época na França e Inglaterra. O pagamento das 7 mil libras de prata assegurou que novos ataques à Paris não ocorressem nos anos seguintes, embora expedições continuaram a atacar outras localidades do reino.

O segundo ataque a Paris é controverso. Alguns historiadores apontam falta de relatos históricos que o comprovem, pois os *Anais Francos* não são específicos se de fato a cidade foi ou não atacada. O segundo ataque teria ocorrido entre 856-857, comandado supostamente por Björn, Costas de Ferro. Inicialmente os nórdicos optaram em montar base na ilha de Oscellus, dando preferência a atacar as povoações, fazendas e mosteiros nos arredores de Paris antes de se aventurar no ataque à capital. Novas investidas lideradas por Weland à região do Sena se sucederam até 859, quando em 860, o rei Carlos, o Calvo, ofereceu novo *danegeld*, ofertando 3 mil libras de prata. Seis anos depois, novos chefes vikings retornaram a região do Sena e, para não atacar Paris, cobraram outro *danegeld*.

Todavia, um novo ataque a Paris somente ocorreria muitos anos depois, em 885. Após vários ataques às terras nos arredores de Paris, facilitados pelo fato de o rio Sena ser um território sem controle à época, permitindo que os navios nórdicos navegassem livremente para saquear várias localidades, o rei Carlos, o Gordo (839-888), que governava desde 884, ordenou que fortificações fossem erguidas ao longo do Sena para barrar o avanço dos invasores. No ano de 885, dois chefes de nome Siegfried e Gorm solicitaram passagem segura pelo bloqueio do Sena, mas o rei Carlos negou, acreditando se tratar de um engodo. De fato, ele estava certo.

Siegfried e Gorm ordenaram que o bloqueio formado por duas torres e uma corrente defensiva que cruzava o rio fossem destruídos. Segundo relatos da época, eles comandavam 700 navios. Desse modo, a frota invasora deu início ao cerco de Paris. Todavia, além dessas defesas erguidas no rio, o rei Carlos havia incumbido o conde Odo (c. 852-898) da liderança do exército de Paris. Odo conseguiu com bravura e estratégia impedir que Paris fosse invadida e saqueada novamente, embora isso não tenha como resultado uma vitória plena, mas um novo acordo de trégua. Em 886, um novo *danegeld* foi oferecido aos invasores, que por fim se retiraram.

Odo se opôs à necessidade de pagar para que o inimigo partisse, e tampouco o pagamento cessou novas investidas vikings através do Sena. Em 888, o rei Carlos, o Calvo, faleceu, e Odo assumiu o trono, dando continuidade ao combate aos nórdicos e ordenando a construção de acampamentos e fortificações ao longo do Sena. As medidas de Odo foram continuadas pelo seu sucessor Carlos, o Simples (879-929). Paris manter-se-ia segura por vários anos.

Na série *Vikings*, escrita por Michael Hirst, e produzida pelo History Channel, o cerco a Paris é retratado na terceira e quarta temporadas, todavia os acontecimentos ali encenados são anacrônicos, pois mesclam os relatos das três expedições à Paris. Na série, o conde Odo é assassinado, o que é outro desvio historiográfico, já que ele se tornou rei depois da morte de Carlos, o Gordo. Outra imprecisão apontada diz respeito ao fato de que o rei apresentado na série trata-se de Carlos, o Simples, e não Carlos, o Gordo. Além disso, a série indica que Rollo participou dessas expedições e, depois da primeira, aceitou se aliar aos francos, tornando-se duque da Normandia, quando historicamente isso só ocorreu em 911.

Leandro Vilar Oliveira

Ver também França da Era Viking; Normandia; Rollo; Viking; Vikings na França.

ARBMAN, Holger. *Os Vikings*. Lisboa: Editorial Verbo, 1967.

CALLMER, Johan. Scandinavia and the continent in the Viking Age. In: BRINK, Stefan; PRICE, Neil (eds.). *The Viking World*. London/New York: Routledge, 2008, pp. 439-452.

HAYWOOD, John. *Historical Atlas of Vikings*. London: The Penguin Books, 1995.

LOGAN, F. Donald. *The Vikings in History*. London/New York: Routledge, 1991.

NELSON, Janet L. The Frankish Empire. In: SAWYER, Peter (ed.). *The Oxford Illustrated History of the Vikings*. New York: Oxford University Press, 1997, pp. 19-47.

STREISSGUTH, Thomas. *Life among the Vikings*. San Diego, CA: Lucent Books, 1999.

CERVEJA

Uma das bebidas fermentadas mais antigas elaborada pelo ser humano, a cerveja é feita a partir de uma mistura simples de cereais dos mais diversos, grosseiramente moídos, fervidos com a adição de algumas ervas para conferir sabor e colocados para fermentar em algum local escuro e seco. Essa é a receita mais antiga e simples para se fazer cerveja.

A bebida, muito apreciada pelos germânicos desde a Antiguidade, era consumida por todos – dos mais nobres aos mais pobres, das crianças, até os idosos –, e todos os dias. A necessidade de se purificar a água, vetor de várias doenças, estava intimamente ligada ao ato de se fazer e consumir cerveja. Esse fermentado, que recebeu o nome genérico de cerveja, era uma bebida essencial para uma sociedade que, diferentemente das mediterrâneas, cultivavam a vinha e tinham no vinho a sua melhor e mais consumida bebida. A cerveja garantia a potabilidade da água e a fermentação conferia uma dose extra de nutrientes à dieta.

Os primeiros relatos sobre esse fermentado, que inicialmente levava em seu preparo somente ervas, água e leveduras naturais, remontam à Pré-história. Tácito, na *Germânia*, explica que os germanos apreciavam consumir em grandes quantidades um fermentado à base de cereais e ervas de sabor amargo e nada agradável se comparado ao vinho consumido pelos romanos. O fermentado de água com ervas não possuía grande durabilidade e era consumido em grande quantidade, o que obrigava as mulheres a abastecerem suas casas com cerveja diariamente.

A cerveja não era a única bebida fermentada consumida pelos germanos alto-medievais, incluindo os escandinavos da Era Viking, que também produziam vinhos, hidromel e cidras.

Öl é o nome genérico usado para toda bebida alcoólica, mas em alguns casos refere-se especificamente à cerveja tipo ale. *Bjórr* se refere a cervejas mais fortes (por isso sua associação com os deuses Aesir). *Veig* e *hreinalög* são termos para bebidas claras e frescas, e o hidromel (*mjöð*) era o licor preferido no palácio do Valhala, a morada de Odin. *Sumbl* é o nome dado aos banquetes e está relacionado ao mito do gigante Súttungr, que esconde o hidromel em uma montanha. A cerveja (*bjórr*, em nórdico antigo) era consumida em todas as refeições e também ao longo do dia, substituindo em alguns momentos a própria água, que em determinadas regiões apresentava altos índices de contaminação, pois era uma grande disseminadora de doenças. Por ter um teor alcoólico baixo (algo em torno de 3 a 5 graus), também oferecia calorias e certa dose de nutrientes. A cerveja consumida pelos vikings e pelos anglo-saxões possuía praticamente a mesma composição: cereais, água, levedura e ervas aromatizadas – que além de conferirem um sabor especial à bebida também tinham a função de conservantes. É preciso ressaltar que o lúpulo (*Humulus lupulus*), ingrediente indispensável na fabricação da cerveja contemporânea, só começou a ser incorporado em larga escala no século XI. A erva mais utilizada como aromatizante na fabricação das cervejas alto-medievais era a *Glechoma hederacea*, popularmente conhecida como erva de São João ou hera-terrestre, de sabor amargo, rica em ácidos fenólicos e tanino, dois anti-oxidantes e conservantes naturais, que em certa medida também conferem amargor à bebida. Diferentemente de hoje a produção de cerveja, vinho e outros fermentados, não se dava de forma industrial e nem havia a excessiva preocupação com a excelência na qualidade e seleção dos ingredientes como vemos atualmente. A produção de bebidas era tarefa feminina por excelência. As mulheres deviam cuidar para que as despensas estivessem sempre bem abastecidas de ingredientes tanto para a elaboração da comida de todos os dias como também para as festas. A cerveja produzida pelos nórdicos possuía um sabor e também coloração diferentes das equivalentes atuais, já que não possuía conservantes e clarificantes.

Luciana de Campos

Ver também Alimentação; Cotidiano; Festas e festins; Hidromel; Sociedade.

CAMPOS, Luciana de. A sacralidade que vem das taças: o uso de bebidas no Mito e na Literatura Nórdica Medieval. *Revista Brasileira de História das Religiões*, vol. 23, 2015, pp. 97-107.

CAMPOS, Luciana de & LANGER, Johnni. Brindando aos deuses: representações de bebidas na Era Viking, no cinema e nos quadrinhos. *Revista de História Comparada* (UFRJ), vol. 6, 2012, pp. 141-164.

HAGEN, Ann. *Anglo-Saxon food and drink*. London: Anglo Saxon Book, 2010.

WARD, Christie. Alcoholic beverages and drinking customs of the Viking Age. *The Viking Answer Lady*, 2005. Disponível em: http://www.vikinganswerlady.com/drink.shtml. Acesso em 14/04/2017.

CIDADES, POVOAÇÕES E LOCALIDADES

Ver Arhus; Bergen; Birka; Danevirke; Dinamarca da Era Viking; Dorestad; Dublin; Eketorp; Finlândia da Era Viking; França da Era Viking; Gamla Uppsala; Gotland; Groenlândia Nórdica; Hedeby; Helgo; Ilhas Faroé; Inglaterra da Era Viking; Irlanda da Era Viking; Islândia da Era Viking; Jorvik; Kaupang; Kiev; Lejre; Lindisfarne; Mikligardr (Bizâncio); Noruega da Era Viking; Ribe; Roskilde; Rússia da Era Viking; Sigtuna; Suécia da Era Viking; Vínland; Wolin.

CANUTO II, O GRANDE

Knútr inn ríki foi rei da Dinamarca entre o período de 1018 até 1035, tendo também reinado na Noruega de 1028 até 1035 e estado à frente do trono da Inglaterra de 1016 até os anos de 1035. Canuto era filho de Sueno Barba Bifurcada (Svend Tveskæg), rei da Dinamarca de 986 até a sua morte, rei da Noruega entre 986 e 995 e depois 1000 e 1014, assim como rei da Inglaterra a partir de 1013. Sueno era filho do rei Haroldo I da Dinamarca. Canuto nasceu em meados do ano 995 d.C na Dinamarca e faleceu com cerca de 40 anos de idade em 1035, sendo sepultado na Catedral de Winchester, uma das maiores catedrais da Inglaterra.

Sueno, durante seu período enquanto monarca, formou as bases do largo domínio de governo que será consolidado por Canuto. Etelredo II, o Despreparado, foi rei da Inglaterra entre 978 e 1013 e depois de 1014 até 1016, enfrentou ataques de Olavo I da Noruega (Óláfr Tryggvason) durante uma parcela de seu reinado. Após várias querelas, o rei inglês conseguiu sair vitorioso, ordenando o massacre de comunidades nórdicas que se estabeleceram na costa inglesa durante os ataques vikings. Tal atitude provocou uma reabertura de conflitos de Etelredo com os nórdicos, pois a partir de 1002, Sueno iniciará ataques e expedições contra ele.

Depois de anos de conflitos e ataques, nos idos de 1013 o rei Etelredo busca refúgio na Normandia, sendo expulso de seu próprio domínio, dando início a um novo regime régio na Inglaterra. Apesar de Sueno ser o conquistador da região, sua morte em 1014 acaba por jogar suas conquistas nas mãos de Haroldo II (Harald Svendsen), governante da Dinamarca até seu falecimento em 1018. A partir de então, Canuto assume a coroa e consequentemente as diversas conquistas e direitos que toda uma hereditariedade lhe permitiu.

Depois de auxiliar seu pai nas lutas com Etelredo, Canuto precisou dedicar inicialmente todos os seus esforços para conter o retorno do rei inglês, liderando em 1016 uma nova invasão contra Edmundo II da Inglaterra, na conhecida batalha de Assadun, visto que Canuto havia retornado para Dinamarca desde 1014. Após a invasão, se forma a tessitura de um tratado de paz, em que as partes em conflito logram por via diplomática um acordo que partilha do reino inglês. Essa partilha perdura até novembro de 1016, quando Edmundo II acaba falecendo ou sendo assassinado por mando de Canuto, logo, o filho de Sueno passou a ser reconhecido como único monarca inglês.

Após tais querelas, com o intento de firmar seu novo reinado, Canuto acaba por se casar com Ema da Normandia, esta que era viúva de Etelredo II, o Despreparado. Portanto, Canuto foi diretamente responsável pela restauração inglesa, assim como pela organização política e por uma constituição mais firme do "sistema" de propriedades fundiárias no regime régio inglês. Além disso, foi diretamente responsável pela criação de importantes condados, como os de Wessex, Mércia, Anglia Ocidental e Nortúmbria.

Como supracitado, Haroldo II morre em 1018, deixando Canuto também rei da Dinamarca, além da Inglaterra que já estava sobre seu controle. Em 1028 entrará em conflito com Olavo II, o Santo (Ólafr Haraldsson), realizando a grande batalha de Helgeå (*Slaget ved Helgeå*). Sua vitória nesse embate naval lhe permitiu subir também ao trono norueguês, consolidando-se como rei da Dinamarca, Noruega e Inglaterra. Após essas vastas conquistas, suas terras ficam ou sobre seu controle direto ou na regência de seus filhos: Hardacanuto (Hardeknud) e Haroldo Pé de Lebre. Imediatamente após sua morte em 1035, o primeiro herda o torno da Dinamarca, o segundo passa a ser rei da Inglaterra e Magno I, o Bom (*Magnús goði*) passa a ser o rei da Noruega, cargo constantemente almejado por disputas e conflitos nos anos que se seguem.

Canuto tem um governo marcado pela aproximação com o cristianismo e uma paz e crescimento interno marcado pela formação de aliança e eliminações pontuais de inimigos ao longo do seu governo. Sua ligação com o cristianismo não se resume aos marcos de suas viagens, como a ida até Roma, mas em relatos como a história *Rei Canuto e as ondas*, apócrifo escrito por Henrique de Huntingdon, datado do século XII. Além disso a *Knýtlinga saga*, a saga dos descendentes de Canuto, uma saga real da segunda metade do século XIII, fornece muitas informações sobre a grandiosidade do seu reinado e de suas medidas, sendo considerada obra de Óláfr Þórðarson por alguns acadêmicos. Ainda podemos destacar os escaldos que lhe acompanhavam, que produziram os *Knútsdrápa*. O *Skáldatal* (*Catálogo dos escaldos*), preservado no *Codex Uppsaliensis*, nos revela que havia ao menos oitos escaldos que acompanhavam Canuto, produzindo obras como o *Liðsmannaflokk, Höfuðlausn, Tøgdrápa* e *Eiríksdrápa*. Em meio a tantas fontes e suas múltiplas representações, torna-se inviável neste espaço refletir acerca da construção da imagem de um rei considerado tão grandioso. Seu regime régio e sua larga associação ao cristianismo possibilitaram que ele se tornasse um dos maiores reis nórdicos, não apenas pelos atos de sua vida, mas pela forma como os sujeitos manipularam suas narrativas com novas narrativas. Portanto, esperamos abrir uma porta para as vastas possibilidades de estudo e pesquisa sobre esse sujeito e suas reverberações na trama histórica.

José Lucas Cordeiro Fernandes

Ver também Danelaw; Dinamarca da Era Viking; Inglaterra da Era Viking.

BOLTON, Timothy. *The Empire of Cnut the Great: Conquest and the Consolidation of Power in Northern Europe in the Early Eleventh Century*. Leiden: Brill, 2009.

EKREM, Inger; Mortensen, Lars Boje (eds.). *Historia Norwegie*. Museum Tusculanum Press, 2003.

FRANK, Roberta. King Cnut in the verse of his skalds. In: RUMBLE, Alexander R. (ed.). *The Reign of Cnut: King of England, Denmark and Norway*. London: Leicester, 1994, pp. 106-124.

HUNTINGDON, Henry of. *The Chronicle of Henry of Huntingdon, comprising The History of England, From the Invasion of Julius Caesar to the accession of Henry II*. Forester, London: Henry, G. Bohn, 1853.

MALMESBURY, William of. *Gesta Regnum Anglorum*. Mynors, Oxford: Clarendon Press, 1998.

NORDEIDE, Sæbørg Walaker. *Christianization of Norway*. Paris 1 University: Conference paper, 2007.

RUMBLE, Alexander R. (ed.). *The Reign of Cnut: King of England, Denmark and Norway*. London: Leicester, 1994.

SAWYER, Peter (ed.). *The Oxford Illustrated History of the Vikings*. Oxford: Oxford University Press, 2001.

STURLUSON, Snorri. *Heimskringla: History of the Kings of Norway*. Trad. Lee M. Hollander. Austin: University of Texas Press, 1991.

TSCHAN, Francis Joseph. *Adam of Bremen: History of the Archbishops of Hamburg-Bremen (Gesta Hammaburgensis ecclesiae pontificum)*. New York: Columbia University Press, 1959.

COGADH GÁEDHEL RE GALLAIBH

O texto conhecido como *Cogadh Gáedhel re Gallaibh* (*A guerra entre os irlandeses com os estrangeiros*) é um texto medieval irlandês que narra uma série de ataques vikings aos irlandeses entre o século X e início do século XI, principalmente sobre a resistência feita pela dinastia conhecida como Dál Cais contra os grupos escandinavos.

No entanto, a narrativa foi feita no início do século XII, baseada em outras fontes textuais disponíveis na época, sob a tutela de Muirchertach Ua Brian, descendente de Brian Boru e que possuía claro interesse propagandístico e político para com a elaboração do texto em si.

Essa visão dos acontecimentos relacionados com o conflito entre irlandeses e vikings influenciou muitos historiadores séculos depois de sua elaboração, especialmente Geoffrey Keating em sua *História da Irlanda* escrita c. 1634 (com tradução para o inglês em 1723). No entanto, foi no século XIX que as narrativas presentes no *Cogadh Gáedhel re Gallaibh*, bem como a própria batalha de Clontarf narrada dentro do corpo do texto, ganharam notoriedade.

Em 1867 é publicada, afinal, uma grande edição com tradução em larga escala da obra, o que ajudou não apenas na divulgação da mesma no imaginário histórico local, mas também na consolidação de um sentimento nacionalista na Irlanda da época, elevando não só a narrativa, mas a figura de Brian Boru ao status de ícone nacional.

A narrativa se inicia com a batalha de Sulchóit (Solloghod), em 967, quando, segundo o *Cogadh*, Mathgamain macCennétig da dinastia dos Dál Cais, teria enfrentado e vencido Ivar, chefe estrangeiro de Limerick. Nessa primeira parte da narrativa são totalmente omitidos os conflitos internos que a dinastia dos Dál Cais passava para se legitimar, sobretudo entre os Eóganachta. Para o narrador do *Cogadh*, Ivar era o grande chefe por trás de todos os problemas da região de Munster, ao sul da Irlanda.

A primeira parte do Cogadh se encerra com a vitória inconteste de Mathgamain sobre os estrangeiros, aqui representados por Ivar. Ao longo da narrativa são descritos os grandes valores militares dos irlandeses em contraposição aos vikings, narrados como terríveis, sanguinários e assassinos.

A narrativa segue com os acontecimentos da batalha de Clontarf, que ocorre em 1014 e contrapõe as forças de Brian Boru, aclamado como o grande rei da Irlanda da dinastia de Dál Cais e de seus opositores, notadamente os vikings representados pelas forças do rei Sitric de Dublin e os demais aliados do rei de Leinster, Máel Morda. O *Cogadh* apresenta uma série de outros nomes e aliados de ambos os lados, sem, entretanto, delimitar de fato os que realmente poderiam ter participado do conflito. Embora alguns casos específicos possam ser comprovados, como é o caso dos nomes que apareceram também nos demais anais irlandeses, não é possível usá-los como base para verificação, já que não há como comprovar se o autor do *Cogadh* os incorporou porque usou registros presentes nos anais, ou se os registros presentes nos anais usaram os registros antigos do *Cogadh*.

A narrativa descreve, então, combates singulares e atos de bravura das forças aliadas de Brian Boru, sobretudo de seu filho Murchadmac Brian, morto em combate, mas demonstrando inúmeros atos memoráveis que o fazem ser equiparado às figuras lendárias como Heitor, Sansão, Hércules ou mesmo Lug Lámfhada. Vale lembrar que Brian também será equiparado às figuras lendárias como César Augusto ou mesmo Alexandre, o Grande.

A batalha em si é descrita ocorrendo entre as marés do alvorecer e anoitecer do dia 23 de abril de 1014, durante o dia todo. É justamente a descrição das marés no corpo do texto que atribui certa veracidade à narrativa, passível de comprovação por cálculos metereológicos. Para o historiador Seán Duffy, esse fato é uma evidência de que se o autor da descrição não era uma testemunha ocular da batalha, teve suas informações retiradas de quem de fato o foi.

Na sangrenta batalha, as forças de Brian Boru saem vitoriosas sobre os estrangeiros. Os líderes opositores como Máel Morda e Bródir são mortos, bem como o filho de Brian, Murchad e o próprio Brian. Sitric, o rei de Dublin, é descrito como tendo aproveitado a maré para escapar do seu destino em batalha. A descrição, no entanto, deixa claro o cristianismo de Brian Boru, bem como seu valor em batalha ao descrever sua morte em luta contra Bródir e a ideia de que com a vitória em Clontarf seus guerreiros teriam expulsado as forças estrangeiras dos vikings da Irlanda. Em verdade, o grande desfecho do *Cogadh Gáedhel re Gallaibh* marca o triunfo orgulhoso da dinastia de Dál Cais sobre seus opositores e usa da História para hiperbolizar sua propaganda política.

Erick Carvalho de Mello

Ver também Brian Boru; Dublin; Irlanda da Era Viking.

DOWNHAM, Clare. Irish chronicles as a source for inter-Viking rivalry, A.D. 795-1014. *Northern Scotland*, vol. 26, 2006, pp. 51-63.

DUFFY, Seán. *Brian Boru and the Battle of Clontarf*. Dublin: Gill Books, 2014.

Ó CUÍV, Brian. Ireland in the Eleventh and Twelfth Centuries c. 1000-1169. In: MOODY, Theodore W. & MARTIN, Francis X. *The Course of Irish History*. Cork: Mercier Press, 2011, pp. 107-122.

RICHTER, Michael. *Medieval Ireland: The Enduring Tradition*. Dublin: Gill and Macmillan, 1988.

COMÉRCIO

Apesar dos vikings serem lembrados mais como bravos guerreiros e intrépidos navegantes, eles também foram comerciantes bem resolvidos. De fato, os vikings da Suécia se destacaram dos seus vizinhos escandinavos, por terem aderido mais ao comércio do que a campanhas de invasão, pilhagem e conquista. O contato da costa sueca com o Mar Báltico, aonde desaguam vários rios suecos, favoreceu a predisposição ao comércio desde meados do século VI.

Mas isso não significa que a Noruega e a Dinamarca não tenham participado do comércio. A Noruega, por estar voltada ao mar do Norte, teve facilidade para empreender viagens ao Arquipélago Britânico, e décadas depois já havia rotas comerciais norueguesas ligando o reino a Inglaterra, Escócia, Irlanda, Frísia e Islândia. A posição geográfica privilegiada da Dinamarca permitiu aos dinamarqueses acessar tanto o mar Báltico quanto o mar do Norte, assim como usufruir das rotas comerciais terrestres da França, Alemanha, Polônia e Rússia.

Os escandinavos estabeleceram relações comercialiais com distintos povos e regiões da Europa e do oeste asiático entre os séculos IX e XI, fato que por si só já desmente a noção retrógrada de que na Idade Média não havia comércio de longa distância. Entretanto, não foi tão instantaneamente outra que os nórdicos se lançaram ao comércio, o Período Vendel (séculos V-VIII), época que antecede a expansão viking, já era conhecido pelo comércio. Cidades costeiras como Menzlim, Rostock e Oldenburg, na Alemanha; Wolin, Truso e Kolobrzeg na Polônia; Grobin na Letônia e Tallin na Estônia, já mantinham contato com cidades suecas e talvez dinamarquesas.

Não obstante, Guy Fourquin comenta que em várias regiões da Europa entre os séculos VIII e X observou-se um avivamento no comércio regional e internacional. Ele menciona a formação de entrepostos comerciais nos Estados italianos, no califado de Córdoba no sul da atual Espanha e Portugal, na França, Inglaterra, Irlanda, Germânia e na Frísia. E grande parte desse comércio se desenvolveu inicialmente por comerciantes não profissionais, que em geral eram camponeses, pescadores e artesãos que aproveitavam os períodos de feira para vender suas mercadorias ou se dedicavam a atividades mercantis no período entressafras.

No caso da Escandinávia, isso não foi diferente. Devido ao solo pouco fértil da região, além de verões e primaveras breves, sobrava tempo para outras atividades além da agricultura, propiciando a existência de homens que se dedicavam as pilhagens, invasões e ao comércio de longa distância. Esses mercadores viajavam longas distâncias para vender seus produtos sobretudo para adquirir artigos de luxo ou que inexistiam em sua terra, para revendê-los a altos preços, o que lhe proporcionava um bom lucro.

O comércio na Era Viking era pautado principalmente nas seguintes mercadorias: peles, penas, madeira, alcatrão, sal, minério de ferro, xisto para pedras de amolar, âmbar, marfim de morsa, mel, peles de foca e peixe salgado, como salmão e arenque. Em descobertas arqueológicas nessas localidades foram achadas moedas romanas, francas, saxãs, árabes, espadas e joias, e em Helgö, na Suécia, acharam uma pequena estátua de Buda, o que atesta que os contatos com o leste e o sul fossem bem mais longínquos do que se imagina.

Além de mercadorias comercializadas no comércio interno e que depois passaram a ser exportadas, a aristocracia e a nobreza da Era Viking também importavam muitos produtos, como ouro, prata, ferro, vidro, seda, tecidos, vinho, azeite de oliva, pedras preciosas, especiarias etc. Os túmulos reais da Suécia, Noruega e da Dinamarca atestam a presença de tais produtos.

No século VIII, o comércio escandinavo já era significativo a tal ponto que data de pelo menos 750 um assentamento comercial em Staraya Ladoga, ao sul do lago Ladoga (atualmente na Rússia). Staraya Ladoga era um entreposto comercial avançado, que servia de depósito de mercadorias e também como polo manufatureiro. No século seguinte, acentuou-se o avanço comercial escandinavo no Leste Europeu. Os eslavos começaram a se referir aos vikings chamando-os de rus.

A partir de Staraya Ladoga os vikings possuíam acesso às rotas fluviais dos rios Volkhov, Lovat, Oka, Volga e Dnepr, que permitiam ir para o interior da Rússia, assim como seguindo para o sul, atravessando a Polônia, Romênia, Hungria, Ucrânia e Bulgária. Outros rios como o Don, o Dniepre e o Danúbio também foram usados para se chegar ao mar Negro. Em 839, encontra-se o relato dos primeiros vikings que chegaram a Constantinopla (atual Istambul), então rica capital do Império Bizantino.

Constantinopla, chamada pelos nórdicos de Mikligardr ("a grande cidade"), tornou-se uma importante rota comercial para exportação e importação devido a sua localidade. Em Constantinopla chegavam mercadorias advindas do Mediterrâneo, norte da África e Ásia. Produtos como especiarias, seda, prata, ouro, joias etc.

A rota viking para Constantinopla atravessava todo o Leste Europeu. Mercadores partindo do mar Báltico seguiam para o sul, e no caminho começaram a se mudar para cidades eslavas como Novgorod, Gnezdovo, Turov e Kiev. No final do século IX, Novgorod (atual Rússia) e Kiev (atual Ucrânia) estavam sob controle de chefes nórdicos. Nessas cidades eles comercializavam principalmente peles, âmbar, marfim, minério de ferro, vidro, cera e escravos. Os vikings desenvolveram um lucrativo comércio escravocrata no Leste Europeu, pois os eslavos, cazares e árabes adotavam o sistema escravocrata, que já havia sido abolido na Europa ocidental.

Além do comércio na Europa oriental e com Constantinopla, os comerciantes também desenvolveram a "rota da prata" para a Bulgária do Volga (sul da Rússia), que dava acesso ao Canato de Cazar e ao império árabe da Dinastia Abássida, onde comercializavam peles, madeira, âmbar, escravos etc., obtendo em troca muita prata, metal bastante valioso para sua metalurgia, pois os árabes naquele tempo controlavam as maiores minas de prata da Ásia. Essas trocas comerciais duraram poucos anos, tendo diminuído significante ainda no século IX, devido a crises no Império Abássida.

A importância da prata no comércio escandinavo devia-se não apenas pelo fator de riqueza, mas pelo motivo que por muito tempo a prata foi usada como moeda de troca. Na Escandinávia antes do século X, o uso de moedas não era homogêneo. As moedas mais antigas cunhadas na Escandinávia datam do século IX, pertencentes às cidades de Hedeby e Ribe, ambas na Dinamarca. A moeda de Hedeby foi datada por volta de 825, tendo sido baseada em moedas frísias, mas se desconhece se seu emprego foi regular. Na maior parte do tempo o comércio foi feito com base no peso da prata. Lingotes, anéis e outros objetos de prata eram usados como moeda corrente: media-se o valor das mercadorias com base em seu peso.

Na segunda metade do século X, alguns monarcas passaram a cunhar suas próprias moedas de prata; é o caso de Érico Machado Sangrento (947-948/952-954), Sueno Barba Bifurcada (c. 985-1014), Olavo Haraldsson (1015-1028), e Canuto, o Grande (1016-1035). A cunhagem de moedas vikings foi, segundo Svi Gullbekk, bastante influenciada por modelos de moedas anglo-saxãs e germânicas, assim como adotaram fatores de ordem política, exibindo o nome dos monarcas, no intuito de reforçar sua autoridade sobre o reino.

Mas o comércio não proliferou apenas no Leste Europeu e no oeste asiático, a Saxônia e Frísia (ambos na Alemanha) e as Ilhas Britânicas a partir do século IX tornaram-se rotas comerciais contínuas para mercadorias escandinavas devido às ocupações nórdicas ou os acordos comerciais regulares, como no caso dos territórios germânicos, já que os territórios insulares da Inglaterra, Irlanda e Islândia foram ocupados e colonizados pelos escandinavos.

A partir dessa ocupação iniciada ainda no século IX, cidades como Dublin (Irlanda) e York (Inglaterra) tornaram-se importantes centros comerciais no século X. Os ingleses e irlandeses já mantinham comércio com os francos, frísios e germanos pelo menos desde o século VII, como sugere a importação de vinhos francos para mosteiros ingleses e irlandeses, mas com a ocupação escandinava de parte dessas ilhas, o comércio foi substancialmente desenvolvido.

A cidade de York, chamada de Jorvik pelos vikings, tornou-se, no século X, um centro econômico que recebia mercadorias como seda bizantina, vinhos germânicos e âmbar do Báltico. A cidade tornou-se também um polo manufatureiro de utensílios domésticos, joias em prata, ouro e âmbar, vestuário, calçados, ferramentas etc. Tudo isso foi reflexo do mercado escandinavo introduzido na Inglaterra, que alavancou o comércio inglês com sua ampla rede de contatos.

Leandro Vilar Oliveira

Ver também Bergen; Birka; Caça; Hedeby; Navegação.

FOURQUIN, Guy. *História econômica do ocidente medieval.* Lisboa: Edições 70, 2000.

GRAHAM-CAMPBELL, James (org.). *Os vikings*. Barcelona: Editora Folio S.A. 2006.

GULLBEKK, Svein H. Coinage and monetary economies. In: BRINK, Stefan; PRICE, Neil (eds.). *The Viking World*. London/New York: Routledge, 2008, pp. 159-169.

SINDBÆK, Søren Michael. Local and long-distance exchange. In: BRINK, Stefan; PRICE, Neil (eds.). *The Viking World*. London/New York: Routledge, 2008, pp. 150-158.

SKYRE, Dagfinn (ed.). *Means and Exchange: dealing with Silver and the Viking Age*. Oslo: Aarhus University Press, 2007. (Kaupang Excavation Project Publications Series, vol. 2).

COMPORTAMENTO

Ver Alimentação; Aparência e costumes; Casamento e divórcio; Cosméticos; Crianças e infância; Duelos; Estupro; Festas e festins; Guerra e religião; Higiene; Sexo e sexualidade; Sociedade; Suicídio.

CONVERSÃO AO CRISTIANISMO

Ao se falar em conversão ao cristianismo, a primeira coisa que se deve entender é o seu significado para aqueles que estavam sendo cristianizados. As crenças nórdicas, assim como o próprio cristianismo, não possuíam o mesmo significado em outros lugares da Europa já cristianizada. O processo de conversão era entendido como uma *siðaskipti*, mudança de costumes: os antigos costumes eram abandonados em prol de uma nova tradição, que aumentava cada vez mais sua presença entre os grupos com os quais os escandinavos se relacionavam, seja por razões de comércio, viagens ou saques. O "costume" (*siðr*, em nórdico antigo) englobava os modos de viver, moralidades, entre outros significados. Desse modo, a conversão não representava simplesmente uma mudança externa dos antigos costumes (*forn siðr*) para os novos costumes (*nýr siðr*).

É importante ressaltar que existe uma diferenciação entre conversão e cristianização. Os conceitos de conversão e cristianização causam muita confusão em suas definições. James C. Russell (1994) compilou uma análise das definições, na qual inicialmente "conversão" é a modificação comportamental e ideológica do indivíduo, resultando em uma nova visão de mundo. Assim, a conversão implica numa grande mudança de consciência, entendendo o antigo como parâmetro errado e o novo como parâmetro certo.

É praticamente um consenso para a historiografia contemporânea que a conversão da Escandinávia não foi um processo abrupto e repentino, mas algo que levou anos e dificilmente pode-se apontar uma data de início ou fim. Os estudos sobre a cristianização dos vikings acabam dividindo as pesquisas normalmente pelas regiões que hoje representam os países nórdicos, como Noruega, Islândia e Dinamarca. Cada uma dessas regiões possuiu suas características particulares e por isso devem ser entendidas dentro do seu contexto.

As relações comerciais e intercâmbios com as regiões vizinhas e distantes trouxeram aos vikings o contato com o cristianismo, que inicialmente era somente mais uma religião dentro da miríade conhecida por eles. A religiosidade escandinava não era algo monolítico: regiões que ficavam alguns quilômetros de distância podiam possuir formas de cultos e adorações diferentes, ou uma preferência por deuses diferentes, mas sempre mantendo uma semelhança básica. Devido ao posicionamento geográfico a primeira região a possuir maior contato com o cristianismo foi a Dinamarca.

A Dinamarca era geograficamente mais próxima e possuía maior contato com o Sacro Império Romano-Germânico, o que levava a uma presença contínua de missionários em seu território. No início do século IX chegaram lá os primeiros missionários, cujo trabalho de cristianização e a pressão vinda do sul pelo Sacro Império levaram à resolução da disputa política que existia na região: Haroldo Klak foi batizado e, apoiado pelo Luís, o Piedoso, tomou o trono dinamarquês. As principais fontes envolvendo a conversão de Haroldo são a *Vita Anskarri* e a *Carmen in honorem Hludowici*, escritas por dois clérigos que acompanharam o rei no seu retorno a Dinamarca após a sua conversão, em 826. Apesar dos esforços iniciais, a cristianização da Dinamarca só foi estabelecida firmemente no reino de Haroldo Dente Azul, que tornou o cristianismo a religião nacional depois de sua própria cristianização, em 965.

A cristianização da Noruega tem história similar ao caso dinamarquês. Apesar da presença de missionários casuais, a efetividade das suas tentativas de conversão não é clara nas fontes arqueológicas. Esse cenário começa a mudar com o reinado de Hakon, o Bom. Hakon, filho de Haroldo Cabelos Belos, passou sua juventude na Inglaterra já cristianizada sob a tutela do rei Athelstan. Ao retornar para a Noruega para confrontar seu tio Érico Machado Sangrento, Hakon associou-se com o *jarl* de Lade e foi vitorioso. Hakon decide iniciar a cristianização da Noruega, mas sua tentativa acabou lidando com desavenças políticas que o levaram à derrota narrada pelo poema *Hákonarmál*, que relata sua batalha final e posterior ascensão a *Valhalla*.

A derrota de Hakon pelo seu sobrinho, Haroldo Capa Cinzenta, apoiado pelo rei Dinamarquês Haroldo Dente Azul, levou a Noruega a um período de descentralização do poder, funcionando como uma forma de reino subordinado da Dinamarca. Haroldo Capa Cinzenta, diferente de seu tio, foi descrito com um mau rei – possivelmente essa representação também se deva ao fato de ele ter tornado ilegal o culto aos deuses antigos. Esse mau governo acabou levando-o a ser morto em um complô entre Haroldo Dente Azul e o *jarl* de Lade da época, Hakon, que se tornaria o último governante pagão da Noruega.

Com a morte do último líder pagão, a Noruega seria governada por Olavo Tryggvason, neto de Haroldo Cabelos Belos, que viveu seus anos anteriores como saqueador na Inglaterra e posteriormente se converteu ao cristianismo. Sua conversão é um ponto de debate, pois os documentos discordam, apontando duas possíveis versões: em uma, ele teria sido batizado na Inglaterra; na outra, seu batizado teria sido feito por missionários dinamarqueses na Noruega. A versão mais aceita é o do batismo na Inglaterra em 991, como demonstra na *Anglo-Saxon Chronicle*. Sua conversão, acredita-se, faz parte de um acordo político com a Inglaterra, garantindo uma aliança entre os dois reinados. Em 995, Olavo assumiu o reinado e segundo a *Heimskringla* e a *Gesta Danorum*, realizou a conversão da Noruega de maneira forçosa, além de exercer uma pressão sobre outras regiões, como a Islândia.

A cristianização da Islândia ocorreu de uma maneira particular. A Islândia foi ocupada, segundo o *Landnámabók*, no ano de 870, com noruegueses buscando fugir da tirania do rei Haroldo Cabelos Belos. A ilha já tinha outros habitantes, mas em um número inferior aos colonizadores noruegueses. Esses noruegueses trouxeram a religião de sua terra natal, o culto aos deuses nórdicos. A Islândia vivia em um sistema político horizontal, no qual as decisões eram resolvidas em *Things*, ou na *Althing*. Na *Althing* ocorrida no ano 999, decidiu-se, após os devidos debates, pela conversão formal ao o cristianismo. Entende-se que essa conversão para o cristianismo se deve em parte a não ortodoxia do paganismo. O cristianismo era visto como mais uma forma de crença diferente, assim como várias outras por eles já conhecidas. Essa mudança foi uma conversão política. Os estudos mais recentes sobre a cristianização da Islândia argumentam acerca da violência dessa conversão, que embora não congregue formas de violência física, foi simbólica e representativa.

O resultado desses processos é um cristianismo diverso e variado. Mesmo que apresentado sob a mesma nomenclatura, as peculiaridades regionais, como a cultura local e a política de cada região influenciaram na visão de mundo e nas práticas cristãs. As práticas pré-cristãs não desapareceram com a conversão ao cristianismo, mas encontraram sua resistência na cultura local por meio de adaptações na religiosidade, procedimento que também ocorreu com as práticas sociais. Apesar de ter-se abandonado o culto aos deuses antigos, as práticas pré-cristãs se sedimentaram naquela sociedade de tal forma que os efeitos de longa duração são observáveis até os dias atuais.

André Araújo de Oliveira

Ver também Althing; Godi; Islândia da Era Viking; Religião.

BAGGE, Sverre. A Hero between Paganism and Christianity. *Poetik und Gedächtnis, Festschrift für Heiko Uecker zum 65* Bonn, 2004, pp. 185-210.

BAGGE, Sverre. Christianization and State Formation in early Medieval Norway. *Scandinavian Journal of History*, vol. 30, n. 2, 2005, pp. 107-134.

BEREND, Nora. *Christianization and the Rise od the Christian Monarchy*. Cambridge: Cambridge University Press, 2007.

NORDEIDE, Saebjorg Walaker. The Christianization of Norway. *Speculum*, vol. 88, n. 4, 2013, pp. 1139-1140.

RUSSELL, James C. *The Germanization of Early Medieval Christianity*, a socio-historical approach to religious transformation. Oxford, 1994.

SELF, Kathleen M. Remembering our violent convertsion: Conflict in the Icelandic conversion narrative. *Religion*, vol. 40, n. 3, 2010, pp. 182-192.

WILLIAMS, Gareth; BIBIRE, Paul. (orgs.). *Sagas, Saints and Settlements*. Boston: Brill, 2004.

COSMÉTICOS

O uso de cosméticos na Era Viking era muito difundido tanto entre os homens como entre as mulheres. A maquiagem estava entre os itens de beleza usados cotidianamente e homens e mulheres da cidade usavam maquiagem para parecerem mais jovens e atraentes. Uma mistura de carvão vegetal reduzido a pó finíssimo misturado com gordura era passado ao redor dos olhos, formando círculos pretos que atualmente pareceriam olheiras, mas que na Era Viking realçavam a beleza.

Alguns óleos extraídos de oleaginosas, como as nozes e avelãs, e gorduras animais mais finas, como banha do porco e de aves, eram misturadas com ervas, como a artemísia e a camomila, e essa pasta era aplicada no rosto e no corpo, conferindo uma boa hidratação e umectação para a pele que estava exposta ao frio no exterior das casas e ao calor do fogo e fuligem no interior delas. As gorduras misturadas às ervas formavam uma camada protetora para a cútis. As mulheres também faziam uso de pedras, que tinham o tamanho de uma pequena bola e eram bem lisas, para apertá-las contra a pele do rosto de modo a aliviar as rugas e linhas de expressão. Com os contatos e as trocas comerciais com o Mediterrâneo e Bizâncio, outros produtos usados como cosméticos também passaram a ser utilizados pelos mais abastados, como a mistura de açafrão e camomila para clarear os cabelos e o óxido de chumbo – este, apesar de altamente tóxico, também passou a ser usado como mais um item de cuidados com a beleza.

Os cuidados com os cabelos também eram constantes: eram penteados, depois trançados com nós e tranças complexas, no caso das mulheres. Neles também eram aplicados óleos perfumados para deixá-los mais brilhantes e atraentes. Homens e mulheres utilizavam essas técnicas.

Homens e mulheres também se banhavam pelo menos uma vez por semana e usavam óleos e ervas perfumadas para deixarem seus corpos limpos. Era hábito comum, depois do banho, esfregar vigorosamente o corpo com galhos de plantas aromáticas para retirada de todas as impurezas e para dar à pele um bom aspecto. O hábito de bater um galho de folhas aromáticas no corpo pode ser observado até hoje na Finlândia durante a sauna.

Luciana de Campos

Ver Cotidiano; Mulheres; Cultura material; Medicina e botânica mágica.

CAMPOS, Luciana de. Cosmética, plantas e saúde na Era Viking. *Youtube/Canal do* NEVE, 2017. Disponível em: *goo.gl/SJbyKh*. Acesso em 24 nov. 2017.

HARVIG, Lise *et al.* Death in Flames: Human Remains from a Domestic House Fire from Early Iron Age, Denmark. *International Journal of Osteoarchaeology*, vol. 25, n. 5, 2015, pp. 701-710.

COTIDIANO

Ver Agricultura; Alimentação; Aparência e costumes; Arte; Bóndi; Caça; Comércio; Comportamento; Cosméticos; Embarcações; Ferreiros e ferraria; Festas e festins; Habitação; Higiene; Hnefatafl; Jogos e esportes; Música; Poesia escáldica; Religião; Sexo e sexualidade; Sociedade.

CRIANÇAS E INFÂNCIA

A documentação sobre a vida das crianças e sobre a infância na Era Viking é escassa, mas os vestígios de cultura material nos oferecem algum subsídio para que possamos entender como era o mundo infantil nórdico. Nas sagas quase não há menção às crianças e à infância, limitando-se muitas vezes a mencionar apenas o número de filhos que determinada personagem possuía, sem descrições mais pormenorizadas ou detalhes acerca da educação, de quais eram os brinquedos e brincadeiras e qual era o *status* da criança dentro da comunidade. É importante salientar que em praticamente todo o mundo nórdico a prática do infanticídio era comum. O número de crianças expostas era grande, pois muitas vezes para o menos abastados criar muitos filhos era uma tarefa difícil e trazia despesas com as quais a família não podia arcar, principalmente durante os rigorosos invernos, quando a comida era pouca. Os filhos concebidos fora do casamento ou filhos de mães solteiras que não podiam sustentar essas crianças eram também vítimas do infanticídio. A mortalidade infantil também atingia altos índices: a desnutrição, as doenças típicas da primeira infância e muitas vezes a falta de cuidados de higiene formavam um ambiente de risco para os recém-nascidos e as crianças pequenas, tanto para as mais ricas, como para as mais pobres.

As sepulturas de crianças, embora poucas se comparadas às de adultos, também são fundamentais para se compreender como era essa primeira fase da vida dos homens e mulheres nórdicos. A análise osteológica de alguns esqueletos infantis apresentavam hipoplasia dentária (que é a formação incompleta do esmalte dentário) e hiperostose porótica, doença que está diretamente relacionada a deficiência de vitaminas do complexo B, como a B2 e B12. Geralmente esse mal tem início no momento em que a criança está mudando da dieta exclusiva de leite materno para o alimento sólido, e acontece especialmente por insuficiência de vitaminas, ou em casos em que a criança ainda depende do leite da mãe, mas ela não está ingerindo nutrientes suficientes para suprir tanto as suas necessidades diárias como as do lactente. Apesar de os nórdicos possuírem uma dieta mais rica em nutrientes devido ao grande consumo de peixes de águas frias, ricos em ômega 3 e 6, tais como o arenque e o salmão, por exemplo, em algumas épocas do ano, as colheitas eram pobres e o rigores do inverno ceifavam muitas vidas. Além disso, muitas vezes o estoque de alimentos não era suficiente para todos por um grande período – sendo assim, as crianças, tanto as que ainda dependiam do leite materno como as que já conseguiam se alimentar sozinhas eram as primeiras a perecerem diante da carestia e de toda e qualquer adversidade climática.

As crianças que sobreviviam aos primeiros e mais difíceis anos da infância e não sucumbiam a nenhuma doença ou intempérie iniciavam a sua educação junto à família e ao restante da comunidade. Os meninos aprendiam as tarefas diretamente ligadas ao trabalho no campo, como arar e semear. Também eram iniciados na arte da guerra e aprendiam brincando de lutar com pequenos escudos e espadas de madeira. Pequenos barcos de madeira e cavalos entalhados também eram comumente utilizados pelos meninos em suas brincadeiras. As meninas aprendiam a fiar e a tecer com pequenos fusos e teares apropriados ao seu tamanho. Ajudavam suas mães nas tarefas domésticas de cozinhar e ordenhar as vacas e aprendiam a conhecer as ervas medicinais e comestíveis e a iniciarem-se nas artes da cura. No tempo livre elas brincavam com suas bonecas e meninos e meninas jogavam Hneftall. Durante o inverno, os rios e os lagos congelados proporcionavam bons momentos de diversão ao ar livre, permitindo que as crianças patinassem no gelo.

Durante a infância as crianças aprendiam sobre o que seria a sua vida futura: as meninas precisam seguir os conselhos e orientações de suas mães e das demais mulheres da comunidade para viverem em um mundo que seria regido pelos homens; os meninos aprendiam a defender a si e a sua família e ambos deviam estar preparados para se proteger contra todo e qualquer invasor.

Luciana de Campos

Ver também Cotidiano; Família; Mulheres; Sociedade.

GIBSON, Michael. A educação das crianças. In: *Os Vikings*. São Paulo: Melhoramentos, 1990, pp. 22-23.

HAYWOOD, John. Children. In: *Encyclopaedia of the Viking Age*. London: Thamas and Hudson, 2000, p. 43.

JAKOBSSON, Ármann. Troublesome Children in the Sagas of the Icelanders. *Saga-Book*, vol. 27, 2003, pp. 05-24.

MCALISTER, Deirdre. Childhood in Viking and Hiberno-Scandinavian Dublin, 800–1100. In: HADLEY, Dawn; TEN-HARKEL, Letty (eds.). *Everyday Life in Viking 'Towns': Social Approaches to Towns in England and Ireland c. 800-1100*. Oxford: Oxbow, 2013, pp. 86-102.

MORGAN, Rachel. *Children in Viking Studies: a case for material culture studies*. University of York, s.d.

CRÔNICA ANGLO-SAXÔNICA

Nome derivado do inglês *Anglo-Saxon Chronicles*, convencionalmente aplicado por pesquisadores modernos a uma série de anais e crônicas produzidos, compilados e organizados a partir do final do século IX, por volta do ano 890. A *Crônica* ao todo é marcada por 8 manuscritos escritos em inglês antigo e apenas um com tradução latina. Os manuscritos são: MS. A – *The Parker Chronicle* ou *The Winchester Chronicle* (c. 891-1093); MS. B – *The Abingdon Chronicle I*, compilado a partir do ano 1000; MS. C – *The Abingdon Chronicle II*, compilado na 2ª metade do século XI-1066; MS. D – *The Worcester Chronicle*, compilado a partir do século XI e que inclui algum material de Beda; MS. E – *The Peterborough Chronicle*; MS. F – *The Cantebury Bilingual*, duas compilações: em latim e inglês antigo; MS G, que é uma cópia do MS. A; e MS. H – apenas um fragmento que contém os anos de 1113-1114.

Para os que se dedicam aos estudos da Inglaterra durante a Era Viking, trata-se de uma documentação bastante rica em informações, sobretudo acerca dos ataques escandinavos à ilha. A natureza desses ataques pode ser dividia em 4 etapas a partir da *Crônica*: 1) ataques esporádicos e pilhagem (789-864); 2) ocupação permanente (865-896); 3) extorsão de tributos (980-1012); 4) conquista política (1013-1016).

A primeira fase, que vai até metade do século IX, é marcada por diversos ataques, de acordo com a *Crônica*. Entre finais do século VIII até a década de 30 do século IX, os ataques foram espaçados. No entanto, a partir de 836, eles passaram a ser cada vez mais regulares, com intervalos de mais ou menos 2 anos, concentrados mais na parte sul da ilha e direcionados para os reinos de Mércia, Kent e Wessex.

A narrativa inicia-se com as Ilhas Britânicas e a história do Império Romano a partir da chegada de Júlio César. Eventos do continente europeu e de outras partes do mundo também são por vezes destacados, sobretudo os que estão relacionados à história da Igreja. Há um prefácio topográfico que versa sobre a extensão territorial da ilha, seus primeiros habitantes e quais povos a habitavam no momento em que possivelmente a obra começou a ser escrita, no final do século IX.

Essa documentação foi provavelmente produzida a partir de anais de Kent, Sussex, Mércia e, principalmente, Wessex. Além dessa tradição diversa da ilha, as *Crônicas* foram supostamente escritas por vários compiladores, numa espécie de processo colaborativo, de forma que não é possível identificar traços individuais no texto a quem possamos atribuir autoria.

O MS. A é também conhecido como *The Parker Chronicle* por ter pertencido a Matthew Parker, bispo de Canterbury (1559-1575) e é o manuscrito mais antigo das *Crônicas*. Além das informações presentes acerca das lutas de Alfred e de seu filho Edward contra os nórdicos, há ainda referências a vitórias épicas dos anglo-saxões, como, por exemplo, a batalha de Brunanbuhr, em 937. A partir de 975 parece haver um hiato com relação aos eventos narrados pelo MS. A e os anos subsequentes não vêm descritos com a mesma riqueza de detalhes que os séculos IX-X. Em finais do século X, no entanto, os manuscritos D e E tendem a apresentar os eventos de maneira mais completa e dão enfoque particular à relação entre anglo-saxões e escandinavos, como, por exemplo, a referência ao massacre do Dia de São Brício (1002).

Nas *Crônicas* encontramos ainda uma série de referências ao passado pré-cristão, muito embora no momento em que a compilação do texto foi iniciada, os reinos anglo-saxões já fossem cristianizados. Todavia, a presença de elementos culturais anteriores ao cristianismo não relativiza a crença desses povos, mas nos mostra que eles estavam inseridos numa tradição cultural que remetia ao período anterior às migrações para a ilha e que esta tradição fazia parte de sua construção identitária enquanto grupo.

Logo ao início do texto foi incluída a linhagem de Wessex, desde Cerdic e seu filho Cynric – com sua chegada à ilha no ano de 494 – até Alfred. Apesar da nítida preponderância de Wessex, a genealogia que observamos ao longo do texto não é exclusiva do reino em questão, pois contém ainda outras linhagens reais como as da Nortúmbria, da

Mércia e de Kent. A inclusão destas diferentes tradições e mitos de origem presentes ilustra quão distintos os povos anglo-saxões eram uns dos outros, suas particularidades étnicas e o percurso de cada um até sua chegada à ilha. Mesmo assim, embora cada reino tenha um passado específico, marcado por eventos particulares, todos eles compartilham elementos e se inserem no contexto de uma história coletiva.

Com relação ao gênero narrativo, anais e crônicas normalmente são identificados como uma forma de contar eventos, organizados a partir de uma linha cronológica. Dessa forma, os fatos estão relacionados ao tempo em que eles teriam ocorrido. Lida de maneira superficial, a crônica medieval parece mais uma série de exemplos citados, divididos normalmente por ano, mas aparentemente sem um fio condutor entre si. De certa forma, são narrativas "abertas", pois há sempre o potencial de continuação do "enredo" da história.

As *Crônicas Anglo-saxônicas*, tais como outras do mesmo gênero escritas no período, sofreram influência direta das tabelas de Páscoa, de autoria atribuída a Dionysius Exiguus (532-626), com o objetivo de determinar a data da Páscoa para os anos futuros a partir do calendário juliano e indicando a numeração dos anos como *ab incarnatione Domini*. As *Crônicas* representam, portanto, uma sequência linear da narrativa típica dos primeiros tempos medievais sobre como o tempo era datado, entendido e interpretado: uma representação linear de todos os anos que se passaram desde a encarnação de Cristo, do passado, através do presente e para um futuro infinito.

Uma particularidade é que as *Crônicas Anglo-saxônicas* podem ser identificadas a partir da parataxe, sequência de frases justapostas, sem conjunção coordenativa, fato que não é comum em outras crônicas produzidas na Alta Idade Média. Conjunções como "e" e "então" não eram utilizadas ao longo do texto, talvez apenas por uma questão de estilística, talvez para dar espaço para que o leitor pudesse refletir e tirar suas próprias conclusões a respeito do texto. Como exemplo de parataxe podemos citar o trecho 900, a respeito da morte de Alfred *"Her gefor Ælfred Aþulfing, syx nihtum ær ealra haligra mæssan; Se wæs cyning ofer eall Ongelcyn butan ðæm dæle þe under Dena onwalde wæs"* ("Neste dia morreu Alfred filho de Æthelwulf seis noites antes da missa de Todos os Santos. Ele foi rei de todos os ingleses, com exceção daqueles que estavam sob domínio dos daneses").

Isabela Dias de Albuquerque

Ver também Anglo-saxões e nórdicos; Danelaw; Danevirke; Inglaterra da Era Viking.

ANLEZARK, Daniel. Sceaf, Japhteth and the origins of the Anglo-Saxons. *Anglo Saxon England*, vol. 31, pp. 13-46.

FOOT, Sarah. Finding the meaning of form: narrative in annals and chronicles. In: PARTNER, Nancy. *Writing Medieval History*. New York: Oxford University Press, 2005, pp. 88-105.

SWANTON, Michael. Introduction. In: *The Anglo-Saxon Chronicles*. London: Phoenix Press, 2000.

THE ANGLO-SAXON CHRONICLE. Versão original de todos os manuscritos. Disponível em: *goo.gl/zB29Nc*. Acesso em: 24 nov. 2017.

CRÔNICA DOS ANOS PASSADOS

A fonte conhecida como *Crônica dos Anos Passados* (*Povest Vremennykh Let*) é o principal meio escrito disponível para o estudo dos primeiros séculos da Rus de Kiev. Trata-se de uma compilação analística que narra a história da Rus, com ênfase na cidade de Kiev, desde o dilúvio bíblico até o século XII, dependendo da versão. Acredita-se que ela tenha sido escrita e compilada pela primeira vez entre os séculos XI e XII. A cronologia presente na *Crônica* está em formato *Anno Mundi*, ou seja, a contagem dos anos tem como base a criação do mundo conforme a Bíblia. A fonte ainda não possui tradução para o português, mas os brasileiros – pesquisadores ou leigos – interessados na *Crônica* e que não compreendem os idiomas eslavos podem recorrer às traduções para o inglês, espanhol, francês e alemão.

A fonte por muito tempo foi conhecida como *Crônica de Nestor*, pois acreditava-se que o monge São Nestor, o Cronista (século XI-XII), seria o seu único autor/compilador, ideia proposta pela primeira vez no século XVIII pelo distinto historiador russo Vassílii Tatíschev. A partir do século XIX, porém, mesmo sendo acusados de antipatriotismo, alguns historiadores e filólogos passaram a questionar tal autoria. Muitos pesquisadores passaram a atribuí-la ao abade Silvestre, que assina a entrada de 6624 (1116) em algumas versões da fonte. Recentemente, há um consenso entre os pesquisadores sobre a impossibilidade de um único autor ou compilador da *Crônica* devido ao estilo inconsistente da escrita ao longo das passagens e o tempo que deve ter levado para o trabalho ser feito. Atualmente, alguns autores ainda se referem à *Crônica dos Anos Passados* como *Crônica de Nestor*. Outros nomes bastante comuns dados à fonte na historiografia são PVL, abreviação do nome em russo e ucraniano, e *Crônica Primária* (*Primary Chronicle*), termo popularizado pelo eslavista estadunidense Samuel Cross.

    O filólogo russo Aleksey Shakhmatov afirma que antes da primeira compilação já havia uma versão anterior datada do século XI que teria sido base também para a *Crônica de Novgorod*, a qual Shakhmatov acredita ser mais próxima do manuscrito original que a própria *Crônica dos Anos Passados*. Essa hipótese é amplamente aceita pela filologia e historiografia, bem como nas diversas tentativas de reconstrução da versão original (em russo, *Nachalny Svod*). Há diversas versões da *Crônica*. A mais antiga é a laurentiniana, compilada no século XIV e que recebeu esse nome pela assinatura do monge Lavrenty. A versão ipatiana – que, datada do século XV, tem esse nome por ter sido descoberta no Monastério de Ipatiev –, é uma reedição da versão laurentiniana, com entradas posteriores pertencendo às fontes conhecidas como *Crônica de Kiev* (1118 até 1200) e *Crônica da Galícia-Volínia* (1201 até 1292). Ambas as versões são as mais utilizadas pelos especialistas nos estudos sobre Rus. Existem várias outras versões posteriores, como a de Radziwiłł, datada do final do século XV; a de Khlebnikov, de meados do século XVI; e a de Pogodin, do século XVII. Todas elas, quando comparadas entre si, apresentam alguma omissão de detalhes ou uso de frases diferentes.

    A *Crônica* foi feita com base em crônicas bizantinas, sendo muito semelhante à *Cronogaphia*, de João Malalas (século VI), e ao *Chronicon*, de George Hamartolos (século IX). Ainda que esses textos serviram como base para o formato da *Crônica* e para algumas de suas passagens – como as datas de eventos ocorridos em Bizâncio e as diversas citações de cunho religioso –, o conteúdo da compilação teve a memória do povo rus como matéria-prima. O fato de haver um número consideravelmente pequeno de fontes escritas que tratem do período da Rus de Kiev faz com que a *Crônica* seja a principal fonte utilizada por especialistas, mesmo sendo realisticamente muito tardia em comparação aos eventos lá descritos. É consenso entre os pesquisadores que as entradas a partir da segunda metade do século XI foram testemunhados diretamente pelos cronistas, sendo mais seguro trabalhar com a *Crônica* como fonte base para o estudo desse período.

Após descrever o dilúvio bíblico e nomear as etnias provenientes dos filhos de Noé conhecidas pelo cronista, os eventos descritos na *Crônica* antes do batismo do príncipe Vladimir I Sviatoslavich (980-1015) glorificam os varegues que se estabeleceram na Rússia europeia no século IX. Conforme a fonte, os aldeões eslavos pediram a Riúrik, fundador da dinastia Ruríquida que permaneceu no poder na Rússia até 1598, bem como a seus irmãos Sineus e Truvor, para que governassem a terra que seria Rus. A *Crônica*, então, narra os acontecimentos que envolviam Constantinopla e os povos eslavos, assim como os feitos dos líderes varegues pagãos, como Oleg, o Profeta (882-912); Igor Riurikovich (912-945); Olga (945-964), eventualmente batizada em meados do século X; Sviatoslav I Igorevich (964-972); Iaropolk Sviatoslavich (972-980); e Vladimir I, que se converteu ao cristianismo de rito grego no final do século X. O foco começa a ser realmente os varegues e Kiev a partir da entrada de 6452 (944). Igualmente a partir desta data, as menções a Bizâncio e aos povos das estepes passam a aparecer somente quando têm relação direta com os varegues ou com os rus.

A partir do batismo de Vladimir I e da cristianização da Rus, o teor da narrativa passa a ser mais moralista e os cronistas intervêm com mais frequência ao narrarem os acontecimentos. A partir do conflito fratricida pelo trono de Kiev ocorrido após a morte de Vladimir, a compilação foca nos governos dos príncipes de Kiev: Sviatopolk Vladimirovich, o Amaldiçoado (1015-1016, 1018-1019); Iaroslav Vladimirovich, o Sábio (1016-1018, 1019-1054); Iziaslav Iaroslavich (1054-1068, 1069-1073, 1077-1078); Sviatoslav II Iaroslavich (1073-1076); Vsevolod Iaroslavich (1076-1077, 1078-1093); Sviatopolk II Iziaslavich (1093-1113); e Vladimir Vsevolodovich Monômaco (1113-1125). Os príncipes de outras partes da Rus, como Novgorod e Chernigov, também aparecem esporadicamente. A presença de varegues e escandinavos em geral é escassa, sendo mencionados esporadicamente como membros reunidos para um determinado exército. A versão laurentiniana vai até o ano de 6624 (1116), mas as outras versões vão mais adiante devido à adição de eventos posteriores.

O tratamento dado pelos cronistas aos escandinavos é inconsistente. Por um lado, em sua maioria, os varegues são celebrados e os cronistas assumem a identidade dos rus como sendo descendentes de escandinavos. Os varegues martirizados por serem cristãos enquanto Vladimir I ainda era pagão são celebrados na *Crônica*. Por outro lado, os cronistas geralmente criticavam alguns varegues que eram pagãos por serem "ignorantes", como Oleg, o Profeta, Sviatoslav I e os primeiros anos de Vladimir I. Um varegue em particular, o comandante e possível príncipe Sveneld, é responsabilizado indiretamente pela morte de Igor e diretamente pelo conflito entre os irmãos Iaropolk Sviatoslavich e Oleg Sviatoslavich. A *Crônica* também narra sobre a crueldade dos varegues comandados por Iaroslav, em Novgorod, e a subsequente revolta do povo do principado. É interessante perceber que mesmo os nórdicos pagãos são elogiados nas passagens sobre batalhas, tendo seu aspecto guerreiro exaltando sempre que possível, mesmo nas derrotas.

Leandro César Santana Neves

Ver também: Kiev; Rus de Kiev; Rússia da Era Viking; Novgorod; Olga de Kiev; Staraia Ladoga; Varegues; Vladimir I de Kiev.

FRANKLIN, Simon. *Writing, Society and Culture in Early Rus, c. 950-1300*. Cambridge: Cambridge University Press, 2004.

LIKHACHIOV, Dmitry S. (ed.). *Slovar Knizhnikov i Knizhnosti Drevnei Rusi. Vyp. 1 (XI – pervaia polovina XIV v.)* [Dicionário de escribas e de livros da Rus Antiga. vol. 1 (séculos XI – primeira metade do XIV)]. Leningrado: Náuka, 1987.

OSTROWSKI, Donald (org.). *The Povest' Vremennykh Let: An Interlinear Collation and Paradosis*. 3 Vols. Cambridge: Harvard University Press, 2004.

POVEST VREMENNYKH LET [Crônica dos Anos Passados]. Traduzido e comentado por Dmitry S. Likhachiov e revisão de Varvára P. Adrianova-Peretts. São Petersburgo: Nauka, 1996.

THE RUSSIAN PRIMARY CHRONICLE: LAURENTIAN TEXT. Editado e traduzido por Samuel Hazzard Cross e Olgerd P. Sherbowitz-Wetzor. Cambridge: The Medieval Academy of America, 1953.

TOLOCHKO, Oleksiy. On 'Nestor the Chronicler'. *Harvard Ukrainian Studies*, vol. 29, n° 1/4, 2007, pp. 31-57.

CULTURA MATERIAL

Ver Âmbar; Armamento; Arquearia; Arqueologia da Era Viking; Arte; Bracteatas; Bússola solar; Cemitério de Borg; Embarcações; Espada; Ferreiros e ferraria; Fortificações; Funerais e enterros; Gokstad; Habitação; Joias e ourivesaria; Metalurgia; Mobiliário; Moedas e cunhagem; Pedra solar; Pentes; Sepultamentos; Tapeçaria de Bayeux; Tapeçaria de Oseberg; Tapeçarias de Överhogdal; Tapeçaria de Skog; Tecelagem; Vestuário.

D ↑ ᛗ

DANEGELD

Com a formação do Grande Exército Pagão viking nas terras inglesas, os ataques constantes no interior da ilha foram cada vez mais frequentes. Contudo, os vikings perceberam que havia uma outra forma mais fácil de acumular tesouros sem arriscar a vida de seus homens. Eles aprenderam a extorquir dinheiro e levaram essa prática para todos os territórios que atacavam, não só às Ilhas Britânicas, mas também a toda a Europa.

Quando um bando viking sitiava uma cidade ou desembarcava em suas proximidades, muitas vezes apenas demonstrava seu poder de combate e isso, normalmente, era o suficiente para deixar seus inimigos propensos a evitar o enfrentamento. Os oponentes imaginavam que, diante do poderio viking, seriam massacrados, razão pela qual buscavam outros meios para se livrar da presença dos saqueadores. Dessa forma, os reinos ingleses do século IX começaram a pagar os vikings para que fossem embora. O primeiro registro disso foi em 865 d.C, conforme consta nas *Crônicas Anglo-saxônicas*.

Essa prática ficou conhecida nos anais ingleses como *danegeld*, que, em tradução literal, quer dizer "ouro dinamarquês", ou seja, uma quantia de dinheiro para que os invasores – que, em sua esmagadora maioria, eram compostos de colonos e guerreiros dinamarqueses – deixassem aquele povo em paz. Ainda que os nórdicos da região partissem logo após receber as quantias, não havia muito tempo de paz, pois logo em seguida outro local se tornava alvo das ameaças. Cada vez mais dinheiro era concedido, gerando um acúmulo de riquezas e uma zona de conforto que fomentou o estabelecimento desses povos na região, bem como a constituição de uma verdadeira província dinamarquesa na Inglaterra anglo-saxã, o Danelaw.

Ricardo Wagner Menezes de Oliveira

Ver também Danelaw; Dinamarca da Era Viking; Inglaterra da Era Viking; Moedas e cunhagem.

BRØNDSTED, Johannes. *Os Vikings*. São Paulo: Hemus, s.d.

GRAHAM-CAMPBELL, James. *Os vikings*. São Paulo: Folio, 2006.

HAYWOOD, John. Danegeld. In: *Encyclopaedia of the Viking Age*. London: Thames and Hudson, 2000, pp. 51.

HOLMAN, Katherine. *Historical dictionary of the vikings*. Oxford: The Scarecrow Press, 2004, pp. 73-74.

DANELAW

As sucessivas incursões vikings, que ocorreram na Inglaterra anglo-saxã durante os fins do século VIII e o início do século IX, trouxeram para as Ilhas Britânicas uma grande quantidade de indivíduos escandinavos, que, em sua esmagadora maioria, possuíam origem dinamarquesa. Essas populações não chegaram somente para saquear, mas também buscaram se estabelecer e formar uma comunidade agrícola.

O domínio exercido pelas forças dinamarquesas em território inglês – obtido já no fim do século VIII através das batalhas contra os reinos da Nortúmbria, Mércia e Wessex – possibilitou o surgimento de diversos assentamentos dinamarqueses, bem como a integração dessas populações em centros urbanos já estabelecidos. As marcas dessa "colonização" podem ser percebidas até os dias de hoje através da análise da toponímia, como em nomes de localidades com terminações *-by* e *–thorp*, tipicamente escandinavas.

Essas regiões onde os dinamarqueses se estabeleceram foram conquistadas dos anglo-saxões. Os seus novos líderes começaram a impor suas normas, cobrar impostos e tomar demais medidas administrativas, definindo uma verdadeira província dinamarquesa, onde a cultura, a língua e a administração passaram a ser moldadas por estrangeiros. Assim, instaurou-se o Danelaw, forma como ficou conhecida a região controlada pelos dinamarqueses, que se estendia ao norte do rio Tâmisa até Chester, bem como para o leste até o mar do Norte.

O Danelaw não possuía capital ou unidade política definida. O poder da região estava distribuído entre os chefes-guerreiros que se assentaram nas chamadas Cinco Aldeias, sendo elas Lincoln, Stamford, Leicester, Nottingham e Derby. Outro centro de grande poder estrangeiro na região foi a cidade de York, porém esta ficou a maior parte do tempo sob o domínio norueguês. Vale ressaltar que os governantes nessas cidades e vilas nem sempre estavam de acordo entre si, tampouco permaneciam no poder por longos períodos.

Essa forma de assentamento praticada pelos dinamarqueses, pelo que indicam as pesquisas, não incluía o extermínio ou escravização da população trabalhadora anglo-saxã. É bem provável que os invasores tenham tomado para si as melhoras porções de terra, mas isso não implica que os habitantes locais tenham sido expulsos. A permanência desses indivíduos fomentou uma rica troca cultural entre os dois povos, pois, ainda que ambos os povos tenham tido uma origem germânica, viveram desenvolvimentos históricos muito diferentes.

Um dos pontos mais marcantes dessa coexistência, além da já referida toponímia, são os aspectos culturais, como os estilos artísticos e a mitologia. Durante os séculos seguintes à instauração dinamarquesa, muitos dos mitos nórdicos, além do gosto nórdico pela arte, foram disseminados. A cultura local passou a ter um caráter híbrido, no qual aspectos nórdicos e anglo-saxões, pagãos e cristãos, locais e estrangeiros, se tornaram comuns a ambos os povos.

O Danelaw durou por muitas décadas, até o século XI. Após o falecimento, em 1035, do rei dinamarquês Canuto, o Grande (que havia sido coroado rei da Inglaterra, Dinamarca, Noruega e parte da Suécia), seu império tornou-se fragmentado e a influência dinamarquesa na Inglaterra foi gradualmente diminuindo. A coroação de Eduardo, o

Confessor, como rei da Inglaterra, em 1042, praticamente encerrou o expressivo controle estrangeiro na região, sendo um dos sinais de que já se adiantava o fim da Era Viking.

Ricardo Wagner Menezes de Oliveira

Ver também Danegeld; Dinamarca da Era Viking; Inglaterra da Era Viking.

BRØNDSTED, Johannes. *Os Vikings*. São Paulo: Hemus, s.d.

GRAHAM-CAMPBELL, James. *Os vikings*. São Paulo: Folio, 2006.

HAYWOOD, John. Danelaw. In: *Encyclopaedia of the Viking Age*. London: Thames and Hudson, 2000, pp. 51-52.

HOLMAN, Katherine. Danelaw. In: *Historical dictionary of the vikings*. Oxford: The Scarecrow Press, 2004, pp. 74-75.

DANEVIRKE

Consta nos anais francos que, no ano de 808 d.C., o rei dinamarquês Godofredo mandou que a fronteira de suas terras com as terras dos saxões ao sul fosse fortificada por uma longa muralha que possuísse apenas um portão para passagem de comerciantes e viajantes. Ele teria definido que ela deveria começar na baia Ostersalt, ao leste, e seguisse para o oeste até encontrar o oceano. Esta longa série de fortificações ficou conhecida como Danevirke.

Pesquisadores como James Graham-Campbell chamam a atenção para o fato de que nos séculos anteriores ao século IX, os dinamarqueses não tinham o costume de fortificar cidades, o que pode indicar certo contexto pacífico. Contudo, as técnicas de erguer muralhas foram aprimoradas e o Danevirke é um bom exemplo desse caso, pois já em seu surgimento, uma parte de uma antiga elevação de terra construída 75 anos antes fora incorporada a esta muralha.

Quando concluída, a obra de Godofredo era uma impressionante construção que possuía cerca de 30 quilômetros de extensão. Iniciando-se junto as muralhas da cidade de Hedeby, o muro de terra e paliçada seguia para o oeste até o lago Danevirke, e de lá, seguia a sudoeste até adentrar uma região pantanosa próxima ao litoral do mar do Norte, dividindo a península da Jutlândia em seu estreito ao sul.

O Danevirke pode ser entendido como um complexo de fortificações pelo fato de que, ao longo dos anos, foi diversas vezes restaurado, reforçado, aprimorado, alongado e anexado a outros muros menores. Durante o governo de Haroldo Dente Azul, 160 anos depois de Godofredo, uma última parte da muralha foi implementada e reforçada com pedras, adquirindo, em algumas partes, 13 metros de largura. Porém, em períodos ainda posteriores à Era Viking, ela continuou a ser utilizada: foi reforçada na guerra contra a Prússia e mesmo quando recebeu defesas antitanques durante a Segunda Guerra Mundial.

Atualmente, a região do Danevirke pertence ao território alemão e possui diversas aberturas em sua extensão, para passagem de trens e outros veículos. Um museu dedicado ao muro foi construído na cidade de Schleswig, localizada próxima à antiga Hedeby. Sua função de defesa e demarcação de fronteiras não é mais utilizada, tornando-o hoje, em sua maior parte, apenas um relevo coberto de relva e árvores no horizonte de uma área rural, mas que dá, ainda, uma ideia da imponente expressão de poder que representou em seu passado.

Ricardo Wagner Menezes de Oliveira

Ver também Dinamarca da Era Viking; Fortificações; Guerra e técnicas de combate.

BRØNDSTED, Johannes. *Os vikings*. São Paulo: Hemus, s.d.

GRAHAM-CAMPBELL, James. *Os vikings*. São Paulo: Folio, 2006.

HAYWOOD, John. Danevirke. In: *Encyclopaedia of the Viking Age*. London: Thames and Hudson, 2000, pp. 51-53.

HOLMAN, Katherine. Danevirke. In: *Historical dictionary of the vikings*. Oxford: The Scarecrow Press, 2004, pp. 75-76.

DINAMARCA DA ERA VIKING

O reino dinamarquês da Era Viking abrangia a península de Jylland, as ilhas de Fyn, Sjælland, várias outras ilhas menores e as partes mais ao sul do atual território sueco, como as províncias de Skåne, Halland e Blekinge. Duas pedras rúnicas encontradas em Jelling são tradicionalmente consideradas monumentos que inauguram a história dinamarquesa propriamente dita. Na menor das pedras há uma inscrição dizendo "O Rei Gorm fez esse monumento em honra à sua esposa, Tyre, o orgulho da Dinamarca", enquanto que na pedra maior encontram-se os dizeres "O Rei Haroldo ordenou que esses monumentos fossem feitos em honra ao seu pai, Gorm, e sua mãe, Tyre – sendo Haroldo que conquistou para si toda a Dinamarca, a Noruega, e fez dos dinamarqueses cristãos". Até o presente momento não foi possível apontar com precisão a data da criação desses monumentos, mas acredita-se, com base nos nomes reais neles mencionados, que as pedras rúnicas de Jelling datem da segunda metade do século x.

As inscrições nos apresentam às duas primeiras gerações da dinastia real que governou a Dinamarca enquanto reino. Conforme aponta Inge Skovgaard-Petersen, nos séculos ix e x o título de *konungr* (rei) pode ter sido usado por vários pequenos governantes simultaneamente, mas nas pedras de Jelling o termo fora reservado para o único governante de todo o reino dinamarquês – e de parte da Noruega. Foi também nessas pedras em que, com a escrita rúnica, o nome "Dinamarca" foi registrado pela primeira vez.

As principais fontes para estudo da Dinamarca da Era Viking são escritas e arqueológicas. Há, nos *Anais Reais Franceses*, escritos por volta dos anos 800, um tópico acerca das relações entre o reino franco e os reis dinamarqueses. Entre outros escritos estrangeiros sobre a Dinamarca encontram-se as obras *Vita Anskarii*, de Rimbert, escrita por volta de 875, e a *Gesta Hammaburgensis ecclesiae pontificum*, de Adão de Bremen, já mais posterior, datando de 1075. Esta última é considerada a fonte estrangeira mais importante no que diz respeito aos primórdios não só da história dinamarquesa, mas da Escandinávia de maneira geral.

Contudo, grande parte desses materiais escritos, por serem estrangeiros, lidam muitas vezes com a questão dinamarquesa de maneira periférica. Além disso, essas são obras com fins apologéticos e missionários que não podem, portanto, ser consideradas fontes imparciais. Em suma, ressalta Skovgaard que os escritos geralmente encontrados sobre a formação do reino dinamarquês e a Dinamarca viking são fontes posteriores, já do período medieval, que oferecem pareceres tendenciosos e muitas vezes escassos sobre o assunto em questão. As fontes arqueológicas representam uma outra alternativa de pesquisa.

A principal hipótese acerca da unificação dinamarquesa em um só reino seria a de que vários dos pequenos reinos que existiam inicialmente foram sendo englobados em reinos cada vez maiores, algumas vezes por meio de conquistas militares, outras por amalgamação pacífica. Esse processo teria continuado até que tivesse sido formado um único reino dinamarquês sobre controle inteiramente do mesmo governante. É comum atribuir este feito ao rei Haroldo, quem, no ano de 970 d.C, ordenou que fossem feitas as supracitadas pedras de Jelling para celebrar seu feito. Depois de Haroldo, a Dinamarca foi comandada sempre por um único rei – com apenas algumas pequenas e pontuais exceções no século XII.

Contudo, Olaf Olsen apresenta a hipótese de que o rei Haroldo não teria unificado a Dinamarca, mas a reunificado. Sua teoria se baseia em relatos advindos dos *Anais Imperiais do Reino Franco*, que narram quando, em 808 d.C, o exército franco liderado por Carlos Magno invadiu a fronteira sul da Dinamarca. Na ocasião, é mencionado um rei chamado Godofredo, responsável por ter fortificado a fronteira de Jylland com uma grande muralha que ia desde o mar do Norte, a oeste, até o mar Báltico, no leste. Uma estrutura desse porte não poderia ter sido levada a cabo por um rei sem grande significância, influência, e que não possuísse grande poder de centralização. Acredita-se que sua construção tenha demandado a participação de milhares de homens, além de uma organização efetiva, dirigida por um rei que tivesse grandes recursos – provavelmente um rei de todo o território dinamarquês, ou ao menos de toda a península de Jylland.

Essa fortificação, chamada Danevirke, era então creditada ao rei Godofredo, tido até recentemente como o primeiro rei da Dinamarca. No entanto, certas descobertas arqueológicas apontadas por Olsen apresentam fortes argumentos em favor de um rei anterior, mais antigo, que teria governado todo o território: um exame dendrocronológico da madeira presente em 7 quilômetros da muralha de Danevirke indica a mesma data de construção: 737 d.C. O rei Godofredo não poderia, então, ter sido o primeiro a construir a fortificação. Aparentemente, ele teria fortificado uma construção que, na verdade, já existia há pelo menos 80 anos. Assim, há fortes indícios de que tenha existido um poderoso rei, por volta dos anos 737 d.C, tão poderoso quanto

Godofredo. Outras fontes, como as escritas, não oferecem indícios claros de quem teria sido esse rei, seu nome ou seus feitos, tornando esse período da história dinamarquesa de certa forma obscuro. É possível que o rei Ongendus – Angantyr em nórdico antigo – tenha sido o responsável pela construção da fortificação, já que provavelmente era o governante da região de Jylland onde ela foi construída, no período de 737 d.C. De qualquer forma, a existência de um poderoso rei governando na Dinamarca do século VIII teria sido uma condição *sine qua non* para que o Danevirke pudesse ter sido construído.

Outro ponto central na história do reino dinamarquês foi o núcleo de estratégias utilizadas pelas elites centrais – reis e *jarls* – para integrar as províncias da Dinamarca e unificá-la aos poucos. Alguns fizeram o uso direto e coercitivo da força, outros utilizaram de seu poder e influência: houve a promoção e consolidação do militarismo, que facilitou o controle real sobre cada vez mais pessoas e lugares; a manipulação de antigos códigos de lei para minar certos direitos e obrigações dos homens livres; a construção de grandes centros urbanos e, por fim, a adoção de uma nova religião, o cristianismo, utilizado como ferramenta para aumentar e sustentar novas relações de poder, mais abrangentes e influentes.

Os fatores decisivos para unificação da Dinamarca enquanto reino foram, conforme aponta Tina Thurston, o militarismo, a transformação do aparato jurídico, a urbanização dos grandes centros e a ascensão do comércio. Além da construção de Danevirke, outro projeto monumental foi a criação do canal de Kanhave, criado entre os anos de 728 a 737 d.C. Este canal dividia toda a ilha de Samsø, visando proporcionar a rápida movimentação marítima de tropas por todo o arquipélago dinamarquês. Posteriormente, por volta do século X, surgiram várias fortificações militares espalhadas por todo o reino, construídas em pontos estratégicos que permitiam o controle e a vigilância militar de toda Dinamarca.

As leis, passadas oralmente durante a Era Viking, também foram sendo modificadas aos poucos. As assembleias – *Thing* – provinham a todos os dinamarqueses o direito de registrar legalmente suas queixas e resolver suas disputas legais. Elas existiam não somente como um lugar onde as pessoas se reuniam para participar no governo, mas eram também onde os reis mantinham sua corte oficial. Havia as pequenas *Thing*, onde aqueles que moravam no mesmo distrito se encontravam, e também as *Landstings*, maiores, que eram uma espécie de assembleia regional. Dentre as principais *Thing*, havia Viborg na Jutlândia, Odense em Fyn, Lund na Scania e Ringsted em Sjælland. Curiosamente, todos esses lugares tinham conexões com o sagrado do paganismo e, posteriormente, vínculos com a Igreja: Viborg significa "lugar de oferenda na colina"; Odense, "lugar de oferenda a Odin"; Lund, por fim, significa "arvoredo sagrado". Além de servir como assembleia regional, Viborg era a maior *Thing* de toda nação dinamarquesa da Era Viking: era lá onde o rei da Dinamarca era eleito pelo povo.

Segundo Thurston, no quesito urbanização, a ideia de cidade era um conceito completamente estranho durante a Era Viking. Ainda assim, aos poucos foi se consolidando uma hierarquia urbana relacionada ao poder real, começando a intervir em questões como o comércio ou questões políticas importantes. Esses núcleos administrativos foram construídos em lugares onde fosse possível aproveitar os recursos naturais de maneira favorável, como em canais, portos e em terras defensáveis que se conectavam a locais economicamente importantes – estradas, pontes, fiordes, rotas de comércio, mercados e locais de pesca. Os primeiros centros urbanos da Dinamarca foram as cidades de comércio próximas à costa, sendo o mais antigo deles a cidade de Ribe, na parte sul da Jutlândia.

A religião adotada pela Dinamarca da Era Viking, o paganismo nórdico, não possuía um corpo dogmático centralizado. A própria ideia de religião não circulava entre os dinamarqueses, que sequer tinham uma palavra que representasse esse conceito. Ao invés disso, circulava a palavra *sidr*, que significava algo como "costume". Nenhum dogma específico, chefes religiosos ou templos são mencionados até um período mais tardio e provavelmente pertencem já ao fim da Era Viking, fruto de um movimento de resposta ao crescente cristianismo e à construção de igrejas – e, portanto, não representavam o jeito costumeiro dos dinamarqueses conceberem sua crença.

Como não possuía um corpo unificado, a religiosidade viking apresentava diferenças sociais, temporais e geográficas. Outra razão para que isso acontecesse era o fato de que os rituais pré-cristãos eram conduzidos de maneira pessoal, numa relação diretamente situada entre os homens e os deuses, sendo costumeiro que oferendas e a comunicação com o divino fossem conduzidas particularmente. Não existiam regras a respeito de como a pessoa deveria se dirigir ao sobrenatural, aos deuses, ou como entrar em contato com eles, apesar de alguns encantamentos e entoações desse período terem sido preservados. Era comum que casamentos, rituais de passagem, juramentos e punições fossem testemunhados de maneira mais pública e comunitária, acompanhados por rituais religiosos específicos.

Estudos recentes conduzidos pelo arqueólogo Søren Sindbæk alegam que a Dinamarca foi a responsável por proporcionar as condições sociais e materiais que inaugurariam o que chamamos de Era Viking. Os estudos em questão apontam que viagens marítimas eram realizadas entre a Noruega e Ribe, o centro comercial dinamarquês mais antigo, muito antes da Era Viking ter começado oficialmente. É possível, portanto, que os vikings tenham começado a desenvolver sua cultura marítima e a estabelecer relações comerciais ainda no ano de 725 d.C; muito antes da invasão à Lindisfarne, em 793 d.C.

Os achados arqueológicos em questão eram chifres de rena, utilizados sobretudo na produção de pentes. No entanto, os chifres encontrados em Ribe eram de uma espécie de rena típica do território norueguês. Tal descoberta aponta para alguns importantes fatos: primeiramente, que os vikings realizavam grandes viagens marítimas já no começo do século VIII; que essas famosas viagens marítimas eram feitas para que se estabelecessem relações de comércio, e não somente para invasões, como se pensava; por fim, que Ribe, a cidade mais antiga na Dinamarca, já era desenvolvida o bastante, também no século VIII, para ser palco de um intenso comércio que abarcava visitantes estrangeiros de regiões distantes.

Foi descoberta, no ano de 2017, uma sepultura em território dinamarquês que continha os restos de um viking, provavelmente de alta posição social e, junto dele, uma rédea de cavalo com detalhes de ouro. Segundo arqueólogos, esse tipo de rédea só estaria acessível para pessoas altamente poderosas durante a Era Viking, podendo ter sido um presente do rei em agradecimento a algum tipo de aliança. Os acessórios datam do ano de 950 d.C., o que significa que os restos encontrados podem ser de um grande aliado do rei Gorm, o Velho.

Victor Hugo Sampaio Alves

Ver também Canuto; Danevirke; Danelaw; Era Viking; Fortificações; Viking.

ARCHAEOFEED. High status early Viking Age grave found in Denmark. *ArchaeoFeed*, 2017. Disponível em: *https://archaeofeed.com/2017/03/high-status-early-viking-age-grave-found-in-denmark/* Acesso em: 25 jul. 2017.

OLSEN, Olaf. Royal Power in Viking Age Denmark. In: *Les mondes normands (VIIIe-XIIe s.). Actes du deuxième congrès international d'archéologie médiévale* (Caen, 2-4 octobre 1987) Caen: Société d'Archéologie Médiévale, 1989, pp. 27-32.

PERSSON, Charlotte Price. The Viking Age began in Denmark. *Science Nordic*, 2015. Disponível em: *http://sciencenordic.com/viking-age-began-denmark*. Acesso em: 25 jul. 2017.

SKOVGAARD-PETERSEN, Inge. The making of the Danish Kingdom. In: HELLE, Knut (org.). *The Cambridge History of Scandinavia*. Cambridge: Cambridge University Press, 2003, pp. 168-183.

THURSTON, Tina. *Landscapes of power, landscapes of conflict: State formation in the South Scandinavian Iron Age*. New York: Kluwer Academic Publishers, 2002.

DIRHEM (MOEDAS ÁRABES)

A quantidade enorme de dirhem (moedas árabes) encontradas em toda a Escandinávia e espalhada por várias regiões da Europa deve-se principalmente às expedições feitas pelos vikings realizadas entre os séculos IX e X, ao Leste Europeu e Oriente Médio. Grande parte das dirhens encontradas no norte da Europa estavam fragmentadas, a explicação para tal fato segundo Brøndsted é que durante a maior parte do Período Viking, a moeda, como tal, não tinha valor simbólico, era somente um pedaço de metal precioso. Assim, ao serem divididas o seu valor era pesado em balanças para que os nórdicos conseguissem a medida exata para comercializar seus produtos.

Segundo Brown, mais de 85 mil moedas árabes foram desenterradas na Escandinávia na época moderna – mais da metade delas foi descoberta em Gotland, devido a sua localização no centro do mar Báltico, a ilha havia se tornado uma das escalas preferidas dos mercadores nórdicos que navegavam pela rota oriental de comércio. Em um estudo mais recente, Kovalev acredita que em média 125 milhões dirhens inteiros tenham sido exportados para o norte da Europa, não somente obtidos por meio do comércio com o oriente, mas também fruto de incursões viking realizadas nas regiões dominadas pelos árabes da Espanha até o leste do Afeganistão.

Juntamente com as incursões e o comércio viking pela rota do Oriente, a difusão dos dirhens pela Europa teve a contribuição de mercadores muçulmanos, que passaram a utilizar os entrepostos comerciais entre os rios Don e Volga. Uma das principais fontes que relatam esse intenso comércio é a descrita pelo cronista árabe Ibn Fadlan, enviado pelo califa de Bagdá como embaixador ao reino dos búlgaros. Fadlan testemunhou as relações comerciais entre os vikings e os mercadores nas margens do Volga. A crônica de Fadlan, denominada *Risala*, descreve, entre outras coisas, um dos rituais para que o comércio fosse bem-sucedido: nesse relato é descrito que um nórdico pede a um ídolo de madeira que traga um comerciante com muitos dinares e dirhens para comprar seus produtos.

A descrição feita por Fadlan demonstra como os dirhens eram muito bem recebidos pelos nórdicos, segundo Campbell a ponto de se tornarem o metal mais apreciado no norte da Europa. Estima-se que a quantidade de moedas encontradas tenha sido pequena em relação as que foram exportadas, o que se deve ao fato delas terem sido em sua grande maioria fundidas e transformadas em joias ou barras de prata.

No século XI o comércio escandinavo no Oriente entra em declínio, juntamente com a exportação dos dirhens para os países nórdicos. Dentre os principais motivos para o fim das relações comerciais estão a cristianização da Escandinávia e a proibição pela Igreja do comércio de escravos, sobretudo escravos cristãos que eram vendidos aos muçulmanos em troca dos dirhens. Kovalev acredita também que o fim das relações comerciais ocorreu devido ao esgotamento das minas de prata nos países árabes, o que diminuiu o teor desse metal nas moedas, levando as atividades comercias a entrarem em colapso.

Marlon Ângelo Maltauro

Ver também Árabes e vikings; Comércio; Ibn Fadlan; Moedas e cunhagem.

BRØNDSTED, Johannes. *Os Vikings*. São Paulo: Hemus, s.d.

BROWN, Dale W. (ed.). *Os Vikings: intrépidos navegantes do Norte*. São Paulo: Abril/Time Life, 1999, pp. 64-65.

GRAHAM-CAMPBELL, James. *Os viquingues: origens da cultura escandinava*. Madri: Edições Del Padro, 1997, pp. 197-198.

KOVALEV, Roman K. Dirham Mint Output of Samanid Samarqand and its Connection to the Beginnings of Trade with Northern Europe (10th century). *Histoire & mesure*, vol. 17, ns. 3-4, 2006, pp. 197-216.

DORESTAD

Dorestad, Dorostate ou Dorestadum, também conhecida nos registros medievais como *emporium* (cidade mercado), foi um próspero ponto de comércio inter-regional e o principal centro comercial da Frísia até meados do século IX. Segundo Brown, Dorestad foi um dos mais ricos mercados de toda Europa ocidental pela intensidade do comércio e por ser o local onde eram cunhados os *deniers*, as moedas de prata de Carlos Magno.

Embora haja um intenso debate entre arqueólogos sobre o local exato de Dorestad, Brøndsted relata que arqueólogos holandeses encontraram no centro da Holanda vestígios de uma fortaleza carolíngia, construída provavelmente no governo de Carlos Magno. Situava-se entre o rio Reno e vários outros rios menores, sendo ponto de ligação comercial entre o Império Carolíngio, a Inglaterra e o norte da Escandinávia, o que explicaria o sucesso da região como zona de mercancia.

Fontes cristãs relatam que as primeiras incursões vikings a Dorestad ocorreram por volta de 834 d.C. Cooijmans descreve em sua pesquisa o relato do missionário cristão Luidger, que teria visto, em um sonho premonitório, o desaparecimento do sol, afugentado por terríveis nuvens que escureceram a terra, seguido de hordas do norte que traziam guerra e destruição e arrasavam a terra. Após o ataque inicial, os nórdicos saquearam a cidade por três verões subsequentes até que Dorestad lhes fosse cedida.

Luit acredita que a concessão feita por Lotário I aos vikings tivesse dois objetivos: mostrar a insatisfação referente à partilha dos territórios do Império Carolíngio feita por seu pai Luís, o Piedoso, a seus descendentes, e forçar os próprios escandinavos a defender a região de novos ataques nórdicos.

Em 850 d.C. o comando de Dorestad foi cedido ao líder dinamarquês Horik. Nesse período, a cunhagem das moedas na cidade já havia chegado ao fim e começavam a aparecer os primeiros sinais de sua decadência. Horik teve como incumbência cobrar impostos dos moradores da região, bem como defender a costa da Frísia. Luit descreve que o governo da cidade e a alta cobrança de impostos exercida pelos pagãos passou a desagradar os comerciantes locais, o que fez com que eles começassem a se mudar para outros locais como Tiel e Deventer, cidades próximas que não eram parte dos territórios governados pelos dinamarqueses.

Horik aceitou o batismo e se converteu ao cristianismo em 860 d.C. A conversão provavelmente ocorreu graças à pressão do Império cristão juntamente com a tentativa de fazer com que a cidade voltasse a ter o esplendor comercial de outras épocas, já que desde 830 d.C. vinha perdendo sua importância. Em 870 d.C., Dorestad foi invadida mais uma vez por uma horda de vikings que aproveitaram enquanto Horik estava defendendo o norte da Saxônia. Saquearam a cidade até que Horik retornasse, agindo como mediador para que os piratas concordassem em recuar.

Após a morte de Horik, o comando de Dorestad passou para Gurdrod e o local não foi mais mencionado nos registros históricos. Várias hipóteses sobre o eventual desaparecimento de Dorestad foram apresentadas, dentre elas a mais popular relata como motivo principal do colapso as incursões e sua concessão aos vikings, já que as fontes cristãs relatam que dinamarqueses pagãos e, portanto, tido como incivilizados, seriam incapazes de fazer a região prosperar.

Cooijamans relata em sua pesquisa que a hipótese acima mencionada sobre a visão cristã referente à decadência da cidade tinha o óbvio intuito de depreciar os povos pagãos. Para ele, as razões do declínio foram outras, como os novos tratados de limites territoriais feitos pelo Império Carolíngio, que transferiram para Utrecht a função comercial e administrativa da cidade. Outros pesquisadores são unânimes em concluir que, dentre as hipóteses para o declínio de Dorestad, foram decisivas uma série de enchentes ocorridas entre 864 e 870 d.C, juntamente com inúmeras cheias das marés que atingiram a cidade. Esses dois motivos fizeram com que a região não se tornasse mais atraente, levando Dorestad ao colapso.

Marlon Ângelo Maltauro

Ver também Comércio; Era Viking; Viking.

BRØNDSTED, Johannes. *Os Vikings.* São Paulo: Hermus, s.d, pp. 39-43.

BROWN, Dale W. (ed.). *Os Vikings: intrépidos navegantes do Norte.* São Paulo: Abril/Time Life, 1999, pp. 64-65.

COOIJMANS, Christian. The Controlled Decline of Viking-Ruled Dorestad. *Northern Studies,* vol. 47, 2014, pp. 32-42.

TUUK, Luit van der. Denen in Dorestad. De Deense rol in de ondergang van Dorestad. *Jaarboek Oud-Utrecht,* 2005, pp. 05-40.

DUBLIN

A cidade que hoje é capital e maior cidade da República da Irlanda pode ser identificada como a mais significante cidade irlandesa do último milênio. No entanto, suas origens se encontram em um passado remoto e muitas vezes controverso.

De acordo com relatos de analistas medievais e da arqueologia, os primórdios de Dublin são duas "proto-cidades" que futuramente seriam chamadas de Dublin. Uma delas teria origem no assentamento gaélico chamado Áth Cliath ("Vau dos obstáculos"), localizado ao norte do rio Liffey; a outra, localizada ao sul, de base eclesiástica e chamada Duiblinn ("Lagoa negra"), que seria a base do assentamento escandinavo que tomaria forma futuramente. O nome em gaélico, entretanto, seria hoje utilizado para designar a cidade moderna de Dublin, que em seu registro oficial chama-se Baile Áth Cliath.

O assentamento viking tomou o eclesiástico na primeira metade do século IX, mais especificamente em 841, conforme relatam os *Anais de Ulster* (*Annála Uladh*): "Havia um acampamento naval em Linn Duachaill que saqueou os povos e igrejas da Tehba. Havia um acampamento naval em Duiblinn que saqueou os Laigin e os UíNéill, tanto as localidades quanto as igrejas até Sliab Bladma".

Com essa descrição podemos compreender que, em meio à primeira fase dos ataques da Era Viking à Irlanda, com início a partir de 795 e vindos do norte, as primeiras levas de escandinavos promovem uma série de invasões sistêmicas ao território irlandês. Para além da invasão de igrejas da região de Tehba (região próxima a Longford e Westmeath), do saque de províncias, como Laigin e UíNéill, e de igrejas até a região de Sliab Bladma (montanhas entre os condados de Offaly e Laois), relatam-se a formação de assentamentos escandinavos, como o porto de Linn Duachaill, e o assentamento de Dubh Linn. O primeiro foi abandonado ao longo dos anos, mas o segundo prosperou e tornou-se a cidade de Dublin.

A partir de 841, então, é possível delimitar a fundação da cidade de Dublin e sua ocupação pelos vikings. No entanto, isso não quer dizer que a ocupação do assentamento foi inconteste. Afinal, no ano de 851 os dinamarqueses, liderados por Ivar Sem Ossos, tomam a região, que também terá a influência de outro líder, Olavo, o Branco. Os dois aparentemente chegaram a um acordo entre si sobre o território.

Olavo desposou a filha de Áed Findliath, o grande rei da Irlanda, descendente da dinastia dos Uí Néill e homem de grande influência política na Irlanda da Era Viking. Esse fato demonstra como assentamentos como Dublin servem de exemplo para compreensão de como os vikings tornaram-se gradativamente mais aceitos na sociedade irlandesa, misturando-se e participando da vida e das disputas locais.

Nessa época, Dublin e York mantinham certo grau de interação e, com o domínio de Olavo e posteriormente Ivar, Dublin transforma-se em um grande centro de troca e negociação de escravos. Esse relativo domínio da região por parte dos vikings rompe-se apenas no início do século X, quando o poder dos vikings enfraquece e, em decorrência disso, Dublin será saqueada e destruída no ano de 902.

Os vikings retomam Dublin apenas em 917 e consolidam sua supremacia na região, sobretudo em 919, ao derrotar em batalha o rei de Tara, Nial Glúndub. Nesse momento Dublin volta a ter reis nórdicos e retoma seu desenvolvimento. Escavações arqueológicas nas docas de madeira demonstram que, ao longo do século X, a cidade torna-se um grande centro comercial, com ruas e casas de madeira abrigando oficinas, centros de artesanato, manufatura e um amplo mercado.

Os reis de Dublin, então, ocupam lugar de destaque na vida política irlandesa nesse período. Seus feitos se concentraram na administração da cidade e também na manutenção estreitos laços com a região da Nortúmbria e na imposição de sua autoridade sobre os demais centros e assentamentos vikings na Irlanda.

Aos poucos, os nórdicos já integrados na sociedade irlandesa da época tornam-se parte das disputas políticas da região. Seus líderes fariam alianças em meio à guerra das grandes dinastias, que tem início já no final do século X. A cidade se expande, fortificações são reforçadas e outras tantas criadas. Nesse momento, no início do século XI, a guerra das grandes dinastias tem seu clímax na batalha de Clontarf, região que atualmente faz parte do subúrbio dublinense, mas que na época não se encontrava nos limites da cidade.

Na batalha de Clontarf (1014), narrada em textos como o *Cogadh Gáedhel re Gallaibh* e a *Brennu-Njáls saga*, o rei Sitric de Dublin alinha-se contrariamente à pretensão do chefe irlandês Brian Boru de dominar e tornar-se o grande rei da Irlanda. Apesar disso, mesmo após o desfecho da batalha e das significativas mudanças na estrutura política irlandesa da época, Dublin se mantém com relativa autonomia.

No entanto, essa independência da qual Dublin gozará a partir do início do século XI, duraria apenas até o ano 1052, quando o então rei de Leinster, Diarmait mac Máel na mBó, forçou os dublinenses a aceitarem seu filho, Murchad, como seu governante. Entretanto, mesmo com o crescente revés em seu poder político, economicamente a cidade prosperava e, de certa maneira, qualquer um que um dia viesse a pleitear o direito de se tornar grande rei da Irlanda deveria controlar Dublin para alcançar tal feito.

Em verdade, ao longo do século XI e sobretudo após a batalha de Clontarf, o papel político dos vikings gradativamente se esvai até tornar-se apenas uma força comercial. Dublin segue o mesmo destino. Em 1171, a cidade foi capturada e totalmente dominada pelo rei de Leinster, Dermot MacMurrogh, com a ajuda de mercenários anglo-normandos. Esse fato decreta o fim da dominação viking em Dublin e marca o início de outra era, não apenas para os rumos da cidade, mas para a Irlanda como um todo.

Erick Carvalho de Mello

Ver também Brian Boru; Celtas e nórdicos; Irlanda da Era Viking.

CONNOLLY, Sean J. *The Oxford companion to Irish History*. Oxford: Oxford University Press, 1998.

DOWNHAM, Clare. *Viking Kings of Britain and Ireland*. Edinburgh: Dunedin Academic Press, 2007.

DUFFY, Seán. *Brian Boru and the Battle of Clontarf*. Dublin: Gill Books, 2014.

MARTIN, Francis X. & MOODY, Theodore W. (orgs.). *The Course of Irish History*. Cork: Mercier Press, 2011, pp. 91-122.

RICHTER, Michael. *Medieval Ireland: The Enduring Tradition*. Dublin: Gill and Macmillan, 1988

DUELOS

Entre os escandinavos da Era Viking a noção de honra (familiar ou individual) era de extrema importância familiar. Era uma instância de equilíbrio que homem algum podia deixar que se abalasse e, portanto, ao se deparar com o risco de vê-la manchada, a passividade não era uma opção para lidar com o assunto. Muitas vezes tinha início um longo e tortuoso processo de disputas, duelos e rixas, às vezes individuais, às vezes entre famílias inteiras que, não raramente, resultava em mortes.

Segundo Gunnvör Silfrahárr, era comum nas sociedades germânicas que esse processo de retaliação e vingança tomasse proporções muito maiores do que as do insulto primeiro e originário. Muitas vezes esse padrão de comportamento vingativo tornava-se um sangrento ciclo entre famílias: quando uma delas acreditava ter obtido sua vingança, a outra sentia-se no direito de vingar-se, e assim continuamente. A tendência era que esse processo se perpetuasse até que, com o passar de gerações, ou a ofensa inicial fosse esquecida, ou então toda uma linhagem terminasse morta. Esse tipo de disputa violenta foi glorificada em várias das sagas islandesas e estava presente também no poema épico anglo-saxão *Beowulf*, imortalizando o tema por meio da literatura.

Mesmo um conhecimento superficial sobre as sagas islandesas suscita a percepção de que elas tratam, centralmente, sobre as disputas, rixas e duelos. William Miller afirma que esse tipo de disputa nos informa sobre basicamente todos os aspectos legais e políticos da Islândia medieval. Para o autor, os duelos surgem nas sagas como uma estrutura social que permite a expressão de toda a conjuntura das atividades política, moral e jurídica, atuando também como meios pelos quais essas mesmas atividades são buscadas, como uma espécie de sanção extrema.

As disputas e rixas de sangue eram, portanto, de cunho moral em seu aspecto vingativo, um meio de se punir violações de normas sociais, como a ofensa da honra, o roubo e a morte. Eram de cunho jurídico quando, na Islândia, ofereciam sanções que atuavam embasadas em acordos e julgamentos legais. Nesse aspecto, as disputas ocupavam o lugar de uma espécie de poder executivo frente a um sistema jurídico que não detinha qualquer outro aparato de execução instituído formalmente pelo Estado. Por último, elas consistiam também em atos políticos porque funcionavam como uma das estruturas-chave dentro da qual a competição por poder e a luta pela dominância ocorriam livremente.

Com o tempo, ao menos no contexto islandês, as disputas e rixas passaram a ser mediadas e arbitradas por terceiros – que seriam, em tese, imparciais – e aconteciam, quase que exclusivamente, por questões relacionadas à vingança e manutenção da honra. A mediação e arbitragem das rixas surgiram, segundo Gunnvör, como um mecanismo social de limitação e contenção das disputas e matanças excessivas. Visto que elas tendiam a aumentar e se proliferar de maneira contínua, passando a envolver em seus laços de sangue e ódio cada vez mais e mais membros da sociedade, era benéfico e prudente que essa sociedade desenvolvesse métodos de proteger não somente os membros envolvidos diretamente e suas famílias, mas a sociedade como um todo. Do contrário, seria perigoso que se atingisse um número de mortes que colocasse em risco a estrutura social, ocasionando diversas lacunas – como a falta de diversificação de papéis sociais e de execução de trabalhos, baixo índice de natalidade e alto índice de mortalidade, dificuldade em proteger as terras contra outros etc.

Contudo, esses não foram os únicos motivos para que as disputas e rixas começassem a ser reguladas. Conforme elucida Carol Clover, na Islândia medieval, assim como em outros lugares onde ocorriam essas supracitadas práticas, as disputas eram um modo de legislação e regulação baseadas e centradas nos clãs. Era do interesse do Estado – e posteriormente, da Igreja – reduzir o poder dos clãs, das suas práticas e legislações. A isso soma-se, segundo Jesse Byock, uma das principais preocupações da sociedade nórdica durante a Era Viking, muito refletida nas sagas: canalizar a violência desmedida em padrões de disputa aceitáveis, regulando conflitos. Como proposta a essa resolução surge a prática dos duelos, que consiste basicamente no desenvolvimento de um duelo "de honra" entre dois homens como um modo socialmente aceito de se retificar uma ofensa, injúria, prejuízo ou dano. Esse primeiro passo consistiu numa tentativa de estreitar o círculo daqueles diretamente envolvidos em cada disputa, reduzindo o número a apenas um representante de cada um dos lados.

A partir desse ponto, o duelo passou a ser uma forma legalizada de disputa. Ele se embasava na crença que circulava por todo o norte da Europa segundo a qual o guerreiro era glorificado e o covarde, desprezado. Enfatiza Marlene Ciklamini que as sagas, por lidarem predominantemente com as vidas de famílias notáveis e distintas, sugerem que era principalmente a classe da aristocracia que se engajava em duelos, por mais que, aparentemente, o homem comum, mesmo que pobre (desde que não fosse escravo) também tivesse direito a duelar. Mas a prática, assim como as leis de maneira geral na Islândia medieval, era feita para favorecer os poderosos e bem abastados.

Contudo, era possível que a lógica se invertesse. Na Noruega e Islândia, duelar passou a ser um modo de ganhar a vida e conquistar bens. Homens com poucos recursos podiam reivindicar uma propriedade e desafiar o dono para um duelo. Caso vencesse ou o dono legítimo se recusasse lutar, a propriedade estaria garantida ao desafiador. Os famosos *berserkir* e outros guerreiros com reputação igualmente sinistra por sua força e intrepidez oprimiam frequentemente os ricos nesse sentido, desafiando-os para duelos, sobre risco de tomarem sua propriedade ou bens.

A primeira forma de duelo legalizado na Escandinávia viking foi o *einvigi*, palavra que literalmente significa "combate individual". É possível que o conceito envolvendo este formato de duelo seja anterior à Era Viking, tendo se originado entre seus ancestrais germânicos. Cognatos aparecem em sueco antigo (*einvighe*), antigo alto-alemão (*einwic*) e inglês antigo (*artwig*). Basicamente, o *einvigi* consistia numa forma de duelo sem regras e restrições, lutado com armas à escolha dos participantes, em qualquer localização e valendo-se de qualquer método de disputa. Segundo Gwyn Jones, tratava-se, em suma, de uma briga em que se valia tudo para fazer o adversário desistir.

Os combatentes envolvidos no *einvigi* não possuíam qualquer jurado ou árbitro que apontasse o resultado. Ao contrário dos duelos anglo-saxões, não havia nenhuma espécie de invocação ou *judicium dei* antes da luta, ou seja, os participantes não enxergavam o resultado como uma preferência de algum deus ou revelação da vontade divina. Dessa forma, ao invés de invocar alguma divindade, os participantes confiavam em suas habilidades, força e sorte. No *Gylfaginning*, Snorri Sturluson cita Ullr como o deus do *einvigi*, o que poderia ser um indício de que os participantes o invocassem pontualmente pedindo sua ajuda para vencer o duelo, porém, não há qualquer indício dessa interferência divina nas sagas ou qualquer outro material literário. Essa escassez de referências reforça a ideia de que os participantes não contavam com proteção ou assistência divina, mas com a própria competência e agilidade. Por isso, Ciklamini afirma que o *einvigi* era uma forma de duelo secular, não sendo visto como um julgamento divino, mas como um atalho direto para resolução formal de conflitos e para a proteção dos indivíduos contra calúnias, quebra de juramentos e ofensas à sua honra vindas de seus oponentes.

Apesar de ter atuado minimizando os efeitos das grandes disputas, ao longo do tempo o *einvigi* mostrou possuir defeitos. Se um dos combatentes fosse assassinado durante o duelo, a seus familiares era concedido o *eptirmál*, direito legal de processar o responsável pelo assassinato. As opções para os familiares eram, em seguida, receber uma indenização pela morte do ente querido, ou requerer formalmente a vingança. O padrão nesses casos, ressalta Gunnvör, era o caminho da vingança, que gerava outro processo de vingança pela outra parte, e assim sucessivamente. Tantas vinganças resultavam, muitas vezes, em grandes rixas generalizadas entre duas famílias, desembocando no processo sangrento que o duelo visava evitar a princípio.

Eis que, posteriormente, outro tipo de duelo surge na parte oeste da Escandinávia. O *hólmgang* (ou *hólmganga*) era um compromisso firmado que surgiu como fruto da união entre as forças antagônicas do direito privado e do direito comum. Explica Gwyn Jones que, por um lado, o *hólmgang* era um duelo direto e simples, lutado até que um dos lados obtivesse a vitória; por outro, tratava-se de um tipo de disputa cujos passos eram todos regulamentados por medidas estipuladas em um rígido código de etiqueta dos duelos, o *hólmgöngulög*. O *hólmgang* era, portanto, um julgamento do valor pessoal de um homem e o teste de suas aptidões físicas. Sua existência se justificava graças à valorização dada aos atributos da força e coragem, algo fortemente presente na sociedade islandesa, e também como um testemunho do quanto as leis islandesas validavam e apreciavam essas características ao resolver problemas práticos.

Diferentemente do *einvigi*, os duelos no *hólmgang* deveriam acontecer em lugares específicos, demarcados e delimitados, os *hólmgangustadr*, que de maneira geral ficavam em áreas geograficamente mais isoladas. Era comum que cada distrito tivesse seu lugar específico onde os duelos eram tipicamente realizados. A área onde a luta ocorria era delimitada com pedras e grandes estacas de madeira, constituindo uma espécie de ringue, e os participantes não podiam evadir esse espaço. A arma utilizada costumava ser a espada; cada participante podia contar também com um escudeiro que substituiria seu escudo durante a luta caso o mesmo quebrasse. Uma importante característica do *hólmgang* é o fato de que as feridas causadas pela disputa eram raramente mortais, pois estipulava-se que a luta deveria ser encerrada assim que a primeira gota de sangue fosse derramada. Explica Gwyn Jones que, mesmo em caso de morte durante o duelo, os familiares do falecido eram proibidos de buscar vingança ou retribuição.

O *hólmgang* também era desprovido de qualquer caráter relacionado a um juízo ou escolha divina de um lutador em detrimento do outro. Não há nenhuma evidência nas sagas que aponte para esse tipo de percepção acerca do duelo. Ao que tudo indica, os islandeses, com sua clareza de visão e ceticismo, enxergavam a futilidade de tal pretensão. Para eles, Thor, Odin, Njord e Freyr compartilhavam com os seres humanos muitas de suas fraquezas e jamais poderiam ser vistos como árbitros imparciais daquilo que é certo, errado ou justo. Por isso, o *hólmgang* podia até ser, por vezes, um teste moral, mas sempre resolvido com base exclusivamente nas aptidões físicas dos competidores que, por sua vez, confiavam em nada mais que sua própria força.

Apesar disso, o duelo podia ser acompanhado de alguns ritos, como nos mostram, por exemplo, as sagas de Egill e de Kormáks. Ainda assim, eram cerimônias religiosas pontuais que não ofereciam quaisquer indícios de pretender invocar os deuses ou suplicar por sua interferência em prol do competidor cuja reivindicação fosse a mais justa ou correta. Segundo Jones, há indícios de casos em que um touro era sacrificado aos deuses. Aparentemente, consta no *hólmgöngulög* que este sacrifício, chamado *blótnaut*, deveria ser feito em todas as ocasiões em que houvesse um *hólmgang*, preferencialmente antes da realização do duelo propriamente dito. Havia também a performance do *tjösnublót* que, ressalta Ciklamini, era um ritual mágico realizado com o intuito de afastar possíveis influências malignas ou invocações feitas previamente para trazer má sorte a um dos duelistas. Em suma, era um modo de tornar o duelo mais justo e assegurar que seu resultado fosse mera consequência da força e habilidade dos participantes.

Victor Hugo Sampaio Alves

Ver também Armamento; Guerra e técnicas de combate; Guerra e simbolismos; Sociedade; Viking.

BYOCK, Jesse. *Feud in the Icelandic Saga*. Berkeley: University of California Press, 1993.

CIKLAMINI, Marlene. The Old Icelandic Duel. *Scandinavian Studies*, vol. 35, n. 3, 1963, pp. 175-194.

CLOVER, Carol. Hildigunr's Lament. In: LINDOW, John; LÖNNROTH, Lars; WEBER, Gerd (eds.). *Structure and meaning in Old Norse Literature*. Odense: Odense University Press, 1986, pp. 141-183.

JONES, Gwyn. Some Characteristics of the Icelandic 'Hólmganga'. *The Journal of English and Germanic Philology*, vol. 32, n. 2, 1933, pp. 203-224.

JONES, Gwyn. The Religious Elements of the Icelandic 'Hólmganga'. *The Modern Language Review*, vol. 27, n. 3, 1932, pp. 307-313.

MILLER, Willian Ian. *Bloodtaking and peacemaking: feud, law and society in Saga Iceland*. Chicago: University of Chicago Press, 1996.

E I M

EGILS SAGA

A *Egills saga Skalla-grímssonar* é o exemplo mais refinado de um subgrupo das *Íslendingasögur* conhecido como "sagas de poetas" ou "sagas de escaldos". É uma das sagas mais extensas que se conhecem e narra a vida do guerreiro e poeta Egill Skallagrímsson, assim como de seus ancestrais entre os anos de 850 a 1000. A saga foi escrita na primeira metade do século XIII (*circa* 1220) e se conserva em três diferentes redações. A mais importante delas, habitualmente denominada M, está contida no códice denominado *Möðruvallabók* AM 132 fol. de meados do século XV, que até o momento tem sido a base para a maioria das edições do texto, apesar de não conter dois dos grandes poemas da saga, *Höfuðlausn* e *Sonatorrek*, embora seja a única que contém o terceiro poema, *Arinbjarnarkviða*. A segunda redação da saga, denominada W, está contida em um códice islandês do século XIV que se conserva na biblioteca alemã de Wolfenbüttel junto com outros fragmentos entre os que destacam o AM 463 4to e o AM 560 d 4to, que conservam algumas passagens não incluídas nos manuscritos mais antigos. A terceira redação, chamada K, se conserva em duas cópias em papel de meados do século XVII escritas por Ketill Jörundsson, daí o nome do códice, *Ketilsbók*, que contém a única cópia conhecida do *Sonatorrek*.

Embora a *Egills saga* seja em princípio uma obra anônima, não são poucos os investigadores que, por sua profusão nos poemas escáldicos, bem como por suas similitudes estilísticas e narratológicas com a *Heimskringla* de Snorri Sturluson, não tem duvidado em admitir essa autoria ao político e literato islandês. Isso sem contar que Egill e Snorri estiveram aparentados por linha materna e que o último adquiriu fama e riqueza na zona em que haviam residido os descendentes de Egill desde os tempos da colonização. Do mesmo modo que Snorri, Egill era um poeta notável e muito valorizado pela sociedade islandesa, assim como pelos monarcas estrangeiros, por sua habilidade em incrementar a honra das personagens a que dirigia seus esforços poéticos, mas também para destruí-las com insultos e difamações. A relação de Egill com a nobreza norueguesa é ambígua, já que era na Escandinávia onde os islandeses podiam fazer fortuna e melhorar seu *status*, porém também onde eram suscetíveis de incorrer na ira real.

Na *Egills saga* estão incluídos um total de 56 poemas escáldicos independentes (*lausavísur*), 48 dos quais são atribuídos ao próprio Egill, além dos três poemas de maior envergadura acima mencionados e outros três denominados *drápur*, dos que somente se mencionam os versos introdutórios. As circunstâncias da transmissão da poesia e sua inclusão na prosa narrativa não estão isentas de polêmica, embora seja possível que boa parte das estrofes foram originadas como respostas espontâneas do poeta a determinadas situações. Os ditos poemas haviam sido memorizados e transmitidos em forma oral até que se transformaram em poemas de maior tamanho ou estrofes soltas que serviram como acompanhamento a um texto em prosa.

A poesia da *Egills saga* não somente responde à função laudatória própria do ofício dos escaldos dos reis, tal como o caso de *Höfuðlausn*, senão que também servia ao objeto de registrar de uma forma significativa e verdadeira, situações e personagens do passado, assim como veículo de sentimentos que raramente aparecem recolhidos na prosa, como as estrofes em que Egill expressa seu amor pela viúva de seu irmão, e claro, além disso, do *Sonatorrek*.

A *Egills saga*, pela sua incomum quantidade de estrofes, parece dirigida a uma audiência interessada em poesia e contém também um bom número de referências à arte de compor poesia e a famosos poetas islandeses da época. De um ponto de vista meramente estrutural, a *Egills saga* parece girar em torno de dois grandes temas: a descendência de Kveld-Úlfr e a relação entre os protagonistas e os monarcas europeus, em cujas cortes recorrem em busca de honra, riquezas e estima social. A saga divide-se em duas grandes unidades, que às vezes têm recebido o nome de seus protagonistas principais, a *Þórólfs saga* e a *Egills saga*. A primeira é uma parte introdutória que tem lugar na Noruega e que começa com a tragédia do desterro forçado da família pela censura que o rei toma por Þórólfr Kveldúlfsson e que o obriga a fugir da Islândia junto com sua família. A segunda é muito maior e heterogênea e, a concordar com muitos investigadores, carente de um foco claro, o que possivelmente contribuiu para a dispersão geográfica e temporal das aventuras que narra. O começo da segunda parte contém o primeiro desacordo entre Egill, então um menino de três anos, e seu pai, seguido de sua triunfal entrada na festa de seu avô materno que o pai havia proibido de assistir. Essa primeira declaração de interesses foi o começo de uma viagem do personagem já crescido em suas aventuras pela Noruega, Suécia, Inglaterra, Frísia, Dinamarca, incluindo Kúrland no Báltico, até seu regresso à Islândia, resignado e mal-humorado até a conformação com a morte em seu leito.

O princípio do ocaso de Egill, introduzido pela elegia da morte dos seus filhos, *Sonatorrek*, constitui um dos pontos altos da poesia escáldica. Pode ser interpretado por meio do referencial mitológico, associando-o ao deus Odin e à perda de Baldr, ou por meio das tradições europeias protocristãs em torno da função ritual da dor pela perda de um ser querido. Além da abundância de frases do narrador para chamar a atenção da audiência sobre um feito ou sobre a relação com algo já dito, a estrutura geral de sua obra está caracterizada por um uso profuso de repetições, de contraposições entre personagens com elementos positivos – loiros, corajosos e bondosos –, como os de Þórólfr, contrapostos a outros com elementos negativos – morenos, feios e malvados –, como o próprio Egill e seu pai Skallagrim. O texto também está cheio de paralelismos entre as duas partes da saga e entre episódios de cada uma das partes que servem de objeto para apresentar os conflitos em que estão imersas as diferentes gerações de famílias e a maneira que cada um tem de restaurar o equilíbrio em sua volta. Dos temas principais destacamos a amizade de Arinbjörn e Egill, o enfrentamento com um anfitrião pouco dado a tratar bem seus convidados, o conflito entre irmãos, não somente pelas desavenças existentes entre Egill e seu irmão Þórólfr, senão também, por exemplo, entre os filhos do rei Haroldo Cabelos Belos. Junto a uma clara coerência interna entre as partes da obra, não são poucas as ocorrências de várias tramas ou linhas de ação paralelas, nas quais a ação discorre lentamente, interrompida por contínuas digressões do autor sobre o tempo meteorológico, as armas, ou a indumentária de um personagem. Esses recursos servem para elevar o valor estético da paisagem, mas também têm o objetivo de criar suspense e elevar o tom até o clímax, habitualmente uma ação de caráter violento.

Diferente de outras sagas de escaldos, como a *Kormáks saga*, a *Gunnlaugs saga ormstungu*, ou a *Hallfreðar saga vandræðaskálds*, a *Egills saga* mostra uma relação ambígua, ou diretamente negativa, com os reis cujas cortes Egill visitou assiduamente, como é o caso de Érico Machado Sangrento (Haraldsson). Isto não quer dizer, entretanto, que na *Egills saga* não apareçam ideias refletidas que tanto sancionam como discutem a ideologia por trás da autoridade real. Um dos temas principais que a saga aborda é o da luta pela independência dos camponeses islandeses contra os monarcas injustos e tirânicos. O fato de a saga ter sido escrita no século XIII, momento de agitação sociopolítica, faz com que, como em todos os momentos de crise, qualquer tempo passado comece a ser considerado sob uma perspectiva diferente, que conduz a sua idealização, o que sem dúvida contribui para a apresentação de Egill como um poeta genial e com força extraordinária. Mas Egill era mais do que isso: era um homem preocupado com a política de seu tempo, versado na magia das runas e um reconhecido adorador de Odin, embora também tenha recebido a *primasignatio* em uma de suas viagens.

Por tudo isso, Egill é considerado uma figura de transição entre dois mundos, entre a Noruega e a Islândia, entre reis e camponeses, entre poetas e pessoas comuns. Seu lado obscuro, que o acompanha em suas viagens e de onde se mostra com uma feroz oponente, veio por herança genética recebida de seus antepassados, dentre os quais se mencionam os homens-lobo (*Kveld-úlfr*), as mulheres que são meio-"*troll* (*Hallbera Hálftroll*) e sua avó materna, que afirmava ser filha de um *berserkr*. Uma vez de volta à Islândia, sem dúvida, Egill viveu uma vida tranquila longe de problemas, já que a sociedade islandesa, povoada por homens livres, era uma sociedade imersa em um processo de mudança, não somente política e social, mas também religiosa. Quando, ao final de sua vida, somos testemunhas de sua entrada triunfal na Assembleia, bem acompanhado de oitenta homens armados para defender o direito de seu filho em uma ação judicial, e escutamos seu discurso em que recorda as origens de sua família e sua chegada à Islândia, assistimos ao fim de suas aventuras e ao começo de sua lenda.

Teodoro Manrique Antón

Ver também Egill Sakallagrimsson; Islândia da Era Viking; Literatura; Poesia escáldica; Sagas islandesas; Sonatorrek.

FINLAY, Alison. *Egills saga and Other Poets sagas*. In: HINES, John; SLAY, Desmond (eds.). *Introductory Essays on Egills saga and Njáls saga*. London: Viking Society for Northern Research, 1992, pp. 33-48.

HASTAÐ, Baldur. *Die Egills saga und ihr Verhältnis zu anderen Werken des nordischen Mittelalters*. Reykjavík: Rannsóknarstofnun Kennaraháskóla Íslands, 1995.

HARRIS, Joseph. Sacrifice and Guilt in *Sonatorrek*. In: UECKER, Heiko (ed.). *Studien zum Altgermanischen. Festschrift für Heinrich Beck*. (Ergänzungsbände zum Reallexikon der Germanischen Altertumskunde, 11), Berlin: De Gruyter, 1994, pp. 173-196.

LOOZE, Laurence de; HELGASON, Jon Karl; POOLE, Russell, TULINIUS, Torfi H. (eds.). *Egill, the Viking Poet: New Approaches to 'Egill's Saga*. (Toronto Old Norse-Icelandic Series). Toronto: Toronto University Press, 2015.

NORTH, Richard. The Pagan Inheritance of Egill´s *Sonatorrek*. In: *Atti del 12 Congresso Internazionale di Studi sull´Alto Medioevo, Spoleto 4-10 settembre 1988*. Spoleto: Presso la Sede del Centro Studi, 1990, pp. 147-167.

O'DONOGHUE, Heather. *Skaldic Verse and the Poetics of Saga Narrative*. Oxford/New York: Oxford University Press, 2005.

ROSS, Margaret Clunies. The Art of Poetry and the Figure of the Poet in *Egills saga*. In: TUCKER, John (ed.). *Sagas of the Icelanders: A Book of Essays*. (Garland Reference Library of the Humanities, 758). New York: Garland Publishing, 1989, pp. 126-145.

TULINIUS, Torfi H. *The Enigma of Egill: The Saga, the Viking Poet, and Snorri Sturluson*. Islandica 57. Ithaca, New York: Cornell University Library, 2014.

EGIL SKALLAGRÍMSSON

Poeta, espadachim, orador, mercador, fazendeiro e ferreiro, Egill é o protagonista de uma das mais famosas sagas islandesas, a *Saga de Egill Skallagrímsson*, ou *Egills saga Skallagrímssonar*, escrita na Islândia provavelmente no início do século XIII. Descrito como grande, deformado e feio como um *troll*, Egill é sempre representado em um espectro emocional controverso – enérgico na brutalidade com a qual aplica a violência e melancólico na sensibilidade com que entoa seus versos poéticos. Sua saga representada-o entre aventuras pela Europa ocidental nos séculos IX e X e também pontua as políticas de convivência diplomática entre a Islândia e a Noruega.

Uma das versões mais antigas de sua saga é encontrada no *Mǫðruvallabók*, manuscrito compilado entre 1320 e 1350. A versão de conteúdo mais extenso encontra-se no manuscrito AM453 4to, mas a saga, tal como temos acesso hoje, em edições modernas, recebe adições de manuscritos muito posteriores. De certa maneira, a narrativa da sua saga é também um desenvolvimento sobre as relações entre os islandeses e os governantes noruegueses. Os escritores dessa saga, entre os quais Snorri Sturluson, descreveram nas entrelinhas os anseios políticos de tais relações nos séculos seguintes, quando a Islândia já havia se tornado súdita da coroa norueguesa e as famílias poderosas que comandavam a ilha lutavam entre si pela memória dos homens notáveis. Egill Skallagrímsson foi apontado como o ancestral de uma dessas parentelas, os *Mýramenn*.

O passado da família de Egill está ligada ao processo de formação e unificação do reino norueguês por Haroldo Cabelos Belos (Haraldr Hárfagri), cujo o percurso teria sido ditado pela apreensão dos direitos às terras pelos homens livres e consequente fuga desses indivíduos e suas famílias para a Islândia, tema muito comum nas *Sagas dos Islandeses*, *Íslendingasǫgur*. De seu avô, Egill herdou o humor taciturno, muitas vezes melancólico, e o temperamento colérico, características que também foram atribuídas a seu pai. Tanto o seu tio quanto o seu irmão, ambos de nome Thorolf (Þorolfr), foram agentes reais: o primeiro foi morto pelas intrigas originadas das disputas de poderes e das terras que a família havia abandonado na Noruega, e o segundo morreu em combate na batalha de Brunanburh.

A saga opõe sempre os homens da família de Egill Skallagrímsson: ele e seu pai herdaram as características do avô – eram homens rudes, feios, simples, habilidosos com a poesia e guerreiros tempestuosos; seu tio e irmão herdaram as características da avó – eram homens belíssimos, habilidosos em tudo, bem-apessoados e que trabalharam em prol do rei Haroldo Cabelos Belos (Haraldr Hárfagri), ou do rei Æthelstan da Inglaterra. Um exemplo do comportamento violento de Egill está na passagem sobre um jogo de bola que ele e outras crianças brincavam, até que ele se sente injustiçado e ataca um outro menino com um machado, matando-o no local, levando seu pai a precisar matar toda a família da criança assassinada, a fim de que eventuais vinganças familiares não surgissem.

Um grande amigo e companheiro de aventuras de Egill, Arinbjǫrn, encontrou uma posição de agente, *hersir*, ao lado de Érico Machado Sangrento (Eiríkr Blóðøx) e, mais tarde, de seus filhos. Érico e a sua esposa, Gunnhildr, são os grandes antagonistas da saga, em diversos momentos representando um perigo físico e mágico, ao mesmo tempo em que saem da Noruega e se instalam em York. A origem desse longo conflito está na morte de Bard, um homem leal ao casal, que durante uma festa em honra às *dísir*, serviu aos convidados iogurte ao invés de cerveja, sendo ridicularizados pelos versos de escárnio de nosso herói. Ao descobrir, por meio de magia rúnica, que seria envenenado pelo chiste, Egill não pensou duas vezes antes de matar o anfitrião.

Apesar de ser descrito na saga como exímio guerreiro e de grandes feitos marciais, incluindo um duelo contra um certo Átila (Atli), cuja proteção por feitiços o fez resistir aos golpes de espada de Egill, sendo vencido apenas quando o protagonista abandonou a espada e atacou o oponente na garganta com os próprios dentes, seus êxitos mais notáveis podem ser atestados com alguma segurança através de sua produção poética. Entre os seus poemas mais famosos podemos listar: Resgate Pela Cabeça, *Hǫfuðlausn*, Lamento Pelos Meus Filhos, *Sonatorrek*, e Elogio a Arinbjǫrn, *Arinbjarnarkviða*.

Na narrativa da saga, o poema Resgate Pela Cabeça é apresentado por Egill ao rei Érico em troca de sua vida, quando, após um longo histórico de inimizade com o rei Érico Machado Sangrento, Egill naufraga na Inglaterra e é levado para a presença do rei, passando a noite preso. O personagem enfrenta o dilema de se acovardar e fugir ou de encarar Érico, mas ser morto, já que o rei havia pronunciado sua pena de antemão. Resta a Arinbjǫrn, seu amigo de longa data, mediar o encontro entre os dois e oferecer uma solução engenhosa, sugerindo a Egill que componha algo em honra ao rei. O escaldo compôs da noite para o dia e recitou os versos de memória um poema elegíaco que foi aprovado por Érico e sua corte, garantindo a liberdade, mas não a amizade entre as partes. Esse poema é encontrado em manuscritos tardios, levando alguns pesquisadores a acreditar que os versos foram adições posteriores.

O Lamento Pelos Meus Filhos é um poema sobre a dor da perda de seus dois filhos, Gunnar e Bǫðvar. Deprimido, Egill prometeu a sua filha Thorgerd (Þorgerð Egillsdóttir) que iria morrer de fome. Ela, por sua vez, deu-lhe duas saídas para o problema: compor os versos que seriam conhecidos como *Sonatorrek*, ou ser responsável pelo fim da filha, pois Thorgerd prometeu que, sendo esse o destino do pai, lhe acompanharia na morte. No Lamento Pelos Meus Filhos, o escaldo contrasta bastante com o personagem da narrativa, talvez pelo tom melancólico de seu conteúdo, em que a agressividade de seus atos dá lugar à perda dos parentes, amigos, irmão e filhos, retirados pelo deus Odin, que o compensa com o dom da poesia.

O Elogio a Arinbjǫrn é um poema feito em homenagem ao amigo de longa data na ocasião em que o cenário político norueguês estava em crise pelas disputas de poderes promovidas pelos filhos da rainha Gunnhild após a morte do rei Érico. Arinbjǫrn esteve em batalha ao lado de Haroldo Capa Cinzenta (Haraldr Gráfeld) e passou a viver dos ganhos administrativos recolhidos na região de Fjordane. Recuperando da melancolia que o abatera com a morte de seus filhos, Egill compôs um poema ao qual não temos acesso integral, já que algumas linhas foram perdidas nos manuscritos, mas que celebra o valor da amizade, a coragem do amigo e a presteza de Arinbjǫrn ao servir os seus senhores.

Todos esses elementos da narrativa sobre a *Saga de Egill Skallagrímsson*, nos oferecem uma visão de como a escrita dessa fonte acaba reorganizando o jogo político no Atlântico Norte, trocando o foco da narrativa da Noruega para a Islândia, e se concentrando enfaticamente nas ações de um islandês. Na saga, os islandeses não antagonizam os reis noruegueses, mas os reis noruegueses antagonizam um islandês em especial, anti-heroico e em nenhum momento um modelo ideal, mas ainda assim conhecido e celebrado pela audiência islandesa. Essa troca, muito sutil, requer uma política diplomática que ironiza a ambiguidade do caráter de Egill.

A velhice não tornou Egill um homem sossegado: seus últimos anos, que atravessaram episódios ao mesmo tempo cômicos e trágicos, demonstram uma pessoa ativa em sua comunidade. Mesmo quando perdeu os seus filhos e se recolheu, deprimido, o plano de sua filha para salvá-lo contou, em parte, com uma possível cumplicidade do velho aventureiro.

A sua capacidade para pilhérias não diminuiu mesmo quando ele ficou cego ao fim da vida: em um determinado episódio, propôs jogar dois cofres de prata, que outrora havia recebido do rei Athelstan na Inglaterra, no meio da Assembleia para provocar confusão e brigas entre os indivíduos. Contrariado, ele faz com que dois escravos joguem o tesouro em uma cachoeira e Egill carregue o segredo de sua localidade para o túmulo. Esse episódio final da sua vida não pode deixar de ser comparado com o tesouro heroico dos *Niflungar*, obtido originalmente por Sigurð, o Matador do Dragão.

Os islandeses lidaram com um tema que já devia ser previamente de seu conhecimento, Egill pode ter representado um grande poeta, exaltando sua figura heroica contra a coroa norueguesa. Já os noruegueses poderiam perceber a produção dentro dos termos da personalidade do personagem, ao invés de termos historiográficos. Os islandeses observariam a resistência heroica e o orgulho ancestral, enquanto os noruegueses ridicularizariam seu ufanismo e as suas reivindicações vazias. O Egill das sagas deve ter agradado ambas as audiências.

Pablo Gomes de Miranda

Ver também Egills saga; Sagas islandesas; Islândia da Era Viking; Viking.

ANDERSSON, Theodore M. *The Growth of the Medieval Icelandic Sagas (1180-1280)*. Ithaca: Cornell University Press, 2006.

ÓSKARSDÓTTIR, Svanhildur. Introduction. In: *Egill's Saga*. London: Penguin Books, 2004, pp. vii-xxix.

ROSS, Margaret Clunies. A Tale of Two Poets: Egill Skallagrimsson and Einarr sklaglamm. *Arkiv for Nordisk Filologi*, n. 120, vol. 1, 2005, pp. 69-82.

ROSS, Margaret Clunies. Conjectural Emendation in Skaldic Editing Practice, with Reference to Egills saga. *Journal of English and Germanic Philology*, n. 104, vol. 1, 2005, pp. 12-30.

TULINIUS, Torfi H. The Prosimetrum Form 2: verses as an influence in saga composition and interpretation. In: POOLE, Russell (org.). *Skaldsagas: text, vocation, and desire in the Icelandic sagas of poets*. New York: Walter de Gruyter, 2001, pp. 191-217.

EKETORP

Eketorp Borg é um forte circular presente em Öland, uma longa e estreita ilha do Báltico, na costa sudeste da Suécia, único forte completamente escavado na região. A ilha ainda conta com outras 19 fortificações que foram apenas parcialmente estudadas, todas construídas de pedra calcária, que têm seus formatos ovais ou circulares. Dentre as fortificações de Öland a que se localiza na região mais ao sul da ilha é conhecida como Eketorp, estando próxima da vila homônima, na paróquia de Gräsgard. As escavações da fortificação geraram um total de 24 mil artefatos e pela sua significação, em quantidade de artefatos e em caráter arquitetônico, foi declarado patrimônio mundial pela UNESCO. O forte de Ektorp possuía paredes com 5 m de altura e 6 m de largura. Sua construção estava parcialmente desabada e foi reconstruída no século XX para abrigar um centro turístico com museus e atividades de *living history*.

As escavações que ocorreram na região entre os anos de 1964 e 1973 revelaram três momentos diferentes de utilização dessa fortificação: o primeiro momento ocorreu na Idade do Ferro Romana, no século IV; o segundo momento ocorreu na Idade do Ferro germânica, entre os séculos V e VII e por fim o terceiro momento, que ocorreu já na Idade Média, entre os séculos XII e XIII. As paredes do forte inicialmente cercavam uma área de 57 m, mas durante a Idade do Ferro germânica a mesma foi ampliada para uma área de 80 m e durante a Idade Média o forte ainda receberia uma segunda muralha externa que ampliaria a capacidade de defesa da região. O modelo circular do forte foi escolhido, de acordo com os arqueólogos, devido às características geográficas da região: um terreno extremamente plano que facilitaria um ataque de qualquer uma das direções.

Dentro do forte foi encontrado, em 1741, um poço de água que ainda funciona atualmente, datado pelos arqueólogos como tendo sido criado na Idade do Ferro Romana. Nesse poço achou-se, durante as escavações, grande número de ossos de animais, como cavalos, ovelhas, cabras, porcos e bois. Contudo, o estudo da região apontou para uma presença majoritária de ossos de cavalos, mais de 50%, o que contrastou com os ossos apontados como descarte de alimentação, que eram sua maioria de gado. Os ossos encontrados no poço passavam a apontar, dessa forma, uma clara diferença entre os animais depositados e os animais associados com atividades do cotidiano, fato que evidencia uma prática ritualística.

O estudo dos ossos de cavalo definiu a presença de crânios, falanges e vértebras caudais intactos, fato que levou os arqueólogos a apontarem para uma prática realizada com os animais ainda com suas peles. Os estudos sugeriram, dessa forma, uma atividade realizada com as partes animais colocadas em postes ao redor do poço de água, membros que sofreriam um processo de decomposição, que terminaria com os ossos caindo dentro do poço. A prática ritual de Eketorp foi assim comparada com o antigo rito escandinavo denominado *nidstang*, rito no qual se empalava uma cabeça de cavalo e deixava a mesma exposta para o processo de decomposição.

Em Eketorp encontra-se ainda a fundação de 53 edificações apontadas como residências, das quais 3 continham locais de abrigo para animais durante o inverno, além da delimitação das fundações de outros 13 locais de abrigos de animais não conectados com nenhuma residência, todas edificações datadas da Idade do Ferro germânica. O recurso arqueológico de animais encontrado em Eketorp é um dos maiores da Escandinávia e conta com 0.5 toneladas de ossos para a Idade do Ferro germânica e 1.3 toneladas de ossos datados para a Idade Média. Aproximadamente 75% do gado morto em idade adulta eram do sexo feminino, fato que aponta para a utilização da produção de leite em Eketorp.

Eketorp, por fim, pode ser definido como um forte que concentrava criação de animais, residências e ritos, não garantindo apenas uma proteção para a região, mas sendo um local de múltiplas funções (do cotidiano, da religião e da guerra), o que evidencia o controle da localidade por um determinado grupo.

Munir Lutfe Ayoub

Ver também Arqueologia da Era Viking; Dinamarca da Era Viking; Fortificações.

BACKE, Margareta; EDGREN, Bengt; HERSCHEND, Frands. Bones thrown into a water hole. In: ARWIDSSON, Greta (ed.). *Sources and Resources. Studies in honour of Birgit Arrhenius.* Stockholm: Pact, 1993, pp. 327-342.

HELBAEK, Hans. Vendeltime farming products at Eketorp on Oland, Sweden. *Acta archaeologica*, vol. 37, 1966, pp. 216-221.

STENBERGER, Mårten. Eketorps borg, a fortified village on Öland, Sweden. Some results from the present investigations. *Acta Archaeologica*, vol. 37, 1966, pp. 203-214.

TELLDAHL, Ylva; SVENSSON, Emma; GOTHERSTROM, Anders; STORA, Jan. Typing late prehistoric cows and bulls—osteology and genetics of cattle at the Eketorp ringfort on the Öland island in Sweden. *PloS one*, vol. 6, n. 6, 2011, p. e20748.

EMBARCAÇÕES

A presença de embarcações entre os escandinavos pode ser constatada desde os tempos mais remotos: há representações em petróglifos que atestam sua existência referentes à Idade do Bronze (período que dura na Escandinávia entre 1800 a 800 a.C.). Adicionalmente, podemos ter alguma ideia das primeiras embarcações escandinavas muito anteriores a Era Viking através dos vestígios das embarcações mais rudimentares, a exemplo da canoa de Hjortspring, escavada no sudoeste dinamarquês, datada aproximadamente de 350 d.C., no ato de seu afundamento como parte de um sacrifício humano. Em termos de material construtivo, dimensões, e capacidade de carga, a canoa possui 19 m de comprimento por 2 m de largura, e é feita em visgo. O seu esqueleto se apresenta amarrado a grampos, possui bancadas que estão dispostas entre os vãos do esqueleto da embarcação (que o mantém estável na finalização) com espaço para dois homens, reservando-se o espaço de 1 m entre cada banco. Tal canoa era impulsionada por 24 pás, havendo também espaço para mais quatro homens que a manobravam utilizando as pás como leme, tanto na proa quanto na popa. É importante salientar que temos aqui a primeira amostra de uma construção em casco trincado, muito popular no norte da Europa e característico das embarcações escandinavas.

Separados por quase 600 anos estão os três barcos achados em Nydam, também no sudoeste da Dinamarca e encontrados em um contexto sacrificial similar. Do conjunto todo, o barco maior possui 23,5 m de comprimento por 3,5 m de largura e 1,2 m de profundidade, sendo dois deles feitos em carvalho e um em pinheiro. Em sua fabricação, o esqueleto está unido de maneira similar ao do modelo de Hjortspring, porém o casco foi armado com cravos de ferro em vez de fibras, como no exemplo anterior. A maior mudança está no método de propulsão dessas embarcações, que usavam remos ao invés de pás, junto a um leme fixo para realizar suas manobras.

As velas foram introduzidas nos séculos imediatamente anteriores à Era Viking. Os navios à vela já navegavam na Europa há centenas de anos e possibilitaram lançar as embarcações em jornadas aos recantos mais longínquos, algo outrora impossível para as embarcações anteriores. Imagens em Runestones de Gotlândia e bracteatas (pequenas medalhas) de Hedeby dos séculos VII e VIII, mostram marinheiros da região do Báltico utilizando velas em suas embarcações e não temos razões para achar que elas fossem diferentes daquelas usadas em ações vikings.

Os restos do navio de Oseberg é o achado direto mais antigo que atesta o uso de velas entre as embarcações da Escandinávia. Datado de 820, o navio de Oseberg foi reutilizado, depois de várias empreitadas, como nave funerária e provavelmente representa o que havia de mais refinado em tecnologia náutica na época. Medindo 21,5 m de comprimento, 5,1 m de largura e apenas 1,6 m da quilha, tal embarcação era impulsionada por 15 pares de remos e uma vela quadrada; infelizmente, nenhum vestígio da vela sobreviveu. O mastro foi montado na sobrequilha, no meio do navio, e mantido ali por uma peça chamada forquilha (*kløften*), o que nesse navio parece ter dimensões incompatíveis, já que ela teve de ser reparada com um reforço metálico. A forquilha tem a função de guiar o mastro (quando erguido ou removido) e de lhe conferir suporte quando a vela estiver montada, funcionando em conjunto com o cordame.

Um defeito no navio pode mostrar a continuidade desse barco com os anteriores: a largura exagerada de sua sobrequilha. Nos navios escandinavos, a distância das peças do esqueleto do navio se manteve em mais ou menos um metro e as bancadas dos remadores foram suprimidas, de maneira que os remadores deveriam se sentar em bancos ou baús. A sobrequilha ajudava a espalhar a tensão do mastro sobre uma parte significativa do casco, o que não aconteceu nesse caso por causa da cobertura sobre o esqueleto do navio, cobrindo duas cavernas quando deveria cobrir quatro, sobrecarregando o cordame, o mastro e, consequentemente, a forquilha. Provavelmente tal erro foi cometido porque funcionaria sem problemas em uma embarcação menor, como se fazia até então. Em compensação, a estabilidade do navio foi melhorada, mudando o seu esqueleto que, ao invés de ser feito em peça única, passou a ser composto por armações de diversas peças, além de oferecer uma continuidade do fundo do navio para suas laterais, mantendo o formato de casco trincado. Os remos passavam por buracos nas laterais que poderiam ser fechados em navegação com vela, mudança que conferiu aos remos o apoio e o ângulo necessários para o impulso de maior força ao navio.

A continuação das novas tecnologias náuticas apresentadas na embarcação funerária de Oseberg pode ser encontrada nas embarcações achadas em túmulos funerários em Gokstad, na Noruega, escavados em 1880 e com uma datação que varia entre 900 a 905. São embarcações bem mais robustas: 23,2 m de comprimento e 5,2 m de largura de boca, mantendo distância de 2 m entre a quilha e a borda enquanto na água, e equipados com 32 remos. Podemos dizer que essa embarcação não só é 8% mais comprida que a de Oseberg, mas também 25% mais alta. Sua quilha mais resistente e o casco com maior envergadura nos sinaliza uma melhoria de navegação.

O navio de Tune, também da Noruega, foi construído na mesma época e é ligeiramente menor que os de Oseberg e Gokstad (19,2 m de comprimento e 4,2 m de largura). Uma análise recente dos seus vestígios demonstrou uma construção parecida, nos possibilitando pensar em um quadro homogêneo das características dos navios escandinavos anteriores ao século X. Em contrapartida, o navio escavado em Ladby, na Dinamarca, nos mostra uma construção distinta. Assim, dos restos analisados e reconstruídos (originalmente sobraram apenas as marcas das peças de ferro no solo) observamos sua caracterização compacta, pesada e com diferenças significativas no casco: acreditamos que a construção desse navio foi planejada para uma navegação no mar Báltico e em Kattegat, não o mar do Norte como é o caso dos navios noruegueses.

Os navios citados até aqui são exemplos de um momento tecnológico e cultural que sinalizaram o início das especializações navais próprias da Era Viking. Sabemos que apesar dos restos dessas embarcações terem sido encontradas em péssimo estado, os vestígios materiais do fim do século IX já nos apresentam navios delgados, rápidos (exemplos noruegueses) e embarcações pesadas (exemplo dinamarquês). É comum encontrarmos estudos que estabelecem uma diferenciação das embarcações desse momento em duas categorias principais: 1) os navios de guerra ou voltados para as comitivas reais, geralmente longos e leves, com pouca capacidade de carga e desenvolvidos para a navegação de cabotagem; 2) as embarcações de carga, bojudas e pesadas, utilizadas para o transporte de produtos e mercadorias em geral, sendo empregadas nas viagens ao Atlântico Norte pela sua capacidade de viajar em mar aberto.

Façamos uma breve análise dessa primeira categoria: alguns navios que foram afundados deliberadamente em Skuldelev, na Dinamarca, para servirem como barreira protetora ao fiorde de Roskilde, são os modelos desses navios guerreiros. O conjunto é composto por cinco embarcações com tamanhos e estruturas diferentes, uma das maiores fontes arqueológicas náuticas vikings.

Os vestígios classificados como Skuldelev 5 estão no limiar do que classificamos como navios de guerra, com seus 26 remos e 18,3 m de comprimento, dividindo muitas características com o navio Skuldelev 3, um cargueiro de 14 m, 6 remos e com capacidade de carga de 4,6 toneladas, provavelmente utilizado em negócios locais, já que seu sistema de propulsão e o volume que pode transportar é limitado se comparado a outros exemplos. Segundo o pesquisador Jan Bill, o Skuldelev 5 foi feito em 1040 na Zelândia, de maneira econômica, e provavelmente a sua construção envolveu algum tipo de coerção por parte da realeza contratante ou para o fortalecimento da defesa local, justificando o seu tamanho. Os carpinteiros responsáveis pela sua construção reutilizaram diversas porções de outras embarcações: as bordas, por exemplo, pertenciam a um bote cujo esqueleto era menor, tornando necessário fechar as antigas aberturas dos remos para que as novas aberturas ficassem simétricas ao tamanho do navio.

Podemos citar o Skuldelev 2 como contraste. Foi um dos maiores navios de sua época, provavelmente construído entre 1042 e 1066 em Dublin. Sabemos, pelo pouco que foi preservado, que ele possuiu 30 m de comprimento e surpreendentes 30 pares de remos, possibilitados pelo esqueleto compacto que tinha apenas 70 cm de distância entre suas armações. É provável que ele carregasse cerca de 100 guerreiros e que tenha sido reparado diversas vezes antes de ser afundado no fiorde em 1133. Os diversos vestígios arqueológicos em Roskilde nos mostram que os barcos podiam ser construídos em tamanhos ainda maiores.

O Roskilde 6 é datado de 1025, próximo ao final da Era Viking, mesma época do reinado do rei dinamarquês Canuto, o Grande. Dos vestígios podemos observar que somente a quilha é medida em 32 m de comprimento (sendo que a reconstrução parcial do navio acusa um tamanho total de 36 m), uma boca de 3,5 m e uma altura por volta de 1,7 m, contando provavelmente com 74 remos para a sua propulsão. A solução para uma quilha tão longa é um conjunto de duas escarfagens medindo 2 m que une três seções de madeira, solução única até agora nos achados envolvendo a arqueologia náutica do período estudado.

Por fim, um exemplo de como, mesmo no período das especializações navais, alguns navios continuaram apresentando modificações distintas em sua construção. Os vestígios do barco Hedeby 1, construído em torno de 985, revelam um cuidado requintado na seleção de seu material e de seu desenho, mesmo que no final ele tenha sido utilizado como Brulote (navio em chamas lançado contra as estruturas inimigas) em Hedeby, no início do século XI. Com um comprimento total de 30,9 m, 60 remos, com 2,6 m de borda e uma altura de apenas 1,5 m na meia-nau, era uma embarcação bem estreita. A madeira utilizada na sua construção provém do Báltico ocidental, sugerindo que, com as medidas específicas dessa embarcação, Hedeby 1 foi utilizado especialmente na mesma região.

Pablo Gomes de Miranda

Ver também Bússola solar; Gokstad; Navegação marítima; Oseberg; Pedra solar.

BILL, Jan. Ships and Seamanship. In: SAWYER, Peter (ed.). *The Oxford Illustrated History of the Vikings*. New York: Oxford University Press, 2001, pp. 182-201.

BILL, Jan. Viking Ships and The Sea. In: BRINK, Stefan; PRICE, Neil (orgs.). *The Viking World*. New York: Routledge, 2008, pp. 170-180.

GRAHAM-CAMPBELL, James. *Os Viquingues: origens da cultura escandinava*. Barcelona: Folio, 2006.

HEIDE, Eldar. *The Early Viking Ship Types*. Bergen: Stiftelsen Bergens Sjøfartsmuseum, 2014.

ROESDAHL, Else. *The Vikings*. London: Penguin Books, 1998.

ENCOMIUM EMMAE REGINAE

Também conhecido como *Gesta cnutonis regis*, o *Encomium emmae reginae* foi patrocinado pela rainha Emma, viúva de Canuto, rei da Inglaterra e Dinamarca, provavelmente na metade ou no terceiro quarto do século XI, e escrito na região de Flandres, provavelmente no mosteiro de Saint Bertin. Emma era filha de Ricardo I da Normandia. Durante o reinado de Canuto, Emma desfrutou de um considerável *status*, sendo representada em documentos escritos e visuais, o que contrasta com o período de exílio pelo qual passou após a morte de Canuto, um contexto no qual esteve afastada das relações de poder. Durante o reinado de seu filho, Harthacnut, que assim como seu pai foi rei da Inglaterra e da Dinamarca, Emma voltou a ter uma proeminência em termos de reinado, e foi durante este contexto que o *Encomium emmae reginae* foi encomendado.

Existe somente um manuscrito do *Encomium*, datado da metade do século XI e escrito em latim (British Library, BL Addtional 33241). De acordo com a descrição de Simon Keynes, o manuscrito contém, logo no início, uma imagem na qual a rainha Emma está entronizada e aparece recebendo um livro de um personagem que está ajoelhado, enquanto dois homens, provavelmente seus filhos Harthacnut e Eduardo, olham com admiração em sua direção.

O autor do documento, chamado pela historiografia de *Encomiast*, tem sua origem desconhecida, a qual é objeto de discussão. É necessário considerar o contexto no qual o *Encomium emmae reginae* foi escrito, ou seja, um contexto de crise política e de necessidade de legitimação por parte da rainha Emma através de seu filho Harthacnut, já que a obra serviu para legitimar seus interesses na corte, o que fez do *Encomium* um texto latino produzido com o objetivo de ter um impacto particular em uma determinada audiência. De acordo com Elizabeth M. Tayler, a construção da narrativa encontrada no *Encomium emmae reginae* foi uma resposta a um problema social e político do contexto de composição do documento, no qual houve a necessidade de apresentar uma versão dos eventos ocorridos para um público que conhecia a rainha Emma.

Deve-se destacar a presença de uma literatura latina na narrativa do *Encomium*, já que há referências a autores como Salústio, Lucano, Ovídio, Horácio, Juvenal, entre outros. Em seu conteúdo encontramos uma proposta de glorificação de Canuto e uma difamação da imagem do filho ilegítimo de Canuto, Haroldo Pé de Lebre, que conduziu Emma e Harthacnut, filho de Canuto, para o exílio. Provavelmente o objetivo da composição do *Encomium* era auxiliar na ascensão de Harthacnut ao trono inglês contra Eduardo, o Confessor, filho de Emma com o rei Etelredo. O *Encomium* apresenta um prólogo, um *argumentum* e três livros. Mesmo que o foco do documento seja a conquista danesa da Inglaterra entre os anos de 1013 e 1016, realizada por Sueno Haraldsson, pai de Canuto, apresentando o reinado de Canuto e os acontecimentos após a sua morte, bem como destacando a questão da sucessão do trono inglês, é necessário considerar a associação feita por alguns autores, que estabelecem o *Encomium emmae reginae* como parte de uma tradição literária conhecida como relatos religiosos de personagens femininas reais, já que o *Encomiast* iniciou a narrativa do documento exaltando a rainha Emma como a mais admirável das mulheres em seu modo de vida.

Luciano José Vianna

Ver também Canuto, o Grande; Dinamarca da Era viking; Fontes primárias.

ENCOMIUM EMMAE REGINAE. Edited by Alistair Campbell with a Supplementary Introduction by Simon Keynes. Cambridge: Cambridge University Press, 1998.

ENCOMIUM EMMAE REGINAE. Edited for the Royal Historical Society by Alistair Campbell. Camden Third Series, vol. LXXII. London: Offices of the Royal Historical Society, 1949.

HAYWOOD, John. *Encyclopaedia of the Viking Age*. London: Thames & Hudson, 2000, pp. 63-64.

HOLMAN, Katherine. *Historical Dictionary of the Vikings*. Lanham, Maryland, and Oxford: The Scarecrow Press Inc., 2003, pp. 87-89.

JOHN, Eric. *The Encomium Emmae Reginae: a Riddle and a Solution*. Bulletin of the John Rylands Library, n. 63, vol. 1, 1980, pp. 58-94.

TYLER, Elizabeth M. Talking about History in eleventh-century England: the *Encomium Emmae Reginae* and the Court of Harthacnut. *Early Medieval Europe*, n. 13, vol. 4, 2005, pp. 359-383.

ERA VIKING

Conceito geral: A Era Viking é considerada um período de grande irrupção e atividade do Norte nas terras povoadas do sudoeste e sudeste europeu. Comumente, o período é balizado entre as datas de 800 a 1100 depois de Cristo, com diversas variações e diferenças cronológicas ou conceituais, dependendo do autor. Também de forma tradicional é dividida em dois períodos: Primeira Era Viking, que se inicia com as incursões hostis, os ataques de surpresa (razias) no final do século VIII e as povoações criadas na região escocesa, britânica e francesa. A Segunda Era Viking foi caracterizada pela criação de dinastias permanentes e do processo intensificado de cristianização. Os mercadores escandinavos continuaram afetando o processo de urbanização da Europa. Segundo Henry Loyn, durante o final desse período, um escandinavo deixava de ser um viking quando se tornava cristão.

Historiografia: Apesar do termo viking ter sido utilizado após o renascimento em diversas línguas escandinavas, foi com o romantismo moderno que ele adquiriu um novo contexto, atrelado às ideias nacionalistas. No século XVIII, a Suécia e Noruega estavam ocupadas com questões de fronteira. A Suécia perde parte de sua região oriental para a Rússia e no início do século XIX entra em conflito com a Noruega. Nesse contexto da formação de uma nova identidade espacial e imaginária, os vikings tornam-se um tema privilegiado tanto na arte em geral (literatura, teatro, festivais) quanto na academia e nos trabalhos de reconstituição do passado, fornecendo valores idealizados para a nova sociedade almejada pelas nações escandinavas. Nas leituras públicas de História do sueco Erik Gustava Geijer, em 1815, enfatizava-se a vida nórdica nos tempos vikings como sendo de total liberdade, em contraste com o feudalismo vigente na Europa continental. Assim a suposta "natureza" destes antigos povos será utilizada como modelo político, artístico e cultural.

A primeira utilização do termo Era Viking (em sueco *Vikingatiden*) foi no artigo *Om do gamle Nordboers Bekjendtskab med don pyrenæiske Halvöe* ("Sobre o conhecimento da presença nórdica na Península Ibérica"), escrito por E. C. Wérlaoff e publicado na revista *Annaler for Nordisk oldkyndighed og historie* (*Anais da Antiguidade e História Nórdica*) em 1836. Nesse artigo não há maiores explicações ou detalhamentos sobre esse conceito, empregado apenas para determinar o período em que os vikings realizavam suas atividades. Em algumas sistematizações europeias sobre a história escandinava (como *Histoire des États Scandinaves*, de A. Geffroy, 1851), a experiência nórdica é inserida dentro do expansionismo germânico e tratada sem maiores diferenciações em um período que se estende do século V ao XI d.C.

Entre os anos 1830 a 1850, a literatura acadêmica escandinava foi fortemente embasada pelas pesquisas arqueológicas provindas da Dinamarca, inicialmente pela classificação das três Eras (Pedra, Bronze, Ferro), criadas por Christian Jurgensen Thomsen, pesquisador do Museu Nacional de Copenhagem. Logo em seguida, em 1843, o livro *Danmarks Oldtid oplyst ved Oldsager* (*Antiguidades da Pré-História dinamarquesa*), do arqueólogo Jens Worsaae é publicado. Nele, os vikings são inseridos na Idade do Ferro, num período que vai das migrações germânicas à cristianização da Escandinávia, sem distinções muito rígidas entre os momentos anteriores e os seguintes às expedições predatórias na virada dos séculos VII ao VIII, por exemplo. Outra designação genérica para a divisão da Era do Ferro muito comum neste livro é "tempos pagãos", não estabelecendo diferenças entre os primeiros grupos humanos da tecnologia do ferro (na Antiguidade) até o momento em que são estabelecidas as primeiras sedes de bispados na Escandinávia, já no final da Alta Idade Média. No subcapítulo sobre pedras rúnicas, Worsaae comenta sobre os "tempos antigos das runas", o "período pagão" e o "período cristão inicial", a respeito da temporalidade das inscrições. Em um dos trechos mais importantes da obra, o arqueólogo analisa os vestígios dinamarqueses como verdadeiros monumentos do passado, e ao comentar sobre o século VIII, o caracteriza como um "período guerreiro". Como grande parte dos acadêmicos de sua época, Worsaae foi influenciado pelos poetas e pintores que adotaram a imagem de "nobres selvagens" do Norte no espírito de Montesquieu.

Logo em seguida, em 1952, Worsaae publica em Londres o livro *Danes and norwegians in england, Scotland and Ireland*, baseado em suas investigações extensivas sobre os monumentos nórdicos preservados nas Ilhas Britânicas. A diferença em relação ao livro anterior é a concentração exclusiva em estudos sobre a Alta Idade Média, no momento em que os escandinavos iniciam suas ações predatórias e o posterior desenvolvimento de colônias e áreas de influência cultural. Logo no prefácio o autor desmistifica o erro de uma interpretação corrente no período (a palavra viking ser traduzida ao inglês como *vi-king*, rei do mar) e a relaciona diretamente ao islandês *vik* e ao dinamarquês *vig*, baía. Apesar de em diversos momentos da obra empregar o termo viking para pirata (concepção ocupacional), também o emprega como sinônimo para nórdico (concepção étnica). Apesar de ainda não empregar objetivamente o termo Era Viking, Worsaae já caminha muito neste sentido, ao utilizar a expressão "tempos dos vikings", não estipulando precisamente o início deste período (manifestado tradicionalmente com os ataques predatórios do século VIII), mas com um fim bem delimitado: o início da dinastia dos Waldemar na Dinamarca, em 1146 d.C. As publicações de Jens Worsaae auxiliaram a consolidar o estudo do passado nórdico, especialmente sua materialidade, mas ainda não possuíam nenhuma noção mais rigorosa de cronologia ou ao menos um diálogo maior entre os registros históricos e o método arqueológico, que ainda estava em desenvolvimento neste período.

Segundo Jørgen Haavardsholm, alguns historiadores passaram a utilizar o conceito dentro de padrões nacionalistas, a exemplo de Peter Andreas Munch (1810-1863), diretor de um museu etnográfico que utilizou a Era Viking como argumento para a unificação da Noruega. Ele apresentou um mito de origem no qual os noruegueses seriam mais loiros e puros do que os suecos e dinamarqueses. Utilizando figuras históricas e literárias nórdicas, ele apresentou uma visão romântica do Período Viking: guerreiros brutais, mas organizados, criativos e preparando a vinda da cristandade.

O termo Era Viking foi empregado genericamente após a década de 1860, especialmente com o escritor Frederik Svanberg, que utilizou o conceito identificando-o com o final da periodização anterior de Idade do Ferro. A partir dele, os intelectuais escandinavos passam a utilizar a Era Viking como um conceito e um momento fixo na história escandinava. Devido ao escasso conhecimento arqueológico da cultura material nórdica da Alta Idade Média, a periodização utilizada para a Era Viking proveu de documentos escritos, especialmente as anglo-saxônicas descrevendo os ataques às Ilhas Britânicas.

O arqueólogo sueco Oscar Montelius é um exemplo do período de transição da utilização do termo Idade do Ferro até a consolidação do termo Era Viking. Inicialmente, seus primeiros livros enfatizavam as terminologias para a temporalidade que eram convencionais até Jens Worsaae, como no livro *Från jernåldern* (*Sobre a Idade do Ferro*, 1869). Mas na década de 1870 passa não somente a adotar a nova convenção, mas também a ser um grande entuasiasta dela. No artigo *Lifvet i Sverige under vikingatiden* ("A vida na Suécia durante a Era Viking"), da revista *Förr och Nu* (1872), ele compreende este período como um "tempo heroico", no momento em que os "filhos do Norte" estavam com as suas vidas muito limitadas e "vagavam pelos mares" em busca de "honra e ouro", para estabelecer "novos domínios em países distantes" e "com o seu sangue rejuvenescer os povos do sul da Europa". Também no livro *Om lifvet i Sverige under hednatiden* (*Da vida na Suécia durante o paganismo*) de 1873, dedica o capítulo final da obra para tratar da *Vikingatiden*.

Aqui a delimitação espaço-temporal acaba reunindo diversas idealizações românticas sobre a figura do viking – é o momento em que se firmam as raízes históricas de uma Europa em formação, servindo de modelo de identidade formativa para os países escandinavos ao final do século XIX. Esse conceito de temporalidade passa neste momento a ser divulgado em manuais escolares escandinavos, obras acadêmicas e de divulgação, mesmo nos Estados Unidos. Mais do que uma área de investigação de historiadores e arqueólogos, a Era Viking transformou-se num conceito artístico e político que auxiliou diversos países oitocentistas a moldar sua identidade nacional.

Para as pesquisas em língua inglesa, certamente a publicação mais importante na virada do século XIX para o XX foram o livro *The Viking Age* (1890), de Paul du Chaillu e o periódico *The saga Book of the viking club*, 1895. A obra do franco-americano Paul du Chaillu foi dividida em dois grandes volumes, o primeiro cobrindo aspectos de civilização, cultura e mitologia, enquanto o segundo abrangia elementos do cotidiano e da cultura material. Logo no prefácio, Chaillu caracteriza o norte europeu como local de passado glorioso, berço de uma "nova época" na história da humanidade, ancestrais dos ingleses (cujo país ele denomina de "a mãe das nações"), caracterizando os nórdicos no primeiro capítulo não como bárbaros, mas pelo contrário, como criadores de civilizações. De modo diferente de muitos britânicos da época, o autor não utiliza o ataque de Lindisfarne como marco inicial do período, e sim o segundo século depois de Cristo, terminando no século XII. Justamente por incluir capítulos sobre a Era do Ferro da Escandinávia, Chaillu não concebe muitas diferenças culturais entre a Antiguidade nórdica e a medieval, preocupando-se muito mais com aspectos civilizatórios, como a mitologia, as runas e a sociedade.

Quanto ao período referido em *The saga Book*, bem ao contrário, os estudos focam no período após as razias da Alta Idade Média até o reinado do rei Canuto ou a batalha da ponte de Stamford. São utilizados concomitantemente em diversos artigos de pesquisadores norte-americanos, escoceses e britânicos os termos "Período Viking" e "Era Viking" – especialmente em contextos relacionados à cultura material. Um tipo de estudo particularmente enfatizador deste emprego encontra-se em análises de monumentos dinamarqueses do século X da região da Cúmbria, na Inglaterra.

No início do século XX, diversos arqueólogos popularizaram o conceito de Era Viking em suas publicações pela Europa: *Nordisk og fremmed Ornamentik i Vikingetiden* (1921), do dinamarquês Johannes Brøndsted; *Vikingetidens smykker* (1928), do norueguês Jan Peterson; *Die normannen der Wikingerzeit* (1930), do russo W. J. Raudonikas; *Die Schatzfunde Gotlands der Wikingerzeit* (1947), do sueco Mårten Stenberger. Mas certamente o estudo arqueológico mais influente sobre o conceito de Era Viking – especialmente de um ponto de vista da cronologia e das divisões temporais mais precisas para período – encontra-se no livro *De Norske Vikingsverd* (1919), do norueguês Jan Petersen. Nele, o arqueólogo analisa os tipos de espadas escandinavas por meio do estilo de seus diferentes punhos, criando uma tipologia utilizada até nossos dias: tipo transicional (A e B), utilizados entre os séculos VII e VIII; a Era Viking inicial, com os tipos C e D (entre 750 e 800 d.C.); os tipos H e I (datados entre 800 e 950 d.C.); tipo K e M (século IX); tipos O e X (século X d.C.), denominados de estilos tardios. Em 1927 o renomado arqueólogo britânico Mortimer Wheeler publica *London and the Vikings* e amplia a tipologia e a cronologia das espadas nórdicas, conservando o ano 800 como marco inicial (tipo I), mas prolongando o final da Era Viking entre os séculos X e XI d.C. (tipo VIII e IX). Essas últimas seriam uma forma transitória entre a espada nórdica tradicional e a espada da cavalaria medieval. Assim, a Era Viking passou de um período construído historicamente para um período definido pela arqueologia.

Outros estudos que reforçaram a classificação temporal da Era Viking pela cultura material foram os que envolviam arte. Thomas Downing Kendrick publica em 1949 a obra *Late saxon and viking art*, explorando os diferentes estilos artísticos nórdicos e suas periodizações internas e externas – especialmente as desenvolvidas nas Ilhas Britânicas. Essa mesma tendência seria seguida depois por outros especialistas britânicos, como David Wilson e Graham Campbell, além do dinamarquês Ole Klindt-Jensen. Todos esses pesquisadores convencionam a arte nórdica da Alta Idade Média como sendo delimitada pelo estilo inicial de Oseberg (800 d.C.) e finalizada pelo estilo tardio de Urnes (1.100 d.C.), popularizando essas duas datas como limítrofes para a própria Era Viking em geral. Esse mesmo referencial cronológico seria seguido estritamente por outros autores escandinavos, como o arqueólogo dinamarquês Johannes Brøndsted com o livro *Vikingerne* (1960). Vinte anos mais tarde, outra arqueóloga de mesma ascendência, Else Roesdhal, em seu livro *Vikingernes verden* (1987), repete essa tendência, abandonando o marco categórico do ataque a Lindisfarne (793), muito popularizado pela historiografia inglesa, e reitera o século VIII ou o ano 800 como data inicial da Era Viking. Para a sua finalização, novamente deixa de lado o padrão britânico (em especial a morte do rei Canuto III em 1042) e elegendo o século XI como marco final.

Um momento especial de consagração do conceito no século XX foi a publicação do livro *The Age of the Viking* (1962), do historiador inglês Peter Sawyer. Nele, o autor concebe a Era Viking como um período de expansão de uma população amadurecida com experiências anteriores dos grupos germânicos (como os saxões e os francos), mas acima de tudo como uma noção fabricada pelos acadêmicos modernos e sujeita a adaptações e transformações críticas.

Novas concepções sobre a Era Viking: A partir dos anos 1980, alguns acadêmicos iniciaram algumas contestações ao conceito de Era Viking, além de outros proporem novas datações para o seu início e término, bem como implicações para o seu uso. O livro *Decolonizing Viking Age* (vol 1., 2003) do arqueólogo sueco Frederik Svanberg argumenta que o conceito de Era Viking foi um sistema de conhecimento construído essencialmente durante o século XIX e suas ideias básicas se mantêm até hoje. Esse sistema foi fortemente influenciado pelos pensamentos evolucionistas e nacionalistas de sua época e pode ser caracterizado como um colonialismo sobre o passado. Em uma perspectiva pós-colonial, Svanberg criticou o referencial de uma única "cultura viking", sugerindo que o conceito de nórdico antigo substitua a velha e romântica noção de Era Viking.

Para Richard Hodges (*Goodbye to the vikings?*, 2006) a afirmação de que os vikings foram agentes de mudança na história europeia foram exagerados, percebendo a diáspora nórdica mais como consequência de fatores econômicos do que culturais. Sua visão dos ataques a Inglaterra e França como fruto da economia carolíngia foram criticados por Clare Downham. Charlotta Hillerdal em uma resenha no periódico *Journal of Archaeology and Ancient History* (n. 17, 2016) aponta os diversos questionamentos sobre esse conceito: um período histórico que compreende diversas perspectivas cronológicas, geográficas e culturais, dependendo da região. Assim, a Era Viking é caracterizada enquanto um período de migrações e movimentos dos povos, uma contínua renegociação de áreas culturais. Na Finlândia, por exemplo, a fundação de Staraia Ladoga em 753 d.C. e a falta de centralização política e a cristianização tardia na região tardam o desfecho da Era Viking na região para 1250, com o período tardio situado entre 1050-1250.

Estudando o sítio de Borre (Noruega), o arqueólogo Bjørn Myhre considerou que a arqueologia da Era Viking é superdependente do referencial do historiador, baseado em fontes escritas, especialmente em questões relativas a religião, política e sociedade. Já os arqueólogos têm se dedicado muito mais a problemas de cronologia, arte, tecnologia, sepulturas e assentamentos. Mas nas últimas três décadas o conhecimento arqueológico progrediu muito, além de contar com diversas outras disciplinas correlatas em apoio às análises dos vestígios. Dessa maneira, estudos demonstram que fortes centros políticos já existiam no século VIII, e os estilos artísticos tradicionais do Período Viking já ocorriam antes do século IX (como no estilo de Broa). Também em sepultamentos existem evidências de primeiros contatos entre britânicos e escandinavos desde a Era das Migrações Nórdicas, estendendo-se até o Período Vendel. Análises vêm demonstrando que embarcações a vela já eram usadas no início do século VII. Evidências de incursões vikings foram encontradas nas ilhas Hébridas em 750 d.C. e nas ilhas Faroé ainda no século VII. Assim, Bjørn Myhre conclui que o início da Era Viking pode ser fixado em qualquer um dos vários pontos ao longo de uma escala de tempo que vai entre os anos de 700 a 800 d.C., dependendo do critério escolhido.

Os estudos das conexões entre Escandinávia e Leste Europeu também modificaram o conceito de Era Viking, ampliando o impacto antes visto centralmente apenas nas Ilhas Britânicas e Bretanha francesa. Estudos recentes sobre o Estado dos rus, suas redes de conexões comerciais com o Oriente e a Europa, postos militares e a política de dominação com as populações regionais justificam a criação de uma temporalidade para o período de 700 a 1100 d.C. Em 2008, foi encontrado um sepultamento em um barco na região de Saaremaa (Estônia), com 28 esqueletos de suecos, dentre os quais vários nobres. Eles possivelmente foram enterrados após um saque malsucedido, visto que a maioria morreu perfurada, decapitada ou teve o topo do crânio arrancado. Os corpos foram juntados e colocados no fundo do casco, cobertos com panos e escudos. O evento data de 750 d.C. segundo o arqueólogo Jüri Peets.

Em seu artigo "Viking ethnicities" (*History Compass*, 2012), a historiadora britânica Clare Downham defendeu a continuidade do termo Era Viking, alegando que esse conceito possui grande importância cultural, econômica e política para diversas regiões na história europeia. As mais recentes teses de doutorado em Arqueologia e História tanto de países escandinavos quanto de línguas germânicas em geral, além de livros e artigos especializados, continuam a utilizar majoritariamente o conceito, com alterações quanto a cronologias ou amplitude da diáspora nórdica.

Johnni Langer

Ver também Dinamarca da Era Viking; Escandinávia; Finlândia da Era Viking; Islândia da Era Viking; Noruega da Era Viking; Suécia da Era Viking; Viking.

AYOUB, Munir Lutfe. Repensando o conceito de período Viking. *Anais do XXI Encontro Estadual de História*, ANPUH, 2012, pp. 01-14.

BLANCK, Dag. The transnational viking. *Journal of transnational American Studies*, vol. 7, n. 10, 2016, pp. 01-19.

BJORN, Myhre. The beggining of the Viking Age: some current archaeological problems. In: FAULKES, Anthony & PERKINS, Richard. *Viking revaluations*. London: University College London, 1993, pp. 182-203.

HAAVARDSHOLM, Jørgen. *Vikingtiden som 1800-tallskonstruksjon*. Oslo: Det historisk-filosofiske fakultet, Universitet i Oslo, Unipub, 2005.

HAGERMAN, Maja. *Det rena landet*: Om konsten att uppfinna sina förfäder. Stockholm: Prisma, 2006.

LIND, John. "Vikinger", vikingetid og vikingeromantik. *Kulm* (Årbog for Jysk Arkæologisk Selskab), vol. 61, 2012, pp. 151-168.

PPETS, Jüri *et al.* Archaeological investigations of pre-viking age burial boat in Salme Village at Saaremaa. *Archaeological Fieldwork in Estonia*, 2010, pp. 29-48.

SORENSEN, Preben Meulengracht & ROESDAHL, Else. *The Waking of Agantyr*: The Scandinavian Past in European Culture. Aarhus: Aarhus University Press, 1996.

SVANBERG, Frederik. *Decolonizing Viking Age*, vol. 1. Acta Archaeologica Lundensia. Series in 8° 43. Lund: Lund University Puvblications, 2003.

ÉRICO MACHADO SANGRENTO (ERIK HARALDSSON)

Érico Machado Sangrento (Erik Haraldsson) nasceu por volta de 885, como um dos vários filhos do rei Haroldo Cabelos Belos (c. 850-943) e da rainha Ranghild, uma das últimas esposas de Haroldo. Seu pai foi o primeiro rei de uma Noruega unificada, embora a Noruega daquela época não correspondesse territorialmente ao atual país. Apesar de não ser o primogênito, Haroldo decidiu abdicar do trono em favor de seu filho Érico. Os motivos não são claros, mas isso teria revoltado os irmãos mais velhos. A história relata que, temendo que fosse destronado por seus vários irmãos, Érico matou pessoalmente alguns deles. Esses atos de fratricídio lhe renderam o título póstumo de "Machado Sangrento" (*Blóðøx*, em nórdico antigo).

O fato de ter assassinado a própria família levou a nobreza norueguesa a se posicionar contra seu rei, já que Érico assumiu o trono por volta de 930 ou 933. Com isso, alguns de seus opositores decidiram apoiar um dos irmãos de Érico, o príncipe Haakon, o Bom (c. 920-961), um dos últimos filhos que Haroldo teve. Nessa época Haakon vivia na Inglaterra sob proteção do rei Athelstan (924-939). Tal condição era uma trégua entre o rei Haroldo Cabelos Belos e o rei inglês e dessa forma Haakon foi educado à moda inglesa e convertido ao cristianismo.

Quando a notícia de que Érico havia se tornado rei e estava matando a família chegou aos ouvidos do monarca inglês, Athelstan temeu que o impulsivo e sanguinário novo rei da Noruega rompesse a trégua firmada por seu pai. Com isso, Athelstan enviou Haakon de volta para casa, fornecendo-lhe navios e homens, no intuito de que destronasse seu irmão mais velho. Haakon conseguiu apoio na Noruega e declarou guerra ao irmão, forçando-o a renunciar ao trono em 934 ou 935. Érico ainda tentou reaver o trono, mas como não obteve sucesso exilou-se no arquipélago das Órcades, ao norte da Escócia. Posteriormente viajou para o Reino de York.

No Reino de York, território de influência dinamarquesa sobre o antigo reino anglo-saxão da Nortúmbria, Érico passaria o restante da vida e disputaria o trono. Érico chegou a York na década de 940, passando alguns anos participando de incursões locais de pilhagem na Escócia, Irlanda e na Inglaterra. Nesse tempo ele firmou alianças e com isso disputou o trono, assumindo-o brevemente entre 947-948. Seus atos na Nortúmbria levaram o rei inglês Edredo (946-955) a combatê-lo. Érico Machado Sangrento não dispunha de um exército forte para assegurá-lo no trono, e com isso renunciou.

Aproveitando a renúncia de Érico, um chefe chamado Olavo Cuárán de Dublin viajou para a Nortúmbria e assumiu o trono de York. Nos anos seguintes, Érico reuniu novos aliados e homens para tentar reaver o trono, obtendo vitória sobre Olavo, e reassumindo o poder em 952. No entanto, o novo reinado de Érico também seria breve. Após cerca de dois anos de governo, Érico sofreu uma traição e com isso perdeu muito de seu apoio. Enfraquecido, foi cercado por tropas inglesas e morto em combate em Stainmore. Sua morte marcou o fim do domínio viking na Nortúmbria, assim como pôs fim ao Reino de York.

A história de Érico Machado Sangrento foi relatada em diferentes crônicas de origem saxã, norueguesa, irlandesa etc., embora nem sempre tratassem de narrativas coesas. Na *Heimskringla* (XIII), de autoria atribuída a Snorri Sturluson, conta-se como Érico matou alguns homens e participou de expedições pelo mar Báltico, chegando a territórios russos. Por sua vez a *Saga de Egill* (*Egills saga*), traz o poema *Höfuðlausn*, escrito por Egill Skallagrimsson, o qual atua como um panegírico para Érico. Outra menção honrosa ao último rei de York advém do *Eiríksmál*, canção encomendada pela viúva de Érico, Gunnhild, cuja obra enaltecia os feitos guerreiros do falecido marido, e até mesmo menciona sua viagem ao Valhala.

Apesar de haver controvérsias e dúvidas sobre todos os feitos narrados em poemas e sagas referentes a Érico Machado Sangrento, ainda assim, sua história como monarca foi mais significativa no Reino de York do que como rei da Noruega. Em York, apesar de ter governado de forma breve por dois mandatos a ponto de mandar cunhar moedas com seu nome em latim, Érico conseguiu prolongar até o último suspiro aquele reino viking no norte da Inglaterra.

Leandro Vilar Oliveira

Ver também Era viking; Jorvik; Noruega da Era Viking; Viking.

GRAHAM-CAMPBELL, James (org.). *Os vikings*. Barcelona: Folio S.A, 2006.

HOLMAN, Katherine. *Historical dictionary of the vikings*. Lanham: Scarecrow Press Inc, 2003.

STURLUSON, Snorri. *Heimskringla*. Translated Alison Finlay and Anthony Faulkes. London: University College London/Viking Society for Northern Research, 2011.

WINROTH, Anders. *The Age of the Vikings*. Princenton: Princenton University Press, 2014.

ÉRICO, O VERMELHO

Eiríkr Þorvaldsson ou Érico, o Vermelho (*Eiríkr hinn rauði*), cujo apelido é associado à coloração de seu cabelo e barba, foi um nórdico responsável pela descoberta da Groenlândia e influenciador direto da descoberta do continente americano, sendo um dos personagens mais famosos da literatura nórdica. Nascido em meados de 950, na Noruega, filho de Thorvaldr, pai e filho foram obrigados a deixar a região por conta de assassinatos e tomaram terras em Hornstrandir, como nos revela a *Saga de Eiríkr, o Vermelho*, enquanto ele tinha ainda tenros dez anos de idade.

A história de vida de Érico é marcada por conflitos e assassinatos, que servem de dínamo para o avanço das narrativas de suas fontes literárias. Pouco tempo após a morte de seu pai, Érico se casa, mudando-se para o "Lugar de Érico". Nesse local, envolve-se em conflitos que culminam no assassinato, por parte de Érico, de duas pessoas. Como resultado disso, tornou-se alvo de um processo legal e foi expulso da região – a região de Haukadalr. De lá, ele toma as terras de Brokey e Øxney, passando a morar em Traðir, ao sul da Islândia. Mas, novamente, devido a uma questão de empréstimo de tábuas, envolve-se em novos confrontos e morticínios. Estes últimos são solucionados na assembleia de Thórnes, em que Érico e sua gente se tornam proscritos.

Sabendo da sua situação delicada na ilha, Érico resolve buscar as terras relatadas por Gunnbjörn, filho de Úlfr Corvo, uma vez que foram descritas como uma terra nova e com abertura para um sujeito com um histórico familiar de expulsões legais de suas localidades. Ele zarpa da ilha, após se esconder de seus inimigos, e busca a localidade relatada, encontrando as geleiras de Hvítserkr, já na Groenlândia. A partir desse ponto, ele passa a explorar toda a região: mora em alguns lugares, conhece e nomeia outros (c. 982-983). Após cerca de dois anos, ele retorna para a Islândia, trazendo notícias da terra que denominará "Groenlândia" (que significa Terra Verde), "[...] pois disse que as pessoas desejariam muito ir até lá se a terra fosse bem denominada" (Anônimo, 2007b, p. 90).

Érico, com sua mulher Thjóðhildr, tiveram três filhos homens: Thorsteinn, Thorvaldr (as *Sagas do Atlântico Norte* divergem quanto à existência de Thorvaldr como um outro filho de Eiríkr) e Leifr, sendo este último o grande descobridor da América. Além destes, Érico teve também uma filha ilegítima chamada Freydís. Na Groenlândia, Érico tomou para si as regiões do fiorde de Eiríkr, onde ficava Brattahlíð, localidade em que morava. Durante toda sua vida, foi um sujeito considerado por muitos e apreciado pelas suas conquistas e como uma liderança forte em toda região. As *Sagas do Descobrimento da América* nos revelam muito de Érico, embora, por outro lado, a composição estilística das sagas acabem por nos revelar menos do que gostaríamos. Afinal, o estilo mais objetivo e seco das sagas frequentemente apresenta apenas uma superficialidade psicológica dos participantes das narrativas, o que dificulta criar hipóteses sobre algumas características de Érico.

Essas mesmas narrativas literárias exaltam a importância de Érico, mas são seus filhos que se tornam os protagonistas das narrativas. Leifr, que traz o cristianismo para a Groenlândia, mesmo que seu pai se mantenha pagão, acaba por ser o grande personagem do texto. Soma-se a isso a noção de destino como grande recurso narrativo para a retirada de Érico do descobrimento do continente americano, como se vê na *Saga dos Groenlandeses*: "Não me é destinado encontrar mais terras além desta que agora habitamos [Groenlândia]; daqui não seguiremos mais todos juntos" (Anônimo, 2007a, p. 63). Essa fala ocorre após sua queda do cavalo, o que impede acompanhar seu filho, provavelmente como um recurso narrativo cristão, que cria uma dimensão de nobre pagão ao redor de Érico, mas que ainda mantém seu lugar de pagão dentro da narrativa cristã.

O fim da vida de Érico é revelado pela mesma saga, de uma maneira típica de sua estilística: "Naquele inverno apareceu uma forte doença no bando de Thórir, e morreu o próprio Thórir e também grande parte do seu bando. Naquele inverno morreu também Eiríkr Vermelho" (Anônimo, 2007a, p. 68). A narrativa, de forma bem seca, revela a morte de Érico, sem de fato nos revelar uma causa, o que faz presumir que seja através de causas naturais. Todavia, a *Saga de Eiríkr, o Vermelho* não apresenta uma morte tão prematura assim, algo que se vê, por exemplo, pelo fato de que os que retornam da exploração na América do Norte se abrigam junto dele. Sua morte não é um consenso dentro das fontes literárias, mas se pode traçar para aproximadamente 1003-1004 d.C., embora se afirme na *Saga dos Groenlandeses* que Érico morre antes cristianismo chegar à região, inferindo a um período um pouco anterior ao ano 1000.

Considerado um dos grandes símbolos do mundo nórdico e da cultura viking, Érico está presente em monumentos por todo o mundo, em símbolos comemorativos e como tema de músicas e álbuns de bandas de várias nacionalidades. Seu papel como descobridor da América é ímpar no curso do estudo da Escandinávia, assim como a trajetória histórica das fontes em que aparece seu nome, colocando-o como um dos mais famosos vikings de todos os tempos. Sua liderança e força marcaram a região da Groenlândia, fazendo a área do seu fiorde e dos vizinhos atingirem cerca de 5 mil habitantes em seu ápice, sem falar nos 400 a 500 habitantes que foram de forma mais imediata para a Terra Verde graças a sua descoberta e habilidade, algo que fica evidente no *Íslendingabók* (*Livro dos Islandeses*, que narra sobre os assentamentos nórdicos, falando da colonização da Islândia e comentando sobre a descoberta e assentamentos da Groenlândia) e no *Landnámabók* (*Livro da Colonização*, que descreve de forma mais detalhada o povoamento da Islândia nos séculos IX-X e que terce comentários sobre a Terra Verde).

José Lucas Cordeiro Fernandes

Ver também Brattahlid; Islândia da Era Viking; Sagas do Atlântico Norte.

ANÔNIMO. A Saga do Groenlandeses. In: *As três sagas Islandesas*. Tradução de Théo Moosburger. Curitiba: Editora UFPR, 2007a.

ANÔNIMO. A Saga de Eiríkr Vermelho. In: *As três sagas Islandesas*. Tradução de Théo Moosburger. Curitiba: Editora UFPR, 2007b.

ARNEBORG, Jette. The Norse Settlements in Greenland. In: BRINK, Stefan & PRICE, Neil (eds.). *The Viking world*. London: Routledge, 2012, pp. 588-597.

FERNANDES, José Lucas Cordeiro; CARDOSO, Gleudson Passos; SANTOS, André Luiz Campelo dos. A descoberta do horizonte: a cristianização dos Vikings na América. *Revista Brasileira de História das Religiões*, vol. 8, 2015, pp. 109-124.

GWYN, Jones. *La saga del Atlántico Norte: establecimiento de los vikingos en Islandia, Groenlandia y América*. Barcelona: Oikos-Tau, S.A. Ediciones, 1992.

RAFNSSON, Sveinbjörn. The Atlantic Islands. In: SAWYER, Peter (ed.). *The Oxford Illustrated History of the Vikings*. Oxford: Oxford University Press, 2001, pp. 110-133.

SHAFER, John Douglas. *Saga accounts of norse far-travellers*. Durham: Durham University, 2010.

THORGILSSON, Ari; ANÔNIMO. *Íslendingabók, Kristni Saga: The book of the icelanders, the story of the conversion*. Tradução de Sion Gronlie. Viking Society for Northern Research: University College of London, 2006.

UMBRICH, Andrew. *Early Religious Practice in Norse Greenland: From the Period of Settlement to the 12th Century*. Reykjavík: Universidade da Islândia, 2012.

ESCANDINÁVIA

Conceito geral: Escandinávia é um termo que designa uma região do norte europeu definida pela geografia, cujos contornos foram também elaborados por referenciais históricos e linguísticos. Alguns geógrafos a definem como a península montanhosa situada entre a Noruega e a Suécia, enquanto outros a conceituam baseando-se nos antigos reinos da Suécia, Noruega e Dinamarca. Devido ao alcance da colonização destes três países pela Europa Setentrional, o conceito de Escandinávia por vezes se confunde com o de povos nórdicos ou Norte, fazendo com que a Islândia, ilhas Faroé e Finlândia sejam integradas à região.

Origem do termo: A citação mais antiga ocorreu em *História Natural* (79 d.C.) de Plínio, o velho. Nessa obra, o autor credita o termo ao que seria uma grande ilha do Báltico, *Scatinavia*, ideia seguida por vários autores da época. É consenso entre a grande maioria dos pesquisadores que o termo que surge nas fontes latinas proveio do germânico *skadan (perigo), significando originalmente perigo; e *awjō, terra das águas. Isso seria reflexo do perigo enfrentado pelos navegadores nas águas turbulentas do local. Plínio também se refere a um grupo de ilha chamadas de *Scandiae*. Posteriormente, os escritores latinos passam a empregar o termo tanto para identificar a região de Skåne (sul da Suécia) quanto a Escandinávia como um todo. Para Ptolomeu (90-168 d.C.), *Scandiae* se referia a um conjunto de ilhas.

Scandia e a deusa Skadi: Alguns pesquisadores, como Régis Boyer, consideram que o termo Escandinávia proveio do nome da deusa Skadi (ilha de Skadi: *Skathin-auja, Scandzia insula*). Para o mitólogo John Mckinnel, Skadi teria sido a personificação da terra nórdica e também representaria uma figura do submundo, como no sentido apresentado em outros termos germânicos semelhantes: o gótico *Skadus* e o anglo saxão *Scadu*, significando sombra. Na *Crônica de Frédégaire* (c. 642 d.C.), escrita em burgúndio, a região é chamada de Scathanavia, e no *Vita Sancti Sigismundi* (c. 720 d.C.) é denominada de Scarthoari.

Segundo Peter e Birgit Sawyer, o termo Escandinávia não foi muito citado durante o período medieval, sendo preterida a expressão *Septentrionale*, em referência à extrema visibilidade da constelação da Ursa Maior em altas latitudes (chamada pelos romanos antigos de *Septem triones*). Em seu prefácio da *Gesta Danorum* (século XIII d.C.), Saxo Grammaticus não utiliza o termo Escandinávia, caracterizando o clima e a geografia da Noruega, Suécia e Dinamarca como sendo o mesmo. Segundo ele, o céu nórdico (especialmente a visibilidade das constelações do Boieiro e da Ursa maior) das altas latitudes e quase tocando a zona ártica seria uma de suas maiores características físicas.

Escandinávia nos tempos modernos: Para Zenon Ciesielski, o significado do termo Escandinávia depende do critério adotado, seja geográfico, histórico, linguístico, étnico, político ou administrativo. A diversidade escandinava é baseada na diferença entre grupos de cada região, classificados como cultura nova ou antiga, estritamente relacionadas à formação das identidades nacionais durante o século xix. Grupos antes não classificados como escandinavos, como os lapões (sámi), groelandeses e finlandeses agora já são reconhecidos como tal.

Segundo Bo Strath, o termo Escandinávia foi um dos muitos utilizados pelas ideologias políticas de unificação na Europa durante o Oitocentos. Em oposição aos movimentos de unificação alemão e italiano, o caso nórdico foi uma *nazione mancata*, uma imagem de nação que nunca se concretizou. Após a década de 1830, os intelectuais nórdicos frequentemente utilizaram imagens de um passado glorioso, como símbolos góticos, os vikings e a idealização do fazendeiro medieval (*odalbonde*). Os movimentos escandinavistas emergiram na literatura, na arte, na cultura e na academia. Alguns educadores desse momento sugeriram que as universidades deveriam se pautar nos valores nórdicos antigos, em vez do dominante referencial latino.

Para a pesquisadora Marja Jalava, o termo Escandinávia foi usado frequentemente como sinônimo para Norte na língua inglesa. É uma região historicamente definida, produzindo e reproduzindo durante séculos diversos aspectos cotidianos da vida social, cultural, econômica e política da Alta Idade Média, passando pela União de Kalmar até a unificação da Dinamarca e Suécia. Em tempos mais recentes, o luteranismo se apresentou como uma estrutura histórica e institucional comum aos países nórdicos, além do Estado centralizado e o ruralismo. A partir dos anos 1830 foi desenvolvido o mito romântico do panescandinavismo, em torno da ideia de que o Norte (*Norden*) constitui uma nação (*Volk*) baseada em um patrimônio linguístico-cultural e histórico em comum. Desse modo, a Era Viking e a União de Kalmar tornaram-se elementos centrais para a ideia de uma identidade nórdica antiga. Após o fracasso do panescandinavismo em 1864, ele foi substituído por um escandinavismo prático ou "nordismo". A imagem de um passado em comum foi reconstruída, sendo agora a ideia de Norte manifestada como um elemento natural das nações-estado, anacronicamente projetada sobre períodos históricos antigos.

Ainda segundo Marja Jalava, existiu uma tensão entre os conceitos de Escandinávia e Norte. Enquanto o primeiro significava uma unificação nórdica sem a presença da Finlândia, o segundo a incluía. Em islandês, Escandinávia é utilizado somente para a península escandinava (ou seja, Noruega e Suécia), enquanto muitos acadêmicos distinguem Norte Atlântico (Dinamarca, Islândia e Noruega) do Norte Báltico (Finlândia e Suécia). No final do século XIX surgiu um novo tipo de escandinavismo, atrelado a ideias evolucionistas, raciais, filológicas e antropológicas, que misturava o pangermanismo com darwinismo social, gerando a ideia da raça nórdica como superior às demais. Em 1929 foi fundado na Suécia o periódico histórico *Scandia*, fundindo história nacionalista e ciência moderna, mas defendendo a perspectiva de um patrimônio escandinavo-nórdico em comum. Em uma perspectiva mais moderna, foi fundado, em 1976, o periódico *Scandinavian Journal of History*.

Johnni Langer

Ver também Dinamarca da Era Viking; Era Viking; Finlândia da Era Viking; Islândia da Era Viking; Noruega da Era Viking; Suécia da Era Viking; Viking.

BOYER, Régis. Skadi. *La grande déesse du Nord*. Paris: Berg International, 1995, pp. 184-204.

CIESIELSKI, Zenon. The culture of Scandinavia. *Folia Scandinavica* n. 4, 1997, pp. 167-175.

HELLE, Knut. (org.). *The Cambridge History of Scandinavia*. Cambridge: Cambridge University Press, 2008, vol. 1.

JALAVA, Marja. The Nordic Countries as a Historical and Historiographical Region: Towards a Critical Writing of Translocal History. *História da Historiografia*, n. 11, 2013, pp. 244-264.

STRATH, Bo. The idea of a Scandinavian Nation. *Opiskelijakirjaston verkkojulkaisu*, University of Helsinki, 2007, pp. 208-223.

ESPADA

Aspectos gerais: Os nórdicos medievais estão estreitamente vinculados ao uso do machado e da espada, mas sem sombra de dúvida a espada era a marca do guerreiro na Era Viking. As espadas eram feitas de aço, sendo simples e funcionais, mas difíceis de serem feitas. Na *Fóstbrœðra saga* 3, menciona-se que poucos homens eram armados com espadas na Islândia no período das sagas. Nos sepultamentos islandeses escavados, somente 16 espadas foram recuperadas. A espada era o item mais valioso que um homem possuía. A única referência de preço na literatura é mencionada na *Laxdæla saga* 13, onde o rei Hákon Haraldsson presenteia Hoskuldr Kollson com uma espada no valor de dezesseis vacas leiteiras, um preço extremamente alto para os padrões medievais. Apesar de serem mais pesadas do que as lanças, eram muito mais duráveis.

Seu porte ia além de suas vantagens técnicas e militares: era símbolo de prestígio e poder. Quanto mais elevado o estatuto social do indivíduo, melhor e mais cara era a sua espada. Por vezes o cabo era ricamente adornado e a lâmina da espada deveria ser bem resistente. As lâminas eram importadas da região dos francos, mas os cabos geralmente tinham origem local, sendo adornados de acordo com os estilos artísticos vigentes em sua época e região. O modelo franco-carolíngio adotado nas lâminas nórdicas foi derivado da espada merovíngia. Algumas espadas produzidas pelos ferreiros nórdicos também acabaram sendo exportadas. Espadas eram roubadas e adquiridas muitas vezes através de inimigos mortos, juntamente com escudos, elmos, cotas de malha e outros equipamentos. Algumas espadas eram passadas de geração a geração, herdadas como bens de família, a exemplo de Grettir. Perder uma espada era uma catástrofe.

Morfologia e detalhes técnicos: Em 1919, foi criada a tipologia básica para o estudo das espadas nórdicas, realizada em Oslo por Jan Peterson e posteriormente aperfeiçoada por Mortimer Wheeler em 1927. A tipologia das espadas segue o padrão dos diferentes tipos de punhos, sendo nove no total (desde o padrão I, do século IX, até o padrão IX, do século XIII). Uma espada nórdica era composta das seguintes partes: empunhadura (composto pelo pomo, cabo ou punho e guarda-mão) e lâmina (sulco central, os fios ou gumes laterais e a ponta). O cabo era curto para encaixar somente um único punho. Eram feitos desde madeira até materiais mais elaborados e outros cobertos com metais preciosos. Existiam muitas variedades, principalmente no formato do pomo, guarda mão e cabo do punho. O peso das espadas girava em torno de dois quilos e sua lâmina possuía cerca de 90 cm de comprimento.

Era normalmente transportada em uma bainha de couro forrada com pele de carneiro ou em cintos especiais, dos quais praticamente não sobreviveu nenhum exemplar. Segundo William Short, não existem evidências históricas de espadas vikings que portaram gemas. Não existem detalhes de como os nórdicos mantinham suas armas. A rotina de amolar armas e equipamentos era diária, mas geralmente o próprio portador da espada a afiava, embora em alguns casos o trabalho ia para outra pessoa. Existem indícios de afiadores profissionais de espadas (*Brennu-Njáls saga* 44). Evidências arqueológicas reforçam a ideia de que algumas espadas tiveram uso contínuo – um exemplar do século XI possuía uma lâmina que havia sido confeccionada durante o período das migrações germânicas (século III ao VII d.C.), muito antes da Era Viking. O equipamento era utilizado por séculos e continuava a receber manutenções e cuidados.

Técnicas de combate: Matar um inimigo com espada era considerado tão nobre quanto matar à distância com lança. As espadas eram usadas para cortar e empurrar armas, mesmo com lâminas cegas. Elas eram mantidas com as bordas afiadas, muito usadas para cortar, bater e se chocar contra escudos de madeira, armaduras, armamentos e pernas. Nestas circunstâncias, a literatura nórdica medieval contém diversos casos de espadas que foram impulsionadas com tanta força que ficaram presas em madeiras, ossos, ferro ou outro material, momentaneamente deixando o seu possuidor desarmado e morrendo nas mãos dos inimigos. Elas eram devastadoras em poder de corte e penetração. Thorstein Midlang lutou contra Bue do grupo de elite Jomsvikings, atravessando o seu nariz até a metade do elmo. Escudos e armaduras eram frequentemente descritos como sendo cortadas como gelo pelo poder da espada.

As espadas possuíam duas faces de corte, podendo ser usadas por ambas as mãos, sem necessidade de verificar qual lado tinha fio, mas normalmente eram empunhadas com a mão direita, enquanto a esquerda portava um escudo. Os manuais de combate germânicos denominam os dois lados da espada de gume longo (para a aresta que fica situada do lado frontal a partir do momento que está empunhada pela mão do combatente) e gume curto (para a aresta que fica atrás da espada empunhada). Cortes com o gume longo são mais poderosos, mas existiam técnicas para utilizar também o gume curto. A literatura preservou alguns casos em que eram utilizados métodos de combate com espadas em ambas as mãos, como na *Þorskfirðinga saga* 10. Existem referências de espadas quebradas durante as batalhas (*Gísla saga* 1), fato também confirmado pela arqueologia.

Metalurgia: O ferreiro muitas vezes padronizava as lâminas para que tivessem uma resistência maior. Isso era realizado mesclando-se várias tiras de metal conjuntamente, torcendo o metal, martelando-o por fora e deixando-o liso. Ao adicionar carbono, quando ele ainda se encontra quente e vermelho, ele produz bordas de aço afiadas. As espadas eram elaboradas seguindo o método metalúrgico conhecido como padrão de soldagem, no qual diferentes concentrações de ferro, aço e derivados formam um desenho retorcido para as espadas, deixando-as com uma lâmina flexível, leve e resistente. Os dois nomes mais comuns marcados em espadas nórdicas foram Ingelri e Ulfberth, mas também sobreviveram outros nomes de ferreiros ou fabricantes: Nisomefecit, Banto, Atalbald, Leutfrit, Benno, Erolt, Inno, Gecelin.

Espadas Ulfberth: Trata-se de um padrão de espadas produzidas na Europa entre os séculos IX e XII d.C., do qual se conhecem 170 exemplares, encontrados principalmente na Noruega e Suécia. As suas lâminas receberam a inscrição +Vlfberth+, um nome tipicamente franco. Não se sabe a origem desta denominação, que pode ter sido uma marca de ferreiro, centro de produção ou oficina, o nome de um monge ou mosteiro francês. Elas caracterizam uma transição entre o padrão geral das espadas nórdicas da Era Viking e o início das espadas da cavalaria medieval, sendo muitas lâminas do padrão Oakeshott tipo 10 (tipologia de Ewart Oakeshott). Segundo Frederik Jungqvist, o aço produzido para as espadas Ulfberth possivelmente era proveniente da Ásia central, com a qual os nórdicos tinham um intenso comércio redistribuído via região eslava e Báltico. O aço era trocado especialmente por peles do norte europeu.

Pesquisas e exames recentes de laboratório concluíram que a qualidade do aço destas espadas era muito superior à do aço medieval, sendo próximos do moderno e possuindo poucas escórias e impurezas. O conteúdo do carbono é três vezes superior ao da média das espadas medievais. Testes também demonstraram que o método metalúrgico empregado para obter a qualidade do aço foi o cadinho ou crisol. Apesar da inscrição franca, existe a possibilidade de que os próprios nórdicos tenham fabricado a espada. Mas, apesar disso, William Short destaca que não existem referências na literatura nórdica acerca da fabricação de espadas. O uso do nome inscrito na lâmina é explicado pela finalidade mágica: além e confirmar a qualidade, daria mais poder ao seu possuidor. Em muitos enterros, suas lâminas eram entortadas com o intuito de quebrar seu caráter sobrenatural e o guerreiro morto não retornar do além. Também existem indícios, segundo Alan Williams, de cópias de qualidade inferior do padrão Ulfberth feitas por pessoas analfabetas que tentaram imitar a espada.

Simbolismos: A espada estava associada intimamente com os laços familiares de um homem, a lealdade ao seu senhor, o excitamento da batalha, a realização da masculinidade e aos últimos ritos funerários. Recebiam nomes próprios, como *Fótbírt* (Mordedora de Pernas, *Laxdæla saga* 30). Na poesia escáldica as espadas foram alcunhadas com inúmeros evocativos poéticos (*kenningar*): Cobra da Batalha; Víbora; Serpente de Sangue; Gelo da Batalha; Cachorro do Elmo; Fogo do Rei do Mar etc.

A literatura nórdica preservou algumas indicações de runas gravadas em espadas. A *Völsunga saga* 21 descreve que runas de vitória seriam talhadas nas lâminas, assim como a runa do deus Tyr (↑). Não se conhece nenhum exemplar de espada germânica ou nórdica que tenha recebido esse tipo de inscrição rúnica. O único exemplar de espada da Era Viking que possui algum tipo de runa é Sæbø, Noruega, descoberta em 1821, com o texto: ohᛮmuþ. A suástica central foi reconstituída por George Stephens em ilustração de 1867, mas a lâmina foi deteriorada e é difícil de ser confirmada atualmente. A interpretação clássica dos pesquisadores é de que essa suástica tinha uma função de proteção para o possuidor da espada e no mundo nórdico era associada a Thor e a Odin. A espada do rei Horik, da série de televisão *Vikings*, é fantasiosa, apresentando runas do antigo período germânico (Elder futhark), sem relação com o padrão de escrita da Era Viking.

Algumas espadas apresentam imagens de animais, como a JPO 2242, datada do século XI. As bestas possuem formas de cachorros e monstros com cabeças e detalhes que lembram peixes. Outras espadas, por sua vez, possuíam representações de animais no pomo e guarda-mão, como na espada finlandesa de Suontaka (tipo AE, 1100 d.C.), apresentando serpentes entrelaçadas entre si. Em 1998 foram descobertos em Birka, Suécia, uma série de depósitos militares, entre os quais foram encontradas ponteiras de bainhas feitas de bronze. Elas apresentavam ornamentações no estilo Borre, também contendo símbolos entrelaçados de triquetras, em meio a figurações antropomórficas e animais. Elas foram datadas na metade do século X e estariam conectadas à então crescente burocracia e aparato militar em torno das lideranças políticas da região. Simbolizariam a lealdade e aliança, tendo a arte um uso de identidade e de propaganda.

Em 2011, durante as escavações em uma sepultura norueguesa em Langeid, foi descoberta uma espada incomum, datada do ano 1030 d.C. A lâmina estava muito enferrujada, mas o punho foi bem conservado, apresentando fios de prata e detalhes em ouro, com o pomo feito com ligas de cobre. Ela ainda apresenta decorações em espirais, letras em latim e ornamentos em forma de cruz. No topo do pomo, há a representação de uma mão segurando uma cruz, algo totalmente incomum em espadas da Era Viking. A arqueóloga responsável pelas escavações, Camilla Cecilie Wenn, acredita que o encontro de uma espada cristã em uma sepultura pagã indica um tesouro trazido para a Noruega por um homem muito poderoso. Pesquisas mais recentes indicam que essa espada pode ter sido usada por algum membro da guarda pessoal ou exército do rei Canuto em batalhas contra o rei Etelredo da Inglaterra.

Iconografia: A espada como motivo icônico e idealizado como principal arma de combate surge na Escandinávia durante a Era Viking. Anteriormente, no período das migrações, percebemos em várias representações de bracteatas uma vasta iconográfica referente ao uso da lança, arma tradicionalmente associada ao deus Wotan/Odin, e nesses objetos quase sempre estava relacionada junto a suásticas, cavalos e pássaros. No Período Vendel a lança ainda é majoritária, especialmente em relevos de elmos, junto a guerreiros e evocações ao culto de Odin. A partir do século VIII a espada torna-se o elemento principal de diversas cenas de caráter mítico, social e histórico na Escandinávia, aparecendo em representações de tapeçaria, esculturas, monumentos cruzes e portas de igrejas. Nas Ilhas Britânicas e na Suécia ela se transfigura na espada Gram do herói Sigurd, surgindo especialmente no momento da morte do dragão Fafnir – cena que é o elemento central de diversas pedras rúnicas, como Ramsund (Sö 101), Gök (Sö 327), U 1163 e U 1175.

Na ilha de Gotland, Suécia, percebemos claramente a alta idealização desse instrumento marcial como elemento de identidade da classe aristocrática e guerreira, sempre junto às representações de cultos fúnebres ou à ideia de renascimento junto ao Valhalla. Na pedra pintada de Stora Hammars I (datada de 700 a 800 d.C.), cinco das seis cenas possuem conexão direta com espadas. Das 26 pessoas representadas, 19 estão armadas com esta arma. A segunda cena (contando de baixo para cima) do monumento alude a uma batalha, onde talvez o morto homenageado pela pedra tenha sofrido seu ferimento mortal, situado abaixo de um cavalo e de uma águia. Logo a seguir temos a representação de Hildr e os exércitos inimigos e logo acima uma cena de sacrifício odínico, onde quatro guerreiros brandem suas espadas acima de suas cabeças. No alto, duas espadas estão cravadas no chão, entre um cavalo e dois homens. Mais acima, um ser masculino sentado (talvez um rei, talvez Odin) está no meio de dois guerreiros com suas espadas na mão e em posição ofensiva. Todo o conjunto denota ligação com o culto a Odin, com exceção da lança, que aparece uma única vez em todo o conjunto (na cena de sacrifício), a espada é a arma dominante, simbolizando o poder da elite guerreira.

Em outra pedra pintada gotlandesa (Lärbro Tängelgårda I, 700 a 800 d.C.), a identidade dessa elite com os cultos religiosos e a ideologia política é bem mais acirrada. Na cena superior, um homem paira sobre o ar, segurando um machado, e, logo acima, uma valquíria porta um corno de hidromel. Abaixo de imensas águias, um homem foi representado sob um cavalo de quatro patas; logo ao lado, três guerreiros em posição de ataque. Possivelmente trata-se do homenageado pelo monumento no momento em que este falece em uma batalha. Ao lado dessa cena, duas pessoas seguram espadas com as lâminas para cima, uma defronte da outra, o que parece denotar algum juramento ou comunhão. Na segunda cena (ou central do monumento), três homens caminham segurando as lâminas das espadas para baixo, num sentido de derrota ou morte do falecido, enquanto um cavalo com oito patas está ao lado direito (Sleipnir, o corcel de Odin). Na terceira cena, quatro guerreiros seguram braceletes para o alto, enquanto suas espadas estão nas bainhas. Um cavaleiro segue mais adiante (o falecido ou o deus caolho?), portando um escudo com espirais, enquanto seu cavalo possui três *valknuts* representados entre suas pernas. Nesse contexto, a espada está relacionada com a marcialidade, com os cultos fúnebres, com os juramentos entre irmãos de guerra e os cultos ao deus Odin. Ela reforça o alto status social do falecido e de sua integração com a aristocracia guerreira.

Johnni Langer

Ver também Armamento; Arquearia; Duelos; Guerra e técnicas de combate.

ANDROSHCHUK, Fedir. *Viking swords: swords and social aspects of weaponry in Viking Age society*. Stockholm: Historiska Museet, 2014.

GRANCSEY, Stephen. A Viking chieftain´s sword. *The Metropolitan Museum of Art Bulletin*, march 1959, pp. 173-182.

GRIFFITH, Paddy. *The viking art of war*. London: Greenhill Books, 1995.

HEDENSTIERNA-JONSON, Charlotte. A group of Viking Age sword chapes reflecting the political geography of the time. *Journal of Nordic Archaeological Science*, vol. 13, 2002, pp. 103-112.

LANGER, Johnni. Espadas míticas. In: LANGER, Johnni (org.). *Dicionário de Mitologia Nórdica*. São Paulo: Hedra, 2015, pp. 169-172.

LINDHOLM, David & NICOLLE, David. *Medieval Scandinavian armies*. Oxford: Osprey, 2003.

MACN'AH, Chris. *Swords: a visual history*. London: Dorling Kindersley, 2010.

PEIRCE, Ian. *Swords of the Viking Age*. London: Boydell Press, 2002.

SHORT, William. *Viking weapons and combat techniques*. Pennsylvania: Westholme, 2009.

SPRAGUE, Martina. *Norse warfare*. New York: Hippocrene, 2007.

YOST, Peter (dir.). *Secrets of the Viking sword*. New York: Nova/National Geographic Television, 2012, 54 m.

ESQUIMÓS (INUÍTES) E NÓRDICOS

Um dos grandes acontecimentos das Sagas do Atlântico Norte é caracterizado pelo encontros de exploradores nórdicos na América do Norte com as populações autóctones – que aqui se generalizará como esquimós. As fontes literárias e escritas apresentam dois momentos-chave sobre o tema: um primeiro momento de troca comercial e paz e um segundo, de conflito físico e violência, que não necessariamente ocorrem nesta ordem.

Antes de considerar esses momentos, é preciso tratar do termo *skrælingi* (p. *skrælingjar*), usado para se referir aos esquimós dentro do âmbito cultural nórdico e das fontes. A tradução para esse termo é difícil, pois representam-se nele sentidos mais amplos e de identificação étnica. Há traduções para "feio", "nativo" ou "autóctone", as quais não são bem aceitas academicamente. A última, por exemplo, negligencia que o sentido dessa palavra não almeja essa representação de povo local. Na *Saga de Eiríkr, o Vermelho*, tem-se também o uso da expressão *smáir* e *svartir* (dependendo da edição e preservação documental), que também foram usadas para esses esquimós, significando "pequeno" e "de cabelo negros", respectivamente. Sobre a etimologia dessa palavra, pode-se traçar do norueguês *skræla*, que significa gritar, gritar muito alto, ou do islandês *skrælna*, que pode ser lido como murchar ou secar. De fato, é um termo derrogatório, que no norueguês moderno – *skræling* – quer dizer fraco ou pessoa miserável, enquanto *skrælingi*, do islandês moderno, quer dizer bárbaro.

O primeiro encontro narrado, pensando em uma sequência de fatos na dinâmica das duas narrativas que compõem as *Sagas do Atlântico Norte*, é a viagem de Thorvaldr, realizada logo após o retorno de

Leifr Eiríksson da Terra das Vinhas. Este viaja com cerca de trinta homens para a América do Norte, passando um bom tempo viajando pela terra e admirando sua beleza, até que encontram três canoas de couro com nove homens, capturando oito deles e posteriormente matando-os. Após isso, eles têm um encontro agressivo: "Então surgiram de dentro do fiorde incontáveis canoas de couro, e elas se lançaram na direção deles [...] os *skrælingjar* atiraram neles por um tempo e depois foram embora [...]" (Anônimo, 2007a, p. 70-71). Esse encontro acaba por resultar na morte de Thorvaldr, que é sepultado na nova terra, Krossanes (Cabo das Cruzes).

O segundo encontro, por sua vez narrado de forma bem mais ampla e densa pelas sagas, é o da expedição de Thorfínnr Karlsefni. Ele já tinha noção do encontro ocorrido com os esquimós por Thorvaldr, e o seu contato inicial fora bem amistoso e comercial: "E, quando começou a primavera, eles puderam ver cedo em uma manhã um grande número de canoas de couro remando ao sul do cabo, tantas que pareciam ter-se a enseada salpicada de carvão [...] fizeram comércio entre si, e o que aquela gente mais queria obter era tecido vermelho" (Anônimo, 2007b, p. 115). Essa sistematização de escambo e contato ocorre nos dois primeiros encontros, e a mudança para o ponto de violência é destoante entre as *Sagas do Descobrimento da América*: uma atribui a uma movimentação de um touro que assusta os esquimós, outra atribui a um esquimó que é morto ao tentar apanhar armas de um dos homens de Karlsefni (cena repleta de uma tensão pela composição narrativa).

As duas sagas, apesar de possuírem diferenças claras, trazem um relato similar sobre o grande ataque dos esquimós que se segue, falando de uma quantidade massiva deles, de um grande número de lanças atiradas e de combates com mortes em ambos os lados, principalmente do lado dos esquimós. Vale nota que uma das mais belas cenas das sagas islandesas ocorre na narrativa da *Saga de Eiríkr, o Vermelho* sobre esse conflito: vendo o pavor que se abate sobre Karlsefni, devido ao poderoso ataque dos esquimós, Freydís Eiríksdóttir, mesmo grávida, pega uma espada de um nórdico morto – Thorbrandr Snorrasson –, põe um seio para fora do casaco e bate com a espada nos esquimós que lhe alcançaram, assustando-os e lhe rechaçando para longe.

Há ainda, na saga supracitada, um relato do nascimento do filho de Karlsefni – Snorri – e do encontro com meninos esquimós que lhes revelam, após serem ensinados a falar e terem sidos levados com o bando e batizados, que seus pais se chamavam Vethildi e Óvægi e que a terra dos *skrælingjar* era governada por reis, um chamado Avaldamon e outro Valdidida. Após esses encontros, em que a imensidão dos *skrælingjar* demonstra sua força, Karlsefni resolve abandonar aquela terra, sendo expulso pela força desses habitantes locais que tornavam a possibilidade de assentamento naquela terra um grande risco e de grande dispêndio. Há ainda outros relatos de combates e mortes, assim como tentativas de expedição, mas pode-se definir a relação dos nórdicos medievais com os esquimós em dois períodos: uma fase comercial e uma fase de confronto que acaba por inviabilizar seu assentamento na América do Norte.

José Lucas Cordeiro Fernandes

Ver também Brattahlid; Groenlândia nórdica; Sagas do Atlântico Norte.

ANÔNIMO. A Saga do Groenlandeses. In: *As três sagas Islandesas*. Tradução de Théo Moosburger. Curitiba: Editora UFPR, 2007a.

ANÔNIMO. A Saga de Eiríkr Vermelho. In: *As três sagas Islandesas*. Tradução de Théo Moosburger. Curitiba: Editora UFPR, 2007b.

ARNEBORG, Jette. The Norse Settlements in Greenland. In: BRINK, Stefan; PRICE, Neil (eds.). *The Viking world*. London: Routledge, 2012, pp. 588-597.

BARNES, Geraldine. *Viking America: The First Millennium*. Cambridge: D.S. Brewer, 2001.

BERGERSEN, Robert. *Vinland Bibliography: Writings Relating to the Norse in Greenland and America*. Tromsø: University of Tromsø, 1997.

GWYN, Jones. *La saga del Atlántico Norte: establecimiento de los vikingos en Islandia, Groenlandia y América*. Barcelona: Oikos-Tau, S.A. Ediciones, 1992.

INGSTAD, Helge; Ingstad, Anne Stine. *The Discovery of a Norse Settlement in America: Excavations of Norse Settlement in L'Anse aux Meadows, Newfoundland.* New York: Checkmark Books, 2001.

RAFNSSON, Sveinbjörn. The Atlantic Islands. In: SAWYER, Peter (ed.). *The Oxford Illustrated History of the Vikings.* Oxford: Oxford University Press, 2001, pp. 110-133.

SHAFER, John Douglas. *Saga accounts of norse far-travellers.* Durham: Durham University, 2010.

ESTUPRO

O estupro é uma das mais populares imagens associadas aos vikings, seja na arte, mídia ou ficção contemporânea. Mesmo na academia ainda vigora essa representação equivocada, como em determinadas alegações de que os vikings possuíam uma "cultura de estupro". Na realidade, não existem evidências históricas dessa interpretação. Segundo John Haywood, as documentações evidenciam pilhagens, ataques, assassinatos, queimas, extorsões e capturas de prisioneiros, mas não contêm qualquer tipo de informação sobre estupros. É significativo nesse contexto a referência dos *Anais de São Bertin* (século IX d.C.), que possui duas referências sobre cristãos cometendo estupro contra freiras, mas não há uma simples referência ao mesmo ato em expedições vikings. Na Escandinávia, os estupros eram severamente punidos. O cronista Adão de Bremen (século XI) mencionou que o estupro de virgens era punido com a morte na Escandinávia.

O estupro nas fontes não escandinavas: Uma das mais conhecidas fontes sobre os ataques e expedições predatórias nórdicas, as *Crônicas Anglo-saxãs*, não mencionam nenhum tipo de ato sexual violento por parte dos incursionistas. Pesquisas nos anais francos sugerem que na região francesa os nórdicos não foram conhecidos como "estupradores notórios", nem mesmo em ataques a mosteiros e conventos.

No relato de Ibn Fadlan sobre os nórdicos da região do Volga (*Risala*, século X d.C.), não foram mencionadas práticas de estupro. A cena em que uma escrava prestes a ser sacrificada com o líder morto faz sexo com vários homens em torno do navio sacrificial é consensual, assim como o próprio ato de ser sacrificada foi voluntário.

O estupro existe na literatura nórdica medieval, mas ele nunca é glorificado. Descrições de pilhagens e lutas em locais fora da Escandinávia não incluem cenas de estupro ou rapto de mulheres estrangeiras. Quando ocorrem situações de violência sexual masculina nas narrativas, existem diversas consequências sociais violentas para os protagonistas (eles são mortos ou perseguidos pela família da vítima, por exemplo). Segundo Frederik Ljungqvist, nas sagas islandesas a violação feminina era percebida como uma violação da integridade física da mulher e desonra para a vítima. Por outro lado, o tema central nas representações de estupro nas sagas é que a agressão sexual era considerada altamente difamatória para os parentes do sexo masculino da mulher, exigindo vingança de sangue em troca. Uma vez que as agressões sexuais contra as mulheres podiam ser usadas para desonrar os homens, segue-se que há exemplos nas sagas de como a violação era usada como uma "arma" durante embates. É óbvio, no entanto, que isso era considerado um crime de vendeta, e a violação, na maioria dos casos, era socialmente inaceitável e denunciada.

O viking estuprador como uma construção artística: A historiadora Erika Sigurdson realizou um detalhado estudo demonstrando que a visão contemporânea dos vikings como saqueadores e estupradores foi uma construção literária iniciada no Oitocentos, posteriormente popularizada pelo cinema e TV no século XX. Especialmente a literatura vitoriana vai elaborar imagens de vikings atrelada ao imaginário do pirata sedutor. Também a expressão dupla "estupro e pilhagem" passou a ser uma imagem canônica em língua inglesa a partir de 1817, sempre associada a invasores de outros países e culturas em um determinado período histórico, especialmente vindos do mar. E durante o início do século XIX, os escritores fundiam as imagens do pirata com as de rei do mar e os vikings, criando assim as narrativas ficcionais de um homem perigoso, violento e imprevisível, mas também atraente, inteligente e refinado.

O romance *The viking: an epic* (1849), de Zagar, contém cenas de um viking de nome Vali, que parte para excursões na Inglaterra para "se vangloriar do sangue dos saxões e do estupro de virgens". Nesse e em outros livros e poemas, o estupro foi tratado como uma parte essencial da masculinidade viking, atraindo não somente a atenção de leitores, mas também de leitoras. Em 1811 o escritor sueco Erik Gustav Geijer criou o poema *Vikingen*, apresentando explicitamente o tema da abdução e estupro de uma jovem mulher em uma incursão marítima. Apesar disso, o herói da narrativa acaba se relacionando amorosamente com a vítima, criando um desfecho romântico e idealizado.

Também as artes plásticas auxiliaram na popularização desse estereótipo. Em 1841, o pintor norueguês Freferik Nicolai Jensen realizou a pintura *Viking abducting a Southern woman*. Nela, um guerreiro nórdico portando elmo, escudo e machado captura uma jovem aristocrata, possivelmente de alguma região do Mediterrâneo. A expressão de desespero da mulher contrasta com o olhar frio e decidido do abdutor. Mas certamente o mais famoso artista relacionado a essa temática foi o francês Evariste Vital Luminais. Em 1887 ele executa a tela *The abduction*, na qual um guerreiro germânico transporta em seu cavalo uma mulher de longos cabelos negros, mantida cativa à força. O que torna a tela incomum é o fato de ambos estarem totalmente nus. Em outra pintura, *Pirates normands au IX siècle* (1893), Luminais apresenta um normando levando cativa uma mulher por uma praia, prestes a embarcar com seu companheiros em um navio nórdico. O abdutor é loiro e está com o busto descoberto, enquanto a cativa possui a mesma posição e cabelos da pintura *The abduction*. Já em outra tela, bem mais famosa e com maior repercussão (mas de mesmo título), o artista francês sofisticou o tema em detalhes mais aprimorados (*Pirates normands au IX siècle*, 1897). Dois homens capturam uma jovem e a carregam pela praia, portando machados e escudos. A jovem está na mesma posição das telas anteriores, mas desta vez seu cabelo é de um loiro muito intenso, com o corpo totalmente claro, contrastando fortemente com os captores, de cabelos e roupas escuras. Somando ao fato dos seios da moça estarem expostos, a tela apresenta uma impressionante confirmação do referencial romântico sobre a imagem dos vikings como saqueadores e do poder sexual masculino sobre o universo feminino.

O cinema tratou de popularizar ainda mais os estereótipos românticos do Oitocentos. Uma das mais importantes e famosas produções cinematográficas norte-americanas sobre o tema, *Vikings, os conquistadores* (*The vikings*, 1958), logo em seu início, possui uma cena muito icônica: o personagem Ragnar, após matar e saquear uma comunidade da Nortúmbria (Inglaterra), ataca e estupra a rainha, engravidando-a de um filho bastardo. Essa cena foi imitada e parodiada em outra produção, a comédia *Erik o viking* (1989), na qual o protagonista é incentivado pelos companheiros de saque a estuprar uma jovem anglo-saxã, que ele acaba matando não intencionalmente.

A mídia também incentivou a propagação dessa imagem. Em 1975, em uma propaganda britânica do xampu Super Soft com a então famosa atriz Madeleine Smith, esta interpreta uma camponesa em uma aldeia atacada pelos vikings. Ao narrar as vantagens de utilizar o produto para os cabelos, ela adverte que sempre deve-se estar preparada para qualquer ocasião, momento no qual um nórdico arromba a porta da casa e a leva sobre seus ombros. A última cena, com imagens do xampu, contém os suspiros da atriz. Também romances contemporâneos, tanto produzidos por escritoras para o público feminino (como as séries da escritora Sandra Hill) quanto de séries ficcionais com caráter erótico em geral (a exemplo da série *Valhalla Hot*) utilizam temas de estupros vikings, bondages e humilhações sexuais.

A série *Vikings* (2013, primeira temporada), do History Channel, possui várias cenas com o tema do estupro. No primeiro capítulo, "Ritos de passagem", a personagem Lagertha é ameaçada de estupro enquanto estava sozinha em sua casa. No episódio 2, "A ira dos homens do norte", o irmão de Ragnar, Rollo, violenta uma escrava enquanto se prepara para uma incursão. No quarto episódio, "Tentativas", o personagem Canuto tenta violar uma mulher anglo-saxã durante um ataque. Impedido por Lagertha, ele tenta violar esta mas acaba sendo morto. Segundo a historiadora Erika Ruth Sigurdson, em todos estes incidentes o estupro é utilizado como um dispositivo historicizador – ele sinaliza que estamos diante de tempos brutais e misteriosos. Apesar de alguns momentos o ato ser punido de alguma forma na série *Vikings*, ele retoma o estereótipo dos filmes anteriormente mencionados.

Violentar, matar e cometer violência contra as mulheres. Essa trilogia tornou-se uma imagem icônica sobre a identidade viking desde o século XIX, fortemente implantada na imaginação popular. Para Erika Sigurdson, não bastava o nórdico matar, saquear e profanar locais sagrados ao aterrorizar as nações. Em vez disso, o estupro tornou-se o crime definidor do viking. A literatura e as artes plásticas criaram o referencial do estupro e abdução como elementos da identidade viking, mas também introduziram o tema do pirata sedutor e ameaçador. O corpo das mulheres foi apresentado como um objeto do botim e a sexualidade viking é interpretada como poderosa, dominante e fundamentada na violência e sendo interpretada tanto como atrativa ou como aterrorizante para o público consumidor.

Johnni Langer

Ver também Mulheres; Sociedade; Sexo e sexualidade.

FAULKES, Anthony. *The viking mind (víkingahugr) or in pursuit of the viking*. Viking Society Web Publications, 1998.

HAYWOOD, John. Rape. In: *Encyclopaedia of the Viking Age*. London: Thames and Hudson, 2000, pp. 154-155.

LJUNGQVIST, Frederik Charpentier. Rape in the Icelandic Sagas: An Insight in the Perceptions about Sexual Assaults on Women in the Old Norse World. *Journal of Family History*, vol. 40, n. 4, 2015, pp. 431-447.

MCKENNA, Alexandra. Norsemen and vikings: the culture that inspired decades of fear. *WEI International Academic Conference*, 2014, pp. 18-27.

PISTONO, Stephen. Rape in the medieval Europe. *Atlantis*, vol. 14, n. 2, 1989, pp. 36-43.

SIGURDSON, Erika Ruth. Violence and Historical Authenticity: Rape (and Pillage) in Popular Viking Fiction. *Scandinavian Studies*, vol. 86, n. 3, 2014, pp. 249-267.

EXPANSÃO NÓRDICA

Entre os povos da Europa medieval, provavelmente os povos da Escandinávia foram os que mais empreenderam longas viagens no continente e para além deste. Viajando por terra, mar e rios, os nórdicos atravessaram grandes extensões da Europa, desbravaram o mar do Norte, o arquipélago britânico, chegaram à América do Norte, passaram pelo norte da África, o Mediterrâneo e se aventuraram na Ásia. Tudo isso caracterizou um processo longo que se estendeu por quase três séculos.

As fontes para se estudar a expansão nórdica são diversas e redigidas em diferentes épocas e línguas, o que revela não apenas a extensão temporal dessas viagens, mas também a variedade de lugares e povos que os nórdicos visitaram e conheceram. Além dos relatos escritos, a arqueologia consiste em outro meio para se estudar a história dessas expansões, pois os vikings construíram assentamentos, cidades, entrepostos, túmulos etc. Todavia, o que se conhece sobre a expansão nórdica é limitado a acontecimentos que foram preservados na escrita ou a vestígios arqueológicos, de modo que tais fontes não compreendem todas as expedições realizadas, podendo haver muito mais do que se supõe.

Embora o início da Era Viking comumente seja situado no século VIII, período que marca o início das viagens para outros territórios, especialmente a Inglaterra, é provável que antes disso já houvessem viagens regulares para o norte da Alemanha e outros territórios que margeiam o mar Báltico. Devido à proximidade destas terras com a Dinamarca, Noruega e Suécia, além dos achados de moedas romanas, árabes, francas e outros objetos, tudo indicaria um comércio produtivo na região báltica. Sendo esse comércio um dos possíveis fatores para que grupos de nórdicos se aventurassem para o Leste Europeu.

O historiador James Graham-Campbell também cogita que poderia já existir comércio entre a Escandinávia e a Inglaterra pelo menos desde o século VII. Ele defende tal teoria com base na cultura material referente a objetos e túmulos, que em ambos os lugares eram bem similares. Ele aponta, inclusive, que o estilo artístico do Período Vendel (séculos VI-VIII) possuía algumas semelhanças com a arte anglo-saxã da parte oriental da ilha. Tais fatos seriam indicativos do porquê os vikings decidirem atacar a Inglaterra, pois já existiria determinado conhecimento a respeito da ilha, e eles não teriam chegado lá por acaso.

No entanto, os motivos que levaram às expedições nórdicas partiram de diferentes locais e se constituíram por distintos fatores. James H. Barret comenta que as justificativas clássicas tendiam a apontar que fatores de ordem climática, como temperaturas mais baixas, teriam levado grupos a se deslocar da Escandinávia para outras terras a fim de escapar do frio. Incluem-se também motivos relacionados a perseguições políticas, guerras e insegurança. O aumento populacional teria agravado surtos de fome, obrigando populações de certas regiões a migrarem. E por fim, mencionam-se fatores econômicos relacionados a uma suposta "corrida da prata" e por metais em geral, devido a sua escassez.

Quando se passa para a história das expedições, porém, nota-se que as justificativas clássicas nem sempre eram respostas definitivas. O início das primeiras expedições aconteceu ainda no século VIII. Em 750 havia um assentamento viking em Staraia Ladoga, ao sul do lago Ladoga, na atual Rússia. O assentamento teria servido de entreposto comercial para negócios na região. Pois Staraia Ladoga ficava situada numa região onde passavam rotas comerciais que ligavam o mar Báltico até a Bulgária do Volga (Rússia), além de ser ponto de caminho para viagens ao sul. No século IX, especificamente em 839, é registrada a primeira menção de nórdicos em Constantinopla (atual Istambul), capital do Império Bizantino.

O caminho para Constantinopla foi uma rota comercial bastante importante no Leste Europeu, a ponto de os vikings estabeleceram vários contatos com os povos eslavos, chegando a formar assentamentos, entrepostos comerciais e até mesmo a controlar algumas cidades, como no caso de Novgorod (Rússia) no século IX e Kiev (Ucrânia) no século X. Não obstante, a partir do rio Volga e do mar Negro, incursões se aventuraram cada vez mais adentro da Ásia, chegando ao território do Canato de Cazar. Entre 911 e 912 encontram-se relatos de pirataria viking no mar Cáspio. Data também do ano de 921 o relato do embaixador árabe Ahmad ibn Fadlan e seu encontro com um grupo de nórdicos na Bulgária do Volga.

Entretanto, se as expedições no leste parecem ter seguido para um lado mais comercial, as expedições no oeste, realizadas pelos noruegueses e dinamarqueses, por muito tempo tiveram um caráter bélico. Na data de 8 de junho de 793, como consta na *Crônica anglo-saxã*, o mosteiro de São Cuteberto, na ilha de Lindisfarne, no Reino da Nortúmbria, foi atacado por pagãos do norte.

Tal acontecimento foi considerado um marco para a história. Entre os anos de 794 e 799 foram relatadas novas incursões à Inglaterra, Escócia e Irlanda, todas basicamente restritas ao intuito da pilhagem. O fato é interessante, pois a Dinamarca, devido a sua proximidade com a

Alemanha, possuía vários importantes centros comerciais onde se negociava com os povos germânicos, além de acesso a rotas comerciais que desciam até o Império Franco.

Tentar justificar as incursões dinamarquesas como oriundas de falta de recursos é problemático. O mais provável é que se tratasse de iniciativas organizadas por chefes de determinadas comunidades, os quais buscavam riqueza e fama pessoal, lembrando que a Dinamarca, Noruega e Suécia não eram Estados unificados, mas conjuntos de reinos e Estados vassalos que se digladiavam pelo poder. A presença de reis envolvidos nessas expedições data de vários anos depois.

Porém no século IX ocorreram grandes mudanças a respeito da forma como a expansão nórdica se processou. O século IX foi o auge dessas expansões. Nesse período encontramos reis da Noruega e Dinamarca envolvidos em algumas expedições, como, por exemplo, o rei Godofredo da Dinamarca declarando guerra ao imperador Carlos Magno da Francia, para disputar o controle da Frísia, importante região comercial. Anos depois, em 845, o rei Horik I da Dinamarca ordenou ataque à cidade de Hamburgo (na atual Alemanha), como data também desse período o início da cobrança do *danegeld*, tributo em prata cobrado dos povos atacados, para evitar novas ondas de invasão.

Não obstante, a década 840-880 foi bastante intensa na Europa Ocidental. Paris, capital do Império Franco, foi saqueada pelo menos três vezes. Londres, Kent, Rochester e outras cidades inglesas foram atacadas regularmente. Datam também da década de 840 as primeiras incursões à Península Ibérica, com ataques a Lisboa, Sevilha, Cádiz e várias outras cidades, sobretudo no ano de 844. A partir de tais expedições, os vikings entraram em contato com os muçulmanos do Ocidente, como também visitaram brevemente o norte da África e se aventuraram pelo mar Mediterrâneo, passando pelo sul da França e Itália.

Mas, para além dessa intensa onda de ataques, o século IX também foi marcado pela colonização norueguesa e dinamarquesa de distintos territórios, principalmente situados no Atlântico Norte. No caso inglês, o ano de 865-866 culminou com a chegada do Grande Exército Pagão, que conquistou os reinos saxões da Nortúmbria, Mércia e Ânglia Oriental, constituindo o Danelaw. A ilha da Irlanda, a ilha de Man, e os arquipélagos escoceses das Órcades, Faroe, Hébridas e posteriormente a Islândia foram colonizados no mesmo século.

Nota-se uma mudança no comportamento das expedições ocidentais, as quais eram inicialmente esporádicas e motivadas por atos de pirataria e pilhagem. A partir de meados do século IX, no entanto, tornaram-se expedições voltadas para assegurar territórios nas terras atacadas, o que culminou no estabelecimento sedentário de comunidades nórdicas, principalmente nas ilhas mencionadas. Mas esse processo somente ocorreu décadas depois das primeiras expedições ao arquipélago britânico e à Francia, o que põe em dúvida a natureza dos fatores como excesso populacional, fome, guerras, economia e o frio como motivos que levaram as expedições do século VIII a ter início.

Quando se adentra o século X, as expedições haviam sofrido uma longa pausa, pois, devido à colonização e permanência na Inglaterra, Irlanda, ilhas escocesas, Normandia e no Leste Europeu, reis e chefes optaram em não investir em expedições militares com maior regularidade. Em termos de novas expansões, destaca-se a descoberta da Groenlândia em 985 por Érico, o Vermelho.

A partir da colonização do sul da Groenlândia, navegantes noruegueses começaram a explorar os arredores, vindo avistar terras no Ocidente no que corresponde à atual região do Canadá. Os territórios costeiros foram nomeados pelos nomes de Helluland, Markland e Vínland. Por volta do ano 1000, um dos filhos de Érico, Leif Ericsson, fundou um povoado em Vínland, mais exatamente na atual ilha de Newfoundland, Canadá. Consistindo na única povoação viking conhecida na América. A fundação de uma povoação em Vínland é considerada por alguns historiadores o último grande feito da expansão nórdica.

Leandro Vilar Oliveira

Ver também Escandinávia; Era Viking; Expansão nórdica; Viking.

BARRET, James H. What caused the Viking Age? *Antiquity*, n. 82, 2008, pp. 671-685.

GRAHAM-CAMPBELL, James (org.). *Os vikings*. Barcelona: Folio S.A., 2006.

HAYWOOD, John. *Historical Atlas of Vikings.* London: The Penguin Books, 1995.

LOGAN, F. Donald. *The Vikings in History.* London/New York: Routledge, 1991.

SAWYER, Peter (ed.). *The Oxford Illustrated History of the Vikings.* New York: Oxford University Press, 1997.

STREISSGUTH, Thomas. *Life among the Vikings.* San Diego: Lucent Books, 1999.

EYRBYGGJA SAGA

A *Eyrbyggja saga* é uma obra anônima considerada um dos máximos expoentes de um subgrupo das *Íslendingasögur*, denominado "Sagas de Distrito". A saga se conserva em três redações, a primeira delas sendo *Vatnshyrna*, do século XIV, que se perdeu em um incêndio de Copenhague em 1728. A redação B está contida em um manuscrito do século XIV, conservado em Wolfenbüttel (Alemanha). E ainda a este grupo B pertence o mais antigo manuscrito da saga, o fragmento AM 162 E fol. de final do século XIII. A redação C se conservou em um manuscrito incompleto de finais do século XIV, conhecido como *Melabók*.

Como se pode deduzir do nome do subgrupo em que se geralmente enquadra a saga, a *Eyrbyggja* não versa sobre as aventuras de somente um personagem, mas, como é dito em um de seus manuscritos, sobre os habitantes da península de Þórsness, os de Eyr e os de Álpafjörð; sobre a colonização das terras desta península ao oeste da Islândia e suas lutas de poder no primeiro século do período da colonização. A saga muda um pouco sua estrutura narrativa quando chega à terceira geração e se introduz as figuras do *goði* Snorri e a de Arnkell de Bólstað como os centros de poder em torno dos quais se reúnem os habitantes da zona.

A apresentação das personagens da saga se caracteriza por um realismo que não é compartilhado com os expoentes mais importantes das *Íslendingasögur,* estas mais interessadas na idealização de uma época e seus protagonistas. Na *Eyrbyggja saga* predominam as caracterizações negativas e um interesse pouco usual pelo lado mais negativo da sociedade ou por acontecimentos moralmente repudiados. Os personagens que aparecem sob uma luz positiva têm finais desastrosos, como o próprio Arnkell, que é assassinado, ou Þórarinn, o Negro e Björn, o Campeão de Breiðavík, que são obrigados a exilar-se da Islândia. Os menos exemplares, por outro lado, alcançam melhores destinos, como o próprio *goði* Snorri, que termina seus dias convertido em uma das pessoas mais ricas e consideráveis do país.

    O alcance territorial da obra, conjuntamente ao interesse de seu autor por incluir nela detalhes que não eram habituais na época, fazem com que a narração discorra de maneira mais livre entre protagonistas e sucessores, mudando o ponto de vista da personagem individual a um grupo já conhecido, assim como introduzindo novos atores à trama ou incluindo novas localizações. Graças ao interesse por oferecer uma imagem real dos acontecimentos do período pré-cristão da Islândia, a saga geralmente é considerada um verdadeiro tesouro para os estudiosos das crenças pagãs dos primeiros colonizadores, assim como suas tradições no momento da escolha dos assentamentos, como é o caso de Þórólfr, o Barbudo de Mostur, que segue pela costa do mar com um mastro com a efígie do deus Thor, retirada do templo dedicado a este na Noruega. Ou mesmo as ideias sobre as últimas moradas dentro da montanha sagrada de Helgafell. Também, o fato de que nem todos os colonizadores procediam de famílias norueguesas possivelmente permitiu que nesse relato tivesse lugar um número considerável de superstições religiosas pertencentes à religião popular, assim como algumas situações de caráter cômico, como quando, no capítulo nove, os personagens principais da saga disputam pelo direito de fazerem suas necessidades onde considerem oportuno.

    Essa riqueza de origens e circunstâncias vitais contribuiu para que, depois de algumas gerações, o lugar e a posição de cada um na nova sociedade dependesse unicamente de seu esforço e dos méritos pessoais. O que não foi obstáculo, todavia, para que seu autor, possivelmente um homem de boa educação, mas não um clérigo, mostre um certo desdém pelos escravos, assim como por certos aspectos da educação e modos dos primeiros religiosos que se formaram na ilha. Esse mesmo autor incluiu na saga um número nada desprezível de estrofes escáldicas, 37 no total, boa parte das quais lhe servem para conceder uma aparência de autenticidade à obra, buscando não só uma fusão entre o ficcional e o histórico, mas também a iluminação do caráter de alguns personagens ou marcações estruturais entre os diferentes episódios da saga.

Teodoro Manrique Antón

Ver também Linguagem; Literatura; Norreno; Poesia escáldica; Sagas islandesas.

HOLLANDER, Lee M. The Structure of Eyrbyggja saga. *The Journal of English and Germanic Philology*, vol. 58, n. 2, 1959, pp. 222-227.

PHELPSTEAD, Carl. Ecocriticism and Eyrbyggja saga. *Leeds Studies in English*, New Series 45, 2014, pp. 01-18.

TULINIUS, Torfi H. Political Echoes: Reading Eyrbyggja Saga in Light of Contemporary Conflicts. In: QUINN, Judy; HESLOP, Kate; WILLS, Tarrin (eds.). *Learning and Understanding in the Old Norse World: Essays in Honour of Margaret Clunies Ross*. Turnhout: Brepols Publishers, 2007, pp. 49-63.

FAGRSKINNA

Trata-se de uma narrativa anônima vernacular sobre os reis noruegueses entre os séculos IX e XII, composta aproximadamente durante os primeiros decênios do século XIII, provavelmente na localidade de Trondheim, no Reino da Noruega. Pertence à tradição das *konungasögur*, presente no âmbito historiográfico desde o começo do século XII. Provavelmente foi patrocinada pelo rei Hákon Hákonarsson, embora sua composição seja de autoria anônima.

Aparentemente para a sua composição foram utilizadas outras fontes da época, como, por exemplo, a *Historia de antiquitate regum norwagensium*, assim como a *Historia norwegiae*. De acordo com Katherine Holman, há uma série de similaridades com a *Heimskringla*, provavelmente pelo fato de terem utilizado as mesmas fontes que serviram para a composição das narrativas, embora seja muito mais breve em termos de conteúdo e tenha sido escrita posteriormente.

O texto apresenta uma história vernacular dos reis da Noruega, desde Halfdan, o Negro, um proto-histórico rei norueguês e pai de Haroldo Cabelos Belos, até a batalha de Ré, em 1177, no contexto do reinado de Magnus Erlingsson. Na narrativa, observa-se temas voltados para uma integração com contexto aristocrático norueguês, não apresentando tentativas de vincular os eventos narrados com outros territórios. A cristianização da Noruega, apresentada de forma gradual, também é um tema presente na narrativa. De forma geral, trata-se de um texto importante no que diz respeito à abordagem da situação da escrita da história norueguesa durante os primeiros decênios do século XIII.

Luciano José Vianna

Ver também Fontes primárias; Historia de Antiquitate Regum Norwagensium; Historia Norwegiae; Íslendingabók; Laxdaela saga; Morkinskinna; Noruega da Era Viking.

ALLPORT, Benjamin. *A Long Time in Politics. The Relevance of Icelandic Techniques of Time Reckoning for our Understanding of the Medieval Icelandic World View.* Master of Philosophy Thesis in Viking and Medieval Norse Studies. Universitetet i Oslo, 2014.

HOLMAN, Katherine. *Historical Dictionary of the Vikings.* Lanham, Maryland, and Oxford: The Scarecrow Press, Inc. 2003, p. 196.

JAKOBSON, Ármann. Royal Biography. In: MCTURK, Rory (ed.). *A Companion to Old Norse-Icelandic Literature and Culture.* Oxford: Blackwell Publishing, 2005, pp. 388-402.

LINCOLN, Bruce. *Between History and Myth. Stories of Harald Fairhair and the Founding of the State.* Chicago and London: The University of Chicago Press, 2014.

SYRETT, Martin. *Scandinavian History in the Viking Age. A Select Bibliography.* 3rd Edition Revised by Haki Antonsson and Jonathan Grove. Department of Anglo-Saxon, Norse, and Celtic. Univeristy of Cambridge, 2004.

FAMÍLIA

Durante a Era Viking, podemos afirmar que a família constituía a unidade social e central da vida. Essas famílias moravam e trabalhavam na mesma propriedade rural e, muitas vezes, dividiam a mesma casa. Essa "grande família" desempenhou um papel importante na formação da sociedade nórdica, bem como de suas leis e costumes. Uma família podia ser constituída por vários casais ligados por laços de sangue ou alianças políticas, pelos seus filhos, sobrinhos e netos e também pelas famílias de servos. Pode-se dizer que, durante a Era Viking, o tamanho da família era provavelmente de dez a vinte pessoas. Os dados sobre famílias nórdicas nessa época ainda são escassos e muito do que se conhece sobre elas vem das sagas de família islandesas e da Arqueologia.

A expectativa de vida nessas comunidades não era muito alta, a mortalidade infantil era elevada e muitos daqueles que sobreviviam ao nascimento viviam apenas até o final da primeira infância. As crianças menores de quinze anos, assim, constituíam boa parte da população. Dos que atingiram a idade de vinte anos, cerca de metade conseguiu chegar saudável aos cinquenta anos de idade, e apenas um a cada três indivíduos alcançou mais de sessenta, embora tenha existido casos de pessoas que atingiram idades mais avançadas.

Para reforçar o vínculo existente entre as famílias, muitas vezes os filhos de uma determinada família eram adotados por outra de mais posses e prestígio, e vice-versa. Quando uma família de menos posses adotava uma criança de origem mais abastada, ela recebia uma espécie de pagamento, e era celebrada entre as duas famílias uma espécie de aliança que fortalecia os laços entre elas e que, na maioria das vezes, era mais forte e duradoura do que as relações de sangue. Além disso, esses pactos de adoção eram uma forma de redistribuir as crianças entre as famílias. Como a taxa de mortalidade infantil era tão elevada, alguns casais não possuíam filhos nascidos vivos e essa adoção era uma maneira de levar uma criança a uma família que não possuía prole. Aos dezesseis anos, era esperado que o menino assumisse todos os papéis de um homem adulto, e até mesmo as crianças mais novas já assumiam algumas responsabilidades adultas. O mesmo acontecia com as meninas que, com essa idade, já tendo passado pela menarca, deviam estar prontas para o casamento, que era uma etapa importante para a vida não só dos jovens, mas de toda a comunidade.

O casamento era um acordo entre a família da noiva e a família do noivo, que poderia ser proposto pelo pretendente masculino e aprovado pelo pai da mulher. Em muitos casos, os casamentos eram celebrados para construir uma aliança entre as famílias. O casamento era o meio pelo qual a riqueza das famílias era legada para as próximas gerações. No entanto, era importante também considerar os sentimentos dos noivos nessa aliança. O ato de cortejar uma mulher podia ser considerado normal, mas em certos casos também poderia ser visto como um ultraje pela família da mulher. O cortejo poderia ocorrer de várias maneiras, como visitas do homem à casa da mulher, conversas com a mulher ou até poemas de louvor à mulher, isso no caso de famílias abastadas e com certo nível de letramento.

Quando um homem desejava casar-se ele primeiramente procurava os membros da família para se aconselhar e, depois, buscava uma noiva, pois qualquer casamento mal planejado ou que fosse desastroso logo no início podia trazer prejuízos materiais à família do noivo. Se após a proposta de casamento ser feita o casamento não ocorresse logo, a família da noiva se sentiria insultada. Se uma proposta de casamento fosse rejeitada, a família do homem ficaria como a da noiva e, em ambos os casos, as famílias podiam exigir a vingança de sangue. O ritual do casamento era dividido em duas partes: o noivado e o casamento. O noivado era uma espécie de contrato entre o guardião da mulher, geralmente seu pai, o pretendente ou o representante do pretendente, geralmente também o pai. Não é claro se o consentimento da mulher era solicitado ou não. No entanto, a coerção muitas vezes era utilizada para forçar um vínculo político ou econômico especialmente atraente entre duas famílias.

A família do noivo prometia pagar uma quantia chamada *mundr* (preço da noiva) para obter o consentimento para o casamento, e, assim, o pai da noiva declarava a sua filha como prometida e comprometia-se a pagar um *heimangerð* (dote) no casamento. As duas partes apertavam as mãos na frente de testemunhas para selarem o contrato e já marcavam a data para o enlace, geralmente dentro de um ano. Assim, o noivado se diferenciava de qualquer outra transação comercial: havia um preço acordado, um aperto de mão e testemunhas. O casamento era celebrado com uma festa elaborada, com banquete que durava vários dias e geralmente ocorria na casa dos pais da noiva. O casamento era considerado obrigatório quando pelo menos seis testemunhas vissem o casal ir para a cama juntos.

Se o casamento não fosse consumado, o divórcio poderia ser facilmente obtido por qualquer uma das partes por várias razões. Por exemplo, se nenhuma criança nascesse do casamento, a união poderia simplesmente ser dissolvida. Não era incomum que uma mulher se casasse várias vezes. Na Era Viking, o divórcio era realizado por qualquer uma das partes, simplesmente declarando o divórcio na frente de testemunhas. Uma vez que o casamento resultava na junção da riqueza de duas famílias, não é surpreendente que o divórcio muitas vezes resultasse em disputas sobre como a riqueza do casal deveria ser dividida e retornar às famílias originais. O acerto das finanças resultantes de um divórcio muitas vezes resultava em disputas de sangue entre as famílias que poderiam durar diversas gerações. Após o divórcio, a mulher tinha direito a metade da propriedade. Além disso, se o homem tivesse dado o motivo para a separação, tanto o preço que havia sido dado pela noiva quanto o dote deveriam ser pagos integralmente à mulher. Assim, depois do divórcio, uma mulher poderia manter uma substancial independência econômica e poderia casar-se novamente.

Um homem era considerado adulto depois de ter sobrevivido a quinze invernos e as mulheres casavam-se bem cedo, geralmente aos doze, treze anos, logo depois da menarca. Até a idade de vinte anos, praticamente todas as mulheres estavam casadas. Quando uma criança nascia, ela era aceita na família por meio de um conjunto de rituais: a mãe demonstrava essa aceitação amamentando-a no peito e o pai, levando a criança ao seu joelho, dando um nome a ela e gotejando água na sua fronte. Uma vez que a criança fosse nomeada, aspergida e amamentada, então as leis de herança nórdica entravam em vigor, e a criança teria garantido a sua herança e outros direitos dentro da família. Uma criança que não fosse aceita por qualquer razão seria condenada à morte por exposição: ela era colocada para fora da casa e exposta a toda sorte de perigos, até a morte. Isso geralmente acontecia no caso de deformidades no nascimento ou por dificuldades econômicas. Além do casamento, os indivíduos e as famílias podiam unir-se de outra forma, um vínculo poderoso, o da fraternidade de sangue.

Luciana de Campos

Ver também Cotidiano; Crianças e infância; Mulheres; Sociedade.

CHRISTIANSEN, Eric. *The Norsemen in the Viking Age.* Oxford: Blackwell Publishing, 2006.

GIBSON, Michael. A vida familiar. In: *Os Vikings.* São Paulo: Melhoramentos, 1990, pp. 18-19.

HAYWOOD, John. Family. In: *Encyclopaedia of the Viking Age*. London: Thames and Hudson, 2000, p. 69.

NOUGIER, Louis-René. Blutsbande. *Wikinger*. Hamburg: Tesslorf Verlag, 1983, pp. 30-31.

FÆREYINGA SAGA

A história textual da *Færeyinga saga* (*Saga dos Feroeses*) não é fácil de estabelecer. Na verdade, essa saga anônima não sobreviveu como manuscrito isolado ou texto individual dentro de uma grande coleção de manuscritos, mas através de seções desarticuladas e interpoladas em *Olafs Helga saga* (*Saga de Óláfr, o Santo*), na versão do escritor islandês Snorri Sturluson em seu *Heimskringla* e na chamada *Óláfs saga Tryggvasonar en mesta* (*saga de Óláfr, o filho de Tryggvi*). Na verdade, a versão que conhecemos hoje da *Færeyinga saga* foi reconstruída no século XIX pelo dinamarquês Carl Christian Rafn. No entanto, a fonte principal dessa saga está no *Flateyjarbók*, um pergaminho islandês de 225 páginas redigido pelos clérigos Jón Þórðarson e Magnús Þórhallsson entre 1387 e 1390. Presentes nesse pergaminho estão a *Jómsvíkinga saga* (*Saga Viking Jom*); a própria *Færeyinga saga* (que parece corresponder geralmente ao original e não foi preservada em qualquer outro lugar); a *Orkneyinga saga* (*Saga dos Orcadianos*) e a *Grænlendinga saga* (*Saga dos Groenlandeses*), entre outras. De acordo com Halldórsson (1987, pp. XCVIII-CXX), o texto da *Færeyinga saga* que aparece no *Flateyjarbók* parece derivar de três cópias: os capítulos 1-27, 34-42 e 49-59 vêm de um manuscrito perdido; os capítulos 28-33 são cópia do exemplar da *Óláfs saga Tryggvasonar en mesta* recolhido em *Flateyjarbók*; os capítulos 43 e 45-48 foram tomados, por sua vez, da cópia da *Óláfs saga helga* também coletadas no *Flateyjarbók*.

Existem algumas evidências de que o autor anônimo da *Saga dos Feroeses* utilizou uma série de fontes, tanto escritas e orais, para a composição do texto. Novamente citando Halldórsson (1987, pp. CLII-CLXVI), entre as prováveis fontes escritas estão uma versão inicial do islandês *Landnámabók* (*Livro da colonização*), uma obra esquemática sobre a vida dos reis da Noruega (possivelmente também contendo material relacionado com os reis da Dinamarca e Suécia), a *Jómsvíkinga saga* em alguma versão primordial e a *Hlaðajarla saga* (*Saga do jarlar de Hlaðir*). Além dessas fontes potenciais, também se pode estabelecer certas relações literárias entre a *Saga dos Feroeses* e outros textos islandeses medievais, como a *Eyrbyggja saga* (*Saga dos habitantes de Eyrr*) ou a *Laxdæla saga* (*Saga dos habitantes do Vale do Salmão*). É interessante o desconhecimento do autor da *Saga dos Feroeses* sobre a geografia das ilhas Faroé, indicando que ele nunca visitou esse arquipélago do Atlântico, embora pareça provável que tenha obtido informações sobre determinados locais das ilhas Faroé e os nomes dos personagens principais da saga a partir de fontes indígenas orais. Baseado em uma série de dados filológicos, culturais, literários e comparativos, parece seguro assumir que a composição da versão original da *Saga das Ilhas Faroé* ocorreu entre 1210 e 1215 e que seu autor era provavelmente um nativo de Eyjafjörður, Islândia.

Sobre o gênero literário da *Saga dos Feroeses*, é uma prática comum entre os estudiosos da literatura islandesa medieval incluírem essa obra no chamado *Konungasögur* (sagas de reis) e *Íslendingasögur* (sagas dos islandeses). No entanto, parece mais correto classificar essa saga dentro do subgênero chamado sagas políticas. De acordo com Berman (1985), esse gênero seria composto principalmente de três sagas: a *Jómsvíkinga saga*, a *Orkneyinga saga* e a *Færeyinga saga*, cujo tema comum seria uma série de lutas pela independência e liderança política entre as autoridades norueguesas e suas colônias.

Pelo que a temática se refere, a *Saga dos Feroeses* conta a história desse pequeno arquipélago atlântico desde aproximadamente 825 d.C., com a chegada de Grímr Kamban, o primeiro colono conhecido, até 1035, com a hegemonia de Leifr, filho de Özurr, nas ilhas. É uma história contada em vários níveis: por um lado descreve como os reis da Noruega tentam conquistar as ilhas através de esforços políticos, em vez da guerra. Por outro lado, é uma história dramática sobre uma série de brigas de família que vão até três gerações e que retrata um momento de condições religiosas e ideológicas em que ocorre uma colisão entre valores conflitantes das antigas crenças pagãs, que são substituídas pelo cristianismo. Em suma, a luta pela hegemonia política das ilhas Faroé e o conflito subsequente irrompeu entre os partidários da manutenção de autonomia cultural e política das ilhas Faroé (representados pelo Pagan Þrándr) e os partidários da sujeição à monarquia norueguesa (representada pelo cristão Sigmundr). São esses os eixos principais da *Saga dos Feroeses*.

De acordo com Skyum-Nielsen (1973, p. 14), enquanto documento político, o autor da saga tentou enviar uma mensagem para a classe dominante islandesa do século XIII, para que a partir da análise da situação dos feroeses, percebem-se as consequências das disputas políticas, podendo, assim, salvaguardar a independência da Islândia, reduzindo o poder da Igreja e redistribuindo de forma mais equitativa a terra e o trabalho.

A *Saga dos Feroeses* era tão popular em seu tempo que chegou a ter interessantes versões rimadas, como a islandesa *Sigmundar rímur* e *Þrænlur* ou a feroese *Sigmundarkvæði*.

Mariano González Campo

Ver também Egills saga; Era Viking; Ilhas Faroé; Viking.

ALMQVIST, Bo. Some folklore motifs in Færeyinga saga. In: DHUIBHNE-ALMQVIST, Éilís; Ó CATHÁIN, Séamas (eds.). *Viking Ale. Studies in Folklore Contacts between the Northern and the Western Worlds*. Aberystwyth: Boethius Press, 1991, pp. 114-126.

BERMAN, Melissa. The political sagas. *Scandinavian Studies*, vol. 57, 1985, pp. 113-129.

FOOTE, Peter G. *On the Saga of the Faroe Islanders*. London: University College London, 1965.

HALLDÓRSSON, Ólafur (ed.). *Færeyinga saga*. Reykjavík: Stofnun Árna Magnússonar á Íslandi, 1987.

MUNDAL, Else. Færeyinga saga- a Fine Piece of Literature in Pieces. In: MORTENSEN, Andras; ARGE, Símun V. (eds.). *Viking and Norse in the North Atlantic*. Tórshavn: Føroya fróðskaparfelag, 2005, pp. 43-51.

SKYUM-NIELSEN, Erik. Færeyinga saga: Ideology transformed into Epic. In: *Alþjóðlegt fornsagnaþing, Reykjavík 2.-8. ágúst 1973. Fyrirlestrar: 2. hefti*. Reykjavík, 1973.

FÉLAG

O termo em si é de difícil conceituação e ainda há um debate acirrado em torno de seu significado. O seu sentido imediato pode ser entendido como "companheirismo", "camaradagem", "parceria" ou mesmo "sociedade". O *félag* pode ser encontrado em cerca de 22 pedras rúnicas da Era Viking, sendo a Pedra de Berezan um exemplo: *nessa pequena pedra, um certo Grani escreve runas em memória de seu amigo Karl, seu parceiro* (fi:laka : si).

É discutível aqui a possibilidade do companheirismo entre esses Grani e Karl estar ligado ao empreendedorismo de longas distâncias, quando os homens dividiriam os custos e os lucros da atividade comercial, tendo em vista que a Pedra de Berezan foi achada no ponto de encontro entre o rio Dnieper e o mar Negro, rota de passagem para as oportunidades oferecidas pelos mercados orientais. Normalmente o conceito é entendido como os esforços de empreendedorismo entre dois homens que investem seus recursos para preparar e tripular um navio com o objetivo de fazer comércio, mas em algum momento essa ligação também pode significar o emprego da violência durante a jornada, como nos atestam várias inscrições rúnicas.

Provavelmente o *félag* era um dos pilares fundamentais para o desenvolvimento comercial escandinavo. De modo geral, o comércio no medievo ocorria em uma dimensão mais local, pois trocas feitas por longas distâncias precisavam, dentre outras coisas, de mercados, e muitos desses eram influenciados pelas ambições políticas de reis e governantes, constituindo uma realidade que não foi diferente na Era Viking, a exemplo de Ribe, Birka e Hedeby. Esses mercados não possuíram fortificações sólidas até o século X e poderiam estar vulneráveis aos ataques de saqueadores (a exemplo de Londres, Paris e Dorestad). Provavelmente a segurança dos mercados era feita, em grande parte, com o consenso e ajuda dos próprios frequentadores. As aparições de navios com maiores tonelagens de carga seriam mais comuns a partir do século X; antes disso é possível que os navios carregassem seus próprios bandos armados para a proteção dos homens e das cargas.

Isso nos leva a um aspecto curioso do termo, relativo às oportunidades guerreiras em meio à jornada mercantil. A Runestone DR 66 contém uma mensagem em memória de um amigo morto quando os reis lutaram *(þo kunukaʀ barþusk)*, talvez indicando também um contexto de conflito náutico, o que está alinhado a esse sentido de empreendedorismo marítimo cercado pelo termo. Na Runestone Arhus 6, encontramos uma mensagem feita por Tosti, Hofi e Freybjǫrn em memória de Asur Saksa, seu parceiro e um *drengr* muito bom (**filaka : sin : harþa : kuþan : trik**). A inscrição ainda revela que o morto possuía um navio em parceria com outrem, um que não encomendou a Runestone. Talvez Tosti, Hofi, Freybjorn e o falecido homenageado operassem em parceria, com vários navios em expedições guerreiras e mercantis conjuntas.

É curioso o fato de que as maiores menções ao termo estão circunscritas no campo das inscrições rúnicas, sendo elas quase ausentes entre os versos da poesia escáldica. Esse tipo de poesia nos diz pouco sobre o comércio e os aspectos econômicos da guerra, que estão intimamente ligados às recompensas entregues pelos reis e líderes guerreiros aos seus homens, muito diferente do comum acordo entre parceiros de negócios. Os ganhos em guerra na poesia são presentes, concessões e recompensas, não um acordo de divisões dos espólios. Essa característica de acordo pode ser examinada no termo *Feolaga* do inglês antigo. Segundo o relato do ano de 1016 das *Crônicas Anglo-saxônicas*, especificamente no acordo de Olney, firmado por Knútr e Edmund, os reis concordam na partilha inglesa, tornando-se assim *feolagan wed broðra, feolagan* e irmãos jurados.

Resta-nos lembrar que as mulheres se encontravam excluídas dessa relação de *félag*. Fora das granjas e do seio familiar, a sociedade nórdica restringia bastante as oportunidades das mulheres. Temos notícia de escaldas e de escultoras de runas, mas nenhuma certeza sobre a existência de mercadoras, de artífices ou de guerreiras, e, se de fato existiram, possivelmente foram escassas a ponto de não termos qualquer acesso a sua inserção e convívio em uma parceria nos moldes do *félag* (ainda que o termo *drengskapr* pudesse ser aplicado para definir algumas mulheres no contexto medieval, mas fora da Era Viking).

Pablo Gomes de Miranda

Ver também Comércio; Era Viking; Expansão nórdica; Sociedade.

JESCH, Judith. *Ships and Men in the Late Viking Age*: the vocabulary of runic inscriptions and skaldic verse. Woodbridge: The Boydell Press, 2001.

PAGE, Raymond Ian. Scandinavian Society, 800-1100: the contribution of runic studies. In: FAULKES, Anthony; PERKINS, Richard (orgs.). *Viking Revaluations*. Birmighan: Viking Society for Northern Research, 1993, pp. 145-159.

PAGE, Raymond Ian. *Runes and Runic Inscriptions*. Woodbridge: Boydell Press, 1999.

ROESDAHL, Else. *The Vikings*. London: Penguin Books, 1998.

FERREIROS E FERRARIA

Ferreiros são os trabalhadores que tradicionalmente fabricam armas, ferramentas e outros utensílios utilizando como matéria-prima principal o ferro, bem como os fabricantes de joias que trabalham recorrentemente com o ouro e a prata. Denominam-se por ferrarias os utensílios que fazem parte da oficina do ferreiro que o auxiliam no seu trabalho, tais como martelos de diferentes pesos, formatos e tamanhos; bigornas grandes e pequenas para que sejam trabalhados diferentes tipos de produtos; tenazes de diversos tamanhos para que se possa colocar e retirar os objetos de dentro da forja; formões, que são utilizados para perfurações e cortes das peças que estão sendo moldadas, conforme podemos ver nos textos de Colins sobre o tema. No período medieval, para Eliade, os ferreiros podem ser subdivididos em três grupos, muito embora seja possível que houvesse alguns deles que dominassem todo o processo: a) o ferreiro de mina ou de alto forno, que extrai os minérios da terra e funde os metais; b) o ferreiro do ferro negro, que trabalha na forja, mas não extrai minérios; c) o ferreiro dos metais preciosos, que trabalha como joalheiro.

Os trabalhos comuns de um ferreiro tais como a fabricação e colocação de ferraduras, de cravos/pregos, a forja de tenazes, martelos, panelas, pás, picaretas, serras e demais ferramentas de uso próprio do camponês, poderiam ser classificados dentro da categoria de *labor* ou trabalho, pois tinham como objetivo confeccionar objetos meramente funcionais, sem beleza, sem valor estético, destinados apenas para o trabalho árduo dos camponeses. Grosso modo, o ferreiro não possuía as técnicas apuradas de combate, mas ele dominava a forja de espadas, machados, lanças, flechas, escudos, armaduras e ferraduras para os cavalos utilizados em combate pelos guerreiros. As beligerâncias eram tornadas possíveis mediante o seu trabalho.

Todavia, quando um ferreiro produzia espadas, armaduras, machados para os guerreiros, sobretudo para os mais abastados, os objetos além de um caráter funcional, tinham também símbolos heráldicos, referências a figuras sagradas para os nórdicos medievais, pedras preciosas, detalhes em prata, ouro e bronze. Sem contar, obviamente, que o metal utilizado para esses objetos era de qualidade muito superior aos empregados na forja de uma ferramenta simples; sob esse aspecto, a criação do ferreiro não seria *labor*, seria *opus* por conta das técnicas e materiais utilizados. Entretanto, nunca é demais lembrar que é anacrônico classificar esses detalhamentos empregados nesses objetos como arte, tal qual costumamos fazer com esse tipo de trabalho nos dias atuais.

Na Escandinávia da Era Viking os ferreiros eram figuras predominantemente masculinas e, até o momento, desconhece-se a presença de mulheres trabalhando nos ambientes das forjas. Essas oficinas, para Embleton e Harrison, eram ocupadas por homens de diversas idades, que eram iniciados na profissão ainda na infância, executando tarefas mais simples, até que um dia pudessem se tornar mestres forjadores. Dentre as tarefas executadas podemos citar: alimentar o fogo com carvão, manter os recipientes de água e de óleo abastecidos para a atividade de têmpera, movimentar os foles que injetavam ar na forja para que o fogo atingisse temperaturas mais altas, utilizar tenazes para segurar pedaços de ferro incandescentes que eram combinados em ligas, martelar as peças de metal que eram forjadas, cuidar do desbaste e afiação das lâminas etc. Era também atribuição das forjas desse período saber trabalhar com madeira para fazer os escudos, cabos das armas e ferramentas, passando pelas etapas de corte, entalhamento, endurecimento/impermeabilização feito com óleos vegetais e chamas; também era atribuição de pelo menos um dos trabalhadores da forja saber operacionalizar os processos de curtimento, corte, costura e desenhos com couro para a confecção das bainhas das lâminas e capas dos escudos.

No cenário mitológico, segundo Hedeager, a figura dos ferreiros nórdicos está diretamente atrelada aos anões (*dvergar*). Dentre os mais célebres podemos destacar os filhos de Ivaldi e os irmãos Brokkr e Eitri. Esses anões aparecem na *Skáldskaparmál* ao serem enganados por Loki em uma espécie de aposta que definiria quem seriam os ferreiros mais habilidosos e ao mesmo tempo traria certos benefícios para Loki diante dos outros deuses. Aos filhos de Ivaldi é atribuída a produção do Skidbladnir, o navio de Freyr, de Gungnir, a lança de Odin e do cabelo dourado de Sif que foi colocado em sua cabeça para substituir o que Loki havia cortado. Os irmãos Brokkr e Eitri foram os responsáveis pela fabricação do javali de ouro Gullinbursti, do anel de ouro de Draupnir e do martelo Mjöllnir. Desse relato, depreendemos a grande capacidade de criação dos ferreiros, indo desde joias e adereços, passando por navios, armas e outros objetos com propriedades mágicas.

Michel Roger Boaes Ferreira

Ver também Comércio; Espada; Metalurgia.

ANÔNIMO. *Prose Edda*. Oxford: Clarendon Press, 1982.

COLINS, John. *The European Iron Age*. London: Routledge, 1984.

ELIADE, Mircea. *Ferreiros e Alquimistas*. Rio de Janeiro: Zahar Editores, 1979.

EMBLETON, Gerry; HARRISON, Mark. *Viking Hersir - 793-1066 AD*. Oxford: Osprey Publishing, 1993.

HEDEAGER, Lotte. *Iron Age Myth and Materiality*: An Archaeology of Scandinavia ad 400-1000. New York: Routledge, 2011.

FESTAS E FESTINS

As festas, festins e banquetes, além de expressarem poder e riqueza, possuíam a finalidade de celebrar os laços de amizade, as alianças políticas e guerreiras. Portanto, essas festividades serviam como uma maneira de mostrar que esses compromissos seriam honrados. O ato de comer e beber juntos, embriagar-se e fartar-se de todos os tipos de carnes era uma maneira de mostrar que esses laços não seriam rompidos. No momento do festim celebrava-se, portanto, a durabilidade dos laços e os comensais mostrariam uns para os outros que eles não se desatariam. Os festins tinham o intuito de celebrar as relações de paz.

Durante a Era Viking, os festins e as festas eram sempre organizados em torno de ocasiões importantes para a comunidade, tais como o nascimento de uma criança, filha de um chefe ou guerreiro importante, casamentos que selariam alianças entre as comunidades, o início ou o final de guerras, celebração de amizades e alianças, além, é claro, das festividades religiosas que envolviam alimentos e comidas consideradas sagradas. Em todas essas ocasiões havia o comprometimento de quem oferecia o festim para com os convidados especiais e com a comunidade em que vivia: a comida e a bebida deviam ser fartas e ninguém devia ficar insatisfeito ou ser mal servido. A hospitalidade devia estender-se a todos. Essas refeições, que tinham um caráter solene, aconteciam de tempos em tempos e com regularidade, não só como uma maneira de celebração, mas de constante demonstração de poder.

A duração de um banquete ou festim podia alcançar dias. Os anfitriões se empenhavam na tarefa de entreter os convidados, que possuíam uma grande capacidade de comer e beber, pois a gula ia além da demonstração de força: mostrava como o glutão era poderoso e também respeitado entre os seus. A música, a dança, jogos de tabuleiros e ao ar livre faziam parte do entretenimento para essas celebrações, que envolviam discussões sobre assuntos importantes para a comunidade e, nesse clima de alegria, com comida e bebida em abundância, os líderes selavam sua amizade e se comprometiam a mantê-la. Essa mescla de comida, bebida, jogos, risos e diversão com a tomada de decisões e alianças político-militares tem uma raiz antiga que, já havia sido descrita por Tácito. Entre os germanos, o autor latino havia observado que essas tribos discutiam questões importantes durante os banquetes e festas, conferindo a essas comemorações um caráter político e não somente festivo. Ainda segundo Tácito, o excesso de bebidas alcoólicas permitia que as opiniões mais sinceras e muitas vezes nada agradáveis fossem ditas, levando a discussões acaloradas que não permitiam que decisões importantes fossem tomadas, adiando para o dia seguinte, quando não estivessem mais sob o efeito do álcool, as importantes deliberações que precisavam ter.

Essas reuniões serviam também para demonstrar o poder econômico de quem as oferecia: nenhuma modéstia ou avareza era tolerada. O anfitrião não economizava na comida servida, embora pouco se saiba quais eram os pratos consumidos nessas ocasiões. Acredita-se que carnes cozidas e assadas, papas, sopas e pães eram os mais comuns, pois o importante era a quantidade de bebidas que havia nesses festins. A cerveja era servida em abundância e o hidromel não faltava nas taças e, para reforçar o seu poder e mostrar o quão ricos eram, alguns chefes não hesitavam em servir vinho, vindo das regiões mediterrâneas. O vinho, assim como o hidromel, por se tratarem de bebidas caras, estavam diretamente ligadas ao deus Odin e, portanto, tanto quem as consumisse como quem as servisse em abundância mostraria também uma ligação estreita com o deus e daria ao festim um caráter sagrado.

É importante ressaltar que aquele que oferecia o festim devia também, além de garantir comida e bebida aos participantes, protegê-los pelas leis da hospitalidade, assegurando a integridade física e moral de cada um que estivesse ali presente, não permitindo a ocorrência de brigas que levassem alguém à morte, traições, injúrias e vendetas enquanto durasse a celebração. Mas, mesmo com essas leis, muitas vezes mortes e traições aconteciam e pode-se dizer que alguns festins eram organizados justamente com esse fim.

Luciana de Campos

Ver também Alimentação; Cerveja; Hidromel; Sociedade.

ALTHOFF, Gerd. Comer compromete: refeições, banquetes e festas. In: FLANDRIN, Jean-Louis; MONTANARI, Massimo. *História da Alimentação*. São Paulo: Estação Liberdade, 1998, pp. 300-309.

HAGEN, Ann. *Anglo-Saxon food and drink*. London: Anglo Saxon Book, 2010.

WARD, Christie. Alcoholic beverages and drinking customs of the Viking Age. *The Viking Answer Lady*, 2005. Disponível em: http://www.vikinganswerlady.com/drink.shtml. Acesso em 14/04/2017.

FINLÂNDIA DA ERA VIKING

É provável que o que fez Katherine Holman, em seu útil *Historical dictionary of the Vikings*, afirmar que pouco se sabia sobre a Finlândia durante a Era Viking tenha sido a falta de documentos escritos sobre o local antes do século XII d.C., quando o Reino da Suécia começou a incorporar a região. No entanto, novas pesquisas propõem uma interpretação diferente sobre a relação da Finlândia com o mundo nórdico. A própria cronologia "clássica" da Era Viking passou a ser questionada por estudiosos que advogam em prol de um alargamento temporal (750- -1250 d.C.) já que a cronologia estabelecida – vinculada aos eventos ocorridos principalmente nas Ilhas Britânicas – pouco (ou nada) interferiram na relação dos nórdicos com a Finlândia.

A região dos principais assentamentos do período é específica e argumenta-se que durante a Era Viking essas áreas não foram expandidas. De forma geral, a região sudoeste da Finlândia, próxima à costa báltica e à Suécia, sendo as províncias da Finlândia Própria, Satakunta, Taváscia Própria e o arquipélago de Alanda os principais cenários do desenrolar das atividades humanas na região. Além dessas ocupações balto-fínicas, o norte – principalmente a Lapônia e a Ostrobótnia – é, de forma esparsa, o local do assentamento das populações sami. Estima-se que a população da Finlândia no período beirava 50 mil pessoas.

É durante a Era Viking que a essa região concentrada no sudoeste da Finlândia experimenta um crescimento populacional e econômico que, antes de ser derivado de um sistema regional de contatos comerciais, é fruto de mudanças domésticas como o estabelecimento de vilas fixas e o fim da agricultura de queimadas. A partir disso, o contato com outras regiões, principalmente Birka, pode ser levado em consideração. As ilhas de Alanda são o melhor exemplo disso. Repleto de descontinuidades históricas por ter sido uma região de repetidas guerras, esse arquipélago foi importante ponto de contato com a Uppland sueca (onde se localiza Birka) e isso é atestado graças aos produtos fínicos encontrados em enterramentos em Birka. Além disso, essas ilhas são importantes como referenciais para a navegação costeira, uma vez que o arquipélago está localizado numa região de passagem para o Báltico oriental via Suécia.

Dentro dessas dinâmicas comerciais estabelecidas na região Báltica, as terras fínicas contribuíam, principalmente, com peles de animais como castor, lobo, alce e urso marrom. Esses pequenos grupos sociais que viviam da agricultura, pesca e caça tinham no inverno o seu período mais delicado, já que é justamente nesse solstício que ocorriam, de acordo com as sagas, as principais atividades de ganho: a caça e o comércio com os povos regionais.

Nas três províncias continentais citadas, há ainda a presença de pelo menos uma igreja, erguida durante a Alta Idade Média, geralmente localizada próxima a cemitérios pré-cristãos. Esses enterramentos são vistos pela nova literatura como um "fenômeno finlandês", já que são cremações no nível do chão. Estabeleceu-se, ainda, um paralelo com os enterramentos com barcos da Escandinávia, com a diferença que estes não eram cremados. As exceções desse fenômeno são Eura e Köyliö, na província de Satakunta, onde a tradição de conduzir a inumação dos corpos se inicia e se espalha pela região no século XI d.C. Esses enterramentos contêm vestimentas e joias que nos ajudam a estabelecer um panorama mais complexo das dinâmicas estabelecidas. No caso das joias, a principal matéria-prima para sua fabricação é o bronze e, com o aumento populacional da região, enxerga-se um aumento da produção desses artifícios – assim como o declínio de seu refinamento.

O fluxo de peças de prata que se estabelece na região provém dos territórios vizinhos, tanto no Ocidente quanto no Oriente, e eram usadas principalmente como moeda ou joias. Achados arqueológicos do Período Viking na região contêm balanças e pesos e corrobora com o uso da prata como meio de troca, que tinha o valor estabelecido a partir de sua pesagem. Já as moedas árabes e bizantinas datadas do século X d.C., por exemplo, trazidas por caravanas, eram perfuradas e utilizadas em colares como joias.

Diversas moedas foram encontradas em enterramentos, sendo quatro mil delas de origem germânica, mil e seiscentas islâmicas, mil anglo-saxãs e outras de regiões diversas. As mais antigas, encontradas em Alanda, são datadas do século IX e X d.C. e são do Oriente, o que ajuda a especular sobre o fluxo de caravanas que iam ao leste e retornavam. Já as moedas encontradas na Finlândia e Taváscia Própria são provenientes do Ocidente e datadas do final do século XI d.C. O principal problema referente aos enterramentos são justamente as tentativas de estabelecer seu contexto, ou seja, os motivos daquele entesouramento (*hoarding*). No fim, acabam sendo exercícios especulativos, pois existem situações que extrapolam as considerações práticas (enterrar para resgatar no futuro), como, por exemplo, as possíveis relações com a esfera sagrada.

Vítor Bianconi Menini

Ver também Birka; Gotland; Sámi, fínicos e nórdicos.

EDGREN, Torsten. The Viking age in Finland. In: BRINK, Stefan; PRICE, Neil (eds.). *The Viking World*. New York: Routledge, 2008, pp. 470-484.

JOONAS AHOLA, Frog; LUCENIUS, Jenni. The Viking Age in Åland: Insights into Identity and Remnants of Culture. *Annales Academiæ Scientiarum Fennicæ*, n. 372. Helsinki: Finnish Academy of Science and Letters, 2014.

JOONAS AHOLA, Frog; TOLLEY, Clive. Fibula, Fabula, Fact: The Viking Age in Finland. *Studia Fennica Historica*, n. 18. Helsinki: Finnish Literature Society, 2014. (Studia Fennica Historica, 18).

MÄGI, Marika. Viking Age Finland: the Land of Samis and Finns. *Estonian Journal of Archaeology*, Tallinn, vol. 2, n. 19, 2015, pp. 168-172.

ODNER, Knut. Saamis (Lapps), Finns and Scandinavians in history and prehistory: Ethnic origins and ethnic processes in Fenno-Scandinavia. *Norwegian Archaeological Review*, Abingdon, vol. 1-2, n. 18, 1985, pp. 01-12.

ZACHRISSON, Inger. Comments on Saamis, Finns and Scandinavians in history and prehistory. *Norwegian Archaeological Review*, Abingdon, vol. 1-2, n. 18, 1985, pp. 19-22.

FLATEYJARBÓK

Flateyjarbók é como se nomeia o códice GKS 1005 fol., que em tamanho é o mais extenso dos manuscritos islandeses medievais conservados. Está formado por um total de 225 folhas, das quais 202 foram escritas no final do século XIV e outras 23 adicionadas ao manuscrito na segunda metade do XV. A obra foi encarregada pelo latifundiário Jón Hákonarson, que vivia em Víðidalstunga, no distrito de Húvanatn ao norte da Islândia, tal como afirma no prólogo do mesmo. Os escritores, ou melhor, os compiladores que se encarregaram de sua redação foram os monges Jón Þórðarson (até a página 134v) e Magnús Þórhallsson, que após terminar a obra ficou responsável por suas requintadas iluminuras. Sabemos que o primeiro nasceu na Noruega em 1388, de modo que a primeira parte do manuscrito foi com toda certeza escrita em 1387 e também que Magnús Þórhallsson fez alguns acréscimos nos seis anos posteriores, o que indicaria que no ano de 1394 o manuscrito já estaria concluído. Para sua elaboração se utilizou a pele de mais de cem bezerros, o que nos dá a verdadeira medida dos recursos de seu promotor, assim como da importância que se concedia na Islândia da época para a fixação das tradições próprias, mas também das que as uniam com a Noruega, lugar de onde procediam a maioria de seus antepassados.

Por razões paleográficas se indica que o local mais provável de sua confecção foi o monastério beneditino de Þingeyrar, embora alguns pesquisadores também mencionem a região oriental de Húnavatn, no denominado Skagafjörður. O nome Flateyjarbók foi dado em decorrência de sua origem na ilha de Flatey, uma pequena ilha situada em Breidafjörð, onde residiu Jón Finnsson, o último de seus donos islandeses, que em 1647 entregou o manuscrito ao bispo Brynjólfur Sveinsson, que por sua vez cedeu o documento, em 1656, ao rei dinamarquês Federico III para sua biblioteca real. O manuscrito permaneceu em Copenhage até o inverno de 1971 quando foi devolvido para as autoridades islandesas.

O Flateyjarbók cobre a história dos reis da Noruega desde o ano de 850 até *ca.* 1260, representada pela denominada *Grande saga de Ólafr Tryggvason*, a *Saga de Ólafr, o Santo*, junto com a *Saga do rei Sverrir* e a

Saga de Hákon Hákonarson, em que se incluem materiais não conhecidos por outras fontes e que em sua maior parte aparecem na forma de *þættir* ou relatos curtos. Estes desempenham uma função estrutural com respeito as sagas que os contêm, na medida que apresentam informações relevantes de caráter genealógico ou histórico, ou simplesmente ajudam a caracterização dos personagens principais das ditas sagas.

Porém além das grandes sagas sobre os reis noruegueses e outros relatos breves encerrados nelas, o manuscrito contém uma versão quase completa da *Orkneyinga saga*, a *Fóstbræðra saga*, com capítulos não contidos em outras versões da mesma, assim como a *Færeyinga saga* e a *Grænlendinga saga*; esta última não se conserva em nenhum outro manuscrito e é uma das fontes mais antigas do descobrimento de Vínland. Digna de menção é a predileção do segundo escriba, Magnus, pelos documentos de tipo histórico que com toda certeza se encontram detrás da inclusão no manuscrito de crônicas (*Hversu Noregr byggðist*), genealogias (*Ættartölur*) e anais (*Flateyjarbókarannáll*) com o fim de glorificar as monarquias norueguesas e com ela os próprios islandeses em que os documentos são representados como iguais; como coparticipantes do sangue real norueguês. Também neste manuscrito encontramos a única cópia que se conservou do poema *Hyndluljóð*, no qual algumas estrofes versam sobre a importância do conhecimento da genealogia, neste caso a de Óttarr, o protegido da deusa Freyja.

Teodoro Manrique Antón

Ver também Islândia da Era Viking; Literatura; Poesia éddica; Poesia escáldica; Sagas islandesas.

ASHMAN ROWE, Elisabeth. *The Development of Flateyjarbók. Iceland and the Norwegian Dynastic Crisis of 1389.* Odense: University Press of Southern Denmark, 2005. (The Viking Collection: Studies in Northern Civilization, vol. 15)

DUBOIS Thomas A. A History Seen: The Uses of Illumination in *Flateyjarbók. The Journal of English and Germanic Philology*, vol. 103, n. 1, 2004, pp. 01-52

HALLDÓRSSON, Ólafur. Af uppruna Flateyjarbókar. In: STEINGRÍMSSON, Sigurgeir; KARLSSON, Stefán; TÓMASSON, Sverrir (eds.). *Grettisfærla: Safn ritgerda eftir Ólaf Halldórsson*. Rit 38. Reykjavík: Stofnun Árna Magnússonar á Íslandi, 1990, pp. 427-431.

HARALDSDÓTTIR, Kolbrún. Die Flateyjarbók als Quelle zur Geschichte des Isländischen-annähernd aud halbem Wege zwischen erster Besiedlung und Gegenwart. In: WESTERMANN, Rainer (eds.). Bruno-Kress-Vorlesung: Ernst Moritz Arndt Universität, 2004.

WÜRTH, Stefanie. *Elemente des Erzählens: Die Þættir der Flateyjarbók*. Basel: Helbing & Lichtenhahn, 1991. (Beiträge zur nordischen Philologie, vol. 20)

FOLCLORE

"Folclore" é uma transliteração do termo em inglês *folklore*, criado no século XIX. Sua etimologia remete à "sabedoria popular" (do inglês, *folk*, "povo", e *lore*, "sabedoria" ou "conhecimento"). Foi empregado pela primeira vez em agosto de 1846, quando o antiquarista, editor e escritor William John Thoms (1803-1885), sob o pseudônimo de Ambrose Merton, publicou um breve artigo em forma de carta em *The Athenaeum*, um influente periódico inglês de literatura, ciência e belas artes que circulou de 1828 a 1921.

O neologismo de Thoms logo foi adotado por correspondentes da revista e se popularizou, difundindo-se na Inglaterra e, posteriormente, no exterior. Antes disso, temas relacionados a folclore eram comumente referenciados como *popular antiquities* (antiguidades populares), *popular literature* (literatura popular) ou *popular mythology* (mitologia popular). A internacionalização do termo "folclore", portanto, adveio da língua inglesa – em alemão, o termo *Volkskunde* já existia, mas seu uso era escasso.

Academicamente, o folclore é contemplado pela folclorística, disciplina voltada para estudos folclóricos que possui metodologia própria, conforme defendido por Alan Dundes. De acordo com o autor, a metodologia empregada pela folclorística pode ser sintetizada em dois passos fundamentais: identificação (busca por similaridades) e interpretação (demarcação de diferenças). Teorias e métodos de outras áreas também podem contribuir nos estudos de folclore, como história, antropologia, sociologia, literatura.

A folclorística oferece muitas possibilidades para se investigar e compreender a cultura, crenças, hábitos, valores e normas sociais de determinadas comunidades. Como objeto de estudo, pode englobar diversas produções da cultura popular, tais como gêneros discursivos (mito, lenda, conto, provérbio, trava-língua etc.), festividades, danças, vestimentas, arte decorativa, ritos, música, entre outros. Apesar das várias vertentes da folclorística e respectivos enfoques, pode-se dizer que a interdisciplinaridade e até mesmo a multidisciplinaridade são bem-aceitas nessa área de pesquisa.

A coleção sistemática de folclore começou junto ao desenvolvimento de paradigmas comparativos na linguística e no estudo da mitologia. No âmbito nórdico, publicações de cunho folclórico já despontam a partir da segunda metade do século XVI com obras dinamarquesas, como por exemplo: *Hundredvisebogen* (*Livro das cem canções*), publicada em 1591 por Anders Sørensen Vedel, e *Aldmindelige Danske Ord-Sproge og korte Lærdomme* (*Provérbios dinamarqueses comuns e breves ensinamentos*), dois volumes publicados entre 1682-88 por Peder Pedersen Syv.

Ainda na Dinamarca deu-se início a uma grande coleção de baladas, conhecida como *Danmarks gamle Folkeviser* (*Antigas baladas da Dinamarca*), cabeceada por Svend Hersleb Grundtvig em meados do século XIX e continuada por vários outros autores (entre eles, Axel Olrik) no decorrer dos séculos XIX e XX. Em relação a contos (popularmente conhecidos como "contos de fadas"), há publicações como *Eventyr, fortalte for Børn* (*Aventuras, contadas para crianças*) – publicada entre 1835-37 por Hans Christian Andersen – e *Danske Folkeæventyr* (*Contos dinamarqueses*) – três volumes publicados entre 1876-84, também por Grundtvig.

Na Finlândia, Elias Lönnrot e Johan Oskar Immanuel Rancken foram expoentes oitocentistas, sendo que Rancken se destacou por sua atuação na coleta de folclore, enquanto Lönnrot prevaleceu na poesia e canções folclóricas. Zacharias Topelius, influenciado por Hans Christian Andersen, publicou contos ao longo do século XIX, como *Sagor*

(*Contos*), em 1847, e a série *Läsning för barn* (*Histórias para crianças*), entre 1865-96.

Sobre o folclore das ilhas Faroé, John Frederick West publicou *Faroese Folk-Tales and Legends* (*Contos e lendas feroesas*) em 1980. Na Islândia, Árni Magnússon foi pioneiro no esforço de coletar contos islandeses. Jón Árnason e Magnus Grimson, em 1852, publicaram *Íslenzk æfintýri* (*Contos islandeses*) e, entre 1862-64, dois volumes de *Íslenzkar þjóðsögur og æfintýri* (*Lendas e contos islandeses*) foram publicados somente por Árnason (idem).

Cento e dez anos depois da primeira obra de Árnason como único autor, a pesquisadora inglesa Jacqueline Simpson publica, em 1972, *Icelandic Folktales and Legends* (*Contos e lendas islandesas*). Com base em uma seleção dos três primeiros capítulos de *Íslenzkar þjóðsögur og æfintýri*, Simpson aborda o sobrenatural no folclore islandês em sete categorias: *huldufólk* ("povo oculto", comumente associados aos elfos); *trolls*; habitantes da água; fantasmas; magia negra; tesouro escondido; Deus e o diabo.

Na Noruega, Peter Christen Asbjørnsen e Jørgen Engebretsen Moe coletaram contos e, em 1841, publicaram *Norske Folkeeventyr* (*Contos noruegueses*). Magnus Brostrup Landstad também contribuiu no cenário folclórico, ao publicar *Norske Folkeviser* (*Baladas norueguesas*) entre 1852-53. Em 1957, Reidar Thoralf Christiansen, falecido professor de folclorística na Universidade de Oslo, publica *Norske folkeviser* (*Contos da Noruega*), na qual subdivide contos noruegueses em oito seções: lendas históricas; lendas sobre magia e bruxaria; lendas sobre fantasmas, alma humana e metamorfose; lendas sobre espíritos do mar, lagos e rios; lendas sobre espíritos do ar; lendas sobre espíritos da floresta e da montanha; espíritos domésticos; e contos fictícios. A exemplo de alguns espíritos, há o *nøkk* (espírito da água metamórfico) e a *huldra* (espírito feminino da floresta), ambos descritos como seres que causam atração.

Na Suécia, Arvid August Afzelius, Erik Gustaf Geijer, Gunnar Olof Hyltén-Cavallius e George Stephens se empenharam na coleta de folclore entre as décadas de 1830-40, resultando na obra *Svenska folksagor och äfventyr* (*Lendas e contos suecos*), mas esta não logrou tanto sucesso quanto os contos noruegueses. Em 1978, John Lindow publica *Swedish*

Legends and Folktales (*Lendas e contos suecos*), no qual discorre sobre lendas, contos e memórias de tradições orais do meio rural na Suécia dos séculos XIX e XX.

Eldar Heide, Etunimetön Frog e Terry Gunnell são alguns defensores atuais do estudo de folclore na Escandinavística Medieval. Segundo Heide, o folclore tardio pode servir tanto como material adicional quanto ferramenta que mostra como compreender a religião nórdica antiga e o plano cultural da literatura nórdica antiga. O autor também ressalta que pesquisadores céticos, no que tange à utilidade do folclore pós-medievo, são os que mais desconhecem esse tipo de abordagem. Outros pesquisadores dedicados a estudos do folclore nórdico, além daqueles previamente citados, são: Stephen Mitchell, Timothy Tangherlini, Reimund Kvideland, Henning K Sehmsdorf, Lauri Honko, Aili Nenola, Ulrika Wolf-Knuts, Arja Anna-Leena Siikala, Satu Apo, entre outros.

Demais produções que tratam de temas folclóricos nórdicos em língua inglesa e se encontram em domínio público: *Northern mythology: comprising the principal popular traditions and superstitions of Scandinavia, North Germany, and the Netherlands* (*Mitologia setentrional: abrangendo as principais tradições e superstições populares da Escandinávia, Norte da Alemanha e Holanda*), três volumes publicados entre 1851-52 por Benjamin Thorpe; *Folk-lore and legends – Scandinavian* (*Folclore e lendas – Escandinavos*), 1890, por Charles John Tibbits; *Scandinavian Folk-Lore – Illustrations of the traditional beliefs of the Northern peoples* (*Folclore escandinavo – Exemplos das crenças tradicionais dos povos setentrionais*), 1896, por William Alexander Craigie; *Popular Tales from the Norse* (*Contos populares dos nórdicos*), 1903, por George Webbe Dasent.

Andressa Furlan Ferreira

Ver também Guerra e simbolismos; Religião.

DUNDES, Alan. The Study of Folklore in Literature and Culture: Identification and Interpretation. *The Journal of American Folklore*, vol. 78, n. 308, 1965, pp. 136-142.

EMRICH, Duncan. "Folk-Lore": William John Thoms. *California Folklore Quarterly*, vol. 5, n. 4, 1946, pp. 355-374.

HEIDE, Eldar. Why Care about Later Folklore in Old Norse Studies? *Fifteenth International Saga Conference*, 2012, pp. 87-89.

HULT, Marte. Iceland. In: HAASE, Donald (ed.). *The Greenwood Encyclopedia of Folktales and Fairy Tales*: Q-Z. vol. 3. Greenwood Press, 2008a, p. 835.

HULT, Marte. Sweden. In: HAASE, Donald (ed.). *The Greenwood Encyclopedia of Folktales and Fairy Tales*: Q-Z. vol. 3. Greenwood Press, 2008b, pp. 838-840.

HULT, Marte. Swedish Finland. In: HAASE, Donald (ed.). *The Greenwood Encyclopedia of Folktales and Fairy Tales*: Q-Z. vol. 3. Greenwood Press, 2008c, pp. 840-841.

KATAJAMÄKI, Sakari; LUKIN, Karina. Textual Trails from Oral to Written Sources: An Introduction. *Limited Sources, Boundless Possibilities – Textual Scholarship and the Challenges of Oral and Written Texts, A special issue of Retrospective Methods Network Newsletter*, n. 7, 2013, pp. 08-17.

FONTES PRIMÁRIAS

Ver Annála Uladh; Annales Fuldenses; Annales de Flodoardo de Reims; Annales Fuldenses; Annales regni Francorum; Brevis Historia Regum Dacie; Cogadh Gáedhel re Gallaibh; Crônica Anglo-saxônica; Crônica dos Anos Passados; Egills saga; Encomium emmar reginae; Eyrbyggja saga; Fagrskinna; Flateyjarbók; Gesta Hammaburgensis ecclesiae pontificum; Gesta Normannorum Ducum; Grágás; Guta saga (História dos gotlandeses); Haustlong; Historia de Antiquitate Regum Norwagensium; Historia Norwegiae; Inscrições rúnicas; Íslendingabók; Landnámabók; Laxdaela saga; Morkinskinna; Njáls saga; Poesia éddica; Poesia escáldica; Sonatorrek; Tapeçaria de Bayeux; Tapeçaria de Oseberg; Tapeçarias de Överhogdal; Tapeçaria de Skog.

FORTIFICAÇÕES

As principais fortificações escandinavas foram construídas no final da chamada Era Viking, também conhecida como Era Viking Tardia. Esse período foi marcado pela vagarosa cristianização dos territórios, a começar pela Dinamarca que mantinha um contato mais estreito com o Sacro Império Romano-Germânico, suscitando uma presença precoce e contínua de missionários, ainda no início do século IX. Entrementes, o estabelecimento da nova crença cristã somente ocorreu a partir do reinado de Haroldo I da Dinamarca, também designado Haroldo Dente Azul (935-986), que estabeleceu o cristianismo como religião nacional, acabando por se converter em 965. Quase todas as evidências arqueológicas sugerem que foi durante o controverso governo do rei cristão Haroldo que se construíram as chamadas Fortalezas Circulares ou Fortificações Vikings em Anel.

Essas monumentais estruturas receberam o citado título por possuírem uma planta básica perfeitamente circular que define todo sistema defensivo. Cinco exemplares desse tipo de fortificação foram encontradas na Dinamarca: Trelleborg, próximo a comuna de Slagelse, Fyrkat, próximo de Hobro, Aggersborg em Løgstør, Nonnebakken em Odense e Vallø Borgring ou Borrering, na comuna de Køge, a leste de Lellinge. No entanto, apenas as três primeiras estão preservadas e continuam visíveis destacando-se na paisagem como grandiosos marcos históricos. Para além dessas, em fins do século XX, outras duas foram encontradas no extremo sul da atual Suécia, ambas na região de Skåne – província histórica da antiga Götaland, que foi parte da Dinamarca desde o século IX até ao século XVII – um em Borgeby, a norte de Lund e outro na cidade sueca igualmente chamada de Trelleborg. Esse último achado não foi uma grande surpresa, pois a coincidência do seu nome sempre sugeriu aos especialistas que um complexo fortificado podia ter sido construído ali. Recentemente, novos estudos arqueológicos apontam a possibilidade de existirem outros sítios, inclusive fora da Escandinávia.

Todas as fortificações descobertas possuem as mesmas características e o mesmo formato, a semelhança dos seus planos sugere que foram construídas por uma única autoridade organizadora, provavelmente o próprio rei Haroldo Dente Azul. Dada a regularidade da disposição, não é surpreendente que, no princípio, fossem concebidas para uma função estritamente militar. Trelleborg, próximo a Slagelse, na ilha Sjælland, foi o primeiro a ser escavado e sua pesquisa arqueológica desenvolveu-se entre 1936 e 1941. A tradição tentou explicar a origem do nome Trelleborg como uma fortificação construída por escravos, devido ao significado do termo *borg*, referente a castelo ou fortaleza e a semelhança da palavra dinamarquesa *træl* para designar escravo. Porém, o vocábulo *trelle* oferece uma explicação mais plausível, uma vez que pode fazer referência aos pilares de madeira que recobriam ambos os lados da muralha circular. Como os demais sítios arqueológicos encontrados posteriormente seguem o mesmo padrão, tais construções também ficaram conhecidas como Fortes Trelleborg ou Fortificações tipo Trelleborg.

Essas não foram as primeiras formas defensivas que surgiram no território escandinavo. Antes delas, diversos fortes menores coroavam os cumes dos outeiros rochosos na paisagem acidentada, principalmente da Suécia. No entanto, as fortificações do século x, por suas características tipológicas e a extrema precisão dos traçados, são inegavelmente as mais emblemáticas. A estrutura básica era composta por uma espessa muralha circular de terra, revestida/reforçada por troncos de madeira na face externa – em alguns casos internamente também – de modo a conferir maior resistência e evitar que os invasores escalassem. Acompanhava o perímetro circular um fosso, provavelmente repleto de estacas afiadas e acima da barreira circular de terra havia uma paliçada de largos troncos de carvalho com aproximadamente 7 m de altura. Um caminho de ronda margeava a paliçada e passava por cima dos portões de entrada na forma de pontes, permitindo fácil acesso dos guardas de um ponto a outro da extensa circunferência terrosa. O plano meticulosamente regular possuía quatro entradas equidistantes de onde surgiam ruas axiais que cortavam o interior do perímetro em forma de cruz. As ruas eram pavimentadas com madeira e dividiam o pátio interno em quadrantes iguais; dentro de cada uma destas quartas partes, situavam-se longos edifícios implantados no terreno de forma geométrica.

O axiomático desenho definido pelo anel de terra circular e as ruas internas em eixos ortogonais – ainda visíveis em alguns sítios arqueológicos – dividem as opiniões dos teóricos: alguns o associam diretamente à forma da cruz sagrada, símbolo da religião cristã recém-instaurada; outros notam semelhanças com os fortes militares romanos, os famosos *Castra* – plural de *Castrum* – construídos mil anos antes e que, estrategicamente, também eram divididos em quatro seções através da imposição de dois eixos dispostos em ângulo reto, o *Cardo* – disposição norte-sul – e o *Decumanos* – disposição leste-oeste. Esses eixos foram amplamente utilizados no planejamento de algumas cidades coloniais romanas. Quanto à possibilidade desta aproximação com a antiga referência latina, cabe ressaltar que importantes cidades dinamarquesas da Jylland, como Aarhus e Hedeby, ambas do século x, também tiveram seus planos estruturados a partir de vias ortogonais.

O fato é que essas fortalezas em anel são os monumentos mais ambiciosos e notáveis do final da Era Viking. A uniformidade geométrica dessas construções reflete um alto grau de desenvolvimento técnico e organização. No entanto, apesar do formato regular, as medidas, as quantidades e as proporções dos elementos constituintes podiam variar, a exemplo do anel interno da Trellerborg dinamarquesa, que possuía 136 m de diâmetro, enquanto Fyrkat e Nonnebakken possuem, ambas, 120 m. A maior fortificação encontrada – e provavelmente uma das primeiras a ter sido construída – é a de Aggersborg, no extremo norte da Dinamarca, com 240 m de diâmetro interno e um total de 48 edificações no interior, enquanto Trellerborg e Fyrkat continham apenas dezesseis edificações, agrupadas de quatro em quatro dentro de cada quadrante.

Essas edificações eram casas longas, com o madeiramento das cumeeiras arqueados e paredes laterais curvas, por isso, vulgarmente chamadas de "forma de barcos". Possuíam ainda uma estrutura de postes/colunas de madeira externas ao redor da edificação que poderiam apoiar um pórtico ou uma galeria avarandada contornando toda construção, como pode ser identificado nas escavações de Trelleborg. De outro modo, tais postes/colunas externos poderiam estar inclinados sustentando a parte superior da parede, onde se apoia o madeiramento do telhado, gerando uma volumetria de fachada peculiar, com 30 m de comprimento e 8 m de largura, sustentadas por mais de cinquenta estacas inclinadas, conforme sugerem as interpretações arqueológicas de Fyrkat. O interior das casas era dividido em três compartimentos: uma grande sala no centro e cômodos menores nas extremidades.

Os objetos arqueológicos encontrados nas escavações demonstram que, apesar de as edificações possuírem praticamente a mesma tipologia arquitetônica, elas cumpriam funções diferentes, afinal os seus habitantes não se limitavam as atividades guerreiras – atrás das muralhas viviam ourives, carpinteiros e ferreiros e alguns edifícios eram utilizados como celeiros e estábulos. As pesquisas também descobriram cemitérios fora do recinto circular. O cemitério de Trelleborg, localizado no entorno imediato da muralha, possui 135 sepulturas, contendo os restos de pelo menos 157 indivíduos. Em Fyrkat existe uma estrada ligando a fortificação ao cemitério; embora careça de uma delimitação precisa, 30 sepulturas já foram encontradas e escavadas no local.

Implantadas em locais considerados estratégicos naquela época, a execução dessas fortificações deve ter requerido técnicas de planificação e engenharia consideráveis, além de ter consumido muitos recursos. Para construir Fyrkat, por exemplo, o local precisou ser nivelado, alargado e também foi necessário transportar mais de dez mil metros cúbicos de terra para erigir a muralha. Trelleborg exigiu o trabalho de centenas de homens durante seis anos e utilizou mais de oito mil árvores de carvalho. Trelleborg possui mais uma distinção: externamente à barreira circular, existiam outras quinze edificações que acompanhavam a curvatura da muralha e onde, provavelmente, viviam as famílias dos guerreiros.

As motivações que levaram à construção desses extraordinários monumentos também foi matéria de polêmica desde a escavação dos seus primeiros vestígios na Dinamarca. Atualmente, a explicação mais aceita é que esses fortes serviram como verdadeiros centros do poder real, a partir dos quais as forças armadas de guerreiros podiam ser rapidamente enviadas para controlar regiões circundantes, reprimindo possíveis revoltas/insurreições e fazendo respeitar a autoridade do rei. Ademais, serviram como locais de treinamento das estratégias bélicas e centros regionais de coleta de impostos em produtos à população rural, neste caso desempenhando funções de tesourarias onde a riqueza real acumulada podia manter-se a salvo e ser transformada em ornamentos preciosos para o rei e sua corte nas oficinas ali existentes. Apesar de claramente projetadas para a guerra, essas fortificações acabaram servindo como importantes núcleos comunitários locais durante as épocas de paz e, enfim, majestosos símbolos do poder de Haroldo Dente Azul que exerceram um importante papel na unificação do reino. Não obstante, as mudanças políticas em finais do século, iniciada pela revolta do próprio filho do rei Haroldo, o rebelde Sueno, conhecido pelo epíteto de "Barba Fendida" ou "Barba Bifurcada" (960-1014), tornaram as caríssimas estruturas fortificadas desnecessárias, deixando-as cair em triste e célere abandono.

João Batista da Silva Porto Junior

Ver também Dinamarca da Era Viking; Guerra e técnicas de combate.

ANDRÉN, Anders. Places, Monuments, and Objects: The Past in Ancient Scandinavia. *Scandinavian Studies*, vol. 85, n. 3, 2013, pp. 267-281.

CAMPBELL, James Graham. *Grandes Civilizações do Passado: Os Vikings*. São Paulo: Editora Folio, 2006.

LANGER, Johnni (org.). *Dicionário de Mitologia Nórdica: Símbolos, Mitos e Ritos*. São Paulo: Editora Hedra, 2015.

LARSEN, Anne-Christine. *The Trelleborg-Type Fortresses: A Comparative Analysis of the Danish Viking Age Ring Fortresses*. The Heritage Agency of Denmark, 2012.

RAFFIELD, Ben. Antiquarians, Archeologists and Viking Fortifications. *Journal od The North Atlantic*, n. 20, 2013, pp. 01-29.

ROESDAHL, Else *et al. Aggersborg: The Viking-Age Settlement and Fortress*. Aarhus: Aarhus University Press, 2014.

FRANÇA NA ERA VIKING

Durante a Era Viking (séculos VIII-XI), o território que hoje corresponde à França viu suas fronteiras serem constantemente redefinidas. Ao fortalecimento do Reino dos Francos pela dinastia dos carolíngios, seguiu-se uma "restauração" do Império Romano do Ocidente, conduzida por Carlos Magno em 800. Logo depois, a unidade imperial foi dissolvida no Tratado de Verdun (843), de onde surgiu a Frância Ocidental (*Francia occidentalis*). Esse embrião da atual França também não ficou incólume à fragmentação territorial: a partir dos séculos IX-X, o poder central enfraqueceu, o que contribuiu para o aparecimento de diversas unidades políticas (principados), que passaram a agir de forma independente.

Nesse processo político secular, resumido ao extremo nas linhas acima, a presença escandinava influenciou a dinâmica da região, esta que, igualmente, os influenciaria. Do ponto de vista econômico, a clássica tese de Henri Pirenne – para quem o Império Carolíngio teria (após a expansão árabe no Mediterrâneo) uma economia carente de recursos e limitadas ligações mercantis, com uma *villa* "fechada" e autárcica – não é aceita atualmente. A conquista da Saxônia possibilitou aos francos novas e lucrativas rotas comerciais no fim do século VIII. Ainda nesse período, a reforma monetária de Carlos Magno estabeleceu o monopólio real de cunhagem e introduziu os *novi denarii*, moeda de prata com boa aceitação, inclusive no mundo nórdico.

Existe um debate sobre o impacto das invasões escandinavas na economia carolíngia do século IX. Algumas interpretações apontam uma época de crise causada pela escassez sobretudo de moedas, que tinham sido roubadas pelos invasores ou oferecidas a eles como tributo. Essa visão de "decadência" consta nas fontes daquela época, para as quais seria preferível pegar em armas em vez de recorrer a esse "vergonhoso" artifício, que teria tido efeitos desastrosos. O historiador francês Simon Coupland afirma que o tributo funcionava relativamente bem para repelir novos ataques escandinavos, ao contrário do que se costuma imaginar. Além disso, as informações de que dispomos demonstram que os francos poderiam pagar tais quantias, sem ocasionar qualquer crise monetária duradoura entre a população. Outros acadêmicos ainda argumentam que os saques vikings podem ter sido até benéficos à economia, já que recolocaram em circulação os tesouros dos edifícios eclesiásticos ("desentesouramento").

Uma característica da Frância Ocidental na Era Viking era a difusão dos laços de vassalagem, largamente propagados desde os primeiros carolíngios. Há uma discussão sobre o período no qual as relações feudo-vassálicas foram difundidas na Normandia, com destaque para uma história (real ou fictícia) ocorrida quando da concessão – do monarca Carlos, o Simples, ao chefe viking Rollo (911) – das terras ao redor de Ruão (praticamente a Alta Normandia de hoje). Segundo o clérigo Dudo de Saint-Quentin (c. 965-1026), o viking prestou "homenagem" ao rei franco e seguiu o ritual de colocar as mãos entre as do futuro senhor. Com um tom lendário e anedótico, ele ainda conta que Rollo, quando soube que o próximo passo seria ajoelhar e beijar o pé do soberano carolíngio, recusou, alegando que jamais ficaria de joelhos e beijaria o pé de um homem. Em seu lugar, o líder enviou um confrade que, para evitar a genuflexão, ergueu os pés do rei à altura de sua boca.

Outro aspecto da Frância dessa época era o desenvolvimento da cavalaria, que tinha uma importância crescente desde o período carolíngio. Ainda que o estribo (elemento asiático que chegou ao Ocidente no século VII) tenha possibilitado ao cavaleiro maior firmeza em seu cavalo, não podemos acreditar numa "revolução" militar causada pelo objeto. Com o objetivo de penetrar o interior da Frância, os próprios vikings se transformaram em cavaleiros, montando em animais que tinham trazido ou roubado na região. De modo geral, o equipamento de um cavaleiro carolíngio dos séculos IX-X consistia numa lança (acompanhada, por vezes, de uma espada longa), escudo redondo de madeira, capacete e armadura com escamas de ferro. Aliás, a arqueologia comprovou que as armas foram os produtos francos mais exportados para o mundo escandinavo alto-medieval.

De fato, o principal poderio militar carolíngio – responsável direto pela expansão territorial – era o exército, e não a marinha, cuja preocupação era basicamente defensiva. Embora a força naval tenha sido empregada contra os muçulmanos no Mediterrâneo, no mar do Norte as coisas eram diferentes. Ali, os francos construíram diversas defesas no litoral, como na Frísia, território que, na definição de Janet L. Nelson, era "o calcanhar de Aquiles do Império". Ao longo do século IX, vários reides vikings atingiram essa região, mas nenhuma fonte cita um verdadeiro contra-ataque naval lançado por um governante carolíngio. De toda forma, embarcações foram construídas no tempo de Luís, o Piedoso (814-840), muitas das quais direcionadas à defesa de Dorestad, importante entreposto comercial.

No plano teórico, a sociedade francesa da Era Viking estava organizada em três ordens. Com efeito, o mais antigo escrito sobre esse esquema trifuncional aparece com o carolíngio Aimon (†865), mestre da escola de Auxerre, que dividiu o corpo social em três ordens: sacerdotes (clérigos), guerreiros e produtores. Essa perspectiva tripartite propagava um modelo que a sociedade deveria ter de si própria, porém não era uma simples representação da realidade. Tratava-se, efetivamente, de um projeto e uma construção ideológica elaborada pela Igreja para justificar a supremacia dos eclesiásticos, os detentores das superiores armas espirituais. Em 891, por exemplo, os religiosos receberam uma parte do espólio adquirido dos vikings em Saint-Omer, visto que tinham ajudado ao rezar pelo triunfo do exército franco.

A Frância Ocidental caracterizava-se por uma rica diversidade étnico-cultural. O cronista Flodoardo de Reims (c. 894-966) era um dos que distinguiam, naquele território, "os francos, os borgonheses, os aquitânios, os bretões, os normandos, os homens da Flandres, os da região gótica, da fronteira com a Espanha". Considerando as fronteiras hodiernas da França, o número de habitantes girava em torno de 5 milhões no ano 800, subindo para 6,5 no ano 1000 e 7,7 em 1100. O impacto da chegada dos escandinavos nesse crescimento populacional, especialmente na Normandia, já foi muito debatido pelos pesquisadores. Em um artigo clássico, Lucien Musset afirma que essa região assistiu a um *boom* demográfico a partir do final do século X, com destaque no processo para a contribuição dos escandinavos, sobretudo dos dinamarqueses. Os dados arqueológicos recentes indicam, contudo, que a presença nórdica não pode ser apontada como a razão principal para o aumento demográfico da Normandia. Houve, sem dúvida, um crescimento populacional, com início ainda no século VIII, mas ele é resultado de um fenômeno interno, associado ao fim das grandes epidemias, à segurança interna e ao crescimento agrícola.

A presença dos vikings em solo francês também reaqueceu a prática da escravidão, ao menos na Normandia. Em Ruão, os normandos organizaram um importante mercado de escravos, cuja "mercadoria" principal era composta por irlandeses e frísios. Até o século XI, conforme Anne Nissen-Jaubert, a escravidão era uma característica que distinguia a Normandia do restante da Frância, onde predominava o regime de servidão. Alguns eclesiásticos daquela época sentiam-se incomodados com isso: o itálico Lanfranco (c. 1010-1089), abade de Saint-Étienne de Caen e depois arcebispo da Cantuária, chegou até a aconselhar o duque Guilherme I a abandonar o tráfico de escravos.

Ao longo da Era Viking, a Frância viu o surgimento de muitas fortificações. Ainda que Carlos, o Calvo, tenha proibido (864) a construção de qualquer fortaleza sem a sua autorização, a população logo desrespeitou essa interdição. Já no fim do século IX, muitas defesas foram erguidas por bispos e abades para conter os vikings; eram simples obras de madeira, edificadas entre o Sena e o Reno. Com a seguida descentralização política a partir do século X, a região teve suas defesas cada vez mais "privatizadas", o que levou à construção de castelos, base do poderio militar feudal. Na primeira metade do século XI, surgiram 10 castelos em Anjou e 36 em Charente; seu objetivo não era mais proteger das ameaças escandinavas, mas dos próprios senhores vizinhos.

Guilherme Queiroz de Souza

Ver também Era Viking; Normandia; Rollo; Viking; Vikings na França;

COUPLAND, Simon. The Carolingian Army and the Struggle against the Vikings. *Viator*, vol. 35, 2004, pp. 49-70

COUPLAND, Simon. The Frankish tribute payments to the Vikings and their consequences. *Francia*, vol. 26, 1999, pp. 57-75.

D'HAENENS, Albert. *As Invasões Normandas: Uma Catástrofe?* São Paulo: Perspectiva, 1997.

DUBY, Georges. *A Idade Média na França (987-1460). De Hugo Capeto a Joana D'Arc*. Rio de Janeiro: Jorge Zahar Ed., 1992.

MCKITTERICK, Rosamond. *The Frankish Kingdoms Under the Carolingians, 751-987*. London: Longman, 1983.

MUSSET, Lucien. Essai sur le peuplement de la Normandie (VIe-XIIe siècles). In: *Actes des congrès de la Société d'archéologie médiévale*, vol. 2, n. 1, 1989, pp. 97-102.

NELSON, Janet L. The Frankish Empire. In: SAWYER, Peter (ed.). *The Oxford Illustrated History of the Vikings*. Oxford-New York: Oxford University Press, 1997, pp. 19-47.

NISSEN JAUBERT, Anne. Some aspects of Viking research in France. *Acta Archaeologica*, vol. 71, 2000, pp. 159-169.

PRICE, Neil. The Historical Background: France in the Viking Age. In: *The Vikings in Brittany*. London: Viking Society for Northern Research, University College London, 1989, pp. 21-54.

FREYDIS EIRÍKSDÓTTIR

A *Saga dos Groenlandeses* e a *Saga de Eiríckr* apresentam, ao longo de suas narrativas, algumas personagens emblemáticas; entre elas, a figura de Freydís Eiríksdóttir merece destaque.

Na *Saga dos Groenlandeses* ela é apresentada como uma mulher ardilosa e traiçoeira, enquanto que na *Saga de Eiríckr* ela é descrita como excepcionalmente corajosa e forte, entrando em luta corporal com nativos de Vínland. É importante salientar que ambas as sagas foram compostas cerca de duzentos anos após os eventos que estão descritos no seu enredo e podem ser consideradas como evidências históricas. Muitas dessas narrativas que remetem a fatos ocorridos nos séculos IX, X e XI contêm vários elementos históricos, mas também muitos ficcionais, pois não havia documentos escritos que comprovassem, por exemplo, as viagens e a descoberta de novas terras. No caso específico de elementos apresentados na *Saga de Eiríckr*, a arqueologia comprova que no século XI existiu um assentamento nórdico. No sítio arqueológico de L'Anse aux Meadows, na Terra Nova, Canadá, pode-se confirmar que os nórdicos foram os primeiros europeus a chegar na América do Norte.

No desenrolar da *Saga de Eiríckr*, apresenta-se ao leitor como Freydis acompanhou o marido a Vínland em uma expedição liderada por Þorfinnur Karlsefni e sua esposa Guðríður Þorbjarnardóttir. Quando chegaram a Vínland, logo tiveram os primeiros contatos com os nativos e iniciaram uma troca de produtos entre si. Durante uma dessas trocas de produtos, um touro de propriedade de Þorfinnur escapou e correu furioso em direção aos nativos. Como estes nunca tinham visto tal animal, entenderam isso como uma agressão e nesse momento ocorreu uma luta na qual os nativos tinham a vantagem e Þorfinnur e seus comandados agiram com certa covardia. Indignada com essa atitude dos homens, Freydis os repreendeu por sua covardia e tentou encorajá-los e incitá-los a tomar uma posição, para enfrentarem os nativos. Mas o encorajamento de Freydis não surtiu efeito e todos correram para a floresta. Ela seguiu os homens, mas como ela estava grávida, logo começou a diminuir a velocidade e não conseguiu acompanhá-los. Enquanto perseguiram os homens, os nativos encontraram e a cercaram. Sem medo, ela agarrou a espada que estava ao lado de um homem, abriu sua túnica para expor um dos seios e parte de seu ventre que estava proeminente e empunhou a espada. Este gesto ousado e inesperado parece ter assustado os nativos que, aterrorizados, fugiram, pois ao se depararem com uma mulher de cabelos compridos e ruivos com o seio e parte da barriga à mostra acreditaram estar diante de algo mau, que aparentemente poderia ser mau presságio.

As descrições dos atos de coragem e ousadia de Freydis na saga vão além desse confronto com os nativos de Vínland. Freydis, assim como outras mulheres da Era Viking, encontrou na fofoca e nas intrigas transmitidas boca a boca uma poderosa arma de poder para provocar conflitos dentro da comunidade e, assim, conseguir atingir seus objetivos, fossem eles quais fossem, e também para incitar os homens a lutar pelas causas que ela julgava importantes.

Freydis é uma mulher descrita como valente e destemida, mas não pode ser vista como um modelo feminino da Era Viking, pois as mulheres, apesar de possuírem visibilidade e mobilidade dentro dessa sociedade e poderem contar com leis de proteção, ainda viviam sob a tutela e o controle masculino. Podemos analisar Freydis como uma personagem singular que catalisa dois sentimentos antagônicos: o temor e a fascinação, pois as características viris que possuia, e que faziam-se fascinantes ao serem vistas, pelo homens, em uma mulher, também eram o que a tornava uma mulher temível e que devia ser controlada.

Ao enfrentar os nativos com parte do tronco desnudo, empunhando a espada arrancada das mãos de um morto, ela deu provas da sua coragem frente a uma situação desesperadora, mostrando que a luta e o enfrentamento do inimigo deviam ser maiores que o medo do desconhecido.

Luciana de Campos

Ver também Aud; Família; Gudrid; Mulheres; Sociedade; Sexo e sexualidade.

HOLCOMB, Kendall M. *Pulling the Strings: The Influential Power of Women in Viking Age Iceland*. Western Oregon University, Studen Theses, 2015.

JESCH, Judith. *Women in the Viking Age*. London: Boydell & Brewer Ltd, 1999.

JOCHENS, Jenny. *Women in Old Norse Society*. Ithaca: Cornell University Press, 1995.

FUNERAIS E ENTERROS

Sabe-se pouco sobre as cerimônias fúnebres dos nórdicos antigos, tendo-se como único relato extenso a descrição feita pelo árabe Ibn Fadlan, que assistiu ao funeral de um líder viking nas margens do Volga, em 922. De resto, dispomos apenas de vestígios sob a forma de oferendas, sepulturas e restos mortais, humanos e animais, uma janela direta para os costumes fúnebres, mas equivalente ao produto final de cerimônias e gestos rituais que desconhecemos. Há também descrições romanceadas distantes do período em que as práticas estavam em voga, como nas *Eddas* ou nas sagas islandesas, e que tanto podem conter dados verídicos como enfabulamentos tardios.

É exemplo deste último tipo de fontes a descrição do funeral de Balder na *Edda* de Snorri Sturluson, em Gylfaginning 49, quando o corpo do filho de Odin é depositado numa embarcação posta a navegar no mar. Acompanham-no a sua mulher Nanna, que falece de desgosto no momento, o anel mágico Draupnir e o cavalo de Balder, em uma simplificação romanceada de ritos fúnebres antigos, ora por pudor da parte de um autor cristão que tinha interesse na cultura antiga do seu país, ora porque o tempo apagou a memória dos detalhes rituais e deixou apenas uma visão muito geral e já algo distorcida. Podemos fazer a mesma análise para as descrições breves e por vezes padronizadas dos funerais pré-cristãos nas *Sagas dos Islandeses*, também elas distantes do período pagão, religiosa e cronologicamente.

Se compararmos o que Snorri diz a respeito da cerimónia fúnebre de Balder com o relato de Ibn Fadlan, deparamo-nos com semelhanças. Por exemplo, a cremação de Nanna ao lado do seu marido tem paralelo com o sacrifício de uma escrava testemunhado pelo viajante árabe: pelo que quando o autor islandês diz que a deusa morreu de desgosto, isso pode ser um embelezamento literário que esconde uma prática histórica mais violenta. O uso do fogo é outro elemento comum aos dois textos, embora na versão de Ibn Fadlan ele ocorra em terra, para onde a embarcação foi previamente arrastada, e há ainda a referência a oferendas fúnebres. No caso de Balder, um anel dourado que produz outros idênticos, e ainda o cavalo do deus e o respectivo arnês. No relato árabe a lista é bastante mais extensa e inclui também um cão, duas vacas, um galo e uma galinha, para além de comida, armas, uma cama com almofadas de seda e roupas requintadas.

A descrição feita por Ibn Fadlan contém depois detalhes festivos e rituais que estão ausentes das fontes nórdicas e que não podem ser descortinados por via do registro arqueológico. Assim, por exemplo, o texto árabe fala dos dias de celebração que antecederam o funeral propriamente dito e que incluíam atos sexuais, o enterro temporário do morto enquanto eram preparadas as roupas que ele iria usar na cremação e ainda gestos rituais, como a elevação da escrava acima de uma estrutura de madeira, momento em que ela diz ver o seu senhor e o "paraíso". Este detalhe é curioso, porque remete-nos para as referências a práticas mágicas nórdicas, onde é comum o uso de plataformas elevadas para ver o futuro ou contactar o mundo espiritual. Pode ser um caso de cruzamento ritual, com a inclusão de elementos de Seidr, mas não sabemos até que ponto isso seria comum na Escandinávia antiga. E o mesmo é verdade para o recurso a uma bebida por ventura drogada que é oferecida à escrava momentos antes de ser morta. Seria assim com todos os sacrifícios humanos?

Embora não seja expectável encontrar vestígios arqueológicos que coincidam em pleno com as descrições textuais, há alguns indícios que dão substância física à palavra escrita. O uso de uma embarcação está amplamente registrado, incluindo a sua deslocação para terra e a posterior construção de uma colina artificial sobre o barco, mesmo sem cremação, assim como a inclusão de um poste no topo, por vezes o mastro do próprio navio, e ainda a prática de sacrifícios animais e humanos. Não sabemos se envolviam gestos rituais idênticos aos descritos por Ibn Fadlan, mas a variedade no tipo de oferendas e vítimas sacrificiais sugere que havia diferenças mesmo quando se usavam modelos fúnebres próximos. Por exemplo, se o relato árabe refere o sacrifício de dois cavalos que correm em torno do barco antes de serem mortos, a sepultura de Oseberg continha os restos de vinte animais idênticos; se o procedimento ritual foi o mesmo, terá obrigado a uma logística algo diferente, nem que fosse pela maior monumentalidade. Ou então teremos que admitir que eles foram sacrificados de outra forma, não se sabe qual.

Ausente do texto de Ibn Fadlan está o recurso a uma procissão fúnebre, talvez por não fazer parte dos costumes do grupo de vikings que ele encontrou no Volga ou porque as condições locais não o permitiam ou não justificavam. Mas isso não quer dizer que os funerais nórdicos antigos não incluíssem cortejos, principalmente no caso de cerimônias em honra de mortos mais ilustres, como uma ou ambas as mulheres de Oseberg. É dessa sepultura que provém uma tapeçaria que parece retratar uma procissão com vários veículos, cavaleiros e figurantes. Embora não se possa dizer que se trata de uma representação do cortejo fúnebre, não é impossível que parte das cerimônias incluíssem eventos do gênero, com os corpos e as oferendas a serem exibidos e transportados para o túmulo de forma memorável, num espetáculo que servia para honrar o defunto e também para veicular o seu estatuto social.

A sepultura de Oseberg fornece ainda outra pista para o cerimonial fúnebre dos nórdicos antigos, uma vez que a colina que foi originalmente erguida sobre o barco parece ter coberto apenas parte da embarcação, deixando-a parcialmente visível e acessível, não se sabe se para meras visitas ao túmulo para deixar oferendas, ou se para a realização de cerimônias, talvez até gestos rituais teatralizados. A câmara fúnebre Bj. 834, em Birka, por exemplo, continha uma lança que foi cravada numa das paredes do túmulo, algo cujo significado é desconhecido, mas que não teria sido feito sem mais, sendo plausível pensar que o ato de fixar a arma no interior do túmulo foi parte de uma cerimônia cujos contornos e sentido desconhecemos. Encontramos o mesmo indício de gestos rituais incertos em Bogla, na Suécia, onde ossadas e objetos teriam sido queimados, quebrados e espalhados, não necessariamente em resultado de pilhagens. Até porque há casos arqueologicamente conhecidos de túmulos que teriam sido abertos, mas onde o conteúdo, longe de ser destruído ou vandalizado, parece ter sido apenas remexido com algum cuidado. Também nisso há indícios de possíveis cerimônias aos ou com os mortos.

Outro aspecto relevante ao cerimonial tumular é a reutilização dos espaços fúnebres, tanto pela inclusão de novos corpos como pela construção de novos túmulos sobre outros mais antigos. Um caso emblemático é o de uma sepultura em Kaupang, um posto de comércio no sul da Noruega, onde uma campa do século IX foi sobreposta por um navio cuja quilha se alinhava exatamente sobre o defunto original, sugerindo intencionalidade. Dentro da embarcação foram colocados os corpos de um homem, uma criança e duas mulheres, uma delas sentada na popa com uma cabeça de cão no colo e talvez o leme nas mãos, como se fosse conduzir o barco, o que não terá sido por acaso nem talvez desprovido de encenação ritual. O mesmo pode dizer-se a respeito dos corpos de mulheres que, no cemitério de Birka, foram todos orientados de forma a olharem para a povoação, como que a guardá-la. Uma vez mais, é razoável assumir que tudo isso envolvesse cerimônias e gestos rituais que hoje desconhecemos.

A ausência de fontes e de conhecimento afeta também o significado fúnebre dos sacrifícios animais, que não sabemos se se justificavam apenas pelo desejo de levá-los para o além, se por um sentido simbólico maior, uma preferência pessoal ou uma combinação de vários motivos. E essa incerteza tem dado azo a diferentes teorias, como a que propõe para o cavalo um significado de movimento ou transporte, até mesmo uma natureza liminal e, portanto, de transição de um mundo para outro, dando-lhe no contexto fúnebre um uso próximo ao da vida cotidiana. Para o cão, surgem como hipóteses maiores a associação ao mundo dos mortos e à função de guias ou guardiões, algo que talvez ajude a explicar o já referido caso da mulher do leme na sepultura de Kaupang. E para as aves, nomeadamente galos e galinhas, há sugestões relacionadas com as ideias de anúncio, começo ou espaços mitológicos, algo que tem alguma base nas *Eddas*, de que a estrofe 42 do Völuspá é exemplo. Mas isso é a nossa leitura simbólica moderna, não havendo garantias de que os nórdicos partilhavam das nossas concepções e mundividências.

A mesma incerteza afeta o papel exato das vítimas humanas, supondo-se que tinham por objetivo acompanhar o defunto, fosse num papel de auxiliar, cônjuge ou parceiro, mas também não é impossível que se pensasse na função de guardas do túmulo. Por exemplo, numa sepultura na ilha de Man, à colina fúnebre que encerrava o corpo de um jovem e oferendas sobrepôs-se uma mulher decapitada e uma nova camada de terra, o que pode talvez sugerir que o propósito não seria simplesmente o de acompanhar o morto, caso em que seria de se esperar que ela tivesse sido enterrada com ele, mas o de guardar a campa, motivo pelo qual a mulher foi sacrificada já fora do espaço tumular propriamente dito.

Por fim, se esses dados apontam para cerimônias, gestos rituais, sentidos e cargas simbólicas que conhecemos parcialmente, há outro elemento que está ausente do registro arqueológico e que figura apenas em fonte escrita, em particular no relato de Ibn Fadlan: a palavra falada. Provavelmente o cerimonial fúnebre incluía cantigas, orações, poemas ou discursos, tradicionais ou talvez *ad hoc*, mas, a menos que surjam novas fontes, esse é um elemento que está infeliz e irrevogavelmente perdido.

Hélio Pires

Ver também Era Viking, Ibn Fadlan, Religião; Sepultamentos; Simbolismo animal.

BENNETT, Lisa. Burial practices as sites of cultural memory in the *Íslendingasögur*. Viking and Medieval Scandinavia, vol. 10, 2014, pp. 27-52.

GRÄSLUND, Anne-Sofie. Wolves, serpentes, and birds: their symbolic meaning in Old Norse belief. In: ANDRÉN, Anders; JENNBERT, Kristina; RAUDVERE, Catharina (eds.). *Old Norse Religion in long-term perspectives*. Lund: Nordic Academic Press, 2006, pp. 124-129.

LOUMAND, Ulla. The horse and its role in Icelandic burial practices, mythology, and society. In: ANDRÉN, Anders; JENNBERT, Kristina; RAUDVERE, Catharina (eds.). *Old Norse Religion in long-term perspectives*. Lund: Nordic Academic Press, 2006, pp. 130-134.

LUNDE, Paul; STONE, Caroline. *Ibn Fadlan. Ibn Fadlan and the Land of Darkness: Arab Travelers in the Far North*. London: Penguin, 2012.

PRICE, Neil. Dying and the Dead. In: BRINK, Stefan; PRICE, Neil (eds.). *The Viking World*. London/New York: Routledge, 2010, pp. 257-273.

G ᛂ ᛉ

GAMLA UPPSALA

O sítio de Gamla Uppsala (velha Uppsala) é um cemitério real, um antigo centro cúltico pagão e a residência dos primeiros reis suecos, situado a poucos quilômetros ao norte da moderna Uppsala, no centro da Suécia. Três grandes montes de sepultamento de Gamla Uppsala são tradicionalmente associados aos reis *svear* Aun (século VI), Egill e Adils da semilendária dinastia dos ynglingos. Dois dos três montes foram escavados e datados dos séculos V e VI d.C., e continham restos cremados de homens de alta posição social. Dezenas de pequenos montículos funerários rodeiam os grandes montes. Um monte achatado ao leste das grandes elevações, conhecido como monte das assembleias, foi utilizado para finalidades cerimoniais.

Antigos cronistas escreveram que Gamla Uppsala tinha sido a residência de deuses, como Freyr ou Odin. O historiador dinamarquês Saxo Grammaticus escreveu afirmando que Freyr residiria pelas cercanias e costumeiramente lhe seriam feitos sacrifícios humanos. O cronista Adão de Bremen conferiu alguns detalhes destas cerimônias, realizadas a cada nove anos e envolvendo noves vítimas masculinas de diversas espécies.

A área de Gamla Uppsala foi conhecida desde a Idade do Bronze, mas sua ocupação foi mais substancial durante o primeiro milênio depois de Cristo. Apesar de ser escavada arqueologicamente há dois séculos, ainda se conhece muito pouco do local, visto que os estudos se concentraram apenas nos grandes monumentos, sendo as pequenas fazendas do seu entorno muito pouco conhecidas até hoje.

Uppsala situa-se ao extreme norte de Mälardalen, uma área agrícola muito rica da Suécia. Pesquisas efetuadas por Per Frölund nos assentamentos agrários da região permitiram detectar mudanças no uso da terra e nos diferentes assentamentos. No início da Idade do Ferro os principais cultivos eram os de cereais, especialmente cevada. No período das migrações houve intensa atividade pecuária, e posteriormente um aumento das estruturas de poder, recolhendo e distribuindo bens.

Por quase 70 anos a datação dos grandes túmulos de Uppsala foi dominada pelo referencial de Sune Lindquist, que afirmava que eles datavam do período das migrações. Novos estudos de John Ljungkvist demonstraram, porém, que eles datam do início do Período Vendel, sendo bem mais recentes do que se supunha. O maior túmulo era o centro de todo o sítio, situado ao norte da igreja de Uppsala. Foi possível distinguir duas zonas em Gamla Uppsala: um setor elitizado, que produziu as largas edificações, salões e terraços, além dos centros de produções artesanais conectados ao salão real. Segundo T. Douglas Price é possível que nesta área estivesse situado um templo contendo estátuas dos deuses nórdicos. O montículo real é representado por um salão com 50 m de comprimento, situado sobre o terraço artificial. Esta construção é uma das mais largas de toda a Escandinávia anterior à cristianização. As outras edificações situadas no terraço sul continham produtos artesanais como contas e joias, além de uma sequência de casas construídas entre os séculos VI e VIII d.C.

Nos montes artificiais de Gamla Uppsala foram encontrados vestígios humanos, mas não se conhece a identificação dos mesmos. Os corpos foram cremados antes do enterro e poucos fragmentos foram encontrados. No monte do leste foram recuperados um elmo e diversos fragmentos de objetos de ouro. Os ossos de um falcão, provavelmente utilizado em falcoaria, foram encontrados no monte oeste. Esses fragmentos sugerem que as pessoas encontradas nestes locais eram membros da aristocracia local. Os arqueólogos vêm considerando Gamla Uppsala uma das mais importantes "localidades centrais" da Escandinávia da Era Viking. Essas localidades centrais seriam espaços que combinariam ao mesmo tempo funções políticas, religiosas e econômicas. Como Uppåkra, ela emergiu durante a Idade do Ferro germânica como um local de culto, uma herdade de conexões reais e uma grande vila. Gamla Uppsala foi lar de atividades políticas, militares, econômicas e religiosas que foram direcionadas para uma poderosa elite da sociedade nórdica. Os túmulos e construções monumentais em forma de salões, terraços e talvez um grande templo, testemunham a autoridade dessa elite e a imensa força de trabalho que ela controlava, caracterizando o centro de um enorme poder. Em 1150 d.C. a área foi concedida ao bispo de Uppsala e a primeira igreja da arquidiocese foi construída depois de 1160. Um incêndio nessa igreja fez com que sua influência perdesse prestígio e outra foi construída em uma nova cidade a poucos quilômetros da atual Uppsala.

Johnni Langer

Ver também Suécia da Era Viking.

FROLUND, Per. *Gamla Uppsala under äldre järnålde*. *Arkeologi E4 Uppland* – studier 4, 2007.

HAYWOOD, John. Gamla Uppsala. In: *Encyclopaedia of the Viking Age*. London: Thames and Hudson, 2000, pp. 195-196.

LJUNGKVIST, John. Uppsala högars datering. *Fornvännen*, vol. 100, n. 4, 2005, pp. 245-259.

PRICE, T. Douglas. Gamla Uppsala. In: *Ancient Scandinavia: an archaeological History from the first humans to the Vikings*. Oxford: Oxford Univesity Press, 2015, pp. 276-279.

SUNDQVIST, Olof & VIKSTRAND, Per (orgs.). *Gamla Uppsala i ny belysning*. Uppsala: Swedish Science Press, 2013.

GENEALOGIA

Por definição, genealogia é o estudo que procura estabelecer a origem de um indivíduo ou família. Muito semelhante ao conceito de linhagem, a genealogia foi objeto de diversos usos políticos e sociais no passado. Para os vikings, ela era um conceito-chave da vida política e foi muito utilizada por governantes importantes e grandes famílias locais.

Estudando os elementos de exaltação régia em vários mitos nórdicos da era pré-cristã, Stephan Brink fala, em seu *The Viking World*, sobre a criação do líder prototípico da era pré-cristã na Escandinávia, que parece ter sido não um descendente de deuses, mas fruto de uma união sagrada. Analisando o mito de *Skírnismál*, Brink comenta que nele o deus da vegetação Freyr senta-se no alto assento de Odin e, capaz de ver o mundo todo, olha para a terra dos gigantes e é imediatamente preenchido de desejo por uma donzela gigante, Gerðr. Freyr manda como emissário seu servo Skírnir, que deveria oferecer três presentes para convencer a giganta a casar-se com Freyr: maçãs douradas, um anel e um cajado. A giganta recusa e Skírnir lhe oferece o anel de Odin, Draupnir, recebendo outra recusa. Então, Skírnir usa o cajado para enlouquecer Gerðr e esta enfim aceita encontrar-se com Freyr.

Brink comenta que em um primeiro momento o mito foi entendido por historiadores como um mito de vegetação: Freyr em sagrado intercurso com a deusa da terra, Gerðr, regenerava a vegetação durante a primavera. No entanto, Brink defende que o mito de casamento entre o deus e a giganta possui conotações políticas e ideológicas muito mais profundas. O aparecimento de uma giganta na mitologia nórdica quase sempre significa o surgimento de algo novo e, nesse caso, o mito aponta para o surgimento de um novo governo, uma nova linhagem. Outras fontes literárias nos mostram que o mito contém um aspecto de entronização, um mito genealógico que legitima as famílias governantes da linhagem de ynglingar e os *jarls* de Lade.

A análise de Brink parte da iconografia presente no mito, afirmando que os objetos principais representam os primordiais objetos da *regalia* régia: o alto assento representando o trono; a maçã como o símbolo do cosmos, do globo; o anel e o cajado são conhecidos símbolos de dignidade e poder. Analisando o mito de *Skírnismál* com outras fontes sobre a ideologia régia (principalmente *Ynglingatal*, a saga de *Ynglinga, Háleygjatal* e *Hyndluljóð*) é possível observar o desenho de um padrão mítico sobre tal pensamento. Outras fontes indicam que o filho, o protótipo de governante, é o resultado da união erótica entre pais mitológicos. Há inclusive o relato de Snorri Sturluson na *Saga dos Ynglingos* (baseada em um poema de aproximadamente 870) que fala que o primeiro dos reis de *Ynglingar* é Fjolnir, justamente o filho de

Freyr e Gerðr. O mito de casamento sagrado entre um deus e uma giganta foi também utilizado como base genealógica pela maior família de governantes na Noruega, a família de *jarls* de Lade. Tal mito está presente no poema *Háleygjatal*, que relatos indicam ser 100 anos anterior ao *Ynglingatal*. Nessa tradição escrita, os pais míticos da linhagem seriam Odin e a giganta Skaði, que deram origem ao primeiro *jarl* da linhagem, Sæmingr.

O significado imbrincado em construir a imagem do primeiro governante de uma linhagem como filho de um deus e uma giganta vai ainda além da ideia de poder mítico associada ao fruto de tal união. Sendo deuses e gigantes majoritariamente antagonistas nas histórias mitológicas clássicas, a união sexual entre os dois gera um filho que sintetiza em si mesmo todo o espectro de poderes cósmicos. O líder representa tanto as qualidades dos deuses, sua vontade e habilidade de comandar, e a enorme criatividade e força primitiva das gigantas. Além disso, a giganta como representante da terra pode ser vista como um símbolo do território que será governado pelo rei ou *jarl*. Ela é em si uma personificação da terra que deverá ser conquistada e governada pelo líder.

No período posterior à cristianização da Escandinávia, os principais líderes islandeses exerciam grande poder sobre a Igreja e, principalmente, sobre os escritos produzidos na Era Medieval. Sendo assim, muitas grandes famílias de líderes islandeses utilizaram amplamente conexões genealógicas dos heróis de grandes sagas com suas próprias linhagens. É muito provável que essas ligações tenham sido amplamente utilizadas pelos líderes da Era Medieval como uma importante conexão entre o mundo islandês da época e a Escandinávia da era heroica.

É provavelmente desta conexão entre nobreza e o registro e retomada de um passado heroico que derivou a importância política do poeta Snorri Sturlunson. Herdeiro de grandes propriedades na Islândia, Snorri foi notável por estabelecer relações com grandes homens não só na vida política islandesa, mas também norueguesa e sueca. Ocupando lugares de prestígio na política escandinava por conta de sua origem e de sua fama como poeta, Snorri escreveu uma série de textos sobre o passado longínquo da Escandinávia heroica. Seus textos foram extensivamente utilizados por grandes famílias norueguesas como forma de legitimação de seu domínio, não só durante o período de vida de Snorri, mas também por muito tempo depois.

Já na Normandia, habitada por vikings cristianizados desde 911, podemos enxergar um grande esforço de cristalização e legitimação de linhagem de governantes na *Gesta Normannorum* de Dudo de St--Quentin, escrita no início do século xi. Em um contexto cristão, a *Gesta* omite o passado pagão de Rollo e por isso não faz uso de elementos mitológicos para a exaltação da linhagem, substituindo-os por preceitos cristãos. Os gigantes e deuses são trocados por sonhos enviados ao primeiro líder normando, Rollo, com anjos contando sobre o seu destino de ocupar e governar a Normandia.

Além disso, há um esforço por parte de St-Quentin de estabelecer uma *gens*, uma origem comum para os povos normandos. O autor elabora uma origem alemã para os vikings e os chama de dácios, em uma tentativa de traçar uma clara linhagem pagã, como a dos francos por exemplo, e o marco da cristianização promovida por um grande herói, nesse caso a figura de Rollo.

De forma semelhante às sagas heroicas escandinavas, Dudo de St--Quentin utiliza os grandes personagens da linhagem normanda como uma forma de exaltá-la como um todo. Iniciando sua descrição com o prototípico "anti-herói" Hastings, Dudo confronta a figura do sanguinário e desonesto viking com Rollo, um líder bondoso e sensato, que é pintado como um homem que só não era cristão antes porque ainda não conhecia a "verdadeira" fé. Parte dessa mesma construção é Guilherme, um homem tão pio e cristão que só não seguiu o sacerdócio porque Deus havia lhe dado a missão maior de ser o líder político de seus homens. Ricardo i, por sua vez, reúne em si as qualidades de ambos seus antepassados, sendo praticamente um governante perfeito na visão que o texto nos apresenta.

Essa somatória de grandes líderes parece culminar na figura de Ricardo ii, a partir de então legítimo em seu cargo de duque dos normandos não só pela sua descendência, mas pelas qualidades de seus antepassados. Podemos verificar também que os esforços de exaltação de uma linhagem normanda continuam posteriormente na *Gesta Normannorum Ducum* e outros textos que a seguiram.

Dessa forma, podemos constatar que, seja na Escandinávia Pré-cristã, na Era Medieval ou nos nórdicos cristianizados que habitavam a região da Normandia, o conceito de genealogia e linhagem assumiu diferentes formas e foi crucial como forma de legitimação de lideranças e de distinção social.

Thiago Brotto Natário

Ver também Família; Realeza; Religião; Rollo; Sociedade.

BRINK, Stefan; PRICE, Neil (eds.). *The Viking World*. Abingdon: Routledge, 2008.

CHRISTIANSEN, Eric. *Norsemen in the Viking Age*. Malden: John Wiley & Sons, 2008.

CROUCH, David. *The Normans: the history of a dinasty*. London: Hambledon Continuum, 2002.

FERGUSON, Robert. *The Vikings: a history*. New York: Penguin, 2009.

KENDRICK, Thomas Downing. *A History of the Vikings*. New York: Courier Corporation, 2004.

GESTA HAMMABURGENSIS ECCLESIAE PONTIFICUM

Escrita aproximadamente entre 1072 e 1075, as *Gesta hammaburgensis ecclesiae pontificum* apresentam em seu conteúdo a história da arquidiocese de Hamburgo-Bremen através de uma série de vidas dos arcebispos locais, desde a fundação do bispado até a morte do arcebispo Adalberto de Hamburgo, abordando, portanto, um período aproximadamente entre o final do século VIII e a segunda metade do século XI. Trata-se de uma história das origens da arquidiocese de Hamburgo-Bremen até o contexto no qual Adão de Bremen compôs o documento, além de ser uma das principais fontes sobre a atividade da expansão cristã na região da Escandinávia e do Báltico. A obra está classificada dentro do que é denominado *gesta episcoporum*, ou seja, feitos dos bispos de um determinado bispado. É o trabalho mais conhecido de Adão de Bremen, um dos cronistas mais conhecidos e importantes do medievo, no qual descreve a expansão do cristianismo na Europa Setentrional.

Sabe-se muito pouco sobre Adão de Bremen. Provavelmente originário da Saxônia, Turíngia ou Baviera, chegou à cidade de Bremen, entre os anos 1066 e 1067, a convite do arcebispo Adalberto de Hamburgo. Pouco tempo depois, tornou-se *magister scolarum* na escola da catedral de Bremen, assim como responsável pelos assuntos de matéria expansionista cristã. Sua educação esteve voltada não somente para o estudo dos clássicos, mas também para um *corpus* literário tardo antigo e medieval, composto por documentos hagiográficos carolíngios, documentos diplomáticos e cartas, o que se reflete no conteúdo das *Gesta*, além da utilização de fontes orais. Morreu aproximadamente entre os anos 1081 e 1085.

As *Gesta hammaburgensis ecclesiae pontificum* apresentam em seu conteúdo narrativas voltadas para uma história propagandística, cujo foco principal é abordar o desenvolvimento da arquidiocese de Hamburgo-Bremen, mas também na qual se encontram informações sobre a expansão do cristianismo pelas regiões centro-leste e do norte europeu. Está dividida em quatro livros. Nos três primeiros encontra-se uma série de narrativas sobre as vidas de dezesseis arcebispos, começando pelo arcebispo Willehad de Bremen até o arcebispo Adalberto de Hamburgo, preocupando-se, então, em apresentar uma ordem cronológica na organização da narrativa. O livro primeiro é formado por 63 capítulos, nos quais se encontra uma descrição da geografia da Saxônia, sua evangelização por São Bonifácio e nove narrativas de vidas dos arcebispos de Bremen e Hamburgo, de Willhead até Unni. Também são apresentadas as guerras de conquistas dos saxões, a fundação das sés de Bremen e Hamburgo (787 e 831, respectivamente), as primeiras ações de conversão das terras do norte europeu e dos ataques vikings no período. O livro segundo apresenta 82 capítulos nos quais encontra-se a narrativa da vida de seis arcebispos, de Adaldag até Bezelin, além de comentar sobre as tentativas de conversão dos dinamarqueses, eslavos, suecos e noruegueses. O terceiro livro contém 78 capítulos e apresenta unicamente a vida do arcebispo Adalberto de Hamburgo. Finalmente, o livro quarto contém a descrição da geografia da região da Escandinávia e da região do Báltico durante o século XI, sendo, assim, uma fonte importante para o estudo da história destas regiões, principalmente no que diz respeito à situação da realeza, a geografia e a topografia. Além disso, a obra também aborda os costumes dos povos das terras escandinavas, assim como os resultados do esforço expansionista cristão naqueles territórios.

Luciano José Vianna

Ver também Fontes primárias; Religião.

GRZYBOWSKI, Lukas Gabriel. O início da missão cristianizadora da Escandinávia e sua interpretação nas Gesta Hammaburgensis de Adam de Bremen. *Revista Signum*, vol. 17, n. 1, 2016, pp. 136-160.

HALLENCREUTZ, Carl F. *Adam Bremensis and Sueonia. A Fresh Look at Gesta Hammaburgensis Ecclesiae Pontificum.* Uppsala: Upsaliensis Academiae, 1984, pp. 05-34.

HAYWOOD, John. *Encyclopaedia of the Viking Age*. London: Thames & Hudson, 2000, p. 18.

HOLMAN, Katherine. *Historical Dictionary of the Vikings.* Lanham, Maryland, and Oxford: The Scarecrow Press, Inc. 2003, p. 18.

LOYN, Henry R. Adão de Bremen. In: *Dicionário da Idade Média*. Rio de Janeiro: Jorge Zahar Editor, 1997.

MARTTIE, Rodrigo Mourão. Adão de Bremen. In: LANGER, Johnni (org.). *Dicionário de mitologia nórdica. Símbolos, mitos e ritos.* São Paulo: Hedra, 2015, pp. 15-17.

NORTH, William. Adam of Bremen. In: EMMERSON, Richard K (ed.). *Key Figures in Medieval Europe. An Encyclopedia.* New York/London: Routledge, 2006, p. 5.

NYBERG, Tore. Adam of Bremen. In: PULSIANO, Phillip (ed.). *Medieval Scandinavia: An Encyclopaedia.* New York and London: Garland Publishing Inc., 1993, pp. 1-2.

SCIOR, Volker. Adam Bremensis. In: *Medieval Nordic Literature in Latin. A Website of Authors and Anonymous Works* (c. 1100-1530). Disponível em: *goo.gl/eRjzd3*. Acesso em 24/06/2017.

GESTA NORMANNORUM

A *Gesta Normannorum*, ou *De Moribus et Actis Primorum Normanniae Ducum*, foi escrita pelo cônego Dudo de St-Quentin entre os anos de 995 e 1015, sob encomenda do duque da Normandia Ricardo I. Falando sobre o período do estabelecimento (911) do viking Rollo no território da futura Normandia, Dudo traz uma visão proveniente da família ducal normanda sobre sua própria história, conciliando o passado viking da linhagem com sua atuação dentro do território cristão.

Não há muita dúvida em torno da autoria da *Gesta*. Acredita-se que o responsável pela sua confecção, Dudo de St-Quentin, tenha nascido em 960 em Vermandois, Picardia. Servindo como cônego na abadia de St-Quentin, Dudo foi enviado ao ducado da Normandia como um embaixador no final da década de 980. Aproximando-se da família ducal, Dudo passou a residir em Rouen. Próximo a sua morte, o duque Ricardo I (942-996) teria requisitado de Dudo a escrita de uma história sobre sua linhagem e o estabelecimento de seu antepassado Rollo no território normando. Todas estas informações são fornecidas pelo próprio Dudo em sua dedicatória ao bispo Adalberto de Laon, escrita junto com a *Gesta*.

Assim como inúmeras outras fontes medievais, a *Gesta Normannorum* foi recuperada e republicada por historiadores e arquivistas do século XIX. O primeiro foi André Duchesne, que a incluiu em uma coletânea sobre historiografia normanda sob o título de *De Moribus et Actis Primorum Normanniae Ducum*, parafraseado da carta escrita por Dudo a Adalberto de Laon. Em uma edição de 1865, Jules Lair manteve tal título. No entanto, os manuscritos que fornecem um título chamam o texto de *Gesta* ou *Historia Normannorum* e, portanto, convencionou-se entre os historiadores manter o título original.

Ao longo do século XIX e começo do XX, a *Gesta Normannorum* foi sendo relegada ao esquecimento por ser tratada por estudiosos como uma fonte fantasiosa e nada confiável para estudar o período de estabelecimento da Normandia (na verdade, alguns dos próprios historiadores normandos já no século XII apontavam para tal fato). No entanto, a partir principalmente do início dos anos 2000 a *Gesta* passou a ser estudada sob um viés diferente, não mais a partir da busca do que "de fato havia acontecido" no começo do século x, mas qual visão a família ducal buscava passar sobre sua própria história.

Encomendada por Ricardo I, que teve uma difícil ascensão, mas um governo longo e frutífero, a *Gesta* seguramente pode ser vista como uma espécie de visão oficial dos duques sobre sua própria história, uma vez que se refere a tempos há muito idos e foi escrita na própria corte de Rouen, com informações fornecidas pela família ducal. A *Gesta* é um claro exercício de legitimação de uma família governante sobre seu território, buscando também a consolidação de uma identidade Normanda e a associação direta da família de Rollo e Ricardo I com o território sobre o qual governavam.

A *Gesta* subdivide-se em quatro partes, cada uma cobrindo a vida e os feitos dos membros da linhagem ducal. A primeira fala sobre Hastings, um viking pagão e sanguinário, que Dudo usa como uma contraposição a Rollo, líder viking que ocupa a segunda parte do texto e tem uma personalidade extremamente cristã. Rollo é um inimigo temível, mas um líder amável, tendo ao longo da narrativa uma série de sonhos e mensagens enviadas por Deus sobre a terra Normanda. A terceira parte fala sobre o filho de Rollo, Guilherme, e a quarta sobre seu neto Ricardo I, todos pintados como grandes homens e exaltados por Dudo como uma forma de enaltecer não só sua linhagem, mas toda uma *gens* normanda.

Um claro exercício de legitimação política de um governante sobre um território e de constituição de uma identidade cristã para um grupo nobre que possuía origens vikings, a *Gesta Normannorum* nos serve muito mais para o estudo do período que corresponde a sua escrita do que ao período ao qual seu autor se refere. É através dos grandes feitos dos líderes normandos presentes na *Gesta* de Dudo de St-Quentin que podemos abordar a autopercepção da família normanda durante o firmamento de sua posição política no final do século x e começo do xi.

Thiago Brotto Natário

Ver também Fontes primárias; França na Era Viking; Normandia; Rollo; Vikings na França.

CROSS, Katherine Clare. *Enemy and ancestor: viking identities and ethnic boundaries in England and Normandy, c. 950-c. 1015.* Tese de Doutorado, UCL (University College London), 2014.

DUDO DE SAINT QUENTIN. *Gesta Normannorum seu de moribus et actis primorum Normanniae ducum.* ed. Felice Lifshitz, 1996.

HUISMAN, Gerda C. *Notes on the Manuscript Tradition of Dudo of St Quentin's Gesta Normannorum.* Anglo-Norman text society, 1984.

SEARLE, Eleanor. *Fact and pattern in heroic history: Dudo of St.-Quentin.* Tese de Doutorado, California Institute of Technology, 1983.

VAN HOUTS, Elizabeth. *The Normans in Europe.* Manchester: Manchester University Press, 2000.

GESTA NORMANNORUM DUCUM

Considerada como uma espécie de continuação da *Gesta Normannorum* escrita por Dudo de St-Quentin no começo do século XI, a *Gesta Normannorum Ducum* começou a ser elaborada pelo monge Guilherme de Jumièges em algum momento em torno de 1060. Dando continuidade à proposta de Dudo de escrever uma história dos duques da Normandia, a *Gesta Normannorum Ducum* narra extensivamente os grandes feitos dos herdeiros e governantes da linhagem normanda, como uma forma de exaltar não somente estes grandes homens, mas também toda a sua linhagem e a família ducal. Podemos considerar que esse texto faz parte de um esforço, iniciado por Dudo, de consolidação de uma identidade normanda, principalmente por conta dos relatos de Guilherme sobre a grande vitória normanda contra a Inglaterra na batalha de Hastings em 1066.

É um consenso entre os historiadores especialistas no tema que a *Gesta Normannorum Ducum* sofreu uma série de revisões e adições ao longo dos séculos XI e XII. A primeira delas foi concretizada pelo próprio Guilherme de Jumièges, que por volta do ano 1060 adicionou ao seu trabalho um relato sobre a conquista da Inglaterra conduzida pelo duque Guilherme da Normandia em 1066. Já em 1113, a *Gesta Normannorum Ducum* recebeu uma nova revisão e adições por parte de outro importante autor normando, Orderic Vitalis, monge de Saint-

Evroult, que copiou e adicionou uma série de notas ao texto original. Outro importante autor a fazer anotações no texto de Guilherme de Jumièges foi Roberto de Torigny, que acrescentou um capítulo inteiro contendo a vida e os feitos de Henrique I da Inglaterra.

Emily Abu estima que existam ainda hoje 47 manuscritos preservados da *Gesta Normannorum Ducum*. Durante a segunda metade do século XIX, a obra foi parcialmente traduzida para o francês por Jules Lair, como parte de seu esforço por adaptar para uma língua moderna e publicar em coletânea os principais textos sobre o passado normando. O autor concretizou sua tradução e publicação da *Gesta Normannorum* de Dudo de St-Quentin, mas morreu antes que pudesse finalizar a tradução da obra de Guilherme de Jumièges. Quem o fez foi Jean Marx, em 1914. Excertos da obra são constantemente publicados em coletâneas sobre historiografia normanda, como por exemplo *The Normans in Europe*, organizado por Elizabeth Van Houts. A autora foi também responsável por uma nova edição e tradução do texto, publicado em dois volumes em 1992 e 1995.

O trecho mais importante da obra é provavelmente o sétimo livro, que traz uma descrição sobre a batalha de Hastings e a sucessão do trono da Inglaterra. A narrativa elaborada por Guilherme de Jumièges pretende legitimar o domínio de Guilherme da Normandia sobre a Inglaterra. Em seu relato, o autor aponta que, percebendo-se sem herdeiros, o rei Eduardo da Inglaterra teria mandado o arcebispo de Canterbury, Roberto, até o duque Guilherme da Normandia para confiar a ele o Reino da Inglaterra. Eduardo teria enviado também o mesmo emissário para fazer com que Haroldo, o maior de seus duques, prometesse fidelidade a Guilherme. Porém, com a morte de Eduardo em 1065, Haroldo ignora seus desejos prévios e ascende ao trono, colocando o povo inglês contra Guilherme.

Com este breve relato, Guilherme de Jumièges coloca Haroldo como um homem desonrado que traiu seu rei e o julgamento divino que havia prestado. Essa construção maléfica e traiçoeira da figura de Haroldo tem o propósito de exaltar a figura de Guilherme e de colocar sua conquista em 1066 como legítima, pelo simples fato de que este já seria o verdadeiro herdeiro da Inglaterra, conforme o desejo de seu legítimo rei Eduardo. A batalha de Hastings se torna, assim, mero cumprimento de um juramento divino que havia sido prestado de Haroldo para Guilherme.

Esse é o tom de todo o relato sobre a conquista, aponta Stephen Morillo, afirmando ainda que Guilherme de Jumièges foi um contemporâneo dos acontecimentos e que, apesar de ter sido um monge sem treinamento militar e não ter tido muito acesso a detalhes sobre a campanha militar, demonstra um óbvio orgulho pelas conquistas militares dos normandos. Já a própria Elizabeth Van Houts considera que a adição do livro sobre a batalha de Hastings trata-se de uma propaganda que visa justificar as ações de Guilherme, o Conquistador.

Pelo grande número de revisões e cópias do texto de Guilherme, podemos constatar sem muita margem de erro que a *Gesta Normannorum Ducum* foi extremamente importante para a consolidação de uma tradição histórica normanda, sendo copiada e revisada por boa parte de seus principais autores. Até hoje o trabalho de Guilherme é essencial para o estudo da escrita normanda e da visão de sua nobreza e clero sobre si mesmos.

Thiago Brotto Natário

Ver também Fontes primárias; França na Era Viking; Normandia; Rollo; Vikings na França.

ALBU, Emily. *The Normans in their histories: propaganda, myth and subversion*. Woodbridge: Boydell & Brewer, 2001.

CROUCH, David. *The Normans: the history of a dinasty*. London: Hambledon Continuum, 2002.

MORILLO, Stephen. *The Battle of Hastings: sources and interpretacions*. Woodbridge: Boydell & Brewer, 1996.

VAN HOUTS, Elizabeth. *The Normans in Europe*. Manchester: Manchester University Press, 2000

GODI

O *godi* (plural *godar*) era o homem que possuía o *godord*. O *godord* era a liderança local na Islândia. O *godord* poderia ser herdado, comprado, trocado, compartilhado; contudo, qualquer mulher que herdasse um *gordord* era obrigada pela lei a ceder a posição para um homem. Inicialmente havia 26 *godar*, aumentando para 39 em 965, e 48 em 1005. A distribuição era de nove *godi* em cada quadrante, e o quadrante norte teria três *godar* adicionais.

Os *godar*, além do papel político, tinham uma função no culto: eram responsáveis pelo culto de deuses e pela construção do *hof*, local para culto. O aspecto religioso do *godi* é enfatizado em alguns documentos. O exemplo mais conhecido ocorre na *Eyrbyggja saga*, na qual o *godi* Hrólfr Mostrarskegg trocou seu nome próprio para Thórólfr em homenagem ao deus Thor. Hrólfr Mostrarskegg emigrou da Noruega para Islândia, e a sua nova fazenda foi fundada na península Thórsnes, onde ergueu um *hof* em homenagem a Thor. O caráter sagrado do *godi* foi perdendo sua importância com a cristianização da Escandinávia. Uma outra teoria levantada pela historiografia foi que a sacralidade dos costumes pré-cristãos foi substituída pelo papel de defensor da fé cristã.

Essas lideranças políticas dos *godar* originalmente não eram ligadas a territórios específicos, mas sim a uma relação com seus *Thingmenn*, homens da *Thing*, de modo que esses homens livres tinham a liberdade de escolher qual *godi* seguir. Os seguidores de cada *godi* tinham que acompanhá-lo nas assembleias nacionais e locais, ou pagar impostos para ajudar a cobrir as despesas para aqueles que iam na *Thing*. Dentro de cada quadrante, os *godar* locais eram responsáveis por convocar as assembleias de primavera e outono; entretanto, posteriormente, essas assembleias poderiam ser realizadas por um *godi* e seus seguidores em vez de todos os homens livres e os *godar* do quadrante.

Na *Althing*, o *godar* elegia o falador-das-leis e constituía um conselho legislativo, revisitando e criando leis. Esse conselho exerce também um poder judiciário que poderia determinar punições para aqueles que não obedeciam a legislação. Os *godar* e os homens livres proviam suporte mútuo nas suas contendas e protegiam seus interesses coletivos nas assembleias locais e nacionais.

Nos séculos XII e XIII essas lideranças se tornaram associadas com distritos particulares que eram controlados por famílias e indivíduos poderosos e menos numerosos, conhecidos como *stórgodar*, o "grande *godar".* Esse processo resultou em uma guerra civil entre as famílias rivais e suas facções. É entendido que essa guerra civil levou posteriormente a subjugação da Islândia ao reinado norueguês em 1264, onde o *godord* foi abolido e substituído pelos condados e *sýsla.*

André Araújo de Oliveira

Ver também Althing; Conversão ao cristianismo; Thing; Islândia na Era Viking; Religião.

BRINK, Stefan; PRICE, Neil (eds.). *The Viking World.* New York: Routledge, 2008.

HOLMAN, Katherine. *Historical Dictionary of the Vikings.* Oxford: The Scarecrow Press Inc., 2003.

LINDKVIST, Thomas. Early political organisation, introductory survey. In: HELLE, Knut (org.). *The Cambridge History of Scandinavia.* Cambridge: University of Cambridge Press, 2003, pp. 160-167, vol. 1.

VÉISTEINSSON, Orri. *The Christianization of Iceland*: Priest, Power and social change 1000-1300. Oxford: Oxford University Press, 2000.

GODOS

Povo germânico que, segundo as teorias mais aceitas, surgiu no litoral báltico defronte a Escandinávia no século II a.C., empreendendo, no mesmo século, uma migração que o levou à região entre os rios Danúbio e Don (modernas Ucrânia, Romênia, Rússia e Moldávia), para depois estabelecer contato com o Império Romano. Em relações caracterizadas ora pela cooperação, ora pelo conflito, seus ramos visigodos e ostrogodos acabaram por criar poderosos reinos em meio à queda do Império, entre os séculos V e VIII, tendo papel importante na formação da Europa Medieval.

A origem dos godos é objeto de controvérsia até os dias atuais. Até alguns anos, a hipótese mais aceita era de que eles teriam surgido no sul da Escandinávia, tal como apontado por Jordanes, cronista gótico do século VI, porém descobertas arqueológicas recentes originaram debates que levaram a uma nova teoria, na qual o ponto de origem seria o litoral báltico, defronte à Escandinávia, ponto de contato cultural e comercial intenso.

Dali os godos empreenderam uma migração pela Europa Central que os levou até o domínio que tinham no século IV, entre o Danúbio e o Don, onde acabaram divididos em dois ramos: os *tervingi* e os *greuthungi*. Embora existam interpretações que indiquem que visigodos e ostrogodos se originaram a partir desses ramos, tal ideia não encontra ligação com os estudos histórico-arqueológicos sobre os primeiros ramos dos godos.

Ainda há uma outra teoria, considerada por alguns historiadores, de que os godos só teriam surgido no século III, como um povo que criou sua identidade a partir das dinâmicas de contato com o mundo romano, através das fronteiras do Império no Danúbio. Tal entendimento é alvo de forte polêmica, uma vez que despreza o grande material descoberto pela arqueologia e confrontado com as fontes do período, em especial em meados do século II, onde surge um povo intitulado *gutones* ou *gothones*.

É possível que, dada a posição dos godos e a pressão aplicada por seu deslocamento pelo rio Vístula, tenham eles sido uma das causas das Guerras Marcomanas (166-180), um devastador conflito onde tribos germânicas invadiram o Império e causaram destruição no norte da Itália. Os primeiros contatos registrados entre Godos e romanos se dariam por meio de choques. No século III, entre 220 e 250, há uma série de registros sobre ações góticas, expedições marítimas que produziram estragos com pilhagens e saques pelo Império afora. Tais ações desencadearam uma resposta militar romana.

Em 250, a maior força gótica até então, liderada pelo rei Cniva, cruzou o Danúbio, invadiu a província da Mésia Inferior e com saques e pilhagens, sitiou e tomou Nicópolis. O Imperador Décio viu a oportunidade de obter um triunfo, atacou sem preparação prévia e ele, seu herdeiro e boa parte das forças imperiais acabaram mortos em combate na batalha de Abrittus. O sucesso gótico impulsionou a Primeira Guerra Gótica (250-271), uma série de batalhas e conflitos nos quais os godos prevaleceram até 268, quando os imperadores Galieno, Cláudio e Aureliano, sucessivamente, os derrotaram de maneira devastadora, quebrando o poder militar gótico por um tempo relativo, mas não definitivamente, com invasões e expedições góticas no futuro. As duras perdas da guerra ainda aceleraram o processo de divisão dos godos em *tervingi* e *greuthungi*, com reis e limites entre seus domínios.

O Império ainda testemunharia ações dos dois grupos embora os *greuthungi* estivessem envolvidos na disputa de poder sobre as estepes, o qual, em um último momento forçaria a migração deles e dos *tervingi*, quando das guerras contra os hunos, que acabaram por pressioná-los contra a fronteira romana. Em 376, autorizados ou não, grupos de godos, majoritariamente *tervingi*, com alguns *grethungi*, além de alanos e outros povos da estepe que não queriam se curvar diante dos hunos, cruzaram o *limes* imperial (linha de fronteira) e começaram a assentar em províncias romanas. Uma crise surgiu e estourou a Segunda Guerra Gótica (376-382).

Em 9 de agosto de 378, o imperador Valente, regente da metade oriental do Império Romano, com a fina flor do Exército Imperial, enfrentou os godos na batalha de Adrianópolis e foi derrotado e morto. O choque foi terrível para o Império, e após anos sem conseguir vitórias sobre os godos no campo de batalha, foi assinado um tratado de paz que os colocou a serviço do Império, defendendo parte do *limes* do Danúbio contra tentativas de invasão principalmente por parte dos hunos, reforçados pelos *greuthungi* que se colocaram a serviço deles. A relação com Roma foi determinante neste momento. Entre 395 e 405, formalizam-se novas divisões dos godos, aparecendo os visigodos e ostrogodos. Os primeiros lutaram até 418, entre momentos de cooperação e conflito para se estabelecerem dentro da máquina imperial, empreendendo uma migração que os fez passar pela Grécia, Bálcãs e Itália, onde saquearam Roma em 410, para choque de muitos, sob o comando de seu primeiro rei, Alarico.

Em 418, os visigodos foram o primeiro povo germânico a ser assentado oficialmente em terras imperiais, recebendo como feudo a província da Aquitânia (sudoeste da moderna França), onde nasceu o Reino visigodo de Toulouse. Já os ostrogodos se mantiveram como aliados dos hunos desta época até 454, quando ganharam a independência após a batalha de Nedao. Visigodos e ostrogodos se enfrentaram em lados opostos em 451, quando os hunos a serviço de Átila lutaram contra uma coalizão de romanos e germanos em Châlons, na Gália (moderna França).

O ponto alto de visigodos e ostrogodos se dá depois da queda do Império Romano do Ocidente, em 476, quando nasce o Reino Ostrogodo da Itália, com reis como Teodorico, o Grande, que reinaram como patrícios romanos, reconhecidos pela corte imperial de Constantinopla. Os visigodos serão empurrados para a Espanha, ao serem derrotados pelos francos, liderados por Clóvis, na batalha de Voillé, em 507, quando o rei Alarico II foi morto e a presença visigótica na Gália foi absorvida pela conquista franca. Os francos não ousaram explorar o sucesso e invadir a parte espanhola do reino devido a atuação de Teodorico, rei dos ostrogodos, que reinou os visigodos como protetor do filho de Alarico II, Amalarico, até 526.

O Reino Visigodo de Toledo se estabeleceu com o domínio sobre a Espanha, obtido à custa de campanha contra os suevos e alguns vândalos que tinham ficado na região durante as migrações. Com uma nobreza dividida e o fato de que nenhuma casa conseguia se sustentar no trono real por mais que duas gerações, quando muito, o reino era marcado pela intriga e por guerras civis cruentas, que foram a razão de seu enfraquecimento. Em meio a tal ambiente, o poder dos bispos e da Igreja cresceu a tal ponto que, em meados do século VII, quem elegia o novo rei não eram mais os nobres, mas os líderes eclesiásticos.

Em 711, uma invasão muçulmana vinda do Norte da África deu fim ao reino, com a derrota e morte do rei Rodrigo na batalha de Guadalette. Mitos diversos foram contados pela derrota: o primeiro de que o rei foi abandonado no campo de batalha por nobres traiçoeiros, que desejavam seu trono, mas foram mortos pelos muçulmanos. Já no caso dos ostrogodos, Teodorico foi capaz de criar um reino poderoso e temido pelos bizantinos na Itália, valendo-se das instituições romanas e de leis próprias, criando um local de convívio entre romanos e germanos, usando as capacidades dos dois povos para aumentar seu poder. Sua morte em 526 provocou um baque no reino pois não havia ninguém capaz de sucedê-lo que possuísse igual qualidade de liderança.

Os bizantinos estavam buscando reconquistar áreas do Império do Ocidente e lançaram uma invasão da Itália em 535. Varrendo os ostrogodos, que sofriam com a má liderança, tomaram Ravena em 540, provocando mudanças na coroa ostrogótica. Porém, o general bizantino, Belisário, começou a ser temido por seu imperador, Justiniano, e foi chamado a voltar à capital. No vácuo de poder, surgiu Totila, grande rei ostrogodo, habilidoso guerreiro e que em dez anos foi capaz de retomar muitas áreas conquistadas pelos bizantinos. Capturando até Roma, o rei ostrogodo forçou uma reação imperial, com Justiniano enviando Narses no comando de um grande exército bizantino. Ainda assim, Totila conseguiu manobrar e resistir por algum tempo, mas com a perda de sua força naval, não pôde impedir os desembarques dos bizantinos.

Totila enfrentou os bizantinos na batalha de Tagina, em 552, e a despeito da sua habilidade, foi derrotado por Narses, que tinha estudado seus métodos. Um de seus generais, Teia, o sucedeu, mas também foi derrotado e morto em 553, na batalha de Mons Lactarius. O reino ostrogodo na Itália tinha sido destruído, e a população restante foi absorvida localmente ou seguiu norte para ser absorvida pelos lombardos, que invadiram e conquistaram a Itália pouco tempo depois da invasão bizantina, em fins do século VI.

O legado dos godos persistiu por causas variadas, apesar de seu desaparecimento na Alta Idade Média. Um de seus ramos, o mais raro e menos conhecido, o dos godos da Crimeia, parece ter existido até o século XVIII segundo fontes. Existe uma disputa sobre quem representa os godos nos títulos reais entre Suécia e Dinamarca até hoje. Ambas as casas reais reivindicam e usam o título de rei dos godos. Ainda existem movimentos reconstrucionistas em diversas partes da Europa, que buscam reavivar antigos dialetos góticos. Ainda há a tradição na Espanha de que a Reconquista foi lançada por um godo, Pelágio, que se tornou rei das Astúrias.

Sandro Teixeira Moita

Ver também Escandinávia; Povos e etnias; Viking.

HALSALL, Guy. *Barbarian Migrations and the Roman West, 376–568*. Cambridge and New York: Cambridge University Pres, 2007.

HEATHER, Peter. *The Goths*. Oxford: Clarendon Press, 1996.

HEATHER, Peter. *Goths and Romans 332-489*. Oxford: Clarendon Press, 1991.

HEATHER, Peter & MATTHEWS, John. *Goths in the Fourth Century*. Liverpool: Liverpool University Press. 1991.

KALIFF, Anders: *Gothic Connections. Contacts between eastern Scandinavia and the southern Baltic coast 1000 BC – 500 AD*. Occasional Papers in Archaeology (OPIA), vol. 26. Uppsala, 2001.

KULIKOWSKI, Michael. *Guerras Góticas de Roma*. São Paulo: Madras, 2008.

TODD, Michael. *The Early Germans*. Oxford: Blackwell Publishing, 2004.

WOLFRAM, Herwig. *History of The Goths*. Berkeley: University of California Press, 1988.

GOKSTAD

Somente através do domínio dos mares os nórdicos puderam se deslocar da Escandinávia para comercializar, descobrir novas terras e logicamente invadir e conquistar lugares distantes. Tais empreitadas tiveram êxito unicamente devido a exímia habilidade de seus construtores de navios, fazendo com que se tornassem os senhores dos mares.

Dentre as descobertas arqueológicas que evidenciaram a perícia na construção naval escandinava, uma das que mais chama a atenção é o navio de Gokstad. Encontrado em abril de 1880, em uma fazenda da Noruega, num local conhecido popularmente como Vale dos Reis. A descoberta ocorreu por mera especulação dos filhos de um fazendeiro que resolveram explorar uma colina. A notícia das escavações iniciais chegou aos ouvidos de Nikolas Nikolaysen, pesquisador e presidente das Antiguidades de Oslo, que rapidamente assumiu as investigações.

As escavações arqueológicas revelaram um magnífico navio, quase intacto, exceto por estar ligeiramente achatado e distorcido devido ao seu enterramento. Inicialmente pensaram que o navio havia sido enterrado em meados de 800 d.C., mas, segundo Stylegar, pesquisas dendrocronológicas recentes demonstraram que seu sepultamento ocorreu no período entre 900 a 905 d.C.

Segundo Atkison, após a remoção da argila em que o navio estava soterrado, emergiu uma nave de pouco mais de 23 m de comprimento, 5,5 m de largura, cerca de 2 m de profundidade da amurada até a parte inferior da quilha e com todos os equipamentos, com um peso aproximado de 32 ton.

No que se refere ao material para sua confecção, a quilha, proa e o cadastre de popa, bem como o leme, foram feitos de um só pedaço de carvalho. Seu mastro, medindo aproximadamente 12 m de altura, foi feito de pinho. Segundo Brøndsted, as carreiras de tábuas da nave presas entre si, calafetadas com cordas alcatroadas e amarradas às balizas por ramos de vime, deram ao navio uma grande elasticidade, fazendo com que pudesse suportar mares revoltos.

Infelizmente a descoberta de Nikolas mostrou que o navio havia em algum momento sido violado e seus tesouros saqueados, porém ainda permaneceram restos de 32 escudos de guerra pintados de amarelo e preto, que ficavam expostos nos flancos da embarcação. Em seu interior havia uma câmara funerária, nela jazia um homem de meia idade com cerca de 1,80 m de altura, que, segundo Brown, padecera de gota.

O homem encontrado certamente deveria ter sido alguém de status elevado. Brown relata que, na década de 1920, o professor Anton Willem Brogger afirmou tratar-se do rei Olavo Gudrodson, falecido em aproximadamente 900 d.C. Junto ao corpo, repousavam os esqueletos de doze cavalos todos com arreios ornamentais, também estavam as ossadas de seis cães e os ossos e penas de um pavão, uma ave rara para a região.

No interior da nave também foram encontradas seis camas, vestígios de lã e seda entremeados de fios de ouro, e no local ainda estavam três pequenas embarcações, remos, vários baús, barriletes, tonéis, canecas de madeira e pratos, bem como um caldeirão de ferro e um armário com jogos de tabuleiro.

Devido a engenhosidade do navio de Gokstad, em 1893 foi construída uma réplica sua. Sob o comando do capitão norueguês Magnus Andersen, o navio partiu da Suécia no dia 30 de abril, atravessou o Atlântico Norte e aportou nos Estados Unidos em 13 de junho, demonstrando assim a engenhosidade nórdica na criação de suas embarcações. Após a restauração do navio de Gokstad, ele foi levado ao Museu dos

Barcos Vikings em Oslo, onde se encontra exposto atualmente para visitação.

Marlon Ângelo Maltauro

Ver também Embarcações; Navegação marítima; Noruega da Era Viking.

ATKINSON, Ian. *Los barcos vikingos.* Barcelona: Akal, 1990, pp. 08-17.

BRØNDSTED, Johannes. *Os Vikings.* São Paulo: Hemus, s.d., pp. 116-118.

BROWN, Dale W. (ed.). *Os Vikings: intrépidos navegantes do Norte.* São Paulo: Abril/Time Life, 1999, pp. 09-14.

STYLEGAR, Frans-Arne. Gokstadfunnet. *Store norske leksikon,* 2017.

GOTLAND (GOTLÂNDIA)

Gotland consiste em uma ilha de origem calcária, de clima temperado e solo raso, mas relativamente fértil, propício para a agricultura e o pastoreio. Segundo a narrativa da *Saga dos Gutas* (*Gutasaga*), a ilha foi colonizada pelo povo guta, população aparentada culturalmente dos suíones (de onde advém o termo sueco) e dos gotas. Alguns estudiosos sugerem que os gutas poderiam ser os ancestrais dos godos ou um povo aparentado. Apesar de a *Saga dos Gutas* datar do século XIII, sem definir historicamente quando se deu a habitação da ilha, descobertas arqueológicas apontam que Gotland já era habitada desde a Pré-história, pelo menos. No entanto, desconhece-se a regularidade de seu processo de povoamento.

Localizada a 90 km de distância da costa da Suécia, a ilha faz parte atualmente do território sueco. Gotland é a maior ilha do mar Báltico e da Suécia, possuindo um território de 2994 km^2. Embora Gotland compartilhasse a cultura escandinava do continente, ainda assim sua população desenvolveu características próprias, como no caso do dialeto local, o gútnico antigo, uma variação regional do nórdico antigo oriental, falado no território sueco.

Devido a essa relativa distância do continente, o acesso a várias rotas mercantis da região, isso não apenas ocasionou em mudanças culturais, mas também na constituição de uma classe política autônoma, pelo menos em algumas épocas, do controle sueco. Tal autonomia política fica evidente nas obras públicas e particulares de seus membros. Nesse ponto, a importância de Gotland durante a Era Viking se deve ao seu papel como centro comercial, suas estruturas militares e suas imensas riquezas.

No que diz respeito ao comércio, Helen Clarke aponta que foram achados objetos de origem romana, incluindo armas e moedas datadas do século v. Não se sabe se tais objetos chegaram à ilha através do comércio ou foi resultado de saque. De qualquer forma, além de moedas romanas, encontraram-se de períodos posteriores, já entre os séculos vi ao x, moedas germânicas, frísias, eslavas, bizantinas e até árabes. Clarke sublinha que existem dúvidas quanto a importância dos portos gotlandeses no comércio báltico, pois não se sabe até onde ia a extensão de seus contatos, mas a presença dessa variedade de moedas de prata na região já é um reflexo do comércio de longa distância praticados pelos nórdicos nos séculos ix e x.

Embora Gotland tenha conseguido providenciar sua subsistência agrícola e pecuária, houve necessidade da importação de ferro, cobre, prata, ouro, joias, âmbar, vidro, xisto, tecidos etc. No entanto, não era apenas a riqueza que afluía para a ilha, Gotland também tornou-se um polo artesanal. A ilha é notável por seu estilo artístico característico na joalheria, ourivesaria e metalurgia, tendo-se encontrado em alguns túmulos verdadeiras raridades, o que revela o alto nível do talento de seus artesãos.

Por outro lado, toda essa movimentação comercial, apesar de ter levado cidades como Visby (atual capital) e Paviken a se tornarem importantes centros mercantis da Escandinávia, acabou por gerar rixas e desavenças entre a elite da ilha, ao mesmo tempo em que também fazia surgir o temor de possíveis invasões. Nesse ponto, Gotland se destaca pela condição de que sua elite política delegou grandes somas de dinheiro para a construção de cerca de cem fortificações entre fortes, redutos, muros, muralhas etc. O maior forte da ilha localizado em

Torsburgen, ocupava uma área de 154 hectares, possuindo uma muralha com 7 m de altura e quase 2 km de extensão.

Sua riqueza arqueológica é imensa: além dos objetos oriundos do comércio intercontinental, das dezenas de fortificações, a ilha também é o local de milhares de túmulos e de pedras rúnicas (*runestones*). A respeito das pedras rúnicas, a arte gotlandesa imprimiu em tais rochas algumas características particulares de sua cultura, por isso alguns temas e formas são encontrados apenas na ilha, como as diversas pedras pintadas com tema mitológicos, religiosos e cenas do cotidiano. Não obstante, Gotland faz parte da região com o maior número de pedras rúnicas na Escandinávia. Birgit Sawyer sublinha que, das mais de 2.300 pedras rúnicas catalogadas, 89,2% desse total fica situado em território sueco e centenas dessas se encontram em Gotland.

Por tais características, a ilha se tornou um importante centro econômico durante os séculos V ao X, embora pareça que seu alcance político não tenha sido tão amplo, pois se desconhece soberanos gotlandeses que participaram da expansão nórdica.

Leandro Vilar Oliveira

Ver também Birka; Comércio; Suécia da Era Viking.

CARLSSON, Dan. "Ridanæs": a Viking Age port of trade at Fröjel, Gotland. In: BRINK, Stefan (ed.). *The Viking World*. London/New York: Routledge, 2008, pp. 131-134.

CLARKE, Helen. Sociedade, realeza e guerra. In: GRAHAM-CAMPBELL, James. *Os Vikings*. Barcelona: Editora Folio S.A. 2006, pp. 38-57.

SAWYER, Birgit. *The Viking Age rune-stones: custom and commemoration in Early Medieval Scandinavia*. Oxford: Oxford University Press, 2006.

GRÁGÁS

As *Grágás* ou as leis do *Ganso Cinzento*, é como nos referimos a uma coletânea de leis encontradas em mais de uma centena de códices, alguns fragmentos de passagens e cópias de antigos manuscritos produzidos em diferentes momentos na Islândia. A primeira vez que o termo *Grágás* surgiu no contexto da cultura escrita islandesa foi como parte de um inventário feito em 1548 sobre o arcebispado em Skálholt. Apesar do termo surgir apenas no século XVI, acredita-se que o conteúdo pertence a um período muito mais antigo da história da Islândia.

De modo geral, a origem desses escritos pode ser datada do século XIII, com leis provenientes do fim do século XI e início do século XII, frações de tempo pertencentes aos períodos anteriores e posteriores ao cristianismo na ilha. O acesso a essas leis pode ser feito através de dois manuscritos que constituem o seu núcleo: o *Livro Real*, *Konungsbók*, e o *Livro de Staðarhóll*, *Staðarhólsbók*.

As diferenças entre esse corpo de leis e os outros exemplos encontrados no restante da Escandinávia podem ser apontadas em vários aspectos: não há preocupações com disposições militares, deveres e taxações sobre a manutenção do território islandês ou ainda com os procedimentos executivos das penas previstas nas leis. Ademais, casos de punições físicas, incluindo a morte, não são levadas a cabo por ninguém em especial, apenas autorizando e acobertando legalmente o vencedor do caso, a punir ou matar a outra parte sem sofrer consequências a longo prazo. Vale salientar que as vinganças familiares que tomam parte significativa dos enredos das sagas dos islandeses, também ocupam seções importantes das leis do *Ganso Cinzento*.

O primeiro manuscrito (*Konungsbók*), leva esse nome porque pertenceu a Coroa Dinamarquesa. O segundo (*Staðarhólsbók*), foi assim nomeado em homenagem à fazenda onde foi encontrado no século XVI. Datados da metade do século XIII, os manuscritos foram executados em páginas de couro de gado e se encontram bem preservados, possibilitando examinar a sua escrita com ornamentação policrômica, chamando a atenção para o fato de que constituem materiais e técnicas construtivas bem caros para a sua época.

Há menções sobre códigos escritos na Islândia anteriores aos escritos do *Ganso Cinzento*, a exemplo da passagem no *Livro dos Islandeses*, *Íslendingabók*, onde é dito que as leis islandesas foram pensadas ainda na Era Viking, quando um colono de nome Úlfljót navegou até a Noruega para conseguir um modelo pertinente às necessidades legais islandesas, provavelmente se baseando em códigos legais aos quais um dos exemplos são as *Leis da Assembleia de Gula, Gulaþingslǫg*, que teriam sido adaptadas e conhecidas como as *Leis de Úlfjót, Úlfljótslǫg*.

Não temos razões para acreditar que esse acontecimento narrado no *Livro dos Islandeses*, que deve ter acontecido no início do século x, possa ter ocorrido de fato, já que as *Leis da Assembleia de Gula*, provavelmente são posteriores ao estabelecimento da Assembleia Geral, *Alþing*, porém, seja qual for o caso, a verdade é que se as *Leis de Úlfjót* existiram, não temos qualquer acesso na atualidade.

No período nos quais foram escritos, houve um interesse especial nas reformas legais pertinentes às relações entre a Islândia e a Noruega, porém não há nada que suporte a ideia de que tais manuscritos foram produzidos como uma ação direta dos escritores legais noruegueses que preceituaram normas para os colonos da ilha. Entretanto, podemos pensar que esses islandeses estavam muito atentos ao aumento da intervenção que a Coroa Norueguesa propunha sobre eles a partir de 1220.

É possível que alguns islandeses tenham sentido a necessidade de registrar por escrito como eram as suas leis e seus costumes legais antes da submissão à autoridade norueguesa. Adicionalmente, todo o aparente caos do material encontrado, repetições, referências a outros registros, inconsistências e desorganização textual, sugerem que esse esforço tenha sido resultado da pressa em agregar todo esse conhecimento nos códices dos quais o *Livro Real* e o *Livro de Staðarhóll* são exemplos e provavelmente também estejam baseados em manuscritos anteriores.

Sobre o conteúdo das duas fontes citadas, em alguns momentos as passagens encontradas são idênticas e em outras, apesar das semelhanças, a construção se dá de modo diferente; também é possível encontrar algumas leis que não existem no outro manuscrito. Tais diferenças são reflexos das escolhas dos escribas que envolvem a preferência do conteúdo e o acesso às fontes de sua época. Alguns pesquisadores apontam, como uma possível origem dessas leis escritas, um códice escrito pelo *góði* islandês Hafliði Másson, de nome *Compilado de Hafliði* ou *Haflidaskrá*, cujo o manuscrito foi perdido.

Não necessariamente os manuscritos que contêm as leis do *Ganso Cinzento* foram copiados diretamente dessa compilação, mas sugerem que devem ter se inspirado diretamente da memória evocada pelos oradores das leis, uma vez que recitavam as leis anualmente, de modo que provavelmente esse conhecimento legal deveria ser de um grupo reduzido de pessoas que usavam as leis em favor próprio na hora de travar embates jurídicos, advogando em favor de seu grupo familiar, pessoas próximas e agregados, e não do domínio de toda a população islandesa.

Ainda que as leis do *Ganso Cinzento* sejam um importante recurso para nos situar acerca dos procedimentos jurídicos medievais islandeses, oferecendo referências aos estudos das sagas islandesas (principalmente nas *Sagas dos Islandeses* e nas *Sagas dos Sturlungos*), ilustrando com muitas informações acerca das instituições sociais a administração da ilha, elas não nos mostram como ambas as coisas de fato operavam em conjunto.

Sabemos como as cortes, os encontros, os elementos sociais funcionavam, sua periodicidade e composição, mas não como realmente eram conduzidos e quais entraves poderiam surgir durante a sua orientação. Tais preocupações são importantes quando refletimos acerca da realidade a que se referem os manuscritos, e as possibilidades de investigação com outras fontes, sobretudo literárias, tão ricas na Islândia.

É facilmente detectado também um corpo de leis consuetudinárias nas diversas sagas, ausentes nos manuscritos, expondo assim um mundo legal, ricamente composto por diretrizes que não estavam contidas nos manuscritos aos quais temos acesso. Vale apontar que desse modo as leis do *Ganso Cinzento* representam uma parcela do que pode ter sido essa vivência, mais um desejo enérgico de preservar, por uma elite social e intelectual, a memória de uma época que ficou no passado e menos uma constituição, ou uma carta, que englobe todos os costumes dos islandeses durante a Era Viking.

Pablo Gomes de Miranda

Ver também Godi; Islândia da Era Viking; Sociedade.

BYOCK, Jesse. *Viking Age Iceland.* London: Penguin Books, 2001.

DENNIS, Andrew Ian. *Grágás: an examination of the content and technique of the old Icelandic Law Books, Focussed on Þingskapaþáttr (the 'Assembly Section').* Setembro, 1973. Tese (Doutorado em Direito). Cambridge: Universidade de Cambridge, 1974.

JAKOBSSON, Sverrir. The Territorialization of Power in the Icelandic Commonwealth. In: BAGGE, Sverre *et al. Statsutvikling i Skandinavia i Middelalderen.* Oslo: Dreyers Forlag, 2012, pp. 101-118.

MCGLYNN, Michael P. Orality in the Old Icelandic Grágás: legal formulae in the Assembly Procedures Section. *Neophilologus*, n. 93, 2009, pp. 521-536.

GRANDE ARMADA DANESA (866-878)

As invasões vikings à Inglaterra se iniciaram no final do século VIII e se mantiveram de forma esporádica, com algumas pausas de anos entre uma expedição e outra até o ano de 850, quando o primeiro acampamento nórdico de inverno foi estabelecido na ilha de Yahnet, na foz do Tâmisa. Até então as expedições vinham durante o verão, saqueavam e iam embora, retornando no ano seguinte. Isso dava tempo para os reinos saxões se preparar para um próximo ataque. No entanto, a partir de 850, alguns chefes dinamarqueses começaram a optar por permanecer o inverno na ilha e prosseguir com suas incursões de pilhagem. Foi por essa época que começaram a extorquir os saxões, cobrando-lhes o *danegeld* sob a alegação de que não os atacariam.

Por quinze anos essas práticas de acampamentos de inverno e extorsão pelo *danegeld* mantiveram-se, mas o ano de 865 foi diferente. De acordo com a *Crônica Anglo-saxã*, no ano de 865, a população de Kent, na Ânglia Oriental, havia pagado o *danegeld* como de costume, mas, por motivos desconhecidos, durante a noite os dinamarqueses atacaram a cidade, matando e roubando. No ano seguinte, para o horror da população da Ânglia Oriental, um exército desembarcou na costa daquele pequeno reino saxão.

A *Crônica Anglo-saxã* refere-se àquele contingente militar pela expressão *micel here*, termo de difícil tradução, que em geral é vertido como "grande exército". Embora a *Crônica* não cite quantos homens compunham aquela força de invasão, alguns historiadores sugerem, com base na menção de navios e possivelmente pelo número de homens que comportava cada embarcação, que o tal grande exército poderia ter tido algo em torno de mil homens.

A chegada desse poderoso exército na costa da Ânglia Oriental seria fator de mudança na história dos reinos saxões e escandinavos. Uma série de campanhas, mantidas ao longo de doze anos, levaria ao surgimento dos reinos nórdicos na Inglaterra.

Após permanecer algum tempo na Ânglia Oriental, a ponto de receber novos tributos através do *danegeld* e até mesmo mantimentos e cavalos, o exército danês marchou para o norte, indo conquistar a cidade de York, então capital da Nortúmbria, reino governado pelo rei Ælla II. Com a conquista de York, o exército marchou em direção ao Reino da Mércia, montando acampamento de inverno próximo a Nottingham. No ano de 868, travou-se batalha contra as tropas de Mércia, resultando na derrota destas.

O exército retornou para York e de lá marchou, no final de 869, de volta para a Ânglia Oriental, assassinando naquele ano o rei Edmundo. Em seguida, as tropas marcharam para o sul da Mércia e posteriormente adentraram o Reino de Wessex. Após sofrerem algumas derrotas em Wessex, o grande exército se retirou. Em 872, novos ataques voltaram a ocorrer: Londres e Torksey foram saqueadas. Em 873, foi a vez de Rapton, e no ano seguinte Cambridge foi alvo dos daneses, que de lá partiram para tentar conquistar Wessex.

A segunda investida contra Wessex foi mais demorada, durando quatro anos, mas apesar de uma série de batalhas, os daneses não conseguiram derrotar o último reino saxão ainda livre. Com isso, em 878, após a batalha de Ethandun, o rei Alfredo, o Grande de Wessex estabeleceu uma trégua com o chefe Guthrun. Alfredo reconhecia o direito de Guthrun em reinar sobre a Ânglia Oriental e se comprometia em manter o *danegeld*, em troca Guthrun comprometia-se em não invadir Wessex. A partir de tal tratado, o Danelaw, termo que os saxões usavam para se referir aos domínios daneses (dinamarqueses) na Inglaterra, teve início.

Os motivos para o ataque do grande exército ou grande armada não são claros, inclusive se desconhece de quem teria sido a ideia para empreender ousada campanha para conquistar territórios na Inglaterra. Todavia, alguns relatos da época apontam que o motivo do ataque dos nórdicos deveu-se ao intuito de vingar a morte de Ragnar Lothbrok. Três supostos filhos do herói, Ivar Sem Ossos, Halfdan e Ubba, teriam incentivado chefes dinamarqueses e noruegueses a formar uma coalizão. Segundo a *Saga de Ragnar Lothbrok*, o herói foi executado num poço de cobras pelo rei Ælla da Nortúmbria e com isso seus três filhos teriam liderado um poderoso exército para vingar a morte do pai e conquistar a Inglaterra.

Leandro Vilar Oliveira

Ver também Dinamarca da Era Viking; Era Viking; Inglaterra da Era Viking; Viking.

ANÔNIMO. *The Anglo-saxon Chronicle*. Trad. Rev. James Ingram. London: Everyman Press Edition, 1912.

GRAHAM-CAMPBELL, James (org.). *Os vikings*. Barcelona: Folio S.A., 2006.

HEATH, Ian; MCBRIDE, Angus. *The Vikings*. London: Osprey Publishing, 1985 (Elite Series, vol. 3).

KEYNES, Simon. The Vikings in England, c. 790-1016. In: SAWYER, Peter (ed.). *The Oxford Illustrated History of the Vikings*. New York: Oxford University Press, 1997, pp. 48-82.

GRETTIS SAGA

A *Grettis saga Ásmundarsonar* (*Saga de Grettir, filho de Ásmundr*), também conhecida como *Grettis sterka saga* (*Saga de Grettir, o Forte*), é uma das mais famosas *Íslendingasögur* juntamente com *Egills Skallagrímssonar saga*, a *Njáls saga* e *Laxdæla saga*. No entanto, a *Saga de Grettir, o Forte* difere destas outras sagas dos islandeses por fazer uso mais frequente dos seres sobrenaturais (fantasmas, *trolls*, *berserkir*) e vários motivos folclóricos. Alguns autores a incluem na categoria de *útilegumannasögur* (sagas dos foragidos), na qual também se inclui a *Gisla Súrssonar* (*Saga de Gisli, filho de Surr*).

A *Grettis saga* foi composta tardiamente, no início do século XIV, por um autor desconhecido que coletou diversas fontes orais e escritas sobre a figura histórica de Grettir Asmundarson, que provavelmente nasceu por volta do ano 1000 em Bjarg (Islândia do Noroeste). Atualmente, existem mais ou menos quatro pergaminhos da saga completos, todos pertencentes aos séculos XV e XVI: AM 551 A 40, 40 AM 556, AM 152 fol. e Delagardie 10 fol. Além disso, em torno de 40 manuscritos também são preservados em papel, dentre os quais se destacam o AM 150 fol. e AM 151 fol.

A Grettis consiste de 93 capítulos divididos em duas seções principais: a primeira seção se estende do capítulo 1 ao 82 e narra desde a juventude de Grettir até sua morte na ilha de Drangey, que provavelmente ocorreu entre os anos de 1030-1040. Por sua vez, essa primeira seção é subdividida em duas partes: uma que conclui com a afirmação de Grettir como foragido (capítulo 46) e outra que descreve seus dezenove anos de banimento. Grettir, que foi mencionado pela primeira vez no capítulo 14, mostra desde jovem um comportamento muito briguento (igual ao seu próprio pai Ásmundr) culminando na morte de um servo, o que o condena a três anos no exílio no capítulo 17.

Durante a sua estada na Noruega, Grettir luta contra um fantasma (capítulo 18), caracterizando seu primeiro encontro com seres sobrenaturais. Então mata o malvado Bjǫrn e seu irmão, sendo, portanto, forçado a deixar a Noruega e voltar para a Islândia. Na Islândia, retorna para lutar com outro fantasma e sua vitória sobre o mesmo faz dele o homem mais forte deste país. No entanto, antes de sua morte, o fantasma lança sobre Grettir uma tripla maldição: que sua força não aumentará mais, que o infortúnio o assombrará e que ficará com medo ao estar sozinho no escuro. Na verdade, esse infortúnio o fará perder o favor do rei Olavo Haraldsson da Noruega, que Grettir estava buscando em recompensa por sua bravura. Quando volta à Islândia, depois de sua recente estadia na Noruega, Grettir descobre que o seu pai e seu irmão Atli Ásmundr estão mortos e ele foi declarado fora da lei, o que significa que qualquer um poderia matá-lo com impunidade. Isso faz com que realize um longo período de viagens e aventuras na Islândia para evitar cair nas mãos de seus inimigos. Algumas dessas aventuras têm fortes origens populares, além da presença de criaturas sobrenaturais, como Thorir, metade homem metade *troll*, com quem Grettir passa alguns invernos. A partir do capítulo 69, encontramos Grettir junto com seu irmão Illugi e um servo chamado Glaumr na ilha de Drangey, localizada no norte da Islândia, onde permaneceu por três anos, até sua morte nas mãos de seus inimigos como uma consequência indireta da maldição que a bruxa Þuríðr tinha lhe lançado no capítulo 78.

A segunda seção principal da série, chamada *Spesar þáttr* ("Relatos curtos de Spes"), tem lugar em Bizâncio e se estende desde o capítulo 83 ao 93. Se trata de um þáttr com alguns elementos cômicos onde o protagonista é Þorsteinn o Dromón, que vinga seu irmão Grettir postumamente. Nesta seção têm sido vistas influências da lenda artúrica de Tristão.

Além dessa influência arturiana, alguns especialistas também observaram outras conexões possíveis entre a *Grettis saga* e algumas famosas obras da literatura europeia medieval. Assim, Fjalldal concebe de um ponto de vista crítico vários paralelos entre a *Grettis saga* e o anglo-saxão *Beowulf*, como, por exemplo, o episódio de matar o *troll* em Bárðardalr nos capítulos 64-66 da *Grettis saga* e as façanhas de Beowulf contra Grendel e sua mãe. Por sua vez, a aventura sexual de Grettir em Reykir (capítulo 75) tem certas semelhanças com uma cena de *Decameron* de Boccaccio.

A exemplo de outros personagens famosos de muitas sagas islandesas, Grettir também tem numerosos *rímur*, como Magnus Laugum (século XVIII), que dá a devida consideração para suas aventuras e destino.

Mariano González Campo

Ver também Literatura; Norreno; Sagas islandesas.

FJALLDAL, Magnús. *The Long Arm of Coincidence. The Frustraed Connection between Beowulf and Grettis saga.* Toronto: University of Toronto Press, 1998.

GLENDINNING, Robert J. *Grettis saga* and European Literature in the Late Middle Ages. *Mosaic*, vol. 4, 1970, pp. 49-61.

HASTRUP, Kirsten. Tracing Tradition: An Anthropological Perspective on *Grettis saga Ásmundarsonar*. In: LINDOW, John *et al.* (eds.). *Structure and Meaning in Old Norse Literature: New Approaches to Textual Analysis and Literary Criticism.* Odense: Odense University Press, pp. 281-313.

JÓNSSON, Guðni (ed.). *Grettis saga Ásmundarsonar*. Reykjavík: Hið Íslenzka Fornritafélag, 1986.

KRAMARZ-BEIN, Susanne. Der *Spesar þáttr* der *Grettis saga*. Tristan-Spuren in der Isländersaga. In: BECK, Heinrich; EBEL, Else (eds.). *Studien zur Isländersaga. Festschrift für Rolf Heller*. Berlim/New York: Walter de Gruyter, 2000, pp. 152-181.

GROENLÂNDIA NÓRDICA

A Groenlândia passa a compor o mundo nórdico desde os registros das terras relatadas por Gunnbjörn, filho de Úlfr Corvo, se pensarmos em uma dinâmica literária, ou desde 1053 com uma carta papal. A partir desse relato podemos pensar um início da presença nórdica, através de Eiríkr Þorvaldsson ou Érico, o Vermelho (Eiríkr hinn rauði), que em uma fuga da Islândia, devido à proscrição, chega à Groenlândia, que passará cada vez mais a compor o mundo nórdico, sendo fator fundamental para a presença nórdica na América do Norte.

Para compreendermos a Groenlândia nórdica, devemos ter por base o *Íslendingabók* (*Livro dos Islandeses*), o *Landnámabók* (*Livro da Colonização*) e as *Sagas do Atlântico Norte*. Esse conjunto de fontes não é a única possibilidade para se pensar sobre essa localidade, mas acreditamos serem as fontes mais populares e amplas, no sentido de entender o processo de descoberta e colonização da Groenlândia, como também entender a visão que os nórdicos tinham daquilo que encontravam nessa nova terra.

Os homens do Norte, que colonizaram essa região, dividiram-na em duas habitações, que representam as localidades de colonização: uma na região sul da ilha (*Eystribyggð* – a Habitação Oriental); outra localizada mais a noroeste (*Vestribyggð* – a Habitação Ocidental). A colonização da Groenlândia teve uma duração mais específica: durou alguns séculos, diferentemente do que ocorrera com a Islândia. A chegada Érico, o Vermelho, em 985, junto do ápice de uma colônia com uma variação entre três e cinco mil habitantes e da fundação, em 1126, da diocese de *Garðar*, foram elementos ímpares, mas que não fortes o suficiente para manter uma resiliência dos assentamentos nórdicos na ilha. Em meados de 1350, a Habitação Ocidental é abandonada, tanto pela pressão dos povos locais, quanto por grandes forças climáticas, motivos que também levaram, em meados do começo do século xv, à ocorrência do mesmo processo na Habitação Oriental. Portanto, ao se falar de uma Groenlândia nórdica, fala-se de um recorte temporal que se inicia nos fins do século x e que caminha até o começo do século xv.

Partindo para uma análise das *Sagas do Atlântico Norte*, temos relatos similares, pois ambas as sagas trazem a questão da proscrição de Érico como um fator que estimula sua saída da Islândia em busca de uma nova terra relatada, à qual apenas catorze dos vinte e cinco navios que saíram da Islândia chegaram. As *Sagas dos Groenlandeses*, assim como o *Landnámabók*, trazem uma questão familiar forte e apresentam os sujeitos e suas famílias que assumem certas propriedades e localidades na Groenlândia.

Outro fator que devemos levar em conta, é o nome da Groenlândia, *Grænland*, que significa Terra Verde, e que, segundo a explicação da saga supracitada, se deve a uma estratégia de Érico para atrair pessoas para a nova terra, pois a sua boa denominação seria facilitadora para sua colonização. Ari Þorgilsson (Ari hinn fróði – Ari, o Sábio), o autor do *Íslendingabók* e do *Landnámabók*, concorda com essa prerrogativa da saga, algo que Adão de Bremen, na *Gesta Hammaburgensis ecclesiae pontificum* (*História dos Bispos de Hamburgo e Bremen*), vai se contrapor. Para este último, o nome Terra Verde se deve à coloração do mar que rodeia a ilha, especialmente na região sul, em que encostas verdejantes e arbustos são observados, portanto, o nome pode não ter esse fundo tão comercial como relatado nas duas primeiras fontes.

Ari, o Sábio, no capítulo sexto de sua obra, confirma Érico como o descobridor da Groenlândia, assim como comenta sobre os habitantes da ilha, algo que é fundamental para uma visão nórdica da Groenlândia. Eles são chamados de *skrælingjar*, que podemos pensar como esquimós, ou inuítes – estes últimos quando se fala mais da Groenlândia –, algo que vai ao encontro dos relatos de outras fontes, que apresentam esses esquimós de várias maneiras e com variados tipos de interação. Além disso, nos revela que entre quatorze e quinze anos após o cristianismo chegar à Islândia (c. 1000) o processo de colonização movido por Érico se inicia.

A Groenlândia vai ter mais presença em fontes a partir de 1053, quando encontramos sua citação em uma carta do Papa Leão IX para o arcebispo Adalberto de Bremen e posteriormente para o já citado Adão de Bremen. Essa descoberta revela novas possibilidades, uma nova terra com peculiaridades, que somente em 1261 irá aceitar a soberania da Noruega e em 1380 a da Dinamarca, quando este primeiro país se une com o último.

Pensar em uma Groenlândia nórdica é pensar em uma nova possibilidade que surgiu no fim do século IX e que trouxe uma dimensão ímpar ao permitir as expedições para a América do Norte e o contato com novos povos e culturas, assim como foi uma porta de entrada para o mundo nórdico para aqueles que já não mais faziam parte das principais regiões, seja por proscrição ou porque não se identificavam mais politicamente com a localidade de onde vinham. Durante séculos, a ilha, mesmo com sua paisagem gélida, poucas áreas de solo fértil e de uma vegetação relativamente parca, foi um espaço de renovação do mundo nórdico, um espaço que deixa claro o ímpeto de explorador e colonizador dos nórdicos.

José Lucas Cordeiro Fernandes

Ver também Brattahlid; Esquimós e nórdicos; Leif Erikssson; Sagas do Atlântico Norte.

ANÔNIMO: *As três sagas Islandesas.* Tradução de Théo Moosburger. Curitiba: Editora UFPR, 2007.

ARNEBORG, Jette. The Norse Settlements in Greenland. In: BRINK, Stefan; PRICE, Neil (eds.). *The Viking world.* London: Routledge, 2012, pp. 588-597.

BARNES, Geraldine. *Viking America: The First Millennium.* Cambridge: D.S. Brewer, 2001.

BERGERSEN, Robert. *Vinland Bibliography: Writings Relating to the Norse in Greenland and America.* Tromsø: University of Tromsø, 1997.

BREMEN, Adam of. *History of the Archbishops of Hamburg–Bremen.* New York: Columbia University Press, 2002.

GWYN, Jones. *La saga del Atlántico Norte: establecimiento de los vikingos en Islandia, Groenlandia y América*. Barcelona: Oikos-Tau, S.A. Ediciones, 1992.

SHAFER, John Douglas. *Saga accounts of norse far-travellers*. Durham: Durham University, 2010.

THORGILSSON, Ari. The Book of Settlements. *Landnámabók*. Trad. Hermann Polsson and Paul Edwards. Canada: University of Manitoba Press, 2007.

THORGILSSON, Ari; ANÔNIMO. *Íslendingabók, Kristni Saga: The book of the icelanders, the story of the conversion*. Trad. Sion Gronlie. Viking Society for Northern Research: University College of London, 2006.

VIGFUSSON, Gudbrand; YORK POWELL, F. *Origines Islandicae: A Collection of the More Important Sagas and Other Native Writings Relating to the Settlement and Early History of Iceland*. Oxford: Clarendon, 1905.

GUDRID THORBJARNARDÓTTIR

Gudridur Thorbjarnardottir nasceu na Islândia, no final do século X e era filha de fazendeiros. Uma de suas avós teria sido provavelmente uma escrava, capturada na Irlanda ou na Escócia. As sagas narram que seu primeiro amor era um jovem chamado Einar, mas seu pai recusou sua permissão para se casar porque o pretendente era filho de um escravo. Após esse incidente, viajou com o pai para a Groenlândia, para acompanhar Érico, o Vermelho, que se instalou naquelas terras com mais pessoas a fim de formar uma colônia. Em terras groenlandesas ela se casou com um dos filhos de Érico, Thorstein. Após o matrimônio, Gudrid e Thorstein partem em expedição com destino à América do Norte, onde o irmão do marido, Leif Eriksson, esteve e tentou se instalar alguns anos antes. No tempo que esteve na América do Norte, Gudridur teve um filho, mas, durante a viagem de volta da família para a Groenlândia, Thorstein faleceu. Gudrid permaneceu na Groenlândia e se casou novamente, desta vez com um comerciante chamado Thorfinnr Karlsefni. Em 1010, lideraram outra expedição para a América do Norte, com três navios e 160 colonos e, ao desembarcarem, nomearam aquelas terras de Vínland. Enquanto estavam na América do Norte,

Gudrid deu à luz um filho, Snorri Thorfinnsson, que é o primeiro europeu conhecido a nascer nas Américas. Eles voltaram para a Groenlândia depois de dois anos, pois o número de nativos era superior ao de colonos e a colônia não prosperava devido ao clima de insegurança em que viviam. Posteriormente, o marido de Gudrid morreu, ela ficou viúva pela segunda vez e seu filho herdou as terras do pai na Groenlândia. Todos esses acontecimentos se passaram na mesma época em que tanto a Islândia como a Groenlândia se tornaram cristãs, e possivelmente recém-convertida e acometida de um grande fervor na nova religião, Gudrid decidiu fazer uma peregrinação. Já estava viúva, era detentora de uma boa fortuna e seus filhos já tinham a sua própria família, nada a prendia às terras groenlandesas.

Gudrid, então, decidiu mais uma vez partir. Nessa nova jornada viajou para Roma, onde conheceu o Papa e depois voltou para a Groenlândia para a igreja que seu filho tinha construído para ela na propriedade da família, onde terminou os seus dias como freira. A viagem de peregrinação a Roma provavelmente não era tão fisicamente perigosa e desgastante quanto a viagem marítima para a América do Norte desconhecida, através do extremo oeste da Groenlândia e, por volta do ano 1000, Gudrid Thorbjarnardottir foi seguramente a mulher mais bem viajada do mundo, e permaneceria assim mais alguns anos.

Todas as informações que temos a respeito de Gudrid e de suas viagens, tanto de colonização como de peregrinação, vêm da *Saga dos Groenlandeses*, composta no século XIV e de autoria anônima. Nessa narrativa Gudrid é descrita como uma mulher muito bela, de maneiras gentis e que é amada por todos. As atitudes dessa mulher, que atravessou o mar em busca de novas terras para colonização, não diferem em nada das atitudes masculinas, pois todos estavam em busca de um novo local para se estabelecer e corriam os mesmos riscos, mostrando que durante as expedições de colonização todos estavam sujeitos às mesmas regras e, principalmente, às mesmas condições, por vezes inóspitas, de vida.

Atualmente, a personagem Gudrid ainda desperta imensa curiosidade e aguça a criatividade de artistas, como a da escritora escocesa Margaret Elphinstone, que em 2001 escreveu um romance sobre Gudrid, intitulado *Gudrid – The Sea Road*, e de Nancy Marie Brown, que escreveu uma biografia sobre Gudrid intitulada *The Far Traveler, Voyages of Viking Woman*, publicada em 2007. Mais de mil anos depois, Gudrid ainda inspira viagens.

Luciana de Campos

Ver também Aud; Freydis; Mulheres; Sociedade.

JESCH, Judith. *Women in the Viking Age*. London: Boydell & Brewer Ltd, 1999.

JOCHENS, Jenny. *Women in Old Norse Society*. Ithaca: Cornell University Press, 1995.

MCLEOD, Shane. Warriors, and women: the sex ratio of Norse migrants to eastern England up to 900 AD. *Early Medieval Europe*, vol. 19, n. 3, 2011, pp. 332-353.

GUERRA E SIMBOLISMO

Bastante conhecidos por valorizarem suas proezas militares, para Keegan, os nórdicos estavam entre os povos mais belicosos e resistentes que tomaram de assalto o mundo europeu continental. Com sua disposição para a luta corpo a corpo intensificada no século de disputas por terras que precedeu sua era de viagens, os vikings constituíram uma atividade bélica das mais famosas da Idade Média. Os seus feitos em batalhas, em pirataria e nas expedições pelo mundo colaboraram para fazer a sua fama até nossos dias. Algumas proezas e o ímpeto marcial estão destacados em alguns relatos, assim como a figura do "furor guerreiro" no transcurso de diversas batalhas, o que acabou fazendo com que fossem, além de outros aspectos, caracterizados como povos bárbaros.

Organizada, devastadora e muitas vezes rápida: assim era a forma de guerra praticada pelos escandinavos durante a Era Viking. Isso fica claro na literatura que vai ser escrita sobre eles, sempre contendo algum aspecto relacionado à guerra. Antes de se lançar em incursões, os vikings se preparavam para os combates usando, entre outras coisas, táticas militares que depois seriam vistas sendo utilizadas por exércitos na Era Moderna.

A preparação para a guerra se constituía desde considerações sobre o tipo de embarcação que seria utilizada, passando pelos rituais oferecidos e favores pedidos aos deuses, e chegando ao equipamento que seria usado. Usavam, principalmente nas pilhagens, pequenas tropas com conhecimento prévio do terreno e do inimigo. Os ataques relâmpagos e o sucesso nas pilhagens, todavia, eram possíveis não só pela estratégia ou pelo conhecimento do terreno do inimigo, mas também pelo tipo de embarcação usada pelos vikings nas incursões. O *langrskip* era um navio longo, que chegava até 55 metros, e que era usado especificamente para a guerra. Com velocidade média de até 18 km/h, era vantajoso no tamanho, velocidade e na facilidade de transporte.

Além de estratégia e transporte, os armamentos usados na guerra também eram fundamentais. Basicamente, os vikings usavam espadas, lanças, facas, arco e flecha, machados, elmos e escudos. As espadas eram mais comumente usadas por nobres, pelo alto custo pago para a forja, mas não se restringia a eles – a diferença se dava nos adornos de cada uma, denotando o *status* do guerreiro (as espadas ricamente adornadas desde o punho até a bainha pertenciam aos guerreiros de *status* mais elevado). As espadas eram bastante eficazes não só pelo alcance, mas pelo ferimento causado. Elas eram bens bastantes preciosos e que iam muito além do caráter puramente bélico. Foram intimamente associadas à justiça, soberania e poder, fazendo-se extremamente significativas nas relações entre os homens que as portavam. Elas definiam o valor de um homem, individual e coletivamente. Algumas eram passadas de geração a geração e outras cremadas junto com o guerreiro, segundo a crença de que todos os objetos queimados na pira com seus donos seguiam com eles até Valhala, dando a oportunidade de o guerreiro morto em batalha lutar ao lado de Odin no Ragnarök.

Os guerreiros mantinham com as espadas uma relação que era de extrema confiança e até respeito, já que toda a sobrevivência nas batalhas advinha de seus armamentos, e principalmente porque para os povos germânicos a batalha era uma questão individual. Daí algumas espadas terem um nome (muitos nomes vão ser preservados em sagas e poemas) e até mesmo uma personalidade, criando uma relação com o seu dono e chegando mesmo a serem consideradas como uma extensão do próprio guerreiro. As espadas podem ser consideradas um reflexo e até mesmo uma parte da identidade desse povo, e vão estar sempre atreladas a cada dono. A espada pode carregar vários discursos como, por exemplo, de ordem, justiça e até mesmo desordem. Adquirem virtudes, personificam-se e podem até encarnar países, dando corpo a valores ou ideais. Vão possuir vários significados, costumes e seus donos terão um relacionamento íntimo e até mesmo emocional com elas. Não poder contar com sua própria arma era uma terrível maldição. A espada era vista como árbitro entre os homens. Até nos casamentos germânicos realizados na Era Pré-cristã, ela estava presente. Neles fincava-se uma espada em um tronco de árvore e o noivo deveria retirá-la como símbolo de virilidade, associada à fertilidade também.

As facas eram de uso cotidiano, sendo portadas pelas mulheres. No campo de batalha, a eficácia se dava somente em combates mais próximos homem a homem. As lanças eram usadas principalmente na ofensiva. E como quase tudo que se fazia na guerra, ela também tinha ligação com a religiosidade: logo no início da batalha arremessava-se uma lança com o intuito de obter favores de Odin (deus associado à guerra). Os escandinavos acreditavam que espadas, escudos e capacetes podiam ser abençoados pelas divindades pagãs. O arco e a flecha, apesar de marginalizados, tiveram bastante uso e importância nas batalhas por comporem um armamento estratégico nas formações de batalha.

O machado era o armamento mais associado aos guerreiros vikings por estar ligado aos *berserkir* e ser bastante usado nas incursões marítimas e na pirataria, ainda que não fosse tão utilizado nas frentes de batalha. Elmos e escudos eram equipamentos de defesa. Os primeiros eram em formato cônico, esférico e alguns apresentavam proteção nasal, nada de asas ou chifres como se retrata frequentemente em HQs, livros, revistas e filmes. Os escudos eram em formato circular, feitos de madeira com uma faixa de ferro ao redor para dar maior segurança – estes, sim, são retrados com realismo na arte e mídia contemporânea. Nesse âmbito de guerra, os *berserkir* (*berserkr* no singular) são os exemplos mais famosos de guerreiros vikings. Estavam associados principalmente a animais como o urso e o lobo (ao lobo se associavam os úlfhednar, úlfhedinn no singular). O urso e o lobo foram vistos como símbolos de guerreiros valentes. Os *berserkir* lutavam com fúria assassina, possessos, sem qualquer proteção, urrando e mordendo seus escudos tão "loucos" como lobos, avançando contra seus inimigos usando machados (somente de uma face; era uma arma sobretudo de ataque, sem defesa opcional), causavam um efeito psicológico devastador no inimigo. Provocavam medo extremo com uma agressão em estado puro, terrivelmente assustadora e de moldes "suicidas". O culto ao deus Odin (o próprio nome estava associado à fúria, tanto no nórdico *Óđr* quanto no germânico antigo *Wodan*), a fé em um deus xamânico, relacionado à magia, ao êxtase e à metamorfose humana em animais, explicaria tal comportamento agressivo. Não só os *berserkir* causavam medo: outros guerreiros traziam cabeças decapitadas de seus inimigos com o intuito de aterrorizar seus oponentes.

A cabeça possui um grande valor para muitos povos, simbolizando a autoridade de governar, de ordenar e esclarecer. A cabeça simboliza a força e o valor guerreiro do adversário e a decapitação garantia também a morte desse mesmo adversário. Fala-se também de um poder de cura, em algumas sociedades. Na literatura nórdica, homens eram frequentemente decapitados em batalha ou em um ato de vingança, após serem feitos prisioneiros. O culto ou a preservação de cabeças humanas e crânios não foi observado somente entre os germânicos; entre os celtas, as cabeças dos inimigos de grande valor eram conservadas em azeites e trazidas em carros de guerra. Para eles, simbolizava força e o valor do oponente que passava para quem a possuísse.

Entre os nórdicos, a relação com cabeças decapitadas pode ser verificada em algumas sagas. Muitas menções são feitas em contextos de guerra, vingança ou busca de conhecimento. Em algumas, as cabeças falam com seus portadores ou no campo de batalha, causando amedrontamento. Em uma profecia na *Njáls saga*, um ser sobrenatural evoca as imagens de várias cabeças cortadas no campo de batalha. Usar cabeças cortadas como meio adquirir conhecimento vem de uma tradição antiga de que Odin teria consultado a cabeça de Mimir, que, segundo a *Ynglinga saga*, teria sido decapitada após este vanir ser feito prisioneiro. Após sua decapitação, a cabeça foi enviada de volta pra Odin, que a conservou com ervas para que não apodrecesse e realizou uma magia para que ela lhe falasse sobre questões ocultas. O poder de uma cabeça cortada e sua capacidade de falar após a separação do corpo foi observado tanto na cultura germânica quanto na céltica.

Também germanos e celtas preservavam não só as cabeças, mas os crânios dos mortos. Eles simbolizavam a sede do pensamento e do poder supremo. Em algumas lendas europeias e asiáticas, os crânios humanos foram considerados homólogos à abóbada celeste. No *Grímnismál*, o crânio do gigante Ymir se converteu, após sua morte, na abóbada do céu. Além da busca por conhecimento, alguns crânios também foram usados para vinganças. Em uma passagem da *Saga dos Volsungos*, Gudrun utiliza os crânios de seus filhos com o rei Atli para se vingar dele e humilhá-lo por tê-la utilizado para matar seus irmãos. O crânio representa, ainda, o símbolo da mortalidade humana, mas também do que sobrevive depois da morte, de modo que possuir o crânio do inimigo é mais que um troféu, é a conquista do há de mais alto e de todo germe de existência.

A importância desse uso da cabeça como sede de inteligência, juntamente com seu uso como um troféu de batalha, trazendo a sorte e aumentando a reputação de seu possuidor, é percebida nas primeiras tradições ligadas a guerreiros e a batalhas entre os celtas e os germânicos; e ainda essa concepção da cabeça como detentora de conhecimento e uso em campos de batalha como forma de amedrontamento e troféus foi preservada na arte (há muitas cabeças esculpidas e rostos semelhantes a máscaras como uma força aterrorizante), nas sagas e nas lendas. Entre os povos germânicos, a concepção do enforcado como meio de adquirir conhecimento oculto ganhou maior proeminência, em relação aos celtas.

Monicy Araujo Silva

Ver também Espadas; Guerra e técnicas de combate; Religião.

CHEVALIER, Jean & GHEERBRANT, Alain. *Diccionario de los Simbolos*. Barcelona. Editorial Herder, 1986.

DAVIDSON, Hilda Roderick Ellis. *Myths and symbols in pagan Europe: early Scandinavian and Celtic religions*. Syracuse: Syracuse University Press, 1988.

KEEGAN, John. *Uma história da Guerra*. São Paulo: Companhia das Letras, 2006.

LANGER, Johnni. Espadas míticas. In: LANGER, Johnni (org.). *Dicionário de Mitologia Nórdica: mitos e ritos*. São Paulo: Hedra, 2015, pp. 169-172.

LANGER, Johnni. *Deuses, monstros, herois: ensaios de mitologia e religião Viking*. Brasília: Editora Universidade de Brasília, 2009.

MIRANDA, Pablo Gomes de. Berserkir. In. LANGER, Johnni (org.). *Dicionário de Mitologia Nórdica: mitos e ritos*. São Paulo: Hedra, 2015, pp. 68-73.

PALAMIN, Flávio Guadagnucci. *O guerreiro Viking na Edda Poética: religiões, mitos e heróis*. Maringá: Dissertação de Mestrado em História, UEM, Maringá, 2013.

SILVA, Monicy Araujo. *Fama, poder e prestígio: a espada na Saga dos Volsungos e na Le Morte D'Arthur*. Monografia de bacharelado em História. São Luís: UFMA, 2014.

GUERRA E TÉCNICAS DE COMBATE

Na cultura nórdica da Era Viking, como parte de uma cultura germânica, a guerra ocupava função precípua, por meio da qual laços políticos, econômicos e sociais eram estabelecidos ou refeitos a cada combate. A sorte e a fortuna estavam dispostas no combate para aqueles que pudessem sobreviver. Aos que não vivessem ao final do dia, um destino de fama cobria o morto com uma glória que promovia o nome da família, garantindo prestígio.

A favor dos vikings contava a capacidade da mobilidade proporcionada por seus navios, com calado relativamente pequeno, bem como as marchas e deslocamentos feitos em velocidades superiores a de forças oponentes no mesmo período, em especial pela leveza dos equipamentos e a natureza de suas ações.

A organização tribal das sociedades germânicas em um primeiro momento foi a conformada das forças vikings em combate. Nos primeiros tempos da Era Viking, os laços clânicos e tribais eram o elo que direcionavam os homens e mulheres a seguirem em combate. Com o investimento em diversas áreas do norte da Europa, em especial Irlanda e Inglaterra, esse tipo de organização foi substituído por outro, construído ao redor do poder político de chefes guerreiros ou grupos de homens de armas que ofereciam serviços a quem pudesse pagar.

Tais grupos evoluíram em tamanho, treinamento e efetivo à medida que se processaram as expedições e invasões vikings em diversas áreas. Um desses grupos guerreiros foi formalizado através de um tratado entre os rus de Kiev e o imperador bizantino em 874: era a Guarda Varegue (Varangiana), uma unidade de elite do exército bizantino subordinada diretamente ao imperador e encarregada de sua proteção, valendo-se dos costumes germânicos de ligação entre o guerreiro e o seu senhor, de fidelidade até a morte.

O treinamento dos guerreiros era feito por familiares ou, em casos mais avançados, por membros experientes dos grupos guerreiros. Havia uma série de armas ofensivas e defensivas à disposição e o guerreiro em formação era treinado em todas, embora existisse, naturalmente, uma preferência por um tipo de armamento com o qual se obtivesse maior eficiência no manejo.

Espadas e machados eram as armas ofensivas principais, sendo as espadas mais bem elaboradas garças aos custos envolvidos em sua produção. Os machados eram mais baratos e ainda estavam presentes no dia-a-dia, utilizados em diversas tarefas, o que familiarizava muito o futuro guerreiro, pelo manejo diário, com as funcionalidades da arma, que podia ser utilizada na mão ou, dependendo do tamanho, arremessada, produzindo efeito devastador.

Assim como os machados, variando em tamanhos, as lanças eram outro tipo de arma muito utilizada pelos vikings, sustentando formações de combate e em arremessos, sendo populares como os machados, por causa do baixo custo de produção. Apesar disso, lanças e machados não eram considerados armas "menores" em importância em relação às espadas, sendo, assim como estas, decoradas com motivos sagrados pagãos ou cristãos, e com papel mitológico. Deuses portavam machados ou lanças como armas sagradas tanto quanto espadas.

O último grupo de armas ofensivas vikings eram arcos e flechas. Embora não sejam muito conhecidos, existia o uso em larga escala por parte de exércitos germânicos antes da Era Viking de arcos e flechas, para causar baixas no inimigo, antes ou durante a batalha, e a Escandinávia não era exceção nisto, ainda mais em combates navais, onde os arcos eram decisivos para causar baixas nas tripulações inimigas e facilitar a abordagem de navios hostis. Arcos também eram de grande valia em expedições de pilhagem e saque, eliminando ou incapacitando um oponente em relativa distância.

Em matéria de armamento defensivo, destacam-se os escudos e as proteções individuais, como armaduras, completas ou não. Os escudos tinham importância vital, e sem eles um homem não podia tomar parte em expedições, pois só era permitido embarcar aqueles que portassem um escudo. O escudo era composto basicamente por madeira, pintada em cores diversas, com um pomo de ferro central, no qual o guerreiro o manejava, podendo se valer do peso do corpo para sustentá-lo, quando da formação defensiva mais clássica viking, a parede de escudos, no qual os guerreiros colocavam os escudos lado a lado.

As armaduras, mais caras, estavam restritas a quem pudesse pagar pelo fabrico, e o custo se refletia tanto na qualidade quanto na proteção individual oferecida por elas, que variava do tronco e cabeça até uma cobertura corporal completa. Os elmos possuíam formatos que ofereciam desde uma proteção simples da parte superior da cabeça até uma proteção do todo do rosto e parte da nuca, tendo, normalmente, trama de cota de malha.

A proteção individual era composta por armaduras de couro, reforçadas ou não com elementos de ferro, como pequenas placas ou anéis, tendo um custo que permitia a aquisição por mais guerreiros. As mais caras eram as cotas de malha, compostas de anéis de ferro entrelaçados, cuja densidade oferecia proteção contra projéteis como flechas e dardos ou ao menos reduzia os danos causados por estes. O fabrico de uma cota de malha exigia alta especialização e capacidade, de maneira que seu acesso era restrito. No decorrer da Era Viking, o conhecimento se disseminou, e a ascensão de chefes guerreiros e reis promoveu um maior acesso a elas, em especial na Normandia, um ducado do Reino de França comandado por um chefe guerreiro viking a partir de 911.

Com a transformação dos exércitos vikings e com a ascensão desses chefes guerreiros e reis, a sua mobilidade foi ressaltada, lançando ataques por todo o litoral e redes fluviais da Europa no século IX e parte do x. Nesses ataques, compostos tanto por expedições de pilhagem quanto por invasões, o uso do equipamento por parte dos guerreiros variava de acordo com a natureza da ação a ser executada.

Em caso de pilhagens, saques e razias, o armamento leve e ofensivo era privilegiado, como machados, lanças e arcos e flechas. Escudos eram a proteção individual escolhida, já que armaduras pesadas como as cotas de malha reduziam a mobilidade e a velocidade de marcha dos grupos, quando em terra. Em invasões, os vikings lançavam mão de todo o arsenal disponível, já que a conquista e o estabelecimento de um domínio eram os objetivos.

A despeito dessa mobilidade, os vikings não constituíam forças de cavalaria, devido à escassez de cavalos na Escandinávia e a pouca capacidade de suprir a forragem necessária a grandes forças de cavaleiros, como os francos podiam fazer. Isso não quer dizer que eles não soubessem utilizar os cavalos, como demonstrado em diversas ações na Inglaterra e na França, mas o modo viking de fazer a guerra terrestre era centrado na infantaria, seja como força de choque ou de inquietação e desgaste do inimigo mediante o uso de projéteis.

A liberdade de ação concedida pela superior técnica naval, constituída de conhecimentos de navegação mais do que por tecnologia, concedeu aos vikings uma capacidade de deslocamento não vista na Europa até tempos modernos. Valendo-se dos navios, havia projeção do poder viking em diversas áreas.

Entretanto, o combate naval não diferia muito do combate terrestre e buscava-se em muito reproduzi-lo, com a abordagem de embarcações e luta entre as tripulações, com amarração de um navio ao outro. Havia pouca margem de manobra, de modo que quando um barco quebrava a formação, fazia-o normalmente para flanqueio da frota inimiga, para explorar uma brecha na linha inimiga ou ainda para um ataque direto ao navio que seria a nau capitânia da força inimiga.

E tanto em terra como no mar, predominava uma técnica de combate de infantaria, típica do modo de guerra germânico e aprimorada pelos vikings: a parede de escudos (*skjaldborg*). A parede variava em tamanho de acordo com o efetivo usado e com a intenção do comandante. Basicamente, os guerreiros ombreavam uma linha juntos, sobrepondo escudos de maneira a oferecer uma proteção que permitia avanço ou defesa. A profundidade da parede variava de uma linha singular a várias, com uso de lanceiros, tal como nas falanges gregas. A variação se dava quando do ataque, normalmente um escalão de ataque seguia por trás da parede de escudos, flanqueando ou apoiando a quebra da parede de escudos quando entrava em choque com o inimigo.

Normalmente a formação de uma parede de escudos, tanto em ataque como em defesa, era acompanhada de uma forte dose de ferocidade, com cantos e gritos de guerra entoados, de maneira a fortalecer o moral dos guerreiros e sustentar o duro e violento combate que se seguiria.

A outra formação tática era em uma disposição das forças em cunha (triangular), com as linhas reforçadas em profundidade e protegidas por forças nos flancos. Embora a lenda diga que a técnica foi ensinada pelo deus Odin, é bem mais possível que ela tenha se desenvolvido com base nos contatos e combates entre os germânicos continentais e os romanos, que utilizavam uma formação do tipo, intitulada *porcinum capet*, que tinha finalidade ofensiva, buscando abrir uma brecha na linha inimiga pelo choque.

Quanto ao reino da estratégia, os vikings se utilizavam de diversas técnicas que não somente o combate frontal e brutal, como o estereótipo medieval. Além da busca pela utilização do recurso de atacar com efeito de surpresa, para provocar paralisia e destruição do dispositivo inimigo, seja por combate ou fuga, é possível encontrar registros de técnicas de desinformação, pela disseminação de boatos, marchas falsas, uso de recursos como pedidos para enterrar chefes em cidades sitiadas, entre outros.

Embora com uma reputação de ferozes combatentes, é importante perceber que os vikings não eram provocadores de batalha. Suas forças tinham qualidade, por treinamento, técnica e tecnologia, mas podiam ser derrotadas, como o foram, por anglo-saxões e francos, para citar alguns. Ainda havia sempre o recurso de buscar eliminar a liderança em batalha ou por meio de ardis, como foi a tentativa viking de eliminar o rei anglo-saxão Alfredo, o Grande, ao atacar seu palácio diretamente.

Um exército viking em geral fazia o possível para evitar batalha. Não se trata de covardia, mas de estratégia e judiciosa aplicação de seu poder combativo por parte de suas lideranças, uma vez que onde eles combatiam rara era a chance de obter novos guerreiros para completar os vazios abertos pelas baixas em batalha. Portanto, a escolha de lutar era condicionada a uma grande certeza de vitória.

Isso foi reforçado pela utilização de fortificações por francos e anglo-saxões para se defenderem das forças vikings, estabelecendo sistemas defensivos que acabaram por inspirar as próprias técnicas vikings de fortificação, como se pode observar nas linhas defensivas de Trelleborg, na Dinamarca, criadas para deter uma invasão franca, que têm aspectos semelhantes as dos *burghs* anglo-saxões, estabelecidos para conter os vikings.

Sandro Teixeira Moita

Ver também Armamento; Espada; Guerra e simbolismo; História da guerra.

BRINK, Stefan; PRICE, Neil (eds.). *The Viking World*. Abingdon: Routledge, 2008.

HARRISON, Mark; EMBLETON, Gerry. *Viking Hersir 793-1066 AD*. London: Osprey Publishing, 1993.

HEATH, Ian; MCBRIDE, Angus. *The Vikings*. London: Osprey Publishing, 1985.

HOLMAN, Katherine. *The A to Z of the Vikings*. Plymouth: The Scarecrow Press, 2009.

SAWYER, Peter (ed.). *The Oxford Illustrated History of the Vikings*. Oxford: Oxford University Press, 1997.

WINROTH, Anders. *The Age of the Vikings*. Princeton: Princeton University Press, 2014.

GUERREIRAS NÓRDICAS

Existiram mulheres guerreiras na Era Viking? Com a popularidade da série *Vikings*, isso tornou-se uma ideia comum, visto que o tema aparece em muitas sagas lendárias e o tema vem sendo investigado em indícios juntos a corpos femininos de tumbas nórdicas.

O cronista Saxo Grammaticus enumerou várias personagens viris e bélicas em sua obra, mas foi influenciado pelo referencial classicista e não pela sociedade medieval. Tradicionalmente, o mundo nórdico foi concebido pelos acadêmicos como sendo dominado totalmente por valores masculinistas, mas recentemente essa visão tem mudado. Diversas pesquisas vêm apontando a importância da mulher na sociedade nórdica, não sendo apenas mães, concubinas ou escravas, mas ocupando importantes papéis de atividades e ocupações muito além da esfera doméstica. Muitas mulheres também foram artesãs, poetisas, curandeiras e sacerdotisas. Algumas acompanharam expedições e jornadas colonizadoras para outros países.

As fontes literárias nórdicas mencionam atividades de mulheres guerreiras, mas o *corpus* não é homogêneo e nem coerente. Nenhuma das chamadas *Íslendingasögur* (sagas dos islandeses ou de família) menciona tal comportamento, ao contrário das *fornaldarsögur* (sagas lendárias), que são abundantes em descrições de mulheres armadas e participando de lutas. Mas este último tipo de narrativa foi muito influenciado pelo imaginário medieval e pelos antigos mitos, o que torna difícil separar os elementos sócio-históricos do fantástico neste subgrupo das sagas islandesas. Alguns pesquisadores acreditam que mulheres podem ter participado de ações violentas, mas não era uma norma na sociedade nórdica, sendo mais uma ação periférica ou mesmo marginal. Algumas fontes não escandinavas mencionam atividades de nórdicas em ataques ao mundo europeu, como a crônica irlandesa *Cogadh Gáedhel re Gallaibh* (século XII), que relata uma jovem ruiva (Inghen Ruaidh) liderando um grupo de guerreiros nórdicos em ataques a Munster no século x.

Segundo o arqueólogo Leszek Gardela, a questão da autenticidade histórica de mulheres guerreiras nórdicas é problemática, pois não existem evidências objetivas nesse sentido. Ele realizou uma síntese sobre as investigações arqueológicas envolvendo sepulturas femininas com armamento até o presente momento. Em primeiro lugar, quase nunca foram encontradas sepulturas femininas simples (com somente um corpo) com espadas – o principal símbolo marcial na Era Viking. Em algumas sepulturas foram encontrados vestígios de machado, em outras de lança. É possível que estes objetos não tenham sido utilizados em sentido prático e marcial – machados foram símbolos do culto a Thor e as lanças, a Odin (ou associadas com bastões mágicos de ritos femininos). Não podemos esquecer que sepulturas são demarcadoras de crenças em vida após a morte – a conexão entre objetos e religiosidade é muito grande. O tipo mais comum de objetos belicosos encontrados nas sepulturas são facas e punhais dos mais variados tipos e tamanhos – algo totalmente condizente com a maioria das sagas islandesas (especialmente as sagas de família). Foram utilizadas tanto para uso doméstico e no cotidiano das fazendas, quanto para matar pessoas (mesmo por mulheres, seja por vingança ou proteção). Também foram encontrados vestígios de projéteis de arquearia – condizente com caça e defesa feminina das comunidades, não necessariamente uso em guerra.

E Gardela também alerta para a problemática da interpretação dos vestígios arqueológicos no contexto funerário – não sendo "espelhos" da vida cotidiana (refletem muito mais as estruturas sociais, políticas e religiosas da comunidade que enterrou o defunto do que a vida cotidiana do defunto em si). Assim, ele afirma que os vestígios arqueológicos ainda não podem auxiliar a definitivamente conceder um quadro afirmativo para a questão de a mulher ter participado ativamente de batalhas e expedições predatórias. Ele mesmo afirma que a questão pode ter um contexto mais definido quando forem realizados exames osteológicos em corpos nórdicos encontrados mais recentemente – como nas mulheres sármatas (pesquisa efetuada pela arqueóloga Davis-Kimball na região da Ásia Central), onde foi comprovado, em exames dos ossos, que elas estiveram diretamente em batalhas (verificando-se indícios como cortes, fraturas e sinais de contusão causados por armamentos bélicos do período). Mas até o presente momento, a arqueologia não comprova osteologicamente a questão para a área escandinava, que ainda está em aberto.

Em recente publicação, uma equipe de pesquisadores liderados pela arqueóloga Charlotte Hedenstierna-Jonson da Universidade de Uppsala (Suécia), analisou as ossadas de um sepultamento de Birka (BJ 581), concluindo definitivamente que se trata das ossadas de uma mulher, enterrada com diversos armamentos (espada, machado, lança, flechas, faca, escudos e dois cavalos). Junto ao seu tórax, foi inserido um tabuleiro com peças de jogos, que segundo a arqueóloga seria uma alusão ao fato de que ela definiria as táticas e estratégias, ou seja, seria uma líder no comando militar. A mulher teria 30 anos de idade e seria muito alta, com cerca de 1,70 m de altura. O estudo fornece uma nova compreensão da sociedade nórdica, suas construções sociais e normas vigentes durante a Era Viking. Os resultados apontam uma sepultura de alto *status*, sendo a mulher enterrada possivelmente uma guerreira feminina viking de alta posição (apesar de não possuir vestígios de marcas de batalha em seus ossos), sugerindo que as mulheres pudessem ser membros de alta posição na esfera dominada pelos homens.

Johnni Langer

Ver também Guerra e técnicas de combate; Lagertha; Mulheres; Sociedade.

ANDERSEN, Lise Præstgaard. On Valkyries, Shield-maidens and Other Armed Women – in Old Norse Sources and Saxo Grammaticus. In: SIMEK, Rudolf & HEIZMANN, Wilhelm (eds.). *Mythological Women*: Studies in Memory of Lotte Motz (1922-1997). Wien: Fassbaender, 2002, pp. 291-318.

GARDELA, Leszek. Amazons of the viking world. *Medieval Warfare* 7, 2017, pp. 08-15.

GARDELA, Leszek. Mujeres poderosas en la Era Vikinga. *Arqueología e Historia*, vol. 13, 2017.

GARDELA, Leszek. Warrior-women in Viking Age Scandinavia? A preliminary archaeological study. *Analecta Archaeologica Ressoviensia*, vol. 8, 2013, pp. 273-339.

HEDENSTIERNA-JONSON, Charlotte et al. A female Viking warrior confirmed by genomics. *American Journal of Physical Anthropology*, 2017, pp. 1-8.

PRICE, Neil *et al.* Male-biased operational sex ratios and the Viking phenomenon: an evolutionary anthropological perspective on Late Iron Age Scandinavian raiding. *Evolution & Human Behavior*, vol. 38, n. 3, 2017, pp. 315-324.

PRICE, Neil. Women with weapons: in search of the female viking. *Jornadas de Arqueología y Cultura Vikinga*, Universidad de Alicante, 2015.

GUTA SAGA

A *História dos gotlandeses* (*Guta saga*) consiste em uma narração, escrita em gotlandês antigo, da história da ilha báltica de Gotlândia, no oeste da Suécia. Essa narração, que contém vários elementos lendários, foi conservada em 8 folhas do manuscrito *B64 Holmiensis* da Biblioteca Real Sueca (*Kungliga Biblioteket*) e o seu texto aparece imediatamente depois das *Leis dos gotlandeses* (*Gutalag*), também recolhidas nesse mesmo manuscrito pertencente ao século XIV, apesar de a data original da composição da *Guta saga* parecer remontar-se ao anterior século XIII. Não obstante, cabe assinalar que o título desse texto não aparece neste manuscrito conservado, pois foi dado por Carl Säve em 1852. Igualmente, a tradicional divisão desta história em 4 capítulos usada pelos editores modernos tampouco corresponde ao manuscrito original, ainda que resulte útil para sua estruturação em uma série de sequências narrativas.

O texto da *Guta saga* foi composto por cerca de 1.800 palavras e relata, a partir de fontes orais (para os elementos lendários) e escritas (para os elementos históricos e jurídicos), a história de Gotlândia, desde o momento em que foi colonizada pela primeira vez por um tal de Þieluar, até certos acontecimentos praticamente contemporâneos ao seu anônimo autor ou compilador, possivelmente algum clérigo gotlandês. No texto também somos informados de como a superpopulação da ilha forçou a migração de uma parte de seus habitantes e como estes chegaram a estabelecer-se no Império Bizantino. Em sequência, são descritos alguns antigos rituais pagãos na ilha, sua cristianização e os laços estabelecidos com a monarquia sueca. As últimas duas seções do texto narram com certo detalhe as obrigações recíprocas entre os gotlandeses, o rei da Suécia e o bispo de Linköping.

Além de ser um dos poucos textos em prosa de conteúdo não jurídico procedente do antigo leste escandinavo, consideramos que a particularidade da *Guta saga* reside também em outros dos traços principais de claro interesse para o germanista. Por um lado, de um ponto de vista histórico e à margem dos numerosos dados referentes a história medieval da própria Gotlândia, aparecem no capítulo I não somente os interessantes dados sobre as migrações realizadas da Gotlândia, mas também a sugestiva (e amplamente discutida) expressão *ok enn hafa þair sumt af varu mali*, que significa "e todavia possuem [os emigrantes de Gotlândia estabelecidos no Império Bizantino] algo de nossa língua". A partir de dados arqueológicos e históricos, vários investigadores têm sustentado a ideia de que dita expressão se refere à população de fala goda estabelecida próxima ao Império Bizantino e do qual se situariam alguns núcleos na península da Criméia, lugar de onde se manteve uma versão do gótico até o século XVIII. Assim mesmo se manteve a ideia, nem sempre aceita, da origem escandinava dos godos, que já foi mantida no século VI por Jordanes no capítulo IV de seu *De origine actibusque Getarum* (*Origem e gestas dos godos*). Por outro lado, de um ponto de vista filológico alguns investigadores não têm duvidado assinalar o parentesco existente entre o gotlandês antigo e o gótico. Não é fortuito que, de todas as línguas escandinavas, o gotlandês é a que mais se assemelha ao gótico. Existem, de fato, uma série de argumentos linguísticos para contemplar o gotlandês como uma língua um tanto diferenciada do sueco, dinamarquês, norueguês e islandês antigos. Entre tais argumentos destacariam: (1) a retenção de alguns ditongos ali de onde o sueco antigo já os havia perdido (p.ex., *hoyra*); (2) a palatalização e labialização de certas vogais em posições particulares (*dyma*. cfr. o sueco *döma*); (3) a retenção do [*u*] breve do nórdico antigo comum alí onde o sueco possui uma [*o*] breve (*gutar, fulk*) e (4) a existência de mais metafonias por [*i*] que em outras línguas escandinavas (*segþi*. cfr. o islandês antigo *sagði*). Isso faz do gotlandês, apesar da relativamente pouca atenção de que tem gozado, mais um elemento interessante para se ter em conta para a filologia comparada das línguas germânicas, tanto antigas como modernas, pois uma versão mais moderna do gotlandês ainda se segue falando na atualidade e tem começado um processo de recuperação.

A *Guta saga* possui uma evidente carga ideológica que promove claramente a ideia de certa independência e soberania gotlandesa. Parece ter sido o desfecho das já mencionadas *Gutalag* e composta para ajudar aos gotlandeses a estabelecer suas relações com os vários poderes que dominaram o Báltico ao longo da Idade Média, especialmente, Suécia, Dinamarca e a Liga Hanseática.

Mariano González Campo

Ver também Gotland (Gotlândia); Literatura; Norreno; Sagas islandesas; Suécia da Era Viking.

GUSTAVSON, Herbert. *Inledning till gutamålets studium.* Visby, 1974, (Gotlandica, vol. 5).

MAILLEFER, Jean Marie. Guta Saga: Histoire des Gotlandais: Introduction, traduction, commentaires. *Études germaniques*, vol. 40, 1985, pp. 131-140.

MITCHELL, Stephen A. On the Composition and Function of *Guta Saga*. *Arkiv för nordisk filologi*, vol. 99, 1984, pp. 151-174.

PEEL, Christine (ed.). *Guta Saga. The History of the Gotlanders.* London: Viking Society for Northern Research-University College London, 1999.

STEARNS, MacDonald. *Crimean Gothic. Analysis and Etymology of the Corpus.* Saratoga: Anma Libri, 1978.

HABITAÇÃO

Toda arquitetura, desde a monumental até a habitação mais prosaica ou vernacular, é um produto cultural e, ao longo da história, sempre despertou paixão, fascínio e admiração, enquanto tentava materializar as necessidades, os desejos e as ambições humanas. Suas formas expressam, às vezes dramaticamente, através das montoeiras de pedras, madeiras e tijolos argamassados, as estruturas sociais, econômicas, ambientais e políticas que as originaram. As habitações da Era Viking não fogem a esses princípios fundamentais, e suas diferenças tipológicas provêm diretamente da riquíssima diversidade encontrada no vasto território da Escandinávia.

Muitas dessas habitações, assim como as características dos próprios aldeamentos da Era Viking, remetem a povoações rurais produzidas anteriormente, durante a chamada Idade do Ferro Primitiva. Nessa época a agricultura e a criação de gado deviam ser os principais meios de subsistência e as aldeias eram compostas por uma casa longa, com moradia e estábulo sob o mesmo teto e outros edifícios menores, provavelmente celeiros e oficinas. Essas casas longas de formato retangular dispunham internamente de um corredor central com largura variável, resguardado por telhados esconsos de duas águas cobertos por um grosso amarrado de palha. Apesar da impossibilidade de se esboçar um modelo preciso para essas habitações, os arqueólogos concordam que as casas construídas ao longo dos períodos vindouros não podem ser compreendidas sem uma prévia análise dessas primitivas edificações produzidas ainda Antes da Era Comum.

Nada restou das habitações da Idade de Ferro Primitiva e sequer da Era Viking, exceto alguns rastros deixados no solo, umas poucas soleiras de pedras e buracos onde outrora existiam prováveis colunas de madeira. Portanto, as análises e interpretações das provas arqueológicas, recuperadas por intermédio das escavações, são alguns dos métodos possíveis para tentar reconstruir uma pequena parcela desse passado quase perdido. Impreterível considerar também, como ajuda singular para (re)montar esse quebra-cabeça histórico, as contribuições literárias advindas das famosas sagas, ou até mesmo dos trechos da *Edda*. Teva Vidal defende a tese que essas fontes literárias às vezes apresentam um mundo mitológico, ou a-histórico, ou pseudo-histórico, repleto de protagonistas fantásticos, mas que contraditoriamente acontecem em um pano de fundo muito realista, com locações e paisagens, em muitos casos, ainda hoje reconhecíveis. Segundo ele, sítios selecionados de cada saga têm particular importância, pois reúnem muitos detalhes descritivos das residências agrícolas ao longo de suas ocorrências no texto.

Ao longo da Era Viking as habitações em sua grande maioria eram simples, apropriavam-se de materiais obtidos no local e de técnicas construtivas rudimentares, pois eram provavelmente feitas pelos próprios moradores. As exceções eram as mansões dos aristocratas e dos chefes vikings, que possuíam grandes dimensões. Segundo Campbell, alguns edifícios escavados em Sædding, distrito de Esbjerg, sudoeste da Jutlândia na Dinamarca, chegavam a alcançar 50 m de comprimento; na aldeia de Borg, perto de Bøstad, norte da Noruega, encontrou-se a ruína da maior casa viking conhecida atualmente, medindo 86 m de comprimento por 9 m de largura. Essas proporções e as dimensões totais das habitações variavam muito, assim como as tipologias arquitetônicas, principalmente em razão das características regionais, posição social e dos recursos disponíveis no local – algumas transformações formais também acompanharam as diversas mudanças no contexto cultural. Contudo, a forma básica mais comum dos edifícios continuava sendo retangular alongada, por vezes com paredes curvas – nestes casos a planta arquitetônica parecia fazer referência à curvatura dos cascos dos famosos barcos vikings.

Símbolo austero da arte naval, a engenhosidade, a funcionalidade e a extrema qualidade dos diferentes tipos de embarcações produzidas pelos povos da Escandinávia comprovam o seu pleno domínio das técnicas de carpintaria e marcenaria. O conhecimento e a destreza desses ofícios tradicionais também foram apropriados como técnicas de edificação. Grande parte das suas construções possuíam paredes de madeira, ora cortadas em tábuas, ora em troncos inteiros empilhados horizontalmente um sobre o outro com esquinas empalmadas. Não obstante, a madeira não era a única matéria-prima utilizada nas construções, as paredes também podiam ser construídas com um entrelaçado de varas, ripas ou cipós recobertos por uma mistura de barro, água, esterco e fibras vegetais. Além disso, podia-se utilizar também estereotomia, ou seja, alvenarias de pedras cortadas, ou ainda uma combinação de camadas sobrepostas de pedras assentadas sobre a turfa, ou apenas uma espessa camada de turfa.

Os telhados eram predominantemente de duas águas e podiam ser cobertos por palha, turfa ou telhas de madeira – em raros casos, dois desses elementos eram combinados. A inclinação variava de acordo com a tipologia construtiva e do material utilizado para cobertura. Algumas vezes a peça da cumeeira podia ser arqueada, novamente fazendo referência à quilha de uma embarcação. Nos casebres menores, o beiral do telhado estendia-se até o chão, praticamente extinguindo as paredes laterais.

O interior da maioria das casas possuía o chão de terra batida coberto por juncos ou algum outro tipo de folhagem. Como possuíam poucas aberturas – algumas contavam apenas com uma única porta de acesso –, na penumbra nebulosa do seu interior destacava-se o local destinado ao fogo, o qual ocupava grande parte da área central da casa. Este era um elemento estruturador não apenas do simplório esquema planimétrico da edificação, mas da própria vida doméstica. Essa fogueira ou lareira escandinava resumia-se a um simples recorte geométrico no solo, cingido de pedras para isolar a chama no interior. O fogo mantido aceso durante o dia e zelosamente alimentado para perdurar nas noites mais frias não servia apenas para aquecer o interior, mas nele também eram preparados os alimentos, pois era pouco usual que houvesse uma cozinha independente. Algumas habitações tinham aberturas – claraboias – sobre a fogueira, permitindo que parte da fumaça se dissipasse e gerando uma iluminação zenital que facilitava a prática culinária e clareava esse salão principal. A dimensão desse espaço era proporcional à dimensão da edificação, pois esses salões podiam possuir uma "nave" ou "secção" única, ou nas casas maiores três "naves" ou "secções", sendo uma principal e duas laterais mais estreitas. O que as definiam eram as colunatas de tronco de árvores que percorriam todo o comprimento do edifício e sustentavam o madeiramento do telhado. Nos salões mais largos, por questões estruturais, as colunas de madeira emergiam do centro dos salões formando essas divisões. Nos salões mais estreitos, as estruturas de madeira ficavam embutidas nas paredes externas. Esta última disposição proporcionava um espaço interno ininterrupto.

Compunha esse recinto ao redor da fogueira, encostadas nas paredes laterais, volumes de madeira ou de pedra, ou ainda de terra aplanada – reforçada internamente com vime – cobertos com peles de animais que serviam concomitantemente como bancos e camas. Neles os habitantes da casa realizavam seus afazeres e relaxavam com jogos, músicas ou ouvindo histórias. Enfim, um importante espaço de vivência, onde nas casas da realeza e da alta aristocracia também aconteciam reuniões e encontros políticos.

Poucos móveis integravam o interior da habitação. Tinha-se normalmente o tear, um baú guarda-roupa e, nas casas maiores, uma mesa. A estrutura do madeiramento do telhado também servia para pendurar objetos pessoais de uso cotidiano e alimentos. Um mobiliário específico estava quase sempre presente: a cadeira alta, um assento especial e normalmente entalhado, destinado exclusivamente ao chefe da casa, amiúde posicionada na cabeceira da habitação, mas movida de um local para o outro de acordo com a ocasião. Cabe ressaltar os objetos trazidos de outras regiões, adquiridos por meio comercial ou despojos das invasões, e que ajudavam a compor a decoração.

As habitações podiam ter divisões internas, sendo a vivenda central com a fogueira o maior compartimento, e os menores, um em cada extremidade, proporcionavam espaço para armazenamento e áreas de trabalho para os comerciantes e artesãos, como comprovam as escavações da antiga cidade de Hedeby, localizada no norte da Alemanha, junto à atual fronteira com a Dinamarca. Edificações maiores podiam ter ainda um segundo pavimento ou uma espécie de mezanino, acessado por escadas de madeiras, conforme citado em uma pequena passagem da saga *Brennu-Njáls*, que descreve que Gunnar dormia no cômodo acima do salão principal, junto com a sua esposa e sua mãe. A literatura das sagas também menciona que as mulheres se reuniam em uma parte específica da habitação, onde realizavam suas tarefas e contavam histórias, porém não é possível determinar com precisão a localização espacial desse cômodo. Os lavatórios e banheiros eram normalmente estruturas independentes, separadas a curta distância da moradia; contudo, escavações arqueológicas do sítio Eiríksstaðir, no vale de Haukadalur, na Islândia, indicam a existência de um lavatório interno. Em algumas casas das aldeias agrícolas se preservava o hábito de abrigar os animais em áreas determinadas do interior da edificação, cujo calor corporal ajudava, inclusive, a aquecer o espaço; outras, no entanto, podiam ter edifícios separados destinados aos estábulos e para atividades específicas, como forjas e olarias.

A despeito de toda subjetividade interpretativa, é fato que tanto a arqueologia quanto a literatura concorrem para fornecer um pálido vislumbre da Era Viking, não obstante, suficientemente expressivo para clarear e evidenciar a rica diversidade das habitações produzidas ao longo deste período. Conforme descrito anteriormente, apesar de possuírem algumas características ubíquas, dificilmente se consegue formular um padrão ou modelo representativo dessas construções, a julgar pela flexibilidade dos espaços, dos programas, das funções, para além da necessidade de adaptação ao meio e as constantes mudanças nos costumes habitacionais. Tudo isso contribui para ampliar a pluralidade tipológica dessa arquitetura retentora de qualidades culturais específicas.

João Batista da Silva Porto Junior

Ver também Bóndi; Cotidiano; Cultura material; Patrimônio; Sociedade.

ANDRÉN, Anders. Places, Monuments, and Objects: The Past in Ancient Scandinavia. *Scandinavian Studies*, vol. 85, n. 3, 2013, pp. 267-281.

BERSON, Bruno. A Contribution to the Study of the Medieval Icelandic Farm: The Byres. *Archaeologia Islandica* 2, 2002, pp. 37-64.

CAMPBELL, James Graham. *Grandes Civilizações do Passado: Os Vikings*. São Paulo: Editora Folio, 2006.

FAZIO, Michael *et al. A História da Arquitetura Mundial.* Porto Alegre: AMGH Editora, 2011.

VIDAL, Teva. *Houses and Domestic Life in the Viking Age and Medieval Period: Material Perspectives from Sagas and Archaeology*. PhD thesis, University of Nottingham, 2013.

HAROLDO DENTE AZUL (HARALDR GORMSSON)

Haroldo era filho do rei Gorm, o Velho e de Thyra Dannebod, tendo nascido por volta do ano 935, em algum lugar da região da Jutlândia, na Dinamarca. Nesse tempo, o país já estava praticamente unificado sob o controle de um único soberano, algo possivelmente atestado desde o século VIII ou IX. Assim, no século X, a Dinamarca já dispunha de uma hegemonia real, sendo que na época Gorm, o Velho, era o então monarca, reinando a partir de Jelling, importante centro comercial na Jutlândia. Sobre sua vida e feitos praticamente nada se sabe. Gorm faleceu por volta do ano 958 ou 959, sendo sucedido por seu filho Haroldo. Em homenagem aos pais, Haroldo ordenou que fosse erguida em Jelling uma pedra rúnica.

Haroldo governou por quase trinta anos. Durante seu longo reinado, Haroldo realizou três grandes feitos pelos quais normalmente é lembrado: consolidou seu domínio na Dinamarca, impôs sua autoridade à Noruega e ordenou que seu reino fosse cristianizado. Tais façanhas constam na pedra rúnica de Jelling.

Para assegurar seu direito ao trono, Haroldo investiu massivamente na construção de fortalezas pelo país. Quatro dessas fortificações foram encontradas: Aggersborg e Kyrkat na Jutlândia, Trelleborg na Zelândia, e Nonnebakken na Fiônia. No entanto, a existência de tais fortificações é considerada por alguns historiadores hoje como um atestado que a época fosse um período de recorrentes batalhas. James Graham-Campbell comenta que, no século X, notou-se uma corrida na construção de fortificações nos reinos escandinavos, reflexo de uma política exterior bastante delicada e conturbada – a invasão de reinos nessa época não era incomum.

Em 974, o imperador germânico Oto II atacou os domínios noruegueses, apossando-se da importante cidade comercial de Hedeby e da muralha do Danevirke, territórios que ocupou por quase dez anos, até que, no ano de 983, Haroldo e seu aliado Mistivoi recuperaram os territórios perdidos. Mistivoi ofereceu a mão de sua filha Thora em casamento ao rei dinamarquês. Haroldo também ordenou que novos muros e defesas fossem erguidos em Hedeby e a muralha do Danevirke fosse reforçada. Além da construção de fortes e muralhas, outra façanha da engenharia de seu governo foi a construção da grande ponte Ravning Enge.

Além de ter investido em grandes obras, Haroldo planejou um golpe de Estado para conquistar a Noruega, ou pelo menos impor sua influência indiretamente. Em um complô tramado entre Haroldo e o *jarl* Haakon Sigurdsson, o rei Haroldo II da Noruega (961-970) foi destronado. Haakon governou a Noruega de 970 a 995, atuando como vassalo de Haroldo I da Dinamarca.

No que se refere a sua terceira grande façanha, a cristianização da Dinamarca, ocorriam já no reinado de seu pai expedições missionárias ao país. Gorm, o Velho, porém, relutou em adotar a fé cristã, embora tolerasse sua presença em seu reino. Haroldo teria sido convertido por volta de 965, de acordo com o relato das *Crônicas Saxônicas*, por um missionário chamado Poppo. Com isso, o rei investiu na cristianização de seu reino, promovendo a construção de igrejas.

Por volta de 985 ou 986, Haroldo sofreu um golpe de Estado, seu filho Sueno Barba-bifurcada (c. 965-1014) destronou o pai e o enviou para o exílio. Os motivos da traição não são claros, mas entre as hipóteses consta que determinados grupos da nobreza e aristocracia estariam descontentes com os altos gastos públicos e o aumento dos impostos decretados por Haroldo para realização de suas obras. Além disso, somar-se-ia às hipóteses sua imposição do cristianismo como a religião oficial do Estado. Haroldo exilou-se em Jumme (atualmente Wolin, na Polônia), falecendo por volta de 987.

Haroldo foi casado duas vezes: sua primeira esposa foi Gyrid Olafsdottir, com quem teve dois filhos e duas filhas, sendo Sueno o filho mais conhecido. Sua segunda esposa foi Thora Mistivisdattir, com a qual não teve filhos. Quanto ao cognome "dente azul" (*blátǫnn* em nórdico antigo), não se sabe ao certo de onde surgiu. O documento mais antigo a registrá-lo é a *Crônica Roskildense*, datada de 1140. Embora seja desconhecida a origem desse curioso cognome, ele acabou sendo usado para nomear a famosa empresa de rede sem fio Bluetooth, fundada em 1998.

Leandro Vilar Oliveira

Ver também: Dinamarca da Era Viking; Era Viking; Fortificações; Viking.

GRAHAM-CAMPBELL, James (org.). *Os vikings*. Barcelona: Folio S.A., 2006.

HOLMAN, Katherine. *Historical dictionary of the vikings*. Lanham: Scarecrow Press Inc, 2003.

LOGAN, F. Donald. *The Vikings in History*. London/New York: Routledge, 1991.

ROESDAHL, Else. The emergence of Denmark and the reign of Harald Bluetooth. In: BRINK, Stefan; PRICE, Neil (eds.). *The Viking World*. London/New York: Routledge, 2008, pp. 652-664.

HAROLDO CABELOS BELOS (HARALDR HÁRFAGRI)

Haraldr Hárfagri, também conhecido como Harald Harfager, Haroldo Cabelos Finos, ou Haroldo Cabelos Belos, era filho de Halfdan, o Negro, do qual herdou a associação na dinastia dos Ynglings e o domínio sobre a próspera região de Vestfold, na Noruega. Com a reconquista de territórios tomados por inimigos na região após a morte de Halfdan, somando-se à conquista sucessiva de outros territórios, Harfager dominou toda a Noruega sob seu reinado, tornando-se o primeiro rei do país unificado.

Devido à morte acidental do rei Halfdan por afogamento, Haroldo sucedeu seu pai quando tinha apenas dez anos, como relata o *Heimskringla*, ou o conjunto de sagas dos reis da Noruega. Por causa de sua pouca idade, ficou sob a tutela de Guthorm, seu tio do lado materno, que cuidou também dos negócios reais, incluindo as forças militares. Guthorm e Haroldo retomaram territórios tomados pelos inimigos de Halfdan. Haroldo continuou, durante sua maturidade, sobre os outros territórios que compunham a Noruega, tais como Orkadal, Gaulardal, Trondheim, Naumudal, e Moer, vencendo em combate e subjugando outros reis e *earls*, angariando apoio militar e de recursos oriundos de impostos e favorecimentos territoriais às aristocracias locais. Finalmente, por volta do ano 872 da era cristã, Haroldo enfrentou, na batalha de Haffrsjord, os últimos inimigos que ofereciam resistência ao seu domínio. A partir desse momento, teve toda a Noruega sob seu reinado.

Como consequência da unificação da Noruega por Haroldo Cabelos Belos, houve uma grande fuga em massa de inimigos e descontentes com seu domínio, culminando em uma colonização mais efetiva da Islândia e no domínio das ilhas Hébridas e Órcadas na costa escocesa. No início de seu reinado unificado, houve práticas de pilhagens da parte desses exilados, que atacavam o território norueguês a partir das regiões citadas. Para enfrentar o problema, Haroldo organizou grandes expedições de combate a essas ações de pirataria, principalmente as vindas das regiões das Hébridas e Órcadas. Com o êxito das expedições, pôde estabelecer *earls* nestas ilhas. Como forma de manutenção de seu domínio sobre o território unificado da Noruega, Haroldo Cabelos Belos fez uso de um sistema de coleta de impostos e taxas sobre as terras, concedendo aos *earls* e chefes locais de sua confiança uma parte dos itens arrecadados, o que proporcionava a estes, segundo as fontes escritas, uma grande riqueza. Em troca, essa aristocracia deveria dar suporte militar à coroa.

Haroldo Cabelos Belos teve vida e reinado longos. Também muitas esposas, concubinas e filhos. Sua saga no *Heimskringla* conta que quando seus filhos estavam já adultos começaram a ocorrer entre eles violentas disputas por territórios. Próximo de sua morte, que ocorreu em 930, Haroldo estabeleceu seu filho Érico Machado Sangrento no comando do reino. Postumamente a Haroldo, contudo, Érico entrou em uma sangrenta disputa com seus irmãos, impondo um sanguinário domínio, que terminou quando perdeu o apoio da aristocracia para seu irmão Hakon, o Bom, deixando o país e tendo seu lugar ocupado pelo último.

Embora tradicionalmente a historiografia especializada aponte o nascimento de Haroldo para o ano 850, sua vitória em Haffrsfjord para 872, e sua morte para por volta de 933, não há um consenso sobre essas datas. Alguns estudiosos sugerem, inclusive, que os eventos possam ter ocorrido alguns anos à frente, e que a expansão de seu reinado sobre a Noruega só foi possível graças à conquista do apoio das aristocracias locais de cada região, as quais, apesar do domínio de Haroldo sobre elas, continuaram obedecendo também aos seus conselhos de líderes e leis locais.

Fábio Baldez Silva

Ver também Era Viking; Noruega da Era Viking; Viking.

BRØNDSTED, Johannes. *Os Vikings: história de uma fascinante civilização.* São Paulo: Hemus, s.d.

GRAHAM-CAMPBELL, James. *Os Viquingues: Origens da Cultura Escandinava.* Madrid: Del Prado, 1997, (vol. 1).

JONES, Gwyn. *A history of the vikings.* Oxford: Oxford University Press, 1984.

STURLURSON, Snorri. The Saga of Harald Fairhair. In: *Heimskringla, History of the kings of Norway.* Trad. Lee M. Hollander. Austin: University of Texas Press, 2011.

HAROLDO HARDRADA (HARALDR SIGURDSSON)

Haraldr Sigurdsson, também chamado de Harald Hardrade ou Haroldo Hardrada, foi o último rei norueguês viking. Sua morte na batalha de Stamford Bridge, no ano de 1066, na Inglaterra, é considerada como o marco final da Era Viking. Haroldo nasceu em 1015 e era meio-irmão, por parte materna, de Olavo Haraldson, o Santo. Hardrada, após sobreviver à batalha de Stiklestad, em 1030 – quando tinha apenas quinze anos de idade –, fugiu da Noruega e passou a atuar no exterior como pirata e mercenário. Após juntar riqueza e apoio militar suficiente, retornou a seu país e conquistou o trono. Empreendeu diversas campanhas militares com o objetivo de ampliar seus domínios, mas que acabaram por levá-lo à morte em Stamford Bridge.

Após sobreviver à batalha de Stiklestad, na qual morreu seu irmão (o rei Olavo Haraldson), Haroldo fugiu para a Suécia, onde reuniu parte do exército derrotado de Olavo com o objetivo de um dia retornar à Noruega para conquistar a posição de rei. Após o inverno de 1031, partiu para a região de Novgorod, na Rússia, onde o rei Jarisleif o recebeu e o abrigou. Jarisleif também concedeu a ele e seus homens autoridade de defesa sobre seus domínios para atuarem como mercenários. Hardrada permaneceu por um tempo considerável à serviço de Jarisleif, quando conseguiu aprimorar suas habilidades em batalha. Depois, partiu para Constantinopla, onde passou a empregar seus serviços como mercenário ao Império Bizantino, tendo como missão combater ameaças como a pirataria ao império. Tornou-se chefe da Guarda Varangiana do Império Bizantino e, após conquistar muitas riquezas a serviço de Constantinopla, retornou para Novgorod em 1045, casando-se com a filha de Jarisleif.

Depois desses acontecimentos, Haroldo deixou a Rússia e passou a atuar em expedições vikings contra as terras da Dinamarca. Para evitar mais saques a seus domínios, Magnus Olafson, rei da Dinamarca e Noruega nesse momento, convidou Haroldo Hardrada para compartilhar seu reinado na Noruega, momento no qual Haroldo passa a ocupar a posição de rei, em conjunto com Magnus. Pouco tempo depois, Magnus morreu e Haroldo Hardrada passou a exercer o reinado sobre a Noruega sozinho. Com a ascensão de Svein Ulfson, na Dinamarca, Haroldo empreendeu campanhas militares contra o país. Após muitas batalhas, chegou-se a um acordo no qual se decidiu que Haroldo permaneceria rei da Noruega e Sueno rei da Dinamarca.

Após esses fatos, Haroldo Hardrada voltou suas atenções à Inglaterra, partindo em uma campanha militar com o objetivo de conquistar o país. Contou com uma frota de aproximadamente 200 navios de guerra, com cerca de dez mil guerreiros sob as suas ordens, planejando, primeiramente, conquistar a parte norte do território inglês, onde a influência nórdica era maior. Empreendeu grandes saques e impôs muitas baixas aos seus inimigos. Ao tomar conhecimento do ocorrido, o rei inglês Haroldo Godwinson juntou suas forças rumo ao norte para confrontar Haroldo Hardrada. Este, após obter várias vitórias sobre os ingleses, avançou para Stamford Bridge, onde teve lugar uma violenta batalha entre os nórdicos e os ingleses que resultou na morte de Hardrada, bem como na derrota de seu exército. A partir de então, seus filhos Olavo e Magnus passaram a compartilhar entre si o Reino da Noruega.

Assim, a historiografia especializada aponta como o fim do período viking a morte de Haroldo Hardrada, em 1066, considerando-o como o último rei viking norueguês. Sua morte em Stamford Bridge marcou o fim de uma era de expansão e saques dos povos escandinavos em diversas áreas da Europa Ocidental – como Rússia, Bizâncio e o Atlântico norte –, responsáveis, inclusive, por contatos com o mundo árabe e com uma parte da América do Norte.

Fábio Baldez Silva

Ver também Era Viking; Noruega da Era Viking; Viking.

BRØNDSTED, Johannes. *Os Vikings: história de uma fascinante civilização*. São Paulo: Hemus, s.d.

JONES, Gwyn. *A history of the vikings*. Oxford: Oxford University Press, 1984.

SPRAGUE, Martina. *Norse warfare: unconventional battle strategies of the ancient* Vikings. New York: Hippocrene Books, 2007.

STURLURSON, Snorri. The Saga of Harald Sigurtharson. In: *Heimskringla, History of the kings of Norway*. Trad. Lee M. Hollander. Austin: University of Texas Press, 2011.

HAUSTLONG

Haustlöng ("a duração do outono") é, nos termos de Simek & Pálsson, o título de um poema-escudo escáldico composto pelo escaldo norueguês Þjóðólfr ór Hvíni (século IX). De acordo com o autor, o título sugere que o poeta levou o período de um outono para compor o poema. Este tem 20 estrofes, do tipo *dróttkvætt* ("métrica da corte"). De acordo com Ólason, essa métrica também é muito utilizada nos *drápa* e nos *flokkur*, que são tipos de poemas de elogio. Ross insere o *Haustlöng* na categoria do subgênero poemas pictóricos, que descrevem um objeto por meio de uma narrativa lendária e mítica, muito parecida com a narrativa das poesias édicas. Þjóðólfr ór Hvíni também compôs o poema *Ynglingatal*, atribuído, de acordo com Ross, ao subgênero mitológico e genealógico. O escaldo também compôs duas *lausavísur*. A ele são atribuídos também fragmentos de um poema sobre Haroldo Cabelos Belos – chamado *Haraldskvæði* (ou *Hrafnsmál*) – preservados nas sagas dos reis. Sobre sua pessoa, sabe-se que tinha influência na corte do rei Haroldo Cabelos Belos e que também elogiou o rei Rögnald heiðumhæri no poema *Ynglingatal*.

Esse poema descreve duas cenas mitológicas representadas em um escudo que o poeta recebeu de um certo Þorleifr. As duas representações são: aventura de Loki com o gigante Þjazi, que roubou a deusa Iðunn; e a luta de Thor com o gigante Hrungnir. De acordo com Simek & Pálsson, o poeta preenche as cenas esboçadas no escudo com seu próprio conhecimento mitológico.

O poema está preservados nas *Eddas*, nos códices Regius (GKS 2367 4°), Trajectinus (Traj 1374x), Wormianus (AM 242 fol). Em outros codex como, por exemplo, o Upsaliensis, há apenas fragmentos do poema. Com relação à métrica do poema, ele tem 20 estrofes com 8 versos cada (contidas em dois quartetos), três sílabas tônicas em cada verso, meia rima interna *skothending* nos versos ímpares (rimas com consoantes idênticas e vogais diferentes), rima completa *aðalhending* nos versos pares (rimas com vogais idênticas junto a uma ou mais consoantes idênticas, em linhas alternadas). O poema também tem aliteração e um troqueu no final dos segundos semiversos. As seguintes rimas internas *skothending* existem no poema apresentado a seguir: 1. Þyrmðit e barmi, 3. Hristusk brustu, 5. mjǫk e hrøkkva e 7. vígligan e vǫgna. As rimas internas *aðalhending* são: 2. sólgnum e dólgi, 4. brann e manna; 6. myrkbeins e reinar e 8. vátt e þátti

Estrofe 16 do poema: *Baldrs of barmi þyrmðit þar solgnum manna dolgi; bjǫrg bristusk ok berg brustu; upphiminn brann; frák Haka vagna reinar myrkbeins vátt hrøkkva mjǫk móti; þá er þátti sinn vígligan bana.*

Tradução livre nossa: "O irmão de Baldr não mostrou misericórdia ao ganancioso inimigo dos homens; montanhas tremeram e rochas se partiram; o céu ficou em chamas. Eu ouvi que a testemunha do osso negro da terra das carruagens de Haki correu bruscamente para o outro lado quando ele viu o matador bélico".

Os *kenning*, que também são elementos indispensáveis nesse tipo de poesia, aparecem em grande quantidade. São eles nessa estrofe:

Barmi Baldrs = "irmão de Baldr" = [THOR]

Solgnum manna dolgi = "ao inimigo ganancioso dos homens" = "ao [GIGANTE]". Referência ao gigante Hrungnir.

Haka vǫgna = "das carruagens de Haki" = "do [NAVIO]". Haki foi um famoso rei do mar escandinavo, mencionado na *Gesta Danorum* de Saxo Grammaticus e, também, em fontes do século XIII, sobretudo na *saga dos Inglingos*, na *saga dos Volsungos* e no *Nafnaþulur*.

Haka vǫgna reinar = "do terreno gramado arado das carruagens de Haki" = "do terreno gramado arado do [NAVIO]" = [MAR]

Haka vǫgna reinar myrkbeins = "do osso negro do terreno gramado arado das carruagens de Haki" = "do osso negro do [MAR]" = [ROCHA]

Haka vǫgna reinar myrkbeins váttr = "testemunha do osso negro do terreno gramado arado das carruagens de Haki" = "testemunha da [ROCHA]" = [GIGANTE]

Vígligan bani = "o matador bélico" = [THOR]

Portanto, a estrofe poderia ser reescrita da seguinte maneira: "Thor não mostrou misericórdia ao gigante Hrungnir; montanhas tremeram e rochas se partiram; o céu ficou em chamas. Eu ouvi que o gigante Hrungnir correu bruscamente para o outro lado quando ele viu Thor". Para a determinação dos *kenningar*, foi o utilizado o livro de Egillsson (1931).

Yuri Fabri Venancio

Ver também Heiti; Kenning; Linguagem; Literatura; Norreno; Poesia escáldica.

EGILSSON, Sveinbjörn. *Lexicon Poeticum Antiquæ Linguæ Septentrionalis. Ordbog over det norske-islandske Skjaldesprog. Forøget og udgivet for det kongelige nordiske Oldskriftselskab.* 2 Udgave ved Finnur Jónsson. København: S. L. Møllers Bogtrykkeri, 1931.

GORDON, Eric Valentine. *An Introduction to Old Norse*. Oxford/New York: Oxford University Press, 1956.

ÓLASON, Vésteinn. Old Icelandic Poetry. In: NEIJMANN, Daisy. *A History of Icelandic Literature*. Lincoln & London: University of Nebraska Press, 2006, pp. 01-63.

ROSS, Margaret Clunies. *A History of Old Norse Poetry and Poetics*. Cambridge: D.S. Brewer, 2005.

SIMEK, Rudolf; PÁLSSON, Hermann. *Lexikon der Altnordischen Literatur*. Stuttgart: Kröner, 1987.

HEDEBY

Atualmente situada no norte da Alemanha, próximo à fronteira da Dinamarca, o sítio da antiga cidade de Hedeby hoje consiste em belos prados agrícolas e alguns bosques, tudo diante das águas azuis do fiorde Sehlei. Esse cenário bucólico oculta sob a terra algumas ruínas e vestígios arqueológicos do que foi no passado uma das cidades mercantis mais prósperas da Dinamarca e da Escandinávia. Por mais de dois séculos Hedeby foi um importante centro econômico do sul da Escandinávia, ligado com rotas e mercados germânicos, eslavos e francos.

As escavações do sítio de Hedeby somente se iniciaram no século XX, foram retomadas em meados dos anos 2000, e hoje a cidade já conta com um museu local, que exibe os achados desenterrados. Ainda assim, grande parte do sítio que compreendia a antiga cidade não foi escavado.

A data de origem de Hedeby (Heiðabýr, em nórdico antigo) é desconhecida. Aponta-se que a cidade tenha começado como um vilarejo agrícola no século VIII. Mas a menção mais antiga sobre Hedeby ou Haithabu (como consta em algumas fontes) data de 808, quando o rei Godofredo da Dinamarca, após destruir o mercado de Reric, estabeleceu alguns comerciantes e artesãos no local, além de ordenar a construção da muralha de Danevirke, que no século seguinte seria anexada à muralha de Hedeby. Godofredo também ficou conhecido por declarar guerra ao imperador Carlos Magno dos francos, daí Hedeby ser mencionada por comerciantes francos que participavam do comércio na Germânia, tendo sido obrigados a interromper o comércio devido à ameaça de guerra.

Não se sabe ao certo quando a cidade se tornou um centro mercantil, mas isso ocorreu ainda no século IX. O antes vilarejo agrícola expandiu sua área até as margens do fiorde Sehlei, formando inicialmente um pequeno porto. Graças ao porto, embarcações do Báltico e do mar do Norte poderiam ali aportar. Não obstante, foram achadas algumas moedas de prata cunhadas na própria cidade, datadas de 825 e baseadas em moedas frísias. O achado de moedas no local atesta um comércio avançado, já que normalmente os vikings não fizeram uso regular de moedas antes do século X. Para alguns historiadores, Hedeby e Ribe podem ter sido as primeiras cidades escandinavas a terem cunhado suas próprias moedas.

Além da cunhagem de moedas, achados de formas e ferramentas de metalurgia, ourivesaria e olaria, apontam que Hedeby também foi um centro manufatureiro, tendo produzido objetos em ferro, bronze, prata e ouro, talvez fabricado joias com metais preciosos, gemas e com vidro. Além disso, encontraram-se vestígios de produção de cerâmica. Não obstante, o cemitério da cidade também atesta o valor do local como rota comercial, pois alguns dos objetos fúnebres achados nos túmulos são de origem estrangeira, como moedas árabes. De fato, por volta de 965, um comerciante árabe de nome Al-Turtushi visitou a cidade.

Não obstante, no século X a cidade já era cercada com muros de 10 m de altura, que se estendiam em seu auge por mais de 1 km de extensão. A cidade se estendia por pelo menos 24 hectares e possuiria uma população estimada em mais de mil habitantes, número grande para os padrões da época e do lugar. As escavações arqueológicas revelaram que algumas das principais ruas da cidade eram pavimentadas com tábuas de madeira. O fato de algumas ruas serem pavimentadas era atestado da prosperidade do local, pois em geral as ruas eram de terra batida, mesmo em grandes cidades. Além de possuir poços de abastecimento, o ribeiro que cruzava a cidade era usado como escoador para os dejetos e água da chuva.

Devido a sua localização ao sul da península da Jutlândia, já dentro do continente em si, Hedeby foi um dos locais da Escandinávia mais próximos da Europa cristianizada. De fato, emissários germânicos como Ebo, arcebispo de Reims e São Oscar (Anscário de Hamburgo) visitaram a Dinamarca entre 823-826. A primeira igreja de Hedeby teria sido erguida nessa época. Por volta de 850, sob convite do rei Horik I, o Velho (?-854), São Oscar fundou outra igreja em Hedeby e uma em Ribe.

Nota-se que Hedeby despontava não apenas como um centro comercial, mas também religioso, por estar entre os primeiros a receber igrejas e a semente do cristianismo. A importância econômica de Hedeby no século X era tamanha que levou o imperador Oto II do Sacro Império Romano-Germânico a declarar guerra ao rei Haroldo Dente Azul. Em 974 a cidade dinamarquesa foi tomada pelos alemães. Apenas em 983, o rei Haroldo conseguiu reaver a cidade, ordenando que sua muralha fosse reforçada e o Danevirke também.

No século XI a cidade começou a entrar em crise, pois o desenvolvimento de outras cidades começou a suplantar sua importância como polo manufatureiro e comercial. No ano de 1050 os reinos da Noruega e Dinamarca estavam em guerra novamente. Com isso o rei Haroldo III da Noruega, ambicionando derrotar o rei dinamarquês Sueno II, ordenou que Hedeby fosse atacada. A cidade foi saqueada, o povo assassinado e, por fim, as casas queimadas. Um escaldo chamado Thorleik, o Belo, compôs alguns versos falando sobre o saque e incêndio de Hedeby pelo exército norueguês.

Mas apesar dessa quase total destruição, as casas foram reconstruídas e Hedeby ainda resistiu por mais de uma década. No ano de 1066 um exército eslavo vindo do leste atacou a cidade e a destruiu de vez. A população sobrevivente acabou por abandonar a localidade.

Na popular série de televisão *Vikings*, escrita por Michael Hirst, a cidade de Hedeby surge propriamente na terceira temporada, apesar de ser mencionada ainda na segunda. Mas diferente da realidade, a Hedeby da série é uma vila governada pelo segundo marido de Lagertha, o *earl* Sigvard. Após sua morte Lagertha assume o controle de Hedeby, passando a usar o título de *earl* Ingstad. Nas temporadas seguintes a vila continua a aparecer, mas sem invocar a pretensão de se tornar uma cidade, algo assumido pela fictícia Kattegat, comunidade criada para série, situada no sul da Noruega e cujo núcleo urbano é almejado por Lagertha e outros senhores.

Leandro Vilar Oliveira

Ver também Comércio; Dinamarca da Era Viking; Era Viking; Viking.

GRAHAM-CAMPBELL, James (org.). *Os vikings*. Barcelona: Editora Folio S.A. 2006.

GULLBEKK, Svein H. Coinage and monetary economies. In: BRINK, Stefan; PRICE, Neil (eds.). *The Viking World*. London/New York: Routledge, 2008, pp. 159-169.

HILBERG, Volker. Hedeby: an outline of its research history. In: BRINK, Stefan; PRICE, Neil (eds.). *The Viking World*. London/New York: Routledge, 2008, pp. 101-111.

HOLMAN, Katherine. *Historical dictionary of the vikings*. Lanham: Scarecrow Press Inc, 2003.

SINDBÆK, Søren Michael. Local and long-distance exchange. In: BRINK, Stefan; PRICE, Neil (eds.). *The Viking World*. London/New York: Routledge, 2008, pp. 150-158.

SKRE, Dagfinn (ed.). *Means and Exchange*: dealing with Silver and the Viking Age. Oslo: Aarhus University Press, 2007 (Kaupang Excavation Project Publications Series, vol. 2).

HEITI

Heitið é uma figura de linguagem originada do verso de aliteração germânico. De acordo com Simek, é um sinônimo poético para um substantivo como, por exemplo, *hjörr* para *sverð* "espada" ou Grímnir para Odin. Tais sinônimos são entendidos como floreios exóticos. A palavra *heiti* significa "nome", "denominação" e é uma derivação do verbo no antigo nórdico *heita*, "ser chamado".

Neijmann afirma que *heitin* são provavelmente palavras arcaicas que sobreviveram apenas no uso poético, podem ser metonímias (ing. *surf, wave* ou *tide* para significar *ocean*), palavras comuns que têm outro significado na poesia (ing. *maid*) e nomes especiais para os deuses (*Sigföður* "pai da vitória", *Valföður* "pai dos caídos em batalha", *Grímnir* "o que possui máscara e capacete", *Gangleri* "o viajante" para Odin).

Ross afirma que *heitin* (junto com *kenningarnar*) se encontram ocasionalmente na *Edda poética* e em outros tipos de poesia édica, mas em uma frequência mais esporádica do que sistemática (da mesma maneira que ocorre em *Beowulf*); por outro lado, nas poesias com versos em *dróttkvætt*, eles são muito mais regulares. Também se encontram de maneira relativamente frequente em poesias com versos em *kviðuháttr*. Por serem poesias menos elaboradas, não há tanta figura de linguagem como se encontra em poesias com versos em *dróttkvætt*.

No final de *Skáldskaparmál*, a segunda parte do *Edda em prosa* de Snorri Sturluson, nos manuscritos *Codex Regius, Codex Trajectinus*, AM 748 II 4° C, AM 748 I b 4° (A) e AM 757 a 4to (B) encontram-se 106 estrofes que apresentam uma lista de sinônimos, chamada de Þulur.

Trecho em que se menciona os sinônimos para Thor em Þulur:

{Þórr heitir Atli}	Þórr se chama "O Terrível"
{ok Ásabragr}	e "Príncipe dos Æsir;
{sá es Ennilangr}	é "aquele com ampla testa"
{ok Eindriði}	e "aquele que viaja sozinho"
{Bjǫrn, Hlórriði}	Urso, o "Viajante Estrondoso"
{ok Harðvéorr,}	e "O Forte Protetor"
{Vingþórr, Sǫnnungr,}	"o Thor da batalha", "O Verdadeiro",
{Véoðr ok Rymr.}	"O Guardião do Santuário" e "o Ruidoso"

A tradução acima teve base nas propostas de Simek (1984) para a tradução dos *heiti*.

Yuri Fabri Venancio

Ver também Inscrições rúnicas; Kenning; Linguagem; Literatura; Norreno; Poesia éddica; Poesia escáldica.

MAGNÚSSON, Ásgeir Blöndal. *Íslensk orðsifjabók*. Reykjavík: Orðabók Háskólans, 2008.

NEIJMANN, Daisy. *A History of Icelandic Literature*. Lincoln & London: University of Nebraska Press, 2006.

ROSS, Margaret Clunies. *A History of Old Norse Poetry and Poetics*. Cambridge: D.S. Brewer, 2005.

SIMEK, Rudolf. *Lexikon der Germanischen Mythologie*. Stuttgart: Alfred Kröner, 1984.

SIMEK, Rudolf; PÁLSSON, Hermann. *Lexikon der Altnordischen Literatur*. Stuttgart: Kröner, 1987.

HELGÖ

Helgö consistiu numa pequena comunidade urbana de caráter mercantil e manufatureiro da Suécia, construída antes da Era Viking (séculos VIII-XI). Escavações arqueológicas na região encontraram objetos e moldes datados do século V e até de períodos mais antigos. Os historiadores e arqueólogos sugerem que Helgö tenha começado como uma comunidade agrícola por volta do século III, época da Idade de Ferro Romana (séculos I-V) na Escandinávia e tenha sido habitada regularmente até o final do século VIII.

A disposição urbanística de Helgö revela em parte que a localidade não consistiu num padrão comum do Período Viking, no qual se encontram cidades cercadas por muralhas, com ruas mais ou menos delineadas, casas próximas uma das outras etc. No caso de Helgö, sua disposição urbana foi mais esparsa e centrada em pequenos núcleos, razão pela qual alguns arqueólogos o chamaram de "terraços", uma vez que se constituíam de porções de terra aplainadas para servir de base para a construção de edificações longas e retangulares, separadas entre si por campos abertos ou agrícolas.

Para James Graham-Campbell, essa forma de disposição das residências, oficinas e dependências lembra muito a imagem de comunidades agrícolas suecas encontradas na região por aquele período, o que seria um indicativo da origem rural de Helgö. Tal fato foi comum, pois ao longo do período que aquela localidade foi habitada seguiu-se esse modelo de construção e disposição das construções.

Não se sabe exatamente quando Helgö começou a despontar como polo manufatureiro, mas os vestígios arqueológicos sugerem que isso ocorrera por volta do século v, pois, nessa época, conforme observa Torun Zachrisson, há mudanças nas técnicas de metalurgia na região da Escandinávia, influência de conhecimentos estrangeiros e da descoberta de minas e jazidas de ferro em algumas localidades, como no norte da Suécia.

Nesse caso, é importante salientar que a localização geográfica de Helgö diz muito a respeito de seu papel como polo manufatureiro. A pequena comunidade se situava na ilha de Ekeö, em meio ao lago Mälaren, região conhecida por abrigar outras cidades importantes como Birka, Sigtuna e Estocolmo. O lago Mälaren durante séculos foi um ponto de passagem para pessoas, matérias-primas e mercadorias. Devido a sua localização privilegiada e sua conexão tanto com o interior quanto com a costa, muitas comunidades agrícolas e núcleos urbanos ali se desenvolveram.

Graças a tal condição, os artesãos de Helgö passaram a dispor de matéria-prima e com isso começaram a se especializar nesse ofício. A grande quantidade de objetos de bronze e ferro achados em Helgö, além dos moldes e fôrmas usados para confeccioná-los, revela que, pelo menos entre os séculos vi e vii, Helgö tenha sido um profícuo polo manufatureiro da região. Graham-Campbell aponta para o detalhe segundo o qual uma das especialidades dos artesãos da cidade tenha sido a joalheria, devido a grande quantidade de broches, colares e outras joias achadas.

Helgö também se destacou por objetos estrangeiros encontrados em sua localidade, como uma coleção de moedas romanas de ouro, datadas dos séculos v e vi, um báculo de bronze de origem celta e uma surpreendente estatueta asiática de Buda, achada na expedição de 1954, que na época surpreendeu os arqueólogos. Além desses achados estrangeiros, que revelam em parte a condição segundo a qual a população de Helgö tinha acesso a mercadorias do exterior, outro aspecto curioso achado nas escavações arqueológicas nos anos de 1950 foi a grande quantidade de estatuetas douradas, chamadas de *guldgubbar*, as quais representavam um casal.

Segundo uma das linhas de interpretação, poderia ser uma referência ao deus Freyr e sua esposa, a giganta Gerðr, como comenta Anne--Söfi Gräslund. A existência de muitas *guldgubbar* levaram alguns estudiosos a questionarem se Helgö não poderia ter sido um local de culto pagão – inclusive, Helgö significa "ilha sagrada" –, embora não haja nada definitivo sobre essa hipótese. A cidade hoje em dia não mais existe, mas a ilha continua a ser habitada.

Leandro Vilar Oliviera

Ver também Birka; Comércio; Suécia da Era Viking.

ERIKSEN, Marianne Hem *et. al* (eds.). *Viking Worlds: Things, Spaces and Movement.* Oxford: Oxbow Books, 2014.

GRAHAM-CAMPBELL, James. *Os Vikings.* Barcelona: Editora Folio S. A., 2006.

GRÄSLUND, Anne-Sofie. The material culture of Old Norse Religion. In: BRINK, Stefan; PRICE, Neil (eds.). *The Viking World.* London/New York: Routledge, 2008, pp. 248-256.

ZACHRISSON, Torun. Rotary querns and bread – A social history of Iron Age Sweden. *AmS–Skrifter*, n. 24, 2014, pp. 181-191.

HERÁLDICA

Os guerreiros, desde os tempos mais remotos da humanidade, buscavam marcar e identificar seus feitos e hierarquias através de símbolos inscritos, geralmente, na pele de animal que usavam, ou mesmo numa arma mais trabalhada. Na Antiguidade, os combatentes marcavam insígnias em armaduras e escudos, que serviam tanto para noticiar os outros de suas capacidades, como também para os identificar, como no caso do escudo de Aquiles. Registra-se, em Roma e Esparta, que o uso de insígnias e símbolos de hierarquia servia como forma de demonstração de feitos e capacidades. As insígnias apresentavam traços próprios do seu autor. Não havia uma regulamentação precisa que distinguisse o seu estilo e os seus traços.

Somente no medievo uma codificação desses símbolos e insígnias passa a ser realizada, constituindo assim uma arte nova responsável pela organização dos elementos: a heráldica. No século x, com o crescimento das justas e de uma cultura de corte, os brasões passaram por um refino e aperfeiçoamento, o que aumentou sua complexidade em termos de características e estilos, bem como contribuiu para cercear seus usos para estamentos específicos da sociedade. A Igreja, entre os séculos x e xi, voltou-se para a sistematização desses símbolos com intenção clara de evitar um uso desmedido desses símbolos, constituindo, assim, a heráldica. Afinal, se cada um pudesse criar sua própria identificação, a tendência de existirem símbolos similares ou iguais seria bem maior, o que descaracterizaria a necessidade do brasão, que é justamente a de identificar o seu possuidor e evidenciar os seus feitos.

Vemos em múltiplos codexes medievais que é a partir da guerra que a heráldica se constitui. Ela foi sedimentada nas justas e fez surgir profissões e ofícios novos ligados, intimamente, ao uso de brasões, como é o caso do arauto e do heraldo (os quais apresentavam as armas e brasões de seus representantes). Com o tempo, os símbolos tiveram sua função ampliada para além de uma representação de família e seus feitos, tornando-se um instrumento de recompensa real para os sujeitos responsáveis por grandes proezas.

Essa ampliação do uso da heráldica pelos mais diversos meios – identificação (em selos, justas, batalhas etc.), meio de recompensa, símbolo de legitimação e *status* –, proporcionou mais destaque à heráldica, ampliando ainda mais as necessidades de sistematização dos símbolos. Também tornou-se necessário lidar com alguns problemas que surgiam, como, por exemplo, o problema das linhas bastardas (uma linha cortando o brasão, mas que variava dependendo da região).

Portanto, a heráldica é um conjunto de normas para armarias e brasões com símbolos integrados que determinam a representação de uma codificação específica. Por exemplo, um elmo no topo do brasão com a viseira aberta poderia indicar uma nobreza solar, enquanto o elmo com a viseria fechada indicaria uma nobreza por disposição real. Além disso, com o avanço da heráldica, surgiram brasões reais, gentílicos, eclesiásticos, dominiais e de corporações ou profissionais, o que ampliou ainda mais a complexidade para observar e compreender a codificação da heráldica. Algo semelhante ocorreu, posteriormente, com a criação do *Ex libris*, que representaria marcas de autores ou instituições, bem como obras materiais escritas.

Logo, em meio a tanta demanda, surge uma organização específica que confere sentido para cada ponto, como o fogo, que poderia significar busca por glória ou um ardente guerreiro que busca feitos heroicos. Também a coloração poderia mudar o sentido, de tal modo que um brasão todo prata representaria a completa pureza, por exemplo. Partes do corpo, animais, plantas, objetos e utensílios aparecem nos brasões podendo ter um ou mais sentidos, que se complexificam quando consideradas as posições a partir das quais estão dispostas as representações, bem como as cores dos brasões.

Um escudo de armas tem uma regra específica de formas (sua longitude e largura), que se apresentam em grande variedade. Tal escudo também possui uma Dextra e uma Sinistra (que se refere aos lados direito e esquerdo do brasão, lembrando que o brasão é algo vivo, de modo que esquerda e direita se definem no brasão como se ele estivesse de frente para uma pessoa), Chefe e Contra Chefe (parte superior e inferior), Honrarias, Suporte (elementos colocados na parte interna dos brasões), Divisa, bem como outros elementos que tornam ainda mais complexo o estudo da heráldica. Vale ainda mencionar que certas normas e técnicas dos brasões variam de acordo com a região, assim como o corte dos brasões (as secções que dividem um escudo de armas, como partido, cortado, talhado, terçado etc.). Logo, para se entender heráldica, importa reter que ela busca um entendimento de normas e regras que variam com o tempo e o espaço. Requer um entendimento da coloração dos símbolos e insígnias, bem como das formas, cortes e de toda uma combinação de regras e elementos.

No caso da Escandinávia medieval, tem-se uma dinâmica específica. De fato, como vimos, a heráldica é uma criação da Igreja no seio da Europa Ocidental, que só exercerá o seu domínio com mais força na Escandinávia pelos idos do século XI. Portanto, a Era Viking, compreendida tradicionalmente como o período de 793 até 1066, não apresenta muito desses aspectos da heráldica tradicional ligados às práticas da cristandade, o que nos permite dizer que os vikings – deixando de lado a problemática quanto ao caráter étnico desse termo – não usaram da heráldica. Não obstante, em meados do século XIII-XIV, uma outra realidade se apresentava, na qual os múltiplos reinos e famílias da Escandinávia passaram a ter uma maior representatividade em brasões com bases nos modelos mais conhecidos de heráldica.

A Escandinávia tem toda uma dinâmica particular de representação, com cores, símbolos, partições e usos próprios. Afinal, cada sociedade produz traços específicos, ligados as suas respectivas práticas sociais e culturais, de modo que a tentativa de unificação desses símbolos (como ocorreu na Europa Ocidental medieval e depois na Escandinávia), não pode perder de vista os traços culturais regionais que sempre orientam a confecção de brasões.

A principal diferença de composição entre os elementos da Escandinávia e da Europa Ocidental reside no fato de que os escudos da Escandinávia medieval eram redondos, bem diferentes dos escudos ao modelo triangular reto. Normalmente tendia a apresentar uma ou duas cores, possuindo poucas divisões dentro de si. Alguns podiam ser traçados com formas circulares, em modelo espiral com duas cores (modelo conhecido como Gyronny Arrondi). Além disso, essas cores faziam parte de uma espécie "heráldica regional", podendo variar conforme as regiões da própria Escandinávia.

Portanto, podemos definir que não há um estilo claro e evidente de heráldica na Escandinávia medieval até os séculos XIII-XIV. Contudo, apesar de não comportar uma sistematização dentro dos moldes de definição que apresentamos, isso não quer dizer que as sociedades da Escandinávia medieval não usavam uma simbologia ou elementos iconográficos para cumprir funções similares às dos escudos de armas da heráldica da Europa Ocidental. De fato, a dinâmica de cores, de símbolos, de animais, de objetos, entre outros, trarão toda uma peculiaridade regional nos fins do século XIII, para construir de fato uma heráldica medieval na Escandinávia.

José Lucas Cordeiro Fernandes

Ver também Escandinávia; Literatura; Era Viking; Viking.

ABRANTES, Marquês de. *Introdução ao estudo da heráldica.* Lisboa: Instituto de Cultura e Língua Portuguesa, 1992.

ANÔNIMO. *Heraldry for a Non-Heraldic Culture: Vikings and Coats of Arms in the SCA.* Disponível em: *goo.gl/XV5eWM* Acesso: 9 Jun. 2017.

BANDEIRA, Luís Stubbs Saldanha Monteiro. *Vocabulário Heráldico.* Lisboa: Edições Mama Sume, 1985.

CRAIGIE, Maria-João de Nogueira Ferrão Vieira. *Dicionário de Bibliografia para Genealogistas.* Lisboa: Dislivro Histórica, 2006.

GUERRA, Luiz de Figueiredo da. *Manual do Brazão.* Viana, 1902.

LANGHANS, Franz Paul de Almeida. *Heráldica: Ciência de Temas Vivos.* Lisboa: Fundação Nacional para a Alegria no Trabalho, 2 v., 1966.

RIBEIRO, Joaquim Augusto Corrêa Leite. *Tratado de Armaria: technica e regras do brasão d'armas.* Lisboa: Empreza da Historia de Portugal, 1907.

SEGRAIS, René Le Juge de. *Resumo da Ciência do Brasão.* Lisboa: Livraria Bertrand, 1951.

SHARPTOOTH, Thóra. *Personal Display for Viking Age Personae: A Primer for Use in the SCA.* Disponível em: *goo.gl/uQJjjF* Acesso: 9 Jun. 2017.

HIDROMEL

As fermentações naturais de frutas e folhas sempre foram observadas desde a Pré-história e, ao longo dos séculos, aperfeiçoadas e adaptadas ao paladar de cada região. O hidromel, um dos fermentados mais antigos de que se tem notícia, é considerado a bebida dos vikings por excelência. Esse estereótipo já cristalizado de que os nórdicos se embriagavam com abundante hidromel ainda hoje é difundido sem se conhecer a fundo como e em quais circunstâncias essa bebida rara e cara era consumida. O mel, na Era Viking, era recolhido de colmeias selvagens. Portanto, conseguir mel não era algo tão fácil, fato que o tornava um produto escasso, destinado exclusivamente para o consumo em ocasiões especiais e, claro, para a produção de hidromel. Um fermentado simples: mel, água, ervas aromáticas ou frutas e uma levedura. Esta podia ser uma "levedura selvagem" presente no ar, que contaminaria a bebida provocando a fermentação alcoólica e, depois de algum tempo, o hidromel estaria pronto para ser consumido.

O hidromel (*mjöð*), além de ser a bebida que proporcionava a inspiração para a arte de se compor poesia, era também utilizado pelas profetisas, pelos *berserkir* – guerreiros consagrados a Odin – para conseguirem atingir o êxtase e, consequentemente, o furor na batalha. Serviam também, claro, para os líderes, os grandes guerreiros e os escaldos cantarem as vitórias das batalhas e glorificarem o deus de um só olho. Mas, devido ao seu ingrediente principal – o mel – ser raro e também bastante caro, o seu consumo era destinado somente aos mais ricos e às grandes comemorações de caráter religioso, político e guerreiro. O hidromel era associado às festas no mundo dos deuses (o banquete de Égir, *Lokasenna* 1-65; a cuba mágica dos einherjar, *Gylfaginning* 38), bem como a poesia e ao próprio Odin (*Skáldskaparmál* 1). Portanto, ao contrário da cerveja, o vinho e o hidromel tinham um caráter muito mais sagrado, sendo destinados aos mais abastados.

Bebida por excelência dos deuses, guerreiros e chefes, o hidromel era servido a todos os mortos em combate que adentravam o Valhala. As valquírias, depois de escolherem os mortos de Odin no campo de batalha, trajavam seus vestidos de trabalho e, com o cabelo preso com um nó triplo ofereciam o corno cheio de hidromel como uma forma de boas vindas àqueles que se mostraram corajosos e que agora irão desfrutar pela eternidade da carne de porco e dessa bebida tão desejada.

As mulheres eram as responsáveis por fazerem e servirem o hidromel, assim como eram pela cerveja consumida cotidianamente, durante as festividades. A tarefa era feminina por excelência, pois eram as mulheres que controlavam o fluxo de alimentos que entravam e saíam das despensas e também eram responsáveis pelo cuidado com as ervas utilizadas para dar sabor à bebida e auxiliar na sua fermentação. Diferentemente do que se difunde atualmente, o hidromel da Era Viking não possuía uma graduação alcoólica elevada, ficando entre os 4 e 8 graus. A embriaguez advinda do consumo da bebida não era devido à graduação alcoólica, mas sim à grande quantidade consumida: já que eram poucos os consumidores, a quantidade destinada a eles era grande, e uma das qualidades apreciadas em um grande líder e guerreiro era justamente a gula e a embriaguez pela grande ingestão de bebida alcoólica. Quanto mais se bebia e comia, mais valoroso era o homem.

O hidromel tem uma origem mítica. A bebida era guardada pela giganta Gúnnlod e os deuses e homens não tinham acesso a ela. Odin, usando de sua astúcia, seduziu a giganta e a amou por três dias. Depois, metamorfoseado em águia roubou a preciosa bebida que além de saciar a sede de deuses e guerreiros no *post mortem*, inspirou os escaldos a comporem a sua refinada poesia com as gotas que caíram do bico da águia odínica sobre a suas frontes. O hidromel expelido pela cloaca da ave inspirou os maus poetas a comporem a sua poesia medíocre.

Atualmente o hidromel é largamente consumido. Fabricado praticamente em escala industrial, distancia-se muito da bebida consumida na Era Viking, não só pelos ingredientes utilizados, como também pelo modo de preparo e graduação alcoólica que ultrapassa a original. A bebida dos deuses, dos poetas e dos guerreiros no Valhala ainda inspira canções e poesia, bem como desperta curiosidade daqueles que querem provar na terra as doçuras dos lábios de Gúnnlod.

Luciana de Campos

Ver também Alimentação; Cerveja; Festas e festins; Religião.

CAMPOS, Luciana de. A sacralidade que vem das taças: o uso de bebidas no Mito e na Literatura Nórdica Medieval. *Revista Brasileira de História das Religiões*, vol. 23, 2015, pp. 97-107.

CAMPOS, Luciana de & LANGER, Johnni. Brindando aos deuses: representações de bebidas na Era Viking, no cinema e nos quadrinhos. *Revista de História Comparada* (UFRJ), vol. 6, 2012, pp. 141-164.

HAGEN, Ann. *Anglo-Saxon food and drink*. London: Anglo Saxon Book, 2010.

WARD, Christie. Alcoholic beverages and drinking customs of the Viking Age. *The Viking Answer Lady*, 2005. Disponível em: *http://www.vikinganswerlady.com/drink.shtml*. Acesso em 14/04/2017.

HIGIENE E SAÚDE

A higiene e, consequentemente, a manutenção da saúde, era uma preocupação das comunidades da Era Viking que faziam do banho, por exemplo, um hábito cotidiano, assim como os cuidados com os cabelos e a pele. A arqueologia e a literatura são fontes importantes para nos apresentar mais elementos de como se davam esses cuidados corporais.

Os vikings viviam em um ambiente de frio intenso em determinadas épocas do ano, o que obrigava as pessoas a se abrigarem, bem como dividirem o espaço com os animais como cães, vacas, cabras e porcos, para que não sucumbissem e também porque ofereceriam uma dose extra de calor a casa. Durante o inverno, o banho só era possível em locais como a Islândia que, graças às fontes termais, possuía água quente em abundância, permitindo que seus habitantes construíssem piscinas para armazenar a água aquecida usada para o banho da família. Na Suécia, Dinamarca e Noruega, não havia essas fontes e os banhos eram tomados em tinas de madeira. No verão, quando a temperatura subia vários graus, podiam usufruir dos rios, lagos e do mar – pois como exímios navegadores, eram excelentes nadadores. Para o banho, o sabão utilizado era mais delicado: na sua composição era usada a banha, urina fresca, algumas ervas (como a artemísia) e a urtiga. O banho era um ato importante no cotidiano e é apresentado no capítulo 39 da *Laxdæla saga*: Kjartan, enquanto cortejava Guðrún, fez coincidir os seus banhos quentes nas piscinas termais com os dela, fazendo com que encontros propositais acontecessem entre os dois. Na Inglaterra, nativos perceberam que os invasores nórdicos tomavam banhos regulares. John of Wallingford, o abade da Abadia de St. Albans, escreveu em suas crônicas que os invasores nórdicos pareciam muito mais atraentes para as mulheres, pois, ao contrário dos homens anglo-saxões, eles penteavam seus cabelos diariamente, tomavam banhos semanalmente e sempre lavavam suas roupas. Um tratado negociado no ano 907 entre o Império Bizantino e os rus – os noruegueses da Suécia e da região leste do Báltico – incluía uma condição peculiar a todos os tratados já assinados: os bizantinos eram obrigados a fornecer banhos para os rus sempre que eles desejassem.

Essas fontes termais também eram utilizadas para a lavagem de roupas. O uso da água quente, além de tornar essa tarefa mais confortável, também facilitava a limpeza das peças. O sabão utilizado nessa tarefa era grosseiro, feito com sebo e urina velha. As roupas eram batidas com pedaços de madeira para ajudar na retirada das sujeiras mais pesadas.

Os cabelos recebiam cuidados especiais. Eram lavados cuidadosamente com água e untados com óleos perfumados para que ficassem brilhantes e macios. Depois de lavados, os cabelos eram cuidadosamente penteados com vários tipos de pentes. Estes podiam ser grossos ou finos e desembaraçavam os fios, facilitando o trançado, dos mais simples aos mais complexos. Assim, as mulheres mais ricas tinham ao seu dispor não somente pentes das mais variadas espessuras e materiais (normalmente cunhados por artesãos experientes, possibilitando que seus cabelos recebessem uma espécie de tratamento ao serem penteados), como também tinham servas para fazerem os trançados e os penteados mais elaborados, tal qual as tranças usadas pela mulher de Elling, da Dinamarca. Os homens possuíam, basicamente, os mesmos cuidados capilares que as mulheres, fazendo uso de pentes diversos para manterem os cabelos sempre arrumados segundo os padrões de beleza da época. Além dos cabelos longos, também possuíam barba que recebia cuidados, sendo em alguns casos trançada e aparada.

As mulheres faziam uso de pedras grandes, redondas e lisas. Pressionavam-nas delicadamente sobre a pele do rosto para amenizar as rugas e linhas de expressão. A mais fina banha de porco era misturada com ervas (como a macelinha, por exemplo), compondo a fórmula de uma espécie de creme hidratante facial da época. Algumas peças pequenas confeccionadas com metal ou osso em forma de pequenos alicates, pinças e cortadores eram utilizadas para cortar, lixar e limpar as unhas, bem como para limpar as orelhas.

Alguns estudos em ossadas da Era Viking sugerem que a boa saúde e longevidade foram possíveis para ao menos parte da população. No mínimo as mais abastadas, que possuíam condições de, mesmo em circunstâncias adversas, ter alimentos variados e em boa quantidade. Mas isso não quer dizer que a vida das pessoas dessas comunidades estivesse livre de doenças graves ou epidemias que sempre assombraram a existência humana. A dieta da Idade Viking teve alimentos mais grosseiros, menos refinados e praticamente sem açúcar, a não ser aquela vinda do mel, sempre em pequenas quantidades. Em decorrência dessa alimentação, os dentes apresentam um certo desgaste, mas poucos casos de cárie. Nesse sentido, a saúde bucal geralmente era boa se compararmos com a dos ocidentais modernos.

Nas grandes cidades – principalmente aquelas que funcionavam como entrepostos comerciais, com a população maior e muito condensada –, o saneamento era precário e muitas pessoas provavelmente sofreram com doenças advindas da sujeira e da falta de higiene. A análise dos sedimentos da cidade comercial de Birka continha ovos de parasitas humanos. Os parasitas maduros teriam causado náuseas, diarreia e outras doenças entre os moradores da cidade.

A boa saúde foi muitas vezes vista como uma extensão da boa sorte de cada um ou de toda a comunidade. Portanto, muito dos tratamentos para prevenir as doenças, bem como para garantir a boa saúde, consistiam em cantos e encantos mágicos realizados por mulheres que manteriam a boa saúde.

Luciana de Campos

Ver também Cotidiano; Família; Mulheres.

GRAHAM-CAMPBELL, James. A vida doméstica. In: *Os viquingues*. Madrid: Del Prado, 1997, pp. 63-66.

CAMPOS, Luciana de. Cosmética, plantas e saúde na Era Viking. *Youtube/Canal do NEVE*, 2017. Disponível em: *goo.gl/SJbyKh*. Acesso em: 04 dez. 2017.

NOUGIER, Louis-René. Samstags ist badetag. *Wikinger*. Hamburg: Tesslof Verlag, 1983, pp. 36-37.

HIRD

O termo *hirð*, em nórdico antigo, denotava um estrato da sociedade composto pelos "nobres", "súditos" e membros da corte dos reis noruegueses (*household*). Etimologicamente, a palavra *hirð* é oriunda do anglo-saxão *hîrd*, que poderia indicar uma irmandade, companhia ou hoste. Para melhor compreendermos tais grupos, recorremos à *hirðskrá* ou "livro da *hirð*", um documento compilado durante o reinado de Magnus Håkonsson (1217-1263), no qual constavam as leis, direitos e obrigações da *hirð*. A historiografia aponta ainda que muitas das leis presentes na *hirðskrá* podem remontar ao reinado de Sverri (1184-1202), tornando assim a *hirðskrá* um documento utilizado na compreensão não apenas da Noruega do século xiii, mas também de parte do século xii e da *household* norueguesa de séculos anteriores.

Inicialmente, a *hirð* pode ser separada em três grandes grupos (*lǫguneyti*): *hirðmen*, *gestir* e *kertisveinar*. Cada um desses grupos, de acordo com o historiador Steinar Imsen, pode ser entendido como um tipo de guilda ou corporação. Entre as suas características, temos a obrigação de toda *hirð* contribuir com um terço de seu dízimo para um hospital no caso dos membros precisarem de cuidados. Todavia, uma característica da *hirð* que a afasta da lógica de uma guilda em direção às suas raízes pré-cristãs pode ser encontrada na forma da distribuição dos espólios de batalha, que eram divididos igualmente entre todos os membros da *hirð*, sendo que nem mesmo o rei tinha privilégios sobre estes. Mesmo a figura do rei não detinha poder pleno e inconteste sobre a *hirð*, necessitando da aprovação dos membros da mesma para suas decisões, assemelhando-se assim a *hirð* a uma irmandade.

A escolha dos membros é feita, sobretudo, a partir de famílias abastadas e proeminentes na sociedade norueguesa, sem a obrigação da hereditariedade, ainda que fosse comum certas famílias serem vistas com frequência entre os *lendmen*. Ademais, ser um membro da *hirð* incluía, além da posição de destaque social, o direito de integrar um dos cargos de ofício real. O ingresso na *hirð* dava-se através do ritual conhecido como *håndgang*, no qual o aspirante jurava fidelidade ao rei, similar ao rito de homenagem, com a ressalva de que não há caráter de vassalagem no processo. Entretanto, o ingresso na irmandade era sujeito à aprovação dos outros membros, amparados legalmente e com autoridade para negar o acesso do membro aspirante caso assim desejassem.

Todos os membros da *hirð* tinham alguns direitos comuns, como a isenção de taxas para si e pelo menos um outro membro de sua *household*, bem como o julgamento por pares em casos de traição. A resolução de disputas entre os *hirðmen* eram feitas pelo rei ou na assembleia da *hirð* (*hirðstefna*).

Os *hirðmen* constituíam uma corporação diversa, organizada hierarquicamente conforme o cargo e os direitos que possuíssem. Entre os grupos que faziam parte dessa corporação destacamos aqui: os duques e *earls* acima de todos os outros; em seguida temos os *lendmen* – que se distinguiam por receberem terras pertencentes ao rei –; os detentores de cargos oficiais, como os *stallar, merkesman* e os chanceleres; e os *skutilsvein* – que serviam o rei à mesa. Estes grupos compunham a *hirðstiorar*, isto é, os líderes da *hirð*. Abaixo destes encontram-se os *hirðmen* comuns, sobre os quais há poucas informações disponíveis.

Dentre os *hirðmen*, apenas os *lendmen* recebiam uma pensão régia (*veyzla*) de 15 marcos ao ano exclusivamente em função de sua posição na sociedade, pois na maioria dos casos eram membros de família abastadas e de grande influência. Ademais, no final do século XIII, era direito exclusivo dos *lendmen* o de reter um corpo de homens cuja função era a de protegê-los e proteger o rei, chamados de *housecarls*. Acrescentamos ainda que aqueles que ocupavam cargos de ofício na *hirð* também recebiam essa mesma quantia, todavia, por razão do exercício de seus cargos.

Os *gestir* (convidados) atuavam como uma força de policiamento, espionagem, assassinato, bem como protetores do rei, serviço comparável aos *housecarls* de séculos anteriores, além de emissários régios. Já os *kertisveinar* serviam no salão de banquetes, à mesa do rei e suas responsabilidades eram similares àquelas de pajens.

O século XIV vê profundas transformações no modelo da *hirð* que vimos até agora, levando a um subsequente desaparecimento da *hirð* na Noruega medieval. Ressaltamos aqui que é no século XIV que as divisões dos *hirðmen* dão lugar apenas à distinção entre cavaleiros e escudeiros, enquanto que os *lendmen*, por decreto do rei Håkon V (1299--1319) no ano de 1308, deixam de ser nomeados, resultando no ocaso dessa corporação, seguidos dos *gestir* e dos *kertisveinar* nas décadas seguintes. Ademais, mudanças na estrutura de governo em função de acordos firmados com outros reinos escandinavos acabaram por contribuir para que a *hirð* fosse desestruturada e, portanto, acabasse se transformando em um pequeno grupo de nobres por conta de sua genealogia e não por seus serviços. A exceção a isso são províncias noruguesas ao norte da Escócia, que retêm a presença de homens da *hirð* até o século XVI.

Hiram Alem

Ver também Era Viking; Guerra e técnicas de combate; Húskarl; Realeza; Sociedade.

BERGE, Lawrence Gerhard (trad.). *Hirðskrá 1-37: a translation with notes*. Dissertação (Mestrado). Wisconsin: University of Wisconsin, 1968.

Hirðskrá. In: KEYSER, Rudolph; MUNCH, Peter Andreas (eds.). *Norges gamle Love indtil 1387*. vol. 2, Oslo: Grondähl, 1848, pp. 387-450.

IMSEN, Steinar. King Magnus and his Liegemen's 'Hirdskrå': A Portrait of the Norwegian Nobility in the 1270s. In: DUGGAN, Anne J. (ed.). *Nobles and Nobility in Medieval Europe: Concepts, Origins, Transformations*. Woodbridge: Boydell Press, 2000, pp. 205-220.

IMSEN, Steinar. Earldom and Kingdom: Orkney in the Realm of Norway 1195-1379. In: WAUGH, Doreen J. (ed.). *The Faces of Orkney: Saints, Skalds and Stones*. The Scottish Society for Northern Studies, Edinburgh, 2003, pp. 65-80.

LARSON, Laurence M. The Household of the Norwegian Kings in the Thirteenth Century. *The American Historical Review*, vol. 13, n. 3, 1908, pp. 459-479.

HISTÓRIA DA GUERRA

Ver Armamento; Arquearia; Batalha de Bravalla; Batalha de Brunanburh; Batalha de Clontarf; Batalha de Dyle; Batalha de Edington; Batalha de Hafisfjord; Batalha de Maldon; Batalha de Stanford Bridge; Batalha de Stiklestad; Espada; Fortificações; Grande armada danesa; Guerra e religião; Guerra e técnicas de combate; Guerra e simbolismos; Guerreiras nórdicas.

HISTORIA DE ANTIQUITATE REGUM NORWAGIENSIUM

Trata-se da história do Reino da Noruega escrita em latim e narrada desde Haroldo Cabelos Belos, do século IX, até Sigurd, o Cruzado, morto em 1130. Apresenta uma tradição oral sobre as sucessões dos reis noruegueses e muito provavelmente consiste na primeira manifestação escrita sobre esses reis, sendo considerada a mais antiga biografia real norueguesa. Sua data de composição pode ser indicada aproximadamente entre os anos 1177 e 1187.

Foi composta por Theodoricus Monachus, do qual muito pouco se sabe. Provavelmente pertenceu a uma comunidade beneditina, embora alguns autores apresentem versões diferentes. Presumivelmente era norueguês, pois afirma, no conteúdo da obra, que faz parte do mundo ali representado. Pode ser vinculado ao contexto da fundação da diocese de Nidaros em 1152, já que a obra foi dedicada ao arcebispo local, Eysteinn Erlendsson, que esteve presente no arcebispado entre 1161-1188.

As características da *Historia de antiquitate regum norwagiensium* são interessantes. Apenas metade de sua breve narrativa se ocupa com os anos da monarquia. Os dois personagens mais destacados, como em outras crônicas, são Olavo Tryggvason e Olavo Haraldsson, ambos conhecidos por promover a difusão do cristianismo nas terras norueguesas. Já no prólogo, Theodoricus afirma que muitas das informações que utilizou foram encontradas com islandeses que preservaram o seu conhecimento histórico através de uma tradição de antigos poemas escáldicos. Observa-se também uma tentativa, por parte do autor, em estabelecer algumas datas durante a narrativa, que também comporta algumas digressões, como, por exemplo, a descoberta da Islândia (capítulo 3), o elogio ao arcebispo de Nidaros, Eysteinn (capítulo 32), e a recordação de um tempo violento que surgiu depois do reinado de Sigurd (capítulo 34).

O códice que apresenta a narrativa da *Historia de antiquitate* foi descoberto durante a década de 1620 por Jakob Kirchmann, em uma biblioteca da cidade de Lübeck. Não tem uma data de composição estabelecida. Posteriormente à descoberta, foram feitas algumas transcrições durante o século XVII e uma *editio princeps* em 1684 pelo próprio Jakob Kirchmann.

A narrativa é composta por um prólogo e 34 capítulos. Se inicia com a unificação da Noruega, datada por Theodoricus do ano 852. Entre os capítulos 1-6, o autor da *Historia de antiquitate* aborda de forma breve os reis antes da presença do cristianismo, desde Haroldo até Hakon *jarl*, ou seja, aproximadamente entre os anos 865 e 995. Os capítulos 7-14 têm como personagem central Olavo Tryggvason. Os reinados de Érico e Sueno são mencionados brevemente, o que indica que se referem aproximadamente aos anos 995-1015. Sobre Tryggvason, este se destaca pela sua preocupação com os aspectos do cristianismo. Olavo Haraldsson, importante rei norueguês na conversão da Noruega para a cristandade, surge na narrativa entre os capítulos 15 a 20, os quais se referem aos anos 1016-1028. Os capítulos 21 a 28 são dedicados aos reinos de Magnus Olafsson e Haroldo Hardrada. Olavo Kyrre é o personagem central do capítulo 29 e seu filho, Magnus Bareleg, ocupa o capítulo 31. A peregrinação para Jerusalém de seu outro filho, Sigurd, é narrada no capítulo 33.

Luciano José Vianna

Ver também Fontes primárias; Historiografia e pseudo-história; Literatura; Noruega da Era Viking.

HOLMAN, Katherine. *Historical Dictionary of the Vikings.* Lanham, Maryland, and Oxford: The Scarecrow Press, Inc. 2003, pp. 134-135.

JAKOBSSON, Ármann. Royal Biography. In: MCTURK, Rory (ed.). *A Companion to Old Norse-Icelandic Literature and Culture.* Malden/Oxford/Victoria: Blackwell Publishing Ltd, 2005, pp. 388-402.

LÖNNROTH, Lars; OLÁSON, Vésteinn; PILTZ Anders. Literature. In: HELLE, Knut (org.). *The Cambridge History of Scandinavia,* vol. 1. Prehistory to 1520. Cambridge: Cambridge University Press, 2008, pp. 487-520.

MORTENSEN, Lars Boje. Theodoricus Monachus. In: *Medieval Nordic Literature in Latin. A Website of Authors and Anonymous Works* (c. 1100-1530). Disponível em: *goo.gl/ZZckbs*. Acesso em 18/06/2017.

THEODORICUS MONACHUS. *Historia de Antiquitate Regum Norwagiensium (An account of the Ancient History of the Norwegian Kings).* London: University College London, 1998, (Viking Society for Northern Research Text Series, vol. IX).

WÜRTH, Stefanie. Historiography and Pseudo-History. In: MCTURK, Rory (ed.). *A Companion to Old Norse-Icelandic Literature and Culture.* Malden/Oxford/Victoria: Blackwell Publishing Ltd, 2005, pp. 155-173.

HISTORIA NORWEGIAE

Trata-se de um texto escrito em latim, anônimo e que até hoje se encontra incompleto. Composto aproximadamente entre 1150/1160 e 1175, apresenta uma descrição geográfica do Reino da Noruega no contexto do século XII. É considerado um dos mais antigos documentos sobre a história da Noruega. Além disso, narra a sequência e os feitos dos governantes noruegueses, desde a lendária família dos reis Ynglingos até o santo Olavo Haraldsson, com destaque para os reis Olavo Tryggvason (rei entre os anos 995 e 1000) e Olavo Haraldsson (rei da Noruega entre 1016 e 1028), os quais são retratados na maior parte do documento (partes XVII e XVIII do livro primeiro). Tal destaque vincula-se aos comentários sobre a cristianização do território, com Tryggvason convertendo a maior parte do território norueguês e Haraldsson dando continuidade ao processo de conversão. Por conseguinte, a cristianização do território representa um aspecto central na narrativa, principalmente a região norte da Noruega, que, naquele contexto, apresentava algumas populações locais que não haviam sido cristianizadas.

Provavelmente essa obra foi concebida nos círculos do governo episcopal, real, ou até em ambos. Embora seja de autor anônimo, é provável que este tenha pertencido a um destacado âmbito episcopal ou real e tenha tido uma formação fora do Reino da Noruega, como na Saxônia ou na Dinamarca. Uma parte do texto foi preservada, consubstanciada no prólogo e em uma continuação que seria o primeiro livro (dividido em 18 partes). Mas, possivelmente, o documento continha outros três ou quatro livros – de acordo com a hipótese de Lars Boje Mortensen –, sendo considerada a mais longa crônica latina composta na época no Reino da Noruega. Nas palavras de Mortensen, uma "empresa ambiciosa".

A importância historiográfica da *Historia norwegiae* está fundamentada, ainda de acordo com Lars Boje Mortensen, à medida que é considerada a primeira fonte para o conhecimento dos inícios da historiografia norueguesa, além de fornecer um panorama valioso sobre o nascimento da cultura literária na Noruega. O escrito foi conservado em três manuscritos bem posteriores ao texto original (sendo, desse modo, cópias de outras cópias, de acordo com *stemma codicum* do texto): *Edinburgh, National Archives of Scotland, Dalhousie Muniments*, sob o registro GD 45/31/I-II, copiado na Escócia por volta de 1500; *Stockholm, Kungliga Biblioteket*, B 17-II, o qual foi copiado na Suécia, apresentando em seu conteúdo principalmente leis suecas da primeira metade do século XV; e o *Stockholm, Riksarkivet*, A 8, cuja principal parte foi escrita na Suécia, por volta de 1344, sendo que outras informações foram adicionadas durante o século XV. Todos os códices apresentam outros textos. A existência desse texto em diversos manuscritos indica a sua provável importância institucional. Embora tenha sobrevivido somente uma parte do que seria a introdução do texto, alguns autores trabalham com a ideia de que ele expressa um sentimento de localidade vinculado aos aspectos de centralização política ocorrida na Noruega durante o século XII.

O texto apresenta similaridades com outro escrito composto na época, a *Historia de antiquitate regum norwagensium*, composta por Theodoricus Monachus e dedicada ao arcebispo Eysteinn Erlendsson de Nidaros, embora não existam provas de que os dois autores dessas duas obras mantiveram contato entre si. Na narrativa, são encontradas referências a textos clássicos e medievais, além de fontes nórdicas. Ademais, é provável que o autor anônimo tenha tido contato com outros textos muito similares ao conteúdo apresentado pela *Historia norwegiae*, bem como tenha escrito o texto original em território norueguês. Por exemplo, uma das fontes com as quais a *Historia norwegiae* se aproxima textualmente é a *Gesta hammaburgensis ecclesiae pontificum*, de Adão de Bremen, escrita em Hamburgo entre 1072 e 1075. A semelhança textual para com esta fonte está precisamente voltada para a introdução geográfica feita na *Historia norwegiae*, na qual o autor anônimo se preocupou em demonstrar o estado atual do cristianismo e do paganismo no reino norueguês de sua época. Outra fonte que se aproxima dos conteúdos da obra anônima é a obra de Honório de Autum, *Imago Mundi*, primeira obra de caráter enciclopédico a superar a obra de Isidoro de Sevilha, as *Etimologiae*. De acordo com Lars Boje Mortensen, muitas frases encontradas na obra de Honório são também encontradas no texto da *Historia norwegiae*. Diversos manuscritos da obra *Imago Mundi* estavam em circulação no contexto de composição da *Historia norwegiae*. Sobre o local de composição da obra, algumas possibilidades foram levantadas, tais como Lund, Bergen ou Trondheim (antiga Nidaros), mas a hipótese mais indicada, devido a diversas particularidades textuais, é a região leste da Noruega, na época a província de Viken.

De acordo com a edição de Inger Ekrem e Lars Boje Mortensen – que conta com a tradução do texto para o inglês realizada por Peter Fischer (Copenhagen: Museum Tusculanum Press, 2006) –, a narrativa está dividida em um prólogo e uma parte do primeiro livro (dividido em 18 partes). A intenção do autor da narrativa é clara e está exposta logo no prólogo: descrever a extensão de uma região ampla, recriar a genealogia dos seus governantes e abordar a presença do cristianismo e do paganismo. A narrativa da *Historia norwegiae* apresenta diversos assuntos, tais como: (I) uma descrição geográfica geral do reino; (II) a região da costa; (III) os aspectos da região montanhosa do território; (IV) a fronteira norte onde se encontravam os limites com os territórios pagãos; (V, VI, VII e VIII) as diversas ilhas, dentre as quais algumas pagavam tributo ao rei da Noruega; a linhagem dos reis, as quais, de acordo com a narrativa, foram originadas da Suécia; (IX) as diversas sucessões ocorridas no início da dinastia dos reis da Noruega até a presença final da dinastia, tendo como cidade mais importante Uppsala, precisamente no reinado de Olavo, conhecido como Tretelgje. A parte seguinte (X), apresenta o reinado dos reis já instalados em Vestfold, sendo o primeiro deles Halvdan Hvitbein e o último Halfdan, o Negro. Em seguida (XI), a narrativa é retomada de forma mais densa, apresentando diversas informações sobre os personagens, o primeiro dos quais é Haroldo Cabelos Belos, assim como sua descendência, sendo sucedido pelo seu filho mais velho, Érico Machado Sangrento, o qual se refugiou na Inglaterra e morreu posteriormente (XII). A narrativa segue com o reinado de Hakon (XIII), o retorno dos filhos de Érico Machado Sangrento, ou seja, Haroldo, Sigurd e Gunnrod (XIV). Na parte seguinte (XV), encontra-se a referência a Óláfr Tryggvason (rei da Noruega entre os anos 995 e 1000), o qual é chamado de "eterno rei da Noruega" (*perpetuum regem Norwegie*), assim como a presença do paganismo com o rei Hakon (XVI). As duas últimas partes são as mais extensas da *Historia norwegiae*, e são dedicadas a Óláfr Tryggvason (XVII) e Óláfr Haraldsson (XVIII).

Luciano José Vianna

Ver também Fontes primárias; Historiografia e pseudo-história; Literatura; Noruega da Era Viking.

HAYWOOD, John. *Encyclopaedia of the Viking Age*. London: Thames & Hudson, 2000, p. 97.

EKREM, Inger & MORTENSEN, Lars Boje (eds.). *Historia Norwegie*. Trad. Peter Fisher. Copenhagen: Museum Tusculanum Press, 2006, pp. 49-105.

HOLMAN, Katherine. *Historical Dictionary of the Vikings*. Lanham, Maryland, and Oxford: The Scarecrow Press, Inc. 2003, p. 135.

MORTENSEN, Lars Boje. *Historia Norwegie*. Disponível em: *goo.gl/VmtdcR*. Acesso em 19 de maio de 2017.

WÜRTH, Stefanie. Historiography and Pseudo-History. In: MCTURK, Rory (ed.). *A Companion to Old Norse-Icelandic Literature and Culture*. Malden/Oxford/Victoria: Blackwell Publishing Ltd, 2005, pp. 155-173.

HISTORIOGRAFIA E PSEUDO-HISTÓRIA

Durante o medievo, a ação de recuperar o passado e utilizá-lo como um *locus* no qual seus aspectos seriam modificados para legitimar uma situação política no presente foi constante. O passado e o presente constantemente faziam parte do mesmo objeto textual, onde muitas vezes o tempo pretérito era recuperado para servir de exemplo no presente, principalmente com objetivos de legitimação política.

Dessa forma, um objeto formulado no passado poderia servir, posteriormente, para diferentes objetivos. O passado poderia ser recuperado ou até modificado em seus diversos aspectos, tais como o textual, o paleográfico, o codicológico ou o visual. A produção de um objeto historiográfico dependia das circunstâncias políticas e culturais de sua produção. Nesse sentido, alguns aspectos gerais relacionados à historiografia medieval podem ser encontrados em diferentes documentos, compostos em distintos contextos, os quais comentamos a continuação. 1. *Os conceitos de actor e auctor.* Durante o medievo, os conceitos de *actor* e *auctor* apresentavam definições distintas, significando, respectivamente, aquele que produz um livro (ou o responsável pela sua produção) e aquele que tem a autoridade (*auctoritas*). 2. *A pluralidade do conceito de autoria.* A função do historiador no medievo era descrita de uma forma muito mais ambígua e plural. Sua ação estava definida nos seguintes verbos: *compilare* (compilar), *colligere* (reunir), *excerpere* (escolher), *breviare* (sintetizar) e *redigere* (redigir). Considerando o aspecto único de cada produção historiográfica no medievo, tal pluralidade do conceito de autoria ajuda a compreender a razão pela qual cada objeto era considerado como uma composição individual a partir do seu contexto de composição. 3. *A concepção linear da história.* Outra característica da historiografia medieval é o aspecto de linearidade. Uma narrativa em forma linear, com foco em um passado distante, longínquo e com um término voltado para um presente, apresentava uma mentalidade contínua que estava de acordo com os documentos que retratavam a formação de, por exemplo, uma linhagem ou dinastia. 4. *A lógica social do texto histórico.* De acordo com Gabrielle M. Spiegel, todo estudo historiográfico que apresente a perspectiva "texto-contexto" deve considerar a relação do texto com o momento de composição, no qual o mundo histórico foi internalizado no texto. De acordo com essa proposta, os textos históricos medievais não devem ser compreendidos como documentos históricos pouco confiáveis: eles pertencem a um contexto de composição e a partir deste adquirem um significado. Nesse sentido, é necessário considerar a interação "texto-contexto" para descobrir o motivo da composição de um texto historiográfico e, consequentemente, a intencionalidade do *actor* ou do patrocinador do texto. 5. *Relação com o passado e a sua representação*. O passado dinástico, a partir de uma perspectiva de sucessão linear, demonstra uma continuidade fundamentada na legitimação, por exemplo, de uma linhagem. Dessa forma, a fusão entre presente e passado, reunidos na materialidade do documento, nos faz refletir sobre a importância do tempo pretérito e sua relação com a contemporaneidade. 6. *Função de legitimação*. Um gênero histórico possui características próprias que eram conhecidas pelos medievais e por isso eram selecionados dependendo da situação política a ser resolvida ou recordada. 7. *História e política*. A relação entre esses dois âmbitos condensa a participação de todos os outros aspectos citados até aqui, já que tais âmbitos fazem parte da principal característica da historiografia medieval. Os gêneros históricos foram utilizados constantemente em termos políticos, para legitimações políticas, para fins políticos. O passado era o *locus* através do qual poder-se-ia transitar e encontrar soluções para situações no presente, seja através de modificações do passado, seja através "somente" da recuperação de suas informações que serviriam para serem utilizadas no presente.

Após a composição original de um texto pelo seu *auctor*, sobre o qual este estabelece sua *auctoritas*, as posteriores reproduções dependiam tão somente dos patrocinadores e dos *actores*, os quais atuavam de acordo com o contexto em que viviam: eliminavam, acrescentavam e modificavam as informações de acordo com os seus conhecimentos linguísticos, religiosos, morais, políticos e literários. Portanto, quando compunham um manuscrito ou preparavam uma nova cópia, os patrocinadores e *actores* realizavam uma tarefa exaustiva e introduziam no objeto a ser preparado informações que eram próprias do seu tempo histórico.

No caso dos textos oriundos do norte da Europa, diferentes versões e redações indicam que eles puderam ser adaptados pelos novos *actores* (com suas intenções específicas) ou para as diferentes necessidades dos públicos finais, ou seja, da audiência. Por exemplo, diversos autores afirmam que uma das principais obras islandesas, o *Landnámabók*, foi manipulada em suas composições posteriores para legitimar reivindicações políticas que emergiram depois de sua composição. Da mesma forma, ainda sobre as produções historiográficas, a veracidade de uma história estava relacionada a diversos fatores, tais como o tema abordado e a relação da escrita com a verdade.

Há uma diversidade de produtos historiográficos específicos oriundos do território do norte europeu, dentre os quais encontra-se, por exemplo, as sagas (que podem ser islandesas, lendárias, reais), as eddas (tanto em prosa como em poesia), os registros escáldicos (antigas tradições, narrativas heroicas, narrativas históricas, contos, folclore), as gestas, os poemas (épicos, rúnicos) e a poesia (éddica, escáldica, pagã, feminina). Tais produtos, oriundos da historiografia do norte da Europa medieval, apresentam uma considerável diversidade (temática, material etc.), com diferenças em seus conteúdos e intencionalidades. Em um âmbito geral, a historiografia nórdica apresenta algumas características particulares, como, por exemplo, o foco na história contemporânea. Além disso, difere-se da historiografia continental justamente por apresentar em seus textos iniciais a escrita vernacular, desde os primeiros momentos do seu surgimento. Uma característica geral é que a tradição oral e as produções locais foram utilizadas como fontes para a composição historiográfica. Tais tradições orais são classificadas como a memória coletiva do território. No caso da historiografia islandesa, um dos principais aspectos que a caracterizam é a ausência de versos épicos em um sentido clássico e a presença de manifestações vernaculares desde suas primeiras expressões. Os textos historiográficos desse âmbito territorial estão entre os mais antigos trabalhos escritos na Islândia. Além disso, as produções historiográficas islandesas apresentaram como foco de atuação o passado imediato antes e depois da conversão ao cristianismo ocorrida no território. Percebe-se nesses produtos uma preocupação em mencionar autoridades escritas e testemunhas presenciais, com o objetivo de destacar sua própria história. Nesse sentido, a perspectiva genealógica foi muito utilizada, principalmente nos primeiros textos elaborados durante o contexto da colonização, demonstrando a consciência do vínculo territorial com a Noruega e, por conseguinte, estabelecendo o ato migratório como uma ação criativa e legitimadora, o que posteriormente serviu para diluir gradualmente o vínculo norueguês e afirmar um processo de construção de identidade local. Por outro lado, a historiografia norueguesa apresentou uma intensa utilização do latim em seus primórdios; porém, gradativamente a escrita vernacular foi cada vez mais utilizada.

Luciano José Vianna

Ver também Fontes primárias; Islândia da Era Viking; Literatura; Noruega da Era Viking; Suécia da Era Viking.

AURELL, Jaume. La historiografía medieval: siglos IX-XV. In: *Comprender el pasado. Una historia de la escritura y el pensamiento histórico* (Aurell, Jaume; Balmaceda, Catalina; Burke, Peter; Soza, Felipe). Madrid: Ediciones Akal, 2013, pp. 95-142.

CHENU, Marie-Dominique. Auctor, actor, autor. *Archivum Latinitatis Medii Aevi*, vol. 3, 1927, pp. 81-86.

MANRIQUE ANTÓN, Teodoro. Ficción e historia en los primeros intentos literarios de las letras islandesas: la representación del pasado. *Revista de Literatura Medieval*, vol. 24, 2012, pp. 141-153.

SPIEGEL, Gabrielle M. History, Historicism and the Social Logic of the Text. *Speculum*, n. 65, vol. 1, 1990, pp. 59-86.

SPIEGEL, Gabrielle M. *Romancing the Past: the Rise of Vernacular Prose Historiography in Thirteenth-Century France*. Berkeley/Los Angeles/London: University of California Press, 1995.

SPIEGEL, Gabrielle M. Theory into Practice: Reading Medieval Chronicles. In: KOOPER, Erik (ed.). *The Medieval Chronicle*. Amsterdam/Atlanta: Rodopi, 1999, pp. 01-12, vol. 1.

TEEUWEN, Mariken. *The Vocabulary of Intellectual Life in the Middle Ages*. Turnhout: Brepols, 2003, pp. 222-223.

WÜRTH, Stefanie. Historiography and Pseudo-History. In: MCTURK, Rory (ed.). *A Companion to Old Norse-Icelandic Literature and Culture*. Malden/Oxford/Victoria: Blackwell Publishing Ltd, 2005, pp. 155-173.

HNEFATAFL

Entre os jogos de tabuleiro (*tafl*) conhecidos pelos escandinavos da Era Viking, provavelmente o que mais se destacou foi o *hnefatafl* (tabuleiro do rei), cujo nome se deve ao fato de que uma das peças era chamada de rei. Ainda é jogado atualmente, possuindo, inclusive, versões virtuais para computadores e smartphones. No entanto, apesar do *hnefatafl* ainda ser conhecido, Philip Hingston comenta que as maneiras pelas quais o jogamos hoje não são iguais àquelas dos nórdicos.

Não se sabe quando o jogo foi criado ou o local onde surgiu exatamente, mas é fato que ele se tornou bastante popular na Escandinávia e, devido à expansão nórdica, o *hnefatafl* foi levado para outras terras como Inglaterra, Escócia, Irlanda, etc. Em tais lugares o jogo acabou, com o tempo, desenvolvendo novas regras.

O tabuleiro do *hnefatafl*, como outros jogos de tabuleiro, possui o formato quadrangular, sendo que suas dimensões variavam de lugar para lugar e de acordo com o fabricante. Na Escandinávia, predominou as versões de 11x11 e 13x13. Porém, na Irlanda e Escócia, encontrava-se a versão 7x7. Na Inglaterra, as versões 9x9, 11x11 e 19x19 eram comuns. Originalmente os tabuleiros eram feitos de madeira e as peças eram talhadas em madeira ou em ossos. Não obstante, conhecem-se casos de peças feitas de âmbar, pedra, metal etc.

O *hnefatafl* era jogado por duas pessoas, sendo que um dos jogadores era incumbido de proteger o rei, enquanto o outro devia liderar o ataque para tomar capturá-lo. As peças eram divididas em defensores (13 peças, incluindo o rei); e os atacantes (26 peças). Todavia, tal quantidade de peças era correspondente aos tabuleiros de, ao menos, 121 casas (11x11). Tabuleiros em versões menores possuíam menos peças.

Posteriormente, as cores das peças foram divididas em brancas (defensores) e vermelhas ou pretas (atacantes). Na Suécia moderna, se popularizou o uso dos termos "suecos" para se referir às peças brancas e "moscovitas" para se referir às peças vermelhas, em referência às guerras travadas entre suecos e russos no século XVIII.

Quanto à disposição das peças, o rei se posiciona ao centro, no espaço chamado de castelo, trono ou cidadela (a expressão varia dependendo do país). Esse espaço somente pode ser ocupado pela peça do rei. Sua guarda real, composta por 12 membros, cerca-o ou aparece disposta em formato de cruz. Por sua vez, as peças vermelhas dividem-se em quatro grupos de 6, situados em cada um dos lados do tabuleiro.

O objetivo do jogo varia de acordo com o jogador. No caso do jogador branco, este deve evitar que seu rei seja capturado, devendo conduzi-lo a um dos quatro refúgios (*burgs*), os quais consistem nos espaços situados nas pontas do tabuleiro, as arestas. Por sua vez, o jogador vermelho deverá impedir que o rei consiga escapar, tentando capturá-lo. Para isso, o jogador vermelho deve eliminar a guarda real.

A eliminação das peças ocorre através dos flancos. No caso, todas as peças se movem da mesma forma: apenas em linha reta, na horizontal e na vertical, sem limite mínimo de espaços. Isso vale também para o rei. Assim, duas peças de uma mesma cor devem flanquear uma peça adversária por dois lados para que esta seja eliminada. No caso do rei, este deve ser cercado pelos quatro lados para ser eliminado. Enquanto o rei correr risco de ser capturado, o jogador vermelho deve dizer *raichi*, o equivalente ao xeque do xadrez. Finalmente, quando o rei é capturado, o jogador vermelho diz *tuicha* (algo similar ao xeque-mate).

Ainda que, aparentemente, o *hnefatafl* lembre o xadrez, eles são bem diferentes entre si. O *hnefatafl* se assemelha aos outros jogos de tabuleiro como o *Três em linha*, o *Raposa e os Gansos* (*Halatafl*) e o *Nine men's morris*. Estes consistem em jogos de estratégia que requerem atenção e concentração, tanto quanto o xadrez. Mesmo assim, eram jogos bem populares em seu tempo, como indicam as representações iconográficas e menções em sagas como a *Saga de Hervör*.

Leandro Vilar Oliveira

Ver também Cotidiano; Jogos e esportes; Sociedade.

ASHTON, John C. 'Linnaeus' Game of Tablut and its Relationship to the Ancient Viking Game Hnefatafl. *The Heroic Age: A Journal of Early Medieval Northwestern Europe*, n. 13, 2010.

HINGSTON, Philip. Evolving Players for an Ancient Game: Hnefatafl. *Proceedings of the 2007 IEEE Symposium on Computational Intelligence and Games*, 2007, pp. 168-174.

LAWRENCE, David. A pictish origin ofr Hnefatafl. *Board Games Studies Journal*, n. 8, 2004, pp. 65-79.

HÚSKARL

É um dos nomes dados ao guerreiro que serve próximo ao seu líder, muitas vezes fazendo parte de sua comitiva e atuando como guarda-costas. A própria construção da palavra *húskarl* (*húskarlar* no plural), composta por "karl", expressão comum que designa o homem livre, adicionado ao prefixo "hús-", casa, doméstico, indica o homem que dorme debaixo do teto do seu senhor. É possível encontrar na língua nórdica antiga outros exemplos de guerreiros que atuam como guardas, como *heimþegi*, "recebedor da casa". Os *húskarlar* estão entre os poucos casos de guerreiros que atuam em regime integral na cultura escandinava, tendo em vista que a guerra era empregada de modo sazonal, restando aos reis e caudilhos empregar um pequeno grupo de homens para o serviço pessoal em sua comitiva. Os reis, os *jarlar* e outras figuras proeminentes da cultura guerreira escandinava, contavam com grupos de profissionais, que podemos chamar de *hirð*, e seus integrantes os *hirðmenn*, onde se encaixam os *húskarlar*: um grupo de guerreiros bem equipados e que podiam se dedicar com afinco ao exercício guerreiro. Não estamos certos se os *húskarlar* também formaram a base de uma nobreza militar, ainda que tenham sido representados enquanto parte de uma parcela privilegiada da sociedade escandinava, também distantes de todo um corpo de homens livres, os *bændr*, que lutavam apenas sazonalmente.

Os *húskarlar* são mencionados em duas pedras rúnicas na província de Uppland, Suécia. Na U 330 uma mulher de nome Inga ergue o monumento em pedra e uma ponte em memória de Ragnfastr, seu marido, e indica Qzurr fora seu *húskarl* (× **asur** × **uaʀ** × **huskarl** × **hans** ×). Na U 335, Holmi ergueu o monumento em pedra e também uma ponte em memória de seu pai, Hæra que fora *húskarl* de Sigrøðr (× **uskarl** × **sifruþaʀ**).

Uma outra pedra rúnica na região de Södermanland, a sö 338, foi erguida em memória a Þorsteinn pelos seus filhos, irmão, esposa e *húskarlar*: "Ketill e Bjǫrn ergueram esse monumento em memória de Þorsteinn, seu pai; Qnundr em memória de seu irmão e os *Húskarlar* em memória do justo (?). Ketiley em memória de seu marido. Esses irmãos foram os melhores entre os homens em terra e, no exterior, com o bando (*Lið*), trataram bem seus *Húskarlar*. Ele morreu em batalha no Leste em Garðar, líder do bando (Lið), o melhor dos conterrâneos (Landmanna)" (* **ketil : auk + biorn + þaiʀ + raistu + stain + þin[a] + at + þourstain : faþur + sin + anuntr + at + bruþur + sin + auk : hu[skar]laʀ + hifiʀ + iafna + ketilau at + buanta sin * bruþr uaʀu þaʀ bistra mana : a : lanti auk : i liþi : uti : h(i)(l)(t)u sini huska(r)la : ui- + han + fial + i + urustu + austr + i + garþum + lis + furugi + lanmana + bestr)**.

Na Runestone sö 238, ambos os irmãos são homenageados como líderes de seus bandos (*lið*), porém, quando exaltam seus feitos em terra (no sentido de lar) ou no exterior, não fica claro se os seus homens permaneceram guardando as terras ou se partiram em expedições, se as inscrições indicam que foram pagos satisfatoriamente ou, ainda, se receberam proteção de seus senhores. Þorsteinn e Qnundr eram chefes caudilhos e provavelmente desfrutaram de posições sociais e riquezas elevadas, porém, nada indica, nesse ou nos outros exemplos retirados das pedras rúnicas, que eles eram aristocratas em algum sentido. Pesquisadores, como Judith Jesch, acreditam que os *húskarlar* poderiam estar socialmente muito próximos de seus empregadores.

Além da documentação legal do Ducado da Normandia, na qual o termo aparece brevemente como sobrenome de um Roger Huscaille, em 1263, a palavra *húskarl* também aparece com maior vigor na documentação inglesa antiga. No contexto da campanha do rei Canuto, na *Crônica Anglo-saxã*, a rainha Emma permanece em Winchester com os *húskarlar* de seu filho. Hardacanuto (filho de Canuto), por sua vez, destrói Worcestershire para vingar seus dois *húskarlar*, mortos durante a coleta de taxas em Worcester. O bispo Cristiano e o *earl* Osbearn foram a Ely acompanhados por *Densca Huscarles*, homens que podem ter servido ao rei Sueno Úlfsson. Dessa maneira, podemos deduzir que as atividades dos *húskarlar* abrangiam, além da guarda e a guerra, o acompanhamento em missões diplomáticas e a coleta de taxas. Canuto, Hardacanuto, Eduardo, o Confessor e Haroldo Godwinson aparecem como exemplos no uso desses homens em contextos não militares, Bovi e Urk (homens de Hardacanuto que também aparecem no *Domesday Book* enquanto *Ministri,*) são ambos testemunhas e receptores de terras.

Pablo Gomes de Miranda

Ver também Cultura material; Hird; Realeza; Sociedade; Viking.

JESCH, Judith. Skaldic Verse and Viking Semantics. In: FAULKES, Anthony; PERKINS, Richard (orgs.). *Viking Revaluations*. Birmighan: Viking Society for Northern Research, 1993, pp. 160-179.

JESCH, Judith. *Ships and Men in the Late Viking Age: the vocabulary of runic inscriptions and skaldic verse*. Woodbridge: The Boydell Press, 2001.

RENAUD, Jean. Les Vikings et la Normandie. In: BATTAIL, Jean-François; BATTAIL, Marianne. *Une Amitié Millénaire. Les relations entre la France et la Suède à traver les âges*. Paris: Beauchesne, 1993, pp. 49-68.

SIGURÐSSON, Jón Viðar. Kings, Earls and Chieftains. Rulers in Norway, Orknet and Iceland c. 900-1300. In: STREINSLAND, Gro; SIGURÐSSON, Jón Viðar; REKDAL, Janerik. *Ideology and Power in The Viking and Middle Ages: Scandinavia, Iceland, Ireland, Orkney and The Faroes*. Leiden: Brill, 2011, pp. 69-108.

IBN FADLAN

Foi enviada de Bagdá, em 921, uma missão do califa abássida al-Muqtadir rumo à corte do rei dos povos búlgaros do Volga, Almis Iltäbär. No século x, o Reino da Bulgária do Volga havia enviado um pedido de apoio financeiro, militar, religioso e intelectual ao califado abássida. Este, em resposta, enviou a missão supracitada. Em 21 de junho de 921, a missão diplomática liderada por Susan al-Rassi, um eunuco na corte do califa, deixou Bagdá. Seu principal propósito era explicar a lei islâmica aos povos búlgaros, recentemente convertidos, que viviam na margem oriental do rio Volga, na atual Rússia, além de dar auxilio aos búlgaros em uma resposta militar contra seus inimigos, os Khazars.

A missão diplomática se utilizou das estabelecidas rotas de caravanas em direção a Bukhara, agora parte do Uzbequistão. Mas, em vez de seguir tal rota até o leste, ela virou para o norte na região que hoje corresponde ao nordeste do Irã. Saindo da cidade de Gurgan, perto do mar Cáspio, atravessaram terras pertencentes a uma variedade de povos turcos, dentre os quais se destacavam os khazar khaganate e os oghuz turks, na costa leste do mar Cáspio, os pechenegs, no rio Ural, e os bashkirs, na região que agora corresponde à Rússia central. Também os rus, na rota comercial do Volga.

Dentre os componentes dessa missão, encontrava-se Ibn Fadlan, responsável pela leitura da carta do califa ao rei dos búlgaros e pela supervisão do trabalho dos faqih, homens peritos nas leis islâmicas. Ibn Fadlan se tornaria responsável pela escrita do documento denominado *Risalya*, termo que, traduzido do árabe, significa relato. Trata-se de uma das principais fontes textuais para o estudo da história, da etnogênese e da formação política de muitas das tribos e povos que povoaram o leste euro-asiático.

O documento original escrito por Fadlan foi perdido. Por muito tempo encontrava-se preservada apenas uma versão transmitida pelo *Léxico geográfico*, escrita por Yäqütibn-Abdallah, na qual o autor declara incluir trechos literais do *Risala* (que, no período, já contava com 300 anos de produção) nos verbetes sobre: o rio Volga, denominado Atil; os bashgird, povos indígenas da região de Bashkortostan, na atual Turquia; os búlgaros; os khazars, povos seminômades da região correspondente à atual Turquia; a região de Khwarezm; e os rus, povos do Leste Europeu e da região do Volga. Dessa forma, para acessar os escritos de Fadlan, teríamos de nos basear em uma obra sobre a qual só se pode presumir ter sido escrita seguindo o manuscrito original, ou uma cópia deste.

Apenas em 1923, um manuscrito com 420 paginas foi apontado como contendo uma versão considerada completa da obra de Ibn Fadlan. Trata-se de manuscrito numerado como MS 5229, datado do século XIII d.C. e descoberto por Zeki Validi Togan na Biblioteca Central de Astan Quds Razavi, na cidade de Mashad, região do atual Irã. Contudo, passagens adicionais não preservadas no MS 5229 ainda são apontadas para a obra do geógrafo persa Amin Razi denominada *Haft Iqlim*, Sete Climas.

O relato de Ibn Fadlan é dedicado, em grande parte, à descrição de um povo que ele chamou de rus. Estes são identificados como vikings, pelos historiadores que ganharam a alcunha historiográfica de normanistas, ou como povos do leste eslavo, pelos historiadores que receberam a alcunha de anti-normanistas. Algumas interpretações apontariam, ainda, para a utilização do termo rus, pelos árabes, como uma definição de guerreiros e mercantes que não levava necessariamente em consideração suas etnias. Os rus, no relato de Fadlan, aparecem como comerciantes que se instalaram nas margens do rio Volga, perto do acampamento de Bolğar. Eles são descritos como sendo altos como palmeiras, com cabelos loiros, peles coradas e tatuados. É dito pelo árabe que todos os homens se encontravam constantemente armados com um machado, espada e faca longa.

A maior reverberação do relato de Ibn Fadlan, mesmo no campo acadêmico, deveu-se ao trecho que se refere a dez dias de um ritual funerário que envolveu festas, bebidas, músicas e sexo. Tudo isso com um alto teor ritualístico, dedicado a um chefe local rus que havia morrido. O ritual funerário teria como seu último momento a prática do depósito e enterramento, mas se desenrolava por tão longo tempo que tornava necessário, como primeiro ato, a construção de uma edificação temporária para o depósito do morto. O depósito temporário do morto, acompanhado por comidas, bebidas e instrumentos musicais, é considerado um reflexo da crença na necessidade de um entretenimento para o morto durante esses dias.

Durante esses dez dias, nos diz Ibn Fadlan, eram consumidos dois terços dos bens do morto. Entretanto, de acordo com Neil Price, provavelmente seriam dois terços dos bens portáveis do morto e não de todas suas posses, uma vez que os participantes do ritual eram homens em trânsito. Dos dois terços consumidos, um era destinado à fabricação de roupas extremamente adornadas (que seriam depositadas com o chefe local) e o outro terço para a fabricação de bebidas alcoólicas a serem consumidas durante os dez dias, o que indica a existência de uma prática de intoxicação geral, que levaria todos a um estado de sagrado frenesi durante o ritual.

Também foi apresentado por Ibn Fadlan o ritual conectado com a morte de uma escrava, com cerca de 14 ou 15 anos, que seria, igualmente, um componente preciso na dramatização funerária com papéis específicos a serem exercidos. Não sabemos se a escolha da escrava foi forçada, mesmo considerando o relato de Ibn Fadlan, que nos diz que ela se voluntariou por acreditar que acompanharia seu dono ao além-vida. O papel dessa escrava nesse ritual é marcado pela sexualidade, pois, uma vez selecionada para acompanhar o chefe local, passa a ser considerada sua esposa e a receber um tratamento diferenciado durante todos os dez dias, mantendo, inclusive, relações com os homens mais importantes do grupo no ato final antes de sua morte. A morte dessa escrava seria realizada por uma mulher que Ibn Fadlan chamou de Malak Al-Maut, nome que no islamismo corresponde ao anjo que separa a alma do corpo do morto e é responsável por recolhê-lo em seu tempo predestinado. Price, como um normanista, considera o nome uma tradução para o termo "escolhedor dos mortos", mais conhecido como Valkyrja.

O rito funerário descrito por Ibn Fadlan fornece-nos, dessa maneira, muitos elementos que podem ser trabalhados pelos estudiosos do mundo escandinavo. Não obstante, devemos sempre recordar que a multiplicidade de variações da antiga religião nórdica não pode ser reduzida a um único relato ou a poucos vestígios arqueológicos, apenas. Sem dúvida alguma, o relato acima apresentado enriquece nossa compreensão desse mundo nórdico e Ibn Fadlan pode ser considerado uma das grandes fontes para a exploração da multiplicidade dos povos nórdicos. Seu relato não deve ser relegado ao esquecimento, mas ser comparado com as demais fontes que, se não forma apresentadas em nosso verbete por questão de espaço e lógica de trabalho, devem constar nas análises mais aprofundadas pretendidas pelos pesquisadores da área e pelos interessados em conhecer o mundo escandinavo de maneira mais complexa.

Munir Lutfe Ayoub

Ver também Árabes e nórdicos; Funerais e enterros; Rus; Vikings.

HRAUNDAL, Thorir Jonsson. New Perspectives on Eastern Vikings/Rus in Arabic Sources. *Viking and Medieval Scandinavia*, vol. 10, 2014, pp. 65-97.

MIRANDA, Pablo Gomes. Nenhum homem pode entender bem os rajputs de outrora. *Medievalis*, vol. 1, n. 2, 2015, pp. 83-97.

MONTGOMERY, James E. Ibn Fadlan and the Rusiyyah. *Journal of Arabic and Islamic Studies*, vol. 3, 2000, pp. 01-25.

PRICE, Neil. Mythic Acts: Material Narratives of the Dead in Viking Age Scandinavia. In: RAUDVERE, Catharina; SCHJODT, Jens Peter (eds.). *More Than Mythology. Narratives, Ritual Practices and Regional Distribution in Pre-Christian Scandinavian Religions*. Lund: Nordic Academic Press, 2012, pp. 13-46.

IDADE DO FERRO GERMÂNICA

Idade do Ferro germânica é o nome dado ao período que, na história do norte da Europa, abrange o intervalo entre os séculos v d.C. e VIII d.C. Antecede a tal período a Idade do Ferro romana, que compreende o intervalos entre os séculos I d.C. e v d.C., assim como se segue da Idade do Ferro germânica o Período Viking, que vai do século VIII d.C. ao século XI d.C. O período da Idade do Ferro germânica é ainda subdividido em duas partes, sendo a primeira denominada período das migrações (que vai do século v d.C. ao século VI d.C.) e a segunda (que vai dos séculos VI d.C. ao VIII d.C.) denominada de três formas diferentes, à depender do referencial geográfico. Constatam-se as denominações: Período Vendel, na Suécia; Período Merovíngio, na Noruega; e Idade do Ferro germânica tardia, na Dinamarca.

As fontes literárias para o estudo da Escandinávia desse período são compilações posteriores como, por exemplo, as *Sagas*, escritas nos séculos XII e XIII d.C., frutos de relatos transmitidos de forma oral durante um grande período. Tal oralidade gerou modificações e supressões nas versões originais e se tornou um grande problema para a utilização dessas fontes para a compreensão desse período. A arqueologia aparece, dessa forma, como alternativa para o estudo dos processos históricos ocorridos nessa época.

Os traços arqueológicos característicos desse período podem ser observados pelas mudanças que, a partir do século v d.C., passariam a ocorrer nos depósitos ritualísticos, compostos por inúmeros objetos feitos de ouro, como anéis, braceletes, colares e bracteates, além de pedaços não trabalhados do metal, como tiras e barras. No entanto, quando tratamos de bronze e prata, o quadro se modifica: os únicos objetos produzidos por esses metais e que se encontram associados com os depósitos de ouro são os broches. A maior presença do ouro nos depósitos demonstra uma primeira padronização dos cultos desse período, nos quais metais como a prata e o bronze passariam a ter um caráter secundário. Arqueólogos, como Dagfinn Skre, apontam a presença da prata como metal de comércio a partir do século VI d.C. e a inexistência de qualquer objeto de ouro como metal de troca ou de medida comercial para o mesmo período.

Entretanto, desde o século VI d.C., os resquícios materiais passam a nos indicar novas modificações que vão além da mudança tipológica dos objetos depositados, apontando um maior investimento em materiais como o ouro para depósitos praticados no momento de fundação de certas edificações. Edificações que, pelas *Sagas*, foram delimitadas como os salões onde ocorriam festividades como casamentos, banquetes e comemorações de vitórias em guerra.

A Idade do Ferro germânica seria caracterizada, dessa maneira, como um período de mudanças políticas e religiosas, bem como de formação de chefias locais e pequenos reinados, processo que levaria à concentração de determinados ritos – como o de beber em honra aos deuses e aos antepassados – à mão desses aristocratas. Homens que pela execução dos ritos promoviam suas alianças políticas (por meio da troca de presentes) e legitimavam seus poderes, identificando-se como filhos dos deuses e rememorando constantemente suas linhagens.

Podemos concluir, dessa forma, que a Idade do Ferro germânica se caracteriza pela concentração de rituais em determinadas edificações controladas por determinados personagens sociais. Assim, pelos depósitos ritualísticos, podemos concluir que, desde o século VI d.C. e por todo o Período Viking, existiria na Escandinávia uma conexão entre a antiga religião nórdica e uma aristocracia. As edificações ritualísticas surgiriam, portanto, como delimitação de um espaço sagrado que conectaria os homens escandinavos com os deuses nórdicos pelo intermédio de determinados homens que controlavam esses novos espaços sagrados.

Munir Lutfe Ayoub

Ver também Arqueologia da Era Viking; Era Viking; Escandinávia; Viking.

HEDEAGER, Lotte. *Iron-Age Societies*. Cambridge: Three Cambridge Center, 1992.

LARSSON, Lars. The iron age ritual building at Uppåkra, southern Sweden. *Antiquity*, vol. 81, n. 311, 2007, pp. 11-25.

MONTELIUS, Oscar. Den nordiska jernålderns kronologi 1-3. *Svenska Fornhinnesförenings Tidskrift*, n. 10, 1897, pp. 55-130.

MONTELIUS, Oscar. Den nordiska jernålderns kronologi 1-3. *Svenska Fornhinnesförenings Tidskrift*, vol. 3, n. 9, 1895, pp. 155-274.

MÜLLER, Sophus. *Ordning af Danske Oldsager*. Copenhaguen: Jernalderen, 1888-1895.

ROSS, Margaret Clunies. The creation of Old Norse mythology. In: BRINK, Stefan; PRICE, Neil (eds.). *The Viking World*. New York: Routledge, 2007, p. 231-233.

SKRE, Dagfinn. *Means of Exchange: Dealing with Silver in the Viking Age: Kaupang Excavation Project Publication Series*. Aarhus: Aarhus University Press, 2008, vol. 2.

ILHAS FAROÉ

Ilhas Faroé é o nome do arquipélago composto de vinte e duas ilhas (situadas no Atlântico Norte) e que dista cerca de trezentos quilômetros do norte da Escócia. Está localizado entre a Islândia e as *Shetland*. A primeira menção que temos do arquipélago nas fontes escritas pode ser encontrada na obra *De Mensura Orbis Terrae* (Da Medição da Terra), do monge irlandês Dicuil, situada entre o início e a metade do século IX. Segundo o relato de uma testemunha, Dicuil escreveu que alguns eremitas vindos da *Scotia*, provavelmente Irlanda, viveram no arquipélago pelo menos um século antes, mas o haviam abandonado em razão dos piratas nórdicos. Dicuil teria escrito também que a ilha seguia vazia de anacoretas, mas ocupada por cordeiros e aves marinhas.

Mais informações escritas sobre o passado das ilhas Faroé podem ser encontradas na *Færeyinga Saga* (Saga dos Faroeses), escrita na Islândia séculos após o fim da Era Viking. Acerca disso, assinalamos que os vários assentamentos no Atlântico Norte possuem, na memória islandesa, um acontecimento que os une nas suas origens e os remete ao período em que Haroldo Cabelos Belos empreendeu a campanha guerreira da centralização de seu poder régio em torno da formação de um reino norueguês emergente. Apesar de historicamente duvidoso, tal acontecimento encontrou lugar cativo na cultura escrita islandesa e nas sagas ali produzidas. Segundo a *Saga dos Faroeses*, um certo Grim Kamban, sobrenome que sugere origem celta, fugindo da perseguição do rei Haroldo Cabelos Belos, se assentou nas ilhas Faroé, o que deve ter ocorrido no fim do século IX, data posterior a ocupação dos anacoretas segundo relato de Dicuil. O nome Kamban também aparece nos registros de "O Livro dos Assentamentos", *Landnámabók*, como anotação da presença do neto de Grim entre os primeiros colonizadores islandeses. A presença do gentílico celta pode também nos remeter a uma rede de contatos e assentamentos por todo o Atlântico Norte, na qual as ilhas Faroé estão inseridas.

As informações de um possível assentamento anterior ao nórdico na ilha também são discutíveis. Embora vários artefatos de pedra com gravuras simples (encontrados em Skúvoy), aliados aos topônimos que contêm o elemento *papa*, corroborem para sustentar o relato de Dicuil, nenhuma descoberta arqueológica, de fato, concorda com a permanência dos monges na ilha. Existem argumentos de que as amostras de pólen, coletadas na ilha de Mykines, comprovem o cultivo de cereais durante o século VII, mas não há consenso arqueológico sobre isso.

De fato, sabemos muito pouco sobre os colonos e suas atividades nas ilhas Faroé durante o Período Viking e mesmo posterior. Ao contrário do que ocorreu na Islândia, onde se desenvolveu uma vigorosa tradição historiográfica a partir do século XIII, (a própria *Saga dos Faroeses* foi escrita na Islândia), no caso das ilhas Faroé, a ausência de uma cultura escrita que preservasse as narrativas e poemas cria sérias dificuldades. Uma inscrição rúnica datada do século XI e localizada em Kirkjubøur, ilha de Streymoy, é tudo o que encontramos no momento. E mesmo tal inscrição rúnica tampouco concede maiores informações sobre o passado histórico do assentamento nórdico no arquipélago. As outras inscrições rúnicas encontradas em artefatos de pedra e madeira são posteriores a Era Viking.

Entre os exemplos de importantes sítios arqueológicos nas ilhas Faroé, podemos citar os de Kvívík e Tjørnuvík, em Streymoy. Também foram encontrados registros arqueológicos referentes ao Período Viking em Fuglafjørður e Leirvík, na ilha de Eysturoy, e em Sandur, na ilha de Sandoy. Estes, junto com o sítio de Tjørnuvík, representam os únicos enterramentos da Era Viking. Os achados de Kvívík e Fuglafjørður incluem artefatos calculados como pertencentes ao fim do século IX, enquanto que as provas de colonização são datadas do século x. Especificamente em Kvívik foram encontrados resquícios de casas com fundações sólidas, espaço para uma fogueira central e espaço para as brasas. Também foram encontradas as fundações de um estábulo, desgastadas pela erosão marítima. Semelhantes são os registros em Leirvík, onde, adicionalmente, várias centenas de objetos foram encontrados, incluindo um recipiente de esteatite, contas de vidro, pedras de amolar feita de xisto e alguns artefatos de madeira, como um tabuleiro de jogo.

Pablo Gomes de Miranda

Ver também Færeyinga saga; Inglaterra da Era Viking; Irlanda da Era Viking; Viking.

GRAHAM-CAMPBELL, James. *Os Viquingues: origens da cultura escandinava*. Barcelona: Folio, 2006.

CHURCH, Mike J. et al. The Vikings were not the first colonizers of the Faroe Islands. *Quaternary Science Reviews*, n. 77, 2013, pp. 228-232.

FISHER, Ian; SCOTT, Ian G. Early Medieval Sculpture From the Faroes: an illustrated catalogue. In: SMITH, Beverley Ballin; TAYLOR, Simon; WILLIAMS, Gareth. *West Over Sea – studies in Scandinavian Sea-Borne expansion and settlement before 1300*. Leiden: Brill, 2007, pp. 363-378.

STEFÁNSSON, Magnús. The Norse Island Communities of the Western Ocean. In: KNUT, Helle. *The Cambridge History of Scandinavia, vol. 1 – Prehistory to 1520*. Cambridge: Cambridge University Press, 2006, pp. 202-220.

INGLATERRA DA ERA VIKING

Convencionou-se chamar de Era Viking o período que corresponde ao movimento migratório de povos escandinavos, entre os séculos VIII-XI, motivado por fatores diversos, como a expansão comercial no norte da Europa no século VIII, desentendimentos entre as lideranças escandinavas e a busca por glória e riqueza, por exemplo. Destacados pelas suas habilidades enquanto navegadores, exploradores e colonizadores, ocuparam as Ilhas Britânicas em meados do século IX, influenciando aspectos da cultura, organização política e social da ilha.

A maior parte dos grupos escandinavos que se deslocaram durante a Era Viking compunha-se principalmente de membros de uma elite. Composta por pessoas perseguidas em suas regiões de origem ou que buscavam riqueza, glória e fama através de aventuras, tal elite constituía um grupo seleto de viajantes. Viajar por longas distâncias não era algo simples e, consequentemente, requeria recursos para barcos, suprimentos e pessoas.

No caso específico da Inglaterra, a Era Viking tem como marco inicial o ataque nórdico ao mosteiro de Lindisfarne, na Nortúmbria, no ano de 793. O momento de seu encerramento, no entanto, ainda é alvo de algumas discussões. Autores como Simon Keynes, por exemplo, consideram que o final da Era Viking seria em 1016, momento em que a liderança escandinava Canuto (1016-1035) instaurou um novo governo na Inglaterra, iniciando seu domínio político à ilha. Já Julian Richards estende o período até o ano de 1066, quando Haroldo Hardrada e Swein Strithison foram derrotados com a chegada de Guilherme da Normandia, que viria a unificar a ilha sob seu poder no mesmo ano.

Ambas as personagens estavam ligadas ao contexto das ocupações escandinavas na Inglaterra. Swein era filho da irmã de Canuto, rei da Dinamarca, Noruega e Inglaterra, entre os anos de 1016-1035. Haroldo Hardrada deixou a disputa pelo trono logo em seguida e preferiu investir na luta contra Swein Strithison pelo trono da Dinamarca. Dessa forma, dependendo do foco direcionado à pesquisa, podem ser estabelecidos marcos distintos para o final da Era Viking na Inglaterra.

De acordo com MS.E e MS.F da *Crônica Anglo-saxônica*, no ano de 793, dragões de fogo foram avistados no céu, seguidos por um período de grande fome. No mesmo ano, grupos nórdicos, identificados na documentação apenas como homens pagãos (*heðenra manna*), devastaram a igreja de Lindisfarne, na Nortúmbria, norte da Inglaterra.

Fontes narrativas cristãs – como os *Annales Bertiniani* (*Anais de São Bertin*), escritos no século IX, e os *Annales Vedastini* (*Anais de São Vaast*), do século X –, expressam com detalhes o ponto de vista das sociedades cristãs europeias e o suposto horror que esses povos, caracterizados como cruéis e sanguinários, causavam por onde passavam.

No momento da chegada dos nórdicos às Ilhas Britânicas, a Inglaterra não era um reino unificado. Ao contrário, era formada por uma fragmentação de territórios diversos, controlados por povos de origem germânica e governados por reis e sub-reis. Dentre tais territórios, os mais proeminentes no século IX eram Nortúmbria, Mércia e Wessex. Kent e o território dos Hwicce, por exemplo, seriam submetidos ao Reino de Wessex ao longo do século IX. Havia ainda reinos de origem celta que também disputavam com os povos anglo-saxões por influência e poder.

Dentre todos os reinos do período, o mais importante na construção da Inglaterra é Wessex. Os *Gewissæ*, de acordo com a *Crônica*, representavam povo saxão que se fixou na parte alta do Tâmisa, em finais do século VI. No momento da chegada dos escandinavos a Wessex, Ecgberth (802-839) ocupava o trono como rei. Após sua morte, seu filho Æthelwulf (839-858) assumiria e os ataques escandinavos intensificariam-se. Os filhos de Æthelwulf assumiriam o comando de Wessex após a sua morte. Dentre todos eles, o que mais se destacou foi Alfred (871-899).

Durante o período alfrediano, os esforços do rei em conter o avanço escandinavo foram expressivos. Para além da construção de fortificações (*buhrs*), Alfred investiu também em uma corte diversificada e instruída, consolidando um projeto político-ideológico que proporcionaria a fundação de um futuro Reino da Inglaterra. A tradução de obras do latim para o inglês antigo, bem como a compilação do texto da *Crônica*, iniciam-se no seio da sua corte. O título de rei dos ingleses (*rex Anglorum*) e rei dos anglo-saxões (*rex Angulsaxonum*) passaram a ser utilizados em sua chancela, como uma proposta de unificar os povos anglo-saxões (cristãos) contra os escandinavos (pagãos) a partir da ideia de um povo eclesiástico, unidos em Cristo, proposto por Agostinho e reafirmado por Beda (672-735).

Ao projeto político de Alfred dão continuidade seus filhos Edward (899-924), como rei de Wessex, e Æthenflæd, que governava sozinha a Mércia desde a morte do seu marido, em 911. Utilizando como base as fortificações construídas pelo seu pai, Edward direcionava sua ofensiva a partir de East Anglia e das terras a sudeste das midlands, enquanto Æthenflæd concentrava seus ataques pelo norte e nordeste. Após a morte de Æthenflæd, em 918, Edward assegurava sua posição na Mércia.

Podemos identificar desde Alfred, passando pelo reinado de Edward, uma crescente do poder régio e da influência de Wessex sobre outras regiões ao sul do Humber. No entanto, nenhum deles adquiriu o status de rei da Inglaterra de fato.

Com a morte de Edward, seu filho Æthelstan (924-939) assumiria e é considerado o primeiro rei dos ingleses. Foi durante o seu reinado que as terras ao sul do Humber estiveram sob a influência de Wessex. Centralizou a administração de tal maneira que nem seu pai ou seu avô haviam feito.

É durante o reino de Æthelstan que o título de rei dos ingleses (*rex Anglorum*) passa a ser largamente utilizado para designar os governantes de origem anglo-saxã na ilha. Cabe mencionar a vitória inglesa contra os escandinavos na batalha de Brunanburh, em 937, e a conquista do Reino da Nortúmbria, passando-o para controle anglo-saxão – no qual permaneceria até o ano de 934. Dessa forma, ao sul e ao norte do rio Humber, a supremacia inglesa parecia triunfar.

Após a morte de Æthelstan, seu meio-irmão Edmund (939-946) ascendeu ao trono. Em 939, Olavo Guthfrithson conquista o Reino de York, submetendo-o uma vez mais ao domínio escandinavo. As vitórias dos anos subsequentes a Alfred, Edward e Æthelstan estão marcadas por constantes reviravoltas escandinavas, paulatinas perdas e reconquistas territoriais. Os reis subsequentes Eadred (946-957), Eadwig (957-959), Edgar (959-975) e Edward, o mártir (975-978), governaram por curtos períodos e de pouco tempo hábil dispuseram.

O último rei de origem inglesa, antes do controle escandinavo na ilha em 1016, foi Æthelred II (978-1013 e 1014-1016). Diferentemente de seus antecessores, Æthelred não obteve o mesmo sucesso, ou, pelo menos, o mesmo reconhecimento das gerações seguintes após sua morte. É normalmente conhecido como *the Unready*, o Despreparado, a partir do vocábulo em OE *unrad*, ainda vigente no início do século XIII. No caso, importante ressaltar que o termo *un-ræd* faz referência a *sem conselho* ou *mau conselho*, haja vista que a tradução de Æthelred é literalmente *nobre conselho*. Æthelred II acabou sendo constantemente associado à figura de um rei incompetente e despreparado, pois não apresentou a mesma habilidade – ou, pelo menos, não a mesma sorte – que os seus antecessores em lidar com os ataques escandinavos.

Apesar de Æthelred ser constantemente associado à culpa pela vitória de Swein, à ocupação de Canuto e ao estabelecimento de um reino escandinavo na Inglaterra, a historiografia atualmente tem buscado rever o período em questão e deixado de atribuir única e exclusivamente a ele o papel de culpado.

Segundo Richard Abels, especialista em história militar da Inglaterra no período, o sistema de fortificações iniciado por Alfred foi bem-sucedido, mas acabou criando ilhas de poder régio – a partir das quais o rei podia, por exemplo, controlar a cunhagem de moedas e o comércio fora da Inglaterra. Os *buhrs*, conforme os anglo-saxões dispersavam o poderio escandinavo, foram aos poucos perdendo sua natureza militar de local de guarnições de tropas, transformando-se em cidades atrativas economicamente, ao mesmo tempo que vulneráveis para ataques escandinavos.

No século XI, Æthelred e seus conselheiros teriam observado a necessidade de investir uma vez mais em fortificações militares, a fim de se protegerem de possíveis ataques. Além dos *buhrs*, havia ainda outros gastos envolvidos na manutenção dessas fortificações militares, tais como armamentos para os anglo-saxões – cotas de malha, elmos e armaduras – e pagamentos de tributos aos escandinavos, sob forma de pão, carne, vinho e cerveja. Todos esses esforços e sobretudo o investimento gasto nos levam a crer que o reinado de Æthelred foi marcado por certa prosperidade econômica, o que fez com que uma possível invasão escandinava se tornasse atrativa uma vez mais.

Dentre os tributos pagos aos escandinavos estava o *gafol*, imposto pago de diferentes formas pelos ingleses (venda de terras e privilégios e uso das reservas do tesouro), a fim de manter, sempre que necessário, os escandinavos fora do território.

Com a invasão de Canuto e o estabelecimento de um reino escandinavo em território inglês, encerra-se o período anglo-saxão na ilha, pelo menos por ora. O retorno de um rei de origem anglo-saxã ocorrerá apenas com Eduardo, o Confessor, em 1042, e se encerrará com a invasão normanda à ilha, liderada por Guilherme da Normandia, em 1066.

Isabela Dias de Albuquerque

Ver também Anglo-saxões e nórdicos; Canuto, o Grande; Crônica anglo-saxônica; Danelaw; Danevirke.

ABELS, Richard. *Alfred the Great: War, Kingship and Culture in Anglo-Saxon England.* Harlow: Longman, 1998.

ABELS, Richard. English Logistics and military administration, 871-1066: The Impact of the Viking Wars. In: NØRGÅRD, Anne Jorgensen & CLAUSEN, Birthe L. In: *Studies in archaeology & history - Military aspects of Scandinavian society in a European perspective, AD 1-1300.* Papers from an international research seminar at the Danish National Museum, Copenhagen, 2-4 May, 1996. Copenhagen: National Museum, 1997. p. 257-265. Disponível em: *goo.gl/7NiUto*. Acesso em 27/10/2015.

FOOT, Sarah. *Æthelstan: The First King of England.* New Haven and London: Yale University Press, 2011.

FOOT, Sarah. The Making of Algelcynn: English Identity Before the Norman Conquest. In: *Transactions of the Royal Historical Society.* Sixth Series, vol. 6, 1996.

JESCH, Judith. *Viking Diaspora.* London and New York: Routledge, 2015.

KEYNES, Simon. A Tale of Two Kings: Alfred the Great and Æthelred the Unready. *Transactions of the Royal Historical Society*, vol. 36, 1986, pp. 195-217.

SAUL, Nigel. *The Oxford Illustrated History of Medieval England.* Oxford: Oxford University Press, 2000.

YORKE, Barbara. *Kings and Kingdons of Early Anglo-Saxon England.* Taylor & Francis e-Library, 2003.

YORKE, Barbara. *Wessex in the Early Middle Ages.* London: Leicester University Press, 1995.

INSCRIÇÕES RÚNICAS

No antigo *futhark*, período anterior à Era Viking, havia 24 runas e cada som era representado por uma runa e cada runa representava apenas um som, mas não completamente pois havia algumas redundâncias como, por exemplo, as runas ᛃ ë e ᛜ ŋ, já que existiam as vogais ᛗ e e ᛁ i e a combinação ᚾᚷ ng. De acordo com Spurkland, cada runa tinha um nome comum e este não era aleatório: o som inicial desse nome era o valor sonoro da runa. Assim, a runa ᚠ, chamada de *fehu* "dinheiro, riqueza, gado", tinha o valor sonoro *f*. O termo científico para esse dispositivo mnemônico é princípio acrofônico. No entanto, as runas ᛉ R (*algiR* "alce") e ᛜ ŋ (*IngvaR* "nome de um deus") são exceções pois representam sons que nunca aparecem no início de uma palavra.

Esse alfabeto rúnico foi utilizado na sincronia linguística, que é conhecida por acadêmicos escandinavos como *urnodisk*, *Proto-Scandinavian*, pela língua inglesa, *Early Runic* por Nielsen e de "rúnico primitivo" em nossa proposta de tradução. Tal sincronia existiu entre os anos 200 e 500 d.C., ou seja, séculos antes da Era Viking. De acordo com Nielsen, as línguas germânicas do norte são descendentes diretas do rúnico primitivo, diferentemente de outros trabalhos mais antigos como, por exemplo, de Antonsen, que assume que o rúnico primitivo gerou todas as línguas germânicas do noroeste, i.e., além das escandinavas, o saxão antigo, o frísio antigo e o inglês antigo. Um exemplo de inscrição nesse alfabeto é a famosa inscrição em um dos dois chifres de ouro de Gallehus (400-450 d.C., sul da Jutlândia, Dinamarca).

Uma estela rúnica de período um pouco posterior, mas ainda antes da Era Viking é a inscrição de Eggja (Sogndal, Noruega 700 d.C., código N KJ101). Ela não apresenta 24 runas, mas 21. Esta estela, e também as estelas de Blekinge (Suécia, 625 d.C., códigos DR 357, 358 e 359), evidenciam uma transição gradual do rúnico primitivo para o nórdico da Era Viking. De acordo com Spurkland, no período linguístico da composição desta estela havia duas runas para a vogal a: a runa ᚠ, que indica o a nasal antes de /m/ e /n/, como em ᛚᚠᚾᛗᛗ (**lande**, "terra" no dativo), mesmo se a consoante seguinte tenha caído como, como em ᛚᚠᚾ (**ląt**, "terra" no acusativo"), e também a runa ᚬ, que representa o a não nasalizado, como em ᚺᚾᚢᚬᛉ (**huwaR**, "quem"). Além do mais, as runas redundantes do antigo *futhark* não aparecem nessa estela. Após 500 d.C. ocorreu, também, tanto a queda do j inicial quanto a apócope do a final, o que fez com que o nome **jāra* "ano", que representa a runa ᛃ j, se desenvolvesse para *ár*, que consequentemente resultou na mudança do valor sonoro da runa de *[j] para *[a]; além disso, a aparência da runa também mudou.

Um desenvolvimento posterior no alfabeto rúnico é representado pela inscrição rúnica no *Crânio de Ribe* (Dinamarca, 720 d.C.), de acordo com Spurkland, encontrado na cidade dinamarquesa de Ribe. Esta cidade é considerada uma das mais antigas da Era Viking e foi ponto estratégico para o contato com as Ilhas Britânicas e Europa Ocidental. Nesta estela ocorreu uma redução de 21 para 16 runas. A estela rúnica dinamarquesa de Gørlev, de Sjælland (850-900), de acordo com Spurkland, também apresenta um alfabeto com 16 letras. Nesta estela, há o nome Halvdan grafado como (**Halftan**). Spurkland comenta que todas as runas desta estela têm apenas um tronco vertical como, por exemplo, ᛭ **h** e **m**, diferentemente dos estágios anteriores que tinham dois, i.e., ᚺ e ᛗ, respectivamente. Percebe-se também que a runa ᛭ **h** nesse estágio tinha a mesma forma que a runa ᛭ **a** na estela de Eggja e no crânio de Ribe, no entanto, este se transformou em ᛏ.

Uma simplificação ainda maior ocorre nas inscrições das lascas de madeira de Haithabu (hoje em dia norte da Alemanha, no período cidade dinamarquesa-sueca, 800 d.C.). De acordo com a enciclopédia *Hele Norges Leksikon*, Haithabu foi o ponto de comércio mais importante na Era Viking, pois lá se encontravam comerciantes vindos do mar do Norte e do Báltico. O local foi fundado por vikings dinamarqueses em 804 e se desenvolveu rapidamente para uma cidade portuária e de comércio; no entanto, no século X passou para as mãos suecas, em seguida passou para o domínio alemão e, por fim, voltou para os dinamarqueses. Antes de ser destruída em 1066, ela já havia perdido sua importância na primeira parte do século XI.

Moltke afirma que o alfabeto dinamarquês de 16 runas, do tipo da estela de Gørlev, assim como o alfabeto antecessor de 24 runas, adaptados para serem cunhados em madeira, eram muito conservados para os suecos que vieram para Haithabu. Portanto, com base no *futhark* dinamarquês, eles estabeleceram um *futhark* significativamente mais

O alfabeto do novo Futhark, com as variantes citadas:

f	u	þ	ą
ᚠ	ᚢ	ᚦ	ᚭ, ᚬ
r	k	H	n
ᚱ	ᚴ	ᚼ, ᚽ	ᚾ, ᚿ
i	a	R	s
ᛁ	ᛆ, ᛅ	ᛦ, ᛧ	ᛌ, ᛍ
t	b	m	l
ᛏ, ᛐ	ᛒ, ᛓ	ᛘ, ᛉ, ᛦ	ᛚ

simples e prático. Outra inscrição rúnica de Haithabu, que apresenta algumas runas suecas (a respeito das grafias de **m**, **a** e **n**), é a estela rúnica DR 2 (935-950 d.C., de acordo com o *Nationalmuseet* de Copenhagen): ᛁ **m** em ᚴᚢᛁ **kum**, parte da palavra "memória de morte", em contraste com **m** em ᚴᚢᚱᛉ **kurmR**, nome "Gormr" na estela DR 4 (do mesmo período); ᛐ **n** em ᚴᛐᚿᛒᚢ **knubu** "Gnupu", em contraste com ᛐ **n** em ᚴᛐᚿᛒᚢ **knubu** na DR 4 e ᛐ **a** em ᚴᛆᚱᚦᛁ **karþi** "fez" em contraste com ᚴᛐᚱᚦᛁ **karþi** na estela DR 4. Tanto a estela rúnica DR 2 quanto a DR 4 foram erigidas a pedido da rainha dinamarquesa, mulher do rei sueco Gnupa, em memória do filho deles, Sigtryg. Assim, a DR 2 tem elementos de runas suecas, ao passo que a DR 4 é dinamarquesa.

Nestas runas de Haithabu percebemos uma simplificação ainda mais avançada em relação à estela de Gørlev. Em contraponto com as runas ᚭ **ą** e ᛓ **b** (também com as variantes ᚬ e ᛒ respectivamente), muitas runas têm galhos apenas de um lado do tronco, ao passo que as runas de Gørlev tem galhos nos dois lados (ᛐ **t** em vez de ᛏ, e ᛐ **n** em vez de ᛐ). Outras runas como, por exemplo, ᚼ **h**, ᛁ **s**, ᛁ **m** e ᛁ **R** ficaram muito menos elaboradas

Em vista disso, Spurkland afirma que o alfabeto rúnico da Era Viking, com suas dezesseis runas, se desenvolveu em duas variantes: a variante da estela de Gørlev, chamada de *langkvistruner* "runas de ramos longos" ou *normalruner* "runas normais", ao passo que a variante de Haithabu é chamada de *kortvistruner/stuttruner* "runas de ramos curtos. O autor também afirma que as runas de ramos longos podem ser referidas como runas dinamarquesas e as de ramos curtos, de sueconorueguesas; e que tais denominações têm a ver com as teorias sobre as origens e distribuição geográfica dos diferentes alfabetos.

Um exemplo de inscrição rúnica norueguesa que apresenta a forma de ramos longos é a estela de Valby: ᚼᚾᚠᛦᚦᛆ ᚠᛏᚦᛁ [ᚢ]ᛁᛦᛆ **auarþR faþi (u)lR** "Hávarðr pintou com fé". A nossa tradução está de acordo com a interpretação de Magnus Olsen, citado por Spurkland. Esta estela é de Tjølling, Vestfold (século IX, código N140). Por outro lado, um exemplo de inscrição rúnica, também norueguesa, contemporânea e de uma região muito próxima, mas que apresenta a forma de ramos curtos, é a inscrição cunhada num pedaço de madeira, que poderia ser um remo, encontrada nas ruínas do barco de Oseberg (Oseberghaugen, Vestfold, 834 d.C.): ᛚᛁᛏᛁᛚᚢᛁᛋᛘ **litiluism** "idiota". Spurkland entende que essa inscrição tem as seguintes palavras e as representa com cognatas no antigo nórdico: *lítill* "pequeno, pouco" e *víss* "esperto, inteligente", o que resultaria numa composição adjetival *lítilvíss* "pouco inteligente, estúpido". No entanto, faltaria compreender o motivo de existir um l **m** sozinho no final desse adjetivo. Em vista disso, o autor sugere que essa consoante representa um ideógrafo: uma vez que a runa se chama **mannaz* "homem", ela sozinha poderia representar o nome "homem"; assim, o significado completo seria "homem idiota", "seu idiota"; outros interpretam como uma frase mais filosófica, "o homem sabe pouco" ou "pouco sabe o homem". Por volta do século XI, um alfabeto rúnico se desenvolve na Noruega, que consiste de tanto runas de ramos curtos quanto de ramos longos.

Um local onde a simplificação gráfica foi levada ao extremo é em Hälsingland, Suécia e, assim muitas vezes são chamadas de runas de Hälsing. Lá foram encontradas estelas rúnicas compostas apenas de ramos, com troncos reduzidos ou omitidos completamente. Portanto, o que distingue uma runa da outra é para que lado os ramos estão virados: para direita ou para esquerda, para baixo ou para cima, ou se estão posicionados na parte superior ou inferior da linha como, por exemplo, em ´ **t** (originado a partir de ᛏ) e ` **l** (originado a partir de ᛚ).

No período transitório do antigo para o novo *futhark* (entre séculos VII e VIII), como apresentado no verbete LINGUAGEM, ocorreram modificações linguísticas: tanto o encurtamento de palavras por conta da redução ou omissão de sílabas átonas finais, como também o surgimento de novas vogais por conta de transformações vocálicas. Em vista disso, novas vogais como /æ/, /ø/, /y/ e /ǫ/ surgiram ao mesmo tempo que as palavras ficavam mais curtas. Spurkland aponta que houve um descompasso entre as novas vogais e a representação gráfica, pois, enquanto o número de vogais aumentava, o número de runas diminuía como, por exemplo, o desaparecimento das runas que representavam ë, o, w, p, d e g. Como exemplo, o autor cita algumas palavras da inscrição rúnica do Crânio de Ribe (770 d.C.), apresentado acima: ᚾᚦᛁᛏ uþin "Odin" e ᚻᛁᛅᛚᛒ hialb que pode significar tanto o verbo "ajudar" no tempo passado (antigo nórdico *hjalp*) quanto o substantivo "ajuda" (no antigo nórdico *hjǫlp*). O fato de o escultor ter utilizado a runa ᚾ u em vez de ᚬ o, na primeira palavra, e ᛒ b em vez de ᚴ p, na segunda palavra, mostra que tanto ᚬ o quanto ᚴ p não estavam mais em uso.

Com tais desenvolvimentos, chegou um momento em que havia apenas quatro runas vocálicas, ᚭ ą, ᚨ a, ᛁ i e ᚾ u, que representavam as vogais /ã/, /a/, /i/, /u/, /e/, /o/, /æ/, /y/, /ø/, /ǫ/ e, também, /w/ e /j/. Segundo Spurkland, é compreensível o desaparecimento de runas redundantes, como *extarnI* ë e ◊ ŋ, em um sistema que preza cada som para cada runa e cada runa para cada som e, além do mais, também é concebível que tenha ocorrido uma simplificação gráfica para facilitar na cunhagem; no entanto, a redução do número de runas em um terço, ao passo que novos sons aparecem, é de difícil explicação.

Ainda assim, Spurkland cita as seguintes explicações que fazem referência à redução no número de runas no novo *futhark*: 1. isolação e declínio cultural (refutada por ele e sugerida por Otto von Friesen (1918-19); 2. magia e divisões de grupos rúnicos, i.e. três famílias com oito runas cada, teoria também refutada pelo autor; 3. condições gráficas, 4. mudanças fonéticas e 5. mudanças nos nomes das runas.

As três últimas explicações, de acordo com o autor, não podem ser vistas de maneiras separadas, mas sim como complementares; ademais, elas não devem ter tido o mesmo peso de importância nesse processo. Por exemplo, não deve ter havido um anseio para a realização de uma simplificação gráfica em que se estabelecesse um sistema de runas com apenas um tronco; porém, no decorrer das modificações, a simplificação gráfica foi um fator necessário. Spurkland afirma que o principal fator para a transição do antigo para o novo *futhark* foi a mudança dos nomes das runas. Uma vez que cada runa tinha um nome, que iniciava com o som que essa runa representava, se ocorressem mudanças linguísticas estimuladas pelas leis fonéticas nesses nomes e, assim, afetasse o início de seu nome, acarretaria na desconexão entre o nome da runa e o som que ela representava. Exemplos que se mantiveram e que desapareceram no novo *Futhark*: ᚠ **ansuR* *[a] "deidade" (estágio 1) ᚠ **ăsuR* *[ą] (*a >*ą) (estágio 2) ᚨ,ᚫ ou *áss* *[a] (estágio3); ᛃ **jāra* *[j] "ano" (estágio 1) ᛡ **āra* *[a] (*jā > *a) (estágio 2) ᛅ, ou ᛆ *ár* *[a] (estágio 3); ᛖ **ehwaR* *[e] "cavalo" (estágio 1) ᛖ **jór** *[j] (*eh > *jó-) (estágio 2) desapareceu (estágio 3); ᚹ **wunju* *[w] "felicidade" (estágio 1) ᚹ **unju* *(u) [*wu- > *u] desapareceu (estágio 3); ᚢ **uruR* *[u] "auroque" (estágio 1) ᚢ **ur** *(u) (estágio 2) ᚢ **ur** *(u) (estágio 3); ᛟ **ōþila* *[ō] "propriedade" (estágio 1) desapareceu (seria **øðil* *(ø) (estágio 2);

A mudança fonética mais drástica ocorreu com **ansuR*. A síncope do *[n] por causa do *[s] posterior fez com que o *[a] inicial se tornasse nasal, *[ę̃]. Ocorre, posteriormente, o fechamento sonoro (*lydukning*), em que o *[ę̃] se fecha para *[a] por conta do *[u] posterior, portanto **ásuR*. O mesmo *[u] é sincopado e ocorre a assimilação progressiva -sR- > -ss-, se formando, assim, *áss*. Na transformação **ehwaR* para *jór*, testemunha-se um processo que chamamos de ruptura (*bryting*), que se trata do rompimento do *[e], que se transforma em *[ja]. A runa *ehwaR (ᛖ **e**) não entraria no novo sistema de runas por ter apenas um tronco. O nome da runa *ōþila (ᛟ **o**) provavelmente transformou-se em **øðil* em estágio posterior, por meio de mutação vocálica causada pelo *i*, e, assim se esperaria que essa runa começasse a representar esse novo som *[ø], da mesma maneira que ocorreu no sistema anglo-saxão; no entanto, ela sumiu. A runa **wunju* que virou **unju* também sumiu por já existir a runa *ur*.

Presenciamos, portanto, um desenvolvimento de cinco sons vocálicos, *[i]/, *[e], *[u], *[o] e *[a], para dez nos estágios mais antigos do antigo nórdico (além das citadas, também surgiram *[ę̃], *[æ], *[y], *[ø] e *[ɒ]). Foi um desenvolvimento muito mais crescente do que o que ocorreu, por exemplo, no antigo inglês, no entanto, não havia um número suficiente de runas para representar todos esses sons. Spurkland afirma que não apenas a mudança dos nomes das runas foram fatores importantes para a transição do antigo para o novo *futhark*, mas também as mudanças fonéticas das vogais. As únicas runas que permaneceram no novo *futhark* para representar vogais foram I **i**, ᚾ **u**, ᚨ **ą** e ᛅ **a**, com algumas variantes.

Uma justificativa dada pelo autor frente à manutenção de poucas runas vocálicas e a não criação de outras tem a ver com as terminações flexionais do período. As terminações flexionais são partes muito importantes das palavras, pois contêm informação gramatical, que faz com que saibamos se uma palavra é um verbo, adjetivo, substantivo ou pronome, se está no presente ou no passado, se é singular ou plural, se é masculino, feminino ou neutro ou se está no caso nominativo, acusativo, dativo ou genitivo. Portanto, para distinguir essas diferentes formas de palavras, as quatro vogais *[i], *[u], *[a] e *[ẽ] eram muito importantes. As outras vogais, às quais não eram atribuídas runas próprias, isto é, *[e], *[o], *[æ], *[y], *[ɒ] e *[æ], apareciam principalmente no interior de palavras, posição em que a distinção não é incisiva. Assim, por exemplo, a runa I **i** podia representar tanto *[i], *[e] e *[æ] no interior das palavras e, mesmo assim, o leitor conseguiria entenderia de que elas se tratavam pelo contexto.

Um exemplo de runa na Era Viking norueguesa é pedra de Kuli (Kuløy em Smøla, Nordmøre, Møre og Romsdal código N449). No entender de Asklak Liestøl (1956), citado por Spurkland, lê-se:

ᛏᚦᚾᛦᛁᛦ:ᛁᚾᛦ: ᚼᛁᚱᚾᛁᛦᚦᛦ: ᛦᛅᛁᛁ₁ᛁᚾ₁ᛏᛁᛁᚼ: ᚦᛁᚼᛁᛁᛁᚠᛏᛁ ᚾ[ᛚ]ᚠ[ᛚ]ᛁᚾ[ᛏ]

† **þurir:auk:haluarþr:raistustain:þinsiaftu[l]f[l]iu[t]**; *Þórir ok Hallvarðr reistu stein eptir Ulfjót...;* "Þórir e Hallvarðr erigiram essa pedra para (em memória de) Ulfjótr ..."

E também

† ᛏᚾᛁᚱᚠ.ᚾᛁᚼ ᛁᛦᚼᛁ[ᚠ]ᚦᛁ: [ᚠ]ᛦᛁ₁[ᛁᛁᚼᛁ] ᚾᛧᛦ:ᚾᛁᛦᛁ[ᛁ]ᛁ ᚼᚾᛦᛁᛦᛁ]

tualf.uintr.ha[f]þi:[k]ris[tint]umr: uiri[t]]inuriki
...Tólf vetr hafði kristindómr verit i Nóregi;
"...Doze invernos o cristianismo tem estado na Noruega" (traduções nossas).

De acordo com Spurkland, essa estela é muito especial porque os escultores informaram que por doze invernos o cristianismo tinha estado na Noruega quando ela foi erigida. Nela também aparece o nome

"Noruega" na Noruega; no entanto, essa palavra já havia sido registrada anteriormente em uma estela dinamarquesa (**nuruiak**, Jelling II, 960 d.C., código DR 42). A palavra "cristianismo", por sua vez, tem seu primeiro testemunho nessa pedra. O autor coloca um questionamento muito pertinente com relação a essa estela: "Qual era a consciência daqueles que moravam em Kuløya, Smøla, de que o cristianismo tinha chegado na Noruega? Qual acontecimento que está sendo referido que ocorreu há doze invernos?" (p. 121). A comuna de Smøla se localiza na região central e litorânea da Noruega.

A teoria mais apoiada por Spurkland é a do filólogo Nils Hallan. Ele afirma que a inscrição faz referência a um evento do reino e, assim, relaciona a pedra a um *Thing* que ocorreu em Moster (Bømlo, Hordaland), onde o Óláfr Tryggvason e o bispo Grímkell determinaram uma lei que fazia com que o Cristianismo se tornasse a religião do reino. A antiga lei de Gulating faz várias vezes referências a tal determinação de Óláfr e Grímkell em Moster. Os historiadores afirmam que isso ocorreu por volta de 1022 e 1024; portanto, a pedra teria sido erigida entre 1034 e 1036. Também foram encontrados fragmentos de madeira no local onde acredita-se que a pedra foi colocada e que tais fragmentos parecem como restos de uma estrutura de ponte. Por meio de uma análise dendrocronológica, determinou-se que a madeira pertence a uma árvore tombada em 1034 e, assim, a estela de Kuli pode ser datada de 1034 d.C. Assim, *se* é o *Thing* de Moster que essa pedra faz referência, *então* ele ocorreu em 1022 (grifos do autor). Não há nenhum argumento decisivo com base histórica para ser utilizado de maneira que possa refutar essa data.

Yuri Fabri Venancio

Ver também Linguagem; Literatura; Norreno; Poesia éddica; Poesia escáldica; Sagas.

ANTONSEN, Elmer H. *A Concise Grammar of the Older Runic Inscriptions*. Tübingen: Max Niemeyer Verlag, 1975.

ENCICLOPÉDIA Hele Norges Leksikon. B. 6: H-I. Oslo: Hjemmets bokforl, 1997, p. 29.

MOLTKE, Erik. *Runerne i Danmark og deres oprindelse*. København: Forum, 1976.

NIELSEN, Hans F. *The early runic language of Scandinavia: studies in Germanic dialect geography*. Heidelberg: Universitätsverlag Carl Winter, 2000.

SPURKLAND, Terje. *I begynnelsen var fuþark. Norske runer og runeinnskrifter*. Oslo: Landslaget for norskundervisning/Cappelen akademisk forlag, 2001.

VENANCIO, Yuri Fabri. *Um estudo etimológico de internacionalismos: cognatos nas línguas portuguesa e norueguesa*. Dissertação (mestrado em Filologia e Língua portuguesa) – Faculdade de Filosofia, Letras e Ciências Humanas. São Paulo: Universidade de São Paulo (USP), 2017.

IRLANDA DA ERA VIKING

Os Escandinavos, popularmente conhecidos como vikings, aparecem muitas vezes na historiografia com o epíteto de *Ostmen* ("Homens do Leste") ou *Loch lannaigh* (irlandês para "povo da terra dos lagos"). Durante muito tempo, a historiografia irlandesa apenas apontava a presença escandinava de acordo com seus primeiros registros na Idade Média, ou seja, como meros saqueadores. Essa imagem acabou se tornando durante muito tempo a representação dominante na memória popular e nas representações gerais sobre o tema na Irlanda, até que estudos mais recentes, na segunda metade do século XX, mudaram essa perspectiva ao demonstrar que os vikings foram bem mais relevantes para a História da Irlanda do que se pensava anteriormente, introduzindo novas formas econômicas, urbanas e mesmo linguísticas, visto que o próprio nome "Irlanda" é de origem nórdica.

Em verdade, de acordo com tal mudança de perspectiva é notório que durante os quase 400 anos da presença escandinava no território irlandês, eles tenham se tornado algo bem mais relevante do que meros saqueadores, transformando-se aos poucos em fazendeiros, comerciantes, colonizadores e formadores dos principais assentamentos na região.

Existe uma progressão entre as diferentes levas e invasões escandinavas ao longo dos séculos. As primeiras levas ocorrem ao final do século VIII, mais especificamente em 793, quando, de acordo com o registro presente nos Anais de Ulster (*Annála Uladh*), ocorre "O Incêndio de Rechru pelos estrangeiros [*heathens*] e Scí foi sobrepujada e deixada apodrecer". Sendo "Rechru" a ilha de Rathlin, localizada ao norte da costa do condado de Antrim, e "Scí" a ilha de Sky, situada nas ilhas hébridas escocesas.

Nesse primeiro momento, os ataques eram pontuais e voltados diretamente para o saque. Nos primeiros 25 anos após o registro citado acima ocorria, em média, um ataque viking por ano, de acordo com os anais. A preferência em geral era o ataque feito aos monastérios e igrejas, pois estes continham ouro, prata e outros objetos que apresentavam certo valor de troca. Isso sem contar que, por conta do respeito local à fé cristã, tais mosteiros e igrejas eram extremamente mal preparados para se defender de uma possível invasão.

Como ressaltam Liam de Paor e Michael Richter, grande parte dos registros escritos que temos sobre esse primeiro período de invasões foi feita pelos próprios membros do clero, que eram, em geral, as potenciais vítimas, o que torna a imagem que temos desses ataques um tanto quanto mais terrível do que possivelmente sua realidade material comprova.

De qualquer forma, os ataques eram constantes nesses primeiros anos e grande parte das principais obras de arte cristã irlandesa do período hoje se encontra não no território irlandês, mas em museus noruegueses.

Essa informação é interessante, pois notamos que, ao menos nesse período inicial, grande parte das invasões feitas à Irlanda veio de grupos de origem norueguesa e não dinamarquesa. A invasão de grupos de origem dinamarquesa só acontecerá na segunda metade do século IX. Os vikings de origem norueguesa eram chamados, nesse contexto, de Finn-gaill, enquanto os de origem dinamarquesa passaram posteriormente a serem chamados de Dub-gaill. Tal diferenciação entre os grupos de invasores mostra que estes não agiam juntos, mas em levas separadas. O norte era ligeiramente mais atacado que a região sul, o que permitiu que os antigos reis da região de Munster, ao sul, se desenvolvessem mais que os reis das regiões ao norte da ilha nesse período inicial das invasões estrangeiras.

E falamos aqui estrangeiras, pois, para os cronistas que relataram as primeiras incursões escandinavas à Irlanda, era isso que eles eram inicialmente: estrangeiros. Os anais irlandeses demonstram que a primeira leva de invasões vikings à Irlanda ocorrem entre 795 (saque à ilha Lambay) e o ano 830. Nesse período, cerca de 25 saques são registrados com clareza em anais irlandeses, como os *Anais de Ulster* (Annála Uladh). Eles têm seu início na costa norte da ilha e foram oriundos de regiões escocesas, como as ilhas Orkney e as hébridas. Aos poucos, foram se espalhando. Esse movimento inicial provoca uma certa movimentação migratória, como a ocorrida a partir da ilha de Iona, que, atacada algumas vezes, obrigou seus monges a migrarem, entre 807 e 814, para Kells, na Irlanda, onde fundaram um novo mosteiro.

Por volta de 823, toda a costa leste irlandesa estava sob ataques dos vikings. Como esclarece Richter, é interessante notar que, apesar de o foco dos vikings ser o ataque aos mosteiros e grupos religiosos em geral, algumas comunidades relacionadas ao culto irlandês da *Céli Dé* (prática ascética de alguns religiosos irlandeses que se abstém de ações mundanas) foram poupadas, muito provavelmente por serem propositalmente pobres e não oferecerem aos invasores riquezas com bom valor de troca.

A mobilidade viking na Irlanda era algo notável e, por conta de sua exímia prática de navegação, eles se tornaram imbatíveis nas primeiras décadas de seus ataques. Eram mais rápidos e melhor preparados para a navegação, não apenas na costa, mas também nos rios que os irlandeses utilizavam. Com isso, o resultado da primeira leva logo se intensifica e os vikings, a partir de 840, iniciam a segunda leva de suas invasões, quando passam a se assentar na ilha, criando fortificações que logo se tornariam cidades.

Grande parte das maiores cidades costeiras da Irlanda hoje são parte de assentamentos vikings. Cidades como Wicklow, Arklow, Wexford, Waterford, Cork e Limerick são fruto desta época. O mais importante desses assentamentos, Dublin, também foi o primeiro de todos. Como bem demonstram os *Anais de Ulster*, já no ano 841, "(...) havia um acampamento naval em Duiblinn, do qual os Laigin e os Uí

Néill foram saqueados, tanto as localidades quanto as igrejas até Sliab Bladma". Tal acampamento Naval de *Dubh Linn* (lagoa negra) se tornaria a cidade de Dublin e já possuía sua importância estratégica muitos séculos antes de se tornar a capital da República da Irlanda.

Dublin era tão importante que, em 851, seria palco de disputa entre grupos escandinavos, quando dinamarqueses liderados por Ivar Sem Ossos disputavam a região com os noruegueses liderados por Olavo, o Alvo. Essa disputa permanece por décadas em meio a conflitos e acordos, até que, por volta de 870, Ivar se torna o grande chefe supremo da região. À ocasião de sua morte, ele é descrito pelos escribas dos anais de Ulster como "Rei dos Nórdicos de toda a Irlanda e Bretanha", prova inconteste da grande influência que estes líderes vikings, bem como seus assentamentos, já exerciam na Irlanda ao final do século IX.

No entanto, tal influência se aproveita de um ambiente propício para o assentamento, pois, ao longo do século IX, os próprios irlandeses também se encontravam em conflito interno. Esse conflito explica, inclusive, o motivo pelo qual eles não organizaram uma defesa mais efetiva contra esses estrangeiros invasores que aos poucos foram se assentando na ilha. A Irlanda gaélica do século IX era composta por uma série de pequenos reinos e províncias organizados em um complexo sistema de reinos maiores e menores correlatos por área de influência. Tradicionalmente, tais reinos eram divididos em duas grandes partes: *Leth Cuinn*, dominado pelos *Uí Neill* da região de Tara, e *Leth Moga*, dominada pelos *Eóganachta* de Cashel.

Aproveitando esse conflito, os vikings ocupam justamente o espaço sudeste da ilha, onde o domínio, tanto dos *Uí Neill* quanto dos *Eóganachta*, não estava consolidado. O efeito disso na dinâmica política e cultural irlandesa da época é notável. Afinal, as consequências desses saques (que, futuramente, se tornariam assentamentos), em meio aos conflitos internos irlandeses, promoveram um período de intensa pilhagem, destruição e trânsito de objetos e relíquias religiosas, seja pela própria razia ou pelo comércio. Independente do sensacionalismo com o qual os cronistas cristãos descreveram esses acontecimentos, é inegável que parte da cultura material irlandesa desse período hoje se encontra em museus dinamarqueses e noruegueses, sobretudo nestes últimos.

Para além da perda desses objetos, também outro fluxo material é notado por conta de tal contexto: o transporte e entesouramento de livros, que por questões de segurança foram levados pelos monges irlandeses para outros lugares, se concentrando, principalmente, no continente europeu. Outros tantos manuscritos não encontraram um fim tão seguro, claro. Muitos foram entesourados de maneira no mínimo peculiar, em lagos ou mesmo no mar, destruindo grande parte da produção intelectual do período.

No entanto, a vida seguiu seu rumo e outras inovações também foram estimuladas pelo mesmo período inicial da presença viking na Irlanda. É nesse momento que igrejas de pedra, construídas com argamassa, passam a substituir as antigas construções de madeira. Além disso, também é desse período a construção das primeiras torres de sino em pedra, altas e arredondadas, que não apenas modificavam a arquitetura, mas também a dinâmica dessas comunidades religiosas. Claro que estas torres também possuíam um propósito secundário e de vital importância para o momento, que era o de refúgio, motivo pelo qual a grande maioria dessas torres arredondadas possuíam suas portas alocadas a uma boa distância do solo, além do seu próprio sino servir não apenas para informar a passagem das horas, mas também como alerta de invasões. Também nesse período ocorre o desenvolvimento da escultura em pedra, que, por conta do fluxo religioso para o continente e a troca cultural com o renascimento artístico carolíngio, inspirou a formação de gravações em pedra, como cruzes e pilares com um detalhamento ímpar.

É nesse contexto que uma nova leva de vikings começa a surgir, a partir de 914, corroborando, assim, com uma renovação das invasões escandinavas na região. Define o que se conhece hoje como o segundo Período Viking da Irlanda.

Tal segundo período tem início quando, em 914, uma grande frota vinda do continente atraca em Waterford, se estabelecendo lá. A partir desse centro, os invasores passaram atacar a região de Munster, ao sul da ilha. Nessa mesma época, eles também se assentam no estuário do rio Shannon, criando o contexto de surgimento do que hoje conhecemos por cidade de Limerick.

Ainda que os cronistas mais tardios foquem muito na chegada das embarcações nessas regiões, tratando-as como um grande advento, percebemos que a grande inovação nesse caso é de caráter econômico, pois é nesse momento que surgem as grandes cidades voltadas para as práticas comerciais, dentre as quais a mais importante é a própria Dublin.

Após a consolidação do poder nórdico, em 919 – quando tais vikings oriundos da região norte da França devastaram Munster, fundaram Limerick em 922 e derrotaram o Rei de Tara *Niall Glúndub* em batalha –, Dublin se tornaria o principal foco do poder nórdico na Irlanda pelas duas décadas seguintes. Os reis de Dublin se tornariam figuras políticas importantes ao longo do século X, ainda que grande parte de suas atividades envolvessem manter o controle da região da Nortumbria e obter autoridade sobre os demais centros vikings na Irlanda.

Na primeira metade do século X, Dublin e York eram centros bem conectados. Foram controlados pela mesma família até 952, quando Olavo Cuarán foi forçado a deixar York, retornando a Dublin. Nesse momento, os irlandeses passaram a contra-atacar e as atividades escandinavas foram se concentrando mais em Dublin e seus arredores, que, nessa época, era já um centro de ofícios e de manufatura, com um comércio bem desenvolvido.

O papel dos nórdicos entra em crise na região na segunda metade do século X, principalmente após a derrota na batalha de Tara, em 980, evento que marcou as chamadas guerras das grandes dinastias e que decretaria o fim da Era Viking na Irlanda.

Nessa época, a região de Munster era controlada pela dinastia irlandesa de *Eóganachta*, com sua sede em Cashel. Seu monopólio sobre a região se estende por um grande período, desde 820, apesar de serem mais fracos militarmente que os Uí Néill, visto que não conseguiram conter tão bem as incursões vikings em suas terras. Vale lembrar que, nesse momento, as populações vikings já se encontravam integradas à cultura irlandesa, muito por conta das alianças políticas e da crescente conversão ao cristianismo.

No entanto, é a partir da região dominada pela dinastia de *Eóganachta*, mais especificamente na parte oeste, que surgiu um novo grupo que mudaria a forma como a disputa entre irlandeses e vikings era encaminhada até então.

Conhecidos, a partir de 934, como *Dál Cais*, tal dinastia se expande consideravelmente. Quando atacaram Limerick, em 967, ficou evidente que seu rei, *Mathgamain mac Cennétic*, possuía uma grande ambição. Apesar disso, aquele que fundaria uma nova dinastia de grandes reis seria seu irmão, Brian Boru, que o sucedeu como rei em 976.

Brian Boru é hoje considerado uma das figuras lendárias da história irlandesa, muitas vezes elevado ao *status* de "herói nacional". Entretanto, ao contrário do que a memória coletiva popular preserva, seu interesse não era o de expulsar os vikings da Irlanda, mas de se tornar o grande rei da Irlanda, mesmo que, após a batalha de Clontarf, os dois objetivos estivessem muito próximos um do outro.

Em verdade, a carreira de Brian Boru é marcada por um crescimento meteórico. Ele consegue desafiar a supremacia Uí Néill e sair em comitiva real por toda a Irlanda sem maiores resistências. Contra ele estavam apenas as regiões de Leinster e Dublin. Nessa tensão, inclusive, o rei Sitric, de Dublin, buscou ajuda do *jarl* Sigurd, de Orkney, dos vikings da ilha de Man e do rei de Leinster, Máel Mórda. Brian Boru conseguiu com suas forças vencê-los na batalha de Clontarf (1014), registrada no texto literário e propagandístico compilado no *Cogadh Gáedhel re Gallaibh*, o qual nos descreve bem a vitória de Brian Boru contra seus opositores.

Na batalha de Clontarf, Brian Boru, apesar de sair vitorioso, acaba morrendo e consolidando, desde então, o seu título de Imperador dos Irlandeses (*Imperator Scotorum*). Clontarf marca, convencionalmente, o fim das guerras das grandes dinastias e, principalmente, o fim da Era Viking na Irlanda, que transformou completamente a vida dos irlandeses ao mudar a estrutura social e política da ilha, antes centralizada nas disputas internas e agora controlada pelos centros comerciais e portos na costa leste.

Erick Carvalho de Mello

Ver também Brian Boru; Celtas e nórdicos; Dublin.

CONNOLLY, Sean J. *The Oxford companion to Irish History*. Oxford: Oxford University Press, 1998.

DOWNHAM, Clare. Irish chronicles as a source for inter-Viking rivalry, A.D. 795-1014. *Northern Scotland*, 26, 2006. pp. 51-63.

DOWNHAM, Clare. *Viking Kings of Britain and Ireland*. Edinburgh: Dunedin Academic Press, 2007.

DOWNHAM, Clare. *"Hiberno-Norwegians" and "Anglo-Danes": Anachronistic ethnicities in Viking-Age England*, Mediaeval Scandinavia, vol. 19, 2009, pp. 139-169.

DUFFY, Seán. *Brian Boru and the Battle of Clontarf*. Dublin: Gill Books, 2014.

Ó CUÍV, Brian. Ireland in the Eleventh and Twelfth Centuries c. 1000-1169. In: MOODY, Theodore W. & MARTIN, Francis X. *The Course of Irish History*. Cork: Mercier Press, 2011, pp. 107-122.

MAC NIOCAILL, Gearóid. *The medieval Irish annals*. Dublin: Dublin Historical Association, 1975.

PAOR, Liam de. The Age of the Viking Wars: 9th and 10th centuries. In: MOODY, Theodore W. & MARTIN, Francis X. *The Course of Irish History*. Cork: Mercier Press, 2011, pp. 91-106.

RICHTER, Michael. *Medieval Ireland: The Enduring Tradition*. Dublin: Gill and Macmillan, 1988.

ISLÂNDIA DA ERA VIKING

A Islândia é uma ilha dentro do oceano Atlântico Norte, a 950 km da Noruega, com uma área de 103 mil quilômetros quadrados. Possui um relevo acidentado, com muitas montanhas e nascentes de águas quentes formadoras de gêiser. Apesar de pequena, a ilha possui uma grande quantidade de atividade vulcânica: um total de 30 sistemas vulcânicos. As temperaturas chegam aos -3° C no inverno e aos 8° C no verão, formando um contraste entre o fogo dos vulcões e o frio constante uma das características marcantes.

A ilha foi o destino de um processo de emigração da península escandinava, motivado pela centralização do poder do leste da península durante o reinado de Haroldo Cabelos Belos. As principais narrativas existentes sobre esse período são as *Íslendingabók* (*Livro dos Islandeses*) e a *Landnámabók* (*Livro dos Assentamentos*). O número estimado de colonizadores iniciais varia de 311 a 436.

A autarquia islandesa foi instaurada na Thingvellir, em 874, quando Ingólfur Arnarson se assentou na região. Foi oficializada em 930, com o estabelecimento da primeira *Althing*. Durante o processo de assentamento na ilha, as terras foram divididas entre os novos colonos. A *Landnámabók* menciona 1500 nomes de fazendas e outros locais, de modo que o número final de emigrados varia entre 4300 e 24000 pessoas. O processo de migração massivo foi reduzido após 930, contudo as migrações para a ilha nunca cessaram totalmente.

A população que colonizou a Islândia falava o nórdico antigo, idioma predominante na região da Escandinávia medieval durante os séculos IX e XIII. Era uma língua oriunda do germânico nórdico, cujas modificações deram origem ao nórdico antigo do oeste e, no século XIII, o islandês antigo.

A política se organizava em torno de assembleias locais chamadas *Thing*. Tais assembleias estavam sob o domínio de chefes locais, chamados *godar* (plural de *godi*), os quais também eram responsáveis pelo culto aos deuses, bem como pela construção do local de culto, o *hof*. As disputas e decisões importantes eram levadas para a assembleia geral, chamada *Althing*. Já o território no qual o *godi* exercia sua liderança era chamado de *godord*. Os *thingmenn* (homens da assembleia) apoiavam o *godi* em suas decisões e eventuais conflitos, enquanto o *godi*, por sua vez, protegia os interesses de seus seguidores. Com o passar do tempo, o papel exercido pelo *godi* foi perdendo o seu caráter religioso, até se tornar totalmente secular.

A cultura islandesa medieval produziu um dos conjuntos documentais mais importantes da Era Viking: as sagas. Também chamadas de *Sagas Islandesas*, são um conjunto de obras escritas em formato de prosa que abordam uma miríade de aspectos da sociedade e cultura islandesa. Versam sobre elementos antigos (sagas lendárias); os reis noruegueses (sagas reais); conflitos familiares e vendetas (sagas de família); a vida de bispos e santos (sagas dos bispos); e histórias de cavalaria (sagas cavaleirescas).

Mas as produções escritas islandesas não se resumem apenas às Sagas. Outros documentos importantíssimos foram compilados, como as *Eddas* (em prosa e poética), a *Landnámabók* e a *Íslendingabók*. A região também foi um terreno fértil para as poesias escáldicas, caracterizadas pelo corte escandinavo e pela métrica de *dróttkvaett*. Tais poesias eram marcadas pela constante presença de *kenninga* (plural de *kenning*), um tipo de perífrase que emprega linguagem figurativa para substituir substantivos simples. Um exemplo seria a substituição de "espada" por "mordedora de pés".

O fim da Era Viking coincide com a conversão oficial da Islândia. Em 995, iniciou-se o reinado de Olavo I, na Noruega, paralelamente à expansão do cristianismo pela Escandinávia. A Islândia acabaria se convertendo na *Althing* de 999, quando, em meio à pressão do rei Norueguês, a ilha se viu obrigada a trocar os seus costumes antigos pelos novos costumes impostos pela coroa norueguesa. Apesar da conversão coletiva ter sido decidida na *Althing*, nem todos islandeses modificaram seus costumes imediatamente, sendo necessário uma constante presença episcopal na região para sedimentar o cristianismo nos locais.

André Araújo de Oliveira

Ver também Althing; Godi; Sociedade; Thing.

HOLMAN, Katherine. *Histocial Dictionaries of the Vikings*. Oxford: The Scarecrow Press Inc., 2003.

SIGURÐSSON, Jón Viðar. Iceland. In: BRINK, Stefan; PRICE, Neil (eds.). *The Viking World*. New York. Routledge, 2008, pp. 571-578.

VÉISTEINSSON, Orri. *The Christianization of Iceland: Priest, Power and social change 1000-1300*. Oxford: Oxford University Press, 2000.

ÍSLENDINGABÓK

O *Livro dos Islandeses*, também chamado *Íslendingabók* (em nórdico antigo) e *Libellus Islandorum* (em latim), é uma obra em prosa composta pelo padre islandês Ari Thorgilsson, no início do século XII. A obra possuía originalmente duas versões: a mais recente (que sobreviveu a passagem do tempo) e uma versão antiga, que vinha com informações sobre os reis noruegueses.

O *Livro dos Islandeses* é considerado um documento de confiabilidade histórica, haja vista que o autor não apresentou elementos sobrenaturais em sua narrativa, bem como mencionou vários indivíduos pelo nome, de modo que se pode verificar todas as informações nele contidas. A obra narra, por meio da história oral, os principais eventos da história da Islândia até aquele momento.

A obra é dividida em dez capítulos. No primeiro, narra a colonização da ilha e a história de um monge chamado Papar, que vivia antes na região. O segundo capítulo versa sobre a constituição da legislação islandesa. O terceiro capítulo discorre sobre como a *Althing* foi estabelecida na Thingvellir. O quarto capítulo aborda a definição do calendário islandês. O quinto explica como se deu a criação das assembleias de quadrantes. O sexto capítulo relata a descoberta e a colonização da Groenlândia. O sétimo capítulo aduz sobre a cristianização da Islândia na *Althing* de 999 e os três últimos capítulos, por fim, são dedicados à exposição da história dos Bispos e Faladores-da-lei da ilha.

André Araújo de Oliveira

Ver também Althing; Thing; Godi; Islândia na Era Viking.

HOLMAN, Katherine. *Histocial Dictionaries of the Vikings*. Oxford: The Scarecrow Press Inc., 2003.

SIGURÐSSON, Jón Viðar. Iceland. In: BRINK, Stefan; PRICE, Neil (eds.). *The Viking World*. New York. Routledge, 2008, pp. 571-578.

VÉISTEINSSON, Orri. *The Christianization of Iceland: Priest, Power and social change 1000-1300*. Oxford: Oxford University Press, 2000.

JELLING

Jelling localiza-se na região sudeste da atual Dinamarca, no condado de Vejle. Durante o Período Viking, o local abrigou uma das realezas que disputavam o poder dos territórios a oeste de Store Baelt. Tais territórios eram, no período em questão, considerados parte da Dinamarca, ainda que hoje, com as atuais demarcações geográficas, não o sejam. Os monumentos de Jelling foram erguidos pelo rei Gorm, o velho, e por seu filho, o rei Haroldo Dente Azul. No local encontram-se vestígios arqueológicos de um grande navio de pedra, dois grandes montes e duas *pedras rúnicas*. A região é caracterizada pela presença de monumentos tanto do período pré-cristão como do período cristão, o que possibilita demarcar a fase de transição da antiga religião nórdica para o cristianismo.

A maior *pedra rúnica*, erguida por Haroldo Dente Azul, contém três principais celebrações: a primeira corresponde à conquista da Dinamarca e da Noruega; a segunda ao processo de cristianização promovido pelo rei na Dinamarca; e a terceira rende uma homenagem aos pais de Haroldo Dente Azul (Gorm, o velho, e a rainha Thyra). Além das celebrações, tal pedra rúnica ainda contém duas grandes imagens. Na primeira, pode ser observado o Cristo em posição de crucificação, enredado em troncos de árvore, o que é apontado como um paralelo ao poema *Rúnatal*, presente na *Edda poética*, na qual encontramos o mito de Odin enforcado em uma árvore. Na segunda imagem, encontra-se uma serpente se enrolando em outro animal, apontado por arqueólogos como sendo um leão. Por sua vez, a menor *pedra rúnica* foi erguida pelo rei Gorm, o Velho, em homenagem à sua mulher, a rainha Thyra. As duas *pedras rúnicas* encontram-se hoje no lado sul da atual igreja de Jelling.

A embarcação de pedra é apontada como tendo uma extensão que cobria a distância entre os dois montes da região. Contava com cerca de 170 metros de comprimento, sendo a maior embarcação de pedra localizada na Escandinávia. Um dos montículos foi erguido sobre um antigo depósito funerário da Idade do Bronze. Acredita-se que em tal monumento foi enterrado o rei Gorm, o velho, sendo o depósito datado por estudos dendrocronológicos como sendo do ano de 959. O corpo de Gorm, o velho, foi retirado do montículo norte ainda durante o século X e reenterrado em uma sepultura sob a Igreja de Jelling. No montículo foram encontrados apenas os bens depositados no momento do rito funerário como, por exemplo, os armamentos do antigo rei. A mudança de localidade para o depósito do corpo de Gorm pode ser interpretada como uma tentativa de desvincular da imagem do rei a antiga religião pré-cristã, bem como de buscar uma nova identidade cristianizada, provavelmente promovida por seu filho Haroldo.

Ao sul do grande montículo do rei Gorm encontra-se outro montículo, apontado como local de deposito da rainha Thyra. No entanto, escavações arqueológicas encontraram o monumento sem nenhum depósito funerário, fato que ensejou um grande debate no interior da historiografia de Jelling. O montículo sul foi escavado em 1992. Embaixo dele foi encontrada uma das pontas da embarcação que residia entre os dois montes. A outra ponta da embarcação encontrava-se sob o montículo norte. O montículo sul foi datado por métodos dendrocronológicos como sendo dos anos 970 e o líquen presente nas pedras da embarcação abaixo dele sugeriu que estas haviam passado cerca de 30 anos expostas antes da construção do montículo. Tal fato indicou uma conexão entre a embarcação e o montículo norte, posteriormente reorientada para o montículo ao sul.

O debate aumentaria com a indicação de uma embarcação em pedra demarcando um depósito funerário abaixo de um montículo na região de Baeke, datado também para 970. No depósito de Bake, uma *pedra rúnica* apontaria Thyra como esposa de Tue, o qual havia sido o responsável pelo depósito da rainha. Arqueólogos atualmente apontam que, possivelmente, Thyra havia se casado primeiro com Gorm e depois com Tue, sendo as duas construções monumentos rivais conclamando uma linhagem que legitimaria o poder na região. A rivalidade estabelecida entre Haroldo e Tue após a morte da rainha seria o elemento que poderia explicar o monte vazio construído como elemento mnemônico de Thyra, mesmo sem a presença de seu corpo. Buscando reforçar os laços que ela teve com o rei Gorm – reforço ideológico que seria conclamado com a construção da grande *pedra rúnica* de Haroldo –, o filho da antiga rainha conectou suas linhagens aos seus pais e passou a fazer frente ao último marido de sua falecida mãe.

Munir Lutfe Ayoub

Ver também Arqueologia da Era Viking; Cultura material; Dinamarca da Era Viking.

HOLST, Mads Kähler *et al.* The Late Viking-Age Royal Constructions at Jelling, central Jutland, Denmark. *Praehistorische Zeitschrift*, vol. 87, n. 2, 2013, pp. 474-504.

KROGH, Knud J. The Royal Viking-Age Monuments at Jelling in the Light of Recent Archaeological Excavations: A Preliminary Report. *Acta Archaeologica*, vol. 53, 1982, pp. 183-216.

MOLTKE, Erik. The Jelling monument in the light of the runic inscriptions. *Mediaeval Scandinavia*, vol. 7, 1974, pp. 183-208.

SAWYER, Birgit; SAWYER, Peter. A Gormless History? The Jelling dynasty revisited. In: HEIZZMAN, Herausgegeben von Wilhelm; NAHL, Astrid van (eds.). *Runica Germanica Mediaevalia*. Berlim: Walter de Gruyter, 2003, pp. 689-706.

JOGOS E ESPORTES

Os vikings possuíam distintas formas de lazer, desde jogos de tabuleiro até a prática de alguns esportes, como corrida e lutas. Pelo fato de haver poucas cidades na Escandinávia, grande parte da população viking era rural, ainda que alguns, em função de suas viagens por outras terras, eventualmente adotassem outros costumes.

Não obstante o estereótipo para o qual os vikings seriam um povo excessivamente bruto que se divertia exclusivamente pela violência, na Escandinávia a vida girava em torno do lar, fossem as casas de campo, as casas urbanas ou os salões. O cotidiano se desenvolvia no espaço residencial, sobretudo no inverno, que, dependendo da região da Escandinávia, podia ser bem longo. A realização de expedições de pirataria e invasão eram sazonais, dependendo da época. Os homens não ficavam todo o tempo treinando ou lutando. Realizavam outros afazeres, que incluíam o ócio. O mesmo ocorria com as mulheres, as quais também dispunham de momentos de lazer. As crianças nórdicas possuíam até mesmo brinquedos.

Pouco se sabe a respeito do passatempo e das brincadeiras das crianças nórdicas, uma vez que quase nada foi escrito sobre a infância desses povos. Os brinquedos, conhecidos graças às descobertas arqueológicas, geralmente eram feitos de madeira e osso, sendo alguns de metal. Eram miniaturas de animais, frequentemente de cavalos. No entanto, foram encontrados também barquinhos, bonecos, e espadas de madeira. Estas eram usadas pelos meninos para brincar ou receber treinamento, mas, possivelmente, também serviam como objetos de decoração.

Além do uso de brinquedos, as crianças também jogavam jogos de tabuleiro, dançavam, cantavam, aprendiam a tocar instrumentos musicais, bem como realizavam outras atividades consideradas como passatempo. As meninas, por exemplo, desde cedo eram instruídas na arte da costura e fiação. Os meninos, por sua vez, poderiam aprender a lutar, caçar e realizar alguns afazeres domésticos.

Em razão da falta de registros, se desconhece quais seriam exatamente as brincadeiras de criança. Leszek Gardela comenta, porém, que as crianças da época, tais como as de hoje em dia, poderiam fazer uso de diferentes tipos de objetos para suas brincadeiras: pedras, galhos, barro, ossos, neve etc.

Um passatempo compartilhado pelas crianças e adultos eram os jogos de dados e os jogos de tabuleiro. Os dados (*teningar*) não eram necessariamente cúbicos, mas oblongos. Normalmente, os jogos com dados envolviam algum tipo de aposta. Outros jogos faziam uso de tabuleiros (*tafl*), dentre os quais dois se destacam: o (*Halatafl*), semelhante ao atual Três em linha; e o *Nine men's morris*, que lembra o Raposa e os Gansos. Ambos são jogos de estratégia simples, sendo o tabuleiro conformado por espaços e linhas e o objetivo obter as peças do adversário. Um dos jogos de tabuleiro mais popular entre os vikings foi o *Hnefatafl* ("Tabuleiro do rei"), que apresenta dinâmica similar a dos jogos anteriores, embora utilizasse uma peça diferente, representando o rei, como no xadrez.

O *hnefatafl* foi mencionado em algumas sagas, como na *Saga de Hervör* e na *Saga do rei Heiðrekr*. As regras do jogo em sua versão original não são propriamente conhecidas, mas hoje ele é jogado com outras regras. Sabe-se que o *hnefatafl* era jogado por duas pessoas. Um dos jogadores controlava o rei e seu exército, o qual possuía a obrigação de defender o monarca. O rei ficava situado no centro do tabuleiro, rodeado por seus soldados, enquanto o inimigo se situava nas bordas.

É possível que houvessem outros jogos de tabuleiro, além daqueles por nós conhecidos. Não obstante, os vikings também praticavam atividades ao ar livre. Algumas dessas atividades estavam relacionadas ao treinamento militar e à educação física. Os nórdicos praticavam uma luta chamada *glima* (similar à luta greco-romana), cujo objetivo era derrubar o adversário ao chão, valendo-se de movimentos de pura força. Tal luta poderia ser parte do treinamento ou praticada apenas para diversão, o que envolvia a elaboração de apostas. A *Grettis saga Ásmundarsonar* menciona a organização de uma *glima* pelos irmãos Hjalti e Thorbjorn, na Islândia, durante uma assembleia de verão.

Durante a primavera, o verão e até mesmo o outono, os vikings também praticavam natação, que se tornava prática ainda mais corriqueira em terras de clima mais ameno. No poema *Beowulf* (c. 1000), o herói é descrito como um exímio nadador. Beowulf narra como suas façanhas ter nadado quilômetros em mar aberto. Na *Saga Laxdæla* é mencionada uma competição de natação no rio Nid, na Noruega.

Outro esporte era o tiro ao alvo, praticado seja com arco e flecha (forma mais comum), seja através de arremesso de machado ou de dardo. As sagas, ao cantarem as habilidades dos heróis, descrevem alguns como exímios arqueiros, outros como verdadeiros atletas. Na

Saga Njáll, o herói Gunnar de Hliðarendi é descrito como um exímio arqueiro, esquiador, lutador e corredor veloz, capaz de saltar a própria altura.

De fato, algumas sagas relatam personagens participando de competições de nado, corrida, luta, salto etc. Gardela comenta que corridas de esqui podem ter ocorrido com frequência na Noruega e Suécia, ou, ao menos, o uso de esqui para passeio. O deus Ullr, divindade pouco influente no panteão nórdico, era descrito como usuário de esquis. A giganta Skadi, esposa do deus Njörd, também foi mencionada como usuária de esquis. Talvez o uso destes estivesse mais voltado para a locomoção ou a caça e não necessariamente para o esporte.

Somando-se a tais esportes, haviam os jogos de bola (*knattleikr*), os quais, segundo Régis Boyer, lembrariam o beisebol ou o críquete. Nesses jogos, os membros de uma equipe teriam que arremessar uma pequena bola um para outro, evitando que os adversários obtivessem a bola. As regras dos *knattleikr* não são conhecidas, ainda que brevemente mencionados em algumas sagas. Sabe-se que algumas partidas terminaram em briga, como no caso relatado na *Egills saga Skalla-Grímssonar*.

Pelo que as fontes sugerem, os jogos de *knattleikr* eram considerados esportes de força e impróprios para as mulheres, sendo praticados por crianças e adultos apenas do sexo masculino. Pouco se sabe sobre o direito das mulheres de praticar esportes, embora se saiba que, além do *knattleikr*, a *glima* também era praticada apenas por homens.

Além dessas atividades, encontravam-se também a falcoaria e a caça, mas eram restritas à elite. Por mais que a caça consistisse num ato de sobrevivência, povos em diferentes épocas a praticavam como esporte e lazer. No caso dos escandinavos, isso não foi diferente. Mas, além da caça, havia também uma atividade singular, a rinha de cavalos (*hestaat* ou *hestavlg*). Cavalos mais agressivos eram incitados a lutar num cercado.

Todavia, uma característica curiosa do combate de cavalos é que, em alguns casos, estes usavam chifres como forma de causar maior dano durante o combate. Outra medida para deixar os animais agressivos era introduzir uma égua no cio para forçar dois garanhões a lutarem como se estivessem disputando a fêmea.

A rinha de cavalos foi uma atração bem popular na Islândia, conforme atestam sagas como a *Brennu-Njáls saga* e *Grettis saga Ásmundarsonar*. O evento atraia pessoas de todas as partes da ilha para participar ou assistir. Na Noruega, o *hestavlg* também foi popular, mas acabou sendo proibido mais cedo graças ao cristianismo, que considerava tal luta comportamento bárbaro.

Leandro Vilar Oliveira

Ver também Cotidiano; Cultura material; Hnefatafl; Sociedade.

BELL, Robert C. *Board and table games from many civilizations*. New York: Dover Publications Inc., 1979. pp. 75-78.

BOYER, Régis. *La vida cotidiana de los vikingos: 800-1050*. Barcelona: José J. de Olañeta, Editor,2000, pp. 223-229.

GARDELA, Leszek. What the Vikings did for fun? Sports and pastimes in medieval northern Europe. *World Archaeology*, vol. 44, n. 2, 2012, pp. 234-247.

GRAHAM-CAMPBELL, James (org.). *Os vikings*. Barcelona: Folio S.A., 2006, pp. 64-65.

JOIAS E OURIVESARIA

As joias sempre foram um adorno muito apreciado tanto por homens como por mulheres de todas as camadas da sociedade durante a Era Viking. Assumiam a forma de pulseira, braceletes, colares e broches. Algumas joias eram usadas como simples ornamento e poderiam indicar o *status* social de quem as usava. Outros itens, como broches, tinham, além da função estética, uma função prática de prender roupas. Além disso, haviam joias com valor simbólico, como os martelos de Thor, que além de serem objetos estéticos, ainda tinham a função de representar as crenças daqueles que os usavam. As joias poderiam ser elaboradas com vários materiais, como madeira, vidro, âmbar, bronze, ouro e prata. As peças de joalharia eram muitas vezes decoradas com desenhos geométricos, entrelaçados elaborados e cabeças de animais.

Aparentemente, os nórdicos, de início, não usavam brincos, ainda que conhecessem essa peça. Com o tempo, principalmente as mulheres passaram a usar brincos cotidianamente e eles passaram a ser confeccionados com uma grande riqueza de detalhes, a partir da utilização de materiais como a prata e contas de vidro. Acredita-se que os brincos passaram a ser confeccionados e utilizados depois que foram comercializados em expedições às terras eslavas, pois nesses locais os brincos já eram usados frequentemente. Essas peças eram ricamente elaboradas a partir da utilização de uma técnica de ourivesaria chamada filigrana, que consiste em entrelaçar e depois soldar de maneira extremamente delicada finíssimos fios de ouro e prata, podendo ou não formar desenhos de formas geométricas, de animais, flores ou mesmo apresentar um efeito rendado. A técnica da filigrana também era utilizada na elaboração dos vários tipos de broches, colares, anéis contas e demais joias. Assim como a confecção de pentes exigia artesãos com técnicas especializadas, o mesmo ocorria com a elaboração das joias. A ourivesaria exigia não só mão de obra especializadas, como também artesãos que conhecessem as melhores ligas metálicas que garantiriam mais durabilidade e beleza à peça. Muitos ourives também dominavam a técnica de trabalhar com o vidro e elaboravam contas coloridas usadas nos colares e brincos. As contas de cor azul foram encontradas em alguns túmulos, o que pode indicar que essa cor estava relacionada aos funerais. Além de dominar todas essas técnicas, os ourives também deviam conhecer e trabalhar muito bem o âmbar, que era muito apreciado, bem como as pedras preciosas utilizadas em menor escala e que aparecem em joias muito raras. Estas ou pertenciam aos mais abastados, ou poderiam ser produtos de transações comerciais, ou ainda originárias de algum saque realizado em terras estrangeiras.

Alguns torques e colares eram elaborados com fios de prata trançada, que conferiam resistência e beleza, bem como atribuíam às peças a condição de símbolos do *status* social de quem as usava. O mesmo pode ser dito dos broches usados pelas mulheres para segurarem as alças de seus *upon-dress*. As mulheres mais ricas usavam broches de prata ricamente trabalhados e, ao lado de seus colares feitos com contas de vidro, âmbar, conchas raras e metais preciosos, podiam ostentar sua riqueza com tais objetos. O molho de chaves que descia pelo *upon-dress*, seguro por uma corrente de metal trabalhado, também era trabalho de ourivesaria e outro símbolo de poder e *status* feminino.

Podemos inferir que a arte da ourivesaria na Era Viking recebeu influências da ourivesaria celta da Irlanda, do mundo eslavo e também de Bizâncio, que, além de fornecer matérias primas que não eram encontradas na Escandinávia, também foi fundamental na difusão de técnicas mais complexas para trabalhar o metal. Tais técnicas conferiram a ourivesaria nórdica uma grande singularidade quando comparada às outras ourivesarias da época.

Luciana de Campos

Ver também Cotidiano; Ferreiros e ferraria; Metalurgia; Mulheres.

ARMBRUSTER, Barbara R. Tools and techniques of Viking age goldsmith's. *I Symposium Internacional sobre tecnologia del oro antiguo*. Madrid: Europa y América, 2002.

GRAHAM-CAMPBELL, James. *The Cuerdale Hoard and related Viking-Age silver and gold from Britain and Ireland in the British Museum*. London: British Museum Research Publication no. 185, 2013.

HAYEUR SMITH, Michèle. *Draupnir's Sweat and Mardöll's tears: An Archaeology of Jewelry, Gender and Identity in Viking Age Iceland*. British Archaeological Reports, John and Erica Hedges Ltd & Archaeopress, Oxford, 2004.

JORVIK

Jorvík era o nome em nórdico antigo pelo qual os vikings se referiam à cidade inglesa de York. Na segunda metade do século IX, York foi conquistada pelos dinamarqueses, tornando-se por vários anos a capital de um reino viking. A cidade de York foi fundada no ano 71 pelos romanos, originando-se a partir do forte Eboracum, localizado na confluência dos rios Ouse e Foss. Uma povoação surgiu em torno do forte romano. Localizada a 60 km da costa, a cidade possui ligação com o mar através do rio Ouse, que deságua no estuário Humber. Isso permitia que embarcações pudessem facilmente aportar em York e depois se dirigir para o mar.

A história de York entre os séculos V e VII é desconhecida, pois marca a época da saída dos romanos da Bretanha e a chegada dos saxões a ilha. No começo do século VII, Eoforwic (como era referida nas fontes da época) era uma cidade de pequeno porte variando entre mil a dois mil habitantes. Nessa época, a cidade contava com uma catedral e um seminário. Era referida como um dos principais epicentros religiosos do Reino da Nortúmbria e se tornou arquidiocese em 735. Um dos mais proeminentes estudantes do seminário de York foi o monge Alcuíno (735-804), conhecido por ter servido na corte do imperador Carlos Magno.

No século VII, York, que ainda era conhecida pelo nome saxão de Eoforwic, já apresentava um mercado de produtos artesanais e agrícolas, embora se desconheça sua importância econômica para a região. A história daquela pequena cidade mudaria drasticamente no século IX com as invasões dos dinamarqueses (daneses). No ano de 866, o Grande Exército Danês aportou na costa da Ânglia Oriental e, a partir dali, marchou até a Nortúmbria, levando o então rei Ælla II a se defender. Com a morte do rei da Nortúmbria, a região foi capturada pelos daneses no ano seguinte. Eoforwic passou, então, a ser chamada de Jorvik.

Após a tomada de Jorvik pelos vikings, estes decidiram colocar no trono um "rei marionete", elegendo um nobre local de nome Ecbert, o qual governou até 872, quando foi assassinado. Em seu lugar, assumiu Ricsige, que, por sua vez, permaneceu cerca de quatro anos no trono, sendo substituído por Halfdan, suposto filho de Ragnar Lothbrok.

Em 878, a Nortúmbria passou a fazer parte do Danelaw (nome dado aos territórios ocupados pelos daneses), constituindo o reino do norte desse território. Até 954, o Reino de Jorvik foi disputado pelos saxões, dinamarqueses, noruegueses e irlandeses. De fato, houve alternâncias de poder nesse período, quando, em dados momentos, reis saxões governaram brevemente, até serem depostos por senhores vikings.

Todavia, não obstante tais intrigas políticas, quando Jorvik esteve sob governo nórdico, este favoreceu a cidade, pois favoreceu sua participação no comércio escandinavo. Katherine Holman observa que Jorvik tornou-se um importante polo manufatureiro. Tal importância podia ser verificada no nome das ruas, já que algumas delas faziam referência aos produtos ali fabricados. Assim, encontramos ruas cujos nomes se referiam a produção de vidro, metal, joalheria com âmbar, prata e ouro, carpintaria, tecelagem etc. Uma das ruas mais conhecidas era a chamada rua Coppergate, escavada entre 1976-1981.

No caso da rua Coppergate, seu nome remetia ao fato de concentrar um grande número de artesão de objetos em cobre, sobretudo fabricantes de copos, taças, pratos etc. Richard Hall comenta que a grande quantidade de material encontrado em Coppergate pode indicar que a cidade fazia parte de alguma rota comercial para exportação de tais utensílios. Mas, além de tais produtos em cobre e madeira, os artesãos de Jorvik também eram especializados na produção de facas, ferramentas, acessórios de vestuário, joalheria, calçados, roupas, móveis etc.

Richard Hall salienta, ainda, que, durante o governo escandinavo, York voltou a ser um importante centro comercial, exportando produtos para a Irlanda, sobretudo para Dublin (cidade ocupada pelos vikings) e outros mercados do Danelaw, além da região da Escandinávia e talvez até em áreas mais distantes. Não obstante, a cidade também recebia mercadorias estrangeiras, como seda bizantina, vinhos germânicos e peças de âmbar advindas do Báltico, bastante requisitadas para a joalheria.

O comércio prosperou a tal ponto que alguns monarcas passaram a cunhar suas próprias moedas, como foi o caso de Érico Machado Sangrento, o último rei viking de Jorvik. Após seu assassinato, em 954, os saxões retomaram o controle da cidade, a qual manteve sua produção manufatureira pelo restante do século e até mesmo acordos comerciais com os daneses por certo tempo.

No ano de 1066, data da conquista normanda da Inglaterra, a população de York era estimada em 15 mil habitantes, consistindo na segunda maior cidade do país. Tal crescimento vertiginoso em parte se deveu à prosperidade econômica e à segurança que a cidade dispôs nos duzentos anos anteriores.

Mas todas essas informações somente foram possíveis graças à arqueologia. O solo lamacento da cidade contribuiu para preservar objetos e vestígios de mais de mil anos atrás. A partir das escavações realizadas na moderna York, não apenas se coletou um grande número de artefatos da Era Viking, mas também se encontrou vestígios de casas e de ruas. Jorvik foi um aglomerado urbano com casas de madeira (uma ao lado da outra), cujos telhados eram revestidos com palha para ajudar no aquecimento durante o inverno. Além disso, as casas possuíam quintais, nos quais as pessoas podiam cultivar hortas e criar animais como galinhas, porcos e ovelhas.

As ruas eram, em sua maioria, de terra batida, ainda que algumas fossem pavimentadas com troncos. A cidade possuía muros e postos de guarda. Seu porto foi ampliado para comportar a grande quantidade de embarcações que ali chegavam, o que também se devia ao fato de a cidade ter se tornado não apenas um polo manufatureiro, mas um centro de escoamento de matéria-prima. As fazendas e vilas nos arredores forneciam seus produtos à cidade, como também adquiriam os produtos dela. Naquele tempo, a Inglaterra era uma fabricante de lã considerável.

Leandro Vilar Oliveira

Ver também Canuto, o Grande; Comércio; Inglaterra da Era Viking.

HADLEY, Dawn M. *The northern Danelaw: its social structure: c. 800-1100*. New York: Leicester University Press, 2000.

HALL, Richard. York. In: BRINK, Stefan; PRICE, Neil (eds.). *The Viking World*. London/New York: Routledge, 2008, pp. 379-384.

HALL, Richard. *Exploring the World of the Vikings*. London: Thames & Hudson, 2007.

HOLMAN, Katherine. *Historical dictionary of the vikings*. Lanham: Scarecrow Press Inc, 2003.

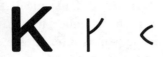

KAUPANG

Kaupang é uma das mais antigas regiões urbanas na Escandinávia. Localiza-se no condado de Vestfold, atual Noruega, sendo fundada por volta de 800 e abandonada em meados do século x. A primeira fonte que apresenta um relato sobre Kaupang consiste nos relatos do viajante norueguês Ohthere ao rei Alfred, do reino anglo-saxão de Wessex. Ela está presente na tradução do livro de Paulus Orosius para o inglês antigo, intitulada *Historiarum Adversum Paganos Libri* e cuja versão anglo-saxônica é datada do século x. No relato de Ohthere, a região é denominada Sciringes heal, mas alguns arqueólogos, como Dagfinn Skre, apontam a localidade como correspondente à suprarregião de Skiringssal, mencionada nas sagas *Ynglinga Saga* e *Fagrskinna* como sendo uma suprarregião conectada às origens da realeza norueguesa, da qual faria parte a localidade de Kaupang. A suprarregião de Skiringssal é apontada como sendo a atual municipalidade de Tjolling. A última fonte que aponta essa conexão foi um registro hospitalar de 1445, que, emitido em Tonsberg, apresenta o nome Skirisall, reforçando a conexão da suprarregião com a antiga paróquia de Tjolling, da qual Tonsberg fazia parte.

Skiringssal, por sua condição de suprarregião, tornou-se uma das localidades centrais, nas quais se mesclavam as atividades de produção de artefatos, comércio, residência aristocrática, realização de rituais e reuniões nas *Things*. Por apresentarem tal aglutinação de atividades variadas, os locais centrais se tornaram pontos estratégicos para escavações arqueológicas. Especificamente em Skiringssal, as escavações encontraram um local de assembleia, um lago sagrado, um salão, um grandioso cemitério e, ainda, uma cidade marcada por sua produção manufatureira e seu comércio, além da descoberta de artefatos que demonstram a conexão do mundo viking com os mundos árabe e franco.

As escavações de Kaupang se deram em momentos diferentes e realizadas por arqueólogos com métodos diversos de escavação e registro. O primeiro desses momentos é marcado pela escavação de Nicolay Nicolaysen, que, em 1867, explorou os depósitos funerários de Nordre Kaupang. Foi seguido por Charlotte Blindheim, que iniciou suas escavações em 1947 e fez sua última publicação sobre a região em 1999, inaugurando não apenas a exploração de diversos cemitérios de Kaupang (dentre estes, os cemitérios de Hagejordet, Sondre kaupang, Lamoya e Bikjholberget), mas também iniciando a exploração das regiões de assentamento de Kaupang que não haviam sido exploradas anteriormente. As últimas pesquisas e escavações da região contaram com a liderança do arqueólogo Dagfinn Skre. Iniciaram suas campanhas em 1997 e sua última publicação, sob a liderança da arqueóloga Unn Pedersen, ocorreu em 2016.

As escavações de Kaupang revelaram um total de quatro possíveis habitações e delimitaram seus locais de queima, bem como os poços de instalação de seus postes de sustentação. No que se refere aos artefatos, revelou a presença de moedas árabes, moedas de ouro de Dorestad, centenas de contas de vidro, joias de ouro e bronze, cerâmica, armamentos e muitos artefatos provenientes da produção manufatureira. O surgimento de locais centrais no mundo escandinavo, como Skiringssal, é uma das marcas do período viking, demarcado, dentre outros fatores, por um crescente número de regiões especializadas que representavam a intensificação do comercio e da manufatura.

Os locais centrais possibilitam, por conseguinte, o estudos das mudanças na estrutura geográfica, que, por sua vez, revelam a intensificação de atividades que, anteriormente, ocorriam em escalas reduzidas dentro das fazendas, a fim de suprir necessidades locais, ou mesmo de maneira não fixada, como a atividade dos ferreiros. Estes, por exemplo, após a intensificação do comércio, deixaram de circular pelas mais diversas regiões e passaram a se fixar em determinados locais especializados, os quais aglutinavam os mais diversos personagens sociais:

aristocratas, ferreiros, tecelões, vidreiros e comerciantes. Tal mudança levou, inclusive, à alteração da forma de produção manufatureira, que deixou de ser voltada para produção de artefatos únicos e satisfação de necessidades especificas para adaptar-se a uma produção em serie de itens idênticos, que seriam distribuídos não apenas nas localidades de imediação, mas de modo a atingir e prover uma circulação de bens que atingiam regiões cada vez mais distantes. Demandava-se uma produção capaz de suprir a alta da demanda gerada pelo progressivo arrefecimento do antigo processo de produção de circulação da mão de obra.

Munir Lutfe Ayoub

Ver também Arqueologia da era Viking; Noruega da Era Viking; Escandinávia; Viking.

PEDERSEN, Unn. *I smeltedigelen: finsmedene i vikingtidsbyen Kaupang.* Tese de Doutorado. Institutt for arkeologi, konservering og historie, Det humanistiske fakultet, Universitetet i Oslo, 2010.

PRICE, Neil. Mythic Acts: Material Narratives of the Dead in Viking Age Scandinavia. In: RAUDVERE, Catharina; SCHJODT, Jens Peter (eds.). *More Than Mythology. Narratives, Ritual Practices and Regional Distribution in Pre-Christian Scandinavian Religions.* Lund: Nordic Academic Press, 2012, pp. 13-46.

SKRE, Dagfinn. *Means of Exchange: Dealing with Silver in the Viking Age.* Aarhus: Aarhus University Press, 2008, (Kaupang Excavation Project Publication Series, vol. 2).

STYLEGAR, Frans-Arne. The Kaupang Cemeteries Revisited. In: SKRE, Dagfinn (ed.). *Kaupang in Skiringssal.* Aarhus: Aarhus University Press, 2007, pp. 65-126. (Kaupang Excavation Project Publication Series, vol. 1).

KENNING

Define-se *kenning* como uma perífrase que substitui uma denominação simples por uma outra muito mais complexa, com mais palavras e elementos de expressão. O *kenning* é o elemento mais complexo da poesia escáldica.

Com relação a sua utilização, Simek & Pálsson afirmam que a ocorrência do *kenning* é mais registrada na poesia de elogio, enquanto na poesia heroica e éddica ela é usada mais esparsamente. Além de ser uma variação ornamental da expressão poética, o *kenning* também enfatiza no texto a passagem por meios poéticos e pela integração do passado, sempre com componentes mitológicos, que não apenas inserem o poema no mundo pagão, mas também são necessários para entendê-lo. De acordo com Ólason, as alusões mitológicas dos *kenningar* adicionam à poesia uma dimensão especial e cria uma percepção de que o mundo dos deuses e dos homens são paralelos: a "deusa do cálice" "mulher" e o "Thor do navio" significa "homem", por exemplo. No entanto, com a chegada do cristianismo, esse modo de pensar ficou obsoleto, se não herético. Além do mais, muitos *kenningar*, mas não todos, têm componentes metafóricos: *unda gjalfr* como "mar das dores" ou [SANGUE]. Uma vez que cada componente de um *kenning* pode ser substituído por um outro *kenning* completo, as figuras estendidas resultantes devem ser traduzidas para que faça sentido dentro da frase: *unda gjalfrs eldi* ("fogo do mar das feridas", "fogo do [SANGUE]" ou [ESPADA]). Ainda que seu efeito sempre pareça deliberadamente caótico, Ólason afirma que o *kenning* cria um contraste notável à regularidade estrita da métrica.

A respeito da estrutura do *kenning*, Simek & Pálsson afirmam que ele é constituído principalmente por dois componentes: uma palavra base (*stofnorð*) e uma palavra modificadora (*kenniorð*). Mas essa estrutura pode ser ampliada. Poole afirma que tais componentes quase sempre são *heiti*. Portanto, de acordo com Simek & Pálsson, a forma mais simples de formar um *kenning* é por meio de uma composição (palavra base somada a palavra modificadora) ou por meio da representação de duas palavras, na qual a primeira representaria a palavra base e a outra a palavra modificadora. Tal forma foi denominada de *einkennt*. Mas também é possível que haja uma palavra modificadora com dois componentes e, por conseguinte, o *kenning* passa a ter três componentes, sendo chamado de *tvíkennt*. Se for ainda mais longo, é chamado de *rekit*.

Poole acrescenta que o tipo "composição" é formado pela junção de duas palavras, sendo determinante o primeiro termo da composição: *skýrann* "salão da nuvem" [CÉU]; ao passo que a formação com duas palavras se dá pelo uso do genitivo: *leggjar íss* "gelo do braço" [ANEL, BRACELETE DE PRATA]. O autor complementa ao afirmar que o último exemplo, "gelo do braço", seria possível de ser compreendido no período da composição, porque as pessoas relacionariam as cores do gelo e da prata como citado por Snorri em *Skáldskaparmál*: *Gull er kallat í kenningum eldr handar eða liðs eða leggjar þvíat þat er rautt, en silfr eða svell eða héla þvíat þat er þvítt* ("o ouro é chamado nos *kenningar* de fogo da mão ou fogo dos membros ou fogo da perna porque é vermelho; mas o prata é chamada de neve, gelo ou cristal de gelo porque é branco") (edição de FAULKES, 1998, p. 61). Óleson, por sua vez, assume que a criação dos *kenningar* é baseada em sistemas: a ideia de ouro como fogo ou luz, que não se apaga na água, fornece a base para inúmeras formações em que o fogo é um componente e o líquido é outro: *Rinar bál* "a fogueira do Reno" [OURO] (*Háttatal*, estrofe 91), *bála elfar* "das fogueiras do rio" [DO OURO] (*Erfidrápa Óláfs helga* de Sigvatr Þórðarson) etc.

Como exemplo de um *tvíkennt*, que tem os dois determinantes citados por Poole, podemos mencionar o desenvolvimento do *kenning leggjar íss*: *(lýsi)brekku leggjar íss* "declive, terra luminoso do gelo do braço" = "declive, terra luminoso" do [ANEL, BRACELETE DE PRATA] = [MULHER]. O autor também expõe alguns exemplos de *kenningar* incompletos como: *Hlín*, que é um *heiti* para Frigg e também pode ser um *kenning* incompleto para "mulher". Neste caso, considera-se incompleto porque há muitos *kenningar* formados com *Hlín* e outro elemento que resultam em [MULHER]. É possível verificá-los na obra de Egillsson. Também existem *kenningar* que inserem um elemento adjetival, como no exemplo acima com *lýsi*, bem como um elemento derivado de verbo: *beiði-Týr* "desejando, demandando Týr".

Ólason questiona se a audiência nos salões reais entenderia, de fato, a complexidade dos *kenningar*. Em sua argumentação, cita T. S. Elliot: *Genuine poetry can communicate before it's understood*. O som e a fúria de um poema de batalha seria, assim, contemplado por uma audiência antes da mensagem ser completamente decodificada por ela. Também é possível assumir que a audiência sentia satisfação em decifrar a complexidade da mensagem dos poemas escáldicos, bem como em saber que fazia parte de um grupo seleto com acesso a mensagens sagradas e secretas. Assume-se, portanto, de acordo com o autor, que a audiência acostumada com a poesia escáldica sabia basicamente o que esperar. Não obstante, a proposta da arte escáldica seria também surpreendê-la com novas combinações. A respeito das sintaxes, o autor afirma que, embora pareçam muito complexas, seguem certos padrões e regras. Por fim, Óleson considera que uma audiência qualificada poderia entender o poema na primeira audição.

Uns dos *kenningar* mais antigos que se tem registro são aqueles da estela rúnica de Karlevi (ilha de Öland, Suécia, código öl 1, fim do século X, Era Viking). No poema, encontra-se: *draugr dolga þrúðar*, que significa "árvore ou feitor da Trudr (da deusa) da hostilidade, inimizade, batalha" = "árvore ou feitor da [BATALHA]" = [GUERREIRO]. Trudr é um dos filhos de Thor e a palavra *draugr* aparece em outros *kenningar* com o sentido de homem, guerreiro: *draugr ørlygis* "árvore/feitor da batalha" (Ragnarsdrápa, 8), *draugar brimis* "árvores/feitores da espada" (Anon XII, C10) etc., como apresentados por Egillsson.

Outro *kenning* registrado na estela rúnica de Karlevi é: *reið-Viðurr Endils iǫrmungrundar* "Viðurr da carruagem da vasta terra de Endill (rei do mar)". A vasta terra de Endill, o rei do mar, é o mar. Assim, "Viðurr da carruagem do [MAR]" = Viðurr do [NAVIO] = [MARINHEIRO]. Para decifrar esses *kenningar* tivemos como base o livro de Egillsson (1931).

Yuri Fabri Venancio

Ver também Inscrições rúnicas; Heiti; Linguagem; Literatura; Norreno; Poesia éddica; Poesia escáldica.

EGILSSON, Sveinbjörn. *Lexicon Poeticum Antiquæ Linguæ Septentrionalis. Ordbog over det norske-islandske Skjaldesprog. Forøget og udgivet for det kongelige nordiske Oldskriftselskab.* 2 Udgave ved Finnur Jónsson. København: S. L. Møllers Bogtrykkeri, 1931

FAULKES, Anthony. *Edda. Skáldskaparmál. 1. Introduction, Text and Notes.* London: Viking Society for Northern Research, 1998.

ÓLASON, Vésteinn. Old Icelandic Poetry. In: NEIJMANN, Daisy. *A History of Icelandic Literature*. Lincoln/London: University of Nebraska-Press, 2006, pp. 01-63.

POOLE, Russell. Metre and Metrics. In: MCTURK, Rory (ed.). *A Companion to Old Norse-Icelandic Literature*. Malden/Oxford/Victoria: Blackwell Publishing Ltd, 2005, pp. 265-284.

SIMEK, Rudolf; PÁLSSON, Hermann. *Lexikon der altnodischen Literatur*. Stuttgart: Alfred Kröner, 1987.

KIEV

O principado de Kiev, com capital na cidade homônima, foi durante muito tempo o principado e a cidade mais importantes do território que a historiografia hoje denomina como Rus. Localizada na base do rio Dniepre, na região florestal onde atualmente se encontram o sul da Rússia e o nordeste da Ucrânia (local que os escandinavos chamavam de *Garðariki*), a cidade em si foi fundada pelo lendário Kii, conforme a tradição presente na *Crônica dos Anos Passados*. Não há datação na *Crônica* sobre esse evento, mas, segundo Jonathan Shepard, é possível que o território só tenha sido povoado a partir do século VIII, conforme indicam os vestígios arqueológicos dos eslavos que lá habitavam. Inicialmente, a área que comporia a futura cidade estava sob o domínio do Império da Khazária, mas os escandinavos tomaram o controle a partir do século IX e lá se estabeleceram.

A área que corresponde a Kiev estava localizada em terra fértil ao longo do rio Dniepre, que, a partir do século X, se tornou uma importante rota comercial que conectava os nórdicos e a cidade de *Mikligardr* (Constantinopla), além de ser utilizada pelos bretões descendentes de escandinavos. O comércio era basicamente de produtos de luxo, conforme registram os tratados presentes na *Crônica*. Os varegues forneciam cera, mel, peles e escravos, enquanto os bizantinos forneciam ouro, seda, frutas e vinho. O controle do comércio de peles, em especial, transformou Kiev em uma potência econômica regional, conforme Janet Martin. Ao redor de Kiev habitavam diversos povos seminômades eslavos e turcomanos, com destaque para os Pechenegues, que entrariam em conflito muitas vezes com a futura Rus de Kiev e atrapalhariam o comércio com os bizantinos.

A *Crônica* afirma que os primeiros varegues a governar Kiev foram os semilendários Askold e Dir, dois guerreiros a serviço de Riurik, de 862 a 882. A fonte registra que eles não tinham parentesco com o líder nórdico, mas chama-os de boiardos, o que implica dizer que eles faziam parte da aristocracia militar e estavam somente abaixo de Riurik na hierarquia interna. Apesar da datação da *Crônica* ser questionável, é geralmente aceito pela historiografia que dois varegues governaram Kiev antes de serem mortos por Oleg, o Profeta (882-912), tutor de Igor Riurikovich (913-945). A presença escandinava na elite de Kiev, especialmente na elite militar, continuou nos governos de Olga (945-964), Sviatoslav I Igorevich (964-972) e Iaropolk Sviatoslavich (972-978). Os tratados de paz entre Rus e Bizâncio, presentes nas entradas de 944, mencionam diversos militares escandinavos que ocupavam posições importantes, como Sveneld, Blud e os enviados de Igor, além de Olga. Diversos objetos de origem escandinava datados desse período foram encontrados ao redor de Kiev, sugerindo a manutenção de relações comerciais e assentamento de mais nórdicos em Rus.

A primazia de Kiev entre os demais principados de Rus foi consolidada com o batismo de Vladimir I Sviatoslavich (978-1015) e eventual expansão do cristianismo, sendo fortalecida com a centralização política de Iaroslav Vladimirovich, o Sábio (1016-1018, 1019-1054), também conhecido em fontes nórdicas como Jarizleif. O Principado de Kiev continuou sendo mais importante de Rus até meados do século XII, quando os principados do norte, sobretudo Suzdália, começaram a acumular maior poder e importância política. Mesmo enfraquecida, a possibilidade de governar Kiev ainda era bastante cobiçada pelos outros príncipes de Rus, ainda que o principal ramo da dinastia Riuríkida tenha preferido permanecer no norte em meados do século XII. Em 1240, Kiev foi invadida pela Horda de Ouro do mongol Batu Khan, encerrando definitivamente, segundo os historiadores, o período conhecido como Rus de Kiev.

Leandro César Santana Neves

Ver também: Crônica dos Anos Passados; Mikligardr; Novgorod; Olga de Kiev; Rus; Rússia da Era Viking; Varegues; Vladimir I de Kiev.

DUCZKO, Wladsyslaw. *Viking Rus: studies on the presence of Scandinavians in Eastern Europe*. Leiden: Koninklijke Brill NV, 2004.

FRANKLIN, Simon; SHEPARD, Jonathan. *The Emergence of Rus 750-1200*. Essex: Longman, 1996.

MARTIN, Janet. *Treasures of the Land of Darkness: The Fur Trade and its Significance to Medieval Russia*. Cambridge: Cambridge University Press, 1986.

NOONAN, Thomas S. European Russia, c. 500-1050. In: REUTER, Timothy. *The New Cambridge Medieval History – Volumen III c. 900-c. 1024*. Cambridge: Cambridge University Press, 2008, pp. 487-514.

LAGERTHA

Atualmente, Lagertha tornou-se uma personagem bastante popular devido a sua representação mais recente num seriado de televisão. Entretanto, o imaginário que retrata Lagertha como uma guerreira viking já era pintado pelos românticos desde o século XIX. Em casos como esse, as artes contribuíram para tornar Lagertha uma personagem cada vez mais conhecida e até mesmo um exemplo de mulher viking guerreira, gerando inclusive certas indagações acerca de sua existência real, bem como se haveria entre os vikings o costume de mulheres irem à guerra.

A única fonte conhecida acerca de Lagertha é a *História Danesa* (*Gesta Danorum*), escrita pelo clérigo Saxo Grammaticus no século XII. A obra, da qual se conhece apenas nove volumes, narra de forma breve a história de Lagertha no último volume. Segundo o relato de Saxo, Lagertha, Lagerda, Lathgherta, Laðgerða, era uma "donzela de escudo" (*skjaldmö*), termo que gera certa controvérsia atualmente, pois há quem defenda que as tais "donzelas de escudo" realmente possam ter sido reais e não apenas lendas ou mitos.

Nesse caso, a *skyaldmö*, segundo informa Saxo, tratar-se-ia de uma mulher virgem, brava e audaz, que trajaria roupas masculinas de guerreiro e participaria de batalhas. Seria uma espécie de amazona nórdica. No caso de Lagertha, ela se tornou uma "donzela de escudo" por necessidade e não por vocação. De acordo com o Gesta Danorum, ela foi a primeira esposa do famoso herói Ragnar Lothbrok, suposto rei da Noruega ou Dinamarca, que teria vivido no século IX.

De acordo com o relato da *Gesta Danorum*, o avô de Ragnar, o rei Siward (ou Sigurd), que vivia na Noruega, foi assassinado pelo rei Frø (ou Frodo) dos Suenos (ou *svear*), governante do povo que habitava o atual território da Suécia, que viria a originar os suecos. Saxo não explica claramente o motivo da contenda entre os dois senhores. De qualquer modo, o monarca sueco invadiu o território de Siward, vencendo seu exército e o matou. Quanto às mulheres (familiares, damas de corte e escravas), Frø ordenou que fossem humilhadas publicamente e, para isso, as enviou para um prostíbulo.

A notícia da invasão das terras de Siward, sua derrota, sua morte e humilhação de suas mulheres chegaram até seu neto, Ragnar Lothbrok, que, ao saber dessa grande ofensa, reuniu um exército e declarou guerra ao rei Frø. Novamente Saxo não nos passa detalhes, mas aduz que parte das mulheres cativas, incluindo Lagertha, decidiram se unir à campanha de Ragnar para se vingarem. As mulheres trocaram os vestidos por trajes masculinos e empunharam armas. Lagertha se destacou entre todas devido a sua bravura e habilidade como guerreira enquanto lutava com seus cabelos esvoaçantes no campo de batalha. Tal condição atraiu os olhares de Ragnar.

Após a vitória sobre o exército do rei Frø, Ragnar, apaixonado por Lagertha, decidiu procurá-la, indo até a casa dela. Ao chegar na residência de Lagertha, Ragnar deparou-se com um urso e um lobo. A presença de tais animais lembra algumas histórias nas quais a "donzela" era protegida por guardiães, fossem estes humanos, animais ou monstros. Após matar o urso e ferir gravemente o lobo, Ragnar finalmente pôde adentrar à residência de Lagertha e pedi-la em casamento.

Ragnar e Lagertha tiveram três filhos: um menino chamado Fridleif e duas meninas, cujos nomes não são citados. Lagertha, ao se tornar mãe e esposa, teria deixado seu lado guerreiro momentâneo, embora o relato não informe nada quanto a sua origem e passado. Pelo que Saxo Grammaticus informou, Lagertha nem sempre teria sido uma guerreira, mas tornou-se uma devido a ocasião da morte do rei Siward e a ameaça do rei Frø.

Assim, quando ela se casou com Ragnar Lothbrok, perdeu sua condição de "donzela de escudo". Três anos depois, após algumas aventuras, Ragnar acabou conhecendo a princesa Thora Borgarhjört (Þora), filha do rei Herodd da Gotland. Para disputar a mão em casamento da princesa, Ragnar se divorciou de Lagertha. Posteriormente venceu o desafiou do rei Herodd de Gotland e pôde se casar com Thora. No caso de Lagertha, Saxo informa que ela se casou novamente, porém, o nome do segundo marido não é mencionado.

Saxo prossegue o relato de Lagertha de forma breve, expondo que, ao lado do novo marido, organizou uma frota de 120 navios para ajudar na batalha de Laneus, na qual faleceu um dos filhos de Ragnar, chamado Siward ou Sigurd. Graças ao auxilio de Lagertha, a batalha foi vencida. Após retornar para casa, ela e o marido brigaram. Ainda que os motivos de tal briga não sejam conhecidos, a *Gesta Danorum* sugere a possibilidade de Lagertha ter matado o marido e assumido suas terras. Após tal acontecimento, a história de Lagertha não é mais narrada.

Ainda que o *Gesta Danorum* faça referências a acontecimentos históricos, ele também narra acontecimentos lendários, razão pela qual Lagertha é considerada uma lenda ou uma personagem literária. No entanto, Hilda Davidson, em seu comentário a respeito do *Gesta Danorum*, apontou que Lagertha pode ser uma lenda baseada em alguma mulher real, possivelmente Hlaðgerðr, mulher que, no século VI, enviou vinte navios para auxiliar o rei Halfdan dos Scylding. Outra hipótese é que Lagertha tenha sido inspirada em Luitgarde de Vermandois, esposa do duque Guilherme Espada Longa e duquesa normanda na época em que a Normandia era uma província franca colonizada por vikings.

Em outra hipótese apontada por Laia San José Beltrán, Lagertha teria sido inspirada na rainha Thorgerd (Þorgerd), esposa do rei Hakoon da Noruega (937-995), que morava em Hladir, no vale de Gualardar. Este, segundo Saxo, teria sido um dos lugares que viveu Lagertha. Outra teoria, também mencionada por San José Beltrán, aduz que Lagertha pode ter sido baseada em uma deidade similar às valquírias que aparecem em algumas sagas, como a *Saga Jomsviking*, a *Saga de Njáls* e a *Þorleifs Þáttr jarlsskálds*. Não obstante, Lagertha também poderia ser um dos nomes utilizados para criar a personagem da deusa Freyja.

Para Franesca Zappatore, existe a possibilidade de Lagertha ser uma construção de Saxo Grammaticus e não ter sido baseada em mulheres reais, já que o autor era conhecedor da literatura clássica, na qual se encontram histórias de amazonas. De qualquer forma, tais possíveis referências são hipóteses inconclusivas, pois até hoje não se encontrou evidências concretas de mulheres vikings atuando no campo de batalha, ou mesmo da existência de tropas femininas. Lagertha também pode ser uma personagem literária inspirada em algumas valquírias dos mitos, especialmente a valquíria Brunhilde, esposa do herói Sigurd, cuja história é narrada na *Saga dos Volsungos* e em alguns poemas da *Edda poética*.

Entre as representações artísticas baseadas na personagem, a mais recente diz respeito ao seriado "Vikings" do History Channel, estreado em 2013. A série retrata Lagertha (Katheryn Winnick) como esposa de Ragnar Lothbrok (Travis Fimmel) e mãe de Björn e Gyda. A Lagertha da série foi baseada na versão do Saxo, mas com algumas diferenças. Na trama da série, Ragnar não é descendente de reis, sendo retratado como um fazendeiro bravo, petulante, esperto e com espírito de liderança. O passado de Ragnar e de Lagertha não é mencionado na série, porém, no final da primeira temporada, o casamento de ambos já apresentava desgaste. A partir da segunda temporada, Lagertha inicia sua ascensão social.

De acordo com o relato de Saxo Grammaticus, a história de Lagertha termina com ela se tornando uma mulher ingrata e traiçoeira, pois assassinou o próprio marido para lhe usurpar o nome e a propriedade. Tal característica foi aproveitada na série, pois Lagertha mata seu segundo marido (*earl* Sigvad) e toma o controle da vila de Hedeby, assumindo com o nome de *earl* Ingstad. Hedeby foi uma cidade real, situada no sul da Dinamarca, tendo sido um importante núcleo urbano e polo comercial, mas, na série, não passa de uma vila. Ainda assim, é cobiçada por alguns, como Kalf, que na terceira temporada passa a disputar com Lagertha o controle de Hedeby.

Não obstante, a Lagertha da série manteve várias características da personagem descrita por Saxo Grammaticus. Ambas são mulheres audazes, exímias guerreiras, belas, ambiciosas, traiçoeiras e de temperamento forte. A Lagertha da série participa das expedições à Inglaterra e à França, como também não mede esforços para remover de seu caminho as ameaças, mesmo que para isso tenha que sujar suas próprias mãos com sangue. Nesse ponto a Lagertha da série se revela maquiavélica e traiçoeira, algo observável nas temporadas terceira e quarta.

Leandro Vilar Oliveira

Ver também Guerreiras nórdicas; Literatura; Mulheres.

DONTAINE, François. História e ficção em Vikings. *Notícias Asgardianas*, n. 10, 2015, p. 88-94.

GRAMMATICUS, Saxo. *The history of Danes*, books I-IX. Ed. Hilda Ellis Davidson. Trad. by Peter Fisher. Woodbridge: D. S. Brewer, 1979.

HOLMAN, Katherine. *Historical dictionary of the vikings*. Lanham: Scarecrow Press Inc., 2003.

PUCHALSKA, Joanna Kataryzna. Vikings Television Series: When History and Myth Intermingle. *The Polish Journal of the Arts and Culture*, vol. 15, n. 3, 2015, pp. 89-105.

SAN JOSÉ BELTRÁN, Laia. Análisis histórico de la serie Vikingos de History Channel. In: *Los Vikingos en la Historia*, 2. HUM-165: Patrimônio, Cultura y Ciências Medievales. Granada: Universidad de Granada, España, 2015, pp. 25-72.

ZAPPATORE, Francesca. *Maiden warriors in Old Norse Literature*. Dissertação de Mestrado, Universidade de Bolonha, s.d.

LANDNÁMABÓK

Landnámabók, livro dos assentamentos, detalha a colonização da Islândia pelos noruegueses nos séculos IX e X. Atribui-se a composição do livro a Ari Thorgilsson, no começo do século XII. Ari Thorgilsson, conhecido como o pai da história da Islândia, foi o primeiro homem a escrever em vernacular. Além da suposição que atribui a ele a escrita da *Landnámabók*, sabe-se que ele escreveu o *Livro dos Islandeses, Íslendingabók*.

A obra apresenta um total de 430 colonizadores diferentes, 3500 nomes pessoais e 1500 nomes de fazendas registradas em suas folhas. Tais informações foram muito úteis, posteriormente, aos compiladores de sagas. Existe um total de cinco versões diferentes do livro. Três foram escritas ou complicadas no período medieval e duas compiladas no século XVII. *Sturlubók* é atribuído a Sturla Thórdarson, mas a única versão existente de sua redação se encontra em um manuscrito do século XVII. *Hauksbók* é a obra de Haukr Erlendson, escrita entre 1306-1308, mas hoje se encontra preservada em manuscrito do século XVII. Haukr aparenta ter usado *Sturlubók* e uma versão mais antiga, agora perdida, chamada *Styrmisbók*. *Melabók* foi escrito no começo do século XIV e é a mais antiga das versões preservadas, embora só restem fragmentos do texto original. *Skardsárbók* é uma compilação do século XVII baseada na *Hauksbók* e *Sturlubók*. Por fim, a *Thórdarbók*, que é outra compilação do século XVII, mas baseada na *Skardsárbók* e *Melabók*.

André Araújo de Oliveira

Ver também Althing; Thing; Godi; Islândia na Era Viking; Íslendigabok.

HOLMAN, Katherine. *Histocial Dictionaries of the Vikings.* Oxford: The Scarecrow Press Inc., 2003.

SIGURÐSSON, Jón Viðar. Iceland. In: BRINK, Stefan; PRICE, Neil (eds.). *The Viking World.* New York. Routledge, 2008, pp. 571-578.

VÉISTEINSSON, Orri. *The Christianization of Iceland*: Priest, Power and social change 1000-1300. Oxford: Oxford University Press, 2000.

L'ANSE-AUX-MEADOWS

L'Anse-aux-Méduses, em francês, ou Enseada das Águas-vivas, em português, é o nome dado a um dos sítios arqueológicos mais importantes no âmbito dos estudos da presença nórdica na América. É considerado o sítio com presença nórdica mais distante na América, depois dos sítios arqueológicos da Groenlândia. A pequena comunidade que reside no sítio está localizada na região de Terra Nova (*Newfoun-*

dland) e Labrador, ambas províncias do extremo oeste do Canadá, em que o explorador Leifr Eriksson (*Leifr Eiríksson*) teria residido como um ponto do processo de colonização da região por parte de europeus.

Em 1960, o norueguês Helge Ingstad e a arqueóloga Anne-Stine Ingstad, foram responsáveis por encontrar na região os primeiros achados arqueológicos que davam maiores ares de comprovação da presença nórdica na América do Norte, corroborando com muito que fora apresentado por diversas fontes literárias. A descoberta desse casal de pesquisadores, se inicia com o termo Vínland, terra das vinhas, que seria o nome que as fontes literárias e escritas nos apresentam como o nome dado pelos nórdicos para a região americana. Partindo desta premissa, os pesquisadores buscaram regiões prováveis de vinhas e com base nas referências escritas e literárias, considerando a região próxima de Massachusetts e do Canadá, como possibilidades para o local dessa presença nórdica.

O casal viajou por meses pela costa da região mapeada antes de chegarem à ponta Norte da ilha e na aldeia de L'Anse aux Meadows. Partindo de entrevistas e explorações, eles começaram a pautar a presença dos assentamentos nórdicos na região, algo que era bem incerto neste início de 1960. Desses relatos eles descobriram sobre formas retangulares peculiares que poderiam ser estruturas diferentes, em uma região ao sul de L'Anse aux Meadows, a região de *Epaves Bay*. A partir daí, usando por base o conhecimento da formação sobre as fazendas na Groenlândia, irá se iniciar um longo trabalho de exploração arqueológica que resgatará verdadeiros tesouros e trazer para o debate da presença nórdica na América uma força cada vez mais ampla para a aceitação dessa presença.

Com o início das escavações e explorações, a equipe arqueológica irá encontrar cerca de oito grandes fundações, que continham: casas, forja, serragem, regiões para culinária e outras fundações de mais variadas funcionalidades. Vários foram os objetos encontrados na escavação, em que os achados residiam: pregos de ferro artesanais – que colocavam em suspensão a teoria de que as comunidades locais haviam construído as estruturas –, um fuso de pedra sabonete para amolação de fios, uma tábua de barco, um recipiente feito de casca de vidoeiro, pinos de bronze, peças de ferro, acessórios de cozinha e as cascas de abóbora (do tipo *Cucurbita moschata*).

A partir desses objetos, várias pesquisas e perspectivas puderam ser ponderadas e facilitar um estudo sobre os nórdicos na América. Um dos alfinetes anelados encontrado no sítio, era largamente usado na Irlanda, que tinha sua origem de fundação nórdica e que se consolidará a partir do século IX. Este alfinete que poderia ser usado tanto para capas como para aportes no ombro, revela muito de uma trajetória dos viajantes escandinavos, mostrando toda uma circularidade de culturas e bens materiais que rodavam dentro das regiões nórdicas devido as suas viagens e incursões.

Apesar destas descobertas materiais, de fato havia uma aproximação dessas descobertas com a literatura? As Sagas do Descobrimento da América foram amplamente usadas, virando inspiração para um dos primeiros filmes sobre os nórdicos (*The Viking* de 1928, dirigido por Roy William Neill), inclusive, mas também revelou-se muitos estudos, tanto para desacreditar da fonte, devido a sua linguagem e do "compromisso" literário ser um compromisso outrém, como também aqueles que acreditavam que um registro arqueológico já iria corroborar para com a construção dessas narrativas. Devido ao nome Terra da Vinhas, os pesquisadores pensavam em terras mais ao Sul, em que vinhas e vegetais diferenciados cresciam, e que por isso os nórdicos denominaram tal localidade, pelo contato com esse tipo de flora. Logo, devido é esse tipo de flora não ser a presente em L'Anse aux Meadows, culminou em uma descrença desse relato, ampliando o sentido hiperbólico e literário das narrativas das sagas. O que trouxe uma mudança nessa questão foi a presença da *Cucurbita moschata*, que não cresce tão ao Norte, o que culminou na teoria de que os nórdicos exploram as terras americanas, e que L'Anse aux Meadows seria um assentamento estratégico para os nórdicos negociaram com os *skrælingjar* (nome que os nórdicos davam para os povos encontrados na América do Norte e Groenlândia, os esquimós – s. *skrælingi*).

A partir disso, datações de radiocarbono determinaram que o material encontrado seria de meados do ano mil, justamente no tempo em que Leifr Eriksson havia viajado para a América, de acordo com as narrativas literárias/escritas e suas datações. As escavações em L'Anse aux Meadows trouxeram provas mais definitivas para a questão do "descobrimento" da América do Norte, e trouxeram bases arqueológicas para afirmar que os nórdicos estiveram na América quase quinhentos anos antes de Colombo, trazendo uma nova concepção para a história da humanidade. Sua importância é tanta, que no ano de 1978 a comunidade/aldeia se tornou Patrimônio da Humanidade pela Organização das Nações Unidas para a Educação, a Ciência e a Cultura (UNESCO).

José Lucas Cordeiro Fernandes

Ver também Sagas do Atlântico Norte; Leif Eriksson; Vínland.

ARNEBORG, Jette. *The Norse Settlement in Greenland: The Initial Period in Written Sources and in Archaeology.* In: Wawn, Andrew; Sigurðardóttir, Þórunn (eds.). *Approaches to Vinland: Proceedings of a conference on the written and archaeological sources for the Norse settlements in the North-Atlantic region and exploration of America.* Reykjavik: Sigurdur Nordal Institute, 2001.

BARNES, Geraldine. *Viking America: The First Millennium.* Cambridge: D.S. Brewer, 2001.

BERGERSEN, Robert. *Vinland Bibliography: Writings Relating to the Norse in Greenland and America.* Tromsø: University of Tromsø, 1997.

FANNING, Thomas. *Viking Age Ringed Pins from Dublin: Medieval Dublin Excavations 1962-81.* Dublin: Royal Irish Academy, s. B, 1994, vol. 4.

INGSTAD, Helge; INGSTAD, Anne Stine. *The Discovery of a Norse Settlement in America: Excavations of Norse Settlement in L'Anse aux Meadows, Newfoundland.* New York: Checkmark Books, 2001.

JONES, Gwyn. *The Norse Atlantic Saga: Being the Norse Voyages of Discovery and Settlement to Iceland, Greenland, and North America.* Oxford/New York: Oxford University Press, 1986.

LANGER, Johnni. Vikings, cultura e religião: o mito arqueológico nórdico dos Estados Unidos. *O Olho da História*, n. 18, 2012.

POHL, Frederick J. *The Viking Settlements of North America.* New York: Clarkson N. Potter, Inc. The Science News-Letter, 1972.

SANTOS, André Luiz Campelo dos. *Vikings na terra nova: uma análise acerca do imaginário nórdico na América*. Monografia (Bacharelado em História) - Universidade Federal do Ceará, 2013.

THE SCIENCE NEWS-LETTER. Viking Ruins Found. *The Science News-Letter.* Estados Unidos: Society for Science & the Public, vol. 84, n. 20, nov. 16, 1963, p. 306.

WALLACE, Birgitta. The Norse in Newfoundland: L'Anse aux Meadows and Vinland. *Newfoundland Studies*, vol. 19, n. 1, 2003, pp. 06-43.

LAPÔNIA DA ERA VIKING

Situada na Fenoescândia, no norte das penínsulas Escandinava e de Kola, está a *Sápmi* – a terra dos Sámi, único grupo étnico reconhecido como aborígenes europeus. O termo "Lapônia" parece ter surgido a partir de *lapp* – palavra que, no século XII d.C., descrevia "aquele que pratica atividades econômicas 'lapônicas'", como a pesca, a caça e a criação de renas na região ártica. Ambas as denominações foram cunhadas por forasteiros e são atualmente vistas como depreciativas. O termo *Sápmi* começou a se espalhar sobretudo após os anos 1970, momento em que os estudos Sámi tomaram nova direção, englobando essas populações que, por meio das letras, passaram a se autodesignar. As divisões geopolíticas atuais, como "Lapônia Noueguesa, Sueca e Finlandesa", são uma herança dos contatos coloniais entre os Estados nórdicos modernos – sobretudo a partir do século XVI d.C. – e as populações locais da *Sápmi*.

Os assentamentos Sámi, na Fenoescândia, começaram por volta dos séculos XI e X a.C., seguindo duas direções: a do oceano Ártico e a da região da atual Finlândia. Até o século XI d.C., essas populações se expandiram para o Norte da Noruega e Suécia. A região de Áltá, na Noruega, tem a maior quantidade de pinturas rupestres Sámi. Os principais temas, assim como os tambores *noiadi*, são a caça, a pesca, os animais e os rituais religiosos. Esse material conjunto forma a base para os estudos sobre a cosmologia e religiosidade Sámi.

No Período Viking, surgem as primeiras vilas de inverno – locais de fácil acesso para mercadores e coletores de impostos. Na *Historia Norwegie*, datada da segunda metade do século XII d.C., há uma descrição dos ganhos Sámi e sua relação com o monarca norueguês que tinha condições de impor tributos aos *finneskaten*. Nos séculos seguintes, com a ascensão dos Estados modernos nórdicos, a tensão pela região aumenta. No século XIV d.C., os conflitos entre Suécia e Rússia se iniciam e a primeira resolução viria em 1595, com o Tratado de Teusina. Porém, é só em 1617 – com o Tratado de Stolbova – que a definição atual das fronteiras seria estabelecida. Com o aumento dos interesses econômicos e políticos pela região, surge um dos primeiros mapas que retrata o escopo geográfico da *Sápmi*, feito pelo holandês Jan Huyghen (1594).

Poucos anos depois, em 1601, os contemporâneos e compatriotas de Hyughen – van Linchoten e Simon van Salingen – elaboraram outras cartas que, além de referenciarem os limites geográficos, traziam algumas representações das populações que habitavam a região. No caso de van Salingen, sua *Lappia par Norwegie* é especialmente interessante, pois o cartógrafo holandês foi patrocinado pelo monarca dinamarquês Cristiano IV, que, em troca, esperava solidificar suas reivindicações territoriais sobre a região e, consequentemente, promover sua ocupação e exploração.

No caso sueco, no século XVII d.C., houve interferência ativa na *Sápmi*: trabalhos missionários luteranos são enviados à Lapônia a partir da década de 30, seguido por algumas escolas idealizadas por Johannes Skytte. Além disso, a coroa fomenta a colonização da região por meio da promulgação da *Lappland Bill* em 1673. É do mesmo ano a obra *Lapponia*, de Johannes Schefferus, professor da Universidade de Uppsala. Esta é, provavelmente, o primeiro trabalho que tratou exclusivamente da geografia da *Sápmi*, além dos costumes e maneiras de viver dos habitantes da região. Considerado um "lapologista", Schefferus é um dos responsáveis pela divulgação global da região como a terra do lendário e fascínio.

A partir do século XVIII d.C., a curiosidade pelo exótico, somada aos impulsos científicos do Iluminismo, fomentaram expedições e relatos sobre a região pautadas na experiência pessoal, em crenças comuns e nas influências literárias anteriores (como Schefferus). Os suecos Carlos Lineu e Nicolaus Hackzell, os franceses Jean-François Regnard e Réginald Outhier, o norueguês Knud Leem e o lombardo Giuseppe

Arcebi são exemplos de personalidades que empreenderam viagens e produziram relatos sobre a geografia e os povos locais.

No século XIX d.C., com o advento das noções de Lars Laestedius e da teoria das raças que circulava pela Europa, houve uma diminuição do caráter "místico" da Sámi (que, todavia, não deixa de existir. Inclusive, no século XX, é esse resquício de místico e selvagem que deveria ser domesticado pelo cristianismo, civilização e campesinato). A atividade agrícola e o pastoreio itinerante de renas selvagens passam a ser entendidas como a salvação do extremo norte. No fim desse mesmo século, a política frente aos Sámi (e à demarcação de terra, debate que surge com a ocupação das *siidas* por colonos suecos no século XVII e "resolvido" apenas no século XX) é isolacionista. Havia a necessidade de preservar, de forma intacta, aquela sociedade. O lema dessa campanha isolacionista era: *"Lapp skall vara lapp"*: [um] lapão será [um] lapão.

Nos séculos XX e XXI, algumas dessas crenças "lapológicas" sobre o exotismo da *Sápmi* e seus habitantes continuaram, ajudndo a reforçar os discursos turísticos da região. As noções de diferença cultural, mundo primitivo e selvageria são muito utilizadas pela indústria turística. De forma contraditória, essa reprodução de antigas ideias sobre a região e os Sámi raramente é a imagem que eles têm de si. O debate sobre o direito à terra e a outros recursos ainda continua em disputa, visto que por muito tempo a maior parte das resoluções foram tomadas de "cima para baixo", sem, necessariamente, levar em consideração as reivindicações dos povos locais. Assim, há muito que se estudar e debater sobre a história dos Sámi e a relação desigual com os Estados modernos nórdicos e suas implicações históricas.

Vítor Bianconi Menini

Ver também Finlândia da Era Viking; Sámi, fínicos e nórdicos.

BROADBENT, Noel D. *Lapps and Labyrinths: Saami Prehistory, Colonization and Cultural Resilience*. Whasington D.C: Arctic Studies Center, National Museum of Natural History, 2010.

FÜR, Gunlog. *Colonialism in the Margins: Cultural Encounters in New Sweden and Lapland*. Leiden: Brill, 2006 (The Atlantic World - Europe, Africa and the Americas, 1500 - 1800, vol. IX).

KENT, Neil. *The Sámi Peoples of the North: A Social and Cultural History*. London: Hurst & Company, Lapps and labyrinths, 2014.

LEHTOLA, Veli-Pekka. *The Sámi People: Traditions in transition*. Fair Banks: University of Alaska Press, 2004.

LAXDAELA SAGA

Laxdæla saga é uma saga pertencente ao subgênero das "sagas dos islandeses" – *Íslendingasögur* – datada aproximadamente de meados do século XIII, quando o gênero de literatura cavalheiresca estava em seu apogeu na Europa continental. A saga foi conservada em numerosos manuscritos, que, frequentemente, são estudados em dois grupos. A versão integral mais antiga da saga está inserida no códice denominado Möðruvallabók (AM 132 fol.), possivelmente redigido entre os anos 1330-1370. O fragmento mais importante e antigo do segundo grupo procede de meados do século XIII e se diferencia dos fragmentos do primeiro grupo à medida que inclui os dez capítulos que, na opinião dos especialistas, não foram escritos pelo suposto autor original da saga. Tais capítulos constituíram uma unidade narrativa de menor importância, introduzida na trama da obra para aprofundar a figura de Bolli, um dos principais personagens da saga, conhecido como *Bolla þáttr Bollasonar*.

A *Laxdæla saga* é uma saga anônima, cuja autoria foi atribuída no decorrer dos anos a um dos personagens mais ilustres da ilha, como é o caso do poeta Óláfr hvítaskáld (†1259), sobrinho de Snorri Sturlusson. Sem dúvida, nas últimas décadas, não tem sido poucas as vozes que tem defendido a ideia de uma autoria feminina da saga, devido a requintada representação psicológica de Guðrún, sua personagem principal. É o caso de Guðrún Nordal, por exemplo. Também se sustenta que o autor poderia ter sido alguém como Sturla Þórdarsson (†1284), outro sobrinho de Snorri Sturluson, político de grande influência, poeta e autor da *Hákonar saga* e a *Magnúss saga*.

Os principais acontecimentos narrados pela saga demarcam fatos importantes da história da ilha: o início da colonização, a formação da assembleia geral (ou *Alþingi*) no ano de 930 e a conversão ao cristianismo no ano 1000. Não obstante, passados os primeiros capítulos nos quais são enunciadas as vicissitudes dos primeiros colonizadores noruegueses (como Björn ou seu filho Ketill, o Chato), a narrativa da Laxdæla percorre alguns caminhos pouco habituais na literatura islandesa da época.

Na saga estão refletidas com nitidez as tendências românticas procedentes do continente, sobretudo na apresentação da história de amor entre Guðrún Osvifsdóttir e Kjartan Ólafsson. Não deixa de lado, entretanto, a grandeza trágica própria de outras sagas consideradas como o auge do gênero, como a *Egills saga* ou a *Njáls saga*. Na *Laxdæla saga*, convergem elementos pertencentes às tradições literárias que deram origem ao que se pode chamar "renascimento nórdico". A *Laxdæla saga* é uma história que representa como nenhuma outra a multiplicidade do ambiente literário islandês. Os traços de tal multiplicidade podem ser encontrados tanto nos possíveis paralelismos, apontados por muitos investigadores, entre o personagem de Guðrún e a personagem Brynhildr dos poemas épicos da Edda Maior, quanto no gosto do autor da *Laxdæla saga* pela literatura de caráter cortesão, que naquela época começava a ser traduzida na Noruega. Porém, a *Laxdæla saga* não é somente um fiel reflexo dessas correntes literárias, senão da disputa entre a fé dos antepassados e a nova religião dos livros. Em suas páginas têm lugar tradições de origem pagã – como as profecias postas na boca de Gestr, quem interpreta os sonhos de Guðrún –, que, todavia, convivem com o anúncio da chegada da nova religião que *at miklu sé háleitari* ("é muito mais sublime"), cujo auge se expressa nas referências da supremacia do cristianismo na morte de Kjartan.

A *Laxdæla saga* é, pois, um dos exemplos mais acabados de uma época da literatura islandesa em que estão representadas tanto as obras originalmente concebidas em língua vernacular – cuja função principal era a de refletir e glorificar a história da Islândia e de seus personagens mais destacados, em alguns casos da perspectiva das classes dominantes do país –, como as obras traduzidas de originais latinos e franceses, que são boa prova da permeabilidade dos literatos islandeses a influências, modelos e temas de origem estrangeira.

Teodoro Manrique Antón

Ver também Islândia da Era Viking; Linguagem; Literatura; Poesia escáldica; Sagas islandesas.

AUERBACH, Loren. Female Experience and Authorial Intention in Laxdœla saga. In: *Saga-Book*. Viking Society for Northern Research, University College London, 1998-2001, pp. 30-53 (vol. 25).

JAKOBSSON Ármann. Laxdæla Dreaming: A Saga Heroine Invents Her Own Life. In: *Leeds Studies in English*, n. 39, 2008, pp. 33-51.

MUNDT, Marina. Sturla Þórdarson und die Laxdæla saga. In: *Skrifter fra instituttene for nordisk språk og litteratur ved universitetene I Bergen, Oslo og Trondheim*, vol. 4. Bergen: Universitetsforlaget, 1969.

NORDAL Guðrun. Text in Time: the Making of Laxdœla. In: NORDVIG, Asger Mathias Valentin; TORFING, Lisbeth H. *et al.* (eds.). *The 15th International Saga Conference: Sagas and the Use of the Past*, Århus, 2012.

VANHERPEN, Sofie. Letters in the margin: Female provenance of *Laxdæla saga* manuscripts on Flatey. Paper presented at the 16th Saga Conference Sagas and Space, Zürich and Basel, Switzerland, ago. 2015.

LEIF ERIKSSON

Leifr Eiríksson, ou *Leifr hinn heppni* (Leifr, o Sortudo), é um dos nórdicos mais famosos da cultura nórdica, considerado o descobridor das terras na América do Norte e responsável pela primeira tentativa de colonização da região. Leifr é filho de *Eiríkr Þorvaldsson*, ou Érico, o Vermelho (*Eiríkr hinn rauði*). Este foi responsável pela colonização da Groenlândia, evidenciando o caráter explorador que marcou a linhagem da família.

A fama de Leifr é tributária das Sagas do Atlântico Norte, que nos revelam tanto sobre o descobrimento da Groenlândia, como também da América do Norte. Na saga dos groenlandeses – uma das Sagas do Atlântico Norte –, encontra-se o relato sobre como Leifr inicia sua empreitada voltada para a descoberta de novas terras. De fato, tal saga nos revela que ele segue os relatos de viagem de Bjarni Herjúlfsson, o qual já havia avistado terra desconhecida. Leifr contrata a tripulação de trinta e cinco homens de Bjarni para intentar fazer o que este não fez, a saber, pisar na nova terra.

Leifr encontrou a terceira e última terra avistada por Bjarni: "Conosco não aconteceu, quanto a esta terra, como aconteceu com Bjarni, de não termos pisado em terra. Agora darei um nome à terra e hei de chamá-la de Helluland [Terra da Placa da Rocha]" (ANÔNIMO, 2007a, p. 64). Essa terra – possivelmente a região de Labrador, no Canadá, conforme indicam os achados de L'Anse aux Meadows – trouxe novas formas culturais para o mundo nórdico. Após isso ele encontra outra terra, plana e com florestas, destoante da paisagem gélida da anterior. Chamou-a de Markland, ou Terra Coberta por Florestas. Esta seria uma região mais ao sudeste de Labrador (c. 1000).

Leifr e seu bando viajaram por alguns dias, conhecendo novos lugares, até finalmente se concentrarem na exploração da terra: "Agora eu quero ter nosso bando dividido em dois e quero ter a terra explorada, e uma metade do bando ficará em casa, enquanto a outra metade explorará a terra [...]" (ANÔNIMO, 2007a, p. 65). Além dessa exploração, Leifr construiria casas no local, transformando sua descoberta em um assentamento na América do Norte.

Leifr, que "[...] era um homem grande e forte, o homem mais imponente de se ver, esperto, bom e justo em todos os aspectos" (ANÔNIMO, 2007a, p. 66), após receber relatos sobre as parreiras e uvas de Tyrkir (seu pai de criação), resolveu chamar a nova terra de Vínland, Terra das Vinhas/Parreiras. Após um tempo de exploração, Leifr parte de volta para a Groenlândia, levando consigo novas experiências e relatos, assentando as bases para outras viagens, como a do explorador Thorvaldr, a tentativa de Thorsteinn e a exploração de Thorfínnr Karlsefni.

Ademais, a *Saga de Eiríkr, o Vermelho*, nos revela o grande apreço deste para com Óláfr Tryggvason, um dos grandes reis da Noruega, razão pela qual haveria incumbido Leifr de levar o cristianismo para Groenlândia. Este atendeu a solicitação de Érico e foi mais além, levando a fé cristã também para as terras recém descobertas da América do Norte.

Leifr é, sem dúvida, um dos maiores ícones nórdicos no mundo contemporâneo. Sua figura foi retratada em estátuas, monumentos, músicas e selos, além de ser referenciada em feriado nacional (o *"Leif Erikson Day"*, no dia nove de outubro, uma homenagem do presidente Lyndon B. Johnson e do congresso americano para o primeiro europeu nas Américas). Leifr marcou a história da Groenlândia como um líder forte, principal responsável pela cristianização da localidade. Desde seu nascimento, em 970, até sua morte, em meados de 1019-1125 (as sagas e as demais fontes não mencionam a data precisa de sua morte), foi um símbolo de uma linhagem de exploradores vikings.

José Lucas Cordeiro Fernandes

Ver também Brathahlid; Sagas do Atlântico Norte; Vínland.

ANÔNIMO. A Saga do Groenlandeses. In: *As Três Sagas Islandesas*. Trad. Théo Moosburger. Curitiba: Editora UFPR, 2007a.

ANÔNIMO. A Saga de Eiríkr Vermelho. In: *As Três Sagas Islandesas*. Trad. Théo Moosburger. Curitiba: Editora UFPR, 2007b.

ARNEBORG, Jette. The Norse Settlements in Greenland. In: BRINK, Stefan; PRICE, Neil (eds.). *The Viking world*. London: Routledge, 2012, pp. 588-597.

FERNANDES, José Lucas Cordeiro; CARDOSO, Gleudson Passos; SANTOS, André Luiz Campelo dos. A descoberta do horizonte: a cristianização dos Vikings na América. *Revista Brasileira de História das Religiões*, vol. 8, 2015, pp. 109-124.

GWYN, Jones. *La saga del Atlántico Norte: establecimiento de los vikingos en Islandia, Groenlandia y América*. Barcelona: Oikos-Tau, S.A. Ediciones, 1992.

RAFNSSON, Sveinbjörn. The Atlantic Islands. In: SAWYER, Peter (ed.). *The Oxford Illustrated History of the Vikings*. Oxford: Oxford University Press, 2001, pp. 110-133.

SHAFER, John Douglas. *Saga accounts of norse far-travellers*. Durham: Durham University, 2010.

THORGILSSON, Ari; ANÔNIMO. *Íslendingabók, Kristni Saga: The book of the icelanders, the story of the conversion*. Trad. Sion Gronlie. Viking Society for Northern Research: University College of London, 2006.

UMBRICH, Andrew. *Early Religious Practice in Norse Greenland: From the Period of Settlement to the 12 th Century*. Reykjavík: Universidade da Islândia, 2012.

LINDHOLM HØJE

Lindholm Høje é um dos principais locais de assentamento e depósito funerário do Período Viking. Foram encontradas na região 682 sepulturas, situadas no monte de Voerbjerg, ao norte de Aalborg, atual Dinamarca. A disposição do cemitério no monte onde se encontra é fundamental para sua adequada compreensão. No topo do monte, encontram-se os depósitos funerários mais antigos, datados do século V. Conforme se desce o monte, encontram-se os depósitos mais contemporâneos, sendo os últimos datados do século XI. A questão visibilidade era de suma importância. Os habitantes da região se identificavam uns aos outros a partir da associação com as linhagens representadas pelos corpos ali depositados. Ao mesmo tempo, a manutenção da região e a preservação de suas memórias serviam para construir e reconstruir as compreensões dos ancestrais.

Os depósitos funerários da região são demarcados externamente por padrões de pedra e pelas formas das embarcações, com seus contornos triangulares, circulares ou ovais. Econtram-se também na região depósitos funerários datados do Período Pré-viking. A partir dos padrões de depósito, estabeleceu-se as embarcações com contornos triangulares como associadas ao gênero masculino, enquanto os contornos ovais ou circulares estariam associados ao gênero feminino. Mesclam-se na região depósitos de inumação e cremação, práticas estas que variavam em conformidade com o período histórico, cabendo anotar que a prática da cremação tronou-se mais frequente que a inumação durante o Período Viking.

Com o tempo, a areia trazida à região pelos ventos oriundos da costa oeste cobriu as bases do monte de Voerbjerg, soterrando o assentamento. Este seria abandonado durante o século XIII e os depósitos só viriam a ser descobertos em 1889, antes das primeiras escavações, ocorridas em 1952. O soterramento favoreceu a depredação da região. Durante o século XIX, ela foi local de extração de pedras para a construção de vias da região, o que contribuiu para danificar as estruturas externas dos depósitos funerários. Em meio a tais depredações, os depósitos funerários do Período Viking localizados na região mais baixa do monte sofreram depreciação maior do que os mais antigos, correspondentes à Idade do Ferro germânica, que, por se encontrarem mais ao topo, foram melhor conservados.

O local do assentamento foi revelado pelas pesquisas arqueológicas. Situava-se às margens do canal de Limfjord, que dividia a península da Jutlândia durante o Período Viking. O único ponto possível para atravessar o canal de Limfjord localizava-se em sua parte mais a oeste do fjord de Aggersund. Graças a sua localização geográfica, o assentamento de Aalborg tornou-se, inegavelmente, região de circulação de pessoas e bens. Os achados arqueológicos encontraram, inclusive, a presença de moedas árabes, dentre muitos outros artefatos. Um broche com estilo de Urne, datado do século XI e localizado em um dos depósitos funerários, foi identificado como o modelo para cópias de bronze produzidas por um joalheiro em Lund, atual Suécia, durante o século XII. Achados dessa natureza indicam a relação da região com o leste escandinavo, com os mares do báltico (local onde preponderaram os contatos com os povos árabes) e com a região Lund.

Munir Lutfe Ayoub

Ver também Arqueologia da Era Viking; Cemitério de Borre; Dinamarca da Era Viking; Funerais e enterros; Sepultamentos.

BIRKEDAL, Peter; JOHANSEN, Erik. The eastern Limfjord in the Germanic Iron Age and the Viking Period. *Acta archaeological*, vol. 71, n. 1, 2000, pp. 25-33.

CHRISTIANSEN, Torben Tier. Detektorfund og bebyggelse- Det ostlige Limfjordsomrade i ynge jernalder og Vikingetid. *Kuml*, vol. 57, n. 57, 2008, pp. 101-138.

LANGER, Johnni. Erfi: As Práticas Funerárias na Escandinávia Viking e Suas Representações. *Brathair*, vol. 5, n. 1, 2012, pp. 114-127.

LERCHE, Grith. Additional comments on the Lindholm Høje field. *Tools and Tillage*, vol. 4, n. 2, 1981, pp. 110-116.

LINDISFARNE

Lindisfarne é uma pequena ilha situada na costa nordeste da Inglaterra, no condado de Northumberland, o qual no começo da Idade Média compreendia o Reino da Nortúmbria. A ilha é acessível por rota terrestre durante a maré baixa. Mas, embora sua pequena dimensão territorial e seu clima frio não fossem propícios para o desenvolvimento agrícola e rural na região, Lindisfarne se destacou por seu mosteiro.

O norte da Inglaterra demorou a ser conquistado pelos romanos, quando seria efetivamente cristianizado. Inclusive, a Escócia, que ficava para além da Muralha de Adriano, foi considerada pelos romanos como território hostil, pagão e bárbaro. Com o passar do tempo, os senhores anglos que já haviam sido cristianizados decidiram expandir o cristianismo pelo norte da Inglaterra e adentrar a Escócia.

Em 635, Santo Aidan (?-651) viajou para a Nortúmbria a convite do rei Osvaldo, coroado em 634. O novo monarca tinha interesse de expandir a sua fé pelo reino e, para isso, convidou o monge irlandês Aidan, o qual à época vivia na ilha de Iona, na Escócia. Santo Aidan aceitou o convite e se mudou para Lindisfarne, onde fundou um importante mosteiro (nomeado posteriormente como Mosteiro de Santo Cuteberto), o qual ficou conhecido por ser um centro copista da região, produzindo inclusive cópias com ricas iluminuras dos Evangelhos.

Nos anos seguintes, o mosteiro prosperou e se tornou respeitado pelo missionarismo na Nortúmbria e Mércia. Também era conhecido pelo seu trabalho literário. Entretanto, o ano de 793 traria um acontecimento chocante para a ilha. Nessa data, segundo narra os relatos históricos da *Crônica Anglo-saxã* (*Anglo-Saxon Chronicle*) – redigidos a partir do século IX –, o mosteiro de Lindisfarne foi alvo de uma terrível invasão ocasionada por guerreiros brutos, vindos do mar. Um dos trechos da obra diz o seguinte: "793: neste ano apareceram presságios terríveis na Nortúmbria, que assustaram muito as pessoas. Consistiam em imensos torvelinhos e relâmpagos, e viam-se dragões chamejantes voando pelo ar. Aqueles sinais foram imediatamente seguidos por uma época de grande fome, e pouco depois, em 8 de junho do mesmo ano, os homens pagãos destruíram a igreja de Deus em Lindisfarne, saqueando e matando".

Esse breve relato é considerado o primeiro registro anglo-saxão que se conhece acerca de um ataque viking a Lindisfarne. O acontecimento foi tão impactante que ainda hoje alguns historiadores o consideram como o marco de início da Era Viking (séculos VIII-XI). Foi a primeira expedição de pilhagem viking a respeito da qual que se tem notícia.

Relatos saxões posteriores consideraram que o ataque a Lindisfarne teria sido o prenúncio do Juízo Final, pois aqueles pagãos (que foram considerados mais demônios do que homens) profanaram o mosteiro, roubaram, destruíram e mataram. Tal ataque tornou-se ainda mais chocante para a época por se tratar de um massacre ocorrido num mosteiro, contra clérigos desarmados. O monge beneditino Alcuíno de York (c. 735-804), em carta escrita ao rei Æthereld da Nortúmbria, mencionou que a destruição do Mosteiro de São Cuteberto, em Lindisfarne, era um castigo de Deus, devido ao fato do povo ter se distanciado de seus mandamentos. Tal ideia foi mantida por muito tempo.

Quanto à descrição da terrível tempestade e supostos dragões que voavam pelo céu, se cogitou, inicialmente, que poderia se referir à figura de proa das embarcações escandinavas. Mas, nas últimas décadas, os escandinavistas apontaram que poderiam ser referências a auroras boreais. Inclusive, uma dessas auroras teria ocorrido no ano de 793 e tal fenômeno, em algumas áreas da Europa, era visto como a ação de dragões.

Não obstante, hoje se sabe que o ataque a Lindisfarne não foi a primeira incursão nórdica ao arquipélago bretão, tampouco a primeira atividade dos vikings fora da Escandinávia. O historiador James Graham-

Campbell aponta que possivelmente os nórdicos já mantinham contatos comerciais com os saxões desde o século VII, pelo menos.

Leandro Vilar Oliveira

Ver também Era Viking; Inglaterra da Era Viking; Viking.

ANÔNIMO. *The Anglo-saxon Chronicle*. Trad. Rev. James Ingram. London: Everyman Press Edition, 1912.

ARBMAN, Holger. *Os Vikings*. Lisboa: Editorial Verbo, 1967.

BEARD, Darren. Astronomical references in the Anglo-saxon Chronicles. *J. Br. Astronomic Association*, vol. 115, n. 5, 2005, pp. 261-264.

GRAHAM-CAMPBELL, James (org.). *Os vikings*. Barcelona: Folio S.A., 2006.

HOLMAN, Katherine. *Historical dictionary of the vikings*. Lanham: Scarecrow Press Inc, 2003.

KEYNES, Simon. The Vikings in England, c. 790-1016. In: SAWYER, Peter (ed.). *The Oxford Illustrated History of the Vikings*. New York: Oxford University Press, 1997, pp. 48-82.

LINGUAGEM

Ao estudar a Era Viking nos deparamos com um outro desafio, que é a coleta dos testemunhos linguísticos. Duas principais fontes podem ser utilizadas para um estudo linguístico: as fontes concretas e a reconstrução linguística. A primeira, como o próprio nome já nos diz, é possibilitada por meio de documentos, objetos arqueológicos etc.; a segunda é obtida mediante o método comparativo entre as características linguísticas, preferencialmente documentadas, de fases posteriores dos dialetos da mesma família. Por intermédio de tal comparação, surge uma forma reconstruída, que seria, teoricamente, o embrião das formas que viriam a surgir nos dialetos posteriores. Neste verbete, apresentaremos apenas as fontes linguísticas da Era Viking.

As sincronias anteriores à Era Viking (750-800 d.C.-1050 d.C.) seriam o Germânico do *continuum* norte-oeste (- 200 d.C.), o Rúnico Primitivo (200-500 d.C.) e a Era das Síncopes (500-750 d.C.); ao passo que as sincronias posteriores seriam o Nórdico Antigo (1050-1350 d.C., que teria uma divisão entre nórdico antigo do oeste, norueguês e islandês antigos, nórdico antigo do leste, dinamarquês e sueco antigos).

De acordo com Spurkland, o principal meio de registro é a pedra. O conteúdo da mensagem, na maioria das vezes, visa a memória de alguém que faleceu. Tais inscrições não eram colocadas apenas sobre o túmulo, mas também em lugares públicos ou sobre pontes e vias para que os transeuntes pudessem lê-las. O autor também afirma que no período do Rúnico Primitivo (200-500 d.C.), a prática era mais comum na Noruega. Porém, no final desse período, a prática sofreu um declínio na Noruega, passando a ser comum no Sul da Suécia. Na Era Viking, no entanto, foi a Suécia que começou a produzir estelas rúnicas em grande escala. Tal tendência começou no Sul e se espalhou para o Norte, alcançando seu auge em Uppland, local em que há registro de mais de mil estelas rúnicas da Era Viking e do início da Idade Média. Tal número é muito alto, sobretudo se comparado às cerca de cinquentas estelas rúnicas da Era Viking encontradas na Noruega.

No que tange ao modelo sintático clássico de escritura, Spurkland esclarece: "x erigiu essa estela em memória de Y" como, por exemplo, podemos observar na estela rúnica da comuna de Søgne, no condado de Vest-Agder (código N211, entre 1000 e 1050 d.C.): ᛅᚢᛁᚾᛏᚱ:ᚱᛁᛋᛏᛁ:ᛋᛏᛁᚾ:ᚦᛁᚾᛅ:ᛅᚠᛏᛁᚱ:ᚴᚢᚾᚢᛅᛏ:ᛋᚢᚾᛋᚾ **auintr : risti : stin : þina : aftir : kunuat : sunsn**. Lê-se, em nórdico antigo *Eyvindr reisti stein þenna eptir Gunnhvat, sun sinn* ("Eyvindr erigiu essa pedra em memória de Gunnhvatr, seu filho", trad. nossa). Essa estela rúnica está escrita no alfabeto novo *futhark*. O antigo *futhark* sofreu muitos desenvolvimentos até chegar nesse novo modelo e suas variantes (consulte o verbete ALFABETO RÚNICO). As estelas rúnicas registradas por meio do novo *futhark* representam apenas uma parte de toda a complexidade linguística do período, uma vez que testemunhos escritos não representam a fala com todas as suas variantes. Na Era Viking, como em qualquer outro período, havia dialetos. Ademais, apenas as características linguísticas de pessoas alfabetizadas são refletidas nas estelas rúnicas em disposição nos dias de hoje.

Uma característica linguística desenvolvida nesse período é o emprego do "artigo definido enclítico", que não existente nas outras línguas germânicas. De acordo com Skard, não é claro qual pronome deu origem a esse artigo, mas nos documentos mais antigos aparecem as formas *inn* e *enn*, como, por exemplo, *karl inn* ("o homem") e *Ormr inn langi* ("a grande serpente"). O autor afirma que, na poesia escáldica, o artigo definido enclítico deve ter surgido por volta de 900 d.C. e passou a ser usado na língua falada desde então. Isso não quer dizer que haja documentos escritos nesse período que comprovem tal afirmação. Esta só pode ser considerada hipoteticamente, por conta das cópias de manuscritos encontradas séculos depois. Johnsen afirma que a estela rúnica *Ekilla bro* (Bålsta, Uppland, Suécia, U644, 1000-1040 d.C.) é a mais antiga com esse artigo definido enclítico: [...] ᚼᚬᚾᚠᛁᛚᛅᚢᛋᛏᚱᛘᛁᚦᛁᚴᚢᛅᚱᛁᚴᚢᚦᚼᛁᛅᛒᛁᚬᚾᛏᛁᚾᛁ [...] **han:fil:austr:miþ:ikuari kuþ heabi ontini**. Tal inscrição teria a seguinte transcrição em antigo nórdico, de acordo com a agência de herança cultural *Swedish National Heritage Board*: [...] *Hann fell austr með Ingvari. Guð hialpi andinni*, com a seguinte tradução proposta por nós: "Ele sucumbiu no Leste com Ingvarr. Deus ajude o espírito (dele)". Vemos aqui a utilização do substantivo *ontini* (*andinni*, "o espírito"), que é a forma definida enclítica do gênero feminino no caso dativo, embora no nórdico antigo e islandês moderno a palavra seja de gênero masculino (i.e. *andanum*). Na Noruega, em Aust-Agder, também há a inscrição *Storhedder*, de 1100 d.C., com o artigo definido enclítico, mas estaria fora do período da Era Viking.

Skard conclui que o posicionamento enclítico do artigo não chegou, por exemplo, no Oeste e no Sul da Jutlândia (Dinamarca), porque lá haveriam formas como *æ mann* ("o homem"). De acordo com Brøndum-Nielsen, não há registros do artigo definido enclítico em runas dinamarquesas.

Uma segunda diferença dialetal que se iniciou em período muito anterior (início do rúnico primitivo) e que teve consequências nos dialetos da Era Viking é a mutação vocálica causada pela vogal "a" não acentuada. Esta influencia as vogais átonas "u" e "i" no meio da palavra, resultando nos sons /o/ e /e/. Trata-se, pois, de uma assimilação regressiva à distância. Tal desenvolvimento, que ocorreu nos dialetos germânicos, não correu em algumas partes da Escandinávia. De acordo com Seip, esse processo ocorreu mais na parte Oeste: *golv* ("chão"), *bod* ("mensagem"), *hol* ("oco"), *skote* ("atirado"), *broten* ("quebrado") e *kolle* ("topo de uma montanha"). No entanto, no escandinavo do Leste há *gulv* ("chão" no dinamarquês), *bud* (dinamarquês e sueco), *hul* (dinamarquês) e *skudt* (dinamarquês), *bruten* ("quebrado"), *kulle* ("topo"), *skudt* (dinamarquês), *brutit* (sueco) e *kulle* (sueco).

Uma terceira diferença dialetal são as mutações vocálicas causadas tanto pelos sons /i/ e /u/, que também são assimilações regressivas à distância e, da mesma maneira, causaram consequências dialetais na Era Viking. A mutação vocálica causada pelo som /u/, a propósito, ocorreu exatamente nesse período. De acordo com Skard, a primeira não ocorreu em toda a Escandinávia e a segunda teve mais força no islandês e menos no sueco e dinamarquês. O autor também afirma que a primeira foi propagada fora da área nórdica, com exceção do gótico, ao passo que a segunda é um fenômeno exclusivamente nórdico. O som /i/, que também pode ser representado por "i" ou "j", influenciou de maneira regressiva as três vogais longas traseiras "u", "o" e "a", que se transformaram em três novos fonemas: "y", "ø" e "æ". Exemplo: a palavra germânica *flutjan* ("mover-se") > norueguês/islandês antigo *flytja* ≃ dinamarquês antigo *flytje*; O termo germânico *gastimaz* (dativo plural, tema em *i*, "aos convidados") > *gastimz* > *gestimz* > *gestimR* ≈ ᛪᛘ *extarnI*ᛍᛌᛏᚾᛘᛆ **gestumR** (estela rúnica de Stentoften, Blekinge, Suécia, 600-650 d.C.) > antigo nórdico *gestum*. À propósito, todas as classes substantivais se convergiram para a terminação dat.pl. -*um*, por isso a variante "imR" ≈ **umR** (-*umaz* > -umR >), originária dos temas em *u* ou de temas consonantais.

Como há casos em que a mutação causada pelo /i/ não ocorre, Skard formula quatro períodos em que esse desenvolvimento ocorreu na história das línguas escandinavas e Kock (1911-1916). Dois exemplos dessa mutação são: germânico *fots* ("pé") > rúnico primitivo *fotR* > antigo nórdico *fotr*. Mas o germânico *fōtiz* ("pés") > rúnico primitivo *fōtiR > antigo nórdico *fætr*; germ. *farō "eu viajo/vou", *farizi "você viaja/vai" e *faridi "ele viaja/vai"; no entanto, em antigo norueguês/islandês é *fer, ferr* e *ferr*, respectivamente. A mutação nos verbos fortes da classe VI no tempo presente singular ocorreu especialmente no Escandinavo do Oeste; de acordo com Enger & Conzett (2016, p. 258), a única forma herdada é a da segunda pessoa, em que ocorreu a mutação causada pelo *[i], quedas vocálicas e transformação do -z- em -r-; e a esta forma as duas outras se assimilaram.

A respeito da mutação vocálica causada pelo *[u], desenvolvimento nórdico por excelência, mas também com muito mais efeito na parte Oeste, o som *[u] influencia na ocorrência do arredondamento da vogal anterior (especialmente o som *[a] curto ou longo) e, assim, como resultado surge um som *[ɒ] aberto, escrito ǫ ou ǭ (rúnico primitivo *landu > antigo nórdico lǫnd "terras"), em vista disso, há palavras como barn "criança" e bǫrn "crianças".

A mutação causada pelo R final também é um processo que ocorreu na Era Viking. Essa consoante, no entanto, diferentemente das anteriores, causa a mutação por assimilação de contato em uma vogal anterior. Esse som se desenvolveu do antigo *[z], que por sua vez, de acordo com a Lei de Verner, se desenvolveu do *[s]. Este processo ocorreu apenas na parte oeste e em alguns dialetos suecos. Skard exemplifica com germ. *glaza "vidro" > rúnico primitivo *glaRa > AI e AN gler (em Din. glar; glarmester "vidraceiro"); germ. *sū- ~ *suw- "porca" > rúnico primitivo *suR > antigo islandês e norueguês sýr, mas dinamarquês e sueco so (*ū > *ō). As formas do rúnico primitivo são propostas por Bjorvand & Lindeman.

A ruptura vocálica, que também já havia desde a Era das Síncopes, é um processo que afetou, no entanto, mais os dialetos do leste do que do oeste. A vogal a ou u não acentuada no final da palavra, que pode sofrer apócope ou não, causa influência no e curto na sílaba tônica de maneira que ele se ditonga. O novo ditongo se aproxima da vogal que causou a ruptura: *[ea] > *[ia], com influência do *[a], e *[eu] > *[eo] > *[io], com influência do *[u]. Por isso há no antigo norueguês stela, no antigo dinamarquês stiælæ e no antigo sueco stiala ou stiælæ "roubar", mas há, por exemplo, em antigo islandês/norueguês hjarta e em antigo dinamarquês hjerte. Noreen, cita três períodos de ruptura vocálica, entre 650-900 d.C., por volta de 900 d.C., e após 900 d.C.

No entanto, não se pode falar em reais limites dialetais, pois eles não são bem recortados e um exemplo disso é a monotongação, que é típica do Escandinavo do Leste. A respeito desse processo, os sons *[ai] e *[au] (também *[øy]) do germânico, grafados como *ai* e *au* no Rúnico Primitivo, se monotongam em *e* e *o* longos, *[ē] e *[ō]. Este processo ocorreu no saxão e frísio antigos, no Noroeste da Alemanha, na Dinamarca e na Suécia. Na Noruega, o fenômeno não foi muito relevante: ocorreu com mais frequência antes de consoantes longas ou geminadas como, por exemplo, na palavra superlativa *mestr* (RP < *maistaz) "o/a mais", mas não ocorreu na forma comparativa *meiri* (RP < *maizo) "o/a mais que". Na Islândia, por fim, o fenômeno não teve nenhuma influência. Um exemplo da transformação de *ai* para *e* seria pode ser dado com a palavra "pedra": ᚺᚨᛁᛏᛁᚾᚨ (**staina**, Tune, Noruega, N KJ72 U, 400 d.C.) e [s]tain[a] na estela rúnica sueca Rö (Bohuslän, 400 d.C., código BO KJ73 U), ambas no caso acusativo singular. Na Era Viking, há testemunhos de ᛁᛏᛅᛁᚾ **stain** (no acusativo singular, Pedra Kuli, Edøy, Møre og Romsdal, Noruega, entre 1000 e 1030 d.C., código N449); por outro lado, tanto na estela rúnica sueca da igreja Angarn (Uppland século XI, código U201) quanto na estela rúnica dinamarquesa Asferg, Aarhus (970-1020 d.C.) há a palavra ᛋᛏᛁᚾ **stin**, masculina no caso acusativo). No entanto, diferentemente do esperado, o ditongo se manteve na Gotlândia e se monotongou na parte leste da Noruega.

Outros processos, citados pelo autor, que se iniciaram na sincronia da Era das Síncopes e deram continuidade na sincronia da Era Viking são as assimilações consonantais. São elas: *mp* > *pp*, *nt* > *tt* e *nk* > *kk*; essas três assimilações foram realizadas muito mais nas línguas escandinavas do oeste do que do leste, em que tal processo ocorre com mais frequência no final de palavras. Há também assimilações que ocorreram por toda a Escandinávia: *ht* > *tt*, *lþ* e *nþ* para *ll*; *lR*, *nR*, *sR* para *ll*, *nn*, *ss*, respectivamente. Um exemplo: rúnico primitivo ᚺᚨᛁᛏᛁᚾᚨᛉ **haitinaR** "chamado", na estela de Kalleby, Suécia, século V > *heitinR > *heitinn*. As quedas de algumas consoantes também ocorreram nesse período. Tanto Seip quanto Skard citam a queda das consoantes *h* e *v*. A primeira, em posição inicial e a segunda em posição inicial e antes de *r*, que certamente ocorreu no século IX. O autor também cita a síncope do *v* após sílabas longas: nos tempos literários encontra-se tanto *Noregr* (< *Norðvegr*) e, a forma mais rara, *Norvegr* "Noruega".

Um sufixo para a formação de agentes nominais que aparece nesse período é o -*are*, ou também -*ari*, possivelmente via inglês antigo, que emprestou do latim -*arius* num período ainda anterior: *leikarar* "músicos, comediantes" (Torbjørn Honrklove). Com relação a empréstimos no período podemos citar: *stræti* "rua" (do inglês antigo, pois há no Beowulf < latim strata), *bátr* "bote" (do antigo frísio, ao lado da forma herdada *beitr*, que aparece mais em antigas poesias; a forma no germânico é *baitaz*. Pressupõe que é um empréstimo porque o ditongo germ. *[ai] não se transforma em *[ā] no rúnico primitivo, mas em *[ei]. É também possível que a palavra do antigo nórdico *frjádagr* "sexta-feira" seja um empréstimo do antigo frísio (< *fríadagr*, do antigo frísio *frīadei* < germ. *frijjōz* + *dagaz* "dia de Frigg"), caso contrário ela deveria ser *friggjar-dagr*, uma vez que o germânico -*jj*- se transforma em -*ggj*- em nórdico (compare germ. *tvajjǫ, genitivo de " dois" > antigo nórdico *tveggja*, antigo saxão *tweio* e antigo alto alemão *zweio*).

A respeito da sintaxe, Mørck afirma que, uma vez que a quantidade de inscrições não é muito grande, a interpretação sintática é sempre um desafio e, além do mais, por serem muito curtas tais inscrições, não é possível dizer muito sobre as suas construções sintáticas: quase sempre são constituídas de apenas palavras soltas ou de dois elementos de oração, encontra-se poucas orações adverbiais e verbo no infinitivo. Assim, a maioria das sentenças rúnicas são orações principais com apenas verbos conjugados e com eventuais orações subordinadas adverbiais ou nominais. Exemplo de uma sentença por meio da estela rúnica de Alstad I (Hof, Oppland, Noruega, 1000 d.C., código N61): ᛁᚢᚱᚢᚾ:ᚱᛅᛁᛋ[ᛏ]ᛁ[:]ᛋ[ᛏ]ᛅᛁᚾ:ᚦᛁᚾᛅ:ᛅᚠ[ᛏ]ᛁᛦ[:]ᛅᚢᛅᚢᚾ iurun:rais[t]i[:]s[t]ain:Þina:af[t]iR[:]auaun, [*Jórunn reisti stein þenna eptir*], "Jorunn erigiu essa estela em memória de" (trad. nossa).

Yuri Fabri Venancio

Ver também Heiti; Kenning; Linguagem; Literatura; Norreno; Poesia éddica; Poesia escáldica.

ANTONSEN, Elmer H. *A Concise Grammar of the Older Runic Inscriptions*. Tübingen: Max Niemeyer Verlag, 1975.

BJORVAND, Harald; LINDEMAN, Fredrik O. *Våre arveord: etymologisk ordbok*. Oslo: Instituttet for sammenlignende kulturforskning, 2000.

ENGER, H. O.; CONZETT, P. Morfologi. Fonologi. In: SANDØY, Helge (org.). *Norsk Språkhistorie. Mønster*. Oslo: Novus Forlag, 2016, pp. 215-315.

KOCK, Axel. *Umlaut und Brechung im altschwedischen. Eine Übersicht*. Lund: C.W.K. Gleerup, 1911-1916, (Lunds universitets årsskrift).

KRISTOFFERSEN, Gjert; TORP, Arne. Fonologi. In: SANDØY, Helge (org.). *Norsk Språkhistorie. Mønster*. Oslo: Novus Forlag, 2016, pp. 101-212.

JOHNSEN, Ingrid S. *Stuttruner i vikingtidens innskrifter*. Oslo: Universitetsforlaget, 1968.

MØRCK, Endre. Syntax. Fonologi. In: SANDØY, Helge (org.). *Norsk Språkhistorie. Mønster*. Oslo: Novus Forlag, 2016, pp. 319-445.

NOREEN, Adolf. Altnordische Grammatik I. Altisländische und altnorwegische Grammatik. 4. Auflage. In HTML umgearbeitet von Aldrea de Leeuw van Weenen, 2010. Disponível em: *http://www.arnastofnun.is/solofile/1016380*. Acesso em: 4 dez. 2017.

SEIP, Didrik A. *Norsk språkhistorie til omkring 1370*. Oslo: Aschehoug, 1955.

SKARD, Vemund. *Norsk språkhistorie. Band 1: til 1523*. Oslo: Universitetsforlaget, 1973.

VENANCIO, Yuri Fabri. *Um estudo etimológico de internacionalismos: cognatos nas línguas portuguesa e norueguesa*. Dissertação (mestrado em Filologia e Língua portuguesa) – Faculdade de Filosofia, Letras e Ciências Humanas. São Paulo: Universidade de São Paulo (USP), 2017.

VIKØR, Lars S.; TORP, Arne. *Hovuddrag i norsk språkhistorie*. Oslo: Ad Notam Gyldendal, 1995.

LITERATURA

A literatura da Era Viking pode ser apreciada por meio de dois tipos de fontes: as constituídas no período e as constituídas em período posterior, cujo conteúdo supostamente foi composto, talvez oralmente, na Era Viking e, por isso, retrata a expressão literária da época. A primeira é encontrada apenas em inscrições rúnicas gravadas em pedras; a segunda, por sua vez, pode ser encontrada nas escrituras em pergaminho.

De acordo com Jesch, mesmo que haja convincentes indicações da continuidade de formas poéticas desde a Era Viking até períodos muito posteriores, as evidências materiais dessa Era é limitada a um pequeno número de inscrições grafadas em estelas rúnicas, normalmente destinadas a homenagear alguém. Em vista disso, a autora afirma ser necessário considerar evidências escritas em épocas posteriores (principalmente na Islândia medieval) para que seja possível apreciar a completude da expressão poética daquele período. Portanto, tanto as sagas (que contêm narrativas sobre o cotidiano de reis, chefes, amigos etc.) quanto a poesia encontrada nos manuscritos não seriam literaturas compostas na Era Viking, mas em período posterior, que remetem ou não à Era Viking. Assim, em termos métricos e linguísticos, a poesia dos vikings é apenas um pedaço de uma história muito mais longa da poesia escandinava. Esta pode ser delimitada de pelo menos 400 d.C. até cerca de 1500 d.C.

Considera-se tal história literária a partir de 400 d.C. em razão da presença, nesse período, de inscrições compostas em verso aliterativo, que tem como principal modelo o *fornyrðislag*. A aliteração é a repetição de sons consonantais em início de palavra ou sílaba tônica e o verso aliterativo consiste de dois semiversos (curtos), separados por uma cesura. Há uma ou duas letras aliterativas no primeiro semiverso, que aliteram com a primeira sílaba tônica no segundo semiverso (*Merriam-Webster's Encyclopedia of Literature*, p. 36). Duas estelas rúnicas que, de acordo com Jesch, apresentam esse verso aliterativo são a inscrição de Tune (Østfold, Noruega, 400 d.C.), na métrica *ljóðaháttr*, e a inscrição rúnica do *Chifre de Ouro de Gallehus* (Gallehus, Møgeltønder, Jutlândia Dinamarca, século v), na métrica *fornyrðislag*: Ek Hlewagastiz

Holtijaz//horna tawido (em rúnico primitivo) "Eu, HlewagastiR, filho de HoltiR, fiz o chifre" (tradução nossa).

Nessa inscrição há quatro sílabas tônicas, marcadas por x; o y indica uma sílaba tônica secundária: as três primeiras fazem aliteração com o som /h/: *hlewagastiz, holtijaz* e *horna*. Esse padrão é encontrado em versos de períodos muito posteriores.

Após a conversão da Islândia ao cristianismo, a escrita em alfabeto latino, a pena, a tinta e o pergaminho foram inseridos no país e, consequentemente, houve um florescimento de uma cultura literária. De acordo com Whaley, os temas históricos foram um dos primeiros motivos para o despertar do interesse literário. Uma prova disso é a obra *Íslendingabók* (*Livro dos Islandeses*), de Ari Þorgilsson, que é a obra mais antiga da Islândia medieval. Tómasson reforça a importância dada pela Islândia ao seu passado histórico com o fato de que muitos dos maiores intelectuais islandeses eram conhecidos como *inn fróði* ("o sábio, o erudito") ou também pela forma com sentido aproximado *inn vitri*. Ademais, Whaley afirma que a Islândia, nos primeiros séculos, chegou até mesmo a exportar historiadores para atuarem como escaldos. Estes, por volta do ano 1000, se tornaram os principais provedores de propaganda e comemorações poéticas nas cortes reais da Escandinávia.

A respeito das manifestações poéticas, Jesch complementa ao afirmar que enquanto a obra *Íslendingabók*, junto com as sagas islandesas, é um testemunho da novidade e da distinção da Islândia com sua cultura literária, a poesia, por sua vez, sempre testifica seus laços remotos com a história e a cultura da Noruega, que seria a pátria originária dos islandeses. Ross afirma que uma farta quantidade de poesias dos mais diferentes tipos está preservada nos manuscritos islandeses do século XIII e dos séculos posteriores. Ademais, segundo Jesch, muitas dessas poesias foram compostas no momento da escrita ou pelo menos no período literário que se inicia a partir do século XII. No entanto, ainda assim, é bem evidente que uma grande parcela delas, que estão preservadas nos manuscritos, têm suas origens na Era Viking. Também é bem possível que algumas dessas antigas poesias sejam reproduções fieis à poesia oral dos vikings.

Seip considera que, embora as poesias escáldicas tenham suas origens em períodos mais antigos do que os dos manuscritos que as contêm, elas provavelmente se mantiveram relativamente intocadas, uma vez que eram compostas de acordo com um esquema métrico muito restrito. Por conta disso e até certo ponto, é possível reconstruir as formas originais de palavras a partir dos versos. Por fim, Jesch atesta que o principal problema é identificar quais versos islandeses medievais se originaram na Era Viking e, então, determinar quão fieis eles são comparados aos antecedentes orais.

Em vista disso, concordando com Jesch, pode-se afirmar que uma importante atividade literária da Islândia era preservar e registrar tradições orais antigas: históricas, mitológicas e poéticas. Gunnell e Whaley dividem a literatura medieval islandesa em duas categorias principais: poesia éddica e poesia escáldica. No entanto, Jesch admite que, apesar das categorizações binárias acarretarem em simplificações de um *corpus* muito maior e mais diversificado, elas são úteis para refletir sobre as origens e contextos da poesia na Era Viking, bem como sua transmissão para o período literário.

A poesia éddica tem esse nome por conta de um manuscrito geralmente conhecido como *Codex Regius da Poesia Éddica* (embora tenha emprestado esse nome da *Edda*, de Snorri Sturluson, que também é uma fonte medieval importante da poesia antiga). Ela é quase sempre anônima, com temas e lendas antigas, baseada em histórias germânicas da era da migração na Europa continental e não em proezas históricas de reis escandinavos. Neckel & Kuhn, Larrington e Hallberg afirmam que tal manuscrito, composto na Islândia em 1270, contém uma coleção, ou até mesmo uma antologia de vinte e nove poemas compreendidos como édicos, que tratam de temas míticos e heroicos, apresentando uma variedade de métricas, incluindo a *fornyrðislag* e a *ljóðaháttr*.

Jesch também questiona a idade desses poemas e se eles se originaram na Era Viking, perguntas que são muito pertinentes. Também afirma que, no século XIII, mesmo com a Islândia já cristianizada, os copistas ainda registravam poemas de conteúdo pagão correspondentes a uma era pré-cristã provida tanto de elementos mitológicos escandinavos como também de heróis do período da Migração. A autora faz uma conexão desse período com a Era Viking, uma vez que há estelas antigas que testemunham o conhecimento tanto da forma quanto do conteúdo dos versos édicos. Um exemplo dado por ela é a estela Rök

(Östergötland, Suécia, código ög 136, 800 d.C., portanto Era Viking). Abaixo um trecho da estela, que está inscrita em novo *Futhark* de ramos curtos: [...] raiþiaukR hin þurmuþi stiliR flutna strontu hraiþmaraR sitiR nu o kuta sinum skialti ub fatlaþR skati marika [...] ("Teodorico, o audaz, rei dos guerreiros do mar, reinou as costas do mar de Reid. Ele senta agora armado em seu cavalo gótico, com o escudo atado, o chefe dos Mærings").

De acordo com Jesch, esse trecho da estela de Rök se encontra na métrica *fornyrðislag*, "a métrica das declarações antigas", e faz uma alusão a lendas heroicas. Como apresentado no verbete POESIA ÉDDICA, o primeiro verso longo tem aliteração em Þ, que é a primeira sílaba tônica que cai em um substantivo. A primeira semiestrofe começa com *Reð* e a segunda, com *Sitir*. Cada semiverso é separado por II e também há aliteração em cada um dos quatro pares aliterativos, que formam quatro versos longos: *þ, st, g* e *sk*, respectivamente. Nessa métrica, há um número variável de sílabas, razão pela qual elas não são contadas.

Wessén e Gade, no entanto, consideram que essa inscrição está composta na métrica *kviðuháttr* ("métrica do poema"), que foi muito importante, particularmente entre os séculos IX e X. Após a métrica *dróttkvætt*, a métrica *kviðuháttr* é a mais importante desenvolvida a partir do *fornyrðislag*, e tem a característica de alternar versos de três e quatro sílabas em linhas ímpares e pares, respectivamente, sem rítmo regular. Essa métrica tem similaridades tanto com os versos édicos quanto com os versos escáldicos, mas é melhor classificada como escáldica, pois, embora dispense rima interna, as sílabas são contadas e há alguns *kennings*.

No poema da estela de Rök, percebemos aliterações entre *þ* no primeiro par, *st* no segundo par, *s* no terceiro par e *sk* no quarto par. Embora seja possível encontrar versos com formas métricas na era das imigrações, particularmente na poderosa expressão da feitiçaria (bem forjada e arcaicamente obscura) e embora também seja possível vislumbrar uma arte poética desenvolvida a partir de caracteres mágicos (e míticos) por trás de um número de inscrições nos períodos anteriores à Era Viking, nenhuma estela rúnica nos passa um *insight* tão profundo da literatura do mundo antigo como essa.

Com relação ao conteúdo, Jesch afirma que Teodorico é um chefe famoso dos Ostrogodos (século v/vi). No entanto, saber o motivo pelo qual ele está numa pedra sueca três séculos depois é uma tarefa difícil. A autora afirma que ele se encaixa no padrão dos heróis do período da migração, que são celebrados em versos édicos, como Átila, o huno, Gunther e o burgúndio, que aparecem em vários poemas lendários na segunda parte do *Codex Regius*. A palavra *Reid* do poema faz referência a Reidgotlândia, país citado tanto nas sagas escandinavas quanto no poema *Widsith*, escrito em inglês antigo, que retrata os povos, reis e heróis da Europa. Na enciclopédia sueca *Nordisk Familjebok*, afirma-se que *Reidgoter* é uma antiga denominação para ostrogodos e que *Reiðgotaland*, na *Edda de Snorri*, é parte a Jutlândia e parte a área continental na Dinamarca e Suécia, ao contrário das ilhas, chamadas de *Eygotaland*.

A estela rúnica de Rök testemunha que o tipo de poesia encontrado no *Codex Regius* era conhecido na Era Viking. No entanto, não significa que os poemas dessa antologia são daquele período. Por conseguinte, em concordância com Williams, é importante levar em consideração as poesias em estelas rúnicas justamente porque elas se atrelam completamente ao resto do *corpus* do antigo nórdico.

Com relação aos manuscritos medievais (que não podem ser atribuídos com segurança a um período anterior ao ano 1200 d.C.), para que eles alcancem a Era Viking, seria necessário assumir a existência de uma tradição mais antiga de manuscritos (e, portanto, não rastreável) ou um período de transmissão oral, ou provavelmente os dois. De certo modo, é possível admitir que muitos dos materiais nos poemas édicos – ou seja, as estórias dos deuses e heróis, o vocabulário conceitual, as ideologias e crenças – têm origem em tempos bem mais antigos. Contudo, acolher a teoria de que os poemas, do modo que estão preservados, são bem antigos, dependeria da existência de uma vasta transmissão oral das formas fixas de poemas que são, na verdade, soltos em suas estruturas, o que não corresponderia com o que sabemos sobre poesia oral de outras culturas. Portanto, de acordo com Meulengracht & Sørensen, é mais possível que os poemas édicos sejam retrabalhos em vários períodos a partir de materiais do "reservatório" do conhecimento cultural antigo. Assim, de acordo com a autora, os poemas édicos sobreviventes representam uma prática cultural da Era Viking, não sendo necessariamente textos da Era Viking na forma com a qual se encontram nos manuscritos.

Jesch afirma que a poesia escáldica é mais facilmente traçada até suas origens na Era Viking. O termo "poesia escáldica" também é utilizado muito mais amplamente para fazer referência aos mais variados tipos de poesia islandesa (e escandinava) do que à poesia éddica. Um outro ponto relevante é a importância dada ao nome do poeta autor, informação que, no entanto, não é sempre confiável. Igualmente relevante é a importância atribuída ao contexto histórico e literário para a composição do poema, diferentemente da poesia éddica, que é anônima e remete a eventos antigos, atemporais e de comum bagagem cultural. Além disso, a autora afirma que a preservação dessas informações auxiliares sobre os versos escáldicos está relacionada à sua transmissão e, diferentemente da Edda Poética (uma antologia) ou da Edda de Snorri (um manual com citações ilustrativas), os manuscritos que preservam os poemas escáldicos os citam em um contexto narrativo e de modo a indicar seu contexto cronológico, geográfico e social, sempre remetido à Era Viking. Todavia, ainda há um problema na datação.

Ainda que os poemas escáldicos se encontrem em manuscritos do século XIII ou de séculos posteriores, grande parte deles é provavelmente um produto da Era Viking, composta e executada em um contexto oral. A resposta para a pergunta sobre como essas expressões orais foram transmitidas e como elas sobreviveram até o período literário é incerta, mas, de acordo com a autora, o historiador e poeta medieval Snorri Sturluson, a quem se atribui a autoria do *Edda em Prosa*, pode nos dar uma guia para essa resposta.

No prólogo do *Heimskringla*, Snorri comenta de onde ele toma seus exemplos. No início do parágrafo ele escreve: *Með Haraldi konungi váru skáld, ok kunna menn enn kvæði þeirra ok allra konunga kvæði, þeirra er síðan hafa verit at Nóregi* ("Com o rei Haraldr havia escaldos e as pessoas ainda conhecem seus poemas e os poemas de todos os reis que estiveram na Noruega até então", tradução nossa). Logo em seguida: *Ok tókum vér þar mest dœmi af því, er sagt er í þeim kvæðum, er kveðin váru fyrir sjálfum höfðingjunum eða sonum þeirra [...]* ("E nós tomamos como evidência o que está dito nesses poemas, coisas que foram recitadas antes dos próprios chefes e de seus filhos", tradução nossa). Por fim, na última linha do prólogo: *En kvæðin þykkja mér sízt or stað færð, ef þau eru rétt kveðin ok skynsamliga upp tekin* ("Mas parece-me que é bem pouco provável que os poemas estejam corrompidos, desde que eles sejam corretamente compostos e interpretados cuidadosamente", tradução nossa). Em tais trechos está a origem da ideia – muito difundida entre os críticos literários – de que a forma dos versos escáldicos é uma garantia de sua preservação mais ou menos exata na tradição oral até o surgimento da cultura literária, que permitia registrar essa oralidade em papel. Ademais, os versos escáldicos são muito mais fixos do que outras métricas germânicas e têm a intenção de serem memoráveis na forma exata em que foram compostos originalmente. Assim, a complexidade métrica dos versos escáldicos não permite erros, o que descaracterizaria o poema. Esse raciocínio está de acordo com o que Snorri considerou em sua obra: o poema não estará "corrupto" se for "composto corretamente" e "interpretado cuidadosamente".

Na estela rúnica Karlevi (ilha de Öland, Suécia, código öl 1, fim do século X, portanto Era Viking) encontra-se uma inscrição de um poema escáldico, composto na métrica *dróttkvætt* ("métrica da corte"): *S[t]æ[inn] [sa]s[i] es sattr æftiR Sibba Goða, sun Fuldars, en hans liðisatti at....* ("[Essa pedra foi] erigida em memória de Sibbi, o bom, filho de Fuldarr, e seu séquito alocado em ....", tradução nossa).

De acordo com Williams, essa é a estrofe mais antiga registrada na métrica *dróttkvæt*, assim como a única estrofe completa para a qual se tem a fonte original. Esse poema apresenta as características da métrica *dróttkvætt* porque ele tem oito versos, contidos em dois quartetos, com três sílabas tônicas em cada verso. Os versos ímpares têm rima interna incompleta *skothending*, que rima palavras com uma ou mais consoantes idênticas e vogais diferentes. Os versos pares tem a rima completa *aðalhending*, que rima palavras que têm tanto vogais idênticas quanto uma ou mais consoantes idênticas. Além disso, essa métrica também tem uma aliteração impecável e um troqueu no final dos segundos semiversos. As rimas internas estão apresentadas em itálico/negrito e as aliterações em negrito. Além do exemplo acima, há ainda aproximadamente setenta inscrições rúnicas com formas métricas (grande parte fragmentos). Entretanto, muitas delas são formações pós Era Viking, como, por exemplo, as inscrições de Bryggen, Bergen, cunhadas em madeira e osso no século XIV. Dessas inscrições, entre cinco e seis são mais antigas, em antigo *futhark*, enquanto as restantes estão em novo *futhark*. Outros exemplos de poesia em estela rúnica são dados por Jansson (1987, p. 131-143).

Na diferenciação entre a poesia éddica e escáldica, há, portanto, de acordo com Ross, os fatores métricos (um *dróttkvætt* bem feito, que é sempre escáldico, é muito diferente em várias maneiras de um *fornyrðislag*, típico da poesia éddica); o fator temático, que pode tratar de um louvor a um líder histórico ou amigo, na poesia escáldica, mas de antigos contos heroicos, na poesia éddica; a voz poética narrativa (que, na poesia escáldica, pode ser de um poeta engajado que observa as ações do aqui e agora ou que elogia as qualidades de um homem, conhecidas pela audiência, enquanto na poesa éddica um narrador apagado que relata uma narrativa já provavelmente conhecida e ouvida pela audiência).

Yuri Fabri Venancio

Ver também Heiti; Inscrições rúnicas; Kenning; Linguagem; Norreno; Poesia éddica; Poesia escáldica.

ENCICLOPEDIA Merriam-Webster's Encyclopedia of Literature. Springfield/Massachusetts: Merriam-Wester, Incorporated, Publishers, 1995.

JANSSON, Sven B. F. *Runes in Sweden.* Stockholm: Gidlunds, 1987.

JESCH, Judith. Runes. In: BRINK, Stefan; PRICE, Neil (eds.). *The Viking World.* London/New York: Routledge, 2008, pp. 291-298.

ÓLASON, Vésteinn. Old Icelandic Poetry. In: NEIJMANN, Daisy. *A History of Icelandic Literature.* Lincoln/London: University of Nebraska Press, 2006, pp. 01-63.

POOLE, Russell. Metre and Metrics. In: MCTURK, Rory (ed.). *A Companion to Old Norse-Icelandic Literature.* Malden/Oxford/Victoria: Blackwell Publishing Ltd, 2005, pp. 265-284.

ROSS, Margaret Clunies. *A History of Old Norse Poetry and Poetics.* Cambridge: D. S. Brewer, 2005.

WHALEY, Diana. *A Useful Past*: Historical Writing in Medieval Iceland. In: Old Icelandic Literature and Society (Cambridge Studies in Medieval Literature 42). Cambridge: Cambridge University Press, 2000, pp. 161-202.

WILLIAMS, Henrik. Runes. In: BRINK, Stefan; PRICE, Neil (eds.). *The Viking World*. London/New York: Routledge, 2008, pp. 281-290.

MAR BÁLTICO DA ERA VIKING

Adão de Bremen parece ser o primeiro a usar o termo *mare Balticum* para tratar da região circunscrita pelo Báltico e os povos que lá viviam. Além do nome usado por Adão de Bremen, Olaus Magnus utiliza o termo *mare Gothicum*, para tratar da costa sul desse oceano em sua *Historia de gentibus septentrionalibus*. No século XVI, cartógrafos holandeses popularizam o termo *Oostzee*, que tinha como significado o próprio mar. Com o aumento de interesse político (e diplomático) pela região, houve um crescente empenho em historicizar o mar e os povos da região. Podemos falar da existência de diversos Bálticos que estão em constante reinvenção e redefinição. No curso do tempo, as balizas de análises históricas se alteram e a semelhança física espacial parece ser a única amarra entre os diferentes contextos. Em outras palavras, existe o Báltico de Adão de Bremen, como existe o Báltico do *Stortmaktstiden* (sueco do século XVII), o da União Soviética do século XX e o Báltico da União Europeia. É claro que, no pouco espaço que temos para abordar – de maneira introdutória – o tema, seria impossível transcorrer todos esses "Bálticos". Por isso, dado o recorte da obra, voltaremos nossa prefação ao período em que, em função do comércio, a região se torna uma zona de contato para diferentes povos(séculos VII ao XIII d.C.), como os frísios, bálticos, fínicos, eslavos, árabes, judeus, anglo-saxões, germânicos e outros.

Os três principais grupos que ocuparam a região (nórdicos, eslavos e bálticos) agiam como mediadores no contato entre o mundo muçulmano, o oceano báltico e mares do Norte. Alguns historiadores comparam, inclusive, a esfera social e os aspectos da religiosidade desses povos: os três, de forma geral, organizavam-se em tribos e os chefes locais lutavam entre si em busca de influências. No campo da religiosidade, se os escandinavos tinham Thor como deus do trovão, os eslavos e bálticos tinham, respectivamente, Perun e Perkunas. No entanto, suas práticas religiosas parecem divergir. Com isso, não pretendemos estabelecer uma "ancestralidade comum" ao culto a esses deuses, mas simplesmente atestar semelhanças quanto a suas crenças.

Os eslavos migraram para a localidade por volta do século VIII d.C. e, na região do Elba, os poloneses passaram a se organizar por volta da década de 60 do século X d.C. A consolidação de poder na área pode ser atestada pelos diversos achados arqueológicos de comunidades que se instalaram na região, assim como fortificações erguidas, como Poznań, Ląd, Gniezno, Giecz e outras. Já os povos bálticos, originalmente, se instalaram em uma região maior, que fora reduzida a partir do século I d.C., graças às invasões germânicas e eslavas nas regiões que compreendem a Pomerânia oriental, o noroeste da Rússia, parte do alto rio Volga, assim como o norte da Ucrânia. No norte, os povos balto-fínicos, que pertencem ao tronco linguístico fino-urálico, se instalam no Nordeste da Rússia, no Golfo da Finlândia (finns e carélios), no Norte da Escandinávia (sámi) e no sul do Báltico (estonianos e letos). Por fim, os dinamarqueses e suíones, que, a partir do Báltico, atingiram outras áreas tais como as Ilhas Britânicas, o Império Franco, Constantinopla, o mundo árabe, além das áreas próximas ao rio Volga e ao mar Cáspio. Esses contatos se deram, basicamente, de duas formas: por meio de trocas comerciais e pela pilhagem. No império Bizantino, por exemplo, esses homens do norte serviram à guarda palaciana imperial ou como mercadores pelas rotas imperiais.

A região Báltica, portanto, pode ser considerada um centro de trocas multiétnicas onde várias zonas de contato (troca) foram estabelecidas. Como exemplo, citamos Hedeby (Dinamarca), Birka (Suécia), Ralswiek (Alemanha) e Wolin (Polônia). Produtos como ornamentos de ouro, grãos, cavalos, ceras, peles, mel, armas, tecidos e artigos de artesãos da região, além do comércio de escravos que ali circulavam, possuíam grande valor intrínseco, o que tornava o transporte e o comércio para médias e longas distâncias – assim como a pilhagem –

atividades altamente lucrativas. Até o século XII d.C., os dinamarqueses figuraram como um dos principais agentes da região. Do ponto de vista estratégico-espacial, o Báltico é uma região que traz grandes benefícios àqueles que têm a capacidade de controlar as rotas marítimas ou negá-las aos inimigos. A fundação da Liga Hanseática transfere o controle nórdico para a região continental da Europa. Essa aliança militar e cartel comercial de cidades têm o eixo Novgorod-Talín-Lübeck-Hamburgo-Bruges-Londres como um dos mais lucrativos. Essas cidades, anteriormente não tão fortes, cooperaram para fortalecer seus interesses (de comércio e proteção de caravanas) e acabaram por criar um ator político de grande peso na região, que perduraria até o século XVI d.C.

Vítor Bianconi Menini

Ver também Escandinávia; Finlândia da Era Viking; Sámi, fínicos e nórdicos; Suécia da Era Viking.

BRAND, Hanno; MULLER, Leos. *The Dynamics of economic culture in the North Sea and Baltic Region (ca. 1250-1700): Proceedings of the Esbjerg and Stockholm workshops* (2003-2004). Hilversum: Verloren, 2007, vol. 1.

ENDRE, Bojtár. *Foreword to the Past: A Cultural History of the Baltic People*. New York: Central European University Press, 1999.

KIRBY, David. *Northern Europe in the Early Modern Period: The Baltic World*, 1492-1772. New York: Routledge, 2013.

NORTH, Michael. *The Baltic: A History*. Cambridge: Harvard University Press, 2015.

MEDICINA E BOTÂNICA MÁGICA

Durante a Era Viking, a maioria da população confiava em alguma mulher da família que conhecia plantas e ervas, bem como o modo de empregá-las de maneira correta para cada sintoma ou doença. Tal papel poderia ser desempenhado também por uma pessoa mais velha da comunidade que detinha esse conhecimento. Não havia médicos, apenas pessoas que dominavam as artes da cura. As artes médicas e curativas foram largamente empregadas e praticadas por pessoas que se dedicavam aos cuidados para com os enfermos e feridos. Os remédios eram elaborados com ervas medicinais nativas da área nórdica. Os tratamentos médicos eram rudimentares e consistiam basicamente em cuidados simples, como a limpeza das feridas, realizadas até que estas cicatrizassem. O uso de bandagens e de cataplasmas também era comum em praticamente todos os ferimentos. A preparação dos remédios era feita exclusivamente à base de plantas e de gordura animal para a preparação de unguentos e pomadas. Outro ramo dessa medicina rudimentar era a obstetrícia, pois, em muitos casos, o parto era extremamente problemático e difícil, podendo acarretar a morte da mãe, da criança ou de ambas. As parteiras possuíam um grande conhecimento sobre doenças e tratamentos, ou seja, eram também curandeiras experientes e auxiliavam a todos que necessitavam. Alguns estudos de restos de esqueletos da Era Viking apontam evidências de que algumas fraturas se curavam muito bem, fossem elas em costelas, em ossos dos braços ou das pernas. Existem ainda estudos osteológicos que mostram evidências de que membros quebrados foram manipulados para permitir que os ossos se regenerassem mais rapidamente.

Em algumas áreas mais densamente povoadas – as cidades que serviam como entrepostos comerciais, por exemplo –, as epidemias ocorriam com certa frequência devido à grande circulação de pessoas vindas das mais diversas regiões. Doenças comuns à época, como a varíola, a disenteria e a lepra eram fatais, pois os tratamentos eram somente paliativos, não existindo uma cura para elas. A água não potável era uma das grandes responsáveis pela proliferação de doenças e, por essa razão, o consumo da cerveja era muito grande em praticamente todas as camadas sociais. Portanto, os nórdicos enfrentavam essas doenças com resignação, já que pouco poderia ser feito para controlá-las e uma das únicas armas contra elas seria justamente o uso da magia.

Alguns esqueletos mostram que pelo menos algumas pessoas viveram até uma idade mais avançada na Era Viking, embora apresentassem doenças degenerativas e desgaste nas articulações, indicativos comuns da velhice. Na saga de Egill, por exemplo, mencionam-se as condições de saúde inerentes à velhice, como cegueira e surdez. O capítulo 85 da saga narra que Egill, quando ficou velho, tornou-se frágil, com pernas rígidas e com visão e audição falhas. Porém, seu talento para compor poesia parece não ter sido afetado, haja vista que compôs poemas zombando de suas enfermidades na velhice. Acredita-se que, nessa época, ele teria mais de oitenta anos.

As feridas de batalhas eram fatais e as práticas do que chamamos hoje de "primeiros socorros" não existiam, a não ser pela presença de algumas mulheres curandeiras que cuidavam dos feridos, oferecendo conforto e curativos da época, como pode ser comprovado pelo capítulo 234 da *Óláfs saga*. Þormóðr foi ferido por uma flecha. Depois que a batalha terminou, ele saiu do campo e entrou na cabana onde as mulheres estavam cuidando dos feridos. Uma das mulheres examinou a ferida e viu a ponta da flecha de ferro, mas não conseguiu determinar o seu caminho, tampouco saber quais os órgãos internos ela havia atingido. Ela deu a Þormóðr um caldo quente, contendo alho-poró, cebolas e outras ervas. Se, depois de comer, o paciente pudesse cheirar o caldo da ferida, ela saberia identificar que partes vitais haviam sido afetadas e se a ferida era fatal. Þormóðr recusou o caldo. Em vez disso, ele pediu à mulher para cortar a ferida e assim expor a ponta da flecha. Ele segurou a flecha com pinças e puxou-o para fora. Vendo as fibras gordurosas que aderiram à cabeça da seta, Þormóðr disse: "Veja o quão bem o rei mantém seus homens. Quanta gordura há no meu coração", e morreu.

A magia também foi largamente empregada para a cura dos ferimentos em batalha, como podemos constatar na descrição do banquete sacrificial narrado no capítulo 22 da *Kormáks saga*: Þórd's aconselhou Þorvarðr que, para acelerar sua recuperação, fosse até uma colina próxima e lá derramasse o sangue de um touro morto por Kormákr, de modo a oferecer um banquete da carne do touro para os elfos que habitavam a colina. A magia também foi usada para que uma ferida se curasse. No capítulo 57 da *Laxdæla saga*, Eiður diz que uma ferida infligida por sua espada Sköfnung não se curaria, a menos que se esfregasse nela uma pedra que antes havia sido esfregada em sua espada.

As plantas eram largamente empregadas no cotidiano. Muitas possuíam um uso mágico ou eram utilizadas para curar feridas e doenças. Algumas espécies foram domesticadas, sendo cultivadas em hortas próximas das casas para serem utilizadas *in natura* durante a primavera e o verão. Durante o inverno, eram utilizadas secas (eram colhidas, postas para secar, armazenadas, penduradas nas paredes e pendentes dos telhados ou ainda em pequenos potes de cerâmica). Para um detalhamento das ervas utilizadas pelos nórdicos, consultar o verbete PLANTAS MÁGICAS do Dicionário de Mitologia Nórdica.

Luciana de Campos

Ver também Agricultura; Alimentação; Cotidiano; Cultura material.

CAMPOS, Luciana de. Cosmética, plantas e saúde na Era Viking. *Youtube/Canal do NEVE*, 2017. Disponível em: *goo.gl/SJbyKh*. Acesso em: 4 dez. 2017.

CAMPOS, Luciana de. Plantas mágicas. In: LANGER, Johnni (org.). *Dicionário de Mitologia Nórdica*. São Paulo: Hedra, 2015, pp. 373-377.

NATIONALMUSEET. *Herbs, spices and vegetables in the viking period*. Kobenhavn, 2017. Disponível em: *goo.gl/7Zpg3Y*. Acesso em: 4. dez. 2017.

NATURAL HISTORY MUSEUM. *The Viking Garden*. Disponível em: *goo.gl/8ueW9G*. Acesso em: 4 dez. 2017.

METALURGIA

É a palavra usada para definir o conjunto de procedimentos e técnicas para tornar o metal adequado para a forja de algum tipo de objeto. Os processos metalúrgicos incluem a extração do metal da natureza (quer ele esteja sozinho ou combinado com outros minerais), a fundição para a sua purificação, bem como os tratamentos térmicos e químicos necessários para que, posteriormente, ele seja trabalhado por um ferreiro (*craddock*). Muito antes de descobrir as técnicas metalúrgicas para trabalhar com os minerais ferrosos terrestres, o homem aprendeu a forjar primeiro o ferro dos meteoritos com martelos de sílex (Eliade). Juntamente com os raios que caíam de encontro ao chão durante as tempestades, os meteoritos que cruzavam o céu eram vistos como sinal da fúria de divindades que habitavam planos superiores e castigavam os homens – nesses casos, faziam-se associações diretas ao deus Thor e, dessa forma, os primeiros ferreiros perceberam as propriedades especiais dessas rochas, que traziam consigo a sacralidade celeste.

Após a descoberta dos minerais ferrosos, o homem percebeu que o metal sagrado dos meteoros também podia ser extraído do ventre da Terra, fato que acabou por atribuir ao trabalho do ferreiro/mineiro uma dimensão obstétrica (ajudava o planeta a parir a matéria-prima das ferramentas e armas). Aproveitando-se de tal condição, os ferreiros não repassavam seus conhecimentos para qualquer pessoa, sendo preciso mais do que simples vontade para se tornar um ferreiro. Os poucos que conseguiam fazer parte desse seleto círculo eram submetidos a vários ritos de iniciação. O trabalho – transmutação da matéria – era considerado sagrado.

A Idade do Ferro germânica se estende entre os anos 400 e 800 da Era Comum. Nesse período foram desenvolvidas muitas das técnicas de trabalho com ferro e outros metais que seriam empregadas nos anos posteriores, durante o que se convencionou chamar de Era Viking.

Desde o final da década de 1990, escavações arqueológicas (conduzidas pela Universidade de Oslo) nas ruínas de uma igreja localizada em Hurdalfeitas, na Noruega, têm obtido resultados importantes. Foram encontradas amostras materiais da Idade do Ferro, com destaque para as forjas utilizadas na obtenção de ferro cru. Junto a essas pequenas forjas foram encontradas amostras de ferro e escória – parte do minério de ferro que não é utilizada para fabricação de ferramentas – em quantidade suficiente para evidenciar que naquele local se fazia redução do minério de ferro. O diâmetro dos fornos achados não ultrapassa os 50 cm. Tais fornos tinham formato cilíndrico e dificilmente ultrapassavam 1 m de altura. Era estruturado por paredes de 5 cm de diâmetro, compostas por areia e argila. Por fora, possivelmente havia um reforço de madeira e pedras. No interior desse pequeno forno intercalavam-se camadas de carvão e de minério de ferro. Havia, na base, um orifício para injeção de ar por meio de foles, para que o fogo atingisse temperaturas mais altas. Após atingida a temperatura almejada (que, de acordo com os estudos, variava entre 1200°C e 1500°C), fazia-se um orifício na lateral do forno para recolher o ferro que escorria em um cadinho de bronze. Eventualmente, deixava-se que o ferro cair no solo para, posteriormente, recolher as pelotas com uma tenaz. Estas eram reunidas, trabalhadas com martelo e bigorna e, por fim, transformadas em barras.

Bergstol também aponta conexões diretas entre a metalurgia, a magia e os rituais fúnebres na Era do Ferro escandinava. Em muitas inumações foram encontradas grandes quantidades de escória, o que, segundo o estudioso, apontaria para uma concepção do fogo como um poder transformador e libertador: liberta o ferro da escória, a carne dos ossos e, talvez, a alma do corpo. Deve-se sempre levar em conta que, para os povos escandinavos pré-cristãos, a metalurgia não era um conhecimento estritamente técnico. Havia muitos aspectos místicos que deveriam ser seguidos e respeitados para que um homem pudesse se tornar um ferreiro.

Michel Roger Boaes Ferreira

Ver também Armamento; Cultura material; Espada; Ferreiros e ferraria; Sociedade.

BERGSTOL, Jostein. Iron Technology and Magic in Iron Age Norway. In: *Metals and Society*. Lisboa: BAR International Series 1061, 2000, pp. 77-82.

COLINS, John. *The European Iron Age*. London: Routledge, 1984.

CRADDOCK, Paul T. "Mining and Metallurgy". In: OLESON, John Peter (ed.). *The Oxford Handbook of Engineering and Technology in the Classical World*. Oxford: Oxford University Press, 2008, pp. 93-120.

ELIADE, Mircea. *Ferreiros e Alquimistas*. Rio de Janeiro: Zahar Editores, 1979.

HEDEAGER, Lotte. *Iron Age Myth and Materiality: An Archaeology of Scandinavia ad 400-1000*. New York: Routledge, 2011.

MIKLIGARDR (BIZÂNCIO)

A cidade de Constantinopla, capital do Império Bizantino, era conhecida como Mikligardr entre os escandinavos. A nomenclatura provém das palavras *mikill* (grande), e *garðr* (fortaleza, moradia), aludindo ao fato da cidade ser fortificada. Outros nomes nórdicos para Constantinopla são Mikligarthr ou Miklagarðr. Os bizantinos eram conhecidos pelos escandinavos como gregos, enquanto estes chamavam os vikings que vinham da rota do rio Dniepre em direção a Constantinopla de "varegues" (*varangoi*), mesma denominação utilizada alguns anos mais tarde por Rus de Kiev. Há outras denominações, como *Rhos* (que se referia aos nórdicos que se estabeleceram em Rus) e os *Koulpingoi* (nórdicos da região do Báltico, mas que também podem ser finos, termo mais tardio), que interagiram diretamente com a cidade imperial.

É possível que interações comerciais entre escandinavos e gregos tenham ocorrido desde o início do século IX, ainda que, conforme Fedir Androshchuk, mercadorias bizantinas datadas do século VI tenham sido encontradas na região da Suécia. Talvez o principal elo entre a Escandinávia da Era Viking e o Bizâncio, a rota do rio Dniepre foi provavelmente utilizada a partir do início do século X e intensificada conforme os nórdicos se estabeleciam em Rus. A tradição historiográfica atribuiu ao caminho percorrido por esses nórdicos o nome de Rota dos Varegues aos Gregos, localizada entre o mar Negro e o mar Báltico. O uso dessa terminologia implica uma relação unilateral, mas ambos os lados eram beneficiados pelas trocas. Ademais, a Rota dos Varegues aos Gregos não era a principal rota comercial utilizada pelos vikings no Oriente. Jonathan Shepard afirma, ainda, que a rota não era utilizada exclusivamente para a troca entre os varegues e os gregos, pois também envolvia os bretões.

Muitos dos escandinavos que foram para Constantinopla permaneceram na cidade como uma força militar mercenária a serviço do Imperador bizantino na chamada Guarda Varegue. De acordo com Sigfús Blöndal, à princípio, faziam parte da guarda somente os nórdicos Rus, mas eventualmente mais escandinavos, como noruegueses e suecos, aderiram à guarda. A partir de Basílio II (960-1025), mais escandinavos passaram a emigrar para Bizâncio com o intuito de participarem do exército, entre eles Haroldo Hardrada (1046-1066), futuro rei norueguês. É possível que os escandinavos tenham ajudado os bizantinos em batalhas anteriores ou em outros tipos de prestação de serviços ainda no século IX, dada a presença dos Rus da Suécia na corte de Carolíngia, junto ao enviados de Constantinopla, conforme descrita nos *Annales Bertiniani*.

Os bizantinos mantiveram uma relação especial com os escandinavos de Rus. Apesar do evento narrado nos *Annales Bertiniani*, vários conflitos foram documentados entre os Rus e os bizantinos, como o ataque a Constantinopla em 860, conforme descrito pela *Crônica dos Anos Passados*. Esta também conta diversos conflitos a partir do estabelecimento da dinastia Riuríkida em Kiev, sobretudo em 907, 941, e 971. Tratados de paz mostram que alianças militares eram bastante frequentes. Constantinopla foi diretamente responsável pela cristianização de Rus de Kiev, seja pelo batismo de Olga (945-964) e de Vladimir I Sviatoslavich (980-1015) (patrocinados pelo Império), seja pela existência de missões evangelizadoras desde o século IX, quando o Patriarca Fócio de Constantinopla falou sobre o sucesso da missão bizantina de 867 em suas homilias. A arqueologia mostra também que varegues que retornaram de Constantinopla para Rus foram convertidos ao cristianismo de rito grego. Diversos pingentes em forma de crucifixo foram encontrados ao longo de Rus em túmulos pertencentes a uma elite guerreira escandinava, causando o efeito que Oleksiy Tolochko chama de Cristandade Varegue (*Varangian Christianity*), no qual a elite cristã influencia a eventual conversão de Rus.

Leandro César Santana Neves

Ver também: Crônica dos Anos Passados; Kiev; Olga de Kiev; Rus; Rússia da Era Viking; Varegues, Vladimir I de Kiev.

ANDROSHCHUK, Fedir. *What does material evidence tell us about contacts between Byzantium and the Viking world c. 800-1000?* In: ANDROSHCHUK, Fedir; SHEPARD, Jonathan; WHITE, Monica (eds.). *The Byzantium and Viking World.* Uppsala: Uppsala Universitet, 2016, pp. 91-116.

AUDY, Florent. *How were Byzantine coins used in Viking-Age Scandinavia?* In: ANDROSHCHUK, Fedir; SHEPARD, Jonathan; WHITE, Monica (eds.). *The Byzantium and Viking World.* Uppsala: Uppsala Universitet, 2016, pp. 141-168.

BLÖNDAL, Sigfús. *The Varangians of Byzantium*. Trad. Benedikt S. Benediktz. Cambridge: Cambridge University Press, 1978.

SHEPARD, Jonathan. "From the Bosporus to the British Isles: the way from the Greeks to the Varangians". In: DZHAKSON, Tatiana N. *Drevneishie Gosudarstva Vostochnoi Evropy [Os Estados Mais Antigos do Leste da Europa]*. Moscou: Indrik, 2010, pp. 15-42.

SHEPARD, Jonathan. *The Viking Rus and Byzantium*. In: BRINK, Stefan; PRICE, Neil (eds.). *The Viking World*. London: Routledge, 2008, pp. 476-516.

TOLOCHKO, Oleksiy. "Varangian Christianity in Tenth-century Rus". In: GARIPZANOV, Ildar; TOLOCHKO, Oleksiy (orgs.). *Early Christianity on the Way from the Varangians to the Greeks (Ruthenica Supplementum 4)*. Kiev: Ruthenica, 2011, pp. 58-69.

MOBILIÁRIO

O mobiliário das casas vikings era simples e pouco diversificado. Sinais de requinte eram visíveis apenas nas casas dos muitos ricos. Como grande parte da população era rural e os lares nas cidades eram pequenos, a existência de móveis era bem limitada. As casas e salões eram, em geral, retangulares, o que acabava por influenciar na disposição da mobília.

Ao invés de mesas com muitas cadeiras, optava-se por longos e largos bancos (*lokrekkja*). Nas casas humildes, os bancos poderiam ser colados na parede, preenchidos com terra e revestidos com vime. Em outras casas, os bancos eram totalmente de madeira. Escavações arqueológicas encontraram em lares dos séculos X e XI (em Dublin, York, Oseberg e Novgorod), bancos com encosto, apoio de braço e entalhamentos de figuras geométricas ou de animais. Em ocasiões solenes, os bancos eram forrados com palha ou tecido.

Por serem longos, os bancos acabavam servindo de cama. Na maioria das casas não havia camas e as pessoas dormiam nos bancos ou em leitos forrados sobre o chão. Porém, em casas ricas, haviam camas ricamente adornadas, como ilustra, por exemplo, o exemplar de três camas achado no navio túmulo de Oseberg, na Noruega. Tais camas poderiam ser, inclusive, importadas e serem cobertas com tecidos finos.

O chefe do lar possuía um assento mais alto, uma cadeira ou cadeirão (*öndvegi*) que destacava sua presença. No caso dos salões, o *jarl* ou rei possuía um cadeirão ou trono de madeira para si e para sua esposa. Na maioria das casas tradicionais escandinavas a existência de cadeiras era algo raro, haja vista que tais povos preferiam o uso de bancos, que se adequavam melhor à disposição da casa. Mas em lares maiores ou mais abastados encontraram-se vestígios de cadeiras, algumas delas apresentando, inclusive, trabalho em marcenaria.

A respeito das mesas, dependendo do espaço da residência, havia pequenas mesas de alvenaria ou banquetas em torno do fogo central, usadas para guardar os utensílios de cozinha e realizar o preparo de alimentos. Além de tais superfícies de apoio, encontravam-se também mesas de madeira de diferentes tamanhos, dependendo da extensão da casa. Nos salões, os quais eram espaços de convivência pública da comunidade perante seu chefe, era comum haver várias mesas (ou longas mesas) para reuniões e banquetes.

A existência de outros móveis também era diminuta, como no caso de baús e caixas para guardar roupas, objetos, armas, joias etc. Em alguns casos, registra-se a presença de armários ou estantes de canto (*klefi*), usados para guardar utensílios domésticos, outros objetos e até víveres. No caso das casas que não dispunham de armários ou estantes, os objetos, ferramentas, armas, animais de caça, ervas etc. eram pendurados nas colunas, paredes, vigas etc., através de ganchos e cordas. Achavam-se também aparelhos de tear, pequenos bancos de madeira, os quais poderiam ser carregados facilmente. Também encontravam-se banquetas móveis, usadas para se fazer algum serviço manual.

Leandro Vilar Oliveira

Ver também Cotidiano; Habitação; Patrimônio; Sociedade.

BOYER, Régis. *La vida cotidiana de los vikingos: 800-1050*. Barcelona: José J. de Olañeta, Editor, 2000.

CLARK, Helen. A vida quotidiana. In: GRAHAM-CAMPBELL, James (org.). *Os vikings*. Barcelona: Folio S.A., 2006, pp. 70-72.

GUNNARSDOTTIR, Sunnifa. *Viking age furniture: the archaeological evidence*, 2013.

MOEDAS E CUNHAGEM

Para discutir dinheiro e seu uso, o conceito de valor deve ser apresentado. Tem como raiz o termo protogermânico *Werða*, que significa "correspondente a" e surge a partir da comparação com outro objeto. O sistema monetário-*commodity* da Escandinávia medieval tem, em relação aos dias atuais, pelo menos duas grandes diferenças. A primeira reside no fato de hoje existir uma única unidade financeira, enquanto que, na Escandinávia – assim como outras localidades no período – existiam várias medidas de valor (que nem sempre eram expressas moedas metálicas cortadas em formatos arredondados). A segunda diferença recai sobre a forma: se hoje utilizamos o que chamamos de moeda fiduciária (aquela que não possui lastro em metais preciosos e nem valor intrínseco), na Escandinávia medieval prevaleceu o uso do dinheiro com valor intrínseco que, muitas vezes, era a prata. O valor que se atribuía à prata – como em outros tempos se atribuiu ao sal – associava-se com sua função de préstimo utilitário (a prata serve para o ferreiro fazer consertos, por exemplo), bem como a algumas de suas características, como sua portabilidade e fácil manuseio. Tais elementos influenciaram na adoção desse material como moeda.

Se olharmos para o sistema de trocas de mercadorias (chamado como sistema de *commodities* pela literatura) tendo a atual economia monetizada como referência, somos inclinados a caracterizar as dinâmicas da primeira forma como primitivas. No entanto, o uso de dinheiro e plataformas monetárias depende das relações que as sociedades da época possuem com a troca. Se levarmos em consideração o tripé econômico produção-troca-consumo, que tomou inúmeras formas no decorrer da história, concluiremos que a economia da Escandinávia medieval, assim como de outros lugares, deve ser compreendida por suas variações e complexidades. Um exemplo seria o próprio uso de moedas como pagamento: a moeda, cunhada *in loco* ou vinda de outros lugares, é um dos vários meios de se efetuar um pagamento.

As primeiras cunhagens foram feitas na Escandinávia (em Ribe, atual Dinamarca) e datam da metade do século VIII d.C. Já no início do século IX d.C. as moedas teriam chegado à Hedeby e, por volta do ano mil, à Suécia e Noruega. Há uma série de enterramentos em Kaupang e Birka – datados do século IX d.C. – que atestam a existência de pagamento via prata na região. Existem também enterramentos datados do século X d.C. – em boa parte da Escandinávia – com prata cortada. Contudo, esses achados, assim como parte da literatura sobre o tema, levantam dois problemas: o primeiro seria uma espécie de anacronismo que se assenta na atribuição de uma importância excessiva à prata e à moeda como meio de pagamento, perdendo de vista as diferenças entre a sociedade atual e a Escandinávia medieval; o segundo reside no grande papel conferido à troca de presentes que ocorriam nas sociedades escandinavas. Existem diversos estudos que tratam da troca de presentes na Era Viking como uma forma de forjar e manter relações sociais. Todavia, de um ponto de vista mais pragmático, existia a necessidade da efetuação de trocas cujo intuito é adquirir objetos – sobretudo quando se considera o contexto rural dos povos escandinavos.

A Escandinávia teve contato, no primeiro milênio, com moedas romanas de ouro e prata. Há uma série de enterramentos do período entre os séculos III d.C. e VI d.C. que atestam a presença de tais moedas na região. Podemos identificar quatro momentos que demarcam diferentes grupos de moedas romanas que fluíram para a Escandinávia, passando antes pelo noroeste e norte da região do Báltico: o primeiro momento corresponde aos *denarii*, que saíram do Império entre 160-194 d.C. para Götland, Bornholm, Jutlândia, Fiônia e Zelândia; o segundo momento corresponde ao ouro (na forma de *aurei*, *solidi* e medalhões) fluindo para Fiônia, Zelândia e Jutlândia, desde o final do século III d.C. até o século IV d.C.; o terceiro corresponde à prata, em formato de *siliquae* ou em lingotes, que flui para Fiônia, Zelândia e Jutlândia desde o final do século IV d.C. até o século V d.C.; por fim, o quarto corresponde aos *solidi* – e talvez lingotes de ouro –, que, durante os séculos V d.C. e VI d.C., chegaram à Öland e depois à Bornholm e à Götland.

O papel das moedas romanas exportadas além do Reno e Danúbio – como tributo ou forma de pagamento de bens e serviços – mudam drasticamente ao chegar às comunidades germânicas e bálticas, pois os escandinavos compõem, naquele momento, uma sociedade sem mercado econômico como o romano. Ou seja, a relação que os escandinavos tinham com a moeda romana era menos econômica e mais simbólica. Se houve uso econômico das moedas, foi muito restrito. As relações entre os povos do norte com cunhagens (locais ou estrangeiras) mudam ao longo do final do período antigo (que alguns chamam de Antiguidade Tardia) e medieval.

A presença dos comerciantes francos em Ribe, Birka, Kaupang e Hedeby (século IX d.C.) pode ter ajudado na aceitação e implementação do uso de prata como forma de pagamento, visto que outras localidades visitadas pelos frísios também pagavam e aceitavam prata como dinheiro. Além da presença franca, a vida citadina favoreceu o desenvolvimento do uso da prata como dinheiro, uma vez que as dinâmicas urbanas dependem da aquisição de comida e não de sua produção. No entanto, é difícil definir a proporção exata do uso de prata como dinheiro nas relações econômicas de tais regiões. Sabemos que, no século X d.C., há um aumento no uso desse meio de pagamento no espaço urbano. Na Noruega, por exemplo, é apenas entre o final do século XII d.C. e o século XIV d.C. que temos registros mais complexos sobre o uso de prata como moeda.

No caso norueguês, no século X d.C., não há cunhagem de moedas próprias. Não há nenhuma forma de controle central sobre o uso de dinheiro. Érico I (ou Machado Sangrento) emitiu moedas na Nortúmbria e Haroldo I (ou Dente Azul) tentou criar um sistema "nacional" de cunhagens que funcionou de forma parcial. No entanto, a literatura costuma reconhecer Olavo Tryggvason (r. 995-1000 d.C.) como o primeiro a estabelecer uma cunhagem norueguesa da qual se tem evidências de distribuição. Achados em Gotland, Escânia, Pomerania e Uplândia corroboram com a tese de que a prata cunhada na Noruega atingia regiões mais ao sul. Outros regentes como Olavo II, da Noruega (r. 1015-1028 d.C.), e Haroldo III (r. 1047-1066 d.C.) também estabeleceram cunhagens que atingiram regiões forasteiras. Sendo assim, a partir da análise da Noruega, pode-se apontar a Era Viking como o meio termo entre o desenvolvimento de sistemas de cunhagem, visto que, durante os séculos VIII e XI d.C., se percebe um aumento significativo – em quantidade e intensidade – do uso de moedas que no início (em Vestfold, por exemplo) eram "importadas" e que durante os anos foi se tornando tarefa dos regentes locais.

Outro caso que chama a atenção é o da Islândia. Na primeira metade do século xi d.C., a maioria dos achados são de moedas de outros lugares que não a Escandinávia (árabes e francos principalmente). Já na segunda metade do século, existem achados de moedas do reinado de Haraldo iii, da Noruega. No entanto, no século xii d.C., a prata perde seu lugar como a principal unidade de valor para o *vaðmál* – espécie de tecido de lã não tingido. Essa substituição provavelmente se deu em função da escassez de prata na Islândia a partir do século xi d.C. O uso do *vaðmál* – item muito conhecido e aceito na ilha – não excluiu a importância da prata, que passa a ser o lastro da nova unidade de valor. Se compararmos o caso islandês com o de outras regiões, vemos que o uso de moedas é até razoável (menor que Noruega, por exemplo, mas ainda significativo). Não há cunhagem local, mas moedas estrangeiras são utilizadas. Os achados na ilha pertencem aos mais diversos contextos, como mercados, fazendas, covas e, principalmente, *Things*. Por ser um lugar com presença de testemunhas, as *Things* parecem ser o cenário ideal para uso de moedas como forma de executar diversas transações (pagamento de débitos e fianças, por exemplo) durante uma assembleia.

Vítor Bianconi Menini

Ver também Comércio; Dirhem; Thing.

BURSCHE, Aleksander. Circulation of Roman Coinage in Northern Europe in Late Antiquity. In: *Histoire & mesure*. Disponível em: *http://histoiremesure.revues.org/886*. Acesso em 16/04/2017.

BURSCHE, Aleksander. *Later Roman barbarian contacts in Central Europe: numismatic evidence*. Berlim: Gebr. Mann, 1996.

GRAHAM-CAMPBELL, James; SINDBÆK, Søren; WILLIAMS, Gareth (orgs.). *Silver Economies, Monetisation and Society in Scandinavia AD 800-1100*. Aarhus: Aarhus University Press, 2011.

HEDEAGER, Lotte. *Iron Age Myth and Materiality: An Archaeology of Scandinavia AD 400-1000*. New York: Routledge, 2011.

LIND, Lennart. *Roman denarii: Hoards and stray finds in Sweden*, Stockholm Numismatic Institute, Stockholm University, 2013, vols. 1 e 2.

NAISMITH, Rory; ALLEN, Martin; SCREEN, Elina (orgs.). *Early Medieval Monetary History: Studies in Memory of Mark Blackburn*. Farnham: Ashgate, 2014.

SIGMUNDSSON, Svarar (org.). *Viking Settlements & Viking Society. Proceedings from the 16th Viking Congress held in Reykjavík and Reykholt in Iceland in August 2009*. Reykjavik: University of Iceland Press, 2011.

SKAARE, Kolbjørn. *Coins and coinage in Viking-age Norway: the establishment of a national coinage in Norway in the XI century, with a survey of the preceding currency history*. Oslo: Universitetsforlage, 1976.

MORKINSKINNA

Trata-se de um manuscrito composto na Islândia em nórdico antigo, aproximadamente em 1220, no qual é encontrado uma compilação sobre a vida dos reis da Noruega. É considerado por alguns autores como a primeira coleção de compêndios de sagas dos reis noruegueses, acompanhada por obras similares, como a *Fagrskinna* e a *Heimskringla*, compostas anos depois. Pertence, portanto, à tradição da *konungasögur*. Seu conteúdo se estende entre os anos de 1030 e 1157, abrangendo o período da morte de Olavo, o Santo, até o reinado dos filhos de Haroldo Gilli. Em comparação com as sagas anteriores, apresenta uma narrativa mais detalhada.

O autor da *Morkinskinna* foi um islandês que conhecia muito bem a história da Noruega. Na obra, percebe-se uma certa preocupação com os islandeses na corte norueguesa e a narrativa está repleta de anedotas sobre os islandeses. Embora a identidade do autor ainda permaneça no anonimato, a preocupação com os poetas que faziam parte da corte norueguesa talvez indique que era, também, um poeta ou um biógrafo real.

A estrutura da *Morkinskinna* difere de obras de autores como Snorri Sturlusson, bem como de outros escritores de sagas do mesmo contexto, apresentando uma característica mais próxima a autores de romances. O autor está interessado nas características da realeza e, principalmente, nas virtudes dos reis, focando nos contextos em que havia dois reis concomitantes no Reino da Noruega. Embora se trate de um compêndio de sagas de reis da Noruega, o *Morkinskinna* recebeu uma significativa atenção por parte da crítica. Além de apresentar uma lista de reis, sua estrutura apresenta pequenas histórias sobre os islandeses conhecidas como *þættir*, além de digressões anedóticas.

Alguns autores, como Anderson e Gade, destacam que a quantidade de inserções desses *þættir* na narrativa da *Morkinskinna* indica uma certa falta de interesse cronológico por parte do autor da obra. Mesmo assim, embora apresentem essa diversidade estrutural, alguns autores destacam que os *þættir* estão perfeitamente incluídos dentro da narrativa do documento e apresentam uma função de *exempla* (tal como observamos nos documentos continentais ocidentais do período), voltada para o desenvolvimento da figura do rei na sociedade e para formas de ensino relativo ao comportamento nas cortes. Ademais, na narrativa também se percebe a preocupação em demonstrar a relação do rei para com os seus homens, no sentido de aceitar seus conselhos. Apresenta, nesse sentido, um certo modelo comportamental no âmbito da corte.

Luciano José Vianna

Ver também Fontes primárias; Historiografia e pseudo-história; Noruega da Era Viking.

ANDERSSON, Theodore; GADE, Kari Ellen. *Morkinskinna: The Earliest Icelandic Chronicle of the Norwegian Kings (1030-1157)*. Ithaca: Cornell University Press, 2000.

HOLMAN, Katherine. *Historical Dictionary of the Vikings*. Lanham, Maryland, and Oxford: The Scarecrow Press, Inc. 2003, p. 192.

JAKOBSON, Ármann. Royal Biography. In: MCTURK, Rory (ed.). *A Companion to Old Norse-Icelandic Literature and Culture*. Oxford: Blackwell Publishing, 2005, pp. 388-402.

MIRANDA, Pablo Gomes de. Sagas reais (*Konungasögur*). In: LANGER, Johnni (org.). *Dicionário de mitologia nórdica. Símbolos, mitos e ritos*. São Paulo: Hedra, 2015, pp. 445-447.

OLÁSON, Vésteinn. Family sagas. In: MCTURK, Rory (ed.). *A Companion to Old Norse-Icelandic Literature and Culture.* Oxford: Blackwell Publishing, 2005, pp. 101-118.

ROWE, Elizabeth Ashmane; HARRIS, Joseph. Short Prose Narrative (*páttr*). In: MCTURK, Rory (ed.). *A Companion to Old Norse-Icelandic Literature and Culture.* Oxford: Blackwell Publishing, 2005, pp. 462-478.

MULHERES

As mulheres na sociedade nórdica possuíam papéis bem distintos. Elas eram comandadas pelos homens e de cada uma eram esperados determinados comportamentos que não podiam ser contrariados sem que houvesse algum tipo de punição. As mulheres não participaram de trocas comerciais ou de incursões, embora tenham participado claramente em viagens de exploração e assentamentos em lugares como Islândia e Vínland. As responsabilidades das mulheres sempre foram claramente definidas como domésticas. Tanto homens como mulheres que se aventuravam em tarefas e atividades não condizentes com o seu sexo eram execrados. Alguns desses comportamentos eram, inclusive, estritamente proibidos por lei. Segundo as *Grágás*, as mulheres usavam roupas masculinas, cortavam o cabelo curto e transportavam armas. Elas viviam sob a autoridade de seu pai e, na ausência deste, ficavam sob a tutela dos irmãos ou parentes próximos enquanto fossem solteiras e do marido, depois de casadas. Elas possuíam uma liberdade limitada para dispor de seus bens. Eram proibidas de participar da maioria das atividades políticas, não podendo exercer a função de chefe, de juiz ou mesmo servir como testemunha. Em hipótese alguma podiam ter voz em uma *Thing*.

Mas, em contrapartida, as mulheres eram respeitadas e possuíam uma grande liberdade, especialmente quando comparadas com as mulheres de outras sociedades europeias da época. Elas conseguiam administrar as finanças da família e podiam supervisionar a fazenda na ausência de seu marido, exercendo sua autoridade frente aos servos e escravos sem ser contestada. Na viuvez, elas podiam ser ricas, importantes proprietárias de terras e bens, podendo dispor de toda a sua fortuna como bem desejassem. Também existiam leis que protegiam as mulheres de várias atitudes masculinas indesejadas, como beijos forçados e estupros.

As sagas são fontes fundamentais para entendermos o papel das mulheres na sociedade nórdica e um bom exemplo do poder feminino é o da personagem Aud, a de "mente profunda", da *Laxdæla saga*. Ela abandona a Noruega para viver com a família em terras escocesas, mas, devido aos conflitos enfrentados, parte de sua família é morta. Diante disso, Aud providenciou a construção de um navio, reuniu sua família (e agregados) e partiu para a Islândia. Uma vez na Islândia, ela reivindicou terras e constituiu uma fazenda. Ao longo dos anos, distribuiu porções de suas propriedades, além de ter arranjado casamentos para suas filhas. Em suma, Aud assumiu todas as responsabilidades normalmente designadas ao marido. Quando morreu, Aud foi colocada em um navio que lhe serviu de túmulo, uma honra normalmente reservada apenas para os homens mais poderosos e ricos.

Mas nem só de mulheres ricas e poderosas com poder de comando era constituída a sociedade nórdica. No cotidiano, as mulheres possuíam uma alta carga de trabalho, pois, na vida de homens, mulheres e crianças que habitam uma região com invernos rigorosos, a luta pela sobrevivência exigia muito de todos. No dia a dia, as responsabilidades das mulheres estavam restritas ao mundo doméstico e à manutenção da vida. Tarefas como a preparação dos alimentos, lavagem das roupas, cuidados infantis, cardação, fiação e tecelagem eram executadas dentro das casas diariamente. As tarefas da fazenda incluíam a ordenha e a preparação dos derivados de leite como por exemplo o *skyr*, uma espécie de queijo, era tarefa exclusivamente feminina. A linha divisória entre as responsabilidades masculinas e femininas normalmente estava localizada na entrada da casa. As mulheres estavam encarregadas de tudo o que corresponde ao interior enquanto os homens tinham responsabilidade por tudo o que corresponde ao exterior.

A maioria das sagas de família islandesas narram os feitos masculinos e, muito provavelmente, foram escritas por homens. As mulheres, nessas narrativas, desempenhavam apenas papéis secundários, sendo descritas como possuidoras de uma personalidade forte e marcante. Essas personagens femininas são reverenciadas pela sua beleza, mas principalmente pela sua sabedoria. Muitos dos traços de caráter considerados positivos nos homens, como, por exemplo, um forte senso de honra, coragem e valentia, são também considerados traços positivos nas mulheres.

Uma outra característica das mulheres nas sagas, assim como na vida social, é o papel de incitadoras. As mulheres frequentemente estimulavam os homens a agir (a se vingar, por exemplo) quando estes estavam desestimulados frente a uma situação difícil. As mulheres, em algumas situações, mostram-se mais ávidas para proteger a honra da família, devido ao seu papel passivo. Sem poder partir para a ação, encontravam nas palavras de estímulo a sua arma.

Uma mulher poderia usar a ameaça de divórcio como um meio para estimular seu marido a agir. O divórcio era relativamente fácil e poderia resultar em grandes encargos financeiros para o marido, portanto a melhor alternativa para o homem, nesse caso, seria escutar a sua esposa, evitando assim a perda de bens.

As mulheres também eram hábeis praticantes de magia. Em casos específicos, essas habilidades eram consideradas como um grande mal, de modo que algumas praticantes eram banidas e até mortas por fazerem uso da magia. A magia era considerada uma prática essencialmente feminina e, caso um homem se aventurasse pelas searas da magia, seria considerado como um infame. Mas, em alguns casos específicos, o uso da magia não era visto como algo negativo. Pelo contrário, era considerado necessário para livrar a comunidade das dificuldades e mazelas causadas pela carestia. A personagem Thorbjorg, da *Saga de Eiríkr*, é descrita como uma mulher velha e sábia, a mais nova de nove irmãs, que possuía a capacidade de prever o futuro e fazer profecias. Tais atributos lhe concediam um *status* de prestígio nessa comunidade groenlandesa, que atravessava um momento crítico devido a ausência de caça e, portanto, vivia uma época de extrema fome. Thorbjorg foi convidada a prever o destino da comunidade, que naquele momento enxergou em seus poderes mágicos uma saída para a crise em que viviam. Além da magia de caráter propiciatório ou conjuratório, as mulheres encontravam na fofoca e na propagação de boatos, quase sempre difamatórios, uma forma alternativa de poder, que não necessitaria de força física, habilidade em armas ou de parentesco com famílias abastadas. As mulheres, ricas ou pobres, encontravam na magia e na fofoca os seus nichos de poder mais fortes e eficazes.

As mulheres não toleravam nenhum tipo de galanteio que ocorresse sem o seu consentimento ou que as forçassem a fazer algo que elas não tivessem vontade, como, por exemplo, beijos forçados em locais públicos. O homem que cometesse qualquer ato que contrariasse o desejo da mulher seria condenado a pagar uma espécie de multa indenizatória para a família da mulher ofendida. Era uma desonra grave para um homem ferir uma mulher, mesmo acidentalmente, em um ataque a uma casa. Se, por acaso, a casa fosse queimada para matar os ocupantes, as mulheres e as crianças podiam sair sem sofrer qualquer tipo de agressão. Mesmo as chacotas mais agressivas ou mesmo atos de violência simulada (como, por exemplo, ameaçar com uma faca ou qualquer outro objeto) eram também atos inaceitáveis e seriam reprovados não só pela família, mas por toda a comunidade.

A exceção a essas regras de proteção e respeito às mulheres aconteceu durante as incursões de pirataria e comércio, pois durante esses ataques as mulheres eram rotineiramente levadas como saque para serem vendidas como escravas e, portanto, estavam sujeitas a todo e qualquer tipo de violência. É preciso lembrar que essas mulheres não eram nórdicas, mas estrangeiras, geralmente irlandesas ou eslavas. É igualmente importante salientar que o estupro de mulheres, que poderia ser parte da violência típica de uma batalha ou ataque, não era muito praticado pelos vikings durante suas invasões, principalmente se comparado com outros invasores europeus da época, como os carolíngios. A violação era um crime hediondo e altamente repudiado pela sociedade nórdica.

Portanto, podemos observar que as mulheres, mesmo não podendo participar das assembleias que discutiam os problemas mais graves da comunidade (ou mesmo portar armas), aprendiam a se defender e a defender aqueles que estavam sob sua guarda e proteção. Na ausência dos homens, podiam contar com leis que as protegiam e, caso alguém atentasse contra a sua honra e a sua vida, a punição era inevitável. As mulheres nórdicas gozavam de visibilidade, importância e respeito dentro da comunidade, sendo sempre vistas como essenciais à manutenção da vida de todos.

Luciana de Campos

Ver também Aud; Freydis; Gudrun; Guerreiras nórdicas; Estupro; Sexo e sexualidade; Sociedade.

ANDERSON, Sara & SWENSON, Karen. *The Cold Counsel: The Women in Old Norse Literature and Myth*. London: Routledge, 2002.

FRIDRIKSDÓTTIR, Jóhanna Katrín. *Women in Old Norse Literature: bodies, words, and power*. London: AIAA, 2013.

JESCH, Judith. *Women in the Viking Age*. London: Boydell & Brewer Ltd, 1999.

JOCHENS, Jenny. *Women in Old Norse Society*. Ithaca: Cornell University Press, 1995.

LEE, Christina. Viking Age women. In: HARDING, Stephen. *In search of vikings*. London: CRC Press, 2015, pp. 60-70.

MÚSICA

Não fazemos ideia de como era a música na Era Viking. Temos acesso à cultura material, que cada vez mais nos revela sobre os instrumentos musicais. A cultura escrita nos assegura que a música não só existiu, mas era parte importante da vida e do cotidiano dos povos da Escandinávia.

Entre os poemas da *Edda poética*, o deus Heimdall, apesar de não estar relacionado à música, toca a sua trombeta Gjallarhorn, dando início ao crepúsculo dos deuses, evento que, segundo o poema "A Profecia da Vidente" (*Vǫluspá*), também contou com um pastor, de nome Eggthér, tocando a sua harpa. A harpa é um instrumento famoso nas narrativas heroicas germânicas conectadas ao mundo escandinavo. Em Beowulf, o instrumento está sempre animando as festas em Heorot. Dois poemas sobre os feitos de Átila narram como o rei Gunnar morre com as mãos atadas e em um poço com serpentes, tocando a sua harpa com os seus pés. Questiona-se, adicionalmente, se poemas como "A Canção da Gróa" e "Os Versos das Lanças" (*Grottasǫgr* e *Darraðarljóð*) não seriam canções próprias para o trabalho.

Nas sagas islandesas, os exemplos são vários e não caberiam neste verbete todas as citações possíveis. Vamos nos ater a uma passagem em particular, na saga do rei Haroldo Severo (Haraldr Harðráði), que consta na compilação de sagas nomeada de *Morkinskinna*. Nesta, o rei conta orgulhoso que, dentre as suas várias habilidades, possui conhecimento nas rimas escáldicas, é sendo capaz de entender tanto os poemas quanto as técnicas de harpa. O *jarl* Rognvald Kali Kolsson, na *Saga dos Colonos das Ilhas Órcades* (*Orkneyinga saga*), se gaba de possuir as mesmas habilidades.

Não obstante os vestígios dos instrumentos musicais encontrados na região datando desde a Era do Bronze, como o lur – uma espécie de trompa de bronze de procedência celta, encontrado em Brudevælte, na Dinamarca –, só podemos vislumbrar o registro de uma melodia no *Codex Runicus* (documento escrito em torno do século XIV, no qual está escrito o que deve ter sido parte de uma balada): *Drømde mik em drøm i nat um, silki ok ærlik pæl*, usualmente traduzido como "Eu sonhei um sonho ontem a noite, de seda e rico tecido". Infelizmente, estamos em um período posterior a Era Viking e nada parecido é encontrado antes.

Por outro lado, é possível encontrar alguns testemunhos oriundos do trabalho de viajantes, emissários ou escritores de outras culturas, contemporâneos a Era Viking. De Hedeby, no século X, Ibrahim ibn Yaqub al-Tartushi narra: "nunca escutei nada mais horrendo que o canto dos eslévicos [habitantes de Schleswig ou Eslévico]. É um zumbido vindo direto de suas gargantas, que é pior que o latido de cães". Ibn Fadland também apresenta o seu testemunho na *Risala*. Ao acompanhar um funeral de um chefe guerreiro, nos diz Ibn Fadland que os homens consumiam bebidas por dez dias, engajavam em intercurso sexual com as mulheres e tocavam instrumentos musicais.

Analisando brevemente o relato de al-Tartushi, podemos conceber um tipo de canto gutural, normalmente associado à cultura sámi, mongol ou, no geral, de populações siberianas. É possível, ainda, que mais de uma pessoa cantasse ao mesmo tempo, mas isso são apenas conjecturas. Devemos lembrar que esses viajantes possuíam uma educação cosmopolita e estavam acostumados a gostos extremamente refinados dentro dos seus próprios padrões culturais, de modo que não devemos ler essas fontes sem qualquer tipo de crítica.

Alcuíno escreve em carta endereçada ao bispo de Lindisfarne aduzindo que os homens não deveriam escutar o som da cítara. Essa passagem está em acordo com uma descrição muito curiosa de Adão de Bremen sobre a música tocada no templo de Uppsala, na qual é dito que os cânticos são numerosos e obscenos, sendo melhor não falar sobre eles. Fato é que a música era um componente vital para as relações mágico-religiosas na Escandinávia pré-cristã, costume atestado nas sagas, como na *Saga de Érico, o Vermelho* (*Eiríks saga Rauða*), na qual uma garota precisou cantar um feitiço junto a uma feiticeira itinerante para que os espíritos trouxessem benesses à comunidade.

Sobre os instrumentos, já foram encontradas trompas de bronze – os lures – sendo as mais antigas datadas do século x a.C. Geralmente são simples, com uma campana decorada com depressões e fixada em um corpo longo e curvo, terminando em um bocal. Alguns lures também possuem chocalhos em uma das suas extremidades, composto de placas que batem umas nas outras. Geralmente esses lures eram curvos, com o propósito de serem carregados com maior facilidade. Encontramos também correntes afixadas. Provavelmente, as trompas de bronze cumpriam funções religiosas, pois as encontramos em pares e como oferendas nos depósitos em pântanos. Também podemos identificá-las na pintura de diversas estelas e paredões, o que reforça esse papel.

Da Era Viking podemos encontrar lures retos, feitos em madeira, principalmente a partir da Bétula. Podemos apontar, como exemplo, os vestígios encontrados no sepultamento de Oseberg. Não sabemos com certeza se esses eram instrumentos utilizados para fazer música ou apenas em atividades agropastoris. Tal atividade, na Escandinávia, era acompanhada pelo uso de um instrumento muito parecido com tais lures (ou com a trombeta de bétula), datados a partir do século x e utilizados até data recente.

Outros exemplos de aerófonos são as diversas flautas feitas do chifre de vaca. O exemplo encontrado em Västerby, na Suécia, possui um bocal e quatro furos para encaixar os dedos. Outra, em Värmland, também na Suécia, foi encontrada com cinco furos. Todas essas flautas são simples, possuem menos de trinta centímetros e um bocal feito de madeira. Vestígios de flautas de ossos também são encontradas durante a Era Viking em abundância, feitas dos ossos de vacas, cervos e pássaros de grande porte. Elas vão de pequenos flautins de dois furos, como o achado em Birka, às flautas maiores com diversos furos. A de Aahrus possuía sete.

Duas flautas muito únicas devem ser mencionadas aqui: uma Flauta-de-Pã, encontrada em York e datada do século x, feita em um bloco retangular de madeira, com cinco furos feitos na vertical com diferentes profundidades, criando diferentes tons. A Flauta de Falster data da segunda metade do século xi e só foi encontrado um tubo de madeira com cinco furos, sugerindo que ele tenha sido parte de um instrumento maior. Foram sugeridos que essa flauta poderia ser parte de uma Gaita-de-Foles, mas as reconstruções modernas adicionaram um bocal e o seu som lembra muito um Oboé, ou um *Hornpipe*.

Foram achados no navio de Oseberg um conjunto de cinco chocalhos: uma série de anéis de metais interligados e presos a dois bastões. Não obstante o provável uso mágico-religioso, não estamos certos se tais artefatos foram utilizados como instrumentos musicais. Outros chocalhos desse tipo também foram encontrados em Stövernhaugen e em Akershus e são datados do período entre o século ix e xi. Ambos consistem em anéis presos em torno de um anel maior. O chocalho de Stövernhaugen ocupava o topo de um bastão de um metro e setenta. Se o conjunto todo fosse batido no chão, poderia gerar um ritmo baseado na pancada desse bastão e o retinir do chocalho. O exemplo de Akershus lembra adereços similares achados em arreios para cavalos.

Surpreendentemente, não encontramos qualquer indício de tambores entre as sociedades germânicas na Era Viking. Sabemos que outras etnias próximas possuíam esses instrumentos, como os tambores *Goavddis* e *Gievrie* das culturas Sámis. Vale mencionar, por outro lado, que alguns pesquisadores consideram a batida em escudos como indício de música. É o caso no poema Elogio a Ragnar (*Ragnarsdrápa*), mas o melhor exemplo é, novamente, fornecido pelo relato de Ibn Fadlan, que, no funeral, relata o sacrifício de uma escrava no qual, com a finalidade de abafar seus gritos, os homens batiam nos seus escudos.

Sobre os instrumentos de corda encontrados na Escandinávia e pertencentes a Era Viking, podemos citar copiosos exemplos encontrados na cultura escrita e na cultura material. Nem sempre são fáceis de identificar. Em uma escultura na catedral de Nidaros, em Trondheim, um homem toca um instrumento composto por uma tábua de madeira e três cordas, o que sugere ser algum tipo de *jouhikantele*, uma cítara importada da Finlândia. Trata-se, porém, de uma hipótese ainda objeto de debate entre os pesquisadores. A rabeca e o giga (*fiðla* e *gigja*), por exemplo, são mencionados várias vezes nas sagas islandesas, mas nenhum exemplar foi encontrado. Supomos apenas que seriam instrumentos estrangeiros trazidos por artistas itinerantes que passaram a compor as cortes dos reis escandinavos, haja vista que o processo de formação dos reinos escandinavos significou, entre outras coisas, uma integração à cultura da Europa continental.

As harpas e liras, entre os instrumentos de cordas, são um caso à parte. Uma reconstrução da Lira de Sutton Hoo foi feita a partir dos fragmentos arqueológicos encontrados e nos revelam um instrumento construído a partir de tábuas de madeira, com uma cavidade no centro cortado por seis cordas. Essas cordas são presas por tarraxas de madeira em um lado e unidas do outro. A lira de Sutton Hoo, apesar de ser Anglo-saxônica e se assemelhar a outras liras da Europa continental, nos oferece um vislumbre de como podem ter sido as liras nórdicas, tanto pela proximidade das regiões, como em comparação com as liras encontradas mais tarde em território escandinavo. A lira de Kravik, encontrada em Oslo e datada do século XIII, nos oferece um paralelo interessante, mostrando como as diferenças com a lira Anglo-saxônica foram poucas: uma corda a mais e pequenas alterações no corpo do instrumento.

Pablo Gomes de Miranda

Ver também Cotidiano; Literatura; Sociedade.

BIRDSAGEL, John. Music and Musical Instruments. In: KIRSTEN, Wolf; PULSIANO, Phillip (orgs.). *Medieval Scandinavia: An Encyclopedia*. New York: Garland, 1993. pp. 420-423.

GRINDE, Nils. *A History of Norwegian Music.* Lincoln: University of Nebraska Press, 1991.

HORTON, John. *Scandinavian Music: a short history.* London: Faber, 1963.

TSUKAMOTO, Chihiro. *What Did They Sound Like? Reconstructing the music of the Viking Age.* Dissertação (Mestrado em Estudos Islandeses Medievais). Reykjavik: Universidade da Islândia, 2017.

N ᚲ ᚠ

NAVEGAÇÃO MARÍTIMA

Conceito geral: navegação é a arte de determinar ou manter um navio em uma direção específica, ou, ainda, a arte de dirigir uma embarcação em qualquer tipo de situação marítima. Isso implica a determinação da posição e da direção da viagem em qualquer momento e em qualquer local. As técnicas de navegação dos nórdicos durante a Era Viking ainda carecem de maiores pesquisas, mas diversos estudos já demonstram um certo nível de sofisticação, bem como o uso de orientações astronômicas e de equipamentos. Desde os anos 1950, temos duas teorias interpretativas da navegação nórdica: a que defende um conhecimento empírico (baseado na tradição oral e astronomia, mas sem o uso de qualquer tipo de instrumental, a exemplo dos argumentos de Jan Bill e Richard Hall), com o predomínio da cabotagem; e outra que argumenta em favor do uso de equipamentos. Pesquisadores mais recentes, por sua vez, defendem uma fusão entre as duas interpretações. As técnicas de navegação da Era Viking foram desenvolvidas primeiramente nas águas da Escandinávia e, posteriormente, levadas para outras áreas da Europa, basicamente através de memorizações.

Os nórdicos utilizavam os mesmos métodos em suas extensivas incursões em diferentes regiões, das Ilhas Britânicas até a Islândia, Groenlândia e América.

Rotas e direção: Apesar da distância mais curta entre a Noruega e a Groenlândia ser de 1.500 km e Islândia à Groenlândia ser 560 km, os nórdicos preferiam normalmente seguir as rotas mais longas, beirando a Islândia pelo Sul e evitando os icebergs pelo norte. Provavelmente os primeiros marinheiros não perdiam nunca a vista da terra, realizando preferencialmente uma navegação de cabotagem, seguindo de ilha em ilha. Isso fazia com que a viagem demorasse muito mais do uma navegação em linha reta pelo mar. Mas evitava que a embarcação se perdesse no oceano.

Orientação por pássaros cativos: para evitar os dias e as noites nubladas (que impedem a localização pelo Sol e pelas estrelas), existem referências de que eram utilizados pássaros como localização náutica. Segundo o *Landnamabók*, o primeiro homem a navegar pela Islândia, Flóki Vilgerðarson, levou em sua viagem vários corvos porque não sabia o caminho exato para seguir. Quando não via mais a costa, Floki soltou um dos pássaros, que imediatamente retornou para a ilha Feroé. Mais tarde, soltou um segundo pássaro, que voou alto, mas retornou ao navio. No dia seguinte, soltaram um terceiro pássaro, que voou até um ponto de horizonte e foi seguido pela embarcação. Logo descobriram a Islândia. Para Jan Bill, essa passagem foi influenciada pelo referencial cristão (remete à narrativa de Noé), mas não invalida a interpretação do uso de pássaros como auxiliares na navegação nórdica.

Orientação por instrução e cognição: Quando uma tripulação já havia seguido por certa rota, o piloto dava instruções a outros navegadores, dispensando o uso de pássaros nas viagens. Bjarni Herjólfsson (segundo a *Saga dos Groenlandeses*, o primeiro europeu a avistar a América), quando chegou à terra dos bosques, supôs que não se tratava da Groenlândia, pois, apesar de estar perdido, as instruções que havia recebido permitiriam encontrar seu caminho por 800 quilômetros em mar desconhecido, até as terras que jamais havia conhecido antes. Por sua vez, foi capaz de transmitir as informações necessárias para que Leif Ericsson e os habitantes da Groenlândia pudessem chegar até a nova terra. Esse tipo de instrução apenas descrevia claramente os pontos de referência próximos das novas terras, assim como a latitude em que apareciam: por exemplo, a montanha mais alta de uma costa. Segundo o pesquisador Ian Atkinson, um modelo de instruções para navegação da Islândia para a Groenlândia seria, a partir de Snaefelli (a colina nevada) – o ponto mais alto da costa islandesa e o último ponto antes de desaparecer no horizonte –, continuar navegando até ver Blaserk (a camisa negra), uma montanha de 3.500 metros da Groenlândia. Entre uma montanha a outra se passaria mais ou menos um dia. Também o marinheiro daria outras informações de referências sobre o largo da costa groenlandesa, assim como sobre a profundidade das águas de cada ponto, medidas com corda e peso.

Os pesquisadores Indruszewski e Godal definiram os padrões necessários para a criação de um mapa cognitivo na mente do navegador nórdico: 1. Primeiro reconhece-se os pontos mais peculiares da paisagem terrestre e marinha que, por sua vez, são definidas essencialmente pelas condições do clima e o tempo de observação (dia ou noite); 2. O segundo passo é transformar a paisagem em marcas para navegação – um penhasco com cerca de 150 metros de altura que pode ser visível a 20 km de distância de uma costa; 3. O passo seguinte é transferir os pontos náuticos para uma orientação mais geral e complexa, baseada em referências objetivas (observações astronômicas) e subjetivas (instinto humano); 4. Finalmente, essas informações devem se transformar em dados para outras pessoas

Orientação por animais: Um marinheiro experiente podia conseguir pontos de referências em alto mar, como uma zona a meio dia de viagem ao sul da Islândia, onde se concentram grandes grupos de baleias para comer. Também pássaros migratórios, em seus voos anuais, podem propiciar boas informações, pois seguem sempre a mesma rota (é o caso dos gansos selvagens que voam entre a Inglaterra e a Islândia). Algumas aves marinhas não são vistas nas Shetland, mas são comuns na Islândia, por exemplo.

Orientação por estrelas: O principal ponto de referência estelar de quase todos os marinheiros do hemisfério norte desde a Antiguidade é a estrela Polaris, alfa da constelação Ursa Menor, situada quase exatamente no Norte Celeste. Ela praticamente não se move, ao contrário de grande parte da abóbada celeste que gira em seu redor. Mas, como a posição da Polaris é variável conforme a época do ano, torna-se importante a utilização de algum tipo de instrumento para medir sua altura no céu e, consequentemente, a latitude do local, definida sempre em relação aos pontos cardeais. Segundo o pesquisador Ian Atkinson, o navegador nórdico utilizava um bastão vertical (ou mesmo o mastro do navio) para marcar o ponto onde aparecia a estrela enquanto ainda está próximo da terra. Depois, em alto mar, voltava a utilizar o bastão e, se a estrela aparecia no mesmo ponto, significava que a embracação estava na mesma latitude. Se surgia em um ponto mais alto, significava que a embarcação estava numa latitude maior, mais próxima do Pólo Norte geográfico. Em terra, tal método permite determinar a latitude em um raio de 24 km.

Não temos conhecimento de nenhum tipo de instrumento nórdico para esta finalidade (nem nas fontes literárias), mas sabemos que os navegantes do mundo islâmico utilizavam, durante o século ix d.C., um equipamento denominado de *kamal* (criado anteriormente pelos hindus e chineses), que consistia em um pequeno quadrado de madeira com um barbante preso ao centro. A tábua era estendida na distância do braço do piloto e o fio esticado até o rosto, de modo que a estrela era observada pelo canto superior do *kamal*, enquanto o canto inferior era nivelado com o horizonte. O ângulo formado pela linha da estrela e a linha do horizonte permitia definir a latitude do observador.

Em 1996, Engstrom e Nykanen propuseram, na revista *Fornvännen*, que os cata-ventos inseridos nas proas das embarcações nórdicas podem ter sido utilizados como instrumentos para determinar a posição do Sol e das estrelas, funcionando quase como uma espécie de quadrante (hipótese proposta, inicialmente, em 1975, por Svend Larsen). Na navegação noturna, tal quadrante poderia determinar a altura da estrela acima do horizonte e, consequentemente, a latitude do navio. A mesma revista publicou uma contestação dessa pesquisa, elaborada por Arne Christensen, em 1998, mas que apresenta caráter muito superficial. De qualquer modo, o conhecimento sobre instrumentos nórdicos utilizados na navegação ainda carece de mais investigações e debates.

A maior limitação do suposto método envolvendo a Polaris reside no fato de que, no período do verão, as estrelas não são visíveis nas regiões árticas devido ao fenômeno do Sol da meia noite. Testamos no programa *Stellarium* duas latitudes: na Islândia (N 65°), Polaris não foi visível em nenhuma hora do dia ou noite na data de 6 de junho do ano 1000 d.C.; já na região de Sept-Iles, no Canadá (N 51°), a estrela foi visível durante a noite na mesma data. Outras estrelas também podem ter sido utilizadas pelos navegantes antigos como indicadoras de direções marítimas, como Altair (Leste), Antares (Sudeste) e Capela (Nordeste).

Orientação pelo Sol: Certamente o Sol foi o principal referencial para determinar a localização e o direcionamento das empreitadas náuticas pelo Atlântico Norte. O curso aparente do astro rei pelos céus de oriente para ocidente depende da altura do observador e da época do ano. A única direção fixa, sem levar em conta a época do ano e a altura do Sol, é constituída quando este se encontra no zênite (no ponto mais alto do céu), ao meio dia. Não é fácil calcular as direções quando o Sol se encontra em outro ponto, mas é possível fazer isso nas viagens de curta duração, com poucas alterações de latitude, recorrendo aos conhecimentos sobre os movimentos do Sol memorizados em terra antes do embarque. Segundo pesquisadores, como Thirslund e Vebaek, os nórdicos puderam realizar cálculos bem mais precisos de posicionamento empregando gnômons de madeira (ver verbete BÚSSOLA SOLAR), provavelmente com uma margem de ±5°. Também o emprego das famosas pedras solares, mencionadas em várias sagas islandesas, pode ter auxiliado os navegantes a localizar o Sol, especialmente em tempo nublado (ver verbete PEDRA SOLAR).

Johnni Langer

Ver também Astronomia; Bússola solar; Embarcações; Mar Báltico; Oseberg; Pedra solar; Sagas do Atlântico Norte.

BILL, Jan. Navigation. In: SAWYER, Peter (ed.). *The Oxford Illustrated History of the Vikings*. Oxford: Oxford University Press, 1997, pp. 197--199.

ENGSTROM, Jan & NYKANEN, Panu. *New interpretations of Viking Age weathervanes*. Fornvännen, vol. 91, n. 3, 1996, pp. 137-142.

INDRUSZEWSKI, George & GODAL, Jon. Maritime skills and astronomical knowledge in the Viking Age Baltic Sea. *Studia Mythologica Slavica*, vol. 9, 2006, pp. 15-39.

KARLSEN, Leif. *Secrets of the viking navigators*. Seattle: One Earth Press, 2003.

THIRSLUND, Soren. *Viking navigation*. Oslo: Viking Ship Museum, 2007.

NJÁLS SAGA

A *Njáls saga* ou *Saga de Njáll, o queimado* é a mais extensa e complexa das *Íslendingasögur*. É uma obra anônima que foi composta em princípios da segunda metade do século XIII, quando ainda estava muito recente a perda da independência para os noruegueses e o desmantelamento do chamado "estado livre islandês". A saga está conservada em uma grande quantidade de manuscritos dos séculos XIV-XVII, tanto em pergaminho como em papel (os mais tardios), sendo o mais antigo denominado AM 468 4to, *circa* 1320 d.C. Apesar dessa riqueza documental, nenhum dos manuscritos preserva a saga em sua forma completa. Somente seis contêm o que os especialistas consideram os núcleos temáticos principais da saga, tornando extremamente complicada a reconstrução do que se supõe como seu texto original. Graças ao novo projeto do *Árni Magnússon Institute for Icelandic Studies – The Variance of Njáls saga* –, se tem aprofundado (e, possivelmente, superado) a classificação de Einar Ólafur Sveinsson, de 1953, por meio do exame das diferentes versões e manuscritos da saga em perspectiva linguística, filológica e literária. A importância da *Njáls saga* no conjunto da literatura islandesa medieval, sobretudo no subgênero das Sagas Islandesas, foi tal que acabou por dar origem a múltiplas tradições, de caráter secundário, em forma de lendas, baladas, cabendo mencionar também as estrofes *rímur*, que versa sobre os principais personagens e acontecimentos da saga, alguns dos quais estão contidos em manuscritos datados dos séculos XVI e XVII.

A *Njáls saga* nos oferece uma das imagens mais completas da Islândia da época heroica, visto que os fatos descritos provavelmente foram sucedidos entre os anos 960-1020. Ainda que seja evidente que seu autor se baseou em tradições orais, não parece menos certo que também teve ao seu alcance obras do mesmo gênero, como a *Eyrbyggja saga*, a *Laxdæla saga* ou a *Ljósvetninga saga*, além de outras sagas de diferentes temáticas como a *Gauks saga Trandilssonar*. Os principais problemas em torno da *Njáls saga* giram precisamente em torno de sua historicidade, das fontes utilizadas para a sua confecção, do que se supõe serem os componentes originais da saga, assim como da intenção do autor de elaborar uma obra de caráter cristão.

A trama da saga aparece resumida com perfeição no verbete que Vésteinn Ólason produziu há alguns anos para a enciclopédia *Medieval Scandinavia*, de Ph. Pulsiano, na qual se alega que a *Njáls saga* é a trágica história da amizade entre dois homens, Gunnar Hámundarson e Njáll Þorgeirsson, cujos acontecimentos têm lugar na Islândia, nos países escandinavos, na Irlanda e nas Ilhas Britânicas. Essa dispersão geográfica, com a consequente introdução de novos personagens e situações, faz com que a saga tenha sido por vezes considerada uma mera sucessão de pequenas unidades temáticas, sem muita conexão entre elas. Não obstante, uma leitura mais profunda atesta, sem dúvida, que os dois grandes temas da obra, o destino e o elo mantenedor da honra (*i.e.*, as disputas entre as famílias – esposas – dos personagens principais) são o fio condutor que nos leva ao clímax da saga, ao incêndio da granja de Njáll e sua morte ao não querer abandoná-la.

O autor da *Njáls saga* tem um interesse especial por apresentar os personagens principais imersos em disputas legais no *Alþingi*, a Assembleia Geral, por uma variedade de razões. Por um lado, estaria o intento descritivo – não sempre isento de erros – de um sistema judicial imperfeito. Por outro, a de proporcionar à audiência uma caracterização dos personagens, especialmente nas situações em que, da disputa, se desprende uma diminuição ou um aumento da honra. Não devemos duvidar, entretanto, que o texto seja também um veículo privilegiado para o autor expressar suas opiniões – críticas – sobre a sociedade em que vivia, bem como para mostrar as diferentes maneiras pelas quais se podia chegar a um acordo, seja por uma decisão na Assembleia, seja por um acordo privado entre as partes ou mesmo pela decisão de uma das partes em fazer justiça com suas próprias mãos. É nesse ponto, precisamente, que devemos buscar a interpretação correta da saga em meio ao debate se a *Njáls saga* representa uma evidência da incapacidade das leis para a manutenção da paz, ou se, pelo contrário, podemos extrair dela uma visão mais positiva de uma sociedade de homens honestos que procuram evitar a desintegração do corpo social. Seria o caso do protagonista, ou de Hall Þorsteinsson, que, ao final da saga, renuncia a compensação que teria direito por seu filho, que havia sido assassinado quando tentava separar os contendores na batalha campal no *Alþingi*.

Os sonhos proféticos e a ideia de destino são, junto às disputas legais, os eixos em torno dos quais giram as vidas dos personagens principais. Em alguns casos – com os sonhos de Gunnarr e Flosi, ou as predições de Njáll sobre o comportamento futuro de sua esposa Bergthora e de outros –, tais eixos são utilizados pelo autor somente como uma ferramenta narrativa para antecipar acontecimentos para a sua audiência. No que se refere à aparente proeminência das ideias pré-cristãs do destino e da predestinação, a opinião mais compartilhada entre os críticos é a de que o autor, preocupado com sua satanização e com a condenação de seus antepassados, haveria integrado o remanescente pré-cristão da religião popular presente na saga (como as *fylgjur*, ou personagens como o feiticeiro Svanr) com a trama teológica cristã presidida pela ideia da providência. Todavia, a intenção do autor de integrar a herança pagã da ilha com o cristianismo militante de boa parte das elites da época não foi impedimento para que, na obra, pudessem ser reconhecidos nítidos ecos das sagradas escrituras, como o sermão da montanha (ou do "Evangelho segundo São Marcos"), assim como da *Niðrstigningar saga* e outros textos de caráter homilético. Retido isso, deve-se ter clareza que a *Njáls saga* não deve ser comparada à literatura de caráter alegórico, tão habitual entre os textos cristãos mais citados, dado que nela não podemos encontrar as chaves para interpretar a mensagem ou mensagens que seus autores intentavam transmitir.

Teodoro Manrique Antón

Ver também Linguagem; Literatura; Norreno; Poesia escáldica; Sagas islandesas.

HAMER, Andrew. Njals saga and its Christian Background: A Study of Narrative Method. *Germania Latina VIII (Mediaevalia Groningana New)*, Peeters, 2014.

LÖNNROTH, Lars. *Njáls saga: A Critical Introduction*. Berkeley, Los Ángeles, London: University of California Press, 1976.

MCTURK, Rory. The supernatural in Njáls saga: a narratological approach. In: HINES, John; SLAY, Desmond (eds.). *Introductory Essays on Egills saga and Njáls saga*. London: Viking Society for Northern Research, 1991, pp. 102-124.

MILLER, William Ian. *Why Is Your Axe Bloody? A Reading of Njáls Saga*. New York: Oxford University Press, 2014.

NORDAL, Guðrún. The Dialogue between Audience and Text: The Variants in Verse Citations in Njáls saga's Manuscripts. In: MUNDAL, Else; WELLENDORF, Jonas (eds.). *Oral Art Forms and their Passage into Writing*. Copenhagen: Museum Tusculanum, 2008, pp. 185-202.

NORMANDIA

A Normandia, terra de "gente muito inquieta" segundo o cronista germânico Otto de Freising (c. 1114-1158), passou por importantes mutações político-sociais ao longo dos séculos IX-XI. Até o século IX, a região era parte da Nêustria, porção ocidental do mundo franco, mas a chegada dos nórdicos iria impactar, decisivamente, o curso de sua história. Não por acaso, o termo "Normandia" significa "terra dos homens do norte" (*Northmannia, Nordmannia*), pois a expressão "homens do norte" (*northmanni, nordmanni*) era a forma pela qual os francos se referiam aos escandinavos.

A primeira aparição viking no litoral da Nêustria ocorreu em 820. Porém, as incursões começaram apenas após 841, ano em que Ruão foi queimada. Nos anos seguintes, a cidade novamente foi pilhada e os escandinavos ocuparam o vale do baixo Sena. A partir da segunda metade do século IX, os assentamentos nórdicos se multiplicaram e os conflitos com os carolíngios eram frequentes. Em versão muito difundida pelos manuais historiográficos, tal contexto de animosidade teria feito com que o nórdico Rollo e o rei franco Carlos, o Simples, assinassem o Tratado de Saint-Clair-sur-Epte (911), pelo qual uma parte da Nêustria seria entregue aos vikings (a futura "Normandia"). Entretanto, os episódios que cercam essa concessão permanecem um mistério, pois as informações coetâneas são inexistentes. De acordo com Lesley Abrams, a dimensão exata do poder dos vikings naquela região e período é obscura, o que dificulta uma reconstituição do "nascimento" da Normandia.

O clérigo Dudo de Saint-Quentin (c. 965-1026) é a nossa única fonte de informação sobre o Tratado, que não encontra confirmação fora da Normandia. Nas condições do pacto, Rollo cessaria os ataques, se converteria ao cristianismo e prestaria "homenagem" a Carlos; este, por sua vez, ofereceria sua filha Gisela em casamento ao viking e cederia parte de seu território. Na realidade, a concessão do monarca carolíngio referia-se apenas à região já ocupada pelos vikings, ou seja, as terras ao redor de Ruão (praticamente, a Alta Normandia atual). Algumas regiões a oeste seriam anexadas em 924 e 933, quando Rollo e seus sucessores absorveram outros vikings, muitos dos quais de origem dinamarquesa. A procedência de Rollo, contudo, ainda é discutida pelos especialistas, porque, embora Dudo mencione que ele era filho de um príncipe dinamarquês, algumas sagas o consideram um norueguês.

Não sabemos também ao certo a natureza do poder que emergiu após 911, já que o título "duque" (*dux*), em referência ao governante normando, se consolida na documentação apenas no início do século XI. Seja como for, a fundação da Normandia impulsionou uma rápida fusão étnica e cultural entre normandos e francos, que resultaria, entre outras coisas, em gerações conduzidas ao cristianismo e às línguas *d'oïl*. Como nos informa Jean Renaud, o nórdico foi paulatinamente esquecido, mas não sem antes deixar marcas que podem ser observadas no francês atual (p. ex. *homard* ["lagosta"], do nórdico *humarr*) e na toponímia normanda (por exemplo, *Carquebut*, do nórdico *kirkja* ["igreja"] + *býr* ["aldeia"]).

Para o estudo sobre a fixação dos vikings naquela porção da Nêustria, o vocabulário, a toponímia e as informações das fontes escritas são fundamentais, pois, conforme Else Roesdahl, até o momento foram achados pouquíssimos vestígios arqueológicos da presença escandinava. De forma significativa, os pesquisadores ainda não encontraram nenhuma sepultura masculina, inscrição rúnica ou escultura viking. As joias e os objetos de arte (como o "martelo de Thor" achado recentemente na Alta Normandia) são raros e a maior parte das espadas descobertas estava em rios, sugerindo que elas foram perdidas nas incursões. Esse contexto parece indicar que muitos vikings já tinham abraçado o cristianismo e esquecido o alfabeto rúnico, bem como as técnicas artísticas de seus ancestrais. É provável, também, que a população local tenha rejeitado a linguagem e a arte escandinava por considerá-las indecifrável e bárbara.

Após sua fundação, a Normandia continuou com a ampliação de seu poder político. Ela chegou a ser atacada, em 944-945, pelo rei carolíngio Luís IV e por Hugo, o Grande. Na década de 960, foi atacada pelos condes de Anjou, Flandres e Blois-Chartres, aliados do rei Lotário, mas Ricardo I (942-996) conseguiu defendê-la com sucesso. As relações entre normandos e francos ao longo do século X eram muitas vezes conflituosas, o que pode ser percebido nas acusações que foram lançadas. Naquela época, o monge Richer de Reims (c. 940-998) afirmou que Ricardo I havia sido um "líder de piratas". Mais tarde, Ademar de Chabannes (c. 989-1034) conta que, enquanto estava no leito de morte, Rollo teria ordenado que escravos cristãos fossem sacrificados em nome de Odin e Thor.

A exteriorização da religiosidade normanda preocupava os clérigos, que se deparavam várias vezes com novos escandinavos estabelecidos na região, muitos dos quais ainda pagãos. O fato, porém, é que essa presença não interferiu seriamente no processo de cristianização da Normandia, cujos duques já patrocinavam a reconstrução e ampliação da rede monástica e episcopal. Roberto I (1027-1035), por exemplo, reconciliou-se com a Igreja e devolveu as propriedades que havia confiscado antes de partir numa peregrinação até Jerusalém (1035). Seu sucessor, Guilherme I (1035-1087), chegou a participar do movimento reformista, promovendo um concílio da Paz de Deus em Caen (1047).

Nesse processo de integração, certos costumes escandinavos podiam ser encontrados na legislação normanda dos séculos XI-XII, como a pena do exílio ("banimento"), sempre acompanhada pelo confisco dos bens do condenado e com a função de preservar a ordem social. Já um exemplo da fusão entre francos e normandos aparece na famosa Tapeçaria de Bayeux (fim do século XI), na qual o exército de Guilherme I é chamado, por duas vezes, de "franco" (*franci*). Mesmo assim, os normandos ainda não tinham perdido suas ligações com a *Scandia*. Tanto é assim que Ricardo I e Ricardo II (996-1026) tinham aliados escandinavos. Devemos ainda lembrar que moedas normandas da primeira metade do século XI foram encontradas na Escandinávia e Ruão tornou-se uma referência no mundo nórdico: foi nela que Óláfr Haraldsson – futuro monarca norueguês – recebeu o batismo (1013).

Embora tenham pilhado muitas cidades durante suas investidas, os vikings contribuíram para o desenvolvimento urbano da Normandia ao longo dos séculos IX-XI. Naquele contexto, nasceram núcleos citadinos em Alençon, Caen, Falaise, Cherburgo e Valognes, muitos deles favorecidos pela atuação dos próprios duques normandos. O poderio político-econômico acentuou-se após a conquista da Inglaterra anglo-saxônica (1066), sobretudo pela transferência dos espólios para a Normandia. Tal contexto de prosperidade pode ser observado no posto alfandegário perto de Cherburgo, cuja receita entre 1049 e 1093 se multiplicou em quatorze vezes. No entanto, a relação entre os territórios, como destaca Cassandra Potts, era muito complexa e deve ser matizada: vários aristocratas normandos não tinham participado da expedição, da mesma forma que outros não se interessavam pela Inglaterra e não queriam ver as duas regiões controladas pelo mesmo governante.

A anexação da Inglaterra não se mostrou suficiente para conter o ímpeto aventureiro normando. Ao longo do século XI, cavaleiros zarparam do ducado para combater no sul da Itália e na Sicília, onde alguns serviram como mercenários. Conseguiram tomar o poder e, depois, fundaram o Reino Normando da Sicília. Além disso, guerreiros normandos "tomaram a Cruz" para combater na Terra Santa. A Normandia foi uma das regiões que mais alimentou os efetivos nas Cruzadas, o que, segundo Marc Bloch, estaria relacionado à "relativa paz" desfrutada nesse principado "notavelmente centralizado". É preciso salientar, contudo, que as conquistas normandas no Mediterrâneo e no Oriente tiveram poucas consequências no ducado, exceto no sentido de potencializar o prestígio e a reputação de seus cavaleiros.

Poder-se-ia encerrar esta breve síntese sobre o nascimento e consolidação da Normandia, no ano de 1066, com a batalha de Hastings, na Inglaterra. Tal episódio é escolhido por muitos historiadores para marcar o fim da Era Viking. O problema é que o evento não interrompeu o *continuum* histórico da Normandia; na verdade, ele apenas estabeleceu uma ligação – nem tão profunda, como vimos – entre as duas regiões até 1144, ano em que o ducado foi conquistado pelo conde Geoffrey de Anjou. Outros historiadores, entre eles David Bates, afirmam que a independência política e o poderio normando de colonização e conquista prosseguiram efetivamente até 1204, quando o território foi anexado pelo rei capetíngio Filipe Augusto.

Guilherme Queiroz de Souza

Ver também França na Era Viking; Rollo; Vikings na França.

ABRAMS, Lesley. Early Normandy. *Anglo-Norman Studies*, vol. 35, 2013, pp. 45-64.

BATES, David. The Rise and Fall of Normandy, c. 911-1204. In: BATES, David; CURRY, Anne (eds.). *England and Normandy in the Middle Ages*. London: Hambledon Press, 1994, pp. 19-36.

BLOCH, Marc. *A Sociedade Feudal*. Lisboa: Edições 70, 1979.

BREESE, Lauren Wood. The Persistence of Scandinavian Connections in Normandy in the Tenth and Early Eleventh Centuries. *Viator*, vol. 8, 1977, pp. 47-62.

DUBY, Georges. *A Idade Média na França (987-1460). De Hugo Capeto a Joana D'Arc*. Rio de Janeiro: Jorge Zahar Ed., 1992.

POTTS, Cassandra. Normandy, 911-1144. In: HARPER-BILL, Christopher; VAN HOUTS, Elisabeth (eds.). *A Companion to the Anglo-Norman World*. Woodbridge: Boydell, 2003, pp. 19-42.

RENAUD, Jean. The Duchy of Normandy. In: BRINK, Stefan; PRICE, Neil (eds.). *The Viking World*. London: Routledge, 2008, pp. 453-457.

RENAUD, Jean. Les Vikings et la Normandie. In: BATTAIL, Jean-François; BATTAIL, Marianne. *Une Amitié Millénaire. Les relations entre la France et la Suède à travers les âges*. Paris: Beauchesne, 1993, pp. 49-68.

ROESDAHL, Else. What may we expect? On the problem of Vikings and archaeology in Normandy. In: FLAMBARD HÉRICHER, Anne-Marie (ed.). *La progression des Vikings, des raids à la colonisation*. Ruão: Publications de l'Université de Rouen, Cahiers du GRHIS, 2003, n. 14, pp. 207-214.

NORRENO (NÓRDICO ANTIGO)

O norreno (*norrœna*) é uma antiga língua indo-europeia pertencente à família germano-nórdica. Em vários documentos nórdicos medievais também aparece a denominação *dǫnsk tunga* (língua danesa) para se referir à antiga língua nórdica comum, utilizada em princípios da Era Viking, na Dinamarca, no sul e no centro da Noruega e Suécia, incluindo Bornholm, Gotlândia e Åland. O termo *dǫnsk tunga* também parece remeter a uma espécie de identidade pan-escandinava primogênita (Anderson, 2000). Em alguns países de línguas neolatinas, como Espanha e Portugal, é frequente o emprego do termo "nórdico antiguo" e "nórdico antigo", respectivamente. Em francês, se usa habitualmente *norrois* e, no italiano, *norreno*.

Devido à expansão viking a partir do século VIII, o norreno começou a ser empregado também em locais como Islândia, ilhas Feroé, ilhas Orcadas, ilhas Shetland, Groenlândia, Normandia, zonas costeiras da Finlândia e Estônia, assim como algumas partes da Rússia. Nas Ilhas Britânicas, o norreno conviveu muito estreitamente com o inglês antigo. Chegaram até a produzir numerosos empréstimos linguísticos do nórdico antigo ao inglês (*window* = *vindauga*, *guest* = *gestr*, *thrall* = *þrœll*, etc).

Apesar da sensação de unidade que o termo norreno pode oferecer, é certo que já na época viking existia uma série de variedades dialetais que, em termos gerais, podem classificar-se em norreno ocidental (norueguês e islandês antigos), norreno oriental (danês e sueco antigos) e gotlandês antigo, usado principalmente na ilha báltica de Gotlândia e, provavelmente, apresenta similaridades com a antiga língua gótica.

De um ponto de vista gramatical, o norreno é uma língua altamente flexível, que conta com quatro casos (nominativo, acusativo, dativo e genitivo), três gêneros (masculino, feminino e neutro), dois números (singular e plural) para substantivos, adjetivos e verbos e três (singular, dual e plural) para pronomes pessoais. À parte os tempos passado, presente e futuro (este último com ajuda normalmente de verbos auxiliares), os verbos possuem, ademais, um modo indicativo e outro subjuntivo, sofrendo numerosas mutações vocálicas, especialmente nos verbos irregulares. Por sua vez, os adjetivos podem ser fortes ou fracos. Em geral, a sintaxe norrena se caracteriza por possuir a estrutura SVO (Sujeito-Verbo-Objeto). A fonética norrena tem sofrido numerosas mudanças no tempo (por exemplo, muitas vogais largas foram convertidas em ditongos), porém, no geral, sempre tem conservado o acento na primeira sílaba.

De um ponto de vista histórico, o norreno pode dividir-se em três períodos principais:

- Período pré-viking (antes do século VIII): trata-se do denominado proto-nórdico, quer dizer, uma evolução dialetal nórdica do proto-germânico. Foram conservados testemunhos dessa primitiva língua em algumas inscrições rúnicas pertencentes ao antigo *fuþark*. Um exemplo de proto-nórdico é a palavra *gastiz*, que, no posterior Período Viking, se converterá em *gestr*, com a correspondente mutação vocálica, e muda no marcador de caso nominativo singular masculino.

- Período Viking (séculos VIII-XI): Desse período, para o qual se poderia aplicar a denominação específica *dǫnsk tunga*, procedem numerosas inscrições rúnicas realizadas com o alfabeto mais simplificado do *fuþark* jovem. Também se têm conservadas palavras ou vestígios da língua norrena do Período Viking em vários poemas éddicos e escáldicos, em topônimos e antropônimos, em documentos latinos escritos na Escandinávia e em empréstimos de outras línguas. É importante assinalar aqui que a língua empregada nas posteriores sagas nórdicas não são, a rigor, "a língua dos vikings", apesar do que se propaga em numerosos artigos de divulgação popular.

- Período medieval ou pós-viking (séculos XII-XIV): Esse período se caracteriza fundamentalmente pela adoção do alfabeto latino (que, não obstante, conviveu com o rúnico durante vários séculos) e uma grande produção de textos literários, históricos e mesmo científicos, que, em muitos casos, denotam uma notável influência da tradição clássica e cristã continental. Por outra parte, a distinção dialetal entre norreno ocidental e oriental se tornou mais aguda. O islandês antigo se converte, nesse período, na língua literária por excelência e na variante linguística que mais logrou conservar diversos elementos sintáticos, morfológicos e léxicos do norreno padrão frente a variados fenômenos sociolinguísticos e de outra índole, como, por exemplo, a considerável influência do baixo alemão (*Niederdeutsch*) na Dinamarca, Noruega e Suécia, graças à expansão da Liga Hanseática pela Escandinávia.

A partir dos séculos xv e xvi, predominam as distintas línguas nacionais frente ao norreno mais ou menos comum dos séculos passados. Além da divisão entre línguas nórdicas ocidentais e orientais, se pode falar também de línguas nórdicas continentais (sueco, danês, norueguês) e insulares (islandês, feroês e o extinto *norn* das islas Órcades e Shetland). As línguas insulares (especialmente o islandês) são as que mais possuem recursos gramaticais do antigo norreno das que foram conservadas até hoje.

dauði: morte

Norreno	dauði
Islandês (moderno)	dauði
Feroês	deyði
Sueco	Död
Dinamarquês	Død
Norueguês (bokmål)	død
Norueguês (nynorsk)	daude

Tabela comparativa das principais línguas nórdicas atuais

Mariano González Campo

Ver também Linguagem; Literatura; Poesia éddica; Poesia escáldica.

ANDERSON, Carl Edlund. *The Danish Tongue and Scandinavian Identity*. *Mid-American Medieval Association (MAMA) Annual Conference*. Tulsa: OK, USA, 2000.

BARNES, Michael. *A New Introduction to Old Norse I (Grammar)*. London: Viking Society for Northern Research, 2007.

FERNÁNDEZ ÁLVAREZ, María Pilar. *Antiguo islandés. Historia y lengua*. Madrid: Ediciones Clásicas, 1999.

HAUGEN, Einar. *The Scandinavian Languages. An introduction to their History*. Cambridge: Harvard University Press, 1976.

HÆGSTAD, Marius. *Vestnordiske maalføre fyre 1350*. Oslo: J. Dybwad, 1906-1942 (2 vols.).

NORUEGA DA ERA VIKING

A Noruega é entrecortada por estreitos fiordes que se estendem por vários quilômetros entre montanhas íngremes. Possui uma quantidade elevada de ilhas próximas à costa, além de terreno montanhoso que sempre dificultou a viagem por terra. Durante os séculos de ocupação, o mar era o meio mais viável para a comunicação entre os povos que viviam nessa região.

É também da convivência humana com as suas características naturais, amplamente ligada aos espaços hídricos, que advém o seu nome, "o caminho do Norte". Estamos nos referindo a uma rota de navegação ao longo da própria costa norueguesa, iniciada em Skagerrak ou Kattegat, passando por Lindesnes e ao norte, onde as ilhotas em torno de Tromsø, no extremo norte, podem ter representado algum tipo de fim ou limite dessa rota, conforme indica uma das fontes mais antigas sobre a Noruega, o relato de Öttar.

Foi anglicizado como Ohthere, termo anterior à inscrição rúnica encontrada nas *pedras rúnicas* de Jelling (segunda metade do século x), nas quais, em uma de suas faces, podemos ver a inscrição *nuruiak*. O relato de tal anglicização pode ser encontrado em uma tradução para o inglês antigo da *História Contra os Pagãos*, de Paulo Orósio, cujo os sete livros, encomendados pelo próprio rei Alfredo, recebeu um acréscimo de tópicos geográficos sobre o norte da Europa, enriquecidos com os relatos de diversos viajantes. Nela, podemos ler, além de Óttar, também o relato de Wulfstan.

O termo *Norðweg* é mencionado de acordo com a obra traduzida, na qual consta que, em 890, Óttar foi recebido na corte do rei Alfredo, em Wessex, onde descreveu suas empreitadas comerciais na Escandinávia. Disse ser o mais ao norte dos homens do Norte, relatando, entre outras coisas, seu contato com o povo Sámi (descrito em inglês antigo como *Finnas*), em Hálogaland, norte da Noruega. No contato com o podo Sámi, Ottar coletava diversos artigos na forma de tributos (peles, penas, presas e cordas de morsas ou focas) para, em seguida, vendê-los nos mercados de Hedeby e Kaupang. Pouco é narrado sobre sua morada em Halogaland, mas as pesquisas arqueológicas perto de Tromsø encontraram vários vestígios materiais, provavelmente de assentamentos da Era Viking, que revelam intensa atividade em regiões como Senja e Kvaløya.

Nesse momento, o contato com os povos germânicos da Escandinávia já estava bem estabelecido e é certo que algum acordo existia para uma produção contínua de tais itens. O uso do termo *Finn* no corpo das narrativas, incluindo amplas passagens do *Heimskringla* (escritos do século XIII sobre os reis noruegueses), se deve justamente ao caráter dessas relações interculturais entre os povos germânicos da Escandinávia, os finlandeses orientais, certas culturas Sámi e os Lapões (como categoria econômica). Não obstante, o uso do termo também se deve à categorização das diversas culturas, genericamente, como Finn (justamente pela permeabilidade dessas culturas).

O poema elegíaco *Haraldskvæði*, composto pelo poeta Thórbjǫrn Hornklofi ao rei Haroldo Cabelos Belos (século IX), faz alusão ao termo "Senhor dos Noruegueses" (*Dróttinn Nórðmanna*), indicando a disseminação do uso da expressão. Contudo, apesar de as sagas islandesas – principalmente naquelas classificadas como Sagas dos Reis (*Konungasögur*) – considerarem a empreitada do rei Haroldo Cabelos Belos como um marco fundante do Reino da Noruega, não há muitas evidências que corroborem para isso. Provavelmente, o que havia no início da Era Viking eram pequenos territórios dominados por grupos étnicos diversos que nomeavam as regiões habitadas.

Boa parte das informações escritas sobre a Noruega da Era Viking advém de manuscritos do século XIII que narram as Sagas dos Reis, *Konungasögur*, biograficamente os monarcas noruegueses, bem como a consolidação de seu reino. Na origem dessa monarquia, estariam os antigos e lendários reis *Ynglingos*, que habitaram a antiga Uppsala. O território norueguês foi unificado por Haroldo Cabelos Belos (Haraldr Hárfagri) e a sua linhagem permaneceu no poder durante todo o medievo, com uma breve interrupção quando as chefias de outro centro de poder situado no Norte, os *jarlar* de Lade (região próxima das atuais Trøndelag e Hålogaland), aproveitaram a discórdia entre os filhos e netos de Cabelos Belos. As investigações, entretanto, apontam para uma situação bem diferente.

Segundo os poucos versos da poesia escáldica, contemporâneos do reinado de Haroldo Cabelos Belos, a situação foi diferente. Este deve ter mantido de fato o controle sobre territórios ao sudoeste e centro da Noruega, mantendo alguma autoridade formal sobre as regiões ao longo da rota de navegação que já havia sido mencionada por Óttar, na corte do rei Alfredo. Os dois filhos de Cabelos Belos, Hákon Bondoso (Hákon Góði) e Érico Machado Sangrento (Eiríkr Blóðøx), reinaram até pouco depois da metade do século x, por volta de 960, mas logo a influência dinamarquesa modificou o panorama político da Noruega.

É sintomática a pontuação nas sagas acerca da autoridade dos reis dinamarqueses ao sul, que ocasionaram conflitos de interesses. Tal influência durou até a primeira metade do século xi, quando o rei Haroldo Severo (Haraldr Hárðraða) voltou a atuar politicamente na região. Viken, no sul da Noruega, não foi parte dos domínios de Cabelos Belos e podemos observar nos *Anais Reais Francos* (*Annales regni Francorum*), o relato da ocupação do rei Godofredo e seus descendentes na região. Os filhos de Érico assumiram as posses territoriais de seu avô, sendo a autoridade depois entregue aos *jarlar* de Lade. O *jarl* Hákon Sigurðsson se submeteu como súdito do rei dinamarquês Haroldo Dente Azul (Haraldr Blátǫnn) até a sua morte, provavelmente em 995, quando o seu filho, o *jarl* Érico Hákonarson (Eiríkr Hákonarson), assumiu o posto, vindo a cooperar com o reinado dinamarquês até o fim de sua carreira, quando se tornou o *jarl* do rei Canuto, o Grande (Knútr, inn Ríki) no Reino da Nortúmbria.

Os reis dinamarqueses também providenciaram uma oportunidade única para os noruegueses da Era Viking reunirem riquezas pessoais: a participação nas empreitadas guerreiras contra Inglaterra. Curiosamente, o desenrolar dos reinados de Olavo Tryggvason (*Óláfr Tryggvason*) e dos irmãos Olavo Haraldsson (*Óláfr Haraldsson*, também conhecido como São Olavo) e Haroldo Severo estão ligados a tais oportunidades. Eram homens que foram treinados no exterior, angariavam tesouros e, no retorno à Noruega, podiam convencer seus futuros seguidores a apoiar suas pretensões monárquicas. Entre os séculos x e xi, os reis escandinavos lideraram saques vikings, algo que os predecessores dos séculos anteriores não haviam feito. Muitos líderes vikings desse período parecem ter sido exilados, se contentando com o que pudessem ganhar na Europa cristã ou na Rússia.

Olavo Tryggvason e Olavo Haraldsson, ambos reis missionários, foram afortunados e se tornaram reis da Noruega após carreira de saqueadores vikings no exterior. Olavo Tryggvason foi um líder guerreiro que desempenhou papel fundamental na formação do Reino da Noruega. Seus efêmeros cinco anos à frente da conquista dos territórios noruegueses (além de sua vida missionária) só foram possíveis graças a sua longa carreira viking, que lhe proporcionou ganhos materiais suficientes para possibilitar a expansão de seu reino a partir da região de Viken. Já Olavo Haraldsson fundou importantes centros religiosos na Noruega, aproximando cada vez mais o seu reino dos padrões das monarquias estabelecidas na Europa Central. Apesar da resistência das chefias guerreiras que comandavam as costas orientais, dos conflitos com os *jarlar* de Lade e do crescente poder de Canuto que formava um império norte-atlântico, o cristianismo acabou contribuindo com a educação e burocratização necessárias para a modernização palaciana, que, por sua vez, sustentou reinados mais pacíficos, como o de Olavo Tranquilo (Óláfr Kyrre).

No fim da Era Viking, Haroldo Severo, que reinou entre 1046 e 1066 – dividindo o trono com seu sobrinho, Magno, o Bondoso (Magnús Óláfsson, ou Magnús inn Góði) –, iniciou sua carreira fugindo para o Oriente, integrando a Guarda Varegue e se incumbindo de vigiar as rotas marítimas bizantinas. Vindo a falecer na batalha da Ponte de Stamford, esse rei clamava para si a autoridade de terras na Noruega, Dinamarca e Inglaterra, mostrando que o poderio político do crescente reino norueguês já ultrapassava suas fronteiras naturais e se expandia sobre a Europa setentrional.

Apesar disso, nos séculos seguintes a Noruega atravessaria momentos contraditórios. A presença cada vez maior da Igreja contribuiu para um incremento no aparato burocrático da monarquia. Ao mesmo tempo, a Igreja, enquanto instituição, passou a ser dona de largas porções de terras, se tornando cada vez mais independente da aristocracia. Ademais, tal arrojo não impediu que a realeza ainda se apresentasse com sérios problemas institucionais. A falta de clareza na sucessão real resultou em uma guerra civil entre os séculos XII e XIII. Por outro lado, ainda no século XIII, uma *Pax Norvegica* floresceu mediante a reestruturação da *Hirð* e dos *Ármenn* (outrora guardas pessoais do rei, que passaram a ocupar cargos administrativos), o avanço na anexação dos territórios ao norte e à aproximação formal de várias colônias através de acordos jurídicos e comerciais.

Pablo Gomes de Miranda

Ver também Era Viking; Oseberg; Viking.

BAGGE, Sverre. *From Viking Stronghold to Christian Kingdom: state formation in Norway, c. 900-1350.* Copenhagen: Museum Tusculanum Press, 2010.

HELLE, Knut (org.). The Norwegian Kingdom: succession disputes and consolidation. In: HELLE, Knut (org.). *The Cambridge History of Scandinavia.* Cambridge: Cambridge University Press, 2006, pp. 369-391 (vol. 1 – Prehistory to 1520).

KRAG, Claus. The Early Unification of Norway. In: HELLE, Knut (org.). *The Cambridge History of Scandinavia.* Cambridge: Cambridge University Press, 2006, pp. 184-201 (vol. 1 – Prehistory to 1520).

KRAG, Claus. The Creation of Norway. In: BRINK, Stefan; PRICE, Neil (eds.). *The Viking World.* New York: Routledge, 2008, pp. 645-651.

NOVGOROD

A cidade e futuro Principado de Novgorod, também conhecida pela historiografia como *Velikii Novgorod* (Grande Novgorod) e *Gospodin Velikii Novgorod* (Senhor Novgorod, o Grande; nomenclatura mais tardia), foi uma das principais cidades fundadas pelos vikings na Rússia Europeia, juntamente com Kiev. Teve grande importância comercial e política desde sua fundação. Em fontes escandinavas, o termo *Garðariki* é utilizado para referir-se à cidade, embora o mesmo termo possa se referir igualmente a Kiev. *Holmgardr*, significando ilha ou península de acordo com Wladislaw Duczko, também poderia se tratar de Novgorod, mas não se sabe os limites do uso desse termo. Atualmente, está localizada no Oblasto de Novgorod, no noroeste da Rússia.

A geografia de Novgorod é bastante diferente quando comparada a Kiev. Novgorod está situada nas zonas florestais do norte da Rússia Europeia, em região repleta de pântanos, porém não muito fértil. O rio Volkhov e seus tributários Volkovets e Zhilotug cercavam a área e desaguava no lago Ílmen. Inicialmente, algumas tribos fino-úgricas habitavam a região e, com o tempo, alguns povos eslavos se assentaram no local. Um dos primeiros assentamentos varegues em massa na região foi em Riurikovo Gorodische (Castro de Riurik), no século x, uma região praticamente "ilhada" localizada entre os tributários do Volkhov. Nas fontes escandinavas, o território é chamado de *Holmgardr* e, no mesmo século do assentamento, tornou-se a cidade de Novgorod. Vestígios arqueológicos apontam para a presença nórdica no local desde o século ix, conforme sustenta Valentin Ianin, com achados de moedas árabes e bizantinas que possivelmente foram transportadas para região por escandinavos.

De acordo com Duczko, os achados arqueológicos de Riurikovo Gorodische condizem com o assentamento de nórdicos da região da Suécia, pois alguns itens encontrados não aparecem no resto de Rus, mas são comuns na Escandinávia, sobretudo em Birka na Suécia. Entre eles, encontram-se um pingente em formato de uma cabeça de dragão e outro em formato de uma mulher com um vestido longo. É possível que Riurikovo Gorodische tenha sido uma espécie de "primeira capital dos varegues" que se assentaram em Rus, conforme apontam alguns historiadores, sobretudo aqueles afiliados ao marxismo. Mas autores como Jonathan Shepard e Wladislaw Duczko discordam, devido à falta de evidências de assentamento nórdico na região antes da segunda metade do século ix. Ainda assim, algumas fontes parecem mostrar que havia uma entidade política autônoma em Novgorod antes do assentamento dos varegues em Kiev. É o caso de uma fonte árabe do início do século x, a qual revela que os Rus viviam em uma terra ilhada e que seu entidade política era chamada de *khagan*. Para alguns monarcas escandinavos, especialmente os noruegueses, Novgorod serviu de refúgio, como no caso dos reis noruegueses Olavo Tryggvason (995-1000) e Haroldo Hardrada (1046-1066). Vale mencionar, uma igreja foi construída em homenagem a Santo Olavo Haraldsson (1015-1028), em Novgorod, pouco após a sua morte.

Novgorod estava ligada diretamente tanto com a rota do mar Negro (a chamada Rota dos Varegues aos Gregos) quanto com a rota do Volga de comércio entre escandinavos e árabes. O comércio de peles foi fundamental para a consolidação dos laços comerciais e do poder do principado. Segundo Janet Martin, Novgorod era uma das maiores cidades produtoras de peles. Estas eram exportadas para diferentes locais como Constantinopla, Suécia e o Califado Abássida, estando presente na maioria dos mercados europeus. Martin também afirma que Novgorod atuava como um local de estocagem de mercadorias vindas de outros territórios. Os escandinavos que lá aportavam poderiam obter produtos de luxo tanto bizantinos e árabes quanto frísios e bretões. O comércio de peles em Novgorod sobreviveu até o século XII, comercializando, durante o período, quase exclusivamente com os escandinavos. Entrou em decadência com o fortalecimento de Suzdália e sua entrada no mercado.

Não há fontes contemporâneas de Rus sobre a história de Novgorod e fontes estrangeiras mencionam-na superficialmente. Muito do que se assume sobre Novgorod vêm de fontes muito posteriores, como uma edição posterior da *Primeira Crônica de Novgorod* (*Novgoródskaia Piérvaia Liétopis*), que menciona o passado da cidade, mas cuja edição principal é datada do século XIII e não contém entradas anteriores a 1016. As fontes principais são legadas pela arqueologia e pelos poucos relatos presentes na *Crônica dos Anos Passados*. A fonte ainda atesta que, após concordar em ser o governante das tribos eslavas, o lendário Riurik estabeleceu-se em Novgorod após permanecer por um tempo em Staraia Ladoga. Após a morte de Riurik, Oleg, o Profeta (882-912), assumiu o controle de Novgorod, mas eventualmente foi para o sul, com a provável intenção de centralizar o poder em Kiev.

É possível que exercer a função de príncipe de Novgorod tenha sido um pré-requisito para eventualmente se tornar príncipe de Kiev, ao menos antes da reforma do sistema de sucessão por Iaroslav Vladimirovich, o Sábio (1016-1018, 1019-1054). Oleg, Vladimir I Sviatoslavich, de Kiev (980-1015), e o próprio Iaroslav foram príncipes de Novgorod antes de assumirem o trono kievano. Embora fosse estabelecido que os príncipes da dinastia Riuríkida devessem assumir o governo de Novgorod com a reforma de Iaroslav, existiram diversas instâncias nas quais a aristocracia e o *veche* (assembleia popular) expulsaram o príncipe destinado. A partir dos séculos XI e XII, Novgorod começou a ganhar uma maior autonomia política e, eventualmente, se tornou o que, na opinião de muitos historiadores (incluindo Ianin), se poderia chamar de "república" (considerando o funcionamento de suas instituições políticas e o fato de o poder das assembleias de boiardos e populares serem mais poderosas que o poder do príncipe). Todavia, há de se ter cautela com a utilização de tal termo em sua acepção moderna. É também notável que Novgorod não foi afetada pelos ataques mongóis do século XIII.

Leandro César Santana Neves

Ver também: Crônica dos Anos Passados; Kiev; Mikligardr; Rus; Rússia da Era Viking; Staraia Ladoga; Varegues; Vladimir I de Kiev.

BIRNBAUM, Henrik. *Lord Novgorod the Great: Essays in the History and Culture of a Medieval City-State*. Columbus: Slavica Publishers, 1981.

DUCZKO, Wladsyslaw. *Viking Rus: studies on the presence of Scandinavians in Eastern Europe*. Leiden: Koninklijke Brill NV, 2004.

IANIN, Valentin L. Medieval Novgorod. In: PERRIE, Maureen (org.). *The Cambridge History of Russia*. Cambridge: Cambridge University Press, 2006, pp. 188-210 (vol. 1: From Early Rus' to 1689).

FRANKLIN, Simon; SHEPARD, Jonathan. *The Emergence of Rus 750-1200*, Essex: Longman, 1996.

MARTIN, Janet. *Treasures of the Land of Darkness: The Fur Trade and its Significance to Medieval Russia*. Cambridge: Cambridge University Press, 1986.

O ᛟ

OLAVO HARALDSSON

Rei na Noruega entre 1015 e 1028, é uma figura fundacional que contribuiu de forma marcante para a independência e identidade do país, tornando-se o santo padroeiro deste e, desse modo, um dos maiores símbolos medievais da autonomização norueguesa face às pretensões dinamarqueses. Foi aliás um mártir dessa causa, tendo dado a vida por ela na batalha de Stiklestad, em 1030, quando tentou retomar o trono dois anos após ter sido expulso do país.

A tradição lendária faz dele descendente de Haroldo Cabelos Belos, primeiro rei de uma Noruega unida, o que o colocava como possível candidato ao trono numa época em que sucessão era um jogo aberto e a primogenitura estava longe de ser a regra. Mas, à semelhança do seu homónimo e antecessor, Olavo Tryggvason, a juventude do futuro monarca foi passada em incursões vikings, tendo supostamente lutado e pilhado nas ilhas britânicas antes de se virar para sul e passar um inverno na Normandia. Terá sido por essa altura que, segundo a tradição, atacou a costa ibérica e chegou perto do estreito de Gibraltar, de onde queria partir até Terra Santa, mas um sonho disse-lhe para voltar para trás e regressar à Noruega, onde seria rei para sempre. Uma lenda tardia e nada mais, mas que foi bastante útil nos anos que se seguiram à batalha de Stiklestad.

Na Normandia, diz a tradição, foi batizado em torno de 1013. A decisão não teria sido extemporânea nem movida por uma fé pessoal, mas teria também sido fruto de anos de contato direto com a nova religião, bem como da observação do papel desta na administração dos reinos europeus. Tal postura não era rara e tampouco foi excepcional na vida de Olavo, marcada pela acumulação de saques e seguidores, que depois foram usados na investida pela conquista do trono norueguês. A subida ao poder de Olavo Haraldsson, em 1015, permitiu-lhe assegurar a cristianização do país, fazendo-se acompanhar nesse processo por um clérigo de nome Grímkell, talvez de origem ou formação inglesa. Tal clérigo foi também bispo real e conselheiro pessoal do monarca. No fundo, era uma transposição para a Noruega de um modelo político e administrativo da Europa cristã.

Se de início Olavo foi popular por afirmar a independência do reino – tendo aproveitado a morte inesperada de Svein, da Dinamarca, para subtrair o território norueguês à esfera dinamarquesa –, o tempo e o estilo de seu governo autoritário tornaram-no impopular, o que acabou culminando na sua expulsão da Noruega em 1028, quando Canuto, filho de Svein, enviou um exército para repor a autoridade da sua família. Olavo fugiu e refugiou-se no que é hoje a Rússia, tentando um regresso dois anos mais tarde, tentativa esta que falhou e o levou à morte. Mas, porque o martírio enobrece a memória de uma pessoa (mais ainda quando ela é sucedida por governantes ainda mais impopulares e conta com amigos influentes dispostos a construir uma narrativa heroica), o culto a Olavo começou a ganhar forma apenas um ano depois do seu falecimento.

Em 1031, o seu corpo foi transladado para a igreja de S. Clemente, em Trondheim, e a partir daí a sua popularidade não parou de crescer, sendo ainda ajudada por restos mortais bem preservados – como convém a um santo –, uma lista crescente de milagres e o patrocínio do bispo Grímkell, bem como de vários poetas, alguns destes antigos companheiros de Olavo, que pintaram a memória do monarca em tons hagiográficos. Terá sido nessa altura que surgiu a lenda que contava como ele navegou até ao estreito de Gibraltar e quis ir até Jerusalém, sinal de sincera fé cristã, mas, conforme mencionado, teria recebido um sonho que lhe prometia o trono norueguês em perpetuidade. Era uma narrativa fictícia, mas conveniente, sobretudo porque deslegitimava o controle dinamarquês do país, o qual terminaria em 1035, quando Magnus, filho de Olavo, assumiu o trono norueguês e foi co-monarca, juntamente com o seu tio Haroldo Hardrada.

Ambos os homens tinham a seu favor não apenas a legitimidade de sangue, mas também o argumento religioso de estarem ligados ao santo padroeiro e rei perpétuo da Noruega, o que conferia-lhes uma aura de poder e autoridade. A mesma aura que, mais de cem anos depois, em 1163, Magnus V tentou manter, declarando o território norueguês como feudo de São Olavo e jurando administrá-lo enquanto representante e vassalo do santo. O país confundia-se, assim, com uma figura fundadora a quem foi dedicado um culto que chegou a cruzar as fronteiras.

Hélio Pires

Ver também Era Viking; Noruega da Era Viking; Viking.

BRINK, Stefan. Christianization and the early Church. In: BRINK, Stefan; PRICE, Neil (eds.). *The Viking World*. London/New York: Routledge, 2010, pp. 621-628.

CHRISTIANSEN, Eric. *The Norsemen in the Viking Age*. Oxford: Blackwell, 2006.

KRAUG, Claus. The creation of Norway. In: BRINK, Stefan; PRICE, Neil (eds.). *The Viking World*. London/New York: Routledge, 2010, pp. 645-651.

PIRES, Hélio. Nem Tui, nem Gibraltar: Oláfr Haraldsson e a Península Ibérica. *En la España Medieval* 38, 2015, pp. 313-328.

OLAVO TRYGGVASON

Olavo Tryggvason (968-1000) foi o rei da Noruega, de 995 até 1000, quando marcou seu nome na história pelo seu papel fundamental na expansão do cristianismo pelo norte europeu. As informações sobre o seu reinado podem ser encontradas em diversas documentações, sendo a mais antiga a *Gesta Hammaburgensis ecclesiae pontificum*, escrita pelo Cronista alemão Adão de Bremen, em 1076. Existem algumas sagas que falam sobre a vida do rei Olavo, escritas por Oddr Snorrason e Gunlaugr Leifsson, respectivamente: a *Óláfs saga Tryggvasonar* e a *Óláfs saga Tryggvasonar*. A terceira saga é a *Heimskringla*, de Snorri Sturlusson, que usou a saga de Oddr Snorrason como principal fonte de inspiração. Há também a *Ólafs saga Tryggvasonar em mesta*, que se inspirou no material produzido por Oddr Snorrason e Gunlaudr Leifsson.

A infância de Olavo Tryggvason é um elemento de debate, pois diferentes documentações divergem a esse respeito. A *Historia Norwegiae* diz que ele nasceu no arquipélago das Órcades, ao norte da Escócia, enquanto a *Àgrip af Nóregskonungasögum* narra a versão que Olavo, com três anos de idade, fugiu juntamente com sua mãe para as Órcades. A versão com mais informações sobre sua infância está presente na *Heimskringla*, que possui informações ausentes nas outras documentações.

A sua juventude foi passada na Estónia e na corte de Vladimir I, na atual Rússia. Ainda jovem, iniciaria sua carreira como viking e seus saques à Inglaterra são registrados nas *Anglo-Saxon Chronicle*, em 991. Ele lutou na batalha de Maldon e, posteriormente, foi pago em uma boa quantia de *danegeld*. Três anos após a batalha de Maldon, em 994, Olavo se converteria ao cristianismo, sendo batizado pelo Santo Alfege da Cantuária.

Um ano após a sua conversão, Olavo retorna a Noruega e toma o poder de Haakon Sigurdsson. Haaakon era o *jarl* de Late e a liderança efetiva na Noruega, apesar de ser um vassalo do rei dinamarquês, Haroldo Dente Azul. Ambos, Haroldo Dente Azul e Haakon Sigurdsson, realizaram um complô para retirar do trono o rei anterior, Haroldo Capa Cinzenta. Olavo Tryggvason aproveitou a impopularidade do rei Haakon perante os cristãos e os senhores locais para tomar o poder por meio de uma rebelião.

No poder real, Olavo Tryggvason transferiu o centro do poder para Trondheim e iniciou o processo de conversão do restante da Noruega, assim como das ilhas Faroé e Islândia. Para aumentar seu poder, Olavo pediu Sigrid Storrada em casamento, com a condição dela se converter, mas seu pedido foi rejeitado, haja vista que ela não desejava abandonar a sua fé na religião nórdica. Após a rejeição e conflito com Sigrid, Olavo se casou com Thyre, irmã de Sueno Barba Bifurcada. Barba Bifurcada, posteriormente, se casaria com Sigrid, exponenciando uma inimizade entre os dois monarcas. Essa inimizade levaria ao conflito em Svöld, onde Olavo morreria confrontando os exércitos suecos e dinamarqueses.

André Araújo de Oliveira

Ver também: Thing; Godi; Islândia na Era Viking; Realeza; Viking.

HOLMAN, Katherine. *Histocial Dictionaries of the Vikings*. Oxford: The Scarecrow Press Inc., 2003.

LINDKVIST, Thomas. Early political organisation, Introductory survey. In: HELLE, Knut (org.). *The Cambridge History of Scandinavia*. Cambridge: University of Cambridge Press, 2003, pp. 160-167 (vol. 1).

SIGURÐSSON, Jón Viðar. Iceland. In: BRINK, Stefan; PRICE, Neil (eds.). *The Viking World*. New York. Routledge, 2008, pp. 571-578.

VÉISTEINSSON, Orri. *The Christianization of Iceland: Priest, Power and social change 1000-1300*. Oxford: Oxford University Press, 2000.

OLGA DE KIEV

Princesa Olga de Kiev governou Rus de Kiev como regente entre 945 e 964, após a morte de seu marido Igor e enquanto seu filho, Sviatoslav Igorevich (964-972), era menor de idade. Ela era avó do príncipe Vladimir Sviatoslavich I, de Kiev, e, conforme a tradição, sua criada Malucha criou o príncipe. Não se sabe exatamente a data do nascimento de Olga, já que sua primeira menção na *Crônica dos Anos Passados* está na entrada do ano de 903. O *Livro da Genealogia Real*, fonte escrita no século XIV, afirma que Olga teria nascido em 890, hipótese hoje contestada por diversos autores, como Constantin Zuckerman. Este argumenta que uma idade avançada de Olga prejudicaria alguns feitos posteriores de sua vida, como a dupla viagem à Constantinopla nas décadas de 940 e 950. Olga teria cerca de 60-70 anos de idade nesses eventos e seria improvável que uma idosa tenha feito a difícil jornada de Kiev para Constantinopla, sobretudo se considerados os constantes ataques de tribos eslavas das estepes russas no caminho entre ambas as cidades.

Ainda sobre a entrada de 903, esta diz que Olga seria natural de Pskov, uma cidade atualmente localizada no noroeste da Rússia. É muito mais provável que Olga fosse escandinava ou descendente de escandinavos, já que seu nome possui uma óbvia semelhança com o nome nórdico *Helga*, ou mesmo com o nome *Allogia*, presente na *Saga de Olaf Tryggvason*, que alguns autores associam à regente. Uma teoria sobre o passado de Olga que corrobora com sua origem escandinava é de Roman Kovalev. Este afirma que Olga seria uma sacerdotisa da deusa nórdica Freyja antes de ser batizada, fundamentando sua argumentação a partir dos símbolos de realeza encontrados próximos ao possível túmulo de Olga. Tais símbolos – uma chave e um falcão – possuem relação direta com a deusa nórdica. Essa representação estaria presente de maneira implícita na *Crônica* e em fontes posteriores sobre Olga.

O governo de Olga enquanto regente começou em 944 ou 945, segunda entrada de acordo com a *Crônica*. Ainda conforme esta fonte, Igor, marido de Olga, foi persuadido por seu séquito a cobrar mais tributos dos derevlianos, uma tribo eslava localizada ao oeste do rio Dniepre, na atual Ucrânia, pois o séquito do varegue Sveneld tinha mais regalias. Os derevlianos reagiram à uma nova coleta e assassinaram o príncipe. Conforme fonte bizantina, Igor fora amarrado junto a troncos e tivera seu corpo partido ao meio. Alguns enviados dos derevlianos, então, foram até Olga e pediram para que ela se casasse com o príncipe deles. Olga aceitou, desde que viessem no dia seguinte e ordenassem aos kievanos para que fossem carregados em um barco em direção ao seu castelo. Os enviados assim o fizeram, mas foram enterrados vivos pelos kievanos a mando da própria Olga. Este foi o início de uma das narrativas mais curiosas presentes na *Crônica*: o conto da "vingança de Olga".

A vingança continuou após Olga insistir para os derevlianos enviarem os seus homens mais importantes para a discussão do casamento proposto anteriormente. A regente recebeu os novos enviados e preparou-lhes um banho nas termas de sua residência. Quando os enviados entraram no banho, Olga ordenou que a porta fosse trancada e os derevlianos foram queimados vivos. A fase seguinte da vingança foi a aniquilação das forças militares derevlianas, enquanto Olga visitava a capital Iskorosten para organizar um funeral ao seu marido Igor, morto no local. Houve uma celebração após o funeral, na qual Olga ordenou que os derevlianos bebessem uma grande quantidade de hidromel, enquanto os militares de Rus permaneciam sóbrios. Aproveitando que os guerreiros inimigos estavam embriagados, Olga comandou o assassinato dos derevlianos.

A última parte da vingança consistiu na destruição de Iskorosten, feita de uma maneira bastante peculiar. Ao questionar os derevlianos sobre o motivo de ainda resistirem à tributação dos Rus e de ainda protegerem a sua capital após um longo sítio, Olga prometeu-lhes que os deixaria em paz se pagassem um único tributo: três pardais e três pombas. Os derevlianos aceitaram, mas Olga ainda não tinha terminado sua vingança. Ela ordenou que em cada pássaro fosse amarrado um pedaço de pano e enxofre. Os pássaros voltaram para Iskorosten, causando um incêndio na cidade. Olga escravizou os derevlianos e impôs-lhes um tributo maior do que o proposto pelo seu marido. Esse tipo de sítio de cidade, com a prática do envio de pássaros para causar incêndio, é recorrente na chamada "literatura épica medieval". Ocorre, por exemplo, na saga do rei norueguês Haroldo Hardrada (1046-1066), quando o monarca fez uso de pássaros com cera e enxofre para destruir uma cidade na Sicília.

É possível que, dado o aparente exagero das punições descritas na *Crônica*, os atos da vingança não tenham ocorrido ou, se realmente aconteceram, tiveram alguma ligação com a morte de Igor. Aleksandr Koptev, por exemplo, interpreta os eventos como etapas de funerais típicos dos nobres de Rus, tais como os descritos por Ibn Fadlan. A vingança seria, para o autor, a representação do funeral de Igor. Mas Koptev não deixa claro se acredita ou não na veracidade do ato. Um autor que acredita no massacre de Olga contra os derevlianos é Yuriy Dyba, embora este argumente que as ações de Olga não foram necessariamente vingativas, mas uma medida necessária para o controle de rotas comerciais com o oeste, assim como para o estabelecimento de postos comerciais e terras de caça, conforme descrito nas entradas de 947. Seja como for, a campanha de Olga contra os Derevlianos deve ter sido guardada em lugar especial na memória dos habitantes de Rus, pois a narrativa foi eventualmente preservada na *Crônica*, o que, conforme Simon Franklin, mostra a aceitação de tal comportamento feminino – claramente herança do passado nórdico – por uma Rus pós-cristianização.

Olga também é famosa por ser a primeira governante de Rus cuja conversão ao cristianismo de rito grego é comprovada por fontes. Embora o cristianismo já fosse praticado entre os varegues de Rus desde o século ix – conforme o Patriarca de Constantinopla Fócio – e ainda que haja teorias sobre Igor ser "secretamente" um cristão, foi Olga a primeira que assumiu a religião do Império Bizantino. O batismo de Olga é um dos tópicos mais debatidos sobre a regente e mesmo sendo a data de 957 a mais aceita pela historiografia, existem várias hipóteses indicando que o evento pode ter ocorrido entre 944 e 961. De acordo com a *Crônica dos Anos Passados*, imediatamente após ser batizada, Olga demonstrou astúcia ao recusar um convite do Imperador Constantino vii Porfirogênito para ser Imperatriz e "governar Constantinopla ao seu lado", alegando que, após o batismo, ela era filha do Imperador e um possível casamento seria incesto. Assim como a história de vingança presente na mesma fonte, não há provas se esse diálogo realmente ocorreu.

Olga não conseguiu cristianizar Rus, tarefa que coube a seu neto Vladimir Sviatoslavich, em 988. Devido à falta de fontes que atestem uma tentativa de cristianização, é possível que Olga mal tenha tentado introduzir o cristianismo de rito Grego em Rus, mesmo que hagiografias posteriores afirmem que ela patrocinou a construção de diversas Igrejas em Kiev. Seu pedido de bispos para o rei alemão Oto i, em 959, corrobora com a apatia de Olga com relação à propagação do cristianismo na visão de alguns autores. Na *Crônica dos Anos Passados*, o único ato de propagação de sua nova fé estaria ligado às sucessivas tentativas de conversão de seu filho Sviatoslav, que permaneceu pagão pois seu séquito "riria" dele. Alguns autores, sobretudo soviéticos marxistas, interpretam essa passagem como uma "reação pagã" e pressão por parte da elite militar de Rus. Olga faleceu em 969 e foi oficialmente canonizada no século xvi. Hoje ela é comemorada como santa "igual aos apóstolos" pela Igreja Ortodoxa, no dia 11 de julho.

Leandro César Santana Neves

Ver também: Crônica dos Anos Passados; Mikligardr; Kiev; Rus; Rússia da Era Viking; Varegues; Vladimir de Kiev.

BUTLER, Francis. A Woman of Words: Pagan Ol'ga in the Mirror of Germanic Europe. *Slavic Review*, vol. 63, n. 4, 2004, pp. 771-793.

DYBA, Yuriy R. Administrative and Urban Reforms by Princess Olga: Geography, Historical and Economic Background. *Latvijas arhīvi / Latvijas Nacionālais arhīvs*. Galv. red. v. Pētersone, n. 1-2, 2013, pp. 30-71.

FRANKLIN, Simon; SHEPARD, Jonathan. *The Emergence of Rus 750-1200*. Essex: Longman, 1996.

KARPOV, Aleksey Iu. *Kniaguinia Olga [Princesa Olga]*. Moscou: Molodaia Gvardia, 2012.

KOVALEV, Roman K. Grand Princess Olga of Rus' Shows the Bird: Her 'Christian Falcon' Emblem. *Russian History*, vol. 39, 2012, pp. 460-517.

KOPTEV, Aleksandr. Ritual and History: Pagan Rites in the Story of the Princess' Revenge (the Russian Primary Chronicle, under 945-946). *MIRATOR*, vol. 11, n. 1, 2010, pp. 01-54.

OSEBERG

Em agosto de 1903, o arqueólogo norueguês Gabriel Gustafsson recebeu a visita de Oskar Rom, dono de uma fazenda chamada Revehaugen, em Oseberg, na região de Vestfold, atual Noruega. Rom trazia consigo uma peça de madeira talhada e decorada que havia encontrado enquanto retirava uma montanha de seu terreno para alargar seus campos. Gustafsson, no primeiro momento, se mostrou cético com a visita de Rom, mas na hora em que o fazendeiro lhe mostrou o artefato que havia recolhido em seus campos, o arqueólogo imediatamente identificou a peça de madeira como pertencente ao padrão de representação de figuras zoomórficas do Período Viking. Dois dias depois, o arqueólogo visitou a fazenda e escavou uma pequena trincheira provisória que o persuadiu da importância e do tamanho da descoberta. Mas, naquela ocasião, tal trincheira não poderia ser executada devido tanto ao inverno que se aproximava quanto às preparações financeiras que ainda deveriam ser realizadas para uma escavação daquele porte. Gustafsson, então, fechou a trincheira inicial para proteger a descoberta da neve e do frio e começou a preparação de sua equipe. Também começou a levantar as finanças necessárias para a realização da escavação.

A escavação da embarcação de Oseberg teria, assim, seu início no verão de 1904, com os trabalhos realizados pelo professor Gabriel Gustafsson. As primeiras indicações tratariam as dimensões do monte funerário que foi apontado como tendo 40 m de diâmetro e 2,5 m de altura (o arqueólogo aponta uma altura original de 6,5 m para o monte, que com o tempo cedeu e desmoronou para o tamanho atual). O verão daquele ano foi seco, o que era uma boa notícia para a equipe, uma vez que tornava a escavação muito mais fácil. Mas fazia-se necessário uma construção provisória que represasse o rio, possibilitando que mangueiras fossem colocadas para trazer a água e umidificar os artefatos de madeira que ficariam expostos a intempéries. Mesmo depois de embalados em 397 pacotes, os artefatos ficariam submersos em tanques de água até receberem os tratamentos necessários para sua conservação. Logo, a embarcação seria trazida à tona e ficaria claro que esta se encontrava quebrada, com sua composição muito distorcida devido à pressão do monte de pedra, terra e turfa. A parte inferior da embarcação havia sido pressionada contra a base do local de depósito, cuja composição era basicamente de barro e, por esse motivo, havia cedido facilmente, quebrando a quilha da embarcação no meio e forçando para cima as madeiras que compunham a câmara do depósito funerário.

Contudo, o mesmo monte que danificou a embarcação também preservou em grande medida os achados, uma vez que as condições do depósito (feito em terreno argiloso, com a parte de seu bordo para além do mastro, coberta por uma câmara de madeira, sendo a maior parte dos objetos depositados sob o teto desta câmara, que contava ainda com uma grande montanha de pedras e com uma cobertura de uma camada espessa de turfa) que geraram, por fim, uma pressão fundamental para privar os artefatos do contato com o oxigênio, isolando-os dos aspectos de decomposição. A reconstrução da embarcação, no entanto, lembrou a montagem de um grande quebra-cabeças. Foi deixada ao encargo do engenheiro naval Fredrik Johannessen, responsável por identificar e demarcar cada uma das mais de duas mil peças que compunham o navio. No dia 5 de novembro, a escavação estava completa e as peças se encaminhavam para Oslo, onde a reconstrução iria começar.

Entre os artefatos, foram escavados: uma embarcação com cerca de vinte metros de comprimento, construída para abrigar cerca de quinze pares de remos (e que apresentava alguns desgastes que sugeriam que havia sido utilizada um bom tempo antes de servir para o depósito funerário); ossos humanos; uma grande quantidade de objetos de madeira, incluindo um vagão; tapeçaria; cordas; elementos têxteis; e os esqueletos de quinze cavalos, quatro cachorros e dois bois. A embarcação de Oseberg foi, assim, rapidamente detectada como uma embarcação funerária comparável a outras da região de Vestfold, como as de Tune e Gokstad. Mas a de Oseberg se destacava pela preservação de seus achados, que incluíam objetos de madeira e outros objetos orgânicos. Devido à sua importância, a preservação dos achados era de extrema urgência e a reconstrução da embarcação ainda demandaria muito tempo e trabalho. Boa parte do carvalho utilizado para a construção da embarcação estava razoavelmente preservado e, assim, pôde ser submetido a um processo com óleo de linhaça e ácido carbólico durante o prolongado tempo de secagem. Os objetos feitos de ferro foram submetidos à secagem e, em seguida, foram cozinhados em parafina para evitar o processo de ferrugem. Os de bronze foram secos e laqueados para evitar decomposições. As cordas da embarcação foram tratadas com glicerina e os artefatos de couro foram tratados com óleos específicos. Os artefatos têxteis apresentavam algumas dificuldades particulares: a lã e a seda haviam se preservado bem devido à argila, mas o linho havia coagulado em um amontoado de camadas sobrepostas praticamente impossíveis de serem separadas.

O arqueólogo Gabriel Gustafsson, por sua vez, embarcou em uma expedição pelos mais diversos museus da Europa para pesquisar as últimas técnicas aplicadas na preservação de artefatos. Ele retornou com a ideia de saturar a madeira em uma solução de água e alúmen, sendo o alúmen depois lavado e retirado da parte externa da peça, tornando-a apta a ser exposta ao processo de secagem. Uma vez seca, a madeira ainda sofreria um processo de revestimento com óleo de linhaça e uma camada de laca para seu revestimento. O alúmen que permaneceria na parte interna dos artefatos, com o tempo, se cristalizaria, criando camadas externas a madeira e gerando, assim, uma estrutura que a protegeria das contrações e expansões naturais de seu substrato. Contudo, tal técnica, por Gustafsson como a melhor, com o tempo foi apresentando problemas. O alúmen craquelou e os artefatos de madeira se tornaram, assim, muito delicados e de difícil manuseio. Os artefatos se tornaram, também, extremamente sensíveis à variação de temperatura e umidade. Qualquer variação muito brusca desses fatores poderia ocasionar um processo reverso da cristalização do alúmen, o que estouraria os artefatos de madeira.

Os tratamentos supramencionados auxiliaram na preservação de mais de 90% do carvalho original na reconstrução da embarcação, assim como de mais da metade dos pregos usados pelos construtores do Período Viking. Os postes da proa e da popa da embarcação, assim como seu leme, foram torcidos devido à pressão do monte funerário. Houve muita ansiedade para o restauro dessas partes do navio, que também foram cozidas no vapor e submetidas à pressão de maquinários que conseguiram endireitar as partes com sucesso. A parte superior do poste traseiro da embarcação, no entanto, foi exposta às intempéries, provavelmente causadas pela escavação, em algum momento desconhecido, de outro buraco no monte funerário. Tal parte superior do poste traseiro se tornou a única parte nova e totalmente restaurada da embarcação. Foi desenhada como um rabo de dragão, acompanhando, assim, a cabeça do dragão que se encontrava esculpida no poste dianteiro. A reconstrução dos postes da embarcação de Oseberg utilizou como guia uma cena encontrada na Tapeçaria de Bayeux, onde esses navios foram retratados em momentos de invasão.

Munir Lutfe Ayoub

Ver também Arqueologia da Era Viking; Embarcações; Noruega da Era Viking; Sepultamentos e enterros.

ARDWILL-NORDBLADH, Elizabeth. Re-Arranging History. In: HAMIKALIS, Yannis; PLUCIENNIK, Mark; TARLOW, Sarah. *Thinking through the body: Archaeologies of Corporeality*. New York: Plenum Publishers, 2002, pp. 201-216.

FERGUSON, Robert. *The Vikings.* New York: Penguin Books, 2009.

GULDBERG, Gustav Adolph. Om Osebergskipets menneskeknokler fra den yngre järnaldern. *Norsk Magazin for Laegevidenskapen,* 1907, pp. 1385-1397.

GUSTAFSSON, Gabriel. Notes on a decorated becket from the Oseberg find. *Saga Book of the Viking Club* v, part II, 1906, pp. 297-299.

PATRIMÔNIO

Patrimônio poderia ser resumidamente definido como um conjunto de bens materiais, imateriais e naturais, de valor excepcional e reconhecido interesse, que ajudam a narrar a história de um povo, bem como sua relação com o meio ambiente. Um importante legado herdado do passado, reconhecido no presente e transmitido para gerações vindouras, abrangendo por isso todas as temporalidades, sem permitir generalizações. No entanto, segundo Françoise Choay, as transferências semânticas e as muitas modificações tornaram "patrimônio" um conceito nômade, preso em estratos de significados, bem como repleto de ambiguidades e contradições.

O infindável debate acadêmico acerca do patrimônio se estende por outros conceitos igualmente amplos e complexos, tais como: Bens culturais (divididos em materiais e imateriais – ou intangíveis – e bens naturais – ou ambientais). Aditam-se ainda os conceitos de monumentos, conjuntos e locais de interesse, para além de outros ainda mais dúbios, como preservação, conservação, tombamento etc. As definições jurídicas desses conceitos também variam de um lugar para o outro, de modo a melhor se ajustarem as legislações e assegurarem a legalidade dos processos patrimoniais.

Historicamente, as primeiras preocupações com determinadas heranças culturais foram esboçadas na Itália durante a passagem da Idade Média para Idade Moderna, quando, na renascença do século XV, os vestígios de um grandioso passado clássico passaram a ser orgulhosamente exibidos. No entanto, somente no final do século XVIII que, na

França, a partir da reação dos enciclopedistas ao vandalismo que se seguiu à Revolução de 1789, foi adquirido, em nome do interesse público, a proteção legal de determinados bens, aos quais foi conferida a capacidade de representarem toda nação. Durante o século XIX, na França, na Inglaterra, na Alemanha e em outras nações europeias surgiram instituições, predominantemente públicas (mas também privadas) que começaram a elaborar leis de conservação e de restauração de monumentos, de modo a tentar estruturar uma prática preservacionista. Por fim, a destruição causada pelos conflitos armados das duas grandes Guerras Mundiais do século XX demonstrou a preciosidade, mas também a extrema fragilidade do patrimônio, levando a criação, em 16 de novembro de 1945, da Organização das Nações Unidas para Educação, Ciência e Cultura (United Nations Educational, Scientific and Cultural Organization – UNESCO). Entre suas muitas atribuições, coube à UNESCO incentivar os países a cooperarem na conservação do patrimônio, criando ao longo das suas convenções a famosa Lista do Patrimônio Mundial, responsável por incentivar a preservação de bens considerados significativos para a humanidade. Em suma, a conformação de um patrimônio comum, partilhado entre todos e cuja proteção é uma responsabilidade de cooperação da comunidade internacional.

Apesar da Lista do Patrimônio Mundial crescer em ritmo constante, a indissociável relação entre o conceito de cultura e patrimônio faz com que não exista um consenso das resoluções ou das escolhas institucionalizadas pela UNESCO. Muitas são as críticas direcionadas para o processo de homogeneização, padronização, ou ainda de uma globalização cultural, apesar das tentativas das novas políticas em apreenderem e atribuírem mais valor a então intitulada "diversidade cultural" em âmbito local, nacional e transnacional. Ainda assim, o conceito de patrimônio estabelecido pela UNESCO permanece como um dos mais abrangentes, servindo, algumas vezes, como uma base de referência global.

Todas essas controversas atribuídas às diferentes interpretações e acepções do Patrimônio, bem como de demais conceitos a ele associados, multiplicam-se para o estudo das heranças culturais escandinavas da Era Viking. Porquanto sua análise remete a um vasto e extremamente diversificado universo de bens encontrados na Dinamarca, Noruega e Suécia, ou, num sentido mais amplo, abrangendo também a Finlândia, Islândia e as ilhas Féroe ou ilhas Faroé(s). Apesar desse extenso alcance geográfico, tal levantamento patrimonial ainda estaria incompleto se desconsiderasse os importantes achados da Inglaterra, Escócia e Irlanda, além de achados de muitos outros países que extrapolam o limite europeu, por onde os intrépidos navegadores nórdicos deixaram algum vestígio de sua passagem. Ou seja, uma dimensão e, principalmente, uma pluralidade impossível de abranger, cabendo aqui – como único recurso possível – apenas apontar alguns direcionamentos para uma abreviada compreensão desse abundante patrimônio escandinavo.

O interesse e a definição de todo esse patrimônio começaram no século XIX, quando as Sagas Islandesas foram traduzidas, impressas e tornadas acessíveis. Também nesse período foram descobertas as primeiras embarcações nórdicas. A partir daí, embalados pelas óperas wagnerianas, a Era Viking começou a despertar uma fascinação mundial. Esse processo foi seguido de perto pelo considerável desenvolvimento da arqueologia no norte da Europa.

Uma das primeiras embarcações encontradas em melhor estado de conservação foi o Barco de Gokstad, datado século IX e achado em 1880, no sudeste da Noruega. Este era provavelmente o modelo de barco usado pelos vikings para atravessar os mares em direção às terras ocidentais. Atualmente esse famoso bem material está exposto ao público, juntamente com o barco de Oseberg – encontrado posteriormente em 1904 –, no Museu dos Barcos Vikings de Oslo, na península de Bygdøy.

Desde então, as imagens dos grandes guerreiros navegando pelos mares do norte voltaram a permear o imaginário ocidental, contudo, agora muito mais pitorescos que ameaçadores. Suas heranças materiais vão desde os pequenos objetos utilitários, como pentes, recipientes de madeiras, caldeirões e pás de ferro para cozinhar, até grandes construções como as fortificações circulares estilo Trelleborg. Cabe mencionar, ainda, os sítios arqueológicos que preservam o traçado de povoações inteiras, como em Birka; um assentamento comercial fortificado, localizado na ilha de Björkö, no lago Mälaren, na Suécia; Ribe, no lado oeste da península da Jutlândia, na Dinamarca; e Hedeby, localizada no norte da Alemanha, junto à atual fronteira com a Dinamarca. Nesta última, outro importante remanescente arqueológico atesta a capacidade técnica dos construtores escandinavos, a *Danevirke*, originalmente chamada *Danavirki*. Literalmente "obra dos dinamarqueses", a *Danevirke* era um misto de estrada e muralha de terra, acompanhada por um fosso, que se estendia por mais de trinta quilômetros entre o limite ocidental da Jutlândia e Schleswig, no mar Báltico. Algumas das suas partes ainda hoje estão visíveis, com altura variável entre três a seis metros. Contudo, originalmente, o talude de terra deveria ser ainda mais alto e coroado por uma paliçada de madeira, constituindo uma verdadeira fronteira ao sul da Dinamarca.

Patrimônio arquetípico da Escandinávia são as célebres pedras rúnicas. Espalhadas por todo o território, elas são concomitantemente monumentos artísticos e documentos literários. Algumas narram e ilustram o lento processo de conversão ao cristianismo. Nessas pedras, normalmente esculpidas em baixo-relevo, o uso de cor era extremamente necessário, pois permitia destacar o motivo decorativo das inscrições. Por isso, combinavam diferentes tons a fim de criar contrastes e maior nitidez. Algumas cidades, como Jelling (localizada na região sudeste, no condado de Vejle, na Dinamarca), conseguem reunir verdadeiros complexos dessas pedras. Igualmente importantes são os conjuntos de pedras ou estelas gravadas e pintadas da ilha de Gotland, situada no báltico sueco.

Bens materiais de dimensões menores, como broches ovalados, fíbulas, colares, pulseiras, pingentes, enfeites e adornos de bronze ou outros metais precisos, excedem nos museus europeus. Muitos desses artefatos podiam combinar cores e materiais diferentes. Eram decorados com motivos típicos da arte escandinava, baseados em vários animais estilizados, desenhos de plantas ou entrelaçados de laços e fitas. Dificilmente aparecem representações humanas. Para Duby, trata-se de uma arte de grande vitalidade, imaginação e audácia, comum ao conjunto da Escandinávia, enquanto suas formas se aplicam também a outros objetos usuais: barcos, edifícios, móveis, arreios, taças para beber e outras coisas. Campbell, por sua vez, afirma que a arte viking estava aberta a uma influência – filtrada – da Europa ocidental. Ele a divide em seis estilos sucessivos: Oseberg, Borre, Jelling, Mammen,

Ringerike e Urnes, porém alerta que um novo estilo não substituiria imediatamente o antigo.

Extremamente comuns também são as diversas moedas que comprovam o vigor econômico daquela sociedade, bem como as armas de guerra, tais como espadas, facas, machados e pontas de lanças. Alguns desses objetos possuíam uma rica ornamentação, principalmente aqueles que cumpriam funções cerimoniais. Inserido nesse repertório de bens materiais bélicos, cabe destacar o Elmo de Gjermundbu, encontrado em 1947, na fazenda homônima, localizada na comuna de Ringerike, no condado de Buskerud, na Noruega. Esse importante e raro achado arqueológico, apesar de não estar bem conservado, contribuiu para desmistificar a equivocada imagem – quase mítica – dos vikings usando elmos com chifres. Sapatos e fragmentos dos panos das vestimentas são mais raros. Todos esses bens da cultura material expressam a qualidade artística da produção escandinava.

No entanto, o patrimônio da Era Viking não se resume aos artefatos produzidos por eles, pois também abrangem aqueles trazidos de outras regiões, adquiridos por meio comercial ou pilhagens. Segundo Duby, não existem remanescentes dos edifícios religiosos da época pagã, mas cabe considerar os grandes outeiros funerários e comemorativos, pertencentes a uma arquitetura monumental. Pois, na época pré-cristã, coexistiam enterros por cremação e inumação. Na cremação, após as incinerações, os locais eram cobertos com pedras, algumas vezes em forma de barco, gerando as esplêndidas "embarcações-túmulos", como as que fazem parte do cemitério arqueológico de Lindholm Høje, ao norte da Jutlândia, na Dinamarca.

Para além do patrimônio natural e dos remanescentes da cultura material, muitas são as tradições, gestos e hábitos herdados da Era Viking pelos povos escandinavos e da Europa insular. Todos constituem um importante patrimônio cultural intangível, presente em toda a intensidade na vida social e nas diversas manifestações culturais, como ritos, festas, crenças, jogos, músicas, danças, poesias e outras inúmeras criações artísticas.

João Batista da Silva Porto Junior

Ver também Cultura material; Era Viking; Escandinávia; Fortalezas; Habitação; Viking.

CAMPBELL, James Graham. *Grandes Civilizações do Passado: Os Vikings.* São Paulo: Editora Folio, 2006.

CHOAY, Françoise. *A Alegoria do Patrimônio.* São Paulo: Editora Unesp, 2001.

DUBY, Georges. *História Artística da Europa: A Idade Média – Tomo I.* Rio de Janeiro: Paz e Terra, 2002.

STEFÁNSDÓTTIR, Agnes & MALÜCK, Matthias. *Viking Age Sites in Northern Europe: A transnational serial nomination to UNESCO´s World Heritage List.* Islândia: Prentmet, 2014.

PEDRA SOLAR

A pedra solar (em nórdico: *solársteinn*), também popularmente denominada de pedra solar viking, é um tipo de mineral supostamente utilizado pelos antigos escandinavos como material para auxilio na navegação marítima. Citada em algumas fontes medievais, ela foi popularizada recentemente por novas descobertas e pela sua aparição na série televisiva *Vikings*.

A pedra solar é referenciada em *Rauðúlfs þáttr* (século XIII), pela qual se poderia localizar o Sol mesmo em dias nublados. Ela também é mencionada na *Hrafns saga Sveinbjarnarsonar* (século XIII) e em inventários monásticos (séculos XIV-XV). Alguns pesquisadores alegam que a natureza alegórica dessas fontes concederia um sentido simbólico à pedra solar, mas, por outro lado, pesquisas empíricas e novas descobertas vem permitindo considerar que realmente foi um objeto real utilizado na Era Viking.

O pioneiro dos estudos empíricos com a pedra solar foi o arqueólogo dinamarquês Thorkild Ramskou, em 1967. Ele acreditava que ela poderia ser um mineral islandês (a cordiorita), que polarizaria a luz quando o Sol estivesse oculto por nuvens, auxiliando os nórdicos em navegações em alto mar durante a Era Viking.

Uma equipe multidisciplinar liderada por Guy Ropars (Universidade de Rennes), em 2011, determinou que a pedra solar poderia identificar a direção do Sol a olho nu, dentro de condições turbulentas e crepusculares. Os testes foram realizados com espato (cristal de calcita transparente) da Islândia. O processo consistira em mover a pedra através do campo visual até revelar um padrão entópico amarelado ao olho. Um outro modo alternativo é inserir um ponto no alto do cristal, de modo que, quando se olha para o lado de baixo, dois pontos aparecem, porque a luz é "despolarizada" e fraturada ao longo de diferentes eixos. O cristal pode então ser girado até que os dois pontos tenham a mesma luminosidade. O ângulo da face superior mostra, dessa maneira, a direção do Sol.

Os experimentos da equipe liderada por Guy Ropars levaram em conta o encontro de um cristal de calcita junto a instrumentos de navegação de um navio britânico naufragado no século XVI. O fragmento foi descoberto em 2002, no canal da Mancha, e atualmente faz parte do acervo do Museu Alderney (França). Análises químicas revelaram que se trata de espato da Islândia. Segundo os pesquisadores, os navegadores renascentistas ainda utilizariam esse método de orientação pelo fato da grande massa metálica transportada pela embarcação (os canhões) afetar a funcionalidade da bússola magnética.

Outra equipe com pesquisadores húngaros e suecos propôs que os nórdicos teriam utilizado conjuntamente a bússola e a pedra solar, mesmo durante a noite, após o crepúsculo, para orientação. Também alguns experimentos náuticos comprovaram a praticidade do equipamento.

Apesar de não existirem descobertas arqueológicas que evidenciem diretamente a utilização de pedras solares como instrumentos de navegação, pesquisas recentes apontam o conhecimento de calcita pelos nórdicos durante a Era Viking, como as encontradas no assentamento de Annagasson na Irlanda.

Johnni Langer

Ver também Astronomia; Bússola solar; Embarcações; Navegação marítima.

BERNÁTH, Balázs *et al.* How could the Viking Suncompass be used withsunstones before and aftersunset? *Proceedings of the Royal Society*, vol. 470, 2014, pp. 01-18.

GANNON, Megan. First evidence of viking-Like Sunstone found. *Live Science*, 6 de março de 2013.

KEMP, Martin (dir.). *Viking sun stone*. National Geographic Channels, 2012, documentário, 23 min.

RAMSKOU, Thorkild. Solstenen. *Skalk*, n. 2, 1967, pp. 16-17.

ROPARS, Guy *et al.* A depolarizer as a possible precise sunstone for Viking navigation by polarized sky light. *Proceedings of the Royal Society*, 2011, pp. 01-14.

SZÁZ, Dénes *et al.* Adjustment errors of sunstones in the first step of sky-polarimetric Viking navigation: studies with dichroic cordierite/tourmaline and birrefringente calcite crystals. *Royal Society Open Science*, n. 3, 2016, pp. 02-21.

PENTES

Os pentes, bem como outros itens ligados aos cuidados com o corpo e à higiene pessoal, eram apreciados como uma espécie de objetos de luxo, símbolos do *status* social. Em sepulturas do século IX escavadas na ilha de Gotland, Suécia, foram encontrados pentes confeccionados em osso, artisticamente trabalhados, junto a esqueletos femininos e masculinos. Portanto, esses objetos eram utilizados tanto por homens como por mulheres e eram símbolos de higiene e limpeza. Podiam também ser símbolos religiosos.

Na Era Viking, tais utensílios, devido a sua importância e beleza, eram guardados com muito cuidado pelos seus donos, muitas vezes em estojos especiais, entalhados em madeira e decorados com filigranas. Isso demonstra a importância que esses objetos possuíam na época.

Os pentes eram feitos por artesãos especializados, que os produziam em vários tamanhos e formatos, com dentes mais grossos ou mais finos, estreitos, mais largos, pequenos e grandes. A variedade de tamanhos e da espessura dos dentes variava, bem como o material utilizado na confecção.

No caso dos pentes maiores, o cabo era composto por até oito pedaços e os dentes eram entalhados um a um por meio de ferramentas especiais. Tais pentes tinham uma medida que variava entre 15 e 20 cm e eram feitos com chifres de alce. O chifre era serrado em vários pedaços e tamanhos diferentes. Cada pedaço seria utilizado para elaborar as diferentes partes do pente. Havia pentes com dentes dos dois lados, entalhados em uma única peça de osso de alce. Tinham dentes mais largos em uma das faces e mais finos na outra, não ultrapassando os 15 cm. Começaram a ser utilizados a partir do século XI. Os pentes mais finos e estreitos com dentes longos e finos eram feitos com ossos do metatarso de gado e utilizados para pentear pequenas e longas mechas de cabelo. Todos esses pentes eram utilizados por homens e mulheres, confeccionados manualmente por artesãos especializados, e não podiam ser considerados apenas objetos de higiene pessoal, pois eram verdadeiras joias que simbolizavam poder.

Luciana de Campos

Ver também Cotidiano; Higiene e saúde; Mulheres; Sociedade.

ASHBY, Steve. Viking combs. *University of York*. Disponível em: *https://www.york.ac.uk/research/themes/viking-combs/*. Acesso em 4 dez. 2017.

CARLSSON, Dan. Combs and comb making in the Viking Age and Middle Age. *The Vikings*, 2004, pp. 01-10.

HAYWOOD, John. Combs. In: *Enclycopaedia of the Viking Age*. London: Thames and Hudson, 2000, p. 48.

PERSONAGENS LITERÁRIAS E HISTÓRICAS

Ver Aud (Unn), a de mente profunda; Brian Boru; Canuto, o Grande; Egill Skallagrimsson; Érico Machado Sangrento (Erik Haraldsson); Érico, o Vermelho; Freydis Eiríksdóttir; Gudrid Thorbjarnardóttir; Hakon Sigudsson; Hakon Haraldssoni; Haroldo Dente Azul (Haraldr Gormsson); Haroldo Cabelos Belos (Haraldr Hárfagri); Haroldo Hardrada (Haraldr Sigurdsson); Ibn Fadlan; Lagertha; Leif Eriksson; Olavo Haraldsson; Olavo Tryggvason; Olga de Kiev; Ragnar Lodbrok; Rollo; Vladimir I de Kiev.

POESIA ÉDDICA

A métrica *fornyrðislag*, de acordo com Ólason, é a mais comum utilizada nos poemas éddicos. Essa métrica se desenvolveu a partir das longas linhas aliterativas germânicas, encontradas no repertório cultural medieval de todos os povos de língua germânica, cuja a poesia vernácula sobreviveu. No entanto, diferentemente dos versos comuns germânicos, que não tem limites de estrofe (exemplo, *Bewoful* no inglês antigo e *Hildebrandslied* no antigo alto alemão), a poesia éddica é construída em estrofes, que são quase sempre de tamanho irregular.

As estrofes do *fornyrðislag* são, de acordo com a autora, de tamanho irregular. Já os versos, embora com número variável de sílabas, são geralmente considerados menores do que os versos germânicos antigos por conta das quedas vocálicas em sílabas que não carregavam o acento tônico. Ólason e Ross complementam ao afirmar que as estrofes tem oito semiversos (versos curtos), separados por cesura e interligados por aliteração. Portanto, quatro pares aliterativos. Em vista disso, cada meia-estrofe, chamada *vísuhelmingur*, tem dois versos longos e dois pares aliterativos. Não há regras estritas que controlam o número e a distribuição das sílabas átonas, embora o número delas seja entre duas e três em um único verso curto, dependendo da quantidade de sílabas tônicas. De acordo com Ross, tal aliteração entre os dois semiversos se forma entre uma ou duas sílabas no semiverso A, e uma, que seria a primeira sílaba acentuada, no semiverso B. Poole complementa ao afirmar que se a tônica primária cair em um substantivo ou em um adjetivo, é essa tônica que deve levar a aliteração.

Eduard Sievers classifica os semiversos do *fornyrðislag* em cinco tipos. O sistema dessa classificação opera com três níveis de acentuação: tônica primária, anotada como (/); tônica secundária, anotada como (/); e tônica mínima, ou átona, anotada como (x). Por meio dessas anotações, resume-se as categorias dos semiversos da seguinte maneira: A como /x/x; B como x/x/; C como x //x ou x/\x; D como //\x ou //x\ e E como /\x/. Apenas pouquíssimos versos em *fornyrðislag* refusam entrar em uma dessas cinco categorias como, por exemplo, *"Freyju at kvæn"*, do poema *Þrymskviða*. Poole complementa afirmando que consoantes iniciais em uma sílaba tônica é suficiente para a aliteração, exceto nos clusters *sp*, *st* e *sk*, casos em que todo o cluster é necessário. As vogais iniciais em sílabas tônicas aliteram entre si e com o *j*. Além do mais, sílabas átonas não entram nesse esquema e, por conta disso, palavras, como *ek* ("eu"), não têm função estrutural.

O autor exemplifica com o poema éddico *Oddrúnargrátr* ("Lamento de Oddrún"), encontrado no *Codex Regius*. Ele segue o *Guðrunarkviða* III e precede o *Atlaviða*: *Opt undrumk þat II hví ek eptir mák; línvengis Bil II lífi halda; er ek ógnhvǫtum II unna þóttumk; sverda deili, sem II sjálfri mér*; trecho citado e normalizado por Neckel & Kuhn, no qual a marcação II indica a quebra do verso. Tradução proposta: "Mulher! Eu sempre me pergunto o porquê de levar a vida para frente, quando me parece que amei o corajoso guerreiro, provedor de espadas, como amava a mim mesmo".

De acordo com Poole, o esquema métrico desse poema é: 1. //x\ II xx/x DB; 2. /\x/ II /x/x EA; 3. xx/\x II /x/x CA; 4. /x/x II x/x/ AB. Nesse trecho há também um *kenning* para "mulher": *língenvis Bil* "Asynjor do covil das cobras" (consulte o verbete KENNING).

Ross exemplifica a métrica *fornyrðislag* com uma estrofe do poema *Atlakviða*, que é um poema sobre Átila, o huno, registrado na *Edda poética*. Como a maioria dos poemas éddicos, o poema é anônimo e tem como tema uma antiga lenda: *Atli sendi II ár til Gunnars; kunnan segg at ríða, II Knéfrǫðr vár heitinn; at gǫðum kom hann Gjúka II ok at Gunnars hǫllo; bekkjum aringreypum II ok at bjóri svásum*; normalizado por Neckel & Kuhn. Tradução proposta: "Átila enviou um mensageiro a Gunnar, um homem instruído para cavalgar, Knéfrǫðr era chamado; veio ao pátio de Gjúki e ao salão de Gunnar, para os bancos envolvidos na lareira, para a cerveja agradável".

De acordo com Ross, o narrador se oculta da narração e descreve um evento assumindo que a audiência o conheça, ao mesmo tempo em que embriaga esse trecho com um suspense dramático, sobretudo no momento em que o mensageiro entra no mundo acolhedor do salão germânico com a intenção de causar desordem. Esse mundo é bem típico e os epítetos ("bancos envolvidos na lareira" e " cerveja agradável"), bem como as formas em genitivo – que causam uma semântica de "posse", "pertencente a", ("pátio de Gjúki" e "salão de Gunnar") –, sugerem um ambiente conhecido, no qual, no entanto, a discórdia está prestes a ser desencadeada. Portanto, de acordo com a autora, esse poema é muito parecido com a poesia heroica em inglês antigo e com o que está preservado nos versos heroicos em antigo alto alemão.

Com relação à métrica, trata-se de uma estrofe com quatro pares de versos aliterativos: a primeira sílaba tônica do segundo semiverso (parte B) se alitera com o primeiro semiverso (parte A). No entanto, há um descompasso no número de aliterações em cada verso longo, uma vez que, no terceiro verso longo, se aliteram três palavras. Os versos longos também têm números variáveis de sílabas e, consequentemente, o número de sílaba átonas é variado.

A prática ocasional de regularmente adicionar uma ou duas sílabas átonas ao verso do *fornyrðislag* resultou no *málaháttr*. Poole afirma que, geralmente, há pelo menos cinco sílabas por semiverso, às vezes seis. Embora essa métrica não seja encontrada com muita frequência (apenas esporadicamente dentro de alguns poemas em *fornyrðislag*), ela, no entanto, aparece sozinha no poema éddico Atlamál in grænlenzku.

Exemplificamos essa métrica com a estrofe 79: *T*ók ek þeira hjörtu, *II* ok á *t*eini steikðak; *s*elda ek þér *s*íðan, *II s*agðak, at kalfs væri: *e*inn þú því *o*llir, *II* ekki réttu leifa, *t*öggtu *t*íðliga, *II t*rúðir vel jöxlum. Tradução de conteúdo proposta: "Eu tirei os corações deles; em um espeto os cozinhei; e então os dei para ti; disse que eram de bezerros; tu comeste tudo sozinha, tu não deixaste nada; com voracidade tu mastigastes, os dentes estavam ocupados".

Na maioria dos semiversos há cinco sílabas, com exceção, por exemplo, dos quatro primeiros. Entretanto, como considerado acima, sílabas átonas não entram nesse esquema e, por conta disso, se considerarmos as palavras átonas *ek* ("eu"), *ok* ("e") e *at* ("que") como sem função estrutural, teremos cinco sílabas nos semiversos em que elas aparecem. Os semiversos ímpares, com exceção do primeiro, têm duas palavras que aliteram com uma palavra dos semiversos pares correspondentes. Esse poema é o mais longo dos poemas heroicos da *Edda poética* e conta a mesma história de *Atlakviða*, mas expressa uma visão de mundo e inspirações artísticas totalmente diferentes. O poema tem algumas partes hediondas como, por exemplo, na estrofe em que Guðrún descreve seus planos de matar seus filhos, o que realiza em seguida. Outro exemplo se encontra na estrofe citada acima, na qual Guðrún come o coração de seus filhos em um espeto.

Além das métricas *fornyrðislag* e *málaháttr*, também há a métrica *ljóðaháttr* ("métrica da canção") nos poemas éddicos, que era mais frequentemente utilizada em poesia de diálogos gnômicas. De acordo com os autores, nessa métrica, cada estrofe é dividida em duas semiestrofes, que têm um par de semiversos cada, conectados por aliteração, somado a um verso longo com três sílabas tônicas e aliteração interna. Poole complementa ao afirmar que a métrica tem, portanto, uma estrutura de três partes. O verso longo não tem cesura e contém duas ou até três sílabas tônicas com, frequentemente, uma sílaba tônica secundária. Tais características são encontradas no exemplo abaixo:

Estrofe 57 do poema éddico *Hávamál*, da *Edda Poética*: **Meðalsnotr** *II* skyli **m**anna **h**verr, æva til **s**notr **s**é / **ö**rlög **s**ín *II* viti engi fyrir, þeim er **s**orgalausastr **s**efi. Tradução de conteúdo proposta: "Mediano deveria cada homem ser, nunca muito sábio; seu futuro, ninguém sabe de antemão, a esse a mente fica mais despreocupada. " (tradução nossa).

Yuri Fabri Venancio

Ver também Heiti; Kenning; Linguagem; Literatura; Norreno; Poesia escáldica.

JÓNSSON, Finnur. *Sæmundar-Edda*. Reykjavik: Kostnaðarmaður, Sigurður Kristánsson, 1905.

ÓLASON, Vésteinn. Old Icelandic Poetry. In: NEIJMANN, Daisy. *A History of Icelandic Literature*. Lincoln/London: University of Nebraska Press, 2006, pp. 01-63.

POOLE, Russell. Metre and Metrics. In: MCTURK, Rory (ed.). *A Companion to Old Norse-Icelandic Literature*. Malden/Oxford/Victoria: Blackwell Publishing Ltd, 2005, pp. 265-284.

ROSS, Margaret Clunies. *A History of Old Norse Poetry and Poetics*. Cambridge: D. S. Brewer, 2005.

POESIA ESCÁLDICA

A poesia escáldica era composta por poetas profissionais islandeses, os escaldos. Estes viajavam entre as cortes dos reis e nobres escandinavos, ao mesmo tempo em que compunham e executavam versos de elogio e louvor aos seus anfitriões. Apesar dos islandeses terem dominado essa arte e monopolizado a função de poeta da corte na Escandinávia, esse tipo de poesia de elogio já era composta na Noruega antes da colonização da Islândia. Em um dos manuscritos da *Edda Poética* e, também, em um manuscrito do *Heimskringla*, há um catálogo de escaldos ou poetas da corte, chamado de *Skáldatal*, arranjados cronologicamente de acordo com os reis e magnatas elogiados pelos poetas e, como primeira menção, está Ragnar Lóðbrók, o legendário viking dinamarquês do século IX, que tinha como escaldo o Bragi Boddason. Muitos outros reis antigos, dinamarqueses e suecos, são mencionados nessa obra. No entanto, não há preservada nenhuma poesia que elogia tais reis dinamarqueses e suecos antes da era dourada da poesia cortês islandesa (por volta de 1000 d.C.). Ademais, duvida-se que o elogio do poema *Ragnardrápa*, atribuído a Bragi, de fato seja um elogio a Rágnar Lóðbrók. A respeito da Noruega, há muito mais evidências da prática da poesia de elogio em estilo escáldico nas cortes dos reis noruegueses a partir do período de Haroldo Cabelos Belos (Haraldr Hárfagri), cujos escaldos eram também noruegueses. No entanto, após esse período, o único escaldo norueguês conhecido é *Eyvindur skáldaspillir*, que elogiou o rei Hákon, o bom (960 d.C.). Por fim, foram os islandeses que dominaram a poesia de elogio a partir do fim do século x. Os reis noruegueses aceitaram poemas de elogio de islandeses por todo o século XIII, mas talvez mais por razões diplomáticas do que pela apreciação da obra.

A poesia escáldica pode ser dividida em duas categorias principais: poesia cortês e poesia pessoal. A poesia cortês era composta para príncipes e outros governantes e inclui, além do verso laudatório, a poesia genealógica e mitológica; a poesia pessoal, por outro lado, é formada principalmente de estrofes soltas, os *lausavísur* ("versos soltos"). A poesia de elogio, que faz parte da poesia cortês, pode ser dividida em dois tipos: *drápa*, considerado o de mais prestígio e que se tornou o único tipo utilizado para elogiar os reis; e o *flokkur*. Ambas utilizam como métrica principal o *dróttkvætt* ("métrica da corte"). O autor também caracteriza o *drápur* como um poema de três seções, sendo a do meio dividida em subseções com refrão (*stef*) e *flokkur* ("grupo"), como um tipo de poesia que não tem nenhuma regra formal de composição acima do nível da estrofe.

Ross também menciona os subgêneros *erfidrápa* (de *erfi*, "funeral", "banquete"), ou balada memorial, utilizada para ser recitada em funerais ou celebrações de morte de algum rei ou *jarl*. É o caso, por exemplo, da *Glægonskviða* ("Canção do silêncio") de Þórarin loftunga em memória ao rei norueguês Olavo II, da Noruega, e endereçada ao rei Svein Knútsson. Segundo Ohlmarks, o *erfidrápa* foi a origem de toda a arte escáldica. O segundo tipo são poemas genealógicos, como o *Ynglingatal* ("Listas dos Ynglingar", 900 d.C. de Þjóðólfr of Hvinir), o *Háleygjatal* ("Lista dos homens de Hálogaland", 986 d.C., de Eyvindr Skáldaspillir) destinado ao *jarl* Hákon Sigurðarson (considerado o último grande governante pagão da Noruega, após sua vitória sobre os Jómsvíkingar, um grupo de guerreiros que tinha base na costa báltica) e, por por último, o poema *Nóregskonungatal* ("lista dos reis noruegueses", 1180 d.C. do islandês Jón Loptsson, preservado no manuscrito *Flateyjarbók*). Um terceiro subgênero engloba os poemas pictóricos, que descrevem objetos. Neles a narrativa mítica e lendária é primordial e, por isso, não tiveram lugar no mundo após a implementação do cristianismo. Os poemas pictóricos eram poemas compostos de um escaldo para seu patrão. O escaldo compunha um poema que descrevia visualmente o objeto, o qual se tratava de um presente recebido do patrão. Este esperava um poema como retribuição. Tal subgênero, por apresentar narrativa mítica e lendária, manifesta uma continuidade com as narrativas míticas e heroicas das métricas éddicas, mas transportadas para um mundo cortês. Portanto, pode-se afirmar que às vezes a poesia escáldica e éddica tratavam de um mesmo tipo de tema. Dois bons exemplos desse subgênero são os poemas *Haustlǫng*, de Þjóðólfr of Hvinir, e *Rágnarsdrápa*, de Bragi Boddasson.

Com relação à preservação da poesia escáldica, Ólason afirma que ela pode ser considerada acidental, pois se deu à medida que as poesias foram citadas como material de origem, ou que foram incorporadas, por outras razões, em sagas de natureza mais ou menos históricas, ou mesmo à medida que eram utilizadas como exemplo em tratados. Com relação aos textos normalizados, encontrados na maioria das edições, eles foram estabelecidos por uma conflação de textos provenientes de mais de um manuscrito e, às vezes, por conjecturas baseadas em emendas nos registros dos manuscritos.

A respeito das métricas, além da métrica *dróttkvætt* (métrica da corte), que é a mais utilizada nas poesias escáldicas, há também a *kviðuháttr* (métrica do poema), a *hrynhenda* (*hrynhent, hrynjandi háttr*) – métrica fluída – e a *runhenda* (com rima no final ou *runhendr háttr*). Comentaremos sobre tais métrica a seguir.

Ross afirma que o desenvolvimento mais importante do *fornyrðislag*, típico das poesias éddicas, além do próprio *dróttkvætt*, foi o *kviðuháttr*, característico por alternar versos de três e quatro sílabas, em versos ímpares e pares, respectivamente, e com falta de ritmo regular. Como apontado no verbete LITERATURA NA ERA VIKING, essa métrica tem similaridades tanto com os versos édicos quanto com os versos escáldicos, mas é melhor classificada como escáldica pois, embora dispense rima interna, as sílabas são contadas e há alguns *kenningar*. Poole afirma que as regras que controlam o esquema silábico e que são aplicadas apenas a uma minoria de poemas na métrica *fornyrðislag* são muito mais documentadas e explicitadas na métrica *kviðuháttr*. Tais regras são dependentes do comprimento silábico, que pode ser longo ou curto. Uma sílaba longa consiste de uma vogal longa (exemplo, *mér*, "a mim") ou um ditongo seguido por uma ou mais consoantes (por exemplo, a primeira sílaba de *reykr*, "fumaça"). A sílaba também pode ser longa se possuir uma vogal curta seguida de um grupo consonantal ou uma consoante geminada (por exemplo, as primeiras sílabas de *marg-ir*, "muitos" no masculino, e *drekk-a*, "beber"). Uma sílaba será curta se houver uma vogal curta seguida por uma única consoante (por exemplo, *bað*, "banho") ou uma vogal longa seguida por uma outra vogal sem a intervenção de uma consoante (segunda sílaba de *lofgró-inn*, "crescido das folhas").

O autor exemplifica a métrica *kviðuháttr* com uma estrofe do poema *Ævikviða*, contido na *Saga de Grettir*. Versão de Jónsson: 1. *Sǫgðu mér,* II *þau's Sigarr veitti;* 2. **mægða** laun II **m**argir hœfa; 3. *unz* *lofgróinn* ‖ *laufi sœmðar;* 4. *reynirunn* ‖ *rekkar fundu.* Tradução: "Muitos disseram que a recompensa dos parentes, pagas pelo Sigarr, seria adequada para mim [i.e. pendurando]; até os homens encontrarem o arbusto de sorveira-brava, crescida louvavelmente com folhagem de honra [Þorbjǫrn]" (tradução nossa, com base em Poole). No segundo semiverso do primeiro verso percebe-se que há cinco sílabas e não quatro. Árnasson, afirma que nesse caso deve-se considerar a ocorrência de uma resolução, em que um par de sílabas, das quais tanto a primeira quanto a segunda são curtas, equivale metricamente como uma sílaba longa; e da *neutralização*, em que um enclítico (*es*, mais tarde *er*; pronome relativo, ou *ek*, "eu") se torna não silábico ao perder a vogal (*þau es* > *þau's*). Ross também exemplifica a métrica *kviðuháttr* com o poema escáldico *Arinbjarnarkviða* ("Poema sobre Arinbjǫrn", um chefe local) de Egill Skallagrímsson (960 d.C., manuscrito Mǫðruvallabók, AM 123 fol., de 1350), no qual está registrado no folio 99v, após o texto da saga de Egill: 1. *Þat alls heri* ‖ *at undri gefsk;* 2. *hvé hann urþjóð* ‖ *auði gnœgir;* 3. *en Grjótbjǫrn* ‖ *of gœddan hefr;* 4. *Freyr ok Njǫrðr* ‖ *at fjárafli.* Versão em prosa de Ross: *þat gefsk at undri allsheri hvé hann gœgir urþóð auði, en Freyr ok Njǫrðr hefr of gœddan Grjótbjǫrn at fjárafli.* Tradução de conteúdo proposta: "é de se maravilhar por todo o mundo como ele é capaz de prover riquezas ao povo, mas Frey e Njord dotaram o urso das pedras (= Arinbjǫrn) com o poder da riqueza".

Percebe-se que, nesse poema, há similaridades tanto com a poesia éddica quanto com a escáldica, mas, de acordo com Ross, é melhor classificada como escáldica, pois, embora não haja rimas internas, é uma métrica que conta as sílabas e que também apresenta alguns *kenningar* ou formações parecidas com *kenningar*, como em *Grjótbjǫrn*. Nessa palavra, há um dispositivo escáldico *ofljóst* ("muito claro") de trocadilho: Arinbjǫrn é chamado de "urso da pedra". Para entender o trocadilho, é apenas necessário substituir *grjót* ("pedras") por *arinn* ("lareira" feita de pedras), enquanto *bjǫrn* ("urso") seria comum para as duas. Contudo, diferentemente da poesia escáldica, a ordem das palavras é simples e as duas partes da estrofe não são sintaticamente discretas. Também é visível uma alternância que varia de três a quatro sílabas. Outros poemas nessa métrica são: *Sonatorrek* ("A Perda Árdua dos Filho", consulte o verbete SONATORREK), também de Egill Skallagrímsson; *Yn-*

glingatal ("Listas dos Ynglingar"); *Háleygjatal* ("Lista dos homens de Hálogaland") e o *Nóregskonungatal* ("Lista dos reis da Noruega"), citados anteriormente. Para mais exemplos, consulte Faulkes (1999, p. 83 para uma lista) e Fidjestøl (1982, p. 175-177).

De acordo com Williams, a estrofe em *dróttkvætt* mais antiga se encontra na estela rúnica de Karlevi (Karlevi, ilha de Öland, Suécia, código Ög 1, 1000 d.C.), assim como a única estrofe completa do texto original.

Com relação à métrica, ela tem oito versos, contidos em dois quartetos e três sílabas tônicas em cada verso. Os versos ímpares têm rima interna incompleta *skothending*, que rima palavras com uma ou mais consoantes idênticas e vogais diferentes; ao passo que os versos pares tem a rima completa *aðalhending*, que rima palavras que têm tanto vogais idênticas quanto uma ou mais consoantes idênticas. Ademais, o poema tem aliteração e um troqueu no último par silábico do verso. Todavia, os pares silábicos anteriores podem ser de um dos tipos da métrica *fornyrðislag* apresentados por Sievers.

A terceira métrica a ser comentada, a *hrynhenda* (*hrynhent, hrynjandi háttr,* "métrica fluída"), que é representada principalmente pelo escaldo Arnórr Þórðarson (século XI d.C.), foi escolhida como a principal métrica para compor poemas religiosos. De acordo com Attwood, o poema de elogio do escaldo ao rei Magnus Óláfsson é o único exemplo existente dessa métrica, que é um desenvolvimento do *dróttkvætt*, uma vez que amplia as seis sílabas em um verso de três sílabas tônicas para oito sílabas, das quais quatro são acentuadas. Além do mais, de acordo com Whaley, embora a estrutura rítmica e assonante dos poemas na métrica *dróttkvætt* seja mantida, os versos na métrica *hrynhenda* têm uma cadência descendente, que possivelmente surgiu por conta da influência da métrica trocaica utilizada nas sequências litúrgicas e hinos do mundo latino (*apud* ATWOOD, 2005, p. 49). Assim, a ampliação para essa métrica foi importante para o desenvolvimento da poesia cristã.

Exemplificaremos essa métrica com o poema *Hrynhenda*, de Arnórr Þórðarson: 1. Lj**ó**tu dreif á lypting **ú**tan; 2. l**au**ðri – bifðisk goll et r**au**ða; 3. f**a**stligr hneigði fúru geystri; 4. f**ý**ris garmr – ok skeiðar st**ý**ri; 5. Stirðum helzt umb Stafangr norðan; 6. st**á**lum – bifðusk fyrir **á**lar; 7. **u**ppi glóðu élmars t**y**ppi; 8. **El**di glík – í Danav**el**di. Versão em prosa proposta por Whaley (2009): *Ljótu lauðri dreif útan á lypting ok stýri skeiðar; it rauða goll bifðisk; fastligr garmr fýris hneigði geystri fúru. Helzt stirðum stólum norðan umb Stafangr í Danaveldi; álar bifðusk fyrir; typpi élmars glóðu uppi glík eldi.* Tradução proposta por nós: "a imunda espuma esguichou contra a popa e contra o leme do navio; o dourado vermelho estremeceu. O persistente cão de caça do pinheiro inclinou o pinheiro violento. Você manejou as robustas proas a partir do Norte, passando por Stavanger, até o reino dos daneses. As correntes estremeceram a dianteira. Os topos dos mastros do corcel tempestuoso brilhavam como fogo". O poema, portanto, também apresenta *kenningar*: *fastligr garmr fýris* ("persistente cão de caça do pinheiro" = [VENTO]), *geystri fúru* ("pinheiro violento" = [NAVIO]) e *élmarr* ("corcel tempestuoso/da tempestade" = [NAVIO]).

As primeiras quatro sílabas (ou dois primeiros pares silábicos), de acordo com Poole, coincidem em um dos cinco tipos silábicos da métrica *fornyrðislag* apresentados por Sievers, o que também ocorre na métrica *dróttkvætt*, como apresentado anteriormente. Porém, as duas sílabas finais (ou o par silábico final) formam um troqueu, assim como também na métrica *dróttkvætt*. A diferença ocorre no terceiro par silábico, que tem sempre a forma /x, de acordo com os modelos de Sievers, em que o / representa um acento primário e o x, um acento mínimo. Em vista disso, esse poema fica exclusivamente no par silábico do tipo A de Sievers: /x/x /x/x /x/x /x/x. Poole afirma que, ao contrário do *dróttkvætt*, o desenvolvimento do *hrynhenda* constitui um claro e muito fascinante caso de hibridismo, pois essa métrica exibe a influência do tetrâmetro trocaico das sequências litúrgicas e hinos do mundo latino.

A última métrica a ser considerada é a *runhenda*. De acordo com Poole, tal métrica apresenta uma característica que não existe na poesia escáldica em geral: a rima final. Como exemplo mais antigo, há o poema *Hǫfuðlausn* ("o resgate da cabeça"), de Egill Skallagrimssón (século X). As rimas, de acordo com o autor, se formam às vezes entre palavras masculinas, femininas, às vezes em pares, às vezes abrangendo quatro versos etc. Muitas das rimas são do tipo completa (*aðalhendingar*), mas algumas são incompletas (*skothendingar*). Gísli Súrsson é um poeta a quem se atribui, mas não com toda certeza, alguns poemas na métrica *dróttkvætt* com rimas finais. O escaldo *Rǫgnvaldr jarl* também compôs um *lausavísa* com essa característica. Como exemplo, o autor apresenta uma estrofe do poema Lilja, de Eysteinn Ásgrímsson (século XIV), que seria um poema já muito além do período da Era Viking.

Yuri Fabri Venancio

Ver também Inscrições rúnicas; Heiti; Kenning; Linguagem; Literatura; Norreno; Poesia éddica.

ATTWOOD, Katrina. Christian Poetry. In: MCTURK, Rory (ed.). *A Companion to Old Norse-Icelandic Literature*. Malden/Oxford/Victoria: Blackwell Publishing Ltd, 2005, pp. 43-63

FAULKES, Anthony. *Snorri Sturluson Edda. Háttatal*. London: Viking Society for Northern Research, 1999.

FIDJESTØL, Bjarne. *Det norrøne fyrstediktet*. Øvre Ervik: Alvheim & Eide, 1982 (*Nordisk institutts skriftserie / Universitetet i Bergen*).

JANSSON, Sven B. F. *Runes in Sweden*. Stockholm: Gidlunds, 1987.

JÓNSSON, Finnur. *Den norsk-islandske Skjaldedigtning. B. Rettet Tekst*. I. København: Rosenkilde og Bagger, 1973.

ÓLASON, Vésteinn. Old Icelandic Poetry. In: NEIJMANN, Daisy. *A History of Icelandic Literature*. Lincoln/London: University of Nebraska-Press, 2006, pp. 01-63.

POOLE, Russell. Metre and Metrics. In: MCTURK, Rory (ed.). *A Companion to Old Norse-Icelandic Literature*. Malden/Oxford/Victoria: Blackwell Publishing Ltd, 2005, pp. 265-284.

ROSS, Margaret Clunies. *A History of Old Norse Poetry and Poetics*. Cambridge: D. S. Brewer, 2005.

WHALEY, Diana. (Introduction to) Arnórr jarlaskáld Þórðarson, Hrynhenda, Magnússdrápa. In: GADE, Kari E. (ed.). *Poetry from the Kings' Sagas 2: From c. 1035 to c. 1300. Skaldic Poetry of the Scandinavian Middle Ages 2*. Turnhout: Brepols, Turnhout, 2009, pp. 181-206.

WILLIAMS, Henrik. Runes. In: BRINK, Stefan; PRICE, Neil (eds.). *The Viking World*. London/New York: Routledge, 2008, pp. 281-290.

POVOS E ETNIAS

Ver Anglo-saxões e nórdicos; Árabes e vikings; Celtas e nórdicos; Godos; Esquimós e nórdicos; Finns e nórdicos; Rus; Sámi; Fínicos e nórdicos; Viking.

RAGNAR LODBROK

Ragnar Lodbrok (Ragnar Lóðbrok), ou Ragnar Calças Felpudas, foi um rei lendário ou semilendário do Período Viking, muito popular nas narrativas medievais escandinavas e ligado a relevantes casas reais, como as dinastias *Ynglinga* e *Munsö*. Apesar de de ser certo que tal rei não existiu fora das representações encontradas nas narrativas míticas, o debate acadêmico ainda gravita entre a possibilidade do personagem mitológico ser o resultado de uma amálgama entre vários personagens históricos, ou produto do imaginário escandinavo da Era Viking e, principalmente, de épocas posteriores.

As narrativas em torno de Ragnar Lodbrok contribuíram muito para a imagem romântica que possuímos dos vikings, haja vista que o personagem possuiu uma vida pautada pela aventura nos mares, pelo saque aos reinos cristãos e pela violência em combate e em morte, ideais também atribuídos aos seus filhos. Mas a sua figura também contribui para constituir um exemplo de como os escandinavos na Idade Média imaginaram o seu passado heroico. A Saga de Ragnar Lodbrok, *Ragnars saga Lóðbrokar*, por exemplo, foi escrita na Islândia por volta da primeira metade do século XIII e narra a vida de um homem que teria vivido séculos antes. No entanto, ela já havia sido incorporada ao passado dinamarquês pelos escritos de Saxo Grammaticus, os Feitos dos Daneses, *Gesta Danorum*.

Ragnar é uma figura que pode ser sintetizada da seguinte maneira: primeiro, temos um chefe guerreiro de nome Ragnar, que morreu após o saque em Paris, em 845, sendo lembrado pela abadia de

Saint-Germain-des-Près; depois, precisamos lembrar que *Lothkona* ou *Lodbroka*, não só era nome de um espírito tutelar feminino, como também possivelmente a mãe – enquanto conceito polissêmico – de uma família de saqueadores que agiram entre os reinos Anglo-saxões e a Francia, entre 860 e 870, conhecidos séculos depois como os filhos de Lodbrok; agora pensemos numa mescla de narrativas sobre princesas e dragões (este último elemento muito popular em heróis germânicos, de Beowulf a Sigurð); somemos a isso uma invasão histórica ao Reino da Nortúmbria, onde o rei Ælla faleceu, e a morte em um poço com víboras, nos mesmos moldes de Gunnar na Saga dos Vǫlsungos, *Vǫlsunga saga*.

Ao adicionarmos conquistas de territórios e a formação de um império norte-atlântico, conflitos políticos e códigos legais, temos o rei Regnerus que ocupa a narrativa do nono livro dos *Feitos dos Daneses*. Retiremos boa parte do conteúdo político, temos a Saga de Ragnar Lodbrok.

Ademais, os detalhes da sua vida lendária revelam um caso espetacular de circularidade das fontes orais e escritas, de modo que podemos visitar uma miscelânea composta por cronistas normandos. Inclusive, o registro mais antigo desse personagem pode ser encontrado nos Feitos dos Duques Normandos (*Gesta Normannorum Ducum*), de Guilherme de Jumièges, que menciona um rei de origem anglo-escandinava de nome *Lothbroc*, o qual havia forçado o seu filho Björn Flanco de Ferro ao exílio a fim de que o jovem organizasse sua própria vida de pilhagens.

Outras fontes medievais que podemos citar são: o *Conto dos Filhos de Ragnar* (*Ragnarssona þáttr*), as já mencionadas no *Feitos dos Daneses* (*Gesta Danorum*), da pena de Saxo Grammaticus e a *Saga de Ragnar Lodbrok* (*Ragnars saga Lóðbrokar*), além dos poemas conhecidos como os "Ditos de Kraka" (*Krákumál*) e o "Elogio a Ragnar" (*Ragnarsdrápa*). Excetuando a última fonte – que é atribuída ao poeta Bragi Boddason, o Velho, e datada em torno do século ix –, todos os detalhes que possuímos de sua vida advêm de fontes tardias e de larga inspiração mitológica, como já mencionado.

Narrativas sobre a sua vida lendária contam que ele teria sido filho de Sigurd Hringr (Anel) e casado com diferentes princesas, com as quais teve diversos filhos que também se lançaram ao mundo heroico do imaginário viking. Ragnar teria sido, ainda, parente de Godofredo, rei dinamarquês do século IX, também distinguido por sua conduta heroica, o que pode levar a crer que a figura de Horik (filho de Godofredo) tenha inspirado alguns elementos de seus feitos. Outras personalidades do medievo escandinavo que podem ter contribuído para a construção da lenda de Ragnar Lodbrok são Ragnfrid, Reginherus e Ragnall (provavelmente Rangvald, *jarl* de Mœrr).

Sua alcunha está ligada ao modelo de calças utilizadas para enfrentar e vencer duas serpentes que impediam qualquer aproximação entre o herói e a princesa Thora Borgahjort. É dito que essa princesa sueca havia criado duas serpentes que seu pai trouxera de uma caça, mas que haviam crescido desmedidamente e passaram a ser consideradas uma ameaça. Nenhum dos seus pretendentes havia conseguido superar tal obstáculo, até que Ragnar se prontificou. O herói usou calças felpudas para se proteger do veneno das serpentes e as endureceu com areia, ou jogando-as em água gélida (as fontes divergem).

Outros feitos lendários são creditados ao herói e, entre eles, os mais celebrados que podemos mencionar são os saques no mar Báltico, o famoso Cerco à Paris em 845 (onde conseguiu o exorbitante pagamento de sete toneladas de prata), o famoso *danegeld* e a sua invencibilidade em batalha, que perdurou por toda a sua vida guerreira, sendo vencido apenas no fim pelo rei Aella II, da Nortúmbria. Herdeiro das possessões de seu pai (Sigurð Hring, rei dos suecos e conquistador de reinos na Dinamarca), Lodbrok também teria governado algumas regiões na Inglaterra e Finlândia.

Durante a sua vida dividida entre batalhas e feitos heroicos, Ragnar Lodbrok casou-se com Laðgerða, ou Lagertha, chefe guerreira que se distinguia na batalha pelo vigor e pelos cabelos soltos que a identificavam na luta. Siward, avô do herói, morreu em batalha contra um rei de nome Frø, que, vitorioso, humilhou as mulheres que pertenciam a família do morto, fazendo delas prostitutas. Fugindo da humilhação, algumas mulheres pegaram em armas e foram vitais no momento em que Lodbrok trouxe os seus guerreiros para vingar o avô em campo de batalha, contra o rei Frø.

Essa guerreira (ou Dama de Escudo, como normalmente são chamadas as mulheres belicosas nas fontes mitológicas escandinavas) propunha um teste aos seus pretendentes: lutar contra duas feras que serviam como suas guardiãs. Lodbrok vence o combate contra um urso e um cão, passando a viver feliz, por algum tempo, com a guerreira. Apesar disso, enraivecido por ter sido acossado pelas bestas, Ragnar abandona a mulher com quem teve duas filhas (de nome não registrados na escrita) e um filho chamado Fridleif.

Após realizar os feitos que lhe renderam o casamento com Thora Borgarhjort, Ragnar teve dois filhos de nomes Agnar e Érico. Infelizmente, Thora adoeceu e morreu, restando ao herói prantear o falecimento de sua jovem esposa no mar. Após a morte da esposa, Lodbrok passou mais uma vez a praticar o saque onde pudesse. Tornou a casar, quando propôs um desafio a Aslaug de vir ao seu encontro vestida e não vestida, comendo e não comendo, sozinha e não sozinha. Aslaug compareceu ao encontro vestida em uma rede de pesca, comendo uma cebola e trazendo um cão.

Aslaug, também chamada Kráka, era a filha dos heróis lendários Sigurð, o Matador de Dragão, e Brynhilda, com quem ele teve boa parte dos seus filhos mais famosos: Björn Flanco de Ferro, Ivar Sem Ossos, Camisa Branca, Ragnvald, Sigurð Serpente no Olho, Hingwar (possivelmente outro nome para Ivar), Halfdan e Ubba, além de três filhas que costuraram o estandarte do corvo em um único dia. Tais filhos vão ser citados ou não, dependendo da fonte consultada. Mas, enquanto os detalhes das vidas desses homens são produtos das narrativas lendárias – nas quais pelo menos Ivar Sem Ossos (Hingwar), Halfdan e Ubba serão citados como líderes da Grande Armada Danesa –, de modo geral, admite-se que os filhos de Ragnar Lodbrok possivelmente teriam sido figuras históricas. Aslaug tinha a habilidade de falar com os pássaros, como o pai. A serpente no olho de Sigurð, um de seus filhos, apenas reforça a ideia de sua origem nobre.

Já em idade avançada, Ragnar começou a ansiar novamente por aventuras e, temendo que os feitos dos seus filhos ultrapassassem os seus, preparou suas embarcações. As notícias acerca de suas intenções chegaram aos homens de posses, que passaram a proteger os seus tesouros, temendo o saque viking. Aslaug lhe alertou que a empreitada estava destinada ao fracasso e, ao ouvir do marido que atacaria com dois navios a fim de aumentar a grandeza de seus feitos, lhe entregou uma cota de malha encantada com a finalidade de oferecer proteção.

Os dois navios foram destroçados pela tempestade quando se aproximavam da Inglaterra e Ragnar, junto aos poucos homens de seu bando que sobreviveram, passaram a saquear o território a pé, parados apenas pelo rei Ælla, na Nortúmbria. Capturado vivo e se recusando a dizer a sua verdadeira identidade, Ragnar foi morto em um poço de serpentes. As notícias chegaram aos seus filhos, que prometem vingança. Esta se realiza sob a forma da "Águia de Sangue", uma execução lendária e sem evidências que tenha de fato existido.

Ragnar foi jogado em um poço com serpentes pelo rei Ælla e morreu quando retiraram à força sua armadura, sendo posteriormente vingado pelos seus filhos. A tradição de heróis que encontram o mesmo fim também conta com Gunnar, morto por Atli. Sua figura gravada em madeira – na qual aparece tocando harpa com os pés, como descrito no poema "Os Ditos de Atli" (*Atlamál*) – pode ser encontrada na Noruega a partir do século XII. De maneira geral, nas representações funerárias ou memoriais da Era Viking, é possível encontrar figuras antropomórficas presas por serpentes ou seres serpentiformes. Ainda que essas recorrências pareçam estar interligadas, não é possível tecer grandes conjecturas. De Vries, por exemplo, presume que a ligação entre a morte de Ragnar e as serpentes pode ter surgido nos assentamentos dinamarqueses no norte da Inglaterra. Também aponta que as representações de homens e serpentes podem ter servido como prova da história de Ragnar, mas essa é uma posição difícil de ser sustentada pelos pesquisadores atualmente.

Não poderíamos deixar de falar sobre a importância de Ragnar Lodbrok na cultura moderna, com ênfase na exposição da sua figura através do seriado *Vikings*, produzido por Michael Hirst e exibido através do canal de televisão History. O seriado se inspira brevemente nos relatos mitológicos, contemplando as fontes apontadas aqui anteriormente e posicionando o herói no epicentro de importantes eventos da Era Viking, como o saque a Lindisfarne, o cerco a Paris e o acossamento dos centros de poderes das Ilhas Britânicas.

Sem maiores comprometimentos com a fidedignidade histórica, o seriado prefere representar um Ragnar crível, que, mesmo distante dos elementos mitológicos originais, possa agradar ao público com elementos familiares ao imaginário formado sobre os vikings nos últimos séculos. Os séculos que separam os acontecimentos anteriormente citados e outros pontos centrais para a narrativa do seriado, como o estabelecimento do ducado da Normandia por Rollo (Hrólf Ganger), o reinado de Ecbert, entre outros, nos servem como um lembrete da discrepância entre as fontes históricas e o roteiro elaborado para os episódios do seriado.

Os produtores da série também apostam na identificação dos espectadores com uma pretensa atmosfera religiosa pagã, em oposição ao universo cristão. A figura de Ragnar Lodbrok, interpretado por Travis Fimmel, nos é apresentada recitando versos do *Hávamál* e frequentando o templo de Uppsala, situado no alto de uma montanha, dentro de um bosque (quando, em verdade, as descrições e vestígios referem-se a uma planície). A representação do templo apresenta clara inspiração nas igrejas de madeira escandinavas. Cabe mencionar ainda a música moderna como trilha sonora, que, todavia, soa estranhamente familiar ao que o público conecta como algo "viking".

Se funciona essa ponte entre o anacronismo pertinente aos produtores da série e as expectativas criadas pelo público que espera por algo "genuinamente viking", isso se dá na longa elaboração do herói como parte do modelo de nobre pagão na cultura medieval, ou de bárbaro romantizado na literatura vitoriana. Nada mais chocante que a cena na qual o ritual da Águia de Sangue é encenado: as costelas do *jarl* Borg são retiradas, seus órgãos internos expostos e, enquanto nenhum gemido foi proferido, a entrada ao Valhalla foi garantida pelo suplício. Uma punição celebrada dentro de uma pretensa ideia de "legitimidade viking", mas só mencionada tardiamente em fontes de larga inspiração mitológica e sem nenhuma base arqueológica. Dessa maneira, o Ragnar Lodbrok de Michael Hirst se afasta dos clichês mais grosseiros sobre o mundo viking, mas não consegue se distanciar dos anseios e das pretensões do público ao qual se destina, que elege quais elementos aprova como pertinente ao perfil desse personagem.

Pablo Gomes de Miranda

Ver também Dinamarca da Era Viking; Viking; Vikings na televisão.

DE VRIES, Jan. Die Westnordische Tradition Der Sage Von Ragnar Lodbrok. *Zeitschrift Für Deutsche Philologie*, n. 53, 1928, pp. 257-302.

KACANI, Ryal Hall. *Ragnar Lothbrok and the semi-legendary history of Denmark*. Senior Thesis, Brandeis University, 2015.

MAWER, Allen. Ragnar Lóthbrok and His Sons. *Saga Book of the Viking Club*, vol. 6, 1909, pp. 68-89.

MCTURK, Rory. *Studies in Ragnar's Saga Lodbrokar*. Oxford: Society for the Study of Medieval Languages and Literature, 1991.

SAWYER, Peter H. *Kings and Vikings: Scandinavia and Europe AD 700--1100*. London: Methuen, 1982.

TROMANS, Dominic. The Making of a Legend: The Saga of Ragnar Lothbrock and the TV series Vikings. *Academia.edu*, 2015, pp. 01-13.

REALEZA

Dados coletados pela arqueologia – em especial por conta das descobertas de túmulos, de evidências nas inscrições rúnicas e relatos de fontes escritas – mostram a estratificação da sociedade escandinava na Era Viking. Antes desse período, o poder já se concentrava nas mãos de famílias dinásticas. A riqueza se dava principalmente pela posse de terras e pelos produtos dela extraídos, os quais se convertiam em impostos a seus senhores. Existia uma hierarquia social na qual os pequenos reinos dessas regiões eram controladas pelas aristocracias locais que tomavam decisões baseadas em conselhos (ou *Things*). Com o passar do tempo e a centralização do poder real na Escandinávia viking, os tributos passaram a ser recolhidos pelos representantes dos reis, aos quais eram conferidos grandes poderes (uma característica da formação monárquica). As evoluções das monarquias ocorrem aproximadamente no século XI, quando se verifica também mais evidências da produção de moedas pelos reis nórdicos.

Assim, antes da Era Viking havia vários reinos na Escandinávia, embora não se saiba com exatidão a extensão desses reinos. As informações sobre os processos de unificação dos territórios nos países escandinavos se encontram hoje limitadas. Sabe-se que, provavelmente, regiões da Dinamarca, até o ano 800 d.C., já estariam sujeitas a um único rei. O mesmo deve ter ocorrido na Noruega, no fim do século IX. A maior parte do território atual da Suécia foi unificada antes do século XII.

A monarquia era hereditária, porém a sucessão não era algo garantido, pois havia muitas disputas entre os descendentes. Ocorriam muitos casos de pretendentes ao reinado que passavam por longos períodos no exílio acumulando riquezas e séquito militar, para enfim retornarem às suas terras e conquistarem o direito monárquico. Por vezes, também, se firmavam acordos que visavam um governo conjunto entre mais de um monarca ou mesmo a divisão do território em regiões nas quais cada pretendente exerceria o domínio como senhor. Para obter o comando real, um indivíduo não precisaria necessariamente estar conectado a uma área geográfica em particular. Existiram muitos líderes guerreiros vikings em expedições que carregavam o título de rei sem possuir nenhuma base de poder territorial estabelecido em suas terras natais.

O poder também estava longe de ser centralizado nos reinos escandinavos vikings. Havia um grau de relativa independência das regiões que compunham os reinos, que mantinham seus próprios costumes e leis. As aristocracias locais possuíam grande influência, apesar desta ter diminuído com o advento das administrações reais em uma maior escala. Ainda assim, a manutenção do domínio real dependia muito de uma boa interação com os aristocratas. As monarquias escandinavas da Era Viking tinham uma conexão muito intrínseca com a religião e os mitos. A guerra possuía um papel importantíssimo na construção do reinado, visto o forte caráter militar que permeava as alianças entre os reis e a classe aristocrata. A guerra e a obtenção de saques eram de suma importância na obtenção de recursos, bem como na distribuição dos produtos no interior da sociedade. A generosidade do rei conforme este distribuía os produtos para a aristocracia era um elemento chave na manutenção das alianças. Os reis distribuíam bens e poder. Seus aliados aristocratas deveriam em troca fornecer homens para a guerra.

Fábio Baldez Silva

Ver também Canuto, o Grande; Genealogia; Hird; Sociedade; Viking.

BRINK, Stefan. Law and society: Polities and legal customs in Viking Scandinavia. In: BRINK, Stefan; PRICE, Neil. (eds.). *The Viking world.* New York: Routledge, 2008, pp. 23-31.

GRAHAM-CAMPBELL, James. *Os Viquingues: Origens da Cultura Escandinava.* Madrid: Del Prado, 1997 (vol. 1).

ROESDAHL, Else. *The Vikings.* London: Penguin Books, 1998.

STEINSLAND, Gro. Ideology and power in the Viking and Middle Ages Scandinavia, Iceland, Ireland, Orkney and the Faeroes. In: STEINSLAND, Gro; SIGURDSSON, Jón V; REKDAL, Jan E; BEUERMANN, Ian (orgs.). *Ideology and power in the Viking and Middle Ages.* Boston: Brill, 2011, pp. 01-14.

REGIÕES E PERÍODOS HISTÓRICOS

Ver Arqueologia da Era Viking; Dinamarca da Era Viking; Era Viking; Expansão nórdica; Finlândia da Era Viking; França na Era Viking; Inglaterra da Era Viking; Irlanda da Era Viking; Islândia da Era Viking; Noruega da Era Viking; Reino da Dinamarca; Rússia da Era Viking; Suécia da Era Viking.

RELIGIÃO

Conceito: O termo religião é um conceito atualmente cercado de debates conceituais e teóricos, sem um consenso uniforme na academia. Suas raízes no mundo romano clássico e cristão – no sentido de culto e reverência aos deuses –, chegando ao racionalismo iluminista, o tornam um conceito eminentemente relacionado à história intelectual europeia, adaptado e transferido para outras culturas e épocas. No mundo nórdico pré-cristão, a exemplo de outras áreas culturais, não existia um termo linguístico específico para religião. Os escandinavistas contemporâneos utilizam majoritariamente o termo Religião Nórdica Antiga para uma série de crenças, práticas e rituais mantidos durante a Era Viking. O tradicional termo paganismo nórdico vem sendo criticado devido a sua forte carga pejorativa nas fontes primárias, enquanto a utilização do termo *forn siðr* (costume) como substituto de religião pelos acadêmicos atuais foi efêmera. Para o pesquisador Thomas DuBois, a religião durante o período pré-cristão era de natureza étnica e teve um grande dinamismo, com variações sociais e regionais, bem como múltiplas trocas e intercâmbios com culturas não escandinavas. Ainda segundo ele, existiram comunidades de fé baseadas tanto em culturas quanto em instituições sociais, sendo a experiência religiosa nórdica estruturada como uma visão de mundo – classificando seres, paisagens e situações. Outros acadêmicos vêm percebendo a Religião Nórdica Antiga como fortemente integrada na vida social, econômica e política do Período Viking. Para o arqueólogo Mike Parker Pearson, a Religião Nórdica Antiga pode ser percebida por duas perspectivas: numa perspectiva continental (no contexto do ano mil d.C.), onde ela imita muitos dos aspectos dos rituais da Idade do Ferro; e em outra perspectiva, pré-histórica, na qual estas práticas podem ser percebidas como o produto final de uma variação regional de um pan-paganismo, cuja prática se estendia das Ilhas Britânicas até a Alemanha e Escandinávia.

Fontes: As fontes primárias para o estudo da Religião Nórdica Antiga são literárias (as Eddas, as sagas islandesas, as crônicas históricas e de colonização, crônicas estrangeiras e a poesia escáldica) e arqueológicas (monumentos, pedras rúnicas, textos rúnicos e latinos, esculturas, cenas de tapeçaria, depósitos funerários e cemitérios). Em especial, as sagas islandesas contêm diversas referências à religiosidade nórdica antiga, incluindo rituais, profecias, atos de piedade, práticas e crenças mágicas, maldições, referências a templos e espaços sagrados, entre outros.

Em algumas pesquisas vêm sendo reempregados, para compensar certas lacunas e escassez de fontes originais da área nórdica, alguns métodos comparativos com religiões de outras culturas e áreas, como a finlandesa, a báltica, a celta, a oriental e a euroasiática de forma geral.

Teologia e mitos: A teologia nórdica envolvia uma série de divindades, divididas em dois grupos (*Aesir* e *Vanir*). Algumas divindades femininas (*dísir*) ocupavam papel central no mundo privado, enquanto forças sobrenaturais (*álfar*) eram seres inferiores em conexão com os Vanir. Outras categorias são os *jotnar* (gigantes) e os *dvergar* (anões). As narrativas mitológicas expressavam o complexo relacionamento entre deuses, gigantes e homens. As comunidades acreditavam em vários deuses e seres sobrenaturais, mas geralmente poucos ou somente uma única deidade recebia maior atenção na esfera individual. A relação entre homem e divindade variava de temor e medo a uma ligação de profunda amizade (*ástvínr*). Dentro do contexto de uma religião sem dogmas, doutrinas, organização e centralização, os mitos são a principal expressão religiosa de mundo, emoções, bem como de ideias e valores sobre a natureza, as localidades divinas e o homem. Essas narrativas orais acompanhavam os ritos e as dramatizações, além de serem incluídas na arte e cultura material. Os mitos explicam as origens do universo e servem de modelo tanto para os cultos quando para o comportamento dos indivíduos nos grupos.

Autoridades religiosas: Não existiam sacerdotes profissionais, como os druidas dos povos celtas ou o sacerdócio hereditário dos indo-iranianos. Funções ritualísticas de diversos tipos eram realizados por pessoas de diferentes ocupações e papéis na sociedade. Reis e líderes eram conhecidos por suas importantes ocupações em banquetes sacrificiais públicos. Na Islândia, existia a instituição do *goði*, um papel de liderança que combinava funções políticas, jurídicas e religiosas. Outro tipo de personalidade que tinha algum tipo de função religiosa era o *Þulr* (orador). Nos atos de comunicações com o além, tanto homens quanto mulheres desempenhavam papéis importantes, mas as mulheres possuíam mais valor no tocante às previsões do futuro. A *völva* era a profetisa que frequentemente era requisitada para atender situações reais de infortúnios e crises sociais.

Reis (*konungar*) e nobres (*jarlar*) tinham performance central em festivais cerimoniais e em santuários. Em *Hákonar saga*, Snorri descreve um ritual efetuado em Trøndelag, conduzido pelo *jarl* Sigurd Hlada. Durante o cerimonial, Sigurd abençoou o fogo no local e brindou aos deuses, invocando a fórmula *Til árs ok friðar* ("Para uma boa estação e a paz"). Essa ideia de que a autoridade real era fundamentada em elementos religiosos foi denominada de realeza sagrada e vem sendo questionada e debatida intensamente. Mais recentemente, a pesquisadora Gro Steinsland vem demonstrando a ligação entre mito e rito nos papéis de liderança política, com especial interesse na hierogamia entre Freyr e Gerd e suas ressignificações na cultura material (plaquetas de ouro com imagens destes personagens míticos foram encontrados em salões reais). A giganta Gerd seria uma representação do território assumido pelo rei. Ela seria a força primitiva, enquanto que o rei encarnaria o papel de fertilizador e de mantenedor da ordem (como o deus Freyr).

Ritos e cultos: O culto, no mundo pré-cristão, tinha um papel de mediação e estruturação da unidade coletiva. Existiam diversos tipos de rituais. Os banquetes sacrificiais (*blótveizlur*) ocupavam um papel proeminente nos grandes festivais sazonais, contando com a participação de um grande número de pessoas. Os rituais familiares eram frequentemente feitos em fazendas, a exemplo do *álfablót*, sendo os ancestrais os mais antigos temas de adoração nas regiões nórdicas. Outros tipos de ritos eram frequentes em certas épocas da vida das pessoas e das comunidades, como nascimentos, iniciações, casamentos e funerais. Uma grande quantidade de vestígios de poços de cozinha, datados da Idade do Bronze até o ano 1000 d.C. foram encontrados na Escandinávia, utilizados em banquetes e rituais tanto de famílias quando da comunidade de forma mais ampla. Na área islandesa eram frequentes a utilização do consumo de carne de cavalo. Outros tipos de atividades com implicações ritualizadas eram lutas entre guerreiros, salto sobre fogo, hóquei, natação, arremesso de objetos, andar sobre remos, competições de canto, danças com máscaras etc.

As pesquisas arqueológicas também encontraram uma grande quantidade de vestígios de rituais relacionados com a construção ou inauguração de habitações, bem como com construções variadas na Escandinávia do Período Viking. Os rituais consistiram na consagração com bebidas e o depósito dos vasilhames (potes, vasos e copos) em áreas com fogo (aqui identificado com o seu poder sobrenatural e transformador). As áreas mais ricas desse tipo de material são o sul da Suécia e o norte da Dinamarca, algumas delas associadas com depósitos de cerâmica e construções.

Analisando diversos tipos de vestígios materiais obtidos na tradição ritualística nórdica, Anne Carlie considerou diversas mudanças diacrônicas: inicialmente, na Idade do Bronze, temos depósitos agrários, com diversos machados, cerâmicas e ossos animais. Posteriormente, no período das migrações (séculos VI a VIII d.C.), surgem depósitos não agrários, com vestígios de armamentos e sepultamentos. No início da Era Viking até o final do medievo, aumentam os depósitos mágicos: objetos antigos (como machados neolíticos e fósseis) são encontrados junto a ossos animais e humanos, moedas e pingentes/amuletos com símbolos odínicos (aves e serpentes).

Os rituais funerários são muito pesquisados atualmente pelos escandinavistas, devido à sua riqueza de material arqueológico. Eles são expressões de atividades específicas (guerra, negociações, caça, atrações pessoais), funcionando também como elementos de identidade social em uma rede de relações híbridas. Muitos são conectados diretamente aos cultos odínicos, a exemplo do funeral descrito por Idn Fadlan. Outro cronista árabe, Ibn Rustah, também mencionou uma elaborada câmara sepulcral de um líder nórdico da Rússia, com depósitos de comida, bebidas, vasilhames e moedas. Segundo esse cronista, a esposa do chefe foi colocada viva dentro da sepultura. Para o arqueólogo britânico Neil Price, os funerais nórdicos não consistiam apenas de rituais, mas também de performances e dramatizações de narrativas míticas. Esses atos passavam ao público presente várias mensagens de cunho social e religioso. Mesmo os animais presentes – geralmente sacrificados e dispostos no local – executam papéis em um drama funerário. Embora os atores não estivessem presentes na cena final, desempenham o papel principal: o de confirmarem a sepultura como uma moradia.

Espaço ritual: Locais de culto envolviam diversos tipos de sítios naturais, como montanhas, arvoredos, campinas, ilhas, lagos e rios. Nesses locais, diferentes tipos de construções e monumentos tinham intenções religiosas: alinhamentos de pedras em forma de embarcações ou círculos; pedras erigidas com runas; lareiras para propósitos cultuais. Sacrifícios, invocações, bênçãos e ações de graças eram efetuadas em lugares reservados para tais fins. A única palavra em nórdico antigo que possuía uma inequívoca denotação de local de culto é *vé*, mas também existiam outras com sentido semelhante, como *lundr, akr* e *hof.*

Templos e locais sagrados: A famosa descrição do templo pagão de Uppsala (Suécia), realizada por Adão de Bremen, conteve diversos referenciais cristãos. Escavações arqueológicas no local indicaram que não existiu um grande templo como descrito pelo cronista, mas um grande salão real, utilizado para fins cerimoniais. Locais muito semelhantes foram também encontrados em Mære (Noruega), Järrestad (Suécia) e Helgö (Suécia). Apesar de tradicionalmente os pesquisadores argumentarem que não existiram templos ou construções especializadas para fins rituais na Era Viking, recentes descobertas vêm demonstrando que, além dos praticados ao ar livre, cultos ocorriam também nesses espaços fechados. Em Borg (Noruega), uma pequena casa foi encontrada, situada numa elevação rochosa, construída com soleiras e paredes de madeira. Ela foi erigida junto a um jardim pavimentado, cobrindo uma área de cerca de 1.000 m². A redor dessa construção foram encontrados inúmeros ossos de animais (cachorros, cavalos e javalis) e também amuletos circulares de metal, ligados com pingentes do martelo do deus Thor.

Recentemente outro templo foi escavado, no sítio de Uppåkra (Suéca), entre os anos de 2000 e 2004. As pesquisas revelaram uma construção utilizada entre os séculos VI e X, com forma e estrutura muito semelhante às posteriores igrejas de aduelas da Noruega do período cristão. No local, foram encontrados vestígios de bracteatas, *gullgubber* (placas de ouro com representações humanas, associadas à hierogamia entre o deus Freyr e a giganta Gerd), e diversos vestígios de armamentos quebrados, como escudos e pontas de lança. Essa última prática também foi verificada nos pântanos dinamarqueses da Idade do Ferro, indicando uma continuidade de práticas religiosas na Escandinávia. Mas os achados mais espetaculares do templo foram um copo de prata e bronze com ornamentos de ouro e uma sofisticada bacia de vidro.

Vestígios de sítios rituais ao ar livre foram encontrados em Frösön (Suécia). Entre os ossos de animais domésticos e selvagens, foram achados vários remanescentes de ursos – um animal associado diretamente à marcialidade e ao deus Odin, o que levou os pesquisadores a acreditarem que se tratava de um sítio sacrificial, possivelmente uma sepultura. Os corpos foram depositados junto a árvores que cresciam na época dos sacrifícios, o que conduz a uma comparação direta com o relato de Adão de Bremen e a Tapeçaria de Oseberg, que apresenta imagens de enforcados numa grande árvore.

Diversos tipos de pesquisas vêm apontando implicações cosmológicas em estruturas e localidades nórdicas. Para Lars Larsson, o templo de Uppåkra foi construído representando aspectos cósmicos e sociais: seus depósitos de pontas de lanças invocava o salão do Valhalla (repleto de guerreiros renascidos), enquanto os postes centrais são uma alusão à árvore Yggdrasill. Um desses postes foi recoberto com figuras de ouro, conectando simbolicamente o local com o bosque de Glasir e o Valhalla. Outro local, a fortificação de Ismantorp (Suécia), foi identificado pelo arqueólogo Andres Andrén como também possuindo conotações cosmológicas: seus nove portões seria uma alusão ao numero sagrado de Odin e aos nove mundos, enquanto o poste central teria sido uma referência à Yggdrassill. Tendo um caráter de legitimação de uma nova ordem militar no final do período de migrações, Ismantorp também foi integrada à uma nova concepção de liderança política, que se utilizou de referenciais mitológicos e religiosos.

A arqueóloga Lotte Hedeager também acredita em implicações cosmológicas na estrutura arquitetônica do sítio de Gudme (Dinamarca): ele teria sido um modelo paradigmático de Asgard, ou seja, um centro de culto ao deus Odin. Sua arquitetura seria baseada (em termos de imaginário artístico) ao que se acreditava ser a moradia dos deuses. Do mesmo modo que o trono de Odin (Gladsheim), o trono do rei ficava em uma posição central e mais elevada no centro de Gudme. Nesse caso, o objeto também servia como suporte para a autoridade real.

Sacrifícios: A forma mais comum de imolações na Escandinávia é a utilização de animais domésticos e selvagens. Eles são vistos como um meio de comunicação com alguma divindade e cada animal geralmente é conectado a diferentes seres divinos. Assim, bois, porcos e javalis são sacrificados para Freyr e Freyja, enquanto cabras e bodes para Thor. Os porcos simbolizavam o poder bem-sucedido das reproduções e da fertilidade em geral (mesmo as humanas). Já o bode representava tanto o humor quanto a imagem sagrada do sexo na imaginação pré-cristã. Outros animais sacrificados são imediatamente consumidos em banquetes, como os cavalos na Islândia (conectados a Odin e ao mundo da nobreza). Esse ato possuía um significado de ratificação de leis ou funcionava como agregador das relações entre as comunidades. Outro animal odínico é o urso, relacionado aos ancestrais míticos dos clãs e identificado à bravura dos guerreiros, os quais se transformam no animal em diversas sagas, demonstrando a popularidade do urso enquanto ser portando poder animista.

A presença de sacrifícios humanos, especialmente associados a funerais, não é fácil de ser detectada diretamente, mas, apesar disso, diversos vestígios foram encontrados e são debatidos pelos especialistas. Um grande número de sepulturas da Era Viking contém indivíduos que foram claramente decapitados, esfaqueados ou enforcados com as mãos amarradas. Exemplos famosos são o homem enterrado em Stengade (Dinamarca), abaixo de outro corpo masculino coberto com uma pesada lança. Outro exemplo é uma sepultura de Birka (Suécia), com o corpo de um jovem ao lado de um homem de idade avançada também coberto com lanças. As fontes clássicas (como Tácito e Diododo da Sicília), já descreviam sacrifícios de guerreiros, capturados pelos antigos germanos e dedicados a Mercúrio (possivelmente Wotan). Os sacrifícios eram realizados pelo trespassar de uma lança ou enforcamento, ambos relacionados com o auto-sacrifício do próprio Odin, que utilizou esses dois métodos conjugados. Em outro sítio, Borg (Suécia), foram encontrados depósitos junto ao grande salão, datados da Era Viking, com vestígios de ossos animais, incluindo dez cachorros decapitados. O escavador do local, A. Nielsen, concluiu que se tratava de um templo dedicado a Freyr ou Freyja. Em Trelleborg (Dinamarca), um fosso revelou ossos de crianças junto a porcos, vacas, cabras e cachorros. Em Repton (Inglaterra), ao redor do chefe morto, foram encontrados ossos de vítimas jovens. A fonte mais famosa sobre sacrifícios em funerais é a do árabe Ibn Fadlan, que relatou uma imolação durante os funerais de um líder dos nórdicos situados na área do Volga, durante o século x d.C.

Outros tipos de sacrifícios humanos detectados pela arqueologia são diversas imolações encontradas em pântanos escandinavos. Os sacrifícios são datados da Idade do Ferro e diversos especialistas acreditam que estavam conectados com o culto do deus Wotan/Odin. Em crônicas históricas do medievo, também surgem descrições semelhantes. No relato de Adão de Bremen, a respeito de práticas religiosas pré-cristãs, menciona-se sacrifício periódico no templo de Uppsala, Suécia, realizado a cada nove anos e contendo nove representantes de cada espécie, incluindo seres humanos, que eram enforcados em uma árvore situada ao lado do templo. No *Heimskringla*, Snorri Sturluson descreve o rei sueco Aun sacrificando seus próprios filhos para aplacar um período de longa fome, fato idêntico ao sacrifício do próprio rei Domaldi, descrito na mesma fonte. Obviamente aqui temos algumas filtragens realizadas pelo cristianismo, que mantinha um referencial moralista sobre estas antigas práticas.

Artefatos religiosos: Alguns dos conhecidos objetos com intenções supostamente religiosas são estatuetas antropomorfas de madeira e metal. Um dos mais famosos exemplos é o objeto de bronze encontrado em Rallinge, com 7 cm, representando uma figura masculina com pênis ereto (geralmente interpretado como sendo o deus Freyr). Outra estatueta (Eyraland) representa um homem portando barba e um martelo, identificado com Thor. Algumas figuras de barba também são associadas a esse deus, como as encontradas em Suécia, Islândia e Ucrânia. Por sua vez, o deus Odin é identificado a outras estatuetas e esculturas sem um dos olhos, como as de Lindby, Tisso e Uppakra.

As pessoas utilizavam amuletos contra doenças e perigos, bem como para proteção diante das adversidades da vida. Muitas vezes esses objetos possuíam uma relação direta com os poderes de alguma divindade. O martelo de Thor, por exemplo, era um objeto comumente encontrado em sepulturas, fortificações e locais sagrados. Ele continha significados mágicos e de proteção. Alguns pingentes em formato de machado, feitos de âmbar, parecem ter sido utilizados em ritos funerários com propósitos semelhantes. Miniaturas da lança de Odin, Gungnir, são conhecidas de muitas localidades da Suécia. Outros objetos, como representações de valquírias, também são atrelados ao culto de Odin e foram encontrados em sepulturas de *volvas*. Muitos outros tipos de amuletos foram descobertos na Escandinávia da Era Viking, como pingentes representando escudos com espirais, tronos e serpentes. O primeiro possuiria ligação com o culto ao Sol e a fertilidade, enquanto o segundo pode estar relacionado tanto a Thor como a Odin (ambos possuem tronos). A serpente é um dos símbolos religiosos mais difundidos entre os povos indo-europeus e entre os nórdicos possuía vários significados, entre os quais o renascimento e a vida, sem esquecer de sua relação com o xamanismo de Odin.

Religiosidade popular: Algumas expressões da fé nórdica separam claramente a crença em seres superiores (os deuses e deusas) dos seres conectados com o mundo rural, as regiões provincianas e os espíritos da terra. Desse modo, algumas dessas expressões aproximam-se do folclore, sendo especialmente relacionadas com os elfos, gigantes, anões e *trolls*.

De acordo com a visão corrente sobre destino no mundo nórdico, cada indivíduo e família recebia certa quantidade de sorte, em termos tanto materiais quanto abstratos. As ideias de sorte e azar eram usadas para explicar as situações correntes, as estratificações sociais e para entender porque uma família era mais rica do que outra. Sorte era considerada um fato certo da vida, mas às vezes se tentava obtê-la por meio mágico ou de encantamentos.

Influências religiosas externas: Diversas pesquisas apontam influências estrangeiras na religião nórdica, de um período que remonta ao início das migrações germânicas até o final da Era Viking. Segundo Hilda Davidson, Anders Kalliff e Olof Sundqvist, o culto ao deus Odin sofreu assimilações do culto oriental de Mitra, que penetrou na área germânica com a expansão dos exércitos romanos. Ambos possuem uma estreita ligação com alguns animais, como corvo, cachorro e serpentes, além de estreita relação com a ideologia militar e aspectos da morte. O motivo iconográfico da morte de um touro pelo deus, inexistente na Era Viking e central ao mitraismo, tem sido identificado pelos pesquisadores como tendo ocorrido no período das migrações e surgido, supostamente, em bracteatas, nas quais algumas representações portam um touro junto a suásticas e uma figura masculina com corvos e armas (Wotan/Odin).

Também existem evidências de influências da área céltica, especialmente da Irlanda, onde encontramos símbolos e narrativas que foram adicionadas à oralidade e iconografia nórdica. Os especialistas tradicionalmente acreditavam que o mundo escandinavo tinha influenciado os povos sámi e finlandeses, mas, atualmente, se percebe que houve, assim como na área báltica, trocas culturais e religiosas entre ambos, num movimento de circularidade frequente. Outra influência, especialmente forte no final da Era Viking, são advindas do cristianismo. Diversos acadêmicos acreditam que alguns indícios fortemente cristãos presente nas fontes literárias como a Edda Poética não tenham sido criados no momento que as narrativas foram preservadas por escrito. Teriam, porém, penetrado na oralidade pagã ainda quando esta era atuante e cercada de pessoas convertidas, o que se denomina hoje de *interpretativo norroena*.

Johnni Langer

Ver também Folclore; Genealogia; Guerra e simbolismos.

CARLIE, Anne. Ancient building cults. In: ANDRÉN, Anders; JENNBERT, Kristina; RAUDVERE, Catharina (eds.). *Old Norse religion in long-term perspectives*. Lund: Nordic Academic Press, 2006, pp. 206-211.

DAVIDSON, *The lost beliefs of Northern Europe*. London: Routledge, 2001.

DUBOIS, Thomas. *Nordic religios in the Viking Age*. Philadelphia: University of Pennsylvania Press, 1999.

GRASLUND, Anne-Sofie. The material culture of Old Norse religion. In: BRINK, Stefan; PRICE, Neil (eds.). *The viking World*. London: Routledge, 2008, pp. 249-256.

HEDEAGER, Lotte. *Iron age myth and materiality*. London: Routledge, 2011.

LANGER, Johnni. A religião Nórdica Antiga: conceitos e métodos de pesquisa. *Rever*, vol. 16, 2016, pp. 118-143.

LANGER, Johnni. Paganismo nórdico. In: LANGER, Johnni (org.). *Dicionário de Mitologia Nórdica*. São Paulo: Hedra, 2015, pp. 357-361.

LANGER, Johnni. *Fé Nórdica: mito e religião na Escandinávia Medieval*. João Pessoa: Editora da UFPB, 2015.

LANGER, Johnni. *Na trilha dos vikings: ensaios de religiosidade nórdica.* João Pessoa: Editora da UFPB, 2015.

RAUDVERE, Catharina & SCHJODT, Peter (orgs.). *More than mythology: narratives, ritual practices and regional distribution in pre-christian scandinavian religions.* Lund: Nordic Academic Press, 2012.

RÖK STONE

Uma das mais famosas pedras rúnicas, apontada como a maior inscrição rúnica pré-cristã já encontrada, contendo 760 caracteres. Localiza-se hoje ao lado da igreja de Rök, em Östergötland, na atual Suécia. Considerada como um dos primeiros escritos literários suecos, marcando o início da literatura no país, a pedra de Rök foi encontrada na parede da igreja, que havia sido construída no século XII. A partir do século XIX, os estudos passaram a anotar como prática comum do período a utilização de antigas pedras rúnicas para a construção das antigas igrejas. A pedra foi gravada por volta do século IX, fato indicado por estudiosos ao constatarem a utilização do denominado alfabeto rúnico de ramo curto. Ela contém gravação em todas as suas faces, com exceção da sua base, que foi utilizada como apoio e se encontrava, por conseguinte, enterrada no solo. Os escritos encontram-se preservados até os dias de hoje, com exceção de poucas partes danificadas, que, todavia, não prejudicam sua leitura, compreensão e tradução.

A pedra rúnica de Rök é considerada única devido ao conteúdo de sua inscrição, que se refere ao rei Ostrogodo, imperador da Roma ocidental, Teodorico, o Grande. Refere-se também à valquíria Gunnr (termo que pode ser traduzido como batalha) e ao deus do trovão, Thor. Contudo, muito do que se encontra nas inscrições é de difícil compreensão em função de fatores como a utilização de Kennings (recurso de figuração poética muito comum dos poemas antigos escandinavos). Historiadores, como Lars Lönnroth, dividiram as inscrições em três partes de tamanhos praticamente equivalentes. Tais partes seriam marcadas por conterem duas questões em cada uma, bem como uma resposta para cada duas questões. Essa forma se assemelha a da denominada Greppamini, constituindo espécie de jogo de adivinhar poético, muito utilizado na Edda em prosa.

Munir Lutfe Ayoub

Ver também Arqueologia da Era Viking; Suécia da Era Viking.

ANDRÉN, Anders; JENNBERT, Kristina; RAUDVERE, Catharina. Old Norse Religion Some problems and prospects. In: ANDRÉN, Anders; JENNBERT, Kristina; RAUDVERE, Catharina (eds.). *Old Norse Religion in long-term perspectives: origin, changes, and interactions*. Lund: Nordic Academic Press, 2006, pp. 11-15.

KORTLANDT, Frederik *et al*. Early Runic consonants and the origin of the younger futhark. *NOWELE: North-Western European Language Evolution*, vol. 43, 2003, p. 6.

LIESTØL, Aslak. The emergence of the Viking runes. *Michigan Germanic Studies*, vol. 7, 1981, pp. 107-116.

SAMPLONIUS, Kees. Rex non reditvrvs. Notes on Theodoric and the Rök-Stone. *Amsterdamer Beiträge zur älteren Germanistik*, vol. 37, 1993, p. 21.

ROLLO

Foi um notório chefe nórdico que conquistou grande prestígio na França do século X, tornando-se um nobre do Império Franco. Nascido com o nome de Hrólf Röngvaldsson, mas também chamado de Göngu-Hrólfr em alguns relatos, acabou se tornando mais conhecido em vida e na história pelo apelido de Rollo ("Andarilho"), possível latinização de Hrólf.

O epíteto de Andarilho é incerto. Alguns historiadores assinalam, com base em algumas sagas que mencionam várias viagens de Rollo, que seu apelido adviria dessa sua condição de viajante. Por outro lado, a *Göngu-Hrólfr Saga*, manuscrito de autoria anônima e datado do século XIV, assinala que o apelido de Andarilho se devia ao fato de Rollo ser descrito como sendo um homem grande e robusto, de modo que não haveria cavalo que conseguisse carregá-lo, razão pela qual tinha que viajar a pé. Essa saga também narra as aventuras de Rollo na Escandinávia, Inglaterra e Rússia.

A origem de Rollo não é exata, mas se sabe que os franceses se referiam a ele como sendo dinamarquês. Não obstante, de acordo com o *Heimskringla* (XIII), Rollo seria norueguês, filho do *jarl* Röngvald Eysteinsson de Møre (também conhecido como Röngvald, o Sábio), que abandonou a Noruega por volta da década de 870 devido a desavenças com o rei Haroldo Cabelos Belos (c. 850-932). Rollo, que já era nascido nesse tempo, acompanhou o pai e a família no exílio. Credita-se a Röngvald a colonização das ilhas Shetland e Orkney, ao norte da Escócia.

Apesar de ter nascido no século IX, Rollo somente começou a se destacar na história no século seguinte. Os relatos da *Historia Normannorum* (História Normanda) – crônica redigida no século XI, pelo monge de Vermandois, Dudo de St. Quentin (c. 960-1043?) – versam, nos livros 2, 3 e 4, sobre a vida de Rollo, desde seu exílio da Dinamarca até seu governo como duque. Segundo a crônica *Andarilho*, após ter partido em exílio com a família, Rollo teria viajado pela Inglaterra, Flandres (atualmente na Bélgica) para, finalmente, se estabelecer na França (*Francia*), onde já havia acampamentos nórdicos permanentes.

Sabe-se que, nos anos de 885-886, os chefes Siegfried e Gorm lideraram ataques à Paris e, na ocasião, o conde Odo (c. 852-898) esteve à frente do comando do exército da cidade. No entanto, não se tem certeza se Rollo teria participado dessa expedição ou se somente chegou à França anos depois. De qualquer forma, sabe-se que, em data incerta, Rollo se mudou para a França, passando alguns anos atuando em pilhagens e ataques no reino franco. Todavia, no ano de 911, Rollo, que já se apresentava como um chefe, fechou acordo com o rei Carlos III, o Simples (879-929).

A França, desde 799, era alvo de incursões vikings, as quais se acentuaram após a década de 830. Em 845, Paris foi saqueada pela primeira vez. Na época de Carlos, o Simples – ainda que seus antecessores (Odo e Carlos, o Gordo) tenham resistido às invasões vikings no rio Sena – novos ataques continuavam a ocorrer não apenas nas terras percorridas pelo Sena, mas também em outras áreas do império. Assim, por motivos não totalmente definidos, Rollo e o rei Carlos fecharam um acordo.

Segundo informam as crônicas francas, após a batalha de Chartres, ocorrida em 911, o chefe viking Rollon (nome que é grafado nas fontes francas) assinou com o rei Carlos, o Simples, um acordo em St. Clair-sur-Epte. Nos termos desse acordo, o rei franco cedia terras entre os rios Epte, Risle, Bresle, Avre e Dives, na região da antiga Província de Ruão (Rouen), hoje parte da Normandia. Ali, Rollo poderia instituir seu feudo, sob o compromisso de defender o reino de novas invasões vikings. Além de receber um feudo e a missão de defesa do reino, Rollo também se casou com a princesa Gisla ou Gisela, filha mais velha do rei. A união não gerou descendência.

De início, Rollo manteve sua palavra e defendeu aquelas terras. Mas, à medida que ganhava cada vez mais notoriedade e poder, começou por conta própria a conquistar os territórios vizinhos. Por mais que isso tivesse irritado os nobres – que se queixaram ao rei pela atitude daquele normando (termo pelo qual os francos se referiam aos vikings) –, Carlos, o Simples, dependia da proteção e contatos de Rollo para assegurar o noroeste do reino. O *Historia Normannorum* não justifica porque o rei não repreendeu seu genro por tais atos.

Em 918, segundo consta um documento eclesiástico da época, Rollo foi batizado, convertendo-se ao cristianismo e adotando o nome de Roberto. Apesar de adotar o nome franco, Rollo ainda continuava a ser referido pelo seu apelido nórdico. À medida que conquistava terras, adotou o título de Conde de Ruão (*Rúðujarl*), passando a distribuir terras e riquezas para seus homens de confiança. Além disso, os topônimos do noroeste da França trazem influências da língua nórdica, o que atesta a colonização da região pelos vikings.

Apesar da toponímia conservar vestígios do idioma nórdico antigo, os normandos acabaram, com o tempo, se convertendo ao cristianismo, bem como adotando a língua e os costumes francos. Rollo detém o mérito de ter criado uma "colônia" nórdica não por meio de uma invasão propriamente – como nos casos das colônias nórdicas na Inglaterra e na Irlanda –, mas através de um acordo que não foi desfeito pelo rei Carlos III e nem pelos seus sucessores.

Em 924 ou 925, Rollo abdicou do governo de seu feudo em favor de seu filho Guilherme Espada Longa (?-943). Os motivos para ter feito isso não são conclusivos. De acordo com os relatos da *Historia Nor-*

mannorum, Guilherme era filho de Poppa de Bayeux, segunda esposa de Rollo. Após a morte de Gisla, em data desconhecida, Rollo casou-se com Poppa, filha de Berengário II, conde de Bayeux.

Rollo viveria até mais ou menos os anos de 930 ou 932. Através de seu filho Guilherme Espada Longa, em 924 as terras de Bayeux, Exmes e Sées foram anexadas. Em 933, foi a vez de Cotentin e Avranchin. As dimensões territoriais da Normandia foram estabelecidas por essa época. Todavia, o território normando apenas se firmou politicamente no final do século X, com Ricardo I, da Normandia (933-996) – neto de Rollo – e cognado de Ricardo, o Destemido (Ricardo Sans-Peur), este considerado o primeiro legítimo duque da Normandia.

Na ficção, Rollo é personagem de algumas histórias interessantes. Uma das mais antigas é a *Göngu-Hrólfr Saga*, escrita no século XIV, na Islândia, que conta a história de uma viagem de Rollo para a Rússia, até a corte da Princesa Ingigerd. No século XVII, foi lançada uma peça teatral inglesa, intitulada *Rollo Duke of Normandy*. Também conhecida como *The Bloody Brother*, pois nessa história Rollo teria assassinado seu irmão chamado Otto.

Mais recentemente, Rollo, interpretado pelo ator britânico Clive Standen, tornou-se personagem recorrente na série *Vikings*, criada por Michael Hirst no ano de 2013. Nesse seriado, a história de Rollo foi mesclada com a ficção. Ele se tornou irmão do lendário herói Ragnar Lothbrok, além de ser um dos personagens que mostra mudanças em sua condição social, pois inicia sua trajetória como simples irmão de um fazendeiro da Noruega para se tornar Duque da Normandia na França (apesar de ele, historicamente, ter sido conde, e não duque, propriamente).

Embora seja retratado como um homem alto, forte e bravo, Rollo não possui fama. Nesse ponto, ele inveja seu irmão Ragnar por sua sagacidade, intuição, determinação, por sua bela esposa Lagertha e seus filhos. Tais condições serviram de motivo para que, nas duas primeiras temporadas, Rollo entrasse em conflito com Ragnar, chegando a traí-lo. No entanto, o personagem se aproxima de sua versão histórica a partir do final da terceira temporada. Nesse momento, Ragnar decide comandar o primeiro ataque à Paris e, ao término da temporada, Rollo decide se aliar aos francos, traindo novamente seu irmão e seu povo.

Na temporada quatro, Rollo é apresentado como senhor da Normandia, assumindo seu papel histórico, apesar do anacronismo da série, pois o enredo se passa no século IX, desconsiderando que, historicamente, Rollo se tornou um senhor franco apenas em 911.

Leandro Vilar Oliveira

Ver também França na Era Viking; Normandia; Vikings na França.

CHIBNALL, Marjorie. *The Normans*. Oxford: Blackwell Publishing, 2006.

HOLMAN, Katherine. *Historical dictionary of the vikings*. Lanham: Scarecrow Press Inc, 2003.

LOGAN, F. Donald. *The Vikings in History*. London/New York: Routledge, 1991.

NELSON, Janet L. The Frankish Empire. In: SAWYER, Peter (ed.). *The Oxford Illustrated History of the Vikings*. New York: Oxford University Press, 1997, pp. 19-47.

PULSIANO, Phillip; WOLF, Kirsten (eds.). *Medieval Scandinavia: an encyclopedia*. New York/London: Garland Publishing, Inc. 1993.

SAN JOSÉ BELTRÁN, Laia. Análisis histórico de la serie Vikingos de History Channel. In: *Los Vikingos en la Historia*, 2. HUM-165: Patrimônio, Cultura y Ciências Medievales. Universidad de Granada, Granada, España, 2015, pp. 25-72.

RENAUD, Jean. The Dutch of Normandy. In: BRINK, Stefan; PRICE, Neil (eds.). *The Viking World*. London/New York: Routledge, 2008, pp. 453-457.

ROSKILDE

A escavação das cinco embarcações denominadas Skudelev foi o marco inicial da arqueologia marítima na Dinamarca. Tais embarcações encontravam-se naufragadas nas vias fluviais de Peberreden, na região de Skudelev, a 20 km do Fjord de Roskilde, atual ilha de Zealand, na Dinamarca. Em 1924, foi recuperada a quilha do que ficaria depois conhecido como Skuldelev 1, achado reportado pelo Museu Nacional da Dinamarca. Em 1956, mergulhadores recuperaram outro pedaço da embarcação, que seria levada também ao museu. Tal fato culminou em um projeto arqueológico de larga escala na região.

O bloqueio resultante do naufrágio das embarcações e de um preenchimento de pedras – que se situava aproximadamente no ponto intermediário da profundidade de 40 km do Fjord, que corta a ilha de Zealand em direção norte-sul –, é considerado estratégia de bloqueio de embarcações inimigas que poderiam tentar atacar a cidade de Roskilde. Tal estratégia teve sua primeira fase de desenvolvimento entre os anos 1070 e 1090, com o naufrágio do Skuldelev 1 (grande cargueiro), do Skuldelev 3 (pequeno cargueiro) e do Skuldelev 5 (embarcação de guerra de médio porte). A segunda parte, que seria desenvolvida entre os anos 1100 e 1140 – com o objeto de reforçar o bloqueio –, foi realizada pelo naufrágio de uma grande embarcação de guerra (que, inicialmente, foi confundida com duas embarcações e, por esse motivo, denominada de Skuldelev 2/4) e pelo Skuldelev 6, um pequeno cargueiro. Todas as embarcações tiveram suas cordas e equipamentos retirados antes do naufrágio. A área havia sido preenchida por pedras, de forma que as embarcações se encontravam escondidas.

O trabalho arqueológico teve início em 1957, quando se iniciou um processo de observação e compreensão da área, que contou até mesmo com mergulhos estratégicos nas partes em que a água se fazia mais profunda. O trabalho incluía mapear a extensão da localidade coberta pelas pedras e, finalmente, removê-las. Skuldelev 1 se fazia visível nos locais onde os pescadores haviam penetrado a barreira de pedras para tornar o canal navegável. Contudo, ainda maiores proporções da Skuldelev 1 viria à tona graças às escavações.

Em 1958, o trabalho continuou. Foram encontradas a embarcação Skuldelev 3 – a pequena embarcação de cargo – e o madeiramento do que, naquele momento, acreditava-se ser da Skuldelev 4, depois percebido como sendo pertencente a Skuldelev 2, razão pela qual a embarcação ficou conhecida como Skuldelev 2/4.

As escavações de 1959, por sua vez, revelariam ainda mais duas embarcações, as Skuldelevs 5 e 6, que não vieram à tona por meio do trabalho dos mergulhadores, como as demais, mas por um processo de rastreamento de superfície que aumentava a eficiência do processo arqueológico. Contudo, tornar-se-ia evidente, após certo tempo, que seria impossível erguer tais embarcações a partir do trabalho de mergulhadores. Surgia, assim, o objetivo de demarcar a área precisa das embarcações para que estas pudessem ser represadas. Tal empreitada exigiu a arrecadação de grandes fundos, que só seria finalmente concretizada em 1962. As embarcações acabariam sendo escavadas em terra seca.

Após a recuperação das embarcações, os arqueólogos passaram a se dedicar às reconstruções. Em 1969, seria finalmente construído, em Roskilde, o Museu de Barcos Vikings, que abrigaria as cinco Skuldelevs. Posteriormente, tais embarcações motivariam estudos de arqueologia experimental, que dariam origem às embarcações denominadas Saga Siglar e Roar Ege (respectivamente, replicas do Skuldelev 1 e do Skuldelev 3). A *Saga Siglar* seria construída em 1983 para a realização de uma circunavegação e acabaria naufragada em 1992, durante uma tempestade no mediterrâneo. Roar Ege seria, por sua vez, construída em 1982 e encontra-se até hoje nos portos do Museu de Barcos Vikings.

Munir Lutfe Ayoub

Ver também Arqueologia da Era Viking; Dinamarca da Era Viking; Embarcações; Navegação Marítima; Oseberg.

BONDE, Niels; STYLEGAR, Frans-Arne. Roskilde 6–et langskib fra Norge–Proveniens og alder. *Kuml*, vol. 60, n. 60, 2011, pp. 247-261.

CROOME, Angela. The Viking Ship Museum at Roskilde: expansion uncovers nine more early ships; and advances experimental ocean-sailing plans. *The International Journal of Nautical Archaeology*, vol. 28, n. 4, 1999, pp. 382-393.

CRUMLIN-PEDERSEN, Ole. Aspects of Viking-Age Shipbuilding: In the Light of the Construction and Trials of the Skuldelev Ship-Replicas Saga Siglar and Roar Ege. *Journal of Danish Archaeology*, vol. 5, n. 1, 1986, pp. 209-228.

OLSEN, Olaf; CRUMLIN-PEDERSEN, Ole. The Skuldelev Ships: A Preliminary Report on Underwater Excavations in Roskilde Fjord, Zealand. *Acta Archeologia*, 1958, pp. 161-175.

RUS

Na historiografia, o termo Rus pode ter três significados distintos, conforme o contexto que envolve o seu uso. Pode significar o nome dado aos nórdicos que se assentaram ao longo da região onde hoje estão localizados o noroeste e sudoeste da Rússia, bem como o norte da Ucrânia; a unidade política e administrativa com base no território que esses nórdicos conquistaram e nos quais se sedentarizaram; ou os descendentes de tais nórdicos que passaram a residir em tal unidade política. O termo, em si, é de enorme complexidade e a sua verdadeira origem filológica ainda é desconhecida. As poucas evidências arqueológicas existentes também são inconclusivas sobre a natureza da palavra. Não se sabe ao certo se a nomenclatura provém do germânico, eslavo ou fino-úgrico. Tampouco se sabe a quem exatamente se referia, se aos escandinavos ou aos eslavos. Por causa desse problema, desde o século XVIII existe um debate acadêmico fervoroso sobre as origens do termo Rus, conhecido como Controvérsia Normanista.

Na Controvérsia Normanista, há, primariamente, duas posições sobre a origem da terminologia, tanto de um ponto de vista étnico (o mais enfatizado) quanto de um ponto de vista geográfico. São as posições normanista e antinormanista. Os normanistas afirmam – baseados, principalmente, nas entradas da *Crônica dos Anos Passados* e em outras fontes – que a origem do termo Rus como referência ao povo e ao território seria fruto de uma influência exclusivamente escandinava. Do lado oposto e fortemente influenciado pelo nacionalismo russo – sobretudo durante o século XVIII, bem como durante a vigência da União Soviética –, os antinormanistas acreditam que o termo englobava somente eslavos e não teve qualquer tipo de influência escandinava. Atualmente, uma versão híbrida, preferível para esse tipo de debate, é aceita por alguns especialistas, como André Muceniecks. Os autores adeptos a essa terceira versão afirmam que a denominação rus abrangia um grupo multiétnico de guerreiros, cuja maioria (incluindo a liderança) seria escandinava, mas do qual também fariam parte eslavos, finos e turcomanos. De um termo ocupacional, ele acabou por se tornar um termo étnico.

Mesmo assim, a proeminência dos escandinavos era inegável entre os rus. Nas fontes que tratam do tema, uma das primeiras menções ao termo rus, como *Rhos*, vem dos *Annales Bertiniani*, uma fonte do Império Carolíngio datada da primeira metade do século IX. Nesta, a palavra se refere aos vikings provenientes da Suécia, mas cujo líder é conhecido pela denominação turcomana *khagan*. Fontes bizantinas, como o tratado *De Administrando Imperio*, também tratam do termo em uma perspectiva que privilegia a visão normanista, referindo-se tanto aos rus quanto aos seus domínios através de uma nomenclatura de origem nórdica, diferenciando-os dos eslavos que habitavam essa região. Mas, possivelmente, o uso contemporâneo do termo mais relevante para descobrir sua origem provém de fontes do Oriente muçulmano, que são contraditórias entre si. Se, por um lado, autores como Ibn Fadlan e Ibn Rusta diferenciam os *rūs* (rus) dos *saqāliba* (eslavos), por outro lado, Ibn Khordadbeh, que é anterior aos muçulmanos supracitados, não os diferencia e trata os *rūs* como uma parte dos *saqāliba*.

Conforme Przemysław Urbańczyk, somente a partir da cristianização de Rus por Vladimir I Sviatoslavich de Kiev (980-1015) que o termo Rus mudou semanticamente, designando não mais guerreiros nórdicos, mas eslavos orientais cristãos. Como território, Rus é geralmente entendida como uma associação de principados habitados pelo povo rus, cujos membros eram ligados entre si a partir de laços dinásticos (pois todos faziam parte da dinastia Riuríkida). Entre os séculos IX e XIII, faziam parte desse território o oeste da Rússia, a Ucrânia, a Bielorrússia e a Moldávia. A nomenclatura "Rus de Kiev", derivada do uso geográfico do termo, é utilizada para denominar o período entre os séculos IX (com a chegada dos varegues) e XIII (com a tomada de Kiev pelos mongóis), no qual o Principado de Kiev era o preponderante entre os demais.

Leandro César Santana Neves

Ver também Crônica dos Anos Passados; Kiev; Novgorod; Olga de Kiev; Rússia da Era Viking; Staraia Ladoga; Varegues; Vladimir I de Kiev

DUCZKO, Wladsyslaw. *Viking Rus: studies on the presence of Scandinavians in Eastern Europe*. Leiden: Koninklijke Brill NV, 2004.

FRANKLIN, Simon; SHEPARD, Jonathan. *The Emergence of Rus 750-1200*. Essex: Longman, 1996.

MUCENIECKS, André S. *Austrvegr e Garðaríki - (re)significações do leste na Escandinávia tardo-medieval*. Tese de Doutorado em História Social. São Paulo: Faculdade de Filosofia, Letras e Ciências Humanas, USP, 2014.

PRITSAK, Omeljan. The Origin of Rus. *Russian Review*, vol. 36, n. 3, 1977, pp. 249-273.

STANG, Håkon. *The Naming of Russia*. Oslo: Meddelelser, 1996.

URBAŃCZYK, Przemysław. Who were the early Rus? In: MAKAROV, N. A.; LEONTIEV, A. E. *Rus v IX-XII vekákh: Óbchtchestvo, Gosudárstvo, Kultúra* [Rus nos séculos IX-XII: Sociedade, Estado, Cultura]. Moscou-Vologda: Driévnosti Siévera, 2014, pp. 228-233.

RÚSSIA DA ERA VIKING

A Rússia que conhecemos hoje não é a mesma que foi conhecida pelos vikings a partir do século IX. Não se estendia muito para o leste além dos Urais e era composta por partes de alguns outros países contemporâneos, como a Ucrânia e Belarus. Por questões de abrangência, Thomas Noonan define a área que compunha a Rússia da Era Viking de Rússia Europeia, ainda que outros termos sejam utilizados por especialistas, como o próprio nome Rússia, Europa Oriental (no caso dos pesquisadores russos), ou Planície Russa. Ainda conforme Noonan, a Rússia Europeia pode ser dividida em cinco áreas diferenciadas por sua geografia e pelas atividades econômicas: as estepes do sul da Rússia/Ucrânia; a área florestal ucraniana; a área florestal no centro e norte russo, região fronteiriça ao mar Báltico; e a região da tundra, no extremo norte da Rússia. A *Crônica dos Anos Passados* lista diversos povos eslavos que residiam na área, como os polianos, derevlianos e radimichi. Todavia, havia também povos de origem turcomana e fino-úgrica.

A população que habitava a Rússia da Era Viking não se resumia aos nórdicos recém-chegados e aos povos eslavos. Entre os muitos povos, havia os Búlgaros do Volga, ou Búlgaros Negros, como eram conhecidos pelos bizantinos. Estes eram de origem turcomana e se instalaram ao norte da Rússia, especificamente ao longo do rio Volga. Mas a Bulgária do Volga (não confundir com o Império da Bulgária no leste da Europa) também era composta por etnias da região da Finlândia e povos eslavos locais. Embora inicialmente subjugada ao Caganato da Khazária, com a conversão do território ao islamismo por volta de 900, a região da Bulgária do Volga passou a conviver com um grande influxo de mercadores e mercadorias vindos do Califado Abássida, passando a ser a principal "rival" comercial de Kiev entre o final do século IX e o início do século X. Muito do poder da Bulgária do Volga vinha, assim como no caso de Rus, da posição geográfica privilegiada e do domínio de uma da rotas do rio homônimo, onde havia intenso comércio. Os búlgaros do Volga agiam como intermediários entre os nórdicos e o Califado Abássida no comércio de diversos produtos, como seda, ornamentos e prata.

Uma outra parte da Rússia moderna que manteve relações com os eslavos e, eventualmente, com os nórdicos que aportaram em Kiev era o vasto Caganato da Khazária, onde os kházaros, um povo de origem turcomana, se assentaram desde o século VII. A Khazária encontrava-se na região do Cáucaso. Conforme a *Crônica*, os povos eslavos que pediram a liderança de Riúrik e seus irmãos estavam previamente subjugados pelos kházaros. É provável esse relato seja verdadeiro, pois, entre os séculos VI e X, os kházaros formavam uma poderosa força regional e um poderoso aliado do Império Bizantino. A Khazária, ao contrário das outras partes da Rússia, localizava-se dentro da área onde predominava um solo de cor escura, bastante fértil. De acordo com Thomas Noonan, os kházaros também foram importantes para a existência de uma grande quantidade de *dirhams* de prata (moeda utilizada pelo Califado Abássida) em Rus durante os séculos IX e X. Tal importância se deve aos contatos dos kházaros tanto com a Bulgária do Volga quanto com o Califado, bem como devido a sua posição de mediador entre este, os escandinavos e os búlgaros do Volga. Esse quadro sugere que as relações comerciais entre Rus e a Khazária ainda permaneceram fortes mesmo após o assentamento nórdico.

A parte mais notável da Rússia da Era Viking seria o território conhecido pelos escandinavos como *Garðaríki* ("reino das cidades").

Neste, estavam localizadas Kiev e Novgorod, que se tornariam, a partir do assentamento veregue, os principais centros econômicos, políticos e culturais. Kiev, localizada onde hoje se encontra a cidade homônima na Ucrânia, foi fundamental no controle da rota comercial entre os nórdicos e os bizantinos. Novgorod, sendo hoje a cidade de Velikii Novgorod, na Rússia, conviveu com a criação de diversos postos comerciais nórdicos, principalmente para o comércio de peles e escravos. Outros pontos de assentamento nórdico são Staraia Ladoga (próxima aos lagos Ilmen e Ladoga, no noroeste da Rússia) e Pskov (próximo do lago Pskov, no noroeste da Rússia), ambos na área florestal próxima ao mar Báltico. Os escandinavos que se fixaram nesses locais eram conhecidos como "Rus" nas fontes estrangeiras, embora seja possível que a terminologia fosse de conotação ocupacional e não étnica.

De acordo com Jonathan Shepard, a busca pela prata proveniente do Califado Abássida motivou os nórdicos – conhecidos como varegues pela *Crônica dos Anos Passados* e por fontes bizantinas – a se aventurarem pela Rússia Europeia. Os escandinavos chegaram primeiro em Staraia Ladoga, em meados do século VIII, conforme achados arqueológicos de pertences, como ferramentas e pentes. Alguns historiadores, como Wladyslaw Duczko, classificam Staraia Ladoga como a primeira capital do *Khaganato Rus*, uma entidade política que, alegadamente, precedeu Rus de Kiev. Os nórdicos partiram de Staraia Ladoga para Novgorod, especialmente para a região de Riurikovo Gorodische, onde ocorreu o assentamento e o controle das rotas do rio Volkhov. A partir do século IX, alguns varegues decidiram seguir em direção ao rio Dniepre, no sul, motivados por vantagens advindas de comércio com os bizantinos, bem como pelo impedimento de seguir pelo rio Volga em função da presença dos búlgaros. A *Crônica* conta que os eslavos dessa região pediram aos escandinavos que os governassem no ano de 862, mas a arqueologia mostra que os varegues somente começaram a se assentar em Kiev a partir do século X.

Além da *Crônica dos Anos Passados*, não há muitas outras fontes escritas que tratam sobre a organização política da Rússia da Era Viking. Mas, uma vez que a narrativa da *Crônica* versa quase exclusivamente sobre Kiev e as outras fontes disponíveis são posteriores, torna-se difícil saber quem foram os governantes dos futuros principados de Rus de Kiev. É possível que os varegues formaram a elite político-administrativa e militar desses locais, assim como ocorreu na cidade próxima ao Dniepre. No tratado de 945, há diversos nomes nórdicos representando príncipes de Rus. Os escandinavos que não permaneceram em Rus continuaram mantendo boas relações com os que ficaram, participando ativamente do comércio e oferecendo sua ajuda como guerreiros mercenários nas diversas ocasiões em que os Rus entraram em conflito com algum território ou contra os povos eslavos das estepes. Mesmo após a cristianização de Rus, no final do século X, os laços entre ambos permaneciam fortes, com a permanência da ajuda militar, bem como de casamentos entre os príncipes de Rus e a realeza escandinava. Como exemplo, menciona-se o matrimônio entre Iaroslav Vladimirovich, o Sábio (1016-1018, 1019-1054), e Ingigerth, filha do rei Olavo Skötkonung (995-1022), da Suécia.

Leandro César Santana Neves

Ver também Crônica dos Anos Passados; Kiev; Mikligardr; Novgorod; Olga de Kiev; Rus; Staraia Ladoga; Varegues; Vladimir I de Kiev.

ANDROSHCHUK, Fjodor. The Vikings in the east. In: BRINK, Stefan; PRICE, Neil (eds.). *The Viking World*. London: Routledge, 2008, pp. 517-542.

DUCZKO, Wladsyslaw. *Viking Rus: studies on the presence of Scandinavians in Eastern Europe*. Leiden: Koninklijke Brill NV, 2004.

FRANKLIN, Simon; SHEPARD, Jonathan. *The Emergence of Rus 750-1200*. Essex: Longman, 1996.

MOREIRA, Fabrício de Paula Gomes. *A constituição político-cultural da autoridade dos príncipes Rus´ entre os séculos X e XII*. Dissertação de Mestrado em História. Mariana: Programa de Pós-Graduação em História – UFOP, 2014.

NOONAN, Thomas S. European Russia, c. 500-1050. In: REUTER, Timothy. *The New Cambridge Medieval History – Volumen III c. 900-c. 1024*. Cambridge: Cambridge University Press, 2008, pp. 487-514.

SHEPARD, Jonathan. The Viking Rus and Byzantium. In: BRINK, Stefan; PRICE, Neil (eds.). *The Viking World*. London: Routledge, 2008, pp. 476-516.

S ᚴ ᛂ ᛁ

SAGAS DO ATLÂNTICO NORTE

Termo usado para se referir às sagas do descobrimento da América ou às *Vínland sagas* (*Sagas das Terras das Vinhas*). Buscando narrar as explorações nórdicas que culminaram na descoberta de novas terras na América, essas sagas são divididas em duas: a *Eiríks saga rauða* – conhecida também como a *Saga de Eiríkr, o Vermelho* – e a *Grœnlendinga saga*, ou *Saga dos Groenlandeses*.

A primeira delas foi escrita em meados do século XIII e preservada em dois manuscritos que contêm versões um pouco diferentes: *Hauksbók*(século XIV) e *Skálholtsbók* (século XV). Filólogos modernos acreditam que o *Skálholtsbók* é uma versão mais próxima da composição original. Apesar da saga original ter sido escrita no começo do século XIII, ela acaba narrando eventos ocorridos no intervalo de 990 até 1030. Dualidades temporais são comuns nas sagas islandesas, nas quais há o tempo de tessitura documental e de preservação e o tempo em que a narrativa ocorre. Obviamente, qualquer fonte sempre falará mais de seu tempo do que sobre tempo a que se refere; muitos elementos das narrativas das sagas do Atlântico Norte estão arraigados pela estética própria ao autor cristão que as escreveu. Mas não somente: essa saga é também um produto claro de força da tradição oral da sociedade islandesa, sendo um produto desses relatos.

Em sua narrativa, ela busca mostrar como se deu a descoberta e o processo de assentamento da Groenlândia, focando a primeira parte de sua narrativa na vida e ações de Érico, o Vermelho. Relata-se como a tendência de proscrição da família é um fator estimulador da narrativa, e que a impossibilidade de permanência na Noruega e depois na Islândia será um fator motriz para o descobrimento amplo e a exploração da Groenlândia.

Érico, com base em relatos de Gunnbjörn, parte em direção a novas terras que teriam sidos vistas por este último. Durante um período de cerca de dois anos, Érico habita e explora a região que denomina de Terra Verde (significado de Groenlândia), até retornar com as notícias de novas terras e possiblidades para a Islândia. Após um período, consegue reunir família e aliados e parte para a Groenlândia, com cerca de vinte e cinco navios, dos quais, de acordo com o *Íslendingabók*, apenas quatorze conseguiram chegar à nova terra, e "Isso se deu quinze invernos antes de cristianismo ser tomado como lei na Islândia [*c.1000*]" (Anônimo, 2007b, p. 90-91, grifo nosso).

Após isso, a narrativa apresenta traços de formações familiares de novas vindas para a Groenlândia, assim como a formação de novos núcleos familiares, assemelhando-se às *Íslendingasögur*, as sagas de família. A saga também relata os percalços da vida dos indivíduos da região, que passavam por fome e dificuldades comerciais. Traz também traços de paganismo e magia, mesmo que preenchidos por uma óptica cristã de composição. A narrativa chega em um segundo momento, onde falará sobre Leifr, filho de Érico, apresentando sua viagem para a corte do rei Olavo Tryggvason, assim como sua conversão para o cristianismo, até o seu retorno ao fiorde de seu pai. A narrativa segue com inserção de novos personagens e de novas motivações para viajar para Vínland, culminando nos relatos de tentativa e fracasso de colonização dessa nova terra.

A segunda saga tem um início semelhante, focando na narrativa sobre Érico e apresentando elementos ocorridos de formas bastante similares da primeira. E de fato, essa tendência de proximidade ocorre muito pelo tempo de tessitura de ambas se dar no começo do século XIII, e narrar espaços temporais bem similares. Mas os relatos em que se baseiam, a forma estética de composição e a escolha do desenvolvimento da narrativa são diferentes, e por muitas vezes trazem contradições e disputas entre essas duas fontes.

A *Saga dos Groenlandeses*, como o nome indica, tratará da narrativa dos indivíduos que habitam essa terra, e de fato é isso que a saga apresenta: traz um maior grau de detalhe sobre o processo de "descobrimento" da América do Norte, revelando novos sujeitos, novas narrativas, como um reflexo da diferença de relatos da tradição oral que cada autor absorveu. Exemplo que pode ser observado em um fator: Bjarni, na *Saga dos Groenlandeses*, é apresentado como o primeiro a visualizar a América do Norte, o que na saga de Érico é colocado como algo feito por Leifr.

Os detalhamentos e narrativas sobre a presença nórdica na América do Norte são bem mais amplos nessa última saga em relação à anterior, tendo início após uma rápida introdução e apresentação de elementos estéticos típicos do gênero. Além de narrar a viagem de Leifr, a saga trata da viagem de Karlsefni (provavelmente aquele que teve o círculo familiar responsável pelos relatos que compõem a narrativa e/ou sujeitos que tinha uma "predileção" pelo seu papel na história), mostrando elementos das viagens, do assentamento e dos conflitos com os povos locais da região, os *skrælingjar*, esquimós. Outro grande elemento desta última saga é a maior divulgação e apresentação da circularidade de conhecimento sobre Vínland por meio da narrativa, o que revela o modo como as expedições e explorações dessa terra eram parte de um imaginário nórdico.

Trazendo dentro de si incontáveis elementos que envolvem a dinâmica do descobrimento, as duas sagas são peças fundamentais em um estudo sobre América e sobre a literatura medieval, sendo um conjunto de fontes muito populares e de circularidade dentro da própria dinâmica medieval – o que fica claro com a existência do *Grœnlendinga þáttr*, o conto dos groenlandeses ("conto" é uma tradução aproximada para *þáttr* – p. *þættir* –, o qual representa pequenas narrativas, independentes ou complementares a outros textos), ampliando ainda mais a dimensão do estudo sobre essas sagas do Atlântico Norte. De fato, elas são "[...] um raro momento em que o homem, a despeito de ter ultrapassado todos os seus limites imagináveis, *perceber-se* pequeno demais para sua vontade e a sua curiosidade" (Moosburger, 2007, p. 137).

José Lucas Cordeiro Fernandes

Ver também Brathahlid; Groenlândia nórdica; Leif Eriksson; Vínland.

ANÔNIMO. A Saga do Groenlandeses. In: *As três sagas Islandesas*. Trad. Théo Moosburger. Curitiba: Editora UFPR, 2007a.

ANÔNIMO. A Saga de Eiríkr Vermelho. In: *As três sagas Islandesas*. Trad. Théo Moosburger. Curitiba: Editora UFPR, 2007b.

ANÔNIMO. Eirik the Red's saga. In: HREISSON, Viðar; COOK, Robert; GUNNELL, Terry; KUNZ, Keneva; SCUDDER, Bernard (eds.). *The Complete Sagas of Icelanders*. Reykjavík, Islândia: Leifur Eiríksson Publishing, 1997, pp. 01-18 (vol. 1).

ANÔNIMO. The Saga of the Greenlanders. In: HREISSON, Viðar; COOK, Robert; GUNNELL, Terry; KUNZ, Keneva; SCUDDER, Bernard (eds.). *The Complete Sagas of Icelanders*. Reykjavík, Islândia: Leifur Eiríksson Publishing, 1997, pp. 19-32 (vol. 1).

ANÔNIMO. The Tale of the Greenlanders. In: HREISSON, Viðar; COOK, Robert; GUNNELL, Terry; KUNZ, Keneva; SCUDDER, Bernard (eds.). *The Complete Sagas of Icelanders*. Reykjavík, Islândia: Leifur Eiríksson Publishing, 1997, pp. 372-382 (vol. 5).

JONES, Gwyn. *The Norse Atlantic Saga*: Being the Norse Voyages of Discovery and Settlement to Iceland, Greenland, and North America. Oxford and New York: Oxford University Press, 1986.

MOOSBURGER, Théo de Borba. Posfácio. In: *As três sagas Islandesas*. Curitiba: Editora UFPR, 2007.

O'DONOGHUE, Heather. *Old norse-Icelandic Literature: a short introduction*. Hoboken: Blackwell Publisher, 2005.

ROSS, Margaret Clunies (ed.). *Old Icelandic Literature and Society*. Cambridge: Cambridge University Press, 2000.

SIGURÐSSON, Gísli. *The medieval Icelandic saga and oral tradition: a discourse on method*. London: Harvard University Press, 2004.

THORGILSSON, Ari; ANÔNIMO. *Íslendingabók, Kristni Saga: The book of the icelanders, the story of the conversion*. Trad. Sion Gronlie. Viking Society for Northern Research: University College of London, 2006.

SAGAS ISLANDESAS

Ver Egills saga; Eyrbyggja saga; Færeyinga saga; Flateyjarbók; Grettis saga; Guta saga; Laxdaela saga; Njáls saga; Sagas do Atlântico Norte.

SÁMI, FÍNICOS E NÓRDICOS

Em algumas sagas islandesas, os noruegueses que visitavam Jotunheim viajam para o norte. Noções de perigo, frio extremo, fome e longa escuridão invernal são associadas, nesses relatos nórdicos, ao norte. Esse ponto geográfico mítico é, também, o lar dos *sami* e *fínicos:* vistos pelos nórdicos (e tratados nas sagas) como diferentes. Se tomarmos o escopo temporal da Era Viking e do período de conversão ao cristianismo (c. 800-1300 d.C.), vê-se que entre esses povos que habitavam a Fenoescândia houve uma simbiose cultural pautada no comércio, mas também em atritos (principalmente saques) e intercâmbios religiosos.

Pode-se datar a chegada dos povos fino-urálicos na Escandinávia em 3.300 a.C. e com a chegada dos povos indo-europeus, por volta de 2.700 a.C., formou-se a cultura Kiukainen. A partir de 2.000 a.C. pode-se falar em etnogênese balto-fínica: quando há a separação entre os povos proto-fínicos, situados na costa, que se dedicavam a atividade agropastoril, e os povos proto-sami, situados no interior do continente, dedicados à caça e coleta. É importante ressaltar que, mesmo após a divisão, esses povos se desenvolveram de forma paralela. Com efeito, existiam afinidades linguísticas e econômicas entre os sami e balto-fínicos,uma vez que bens, pessoas e tradições religiosas circulavam entre essas diferentes culturas por meio do comércio e troca de diferentes ganhos.

Em textos medievais já influenciados pelo cristianismo, como as sagas, essa assimilação entre sami e fínicos é um dos pontos centrais para que se entenda o uso do termo (impreciso) *finnar* como designante de ambos. Conforme Thomas DuBois, a noção medieval existente sobre os povos não germânicos estava calcada em um entendimento de que eram entidades étnicas unificadas que haviam migrado em massa para as margens da civilização escandinava como intrusos, onde seriam cerceados pelo poderio militar dos nórdicos e o eventual domínio cristão.

Esses contatos, pacíficos ou não, influenciaram diretamente na maneira com que se produziu a imagem dos sami e fínicos nas sagas. A coleta de impostos, parte das relações entre os sami e noruegueses que ocorria no inverno, é datada do século I d.C. O comércio pode ser remontado ao século III d.C, aparecendo o Norte e seus habitantes como potenciais vítimas aos saques nórdicos, já que não prestariam assentuada resistência. É interessante notar, também, que os nórdicos competiam com os fínicos pelo acesso às peles e produtos provenientes da região sami, já que para os nórdicos esses produtos eram importantes, pois poderiam fazer parte do plantel de bens a serem enviados para a Inglaterra e trocados por mel, trigo e tecidos. Vale notar que esse sistema de trocas só funciona porque ambos se beneficiavam da transferência do excedente produzido e da recepção de produtos considerados valiosos.

A questão sazonal é importante para discutir o contato entre nórdicos e *finnar*, pois parte dos arqueólogos associa o uso de estradas ao período invernal. Nas sagas, existem algumas menções às caravanas de nórdicos, que se dirigem ao norte durante o inverno, como Haroldo Cabelos Belos e a comitiva de dezenove homens de Thorolf. A estrada de Adamvalldá, região sueca situada no vale Arjeplog, na divisa com a Noruega, é um exemplo de elo entre os assentamentos sami aos nórdicos. Estudiosos argumentam que a estrada não teria sido construída pelos e para os povos locais, mas por nórdicos que desejavam estabelecer contato com a região ártica e seus habitantes.

Escavações e mapeamentos da região apontam que o caminho era marcado por pedras para facilitar o reconhecimento, já que viajar pelas montanhas durante o inverno do norte da Escandinávia não era tarefa simples. Argumenta-se ainda que esse tipo de empreitada – organizar uma estrada que pudesse ser usada e bem demarcada – se dava em função de demarcações políticas de grupos interessados em seu uso e que, para cumpri-las, seria necessário um tipo de organização social mais eficiente, ausente nas comunidades sami. Portanto, é plausível que instituições como a Igreja e os reinos da Suécia e Noruega teriam planejado, financiado e construído a estrada.

Já vimos que os povos sami e fínicos tinham relações entre si e com os povos nórdicos, mas de qual forma os primeiros eram vistos pelos últimos? Embora componham tipos diferentes de texto, as sagas trazem informações interessantes sobre os sami (e fínicos) pela óptica nórdica. É claro que essas descrições não podem ser tomadas como verdadeiras, pois há uma clara separação entre os nórdicos e outros povos – especialmente os *finnar* – que não deixa de ser uma forma de incorporar no outro o que é temido ou indesejável, tornando-o patológico. Sendo assim, esses relatos são interessantes para pensarmos as relações de poder entre os diferentes grupos que circulavam pela região.

A má reputação do norte, enquanto espaço incompatível para sustentar a vida, parece ser o ponto central que associa a malícia aos *finnar*: à concepção de que a qualidade do espaço afeta as pessoas soma-se a ideia de um povo não civilizado, conectado com a terra e dotado de habilidades mágicas e idolatrias pagãs. Em oposição aos nórdicos, o arquétipo *finnar* aparece como negativo em diversas sagas, com algumas modificações.

A única habilidade que aparece associada aos fínicos é, também, dada à condição das terras do norte: esquiar. Na *Gesta Danorum* o nome *skritfinnss* ("esquiadores fínicos") é usado para descrever aquele povo, enquanto que na *Griðamál*, o termo que aparece é *finnr skríðr*. Na *Saga de Santo Olavo*, capítulo 83, há uma breve descrição do "pequeno Fin":

Havia um homem do planalto chamado Fin, o pequeno, e alguns dizem que era da raça finlandesa. Era um homem pequeno singular, tão ágil com os pés que nenhum cavalo o venceria. Era, também, um arqueiro e corredor com raquetes de neve bem treinado.

Fora isso, os *finnar* são retratados como usuários de roupas feitas de pele animal, habitantes de tendas e que tinham predileção por manteigas e gorduras animais – produtos trocados com os germânicos da região, dada sua indisponibilidade nas terras setentrionais.

As principais características, do ponto de vista nórdico, dos *finnar* apresentada nos textos medievais e que, de certa forma, foram legados à posterioridade, são a bruxaria e a feitiçaria. Essa reputação parece dúbia e está entre a admiração/respeito e o medo/trepidação. Há menções a um *noiadi* sami, habilidoso nas artes mágicas que possuía a capacidade de prever o futuro, além de ser tratado como líder por outros sami. Mas, os casos mais famosos que associam bruxaria aos sami estão, também, vinculados à figura da mulher. Na *Ynglinga saga*, por exemplo, existem relatos sobre o envolvimento dos reis Vanlandi e Agni com belas mulheres (bruxas) sami que, por vingança, acabam por rogar feitiços que levam à morte dos reis.

Nas sagas existem diversas referências a mulheres de origem sami que ganham poder e influenciam reis e príncipes graças à pura magia. O caso de Haroldo Cabelos Belos, retratado na *Heimskringla*, também é interessante. O norueguês é vítima de um feitiço que transforma Snæfriðr, a filha do rei sami Svási, em sua única obsessão e a condição imposta por Svási para que Haroldo pudesse deitar-se com ela era o casamento. Outro exemplo na *Heimskringla* seria o de Gunhildr, treinada nas artes mágicas sami por dois exímios caçadores bruxos, que se casa com Érico Machado Sangrento.

Dada sua conexão com a terra, os *finnar* nunca são associados com cidades, e sim com florestas escuras do norte. Cabe, ainda, uma ressalva sobre os sufixos utilizados em nórdico antigo para descrever a região dos *finnar*. Ao adicionar *mǫrk* (marca) ao prefixo *Finn* temos *Finnmǫrk* (Finamarca) que denota área fronteiriça e pouco habitada. Se o sufixo usado for *land* (terra), denota-se terra habitada. Essas ressalvas são importantes, pois nos atentam à análise daquele discurso. No capítulo quatorze da *Saga de Egill Skallagrimsson*, por exemplo, há uma descrição da *Finnmark* (Finamarca):

[...] ao norte se encontra a Finamarca, onde há distritos perdidos pouco povoados; alguns em vales, outros próximos a lagos que são enormes e próximos a eles encontram-se extensivas florestas.

O uso do termo Finamarca pode ter sido usado na passagem como forma de respaldar a ideia de uma região pouco povoada, cercada de lagos e florestas que, portanto, seria a residência do outro. Ou seja, os sufixos *mǫrk* ou *land* são usados em situações diferentes a partir da relação que o autor quer estabelecer entre os nórdicos e nortistas.

Os nomes dos *finnar* citados nas sagas, geralmente, são associados a fenômenos naturais como a neve (como Drífa e Snær) – outra forma de reafirmar, por parte dos nórdicos, a conexão entre os indivíduos do norte e a terra. Quando aparecem sem nomes, recebem descrições relacionadas à sua etnia. Existem, por exemplo, passagens em que a associação entre sami e *trolls* é feita, ou seja, usa-se o termo *troll* como um sinônimo pejorativo para *finnar*. Há, ainda, termos como *halftroll*, *halfbergrisi* e *halffrisi* (meio-*troll*, meio-gigante da montanha e meio-gigante) usados para difamar a origem mestiça (nórdica x *finnar*) de um personagem. O termo *hálfinnr* também aparece e expressa um indivíduo "meio-sami", no entanto, o adjetivo só é empregado quando o personagem tem um pai norueguês e uma mãe sami, o que pode nos ajudar a entender as relações de poder existente entre esses grupos.

Enquanto um produto de autoria cristã do século XIII, as sagas enfatizam o caráter estranho e negativo dos povos do norte: uma vez que são considerados como um grupo marginal pelas elites cristãs nórdicas, os *finnar* pertencem ao grupo do "outro". Tendo em vista o contexto de produção cristã das sagas, classificar os *finnar* como um grupo que vivia entre o mundo conhecido civilizado e a periferia desconhecida é um encaixe perfeito, visto que na dicotômica cosmovisão cristã não há espaço para os pagãos, logo, eles deveriam ser convertidos. Portanto, seria muito simplista resumir o contato entre nórdicos e *finnar* a partir da dicotomia caçador-coletor nômade *versus* nórdico agricultor sedentário, como feita pelas sagas. A relação simbiótica dos povos que circulavam a Fenoescândia nos parece ter variado, por linhas tênues, entre a cooperação, coexistência e violência ocasional – que aumenta na medida que a cristianização dos reinos nórdicos toma espaço – marcada tanto pelas vias positivas (como o comércio) quanto por conflitos e relações desiguais.

Vítor Bianconi Menini

Ver também Finlândia da Era Viking; Mar Báltico da Era Viking; Suécia da Era Viking.

AALTO, Sirpa. *Categorizing Otherness in the Kings' Sagas*. Joensuu: University of Eastern Finland, 2010.

BERGMAN, Ingela *et al*. Stones in the snow: a Norse fur traders' road into Sami country. *Antiquity*, vol. 81, n. 312, 2007, pp. 397-408.

BROADBENT, Noel D. *Lapps and Labyrinths: Saami Prehistory, Colonization and Cultural Resilience*. Washington D.C.: Arctic Studies Center, National Museum of Natural History, 2010.

DEANGELO, Jeremy. The North and the Depiction of the "Finnar" in the Icelandic Sagas. *Scandinavian Studies*, Champaign, vol. 82, n. 3, 2010, pp. 257-286.

GREEN, William Charles. *The Story of Egill Skallagrimsson*, London: Elliot Stock, 1893. Disponível em: <http://sagadb.org/egils_saga.en>. Acesso em 17/05/2017.

KENT, Neil. *The Sámi Peoples of the North: A Social and Cultural History*. London: Hurst & Company, Lapps and labyrinths, 2014.

LEHTOLA, Veli-Pekka. *The Sámi People: Traditions in transition*. Fair Banks: University of Alaska Press, 2004.

PÁLSSON, Hermann. The Sami People in Old Norse Literature. *Nordlit*, UiT The Arctic University of Norway, [s.l.], vol. 3, n. 1, 1999, pp. 29-53.

STURLUSON, Snorri. *Heimskringla: The Chronicle of the Kings of Norway*. Disponível em: <https://www.gutenberg.org/files/598/598-h/598-h.htm#link2H_4_0316>. Acesso em: 25/05/2017.

SEPULTAMENTOS

Embora a imagem icônica das sepulturas nórdicas antigas seja a de um barco cremado no mar ou depositado sob uma colina fúnebre, carregado com oferendas e restos mortais, a verdade é que o registro arqueológico é bastante mais rico e revela uma grande diversidade nas formas de sepultamento, não sendo possível dizer que havia um modelo universal na Escandinávia antiga. Ao contrário, o que se sabe atualmente sugere grandes variações nos costumes consoantes à região, comunidade ou período histórico, para não falar da posição ou posses das pessoas envolvidas.

Entenda-se que a ideia popular de um barco enterrado sob uma colina artificial não está incorreta, pois conhecem-se vários exemplos. O mais famoso é a sepultura de Oseberg, datada de c. 830 e escavada no sul da Noruega no início do século XX, que consistia numa embarcação de grandes dimensões – 21,5 m de comprimento por 5,1 m de largura – onde foram depositados os restos mortais de duas mulheres, acompanhadas de múltiplas oferendas. Entre elas contam-se não só animais como cavalos, cães e bois, mas também trenós, uma carroça, figuras em madeira para a proa da embarcação, mobília, têxteis e ainda comida e utensílios de cozinha, num espólio que indica tratar-se de uma sepultura de estatuto social elevado, provavelmente régio. Mas seria errado pensar que este tipo de sepultamento era a norma, não só porque a maioria das pessoas não teria posses para pagar um túmulo de tamanha riqueza e dimensão, mas também porque em outras regiões os costumes podiam ser outros, por vezes mesmo radicalmente diferentes.

Um caso particular é o das ilhas Åland, localizadas entre a Suécia e a Finlândia, onde a prática comum passava pela cremação dos mortos, deposição das cinzas num pote de cerâmica e por fim a colocação de uma pequena pata de animal em barro no topo do recipiente. O costume é de tal forma único que não só fornece um exemplo claro de regionalismo fúnebre, como ajuda a identificar os padrões migratórios dos nativos das Åland, já que foram encontrados alguns sepultamentos idênticos ao longo dos rios Volga e Kljaz'ma. E na ilha sueca de Öland, mais a sul, alguns defuntos foram sepultados juntamente com fósseis de amonoides, não sendo seguro afirmar se havia nisso um simbolismo maior ou se era apenas uma opção por gosto pessoal. A análise dos sepultamentos, portanto, passa não só pelas tradições comunitárias mas também pela dimensão individual das práticas.

Outro caso peculiar, mas que encontra algum eco nas fontes escritas, é o de Bogla, na região sueca de Småland, onde uma pequena colina local foi usada para depositar restos mortais, alguns dos quais teriam sido inseridos em ranhuras ou aberturas naturais da elevação. A prática faz lembrar o conteúdo da *Eyrbyggja saga*, um texto tardio e islandês e por isso distante de Bogla, mas que relata que alguns mortos habitam o interior de uma montanha, ideia que pode ter feito parte das crenças dos habitantes da Småland. Como prova da enorme diversidade de tipos de sepultamento na Escandinávia antiga, a colina de Bogla exibe um conjunto de práticas diferentes, da cremação à mera deposição dos corpos, com ou sem monumentos, com conjuntos de pedras dispostas de forma circular ou triangular, campas retangulares ou pequenas colinas artificiais e até a reutilização de sepulturas ou partes delas, havendo ainda sinais de convivência ou transição religiosa. Um cenário complexo, muito além da simplicidade ou clichês.

Se Bogla pode refletir as práticas de uma comunidade rural, já mais a norte, também na Suécia, o posto comercial de Birka mantém a nota de complexidade, mas acrescida de um requinte que talvez tenha algo a ver com o ambiente cosmopolita daquele que foi um dos primeiros centros urbanos nórdicos. O cemitério da antiga povoação conta com cerca de duas mil pequenas colinas, muitas delas erguidas sobre camadas de cremação, mas o costume que se destaca no registro arqueológico é o uso de caixões ou de câmaras fúnebres. Trata-se de uma prática invulgar na Suécia central, mas que revela alguma fusão de elementos nativos e importados, o que não surpreende, já que Birka integrava as redes de comércio transregional dos séculos VIII a X. E tem-se um vislumbre do que será talvez um lado mais afetivo das práticas fúnebres por via de algumas das câmaras, como a BJ.834, onde, além de cavalos, armas e utensílios domésticos, a sepultura continha o corpo de uma mulher sentada ao colo de um homem.

Se esses exemplos revelam sepultamentos sem o recurso das embarcações, há outros casos em que o barco continua ausente, mas a sua forma está claramente presente. É assim no cemitério de Limfjord, na Dinamarca, onde o comum parece ter sido a cremação dos corpos dentro de uma área delimitada por pedras que, com frequência, desenham o contorno de uma embarcação. Encontra-se a mesma prática na ilha sueca de Gotland e também na Suécia central, o que é um reflexo da importância dos barcos na antiga cultura nórdica. Os próprios deuses refletem essa realidade, com Freyr, filho do próspero barqueiro divino Njord, possuindo o melhor dos navios, diz a estrofe 43 do poema éddico *Grímnismál*. E é na *Edda* de Snorri que encontramos a descrição do funeral de Balder, quando o filho de Odin é cremado numa embarcação. É uma imagem clássica, icônica, mas que pode induzir em erro se assumida como universal, embora não deixe de ser factual como uma de várias formas de sepultamento na Escandinávia antiga.

O registro arqueológico dessa prática é mais escasso por óbvia destruição do barco no processo de cremação, mas o relato feito pelo árabe Ibn Fadlan, que encontrou um grupo de vikings nas margens do Volga em 922, deixou-nos uma descrição que corrobora até certo ponto o modelo mitológico, já que refere a deposição do corpo no interior do navio juntamente com oferendas animais e inanimadas e o sacrifício de uma escrava que é também cremada. E quando tudo estava já consumido pelas chamas, o relato menciona ainda a construção de uma colina artificial sobre as cinzas e o erguer de um poste de madeira com uma inscrição que referia o nome do morto. É possível que a narrativa mitológica transmitida ou criada por Snorri na *Edda* seja um reflexo de práticas como as descritas por Ibn Fadlan, que, embora não fossem a totalidade dos costumes fúnebres escandinavos, eram certamente parte deles.

A elevação de um poste de madeira no local do enterro tem paralelo em sepulturas conhecidas, embora sem cremação, tendo-se usado o mastro do próprio navio no caso em que ele foi apenas coberto com uma colina de terra. Em alguns casos podiam acrescentar-se arranjos monumentais de pedras, fosse em círculo em torno do túmulo – como na ilha de Groix, na Bretanha – fosse em linha ao gênero de uma via processional. E há ainda o caso de Anundshög, na Suécia, onde em um mesmo espaço relativamente reduzido encontram-se colinas, dois conjuntos de pedras dispostas em forma de embarcação e uma inscrição em runas, talvez relacionada com um defunto ou pelo menos em memória de alguém chamado Heðinn. Também aqui, no entanto, há que chamar a atenção para o fato de que nem todas as pessoas teriam posses ou estatuto para tal monumentalidade. A maioria dos nórdicos teria sepulturas mais simples e efêmeras, senão mesmo meras valas, e são precisamente essas as que deixam menos vestígios arqueológicos.

Faz-se patente o uso de oferendas fúnebres, como comida, utensílios domésticos ou armas, e ainda sacrifícios animais, como cavalos ou cães, a que se podem juntar opções menos comuns, como pavões ou corujas. Mas há também registros arqueológicos de vítimas humanas, masculinas e femininas, mortas ora por decapitação, estrangulamento, esfaqueamento ou quebra do pescoço, não se sabe se de forma voluntária ou forçada. É o caso de uma das sepulturas de Birka, onde o corpo decapitado de um jovem foi encontrado junto a outro de um homem mais velho, ou de um túmulo próximo de Roskilde, na Dinamarca, onde uma mulher foi enterrada juntamente com uma vítima humana masculina cujo pescoço foi partido. Estes e outros casos fornecem um paralelo físico para o episódio mitológico ou o relato escrito de Ibn Fadlan, dando-lhes substância histórica.

Se algumas destas formas de sepultamento sugerem influência cristã, em especial no caso de campas retangulares ou caixões, aconselha-se cautela antes de se chegar a essa conclusão. Afinal, a simplicidade de algumas sepulturas pode dever-se ao baixo estatuto social dos defuntos, que podem ter tido um enterro singelo, desprovido de qualquer monumentalidade e com uma colina fúnebre insipiente que o tempo apagou com facilidade. Mesmo a ausência de oferendas, que é um traço característico de uma sepultura cristã – incluindo nas narrativas das *Sagas dos Islandeses* – deve ser encarada com algum cuidado, pois também se pode ter ficado a dever às poucas posses ou estatuto reduzido do morto.

Hélio Pires

Ver também Funerais e enterros; Religião; Sociedade.

AMBROSIANI, Björn. Birka. In: BRINK, Stefan; PRICE, Neil (eds.). *The Viking World*. London/New York: Routledge, 2010, pp. 94-100.

ARTELIUS, Tore; KRISTENSSON, Anna. The universe container: projections of religious meaning in a Viking Age burial-ground in northern Småland. In: ANDRÉN, Anders; JENNBERT, Kristina; RAUDVERE, Catharina (eds.). *Old Norse religion in long-term perspectives*. Lund: Northern Academic Press, 2006, pp. 147-152.

BENNETT, Lisa. Burial practices as sites of cultural memory in the *Íslendingasögur*. *Viking and Medieval Scandinavia*, n. 10, 2014, pp. 27-52.

LUNDE, Paul; STONE, Caroline. *Ibn Fadlan. Ibn Fadlan and the Land of Darkness: Arab Travelers in the Far North*. London: Penguin, 2012.

PRICE, Neil. Dying and the Dead. In: BRINK, Stefan; PRICE, Neil (eds.). *The Viking World*. London/New York: Routledge, 2010, pp. 257-273.

SEXO E SEXUALIDADE

Conceito geral: O comportamento sexual nórdico na Escandinávia Medieval possuía um padrão duplo, tanto antes quanto depois da cristianização. Segundo John Haywood, a sexualidade masculina poderia ser exercida livremente, desde que com mulheres adequadamente disponíveis (geralmente com alto *status* social), enquanto a sexualidade feminina era vista como possessão da sua família e sempre que possível, controlada. Isso não significa que as necessidades sexuais das mulheres não fossem levadas em conta. O sexo era considerado central para o casamento, e o fracasso de um homem em corresponder às expectativas sexuais de sua esposa era motivo de divórcio.

Fontes sobre a sexualidade nórdica antiga: Segundo Jenny Joschens, existem três principais grupos de fontes primárias para se estudar a sexualidade: as leis, originalmente formadas durante o paganismo, mas modificadas após a cristianização, especialmente o código *Grágás*; as sagas contemporâneas (que oferecem um quadro da sociedade cristã dos séculos XII e XIII); as sagas de família, tradicionalmente um material para se estudar a sociedade nórdica antiga, mas com alguns problemas, visto que as informações são fragmentárias e foram também filtradas pelo referencial cristão (a exemplo da ausência de violência contra as mulheres e descrições de múltiplos parceiros sexuais).

Os escritores europeus contemporâneos descreviam os homens escandinavos da Era Viking como tendo uma sexualidade relaxada. No século XI o cronista alemão Adão de Bremen reclamou das infidelidades do rei Svein Estrithson, mas teve certa inclinação para perdoá-las, pois considerava isso um lapso endógeno tanto dos dinamarqueses quanto dos seus vizinhos suecos.

Escravas, concubinas e sexo: As garotas escravas e as mulheres nascidas livres que careciam de tutores masculinos eram impelidas para o sexo casual ou para relacionamentos extraconjugais em longo prazo. Mulheres escravas eram obtidas em mercados de toda a Europa. Na *Laxdæla saga* 5 foi descrita a compra de uma bela escrava chamada Melkorka durante a viagem do protagonista, com a qual acaba se envolvendo amorosamente. O código de leis *Grágás* 1 menciona que um homem tem direito de comprar uma escrava para seu prazer corporal.

O cronista árabe Ibn Fadlan registrou no *Risala* (920 d.C.) relações casuais de nórdicos com uma escrava durante o funeral de um chefe na região do Volga. Também leis islandesas do final da Era Viking comentavam que garotas escravas eram vendidas para finalidades sexuais por preços elevados. Uma descrição da *Fljótsdæla saga* 6 sugere que as escravas atendiam favores sexuais de visitantes.

Servas ocupavam um estrato social entre as escravas e as mulheres livres e diversas narrativas indicam sua disponibilidade sexual entre fazendeiros e viajantes. Na *Grettis saga* 7 foi narrado que Gretir, ao passar a noite em uma fazenda, teve um encontro sexual com uma garota serviçal (*griðkona*), enquanto a filha do fazendeiro escapou.

As concubinas eram costumeiras na sociedade nórdica. Adão de Bremen relata que os homens possuíam duas ou três ao mesmo tempo. As concubinas geralmente eram de estratos sociais inferiores e eram beneficiadas tendo relações com homens de categorias mais elevadas. Mas ela não poderia se tornar esposa oficial, tendo que ser tolerada pela mulher do homem em questão. Muitas concubinas provinham da escravidão.

Segundo Jenny Jochens, o fenômeno da prostituição foi essencialmente urbano. Como a Islândia medieval foi baseada no mundo rural, ela desconheceu essa prática.

Sexo, crime e tabu: Para o historiador John Haywood o comportamento sexual dos homens com relação às escravas e servas não era estendido para outras mulheres da sociedade, como esposas, filhas, irmãs, mães e mães adotivas protegidas pela honra familiar, e caso alguém fosse pego em flagrante delito, receberia severas penalidades. Os assédios feitos por um homem a uma mulher solteira eram vistos com desprezo, e se não seguissem uma proposta formal de casamento, o pai ou o tutor da mulher poderia buscar vingança de sangue. Crimes sexuais atacavam diretamente a honra da família da mulher.

O adultério era considerado pelas leis um crime mais grave que a fornicação em si, mas era uma ocorrência contumaz naquela época. Embora o adultério fosse cometido tanto por homens como por mulheres, estas últimas eram punidas mais severamente, especialmente após a conversão cristã. Nesse momento, os homens culpavam as mulheres por seu adultério, argumentando que "ela não foi fiel a mim". Uma mulher podia legalmente divorciar-se de seu marido durante a Era Viking (e o seu dote ser restituído) se o seu marido não a satisfizesse na cama, se ele preferisse os homens ou se gostasse de usar roupas femininas.

Era esperado das mulheres solteiras que fossem virgens quando casassem, segundo o que é mencionado em diversas sagas islandesas. Uma mulher solteira representava um bem por meio do qual a família poderia obter muitas riquezas. O preço político da noiva poderia trazer muitas alianças com outras famílias poderosas. Já no casamento, a sociedade almejava que ela fosse fiel ao seu marido. Na *Edda Poética* é comum verificarmos diversos tipos de insultos contra o comportamento promíscuo ou incestuoso de deusas e personagens femininas, uma clara influência dos padrões sociais vigentes. Outra razão do controle da sexualidade feminina se dava sobre a natalidade: o risco de filhos ilegítimos poderia significar muitas dificuldades para a família da mulher. As mulheres que evitavam a gravidez não recebiam punição. Nos casos de estupro ou assédio, também não eram estigmatizadas.

A homossexualidade feminina e masculina, o incesto e a bestialidade (zoofilia) eram consideradas ofensas altamente passíveis de punição.

Conceito de beleza e erotismo: Ao contrário do mundo clássico, não ocorreram distinções entre a beleza de homens e mulheres. Os mesmos termos são usados para ambos os sexos. A descrição da beleza masculina ou feminina nem sempre tinha um cunho erótico. A beleza feminina muitas vezes era baseada na brancura dos braços das garotas e mulheres ou no comprimento dos seus cabelos. A nudez praticamente não é mencionada nas sagas islandesas, com algumas exceções – como Freydís Eiríksdóttir, no momento em que enfrenta alguns indígenas, mas sem cunho erótico. Uma mulher grávida era considerada "pesada" e ficava mais "leve e limpa" após o parto. Também passava por cerimônias de limpeza e reentrada na sociedade.

Romance: Caso uma mulher tivesse interesse em um homem e fosse correspondida, eles sentavam juntos e trocavam beijos (*hana kyssir*). Ele colocava a cabeça no colo dela e ela lavava o seu cabelo. Em recintos fechados, eles bebiam no mesmo corno. Quando uma mulher casada queria algo com o marido, ela colocava as mãos sobre seu pescoço, para convencê-lo. Se um homem não aparecesse para seu casamento, era dito que ele "fugiu da vagina" e ela "fugiu do pênis".

Um tema muito presente nas sagas islandesas (em 15 sagas, citado mais de 20 vezes) é a "visita do amor ilícito", o qual, segundo Jenny Joschens, possivelmente tem raízes no mundo pagão. Essa relação de amor ocorre quando um homem solteiro visita regularmente uma jovem, mas sem realizar uma proposta formal de casamento, o que acaba gerando oposições por parte da família e do tutor da moça. Em algumas sagas (como *Kormáks saga* 8) ocorrem assassinatos após a interdição, mas geralmente os homens que assediam as moças são mortos pelo protagonista ou herói da saga. Alguns pesquisadores (como Rolf Heller) negam esse tipo de narrativa como sendo histórica, mas Jochens reconhece que o tema era conhecido pelos autores cristãos e pode ter raízes pré-cristãs, especialmente em se tratando de temas relacionados às relações masculinas fora do casamento.

Em alguns momentos, as sagas islandesas descrevem iniciativas sexuais partindo de mulheres jovens (*Hallfreðar saga* 8; *Vatnsdæla saga* 8). A *Ljósvetninga saga* 10 descreve a narrativa de uma garota chamada Fridgerdr, que encontrava prazer na companhia de homens problemáticos. A sexualidade é quase sempre implícita nas sagas, tendo poucas referências de iniciativa feminina, sendo a maioria dos casos de encontros sexuais como resultado de ações masculinas.

Pornografia: As únicas descrições pornográficas presentes nas fontes literárias em nórdico antigo são três capítulos da *Bósa saga ok Herrauðs* (7, 11 e 13). No primeiro caso, os personagens Bosi e Heraud estão de passagem pelo interior e encontram uma casa de camponeses, onde encontram abrigo para uma tormenta (capítulo 7). Ali moram uma senhora idosa e sua filha, muito atraente, que os recebe e troca suas roupas molhadas, além de trazer cervejas para os dois. Pela noite, Bosi vai na cama da garota e ela pergunta o que ele queria. Bosi responde que quer tornar o seu "conde" duro com ela. A garota pergunta onde está o conde e manuseia seu pênis, dizendo que ele é um monstro tão duro quanto uma árvore e fizeram sexo várias vezes pela noite. Os dois amigos partiram e chegaram então em Gautland (capítulo 9) e se depararam novamente com outra casa humilde pelo interior, onde um homem os recebeu (e ele também tinha uma filha muito bonita). Ele aborda a garota pela noite, ela pergunta o que ele queria e o mesmo responde que gostaria de regar o seu potro no vinho dela. Ela segura o seu pênis, o acaricia e afirma que sua cabeça não está bem colocada, mas que se tiver alguma coisa para beber, vai melhorar. Ele "afoga o potro" diversas vezes, até que ela reclama que sua fenda e até a sua cama estão muito molhadas. Bosi responde que o potro ficou "bêbado e vomitou", pois estava "doente de cerveja". Eles ainda se divertiram em cima e embaixo e a garota afirmou que nunca havia montado um potro tão facilmente. A terceira descrição (capítulo 13) repete a mesma situação: Bosi e seu amigo chegam em uma casa simples de camponeses, onde a filha solteira do casal é extremamente bela. Ele aborda a moça durante a noite e ela pergunta qual a sua intenção. Ele fala que quer introduzir um anel em sua cavidade. Após introduzir o seu pênis no sexo da garota, ela responde que esse prazer é o mesmo que beber hidromel fresco.

Essas três narrativas constantes da saga foram influenciadas pelas cenas mais picantes e sexuais dos *fabliaux*, contos escritos na França durante os séculos XII e XIV com forte ironia e crítica social. Todas as três narrativas foram transcorridas na região de Bjarmaland (Finlândia). Segundo Jenny Joschens, elas se referem não à forma como a sexualidade era vivida durante o paganismo, mas como ela foi percebida durante o século XIV. A sexualidade de Bosi é descrita de forma grosseira e direta, concedendo pouco espaço para a imaginação do leitor. Em todas as narrativas é Bosi que toma a iniciativa, apesar da imensa satisfação das personagens femininas.

Algumas das metáforas utilizadas na *Bósa saga ok Herrauðs* também foram utilizadas na poesia escáldica como sinônimo para pênis, como o cavalo e espada. Na *Bjarnar saga*, o personagem Þórðr Kolbeinsson declama um poema afirmando que deu prazer para a sua mulher (Oddný eykyndill), fazendo o seu "remo" crescer duro dentro da vagina dela.

Sexualidade feminina: As descrições de mulheres pagãs na literatura nórdica geralmente não seguiram o modelo de desvio cristão, perversidade sexual ou amoralidade. São muito mais frequentes as descrições de beleza feminina do que apetite sexual. O modelo das sagas é de personagens femininas sendo manejadoras do desejo masculino. Em algumas obras nativas, observa-se certa influência dos romances da literatura continental, como em *Hávarðar saga Ísfirðings* e *Sörla þáttur*. Nas sagas contemporâneas, a mulher é responsabilizada por quebrar os papéis estabelecidos pelo casamento na sociedade pagã, mas modificados pela Igreja.

Um dos únicos casos de ninfomania registrado na literatura nórdica medieval é o da rainha norueguesa Gunnhildr Gormsdóttir. Segundo a *Heimskringla*, Gunnhildr viveu certo tempo com os sámi finlandeses, no norte escandinavo, com os quais aprendeu artes mágicas em troca de favores sexuais. Após seduzir Érico, incitou-o a matar estes sámi. A rainha foi amante do islandês Hrut Herjolfsson, que era muito mais novo que ela. Em público, ela demonstrava seu amor sem reservas. Mas também se enamorou de outro islandês, Ólafur Höskuldsson.

Virilidade e satisfação sexual: Segundo Carl Phelpstead, os guerreiros nórdicos eram sexualmente inseguros e angustiados com o tamanho do pênis. Ser ridicularizado pelas mulheres comprometia sua masculinidade, afetando diretamente sua vida social. O tamanho do pênis indicava também o seu *status* social. O pênis demonstrava posição social e também reafirmação e estabelecimento social pela agressão fálica. Um homem com problemas no pênis não podia ter posição social dominante. O tamanho do pênis também podia causar embaraços, como na *Grettis saga*, onde o personagem Grettir é surpreendido dormindo nu por duas servas, que riem dele ao observar que seu pênis era muito pequeno. Ele responde para as duas na forma de um poema, alegando que seu pênis ainda era pequeno mas iria crescer e causar muitos problemas para a deusa do sexo, Freyja. Mas o tamanho do órgão sexual não era suficiente – era necessário muita virilidade e desempenho. Na *Saga de Njál*, uma rainha ciumenta amaldiçoa o guerreiro Hrutr Herjolfsson pela enorme ereção quando ele fez sexo com sua noiva.

Mulheres insatisfeitas com homens faziam estes perderem seu prestígio político e social. Existiam hierarquias sociais conectadas a metáforas de penetração na linguagem, como espadas, pênis e língua. Assim, quem penetra com palavras, armas e a fala são os poderosos (homens) nos fracos (fêmeas). No cenário social, a sexualidade prevê um simbolismo para a dominação e submissão permitindo o *status quo* na sociedade.

Promiscuidade: Fontes do século XIII indicam o prevalecimento de uniões informais e a tolerância de múltiplas companhias sexuais por concubinagem. Esse comportamento era típico da realeza norueguesa. As sagas reais revelam casos de pais que ofereciam suas filhas para favores sexuais para reis dinamarqueses e noruegueses. A prática continuou após a cristianização, especialmente na Noruega, causando problemas na sucessão dinástica, o que ocasionou o aceite do papel eclesiástico da monogamia para legitimar a sucessão. Persistindo na aristocracia da Noruega e Islândia, essa prática sugere que originalmente a sexualidade pagã era constituída fortemente por múltiplos parceiros. Também a referência de concubinas e crianças ilegítimas nas sagas de famílias sugere a existência de múltiplos parceiros entre fazendeiros, um problema que frequentemente criava tensões.

Difamação sexual: Mulheres promíscuas e heterossexuais incestuosos eram denominados de *ergi*. As sagas islandesas não discutem ou referenciam mulheres homossexuais, mas o código de leis religiosas da Islândia (Stock. Perg. 4to no. 15), datado do final do século XII, menciona e proíbe práticas com severas penitências, como a homossexualidade masculina e o sexo com animais. A possibilidade de mulheres fazerem sexo umas com as outras não fazia parte do mundo narrativos dos autores das sagas. O substantivo *ergi* ou os seus adjetivos raramente eram usados para descrever mulheres, mas quando aplicados, podiam significar ninfomania. Entre os homens, o adjetivo *ergi* comumente significava efeminado, indicando fraqueza e covardia. Também a perda da virilidade masculina pode ser considerada um sinal de *ergi*, como na velhice.

Uma das formas mais espetaculares de difamação sexual era o *nið*, presente na literatura e nos códigos de leis. Na *Njáls saga* 123 o personagem Flosi é acusado de ser pervertido por um *troll*. Mas a acusação recai apenas sobre o homem violado pelo ato sexual masculino (na metáfora de difamação). A prática da sodomia (consentida ou não) na Era Viking é algo que a pesquisa não consegue demarcar com eficiência e as acusações de tal prática pelas fontes literárias são totalmente simbólicas e morais. Segundo o pesquisador Preben Sørensen existiriam três significados para o termo *arg/ragr:* perversidade sexual (ser penetrado analmente); versado em feitiçaria; covarde/efeminado.

Johnni Langer

Ver também Estupro; Mulheres; Sociedade.

CLOVER, Carol J. Regardless of Sex: Men, Women, and Power in Early Northern Europe. *Representations*, n. 44, 1993, pp. 01-28.

GADE, Kare Ellen. Penile Puns: Personal Names and Phallic Symbols in Skaldic Poetry. *Essays in Medieval Studies*, vol. 6, 1990, pp. 57-65.

HAYWOOD, John. Attitudes to sex. In: *Encyclopaedia of the Viking Age*. London: Thames and Hudson, 2000, p. 169.

JACOBSEN, Grethe. Sexual Irregularities in Medieval Scandinavia. In: BULLOUGHS, Vera *et al.* (eds.) *Sexual Practices and the Medieval Church*. Buffalo: Prometheus Books, 1982, pp. 72-85.

JOCHENS, Jenny. The Church and Sexuality in Medieval Iceland. *Journal of Medieval History*, vol. 6, 1980, pp. 377-392.

JOCHENS, Jenny M. The Illicit Love Visit: An Archaeology of Old Norse Sexuality. *JHS*, vol. 1, 1991, pp. 357-392.

PHELPSTEAD, Carl. Size Matters: penile problems in saga of icelanders. *Exemplaria*, vol. 19, n. 3, 2007, pp. 420-437.

SIGTUNA

Localizada no leste da Suécia, ao norte do lago Mälaren, Sigtuna foi fundada por volta da década de 980, substituindo a cidade de Birka como centro econômico e político daquela região. Sua fundação é tradicionalmente atribuída à iniciativa do rei Érico, o Vitorioso (Eiríkr inn sigrsæli). A cidade no século XI despontou como centro comercial, manufatureiro e político, pois se tornou sede do governo de Érico e de seu filho Olavo, o Tesoureiro (Olof Skötkonung).

A cidade foi erguida ao longo de uma grande via central em formato de s, chamada de *stora gatan*, que percorre o sentido leste-oeste próximo à margem do lago. As casas em formato retangular ficavam situadas de ambos os lados da avenida principal. Estima-se que a cidade nos seus primeiros anos dispunha de cem casas. Com o tempo novas moradias foram erguidas e novas ruas surgiram. Nesse sentido, Sigtuna diferenciava do plano urbanístico de outras cidades nórdicas, as quais adotavam um modelo mais ou menos circular e cercado por muros.

As escavações arqueológicas, iniciadas na segunda metade do século XIX e continuadas ao longo do XX, encontraram grande variedade de objetos, feitos de distintos materiais e até mesmo importados, o que revela que Sigtuna possuía contatos comerciais distantes, pois foram encontradas joias de vidro, oriundas do Leste Europeu. James Graham-Campbell assinala que oficinas escavadas em torno do salão real, revelam construções amplas com armazéns, além de terem sido encontrados, em diversos substratos entre os séculos XI e XIII, objetos feitos de metal, vidro, osso, chifre e até restos de tecidos.

Em geral, a diversidade de matéria-prima não era algo comum na Escandinávia: somente importantes polos manufatureiros e comerciais dispunham de acesso a diferentes matérias-primas. Tal condição atesta que Sigtuna de fato foi uma cidade economicamente importante no começo da Baixa Idade Média. E isso também se reflete na condição de que a cidade foi produtora de moedas, outra característica rara na Escandinávia, pois pouquíssimas cidades possuíam casas da moeda.

No caso das moedas, algumas delas datadas do século XI, apresentavam cunhadas em alfabeto latino às palavras Siht, Stnete e Situn, que de acordo com Jonas Ros, consistem em variações e abreviações do nome Sigtuna. O rei Olavo, o Tesoureiro (c. 995-1022), após obter vitória sobre o rei norueguês Olavo Tryggvason, com a ajuda do rei dinamarquês Suevo Barba Bifurcada, ordenou que moedas comemorativas fossem cunhadas em Sigtuna, cidade usada como capital real desde a época de seu pai.

As moedas cunhadas no governo do rei Olavo trazem inscrições que o atestava como "rei dos suevos" e "governador de Götar". Seu filho e sucessor Anund Jacob (c. 1022-1030/5) também continuou a ordenar a cunhagem de moedas em Sigtuna. Posteriormente a produção foi suspensa, sendo retomada pelo rei Canuto Eriksson (1167-1196). O fato de três reis suecos terem ao longo do século XI e XII cunhado suas próprias moedas em Sigtuna revela a importância não apenas econômica da cidade, mas também política.

Entretanto, outro dado curioso de algumas dessas moedas era a referência a cruzes, pois Olavo, o Tesoureiro, foi um rei cristão que incentivou a expansão do cristianismo na Suécia. Nesse caso, James Graham-Campbell salienta que um dos destaques arquitetônicos da cidade de Sigtuna diz respeito a sua grande quantidade de igrejas. Estima-se que boa parte desses templos foi erguida ainda no século XI. O número de sete igrejas, somado a sepulturas cristãs, revela que Sigtuna ainda em seus primórdios já era uma cidade cristianizada. Salientando que o processo de cristianização na Suécia foi o mais tardio se comparado com a Noruega e a Dinamarca.

Sigtuna continuou como um importante centro econômico e político até o final do século XII, quando foi atacada por invasores eslavos, que queimaram a cidade. Mas posteriormente um novo núcleo urbano foi erguido nas proximidades, consistindo na atual cidade de Sigtuna. Nesse sentido, alguns historiadores preferem usar Velha Sigtuna (*Fornsigtuna*) para se referir à cidade original, que foi destruída durante o governo de Canuto Eriksson. O papel político de Sigtuna foi substituído com o tempo por Gamla Uppsala, e sua função econômica foi perdendo espaço e importância para Estocolmo.

Leandro Vilar Oliveira

Ver também Birka; Comércio; Suécia da Era Viking.

GRAHAM-CAMPBELL, James (org.). *Os vikings*. Barcelona: Editora Folio S.A. 2006.

HOLMAN, Katherine. *Historical dictionary of the vikings*. Lanham: Scarecrow Press Inc, 2003.

ROS, Jonas. Sigtuna. In: BRINK, Stefan; PRICE, Neil (eds.). *The Viking World*. London/New York: Routledge, 2008, pp. 140-144.

SIMBOLISMO ANIMAL

A Arqueologia, desde sua consolidação como disciplina independente no século XIX, vem se debruçando sobre as questões religiosas e seus aspectos materiais. Com os trabalhos de André Leroi-Gourhan, em 1964, a arte rupestre foi compreendida como o único meio de compreender o simbolismo das sociedades paleolíticas, permitindo encontrar os limites do uso cotidiano e simbólico. Desde então, a Arqueologia voltada a religião foi-se multiplicando e se especializando até que em 1989 o arqueólogo André Debord denomina essa subárea de *Archéologie religieuse.*

Nesta subárea, também chamada de Arqueologia da Religião em português, os pesquisadores propõem um debate entre as fontes materiais e literárias, de forma a encontrar um ponto de equilíbrio, onde os textos rúnicos e a iconografia estão de um lado e a oralidade das *eddas*, sagas e crônicas estão do outro. Desta maneira, analisar os simbolismos na arte viking é dialogar com os rituais, os costumes, os mitos e a cosmologia, estando sempre atento aos elementos da lenta transição para o cristianismo na área nórdica.

Uma forma de se vislumbrar a cultura nórdica através da Arqueologia é a análise dos elementos simbólicos em utensílios, ferramentas, joias, armas, roupas, construções, ou seja, na cultura material. Muito do que sobreviveu ao tempo nos mostra uma pista do gosto nórdico para a arte, além de revelar um pouco de sua religiosidade, evidenciando a intrínseca relação do escandinavo medieval com sua simbologia.

A iconografia nórdica estava recheada de símbolos que se relacionam diretamente, ou indiretamente, com os deuses e outras narrativas míticas. Muitas delas possuem uma origem possível de ser traçada desde os petróglifos da Idade do Bronze, mas ainda assim, possuem um significado muito próprio da cultura nórdica. Os animais compõem uma importantíssima parcela deles, pois foram largamente utilizados para expressar seus distintos estilos artísticos. Características físicas e comportamentais dos mais diversos animais, tanto selvagens quanto domésticos, foram exploradas pelos artistas escandinavos, trazendo junto de suas aparências uma série de informações subjetivas simbólicas.

As aves possuem um simbolismo em comum entre as várias espécies. De modo geral, são consideradas fontes de conhecimento; poderiam fazer um homem mais sábio, além do que, com a habilidade de viajar entre os planos, estavam como intermediárias entre os deuses, os humanos e os mortos. Através delas, podia-se ter uma proteção mágica, alcançar o mundo dos deuses e barganhar a vida ou a morte de alguém. Logo sua associação ao poder foi apropriada por uma elite social que necessita de legitimação para assegurar sua posição e então tornaram-se signos de sabedoria, de favor divino e de nobreza.

Quanto à presença de mamíferos na iconografia nórdica, seu simbolismo se mostra complexo e extremamente vasto. Os bovinos, por exemplo, possuem uma origem iconográfica já na Idade do Bronze e estavam associados à fertilidade através da agricultura, pecuária e até pela vertente de virilidade, o que lhe concedia um certo sentido bélico, devido aos seus atributos de força física e seus chifres pontiagudos, o que contribuiu para o equívoco do uso de elmos com cornos por vikings. Contudo, na Era Viking, ele já não é representado com frequência e seu sentido fica mais restrito às questões econômicas, demonstrando a fortuna acumulada de um proprietário de terras. Essa relação é evidenciada pela própria palavra nórdica para gado, *Fé* (ou *Fehu*, que em proto-nórdico quer dizer dinheiro, gado e riqueza).

Como outros exemplos dessa pluralidade, temos as múltiplas facetas do cavalo nos mitos, sendo esse um elemento transicional entre os limites do doméstico e do selvagem e outras fronteiras cósmicas, bem como simbolicamente associados à marcialidade, à virilidade e à fertilidade. Os lobos, por sua vez, são a representação de um dos maiores temores dos homens escandinavos, a morte, mas constituem grande fonte de inspiração para seu culto guerreiro. Através do domínio dessas e outras feras, como os ursos, demonstram um desejo de manter segura a ordem cósmica e ter algum controle sobre ela, representada, material e mentalmente, pelas forças da natureza e do destino.

Ainda acerca da ordem cósmica, temos os ofídios, que, segundo as narrativas míticas, possuem papéis essenciais para a estabilidade e para o caos. Além disso, também representam o submundo, tanto marinho quanto terreno, sendo habitantes e guardiãs desses meios. Serpentes, também presentes em contextos de morte, tortura ou sendo pisoteadas por guerreiros, simbolizam a morte certa e a alegoria do domínio humano sobre as condições da natureza.

Ricardo Wagner Menezes de Oliveira

Ver também Arte; Noruega da Era Viking; Religião; Sociedade.

BOURNS, Timothy. *The Language of Birds in Old Norse Tradition*. Dissertação de Mestrado, Universidade da Islândia, 2012.

EINARSDÓTTIR, Katrín Sif. *The Role of Horses in the Old Norse Sources: Transcending worlds, mortality, and reality*. Dissertação de Mestrado, Universidade da Islândia, 2013.

GRÄSLUND, Anne-Sofie. The material culture of Old Norse Religion. In: BRINK, Stefan; PRICE, Neil (eds.). *The Viking World*. London: Routledge, 2008b, pp. 249-256.

GRÄSLUND, Anne-Sofie. Wolves, serpents, and birds: their symbolism meaning in Old Norse beliefs. In: ANDRÉN, Anders; JENNBERT, Kristina; RAUDVERE, Catharina (eds.). *Old Norse Religion in long-term perspectives: origins, changes, and interactions*. Lund: Nordic Academic Press, 2004, pp. 124-129.

LANGER, Johnni (org.). *Dicionário de Mitologia Nórdica*. São Paulo: Editora Hedra, 2015.

OLIVEIRA, Ricardo Wagner Menezes de. *Feras petrificadas: O simbolismo religioso dos animais na era viking*. Dissertação de Mestrado em Ciências das Religiões. Universidade Federal da Paraíba, 2016.

PLUSKOWSKI, Aleksander. Harnessing the hunger: Religious appropriations of animal predation in early medieval Scandinavia. In: ANDRÉN, Anders; JENNBERT, Kristina; RAUDVERE, Catharina (eds.). *Old Norse Religion in long-term perspectives: origins, changes, and interactions*. Lund: Nordic Academic Press, 2006, pp. 119-123.

SOCIEDADE

Características gerais: Não sobreviveram fontes contemporâneas sobre a sociedade nórdica na Era viking. Os pesquisadores utilizam informações fragmentadas sobre o tema em inscrições rúnicas e em fontes posteriores, como documentos jurídicos, sagas islandesas e documentos estrangeiros, além de reconstituições realizadas pela Arqueologia. De forma geral, a sociedade nórdica na Era Viking era dividida em duas categorias principais: homens livres e não livres. Os homens livres tinham o direito de portar armas e falar nas assembleias locais, além de serem protegidos pela lei. Mas a sociedade não era igualitária, havendo profundas diferenças sociais e econômicas. Essa desigualdade era refletida na escala de compensação paga quando havia um assassinato: os mais ricos influenciavam as vítimas, sendo a maior quantidade paga para a família da parte culpada. Ou ainda pode ser exemplificada no tratamento após a morte: enquanto poucos recebiam um funeral e enterramento grandioso do ponto de vista material e social, grande parte possuía um enterro modesto e alguns medíocres, como os escravos.

O poema éddico *Righstula* apresenta um quadro social do mundo nórdico dividido em três categorias sociais: *jarl* (nobre), *karl* (fazendeiro) e *thraell* (escravo). Na prática, a situação era muito mais complexa, pois a sociedade da Era Viking era hierarquizada, mas não necessariamente estática: o poder ou a ousadia podiam modificar a situação de um indivíduo; riqueza e *status* podiam ser obtidos por meio da pirataria, do comércio ou prestando a um rei.

Os homens livres: Para o historiador John Haywood, somente na Islândia os homens livres eram tratados com uniformidade no assunto das compensações por vendeta. A categoria social mais numerosa entre os homens livres na Era Viking foi a dos fazendeiros (ver verbete BÓNDI). Também existiam homens livres respeitados que não pertenciam à aristocracia, classificados como *drengr* (rapazes) ou *thegn* (guerreiro). Segundo Katherine Holman, originalmente o termo *thegn* significava simplesmente homem livre, proprietário de terras ou um guerreiro. Posteriormente, passou a ter influências da área britânica e passou a ter um sentido associado aos serviços militares para um rei.

Alguns homens livres que não possuíam propriedades nem terras arrendadas eram empregados como trabalhadores nas fazendas. Outros ganhavam a vida trabalhando diariamente como artesãos nas habitações, como na construção de navios e ferraria, mas o seu número era muito pequeno em relação à demais categorias sociais. Algumas atividades ocupavam meio período ou tinham funções parciais, como poetas, médicos, sacerdotes, escultores de pedras, guerreiros e mercadores.

Também existiam pessoas livres que eram muito pobres e até mesmo desocupados e errantes. Ambos eram equiparados ao mais baixo escalão da sociedade, os escravos, não tendo residência e nem direitos jurídicos. Também não era permitido a pobres e vagabundos o casamento e alguns eram castrados em determinadas penalidades. Andarilhos eram proibidos de pedir comida durante as assembleias e a lei permitia que fossem retirados, desde que não sofressem nenhuma injuria permanente.

A escravidão: Os escravos eram o mais baixo patamar da sociedade. Eles eram considerados bens móveis, com direitos mínimos. Suas únicas relações com o resto da sociedade eram definidas por seu proprietário. Não podiam possuir nenhum tipo de herança, legar bens ou participar de transações comerciais. Os escravos podiam ser condenados à morte se já estivessem muito velhos, doentes ou incapacitados para o trabalho. Nas sagas islandesas, os escravos eram descritos como covardes, estúpidos, tolos e duvidosos.

Escravos que ganhavam a liberdade eram ostensivamente livres, mas o seu *status* continuava extremamente baixo. As crianças de escravos libertos eram completamente livres na Islândia, ao contrário de outras regiões da Escandinávia, onde podiam levar até quatro gerações para se libertar da escravidão. Um dos poucos direitos que os escravos podiam ter era acumular algum tipo de propriedade e, com o tempo, comprar a sua liberdade. Podiam se casar e era permitida a vingança quando se tratava de sua esposa. Nunca existiu uma economia predominantemente agrícola no mundo nórdico. Os escravos eram geralmente requeridos em trabalhos nas fazendas. O trabalho escravo desapareceu da Escandinávia após o século XI.

O mundo aristocrático: A aristocracia hereditária exerce considerável influência em cada região e nas assembleias locais. Esse poder era originado tanto da propriedade das terras quanto do oferecimento de proteção para as pessoas sem influência e como retorno do seu suporte político e militar. Líderes locais, como os *hersar* na Noruega, formavam uma das camadas mais altas da aristocracia. Conhecidos posteriormente como *lendrmadr* (latifundiários), eles exerciam autoridade nos favorecidos do rei, tendo alto prestígio no *hirð* e atuavam como comandantes nas expedições militares marítimas. Altas somas de compensação eram destinadas as suas famílias no caso de alguém ter sido assassinado ou ferido.

Na Escandinávia da Era Viking foi desenvolvida uma pequena classe de grandes governantes que tiveram o título de *jarl* (nobre), que significava provavelmente apenas homem de prestígio. Na Noruega a compensação para o assassinato de um *jarl* era duas vezes o preço da de um homem comum e a metade da de um rei. Os grandes *jarlar*, como Hladir na Noruega e Orkney, eram considerados governantes que exerciam poder real sobre o seu território. A resistência dos *jarlar* à centralização do poder da realeza provocou um sério obstáculo para a criação de uma Noruega unificada.

Segundo a arqueóloga Else Roesdahl, os acadêmicos conhecem muito pouco sobre a categoria intermediária que existia nessa sociedade, sua mobilidade e intercalamento com os outros grupos, sejam eles mais ricos ou mais pobres. Existiam muitas pessoas pobres que não eram necessariamente escravas. A maioria dos escravos eram obtidos no exterior e alguns podiam alcançar a sua liberdade através dos seus proprietários.

Na Islândia da Era Viking as diferenças sociais parecem ter sido menores do que em outras regiões da Escandinávia. Pesquisas em sepultamentos indicam que não ocorreram o uso de grandes montículos funerários ou enterros em embarcações ou mesmo a demarcação do alto status por meio de extravagância material. A maior categoria dos homens livres na Islândia foi a dos *goðar*. No início, eles eram apenas fazendeiros livres. A figura do *goði* era o ponto de contato entre seus seguidores e os poderes regionais e nacionais de governo e era sempre o primeiro homem para resolver diversas questões. Ele era o primeiro homem e o líder de um distrito. O *goði* também servia como sacerdote da antiga religião nórdica e possuía uma relação especial com os deuses.

Johnni Langer

Ver também Bóndi; Cotidiano; Goði; Mulheres; Realeza; Sexo e sexualidade.

BOYER, Régis. Les structures de la societé viking. *Les vikings.* Paris: Perrin, pp. 255-279.

CHIESA, Gianna. Cultura e societá. *Storia e cultura dela Scandinavia: uomini e mondi del Nord.* Milano: Bompiani, 2015, pp. 203-232.

HAYWOOD, John. Social classes. *Encyclopaedia of the Viking Age.* London: Thames and Hudson, 2000, pp. 180-181.

ROESDAHL, Else. Society. In: *The vikings.* London: Penguin Books, 1998, pp. 52-64.

SHORT, William R. Social structure and gender. In: *Icelanders in the Viking Age.* London: McFarland, 2010, pp. 32-40.

SONATORREK

Sonatorrek é um poema escáldico de lamentação composto por Egill Skallagrímsson (910-990 d.C.), o principal poeta escáldico de origem islandesa. De acordo com Simek & Pálsson (1987, p. 64), já na Idade Média, a reputação desse poeta era tanta que o próprio historiador e político Snorri Sturluson (1179-1241 d.C.) compôs uma saga sobre a vida dele, a *Egills saga Skállagrímssonar.* Em alguns dos manuscritos dessa saga se encontra o presente poema.

Embora a primeira estrofe esteja registrada nos principais manuscritos da *Saga sobre Egill Skallagrímsson* (uma das únicas obras a conter esse poema) como, por exemplo, no manuscrito AM 132 fol. (conhecido como *Möðruvallabók*, Reykjavik, c. 1330-1370), apenas nos manuscritos AM 453 (conhecido como *Ketilsbók*, por conta do copiador Ketill Jörundsson) e AM462 4to. encontra-se o poema por completo. Para os exemplos dados neste artigo utilizamos as obras de Jónsson, que apresentam os poemas na forma diplomática e interpretativa. Apresentaremos as duas variações neste artigo. Jónsson utiliza o manuscrito AM453 em sua obra.

O nome do poema significa "a perda árdua dos filhos", cujo primeiro elemento *sona* e o segundo elemento *torrek* significam "filhos" e "perda", respectivamente. No tocante ao segundo elemento, *torrek*, Magnússon afirma que é uma composição entre o prefixo *tor-* "difícil" (compare com o adjetivo do islandês moderno *torleystur* "difícil de desprender, solucionar") e *rek*, que seria provavelmente uma derivação do verbo *reka* (germânico antigo *wrekan*), no sentido de "empurrar, afugentar".

O poema trata sobre a difícil perda de dois filhos do poeta: Gunnar, que morreu de febre e Böðvarr, que morreu em um naufrágio. Embora os nomes dos filhos não sejam citados no poema, Snorri Sturluson os cita na saga: *Egill hafði þá átt son er Gunnar hét ok hafði sá ok andazk litlu áðr* (p. 146) "Egill tinha tido um outro filho que se chamava Gunnar e que morreu um pouco antes" e *lauk þar svá at skipit kafði undir þeim ok týndusk þeir allir. En eptir um daginn skaut upp líkunum* "ocorreu que o navio afundou e todos morreram. No dia seguinte os corpos apareceram" (EINARSSON, 2003, p. 145-146; trad. nossa).

De acordo com Turville-Petre (1976), o poema pode ser dividido em sete partes:

Entre as estrofes 1 e 4, o eu lírico se empenha para achar palavras que correspondam à sua tristeza. Na primeira estrofe: *era nü vænlegt um vidris þife* [*esa nú vænligt of Viðurs þýfi*] "agora há pouca esperança a respeito do roubo de Viður". O "roubo de Viður", ou seja, o "roubo de Odin", é um epíteto que faz referência à poesia. Esse epíteto ocorre na obra *Edda em prosa*, capítulo *Skáldskaparmál*, em que Odin rouba o hidromel da poesia do gigante Suttungr e, em seguida, cede aos deuses e aos homens dotados de poesia: *Þa braz hann iarnar ham og fláug sem akafazt* [...] *En Svttvnga-mioð gaf Oþin asvnvm ok þeim monnvm, er yrkia kvnv* (transcrições do manuscrito *Codex Regius* por Finnur Johnsson, 1931, p. 85). Uma versão padronizada foi realizada por Anthony Faulkes: *þá brásk hann í arnarham og flaug sem ákafast* "e então se transformou na forma de uma águia e voou" (trad. nossa) e *en Suttung mjǫð gaf Óðinn Ásunum ok þeim mǫnnum, er yrkja kunnu* "mas Odin cedeu o hidromel de Suttungr aos *æsir* e aos homens que podiam fazer poesia" (trad. nossa). Como o poeta estava triste naquele momento, havia pouca esperança para compor um "roubo de Odin".

Na segunda parte da divisão de Turville-Petre, entre as estrofes 5 e 12, Egill se lamenta por conta da morte de Böðvarr: *Grimt var um hlid, þat er hraun um braut faudr mïns ä frændgarde; veit eg ofullt ok opid standa sonar skard, es mier siär um vann* [*Grimt vǫrum hlið, þat 's hrǫnn of braut fǫður míns á frændgarði; veitk ófult ok opit standa sonar skarð, es mér sær of vann*] "Horrível foi a pancada da onda, que abriu um buraco na cerca dos descendentes do meu pai; vejo o não preenchido e a abertura que repousa; a fissura (falta) do filho que o mar me causou". No mesmo trecho, na estrofe 7, o eu-lírico afirma que Rán, deusa que governa o mar, o devastou: *miauk hefur rän riskt um mig* [*mjǫk hefr Rón of rysktan mik*]; e também, se ele se vingasse com sua espada, a vida dos forjadores da cerveja se acabaria: *veiztü um þä sauk, sverde of ræag var aulsmid allra tïma* [*veizt ef sǫk, sverði of rækak, vas ǫlsmið allra tíma*]. Aqui o poeta utiliza a palavra que corresponde ao tipo *ale*. O problema é que ele está velho e não tem seguidores para apoiá-lo em tal propósito: *þvïat alþiöd firi algum verdr gamals þegns gengeleise* [*þvít alþjóð fyr augum verðr gamals þegns gengileysi*].

Na terceira parte, entre as estrofes 13 e 19, a morte do irmão mais velho de Egill é lembrada: *opt kiemur mier mana biarnar ï birvind brædraleise* [*oft kømr mér mána brúðar í byrvind bræðraleysi*] "sempre vem a mim na brisa da navegação da noiva da lua, a falta de meu irmão". Neste trecho percebe-se que Jónsson corrige *biarnar* "do urso" por *brúðar* "da noiva". De acordo com Egillsson, "a noiva da lua" é um *kenning* para "giganta" e a "brisa da navegação da giganta" é um *kenning* para "mente", portanto, "sempre vem a mim, na mente, a falta de meu irmão". Na quarta parte, entre as estrofes 20 e 21, o poeta lembra de Gunnar, seu primeiro filho, que morreu de febre: *Sizt son minn sottar brïme heiptuglegr ür heime nam* [*Síz son minn sóttar brími heiptugligr ór heimi nam*] "desde que o fogo vingativo da doença tomou o meu filho desse mundo".

Na penúltima parte, entre as estrofes 22 e 24, o poeta ataca Odin, com quem ele tinha boa relação até o deus quebrar os termos de amizade: *Ätta eg gott vid geira drotinn* [*Áttak gótt við geirs dróttin*] "tinha boas relações com o senhor da lança"; *adr umat vagna runne sigur haufunde um sleit vid mig* [*áðr vinan vagna rúni, sigrhǫfundr, of sleit við mik*] "até o confidente das carruagens, o senhor da vitória, quebrar a amizade". Os *kenningar*, "senhores da lança", "confidentes das carruagens e "senhores da vitória" fazem referência a Odin e mostram que Egill tem uma devoção por Odin, o deus da poesia. No entanto, Odin compensou Egill com duas habilidades: *iþrot ... vamme firda* [*íþrótt ... vammi firða*] "arte sem erros" e *er ge giórda mier vïsa fiandr ad velaundum* [*es gerðak mér vísa fjandr af vélǫndum*] "me permitiu desmascarar trapaceiros e transformá-los em inimigos públicos", quer dizer, a "arte de fazer poesia" e a "capacidade de desmascarar inimigos". Na estrofe 25, a última, Egill aceita em paz sua perda e espera a morte.

De acordo com North, Egill adaptou sua tragédia a um gênero e não o gênero à sua tragédia; além do mais, o poema mostra que a fé do eu lírico é solidamente pagã. Um elemento pagão neste poema é a devoção de Egill a Óðin, deus da poesia, na estrofe 22. Também é plausível que, assim como outros mercenários de seu tempo, Egill olhava para Odin como um reflexo de sua vida poética e bélica. Nordal sugere que Egill cresceu no culto islandês a Thor, deus da agricultura, antes de se mudar para o exterior e começar a idolatrar Odin; no entanto, no final da vida de Egill, Odin permitiu (ou causou) a morte de Böðvarr e, portanto, ocorreu uma traição. O autor afirma que, a partir de então, se iniciou um antagonismo entre Thor e Odin, mas apenas Odin parece ter sido culpado pela morte de Böðvarr, sendo o mar visto como um capanga das ordens de Odin; também é possível que Odin deliberadamente falhou em retirá-los do curso e, então, evitar o afogamento. Além disso, o eu lírico percebe que nem poderia vingar a morte de seu filho, pois, além de ele não ter mais seguidores, seria impossível enfrentar Rán e Ægir, já que são entidades do mar. North questiona se essa tragédia testa a fé do eu lírico, Egill. De fato, como é demonstrado no poema, Egill sofreu uma crise em sua fé, uma vez que acusa Odin (na estrofe 22) de quebrar a amizade entre eles; porém, apesar de a amizade ter acabado, as obrigações ainda continuaram e o eu lírico até mesmo admite que Odin, em troca pela perda do filho, o compensou com habilidades (p. 291-292). Portanto, o autor afirma que Egill não tem nenhuma crise religiosa para enfrentar, pois suas crenças pagãs são para ajudá-lo e não são questionáveis; elas também fazem com que ele experimente a catarse da elegia, um gênero feminino, como uma alternativa para a vingança.

No que diz respeito à métrica do poema, ele esta em *kviðuháttr*, cuja métrica tem nos versos ímpares três sílabas e nos versos pares, quatro sílabas; e, além do mais, não há rima interna (consulte o verbete POESIA ESCÁLDICA). Exemplificaremos com a última estrofe do poema, a número 25: *Nú erum torvelt // Tveggja bága; njǫrva nipt // á nési stendr; skalk þó glaðr // góðum vilja; ok ó-hryggr // heljar bíða*; com a seguinte tradução apenas do conteúdo proposta: "Agora está difícil para mim. A irmã do inimigo do Tveggi está lá no promontório. Feliz, com boa vontade e sem preocupação espero pela morte". Há *kenningar* no poema e, particularmente nesta estrofe: *Tveggja bági* "inimigo do Tveggi" = [FENRIR]. *Tveggi* é um *heiti* para Odin (compare o poema escáldico *Óðins nöfn*, estrofe 8; e Völuspá, estrofe 63). Portanto, *nipt tveggja bága* "irmã do [FENRIR]" = [HEL], a deusa do reino dos mortos. Estas interpretações tiveram como base Egillsson. Para saber mais sobre os *kenningar*, consulte a entrada Kenning.

Yuri Fabri Venancio

Ver também Egills saga; Heiti; Kenning; Literatura; Poesia escáldica.

EGILSSON, Sveinbjörn. *Lexicon Poeticum Antiquæ Linguæ Septentrionalis. Ordbog over det norske-islandske Skjaldesprog. Forøget og udgivet for det kongelige nordiske Oldskriftselskab.* 2 Udgave ved Finnur Jónsson. København: S. L. Møllers Bogtrykkeri, 1931

EINARSSON, Bjarni. *Egills Saga*. London: Viking Society for Northern Research, 2003.

FAULKES, Anthony. *Edda. Skáldskaparmál. 1. Introduction, Text and Notes.* London: Viking Society for Northern Research, 1998.

JÓNSSON, Finnur. *Edda Snorra Sturlusonar af komissionaren for det Arnamagnæanske legat.* København: Gyldendalske Boghandel – Nordisk Forlag, 1931.

JÓNSSON, Finnur. *Den Norsk-Islandske Skjaldedigtning. A. Tekster efter Håndskrifterne.* Første Bind. København: Rosenkilde og Bagger, 1967.

JÓNSSON, Finnur. *Den Norsk-Islandske Skjaldedigtning. B. Rettet Tekst.* Første Bind. København: Rosenkilde og Bagger, 1973.

MAGNÚSSON, Ásgeir Blöndal. *Íslensk orðsifjabók.* Reykjavik: Orðbók Háskólans, 2008.

NORTH, Richard. The Pagan Inheritance of Egill's Sonatorrek. In: *Poetry in the Scandinavian Middle Ages (7th International Saga Conference).* Spoleto: Presso la sede del Centro studi, LCCN 90178700, pp. 147-167.

POOLE, Russell. Metre and Metrics. In: MCTURK, Rory (ed.). *A Companion to Old Norse-Icelandic Literature.* Malden/Oxford/Victoria: Blackwell Publishing Ltd, 2005, pp. 265-284.

ROSS, Margaret Clunies. *A History of Old Norse Poetry and Poetics.* Cambridge: D. S. Brewer, 2005.

SIMEK, Rudolf; PÁLSSON, Hermann. *Lexikon der altnodischen Literatur.* Stuttgart: Alfred Kröner, 1987.

TURVILLE-PETRE, Gabriel. *Scaldic Poetry.* Oxford: Clarendon Press, 1976.

STARAJA LADOGA

Staraia Ladoga (Velha Ladoga, em russo) é o nome dado a um dos mais antigos assentamentos escandinavos na Rússia europeia e hoje um importante sítio arqueológico. Até o século XVIII a região era conhecida somente como Ladoga, sem o adjetivo. Ficava localizada ao longo rio Volkhov e próxima aos lagos Ládoga e Ílmen, na zona florestal do centro-norte da Rússia. Dependendo do sistema de transliteração, a área é igualmente escrita como "Staraja Ladoga" ou "Staraya Ladoga". Em fontes escandinavas o local era conhecido como *Aldeigja* ou *Aldeigjuborg*. Atualmente encontra-se no oblast de Leningrado no noroeste russo. Juntamente com Kiev e Novgorod, Staraia Ladoga foi uma das primeiras cidades fundadas pelos varegues na Rússia e seria, de acordo com especialistas, a primeira capital dos nórdicos que se assentaram na região, estabelecida em meados do século VIII e o provável local de retorno dos rus presentes nos *Annales Bertiniani*.

Objetos escandinavos datados do século VII foram encontrados na região, mas evidências de um assentamento efetivo viking em Ladoga só são documentadas a partir de 750. Antes dos nórdicos, a área era ocupada por povos fino-úgricos e baltos, mas eventualmente eslavos do norte ocuparam a região. Segundo Wladislaw Duczko, a área foi escolhida pela possibilidade de acessar diversas rotas fluviais a partir do rio Volkhov como o Dniepre e o Volga que são cortados por rios menores provenientes do lago Ilmen. Os varegues chegaram em Ládoga, de acordo com Jonathan Shepard, em busca da prata utilizada pelo Califado Abássida em seus *dirhams*, e lá permaneceram por causa das vantagens geográficas e pelo domínio da rota do rio Volkhov.

Ladoga funcionava primariamente como um posto comercial e tinha uma forte atividade mercante ainda no século VIII. Foram encontradas na região várias moedas do Califado Abássida datando de aproximadamente 786, o que mostra um laço comercial forte com os árabes. Além da prata, foram descobertos diversos pentes, pingentes e contas de vidro, indicando que um dos setores predominantes da economia de Ladoga teria sido o comércio de produtos manuais e artesanato. Havia também uma grande quantidade de âmbar e animais cujas peles eram utilizadas no comércio de luxo na região, provavelmente explorados e utilizados com fins comerciais. Shepard afirma que algumas mercadorias de Ladoga chegaram a diversas partes do Ocidente como a Frísia e a Germânia, e objetos provenientes da Irlanda e Bretanha foram encontrados em Ladoga. É possível que os postos comerciais de Birka (na atual Suécia), Hedeby (na atual Alemanha) e o posto de Ladoga tivessem conexões.

Ladoga não foi muito mencionada por fontes rus. Edições posteriores da *Crônica dos Anos Passados* fazem alusão ao território como sendo a primeira cidade em que o varegue Riurik se fixou em Rus. De acordo com as sagas, o *jarl* norueguês Eirík Hákonarsson conquistou e destruiu Ladoga em 997, quando Vladimir I Sviatoslavich de Kiev (980--1015) era príncipe de Kiev. Escandinavos suecos também governaram Ladoga a partir de Iaroslav Vladimirovich, o Sábio (1016-1018, 1019--1054), quando este deu a sua esposa Ingigerth o controle da cidade. A princesa sueca por sua vez delegou a cidade aos seu *jarl* Rognvald, e provavelmente uma microdinastia sueca assumiu o controle logo após sua morte. O rei norueguês Haroldo Hardrada (1046-1066) e sua esposa Elizaveta Iaroslavna, filha de Iaroslav e Ingigerth e conhecida na *Saga de Haraldr Sigurtharson* como Ellisif, passaram por Ladoga no caminho para a Suécia no século XI, indicando que a rota ainda existia. Ladoga eventualmente foi absorvida por Velikii Novgorod por volta do século XII.

Leandro César Santana Neves

Ver também: Crônica dos Anos Passados; Kiev; Novgorod; Rus; Rússia da Era Viking; Varegues.

DUCZKO, Wladsyslaw. *Viking Rus: studies on the presence of Scandinavians in Eastern Europe*. Leiden: Koninklijke Brill NV, 2004.

FRANKLIN, Simon; SHEPARD, Jonathan. *The Emergence of Rus 750-1200*. Essex: Longman, 1996.

MUCENIECKS, André S. *Austrvegr e Garðaríki - (re)significações do leste na Escandinávia tardo-medieval*. Tese de Doutorado em História Social. São Paulo: Faculdade de Filosofia, Letras e Ciências Humanas, USP, 2014.

SHEPARD, Jonathan. The Viking Rus and Byzantium. In: BRINK, Stefan; PRICE, Neil (eds.). *The Viking World*. London: Routledge, 2008, pp. 476--516.

SUÉCIA DA ERA VIKING

Muito se escreveu e discutiu sobre o conceito de viking e seu enquadramento temporal. No entanto, devido ao espaço e intuito deste verbete, tais questões não serão levantadas. Em uma tentativa de melhor classificar os diversos achados em territórios nórdicos, muitos autores apontam cronologias aproximadas que flutuam entre os anos 750-1050 d.C. Neste verbete será considerado ainda o período da conversão ao cristianismo que tem relação direta com o estabelecimento dos três reinos – de certa forma autônomos – da Escandinávia.

É durante esse período que a Escandinávia vivencia o crescimento do comércio e contato com a Europa e Oriente próximo, o que implicou em um pequeno grau de urbanização daqueles territórios. Entenderemos por cidade uma comunidade composta por pessoas cujas ocupações primárias não são as do campo, ou seja, as pessoas que habitavam as primeiras cidades da Escandinávia, estabelecidas até o século IX d.C., empregavam-se de trabalhos como a troca (comércio) e artesanatos.

Da primeira onda de desenvolvimento urbano escandinavo (c. 700--800 d.C.), quatro cidades podem ser destacadas, sendo Birka a mais antiga e única da Suécia. Estabelecida a 30 km a oeste de Estocolmo, próxima ao lago Mälaren, na região da "terra preta" – uma das mais férteis de toda Suécia – a cidade foi de vital importância para o controle e expansão das trocas. Vale lembrar que sua localização é estratégica, uma vez que está voltada para o Báltico. Assim, mercadores frísios, anglo-saxões, eslavos, árabes e bizantinos circulavam pela região oferecendo cerâmicas, sal, mel, pedra-sabão e outros produtos. Já Birka tinha a oferecer peles provenientes da Norrland (norte da atual Suécia) negociadas pela aristocracia local com os caçadores (provavelmente sami) da região que serviam, também, como presentes nas para os chefes locais.

A região compõe um dos sítios arqueológicos mais ricos de toda a Era Viking e as escavações são datadas de 1870. Em 1993, todo o complexo de Birka e a mansão real de Alsnöhus foram adicionados à lista de patrimônio da UNESCO. A área total equivale a seis hectares e a principal edificação, segundo as escavações, era o porto. As ruas do assentamento foram construídas em paralelo ou em ângulo reto em relação ao litoral. Dividida em aproximadamente 100 lotes, a cidade contava ainda com uma paliçada e linhas de defesa.

Uma característica interessante do sítio de Birka são os enterramentos e conteúdos que refletem as relações sociais da população local. Há diversos casos de homens e mulheres enterrados completamente vestidos e munidos de joias, armas e ferramentas, além de diversos objetos importados. Assim, Birka é basilar para compreendermos os contatos dos nórdicos com a Europa e Oriente próximo, além de ajudar na construção de uma imagem mais realista, complexa e precisa dos habitantes daquela região.

O declínio e abandono de Birka, por volta de 975 d.C. ainda é alvo de muitos debates. Dagfinn Skre, por exemplo, coloca que a explicação do abandono por "causas geográficas", a elevação da terra em relação ao mar, não parece ser suficiente enquanto explicação. É preciso considerar o processo de disputa por poder político que chamamos de "unificação", pois é durante a Era Viking e início da Idade Média que formas mais complexas de poder surgem na Escandinávia. Sigtuna é fundada com o objetivo de substituir, do ponto de vista político-administrativo, Birka. Já a ponte econômica promovida pelo Báltico é capitaneada pelos assentamentos de Gotland.

O desenvolvimento de meios de pagamentos (moedas emitidas *in loco*) nas cidades e últimas décadas da Era Viking e a introdução e conversão ao cristianismo são concomitantes ao processo de formação dos reinos escandinavos, uma vez que as dinâmicas sociais da região passam a depender mais da lei e instituições (mais ou menos) concretas do que da personalidade dos chefes locais.

Dos três reinos surgidos no período medieval, o da Suécia é o último a ser efetivado e, também, o mais complexo de ser estudado, visto que a documentação escrita latinizada é escassa. Sendo assim, as principais evidências que temos para estudar essas formações históricas são narrativas (principalmente estrangeiras). Durante a Idade do Ferro germânica e da Era viking, havia duas regiões separadas que no século XII transforma-se na Suécia: a *Svealand*, terra dos suíones, que fica ao norte, na região do lago Mälaren e próximas às atuais Estocolmo e Uppsala. Götaland, terra dos godos, fica próxima ao lago Vättern e se encontra ao sul, em regiões menos remotas da Europa se compararmos com a Svealand.

A unificação, explicada por uma perspectiva mais tradicional, é entendida como completa quando cada reino possuía um regente reconhecido como a cabeça de cada território "nacional". Embora tenha sido comandado por forças individuais ou militares, esse processo é mais complexo e só existem referências a administrações centralizadas e instituições políticas nas fontes no final do século XIII.

O processo de formação do Reino da Suécia deve ser entendido como um processo de desenvolvimento gradual da (1) sobreposição de soberanias, (2) do surgimento de organizações militares formalizadas e (3) do estabelecimento do cristianismo na região. O caso do rei Olof Skötkonnung (r. 995-1022), ou Olavo, o Tesoureiro, nos ajuda a entender esse processo. A ele credita-se a fundação de um reino cristão na Suécia, tendo sido batizado em 1008 em Husaby. Há evidencias numismáticas que o colocam como "rei dos godos e príncipe dos suíones", portanto, seria o primeiro associado aos dois povos e, consequentemente, rei da Suécia. No entanto, Skötkonnung reconhecia o rei dinamarquês, Sueno Baba Bifurcada como seu senhor em uma relação de sobreposição de soberania. Seu próprio nome, "o rei do imposto" ou "Tesoureiro", pode indicar que os suíones pagavam tributos a outros reis. Ele teria lutado contra Olavo Tryggvason em Svöld e casado suas filhas, Astrid e Ingigerd, com os reis Olavo Haraldsson da Noruega e Iaroslav, o Sábio, da Rússia.

Um reino unido, nesse período, no entanto, não significava um poder centralizado. O rei era eleito entre famílias particulares e influentes da região. Logo, disputas pelo poder real eram travadas por pretendentes detentores de apoio regional, o que nos ajuda a entender a instabilidade política do reino que, de tempos em tempos, fora reorganizado. A figura do conde (do sueco *jarl* e inglês *earl*), autoridade particular, é muito importante pare entendermos esse processo, uma vez que, provavelmente, as relações de poder estabelecias pelo conde são mais importantes do que as do rei. O cargo de conde não era hereditário e sua função era exercer o poder real onde o rei não estava sem possuir vínculo territorial com a região. Alguns, ainda, eram associados a atividades marciais e não havia, necessariamente, apenas um deles.

O terceiro vetor importante para o processo de unificação é o cristianismo trazido pelas elites locais e seu estabelecimento na Suécia. A Igreja teria sido, portanto, uma forma de aumentar o poder real, seu prestígio e o controle sobre as pessoas e territórios. Após a cristianização, as formas de demonstração pública de poder passaram por mudanças que afetaram também o panorama urbano local. As igrejas, monastérios e castelos construídos se tornam símbolos visíveis de que a cidade, agora, possui propósitos maiores.

A sobredita Sigtuna foi fundada no século X (c. 975 d.C.) ainda no período pagão por Érico, o Vitorioso. No capítulo cinco da *Ynglinga saga*, há uma referência a sua fundação:

Odin estabeleceu residência no lago Mälaren [...] [e] se apropriou de todo o distrito, o chamou de Sigtuna e lá ergueu um grande templo onde, de acordo com os costumes do povo Asgard, ocorriam sacrifícios. Além disso, ele concedeu aos sacerdotes do templo domínios.

Pelas escavações arqueológicas, sabemos que Sigtuna funcionava como um centro de comércio doméstico e era uma arena de encontro das elites e realeza. A cidade foi também a sede da primeira cunhagem sueca e onde as primeiras moedas de Olavo Skötkonnung foram emitidas. A mansão real de Forsnsigtuna, mencionada no trecho anterior como Velha Sigtuna, próxima à cidade de Sigtuna foi sede da realeza peripatética no período. No século XII, fora entregue a um bispo católico e, até o século XVII, foi mantida como propriedade do Estado. Diversas igrejas como as de Santa Gertrudes, São Nicolau, São Olavo e São Pedro eram sediadas por Sigtuna, embora não se tenha chegado à conclusão de qual delas era a sé episcopal. Além disso, havia um monastério dominicano e um hospital dedicado a São Jorge.

A cidade de Gamla Uppsala, por exemplo, torna-se um importante centro religioso e régio. Antes da conversão ao cristianismo, a cidade já possuía funções próximas, visto que, segundo Adão de Bremen, rituais aos deuses Odin, Thor e Frey que incluíam sacrifícios humanos, aconteciam no assentamento a cada nove anos em um templo pagão. No entanto, não há evidências arqueológicas de tal edifício. O que se sabe é que Gamla Uppsala, após substituir Sigtuna, era a sede episcopal da Igreja católica a partir dos anos 30 do século XII e que a cidade contava também com uma *Thing*.

As *Things*, assembleias legais e políticas, eram fundamentais nessa dinâmica, visto que eram nelas que se promovia o encontro entre o rei e seus representantes com as elites locais e a população comum. Nos três casos de unificação as *Things* aparecem como um ponto central, mas, diferente da Dinamarca ou Noruega, no caso sueco, as elites locais parecem ter exercido maior influência por mais tempo em graus de poder mais alto. A (frágil) monarquia sueca, em constante construção, pode ter sido mais confrontada por oposições provinciais mais fortes do que as dos territórios vizinhos.

Em suma, o processo de cristianização e de construção de uma monarquia cristã foram as maiores transformações da Suécia no final da Era Viking até o fim do período medieval. O cristianismo e seu vínculo político possibilitou a "europeização" da região, provocando transformações nas dinâmicas existentes a partir da introdução de perspectivas diferentes e as cidades podem ser vistas como arenas de embates econômicos, sociais e políticos. No entanto, a Suécia não pode ser entendida como uma unidade política coerente em que a posição de rei não estivesse fora de possíveis disputas e durante o final do século XI e início do XII, uma série de conflitos civis assolaram os reinos escandinavos.

Entre os séculos XIII e XIV, a eleição de reis torna-se uma cerimônia formal e, a partir daí, a influência da elite política, dos bispos e dos oficiais da lei (*langmän*) emerge e a autoridade do rei se restringe. É do mesmo período a criação de impostos permanentes, a ascensão do conselho real como um órgão permanente, o aumento do controle sobre pessoas e terras e, também, a separação do clero e aristocracia como grupos privilegiados naquela dinâmica social.

Instalados na periferia da Europa, esses reinos cristãos – principalmente Dinamarca e Suécia – embarcam em uma "era de Cruzadas" contra os habitantes pagãos da região Báltica. A Igreja foi importante para o processo de expansão do Reino da Suécia tanto a leste quanto a norte. No início do século XIII, a Finlândia passa a englobar de forma gradual a esfera política e eclesiástica da Suécia, assim como a Norrland, que pouco povoada, teve sua incorporação efetiva encabeçada pela Igreja quase um século depois, em 1345, quando cerimônias batismais ocorrem em Tornio e o arcebispo de Uppsala visita à Lapônia.

Vítor Bianconi Menini

Ver também Birka; Gamla Uppsala; Gotland (Gotlândia).

AMBROSIANI, Björn. Birka. In: BRINK, Stefan; PRICE, Neil (eds.). *The Viking World*. New York: Routledge, 2008, pp. 94-100.

DOUGLAS, Price Theron. *Ancient Scandinavia*: An Archaeological History from the first humans to the Vikings. New York: Oxford University Press, 2015.

HOLMAN, Katherine. *Historical dictionary of the Vikings*. Lanham, Maryland: The Scarecrow Press Inc., 2003.

LINDKVIST, Thomas. Introductory survey: Early political organisation. In: HELLE, Knut (org.). *The Cambridge History of Scandinavia*. Cambridge: Cambridge University Press, 2003, pp. 160-167.

LINDKVIST, Thomas. Kings and provinces in Sweden. In: HELLE, Knut (org.). *The Cambridge History of Scandinavia*. Cambridge: Cambridge University Press, 2003, pp. 221-234.

LINDKVIST, Thomas. The emergence of Sweden. In: BRINK, Stefan; PRICE, Neil (eds.). *The Viking World*. New York: Routledge, 2008, pp. 668-674.

RICHARDS, Julian D. *The Vikings*: A very short introduction. New York: Oxford University Press, 2005.

ROS, Jonas. Sigtuna. In: BRINK, Stefan; PRICE, Neil (eds.). *The Viking World*. New York: Routledge, 2008, pp. 140-144.

SKRE, Dagfinn. Introduction survey: development of urbanism in Scandinavia. In: BRINK, Stefan; PRICE, Neil (eds.). *The Viking World*. New York: Routledge, 2008, pp. 83-92.

SUICÍDIO

O suicídio entre os nórdicos da Era Viking está associado estreitamente a questões religiosas, sociais e militares. Em 925 d.C. uma tropa de nórdicos cometeu suicídio para não serem mortos pelos franceses, segundo os *Annales* de Flodoardo de Reims. Alguns inclusive morreram relutantes com o ato. Em outras situações, ocorreu registro de suicídio de caráter mais individual, como o rei Sigerferth em 964. Também existem menções a suicídios provocados por ordens de terceiros ou pela situação da morte de outras pessoas: o escravo Karka se matou após o *jarl* Hákon ter solicitado (*Ágrip*, c. 1180); na Islândia, escravos de origem irlandesa cometeram suicídio devido à morte de seu mestre, atirando-se de um penhasco (*Landnamabók* 8).

Um tipo específico de suicídio que surge nas fontes literárias é o da esposa de algum líder morto durante o seu funeral, como Brynhild atirando-se na pira funerária de Sigurd (*Völsunga saga* 33) ou Signy com a pira de Balder, de modo semelhante ao sati das mulheres hindús. Do mesmo modo, as sagas islandesas também possuem referências a essas práticas, como a rainha Audr junto ao rei Eric (*Óláfs saga Tryggvasonar* 1). Para Hilda Davidson, a prática do *sati* desapareceu da Escandinávia antes da chegada do cristianismo, mas outros acadêmicos (como Eric Christiansen) acreditam que ela na realidade foi uma construção literária e anacrônica ou produto do folclore tardio. De qualquer modo, existem algumas crônicas que registram historicamente a prática, como o relato do cronista árabe Ahmad Ibn Rustah do século X d.C., mencionando uma elaborada câmara sepulcral de um líder nórdico da Rússia, com depósitos de comida, bebidas, vasilhames e moedas. Segundo o cronista, a esposa do chefe foi colocada viva dentro da sepultura. Também no mesmo século temos o relato de outro viajante muçulmano, Ibn Fadlan, que descreve o sacrifício voluntário de uma escrava para acompanhar o seu senhor durante o sepultamento.

Outro caso de suicídio na Era Viking diz respeito às autoimolações realizadas em períodos de fome ou no momento de alguma doença ou ferimento. A *Gautreks saga* 1 menciona a existência de um penhasco sueco chamado Gillingshamar, onde em crises de fome as pessoas mais velhas se atiravam no precipício e acreditavam que entrariam no Valhalla. Isso recorda uma prática de outra região do mundo, Aokigahara, uma floresta situada no monte Fuji, Japão, que desde o século XVIII foi um local tradicional de pessoas idosas cometerem suicídio, salvando as gerações mais novas das crises de fome na região. Também entre os inuítes e muitas outras culturas ocorria a prática do suicídio benevolente, em que os envolvidos se sacrificam para salvar ou preservar outras pessoas de uma comunidade, por diversos motivos. Ainda sobre o tema desse tipo de suicídio na Escandinávia Medieval, o escritor William Temple registrou em 1679 em Oxenstierna (Suécia) a existência de uma rocha chamada Salão de Odin, onde as pessoas iam se atirar quando chegavam na velhice, quando tinham enfermidades ou ferimentos mortais. Por sua vez Edmund Burke em 1770 registrou a tradição islandesa de rochas utilizadas como locais típicos de suicídio na Islândia durante os tempos pré-cristãos.

Johnni Langer

Ver também Cotidiano; Sociedade; Religião.

CHRISTIANSEN, Eric. *The norsemen in the Viking Age*. London: Blacwell, 2006.

DAVIDSON, Hilda. *The road to hel: A Study of the Conception of the Dead in Old Norse Literature*. London: Praeger, 1968.

MURRAY, Alexander. *Suicide in the Middle Ages*. Oxford: Oxford University Press, 2009.

TEMPLE, William. *Miscellanea*. London: J.R., 1690.

TAPEÇARIA DE BAYEUX

Localizada na Catedral de Bayeux, na França, a primeira menção dessa tapeçaria consta em um inventário da catedral feito ainda no ano de 1476. Contudo, a datação exata de sua confecção permanece incerta, bem como seu local de origem. Atualmente, são duas as hipóteses que abrangem essa questão: uma alega que ela teria sido encomendada em Canterbury, outra defende que ela teria sido confeccionada por normandos que residiam em Bayeux.

Essa tapeçaria feita em linho possui cerca de 70 m e 34 cm de extensão, medindo 50 cm de altura. Edifícios e árvores foram bordados em locais estratégicos de forma que dividissem seu conteúdo em 72 cenas, explicitando tanto os eventos que precederam a batalha de Hastings, quanto a batalha propriamente dita.

Foram ilustrados, ao todo, 1.512 objetos na tapeçaria, dos quais 623 são pessoas; 202 são cavalos ou mulas; 55 cães; 505 outros diversos tipos de animais; 37 construções; 41 barcos/navios e, por fim, 49 árvores. Também ocorrem, em diversos pedaços da obra, inscrições em latim que visam elucidar com um pouco mais de precisão algumas cenas específicas. Aparentemente foi empreendido muito esforço para tornar a narrativa da tapeçaria algo grandioso e exagerado, visto que, segundo ressalta Frank Fowke, de todos seus 70 m, a tapeçaria utiliza de apenas 33 cm para expressar a parte realmente histórica de seu conteúdo.

A autoria da tapeçaria é intensamente debatida até os dias de hoje e ainda não se sabe quem, ao certo, foi seu criador. Como o tema definitivamente mais marcante na tapeçaria é a conquista de território inglês por parte do rei normando Guilherme, acreditava-se, então, que sua esposa, a rainha Matilda, havia sido responsável pelo trabalho. Conforme lembra Helen Candee, pensava-se que a rainha havia confeccionado a peça como evidência de sua devoção ao marido, que estava fora em sua missão de conquista. Segundo essa lenda, certamente carregada de certa romantização, a rainha costurava, na tapeçaria, seus sentimentos secretos de amor e admiração envolvendo o marido ausente, enquanto aguardava por seu retorno. Assim, esperando meses em casa pelo marido a rainha teria, juntamente de suas criadas, o tempo e as condições necessárias para bordar a tão extensa e detalhada tapeçaria.

Contudo, conforme essa primeira hipótese perdia força, começou-se a voltar mais atenção para que se descobrisse quem havia financiado e patrocinado a confecção da obra. A ideia mais aceita até o momento é a de que o patrono da tapeçaria teria sido Odo, bispo da igreja de Bayeux. Considerando-se que era conde de Kent, além de uma figura de muita influência em Canterbury – principal cidade do condado naquele momento e provável local de produção da tapeçaria –, acredita-se que Odo teria os recursos políticos e financeiros para patrocinar todo o processo de confecção desta obra.

Esta hipótese de que Odo seria o patrocinador da Tapeçaria de Bayeux tem perdurado por muito tempo. Afinal, seria uma maneira relativamente simples e direta de se explicar por que sua figura e tantas outras a ela relacionadas possuem presença tão marcante ao longo da narrativa de Bayeux, a ponto de parecer inconcebível que outro patrocinador, que não o próprio Odo, desejasse glorificá-lo a tal ponto.

Contudo, Elizabeth Pastan e Stephen White combatem essa hipótese, alegando que ela foi baseada em uma concepção ultrapassada de apadrinhador. Tal modelo de apadrinhamento, segundo os autores, concebe a ideia de alguém que, financiando a obra, determina e restringe seu conteúdo, exigindo com veemência sua presença. Portanto, a consequência deste modelo é encarar a arte – o resultado final – como personificação das vontades e ideais de seu financiador, retratando sua própria agenda política e pessoal. Apesar dessa concepção analítica do apadrinhador ser verdadeira em certos casos, principalmente no contexto renascentista, é preciso cuidado ao tentar aplicá-la em conteúdos medievais.

A problematização dessa ideia de apadrinhador se encontra no fato de que ela se embasa quase que exclusivamente em argumentos de cunho pessoal e psicológico, perpetuados por vários historiadores que construíram uma imagem pejorativa de Odo enquanto alguém excessivamente narcisista e arrogante. Mas de que maneira se chegou a essa conclusão é ainda algo obscuro, e é deste ponto que parte a crítica de Pastan e White. Ademais, aceitar essa premissa torna-se difícil, visto que, do ano de 1070 em diante, o bispo apoiou toda a comunidade de monges em Saint Augustine de maneira ativa, oferecendo-lhes propriedades e riquezas. Inclusive, antes de ser preso em 1082, Odo era considerado como o guardião e protetor da abadia em questão. Parece inverossímil que o bispo precisasse chegar ao ponto de exigir, dos artistas de Canterbury, que fosse retratado de maneira positiva na tapeçaria.

Há uma notável dualidade presente na narrativa de Bayeux. Sua primeira parte oferece um relato um tanto quanto simpático a Haroldo II, o rei anglo-saxão, enquanto que a segunda parte é evidentemente pró-normanda. Richard Koch trabalha com o conceito de dupla narrativa no que concerne à tapeçaria: uma delas religiosa, dispondo igrejas, clérigos e o sagrado; a outra secular, denotando a caça, a aristocracia e a guerra. A própria figura de Odo representa tal dualidade: bispo e clérigo, mas também guerreiro.

Segundo essa linha de pensamento, a Tapeçaria de Bayeux possuiria um propósito acima de tudo moral. Ela explicita as consequências catastróficas da deslealdade e da quebra de um juramento – da parte de Haroldo – levando à morte, à condenação e à derrota. Isso explicaria a diferença com que o mesmo é representado nas cenas que sucedem ao juramento. Haroldo foi representado de maneira simpática nas primeiras cenas da tapeçaria, mas, após a cena do juramento, nota-se culpa e preocupação cercando sua figura. Quando chega para conversar com o rei Eduardo e contar os desdobramentos de sua aventura, Haroldo não é mais representado como o nobre e orgulhoso homem do início da narrativa. Pelo contrário, ele encontra-se quase que dobrado, recolhido, consumido pela vergonha e pela culpa enquanto o rei parece lhe perguntar o que ele havia feito. Na cena seguinte, o rei Eduardo morre em sua cama.

A relação existente entre os normandos, a conquista da Inglaterra, a Escandinávia viking e a Tapeçaria de Bayeux tem sido analisada até hoje pelas óticas da arqueologia e da história da arte. É relevante pensar, nesse contexto interpretativo, nas identidades nacionais presentes na peça. A batalha de Hastings e a subsequente conquista normanda da Inglaterra são comumente descritas – e reduzidas – como um sangrento encontro entre os normandos, juntos de seus aliados, e os anglo--saxões e seus coligados, sendo o prêmio final a coroa da Inglaterra anglo-saxã.

É importante lembrar que Guilherme da Normandia subjugou não um reino puramente anglo-saxão, mas também anglo-dinamarquês. Afinal, as incursões dos vikings dinamarqueses na costa inglesa, no fim do século VIII, culminaram num assentamento dinamarquês no território em questão e, por fim, ao estabelecimento da Danelaw em 879, confirmando o reconhecimento, naquele momento, dos dinamarqueses enquanto integrantes da Grã-Bretanha. Portanto, a atividade escandinava na região inglesa demandava uma atenção especial do rei Guilherme e seu reino. Consequentemente, deve-se considerar que entre os espectadores da Tapeçaria de Bayeux estariam ingleses, normandos, anglo-normandos e também os anglo-dinamarqueses. É provável que um dos papéis da tapeçaria fosse o de atuar como aviso de caráter intimidador, explicitando o fim catastrófico que aguardava qualquer um que aspirasse à conquista do trono inglês – incluindo os dinamarqueses.

Seria praticamente impossível que os artistas envolvidos na produção da tapeçaria ignorassem os elementos escandinavos presentes na cultura material e visual da época. Ainda assim, o fator nórdico presente na obra não foi reconhecido até a redescoberta da tapeçaria, por volta de 1730. Contudo, conforme lembra Shirley Brown, foi apenas no século XIX que o interesse no passado escandinavo ressurgiu de maneira definitiva. Hector Estrup, historiador dinamarquês, surpreendeu--se com o número de conteúdos na tapeçaria que, segundo ele, evocavam a herança nórdica: as vestimentas de Guilherme da Normandia, idênticas às usadas por Rollo – viking que tornou-se o primeiro duque da Normandia – em seu sarcófago; homens bebendo em cornos tipicamente nórdicos; os escudos dos cavaleiros, ornamentados com figuras pintadas, especialmente cruzes e dragões; barcos carregando escudos nas amuradas, além de serem representados em um formato longo que seria típico das embarcações vikings; a filha de Guilherme que veste um manto similar aos utilizados pelas mulheres nórdicas.

Uma comparação entre o material da literatura nórdica e as imagens da tapeçaria também esclarecem outros aspectos. Por exemplo, um aspecto que dialoga a favor da tapeçaria como sendo também uma referência às raízes nórdicas dos normandos é seu tema central, a cena do juramento. A sacralidade de um juramento estava no cerne do código de honra nórdico, conforme apontam várias fontes literárias. Além disso, banquetes que precedem uma grande batalha também são comuns na literatura nórdica, lembrando que há, no tapete, tal cena. Phillis Ackerman analisa o estandarte de Haroldo, onde há um dragão bordado. Segundo sua hipótese, a intenção seria que o estandarte inflasse com o vento, dando a impressão de que havia um verdadeiro dragão guardando Haroldo e seus guerreiros. Esse tema seria um resgate da *Saga dos Volsungos*, quando, em situação análoga, a mãe de Sigurd lhe confecciona um estandarte com um corvo que, impulsionado pelo vento, pareceria estar abrindo suas asas e alçando voo. Há também uma analogia trazida pelos animais representados, já que tanto o dragão quanto o corvo são relacionados a Odin.

Marit Monsen Wang interpretou outro símbolo na tapeçaria como uma referência aos nórdicos. Trata-se do portal onde se encontra Aelfgyva. Para Wang, esse portal seria referência a um ponto de conexão entre a vida mortal e a vida no outro mundo, conforme descrito nas *Eddas*.

Enfim, é provável que, até por volta da metade do século XI, os normandos fossem ainda considerados como vikings – ou ao menos enquanto homens do norte – unidos pela memória de seu ancestral em comum, Rollo. Dessa forma, a Tapeçaria de Bayeux não pode ser lida e interpretada sem que se enxergue nela o reflexo dessa herança nórdica nos normandos. Ao invés de interpretá-la meramente como um documento anglo-normando, deve-se vê-la como retrato de uma sociedade também sobre influência anglo-dinamarquesa.

Victor Hugo Sampaio Alves

Ver também Inglaterra da Era Viking; Normandia; Viking.

ACKERMAN, Phyllis. The Norsemen and their Descendants. *Tapestry: The Mirror of Civilization*. Oxford: Oxford University Press, 1970.

BROWN, Shirley. The Bayeux Tapestry and the Vikings. *Peregrinations: Journal of Medieval Art & Architecture*, vol. 2, n. 4, 2009, pp. 10-50.

CANDEE, Helen Churchill. *The Tapestry Book*. New York: Frederick A. Stokes Company, 1912.

FOWKE, Franke. *The Bayeux Tapestry: a history and description*. London: G. Bell and Sons, 1913.

KOCH, Richard. Sacred Threads: The Bayeux Tapestry as a Religious Object. *Peregrinations: Journal of Medieval Art & Architecture*, vol. 2, n. 3, 2009, pp. 134-165.

PASTAN, Elizabeth. & WHITE, Stephen. Problematizing Patronage: Odo of Bayeux and the Bayeux Tapestry. *The Bayeux Tapestry: New Interpretations*. Woodbridge: Boydell Press, 2009, pp. 01-24.

WANG, Marit. Portalsymbolikk. *Viking*, vol. 34, 1970, pp. 73-96.

TAPEÇARIA DE OSEBERG

Trata-se, originalmente, de vários fragmentos de tapeçarias ilustradas que foram encontradas no túmulo de Oseberg, na Noruega. Muitos desses fragmentos estavam em péssimas condições, o que complicou sua datação e reconstrução a princípio. Por esse mesmo motivo, as tapeçarias precisaram ser restauradas para que somente depois pudessem ser analisadas, quando chegaram a constituir, finalmente, um todo.

O túmulo de Oseberg, escavado em 1904, pertencia a uma mulher que teria sido enterrada com uma acompanhante por volta do ano de 834 d.C. A primeira suspeita de que não se tratava do túmulo de um homem foi a falta de armas e outros utensílios de guerra, enquanto, por outro lado, notou-se a presença de acessórios para cozinhar, uma das atividades comumente relegadas às mulheres na Escandinávia medieval. O fato de terem sido enterradas duas pessoas juntas também aguçou a curiosidade dos pesquisadores, que qualificaram o achado de Oseberg como uma descoberta única. Posteriormente, estudos genéticos e arqueológicos confirmaram que as duas figuras no túmulo eram, de fato, do sexo feminino: uma delas teria entre 40 e 50 anos e a outra, mais jovem, entre 25 e 40.

A câmara mortuária continha um grande e elegante barco enterrado, que provavelmente representaria um transporte para os falecidos. Na mesma câmara encontravam-se trenós, cavalos, provisões, camas, pequenas carroças e até mesmo ferramentas agrícolas. Segundo Graham-Campbell, essa natureza grandiosa e exagerada dos bens encontrados em Oseberg revelaria a posição dessa mulher cuja família foi capaz de dispor tantas riquezas materiais em sua honra. Portanto, inicialmente levantou-se a hipótese de que, muito provavelmente, essa mulher deveria se tratar de alguém de alta posição social, como uma rainha. A outra figura feminina, acreditava-se, era uma escrava que havia sido sacrificada junto de sua dona, como era costume ser feito – mas tal suposição, ressalta Johnni Langer, foi derrubada por recentes análises de DNA, que comprovaram tratarem-se de mãe e filha.

Dentre os achados do túmulo encontravam-se estreitos fragmentos de tapeçaria, tecidos com lãs de diversas cores. São dois os pedaços de tapeçaria resgatados que se tornaram mais conhecidos. Um deles mostra uma procissão de figuras armadas, representando tanto homens quanto mulheres, alguns a pé, outros a cavalo. Alguns cavalos puxavam carroças – ilustradas de forma muito similar à própria carroça encontrada no túmulo de Oseberg. O outro fragmento mostra dois pássaros negros sobrevoando e rondando um cavalo que também puxava uma carroça. A tentativa de reconstrução da tapeçaria fez parecer com que seu conteúdo tratasse de uma grande procissão de guerreiros e montarias que seguem da direita para a esquerda. Todos os cavalos aparecem puxando carroças, e os guerreiros que estão a pé foram representados portando escudos e armas – quase que exclusivamente lanças.

Segundo Kirsten Ruffoni, esta poderia se tratar de uma representação da batalha de Brávalla, acontecimento lendário em que os daneses enfrentaram os svear, de território sueco. Já outras duas partes da tapeçaria, que foram encontradas dobradas juntas no chão da câmara mortuária, denotam fortemente uma procissão ou cerimônia de caráter religioso. Essas partes da tapeçaria foram mais preservadas, de modo que as análises a seu respeito puderam estender-se. No primeiro fragmento é possível notar um homem grande montando um cavalo branco, enquanto quatro pássaros – falcões ou gaviões – os acompanham, voando em cima, à frente e atrás do cavalo. Para Ruffoni, falcões e gaviões costumam ser símbolos da realeza, o que a leva a crer que a figura humana fosse algum rei.

Abaixo do suposto rei encontra-se um cavalo puxando uma carroça onde duas figuras, provavelmente mulheres, estão sentadas. Um pássaro negro semelhante a um corvo as sobrevoa. É no mínimo curioso notar essas duas figuras femininas representadas juntas na tapeçaria, levando em conta que ela foi encontrada no túmulo de Oseberg, onde haviam sido enterradas justamente duas mulheres.

Próximas a essas figuras principais encontram-se muitas representações da suástica. Na região da Escandinávia, afirma Johnni Langer, esse símbolo surge enquanto uma variação da espiral. Antes representado com inúmeros braços, a partir do período de imigração a espiral se populariza retratada com quatro braços, mas permanecendo, em essência, uma figuração solar. Em certas ocasiões, como em potes cerâmicos para uso funerário na área germânica setentrional e continental, as suásticas podem significar a passagem ou o transitar das estações do ano, ou seja, operam como símbolo de sazonalidade que retoma o tema de transição da própria vida humana. Langer também lembra que, nas insígnias reais de reis pagãos anglo-saxões, as suásticas eram representadas nas bainhas de espadas como símbolos de vitória e proteção marcial aos seus portadores. Esses dois contextos de uso da suástica – embora não sejam os únicos – parecem os mais apropriados à narrativa da Tapeçaria de Oseberg, invocando os temas da realeza e da marcialidade, ou da morte e passagem para o outro mundo.

No fim do primeiro fragmento há outra figura desproporcionalmente grande, um homem portando uma espada. Outras pessoas, bem menores, cercam-no, mas estas não possuem montarias; algumas delas carregam lanças. A parte da frente de um cavalo conecta a tapeçaria ao segundo fragmento da peça, que, por sua vez, começa com a parte traseira do animal. Esse cavalo puxa uma carroça, e abaixo dele outro equino foi retratado realizando a mesma ação. Dois pássaros negros aparecem novamente, sobrevoando este último cavalo. Também próximos a ele se encontram outras figuras humanas portando lanças, além de outras representações de suásticas. No entanto, nenhum desses dois últimos cavalos puxam alguém na carroça, como o primeiro retratado na tapeçaria o faz. Em vez de pessoas encontram-se, nessas carroças, apenas bordados coloridos e decorativos.

Próximo a cada cavalo há uma figura humana segurando um cajado. Em um dos casos, essa figura com o cajado está simultaneamente segurando as rédeas do animal, o que sugere ser ele o seu guia. Como o guia está caminhando entre os cavalos, parece que ninguém comandava nenhuma das carroças diretamente – com exceção da primeira, onde havia duas mulheres. Como o mau estado de conservação da tapeçaria não permite que enxerguemos com exatidão o que continham essas carroças, pode ser que elas representassem divindades enquanto condutoras das mesmas.

Esta linha interpretativa é seguida por Anne Stine Ingstad que, ao juntar os vestígios do túmulo de Oseberg à narrativa da tapeçaria lá encontrada, sugere que ao menos uma das duas mulheres enterradas era tida como uma poderosa sacerdotisa ou semideusa. Segundo seu pensamento, a mulher retratada na primeira carruagem da tapeçaria – e enterrada em Oseberg – estaria no comando de uma importante procissão realizada à deusa Freyja, sendo, portanto, sua representante no mundo dos homens.

Outra cena intrigante, encontrada em pedaços menores da tapeçaria que restaram, retratam uma cena de provável sacrifício. É possível notar corpos de homens pendendo de árvores com os galhos retorcidos. Próxima aos corpos, uma mulher segura uma espada pela lâmina, enquanto que uma outra, do seu lado, ergue as mãos em posição de reza. Para Kirsten Ruffoni, esta cena, assim como a tapeçaria como um todo, possui certa inclinação em exaltar o feminino, o que tornaria possível que se fizessem ligações entre a tapeçaria, o túmulo de Oseberg e o culto a alguma divindade feminina que fosse organizado e celebrado por mulheres. Neste ponto, há uma afinidade com a ideia defendida por Ingstad.

Terry Gunnel corrobora com tais ideias, afirmando que os conteúdos expressos na tapeçaria, embora enigmáticos, inclinam o olhar analítico para interpretá-la como se fosse uma procissão religiosa. Ele retoma os argumentos de Ingstad, dizendo que, na primeira carruagem, ao menos uma das duas figuras humanas é uma mulher sacerdotisa, e que as outras carruagens presentes na tapeçaria provavelmente retratavam, originalmente, figuras sagradas de alguma espécie. Além das carruagens que denotariam esse tom de procissão, há uma linha de figuras femininas que aparentam estar dançando de maneira ritualística, além de outra fileira de pessoas cuja postura é muito similar às ilustrações encontradas em alguns petróglifos da Idade do Bronze. Somados esses fatos à última cena da tapeçaria, que representa um sacrifício, seria difícil tomar o simbolismo dessas ilustrações como sendo desprovido de significados mágicos e ritualísticos.

No entanto, se é difícil elaborar dados conclusivos a respeito desse tipo de material iconográfico que são as tapeçarias, o caso de Oseberg apresenta ainda algumas peculiaridades a mais. Isso se deve não só ao problema do estado precário em que o material foi encontrado, mas das consequências advindas desse fato, que deixam espaços em branco difíceis de serem preenchidos. Signe Fuglesang tece vários comentários a respeito dessa problemática. Quando o túmulo de Oseberg foi escavado, ainda em 1904, os vários pedaços de tapeçaria estavam rasgados e manchados e sua narrativa, enfim, fracionada. Além disso, o grande número de fragmentos encontrados nas mais variadas partes do túmulo pode indicar que haveria mais de uma tapeçaria a ser reconstruída: poderíamos estar diante de duas ou três delas, por exemplo.

Apesar de um excelente trabalho de restauração, há que se fazer a ressalva de que a ilustração mais frequentemente reproduzida da tapeçaria e utilizada como objeto para análise data do ano de 1950. As questões relativas à iconografia, bem como a identificação de qualquer material narrativo hipertextual provavelmente continuarão difíceis de se decifrar. Basicamente, os principais conteúdos e temas mais detectáveis na Tapeçaria de Oseberg seriam a marcha religiosa, o sacrifício por enforcamento e a batalha de Bråvalla, conforme citado anteriormente.

Victor Hugo Sampaio Alves

Ver também Oseberg; Suécia da Era Viking.

FUGLESANG, Signe Horn. Ekphrasis and Surviving Imagery in Viking Scandinavia. *Viking and Medieval Scandinavia*, vol. 3, 2007, pp. 193-224.

GRAHAM-CAMPBELL, James. *Os Viquingues: Origens da cultura escandinava*. Rio de Janeiro: Del Prado, 1997.

GUNNEL, Terry. *The origins of drama in Scandinavia*. Cambridge: D.S Brewell, 1995.

INGSTAD, Anne Stine. The interpretation of the Oseberg find. *The ship as a symbol in Prehistoric and Medieval Scandinavia*. Nationalmuseet: Copenhagen, 1995, pp. 139-149.

LANGER, Johnni. Erfi: As Práticas Funerárias na Escandinávia Viking e suas Representações. *Brathair*, vol. 5, n. 11, 2005, pp. 114-127.

LANGER, Johnni. Símbolos Religiosos dos Vikings: guia iconográfico. *História, imagem e narrativas*, vol. 11, 2010, pp. 01-28.

RUFFONI, Kirsten. *Viking Age Queens: The example of Oseberg*. London: LAP Lambert Academic Publishing, 2013.

TAPEÇARIAS DE ÖVERHOGDAL

Trata-se de um grupo de tecidos descobertos na Suécia, em Överhogdal, que se mantiveram extremamente bem preservados até os dias de hoje. Eles foram encontrados por Jonas Holm dentro da sacristia da Igreja de Överhogdal, no ano de 1909. Em seguida, o artista Paul Jonze os levou para a cidade de Östersund, onde Ellen Widén, esposa do governador, assumiu os cuidados das tapeçarias.

A princípio, acreditava-se que essas tapeçarias haviam sido confeccionadas durante a Idade Média, mas testes de radiocarbono conduzidos posteriormente apontaram que foram produzidas durante a Era Viking, entre os anos 800 e 1000. Basicamente, trabalha-se com a ideia de que as imagens nelas reproduzidas apontam tanto para o imaginário nórdico/pagão quanto para alguns elementos cristãos. Contudo, observa-se notoriamente a predominância da temática pagã, como, por exemplo, a provável representação de Sleipnir, o corcel do deus Odin, e a Yggdrasil, o freixo do mundo, no centro.

As quatro partes da tapeçaria que sobreviveram totalizam cerca de 323 figuras humanas representadas, além de 146 animais e bestas, todos movendo-se no sentido da direita para a esquerda. Erik Schjeide argumenta que, na iconografia escandinava da Era Viking de maneira geral, era costume "ler" as narrativas das obras realmente da direita para a esquerda, conforme afirmado anteriormente também por Graham-Campbell. Isso faria sentido especialmente se aplicado às tapeçarias de Överhogdal, já que praticamente todas as criaturas ilustradas encontram-se viradas para a esquerda, oferecendo certo fluxo e continuidade voltados a essa direção.

Os animais maiores, bem como várias das figuras humanas, aparentam estar correndo em direção a uma imagem que mais parece uma grande árvore. Provavelmente, trata-se de Yggdrasil. Alguns poucos estudiosos sugeriram que o conteúdo das tapeçarias mostra, na verdade, a cristianização da região de Härjedalen, mas tal argumento carece de fontes e de maiores embasamentos. Após a datação mais precisa das tapeçarias provida pelo teste de radiocarbono, levantou-se a hipótese de que as ilustrações poderiam estar relacionadas ao Ragnarök, a série de eventos que precede o fim do universo segundo os escandinavos.

No entanto, ainda não se chegou a nada conclusivo. Ao contrário, por exemplo, da Tapeçaria de Bayeux, os estudos sobre as tapeçarias de Överhogdal são ainda escassos. Grande parte deles provém de pesquisadores escandinavos e, uma vez que são publicados em seu idioma nativo, o acesso de outros pesquisadores a esse material é difícil.

Em seu artigo analisando a pedra rúnica de Ockelbo, Johnni Langer oferece alguns apontamentos também a respeito das tapeçarias de

Överhogdal. A grande figura no centro da tapeçaria seria, de fato, o desenho de uma árvore que remete à Yggdrasil; vê-se, nela, um pássaro no topo e outro em sua base. Essa é a grande árvore que seria o centro do mundo e o ponto de ligação de todo o cosmos, antevista, já pelos germanos antigos, como Irminsul, que significa "coluna gigantesca". Essa árvore mítica era habitada por diversos animais, sendo um deles justamente uma águia que ficava no topo, tal qual ilustrado na tapeçaria – e que costuma ser relacionada ao deus Odin –, conforme dito no poema *Grímnismál*.

Das poucas imagens da Era Viking que fazem alusão a esse mito, uma delas, ressalta Johnni Langer, é justamente uma das cenas da Tapeçaria de Överhogdal. Afinal, ela retrata não só uma grande árvore em seu centro, como também um pássaro em seu cimo. O pesquisador também lembra que uma das criaturas representadas é um cavalo de oito patas, uma alusão direta ao corcel de Odin, Sleipnir. Estes dois últimos detalhes reforçam o ideal de uma representação predominantemente pagã presente nesta tapeçaria.

Neil Price retoma a questão da representação dos seres equinos presentes no material em questão. Primeiramente, descreve a tapeçaria não como um arranjo de sequências narrativas coesas – como a de Bayeux –, mas como uma massa de figuras combinadas de modo a criar uma única imagem e contexto, apesar de multifacetada. Notam-se, presentes nessa grande imagem narrativa, nada menos que quatro cavalos de oito patas, representados juntamente de outros três cavalos com seis patas e outro com sete. Além disso, há, também, um alce de seis patas e seis renas de seis patas. Na maioria das ilustrações não há ninguém montando ou cavalgando esses animais, salvo um caso em que se nota um cavaleiro. Ademais, curiosamente, um dos cavalos de oito patas e uma das renas são representados com o que parece ser um falo proeminente.

A segunda tapeçaria, contudo, mostra apenas um cavalo de oito patas, que está montado por duas pessoas. Price argumenta que seria difícil tomar todos os cavalos da tapeçaria enquanto representações unicamente de Sleipnir, e aponta que a noção de várias criaturas desse mesmo tipo, representadas juntas, denotaria um contexto tipicamente xamanístico. Esses animais equinos de várias patas foram continuamente registrados como as montarias dos xamãs na região da Sibéria, entre os Buriates, sendo recorrente até em lugares como Índia e o Japão. Ainda segundo Price, outros elementos da Tapeçaria de Överhogdal possuem paralelos sibérios, sendo possível que todos esses animais de numerosas patas representem diferentes componentes do xamanismo escandinavo e sami durante a Era Viking. Contudo, esse material iconográfico ainda carece de muitos outros estudos antes que se possa alegar ter atingido quaisquer conclusões.

Atualmente, essas tapeçarias encontram-se exibidas no museu de Jamtli – o museu regional de Jämtland – e em Härjedalen, em Östersund, na Suécia.

Victor Hugo Sampaio Alves

Ver também Folclore; Religião; Suécia da Era Viking.

GRAHAM-CAMPBELL, James. *Viking Art*. London: Tames & Hudson, 2013.

LANGER, Johnni. O Céu dos Vikings: Uma Interpretação Etnoastronômica da Pedra Rúnica de Ockelbo (GS 19). *Domínios da Imagem*, vol. 7, n. 12, 2013, pp. 97-112.

PRICE, Neil. The Archaeology of Seiðr: Circumpolar Traditions in Viking Pre-Christian Religion. *Brathair*, vol. 4, n. 2, 2004, pp. 109-126.

SCHJEIDE, Erik. *Crafting Words and Wood: Myth, Carving and Húsdrápa*. Dissertação em Filosofia apresentada ao programa de Línguas e Literaturas Escandinavas da Universidade da Califórnia, Berkeley. 2015.

TAPEÇARIA DE SKOG

Esta tapeçaria feita em lã pertence originalmente à Igreja de Skog, localizada na cidade de Hälsingland, na Suécia. Desde 1914, contudo, ela encontra-se no Museu de Antiguidades Nacionais, em Estocolmo. Datada do século XII, logo após a Suécia ter se convertido ao cristianismo, essa obra tem sido analisada como narrativa de uma cultura em transição, perambulando entre o passado pagão e a nova religião monoteísta que havia acabado de ser adotada nacionalmente.

No centro da tapeçaria nota-se uma espécie de congregação reunida numa estrutura muito similar a uma igreja, constituindo a principal temática. Além disso, em cada ponta de seu telhado encontra-se uma cabeça de dragão, virada para fora como se protegesse a construção. Há, dentro da igreja, uma torre com um sino e outra estrutura similar do lado de fora. Considerando essa ilustração como o centro da tapeçaria, encontramos, à sua direita, numerosos cavaleiros em suas montarias, enquanto se aproximam, pela esquerda da igreja, animais semelhantes a leões – que, vale lembrar, não são naturais do território escandinavo. Comumente, atribui-se a essa parte da tapeçaria à conotação de que a igreja encontra-se sofrendo um ataque.

Dimand ressalta uma curiosa figura que poderia representar uma deidade pagã. Trata-se de um cavaleiro de três cabeças. Essa figura aparece, ainda, conduzindo as bestas análogas a leões em direção à igreja, como se liderasse um ataque visando destruí-la. Algumas pessoas próximas à congregação estão fora da igreja tocando os enormes sinos, o que pode representar um sinal de alerta e perigo, confirmando a ideia de que os cristãos estavam sob ataque.

Detalhes interessantes estão também nas bordas. Ela é dividida em pequenas seções retangulares, cada uma contendo temáticas e motivos específicos. Dimand afirma que esse modo de ornamentar as bordas é encontrado também em pranchas de pedra encontradas em Gotland e também na Escócia dos séculos ix e x. Além disso, as bordas da tapeçaria apresentam também losangos, linhas paralelas em zigue-zague, padrões irregulares de ganchos e cruzes. Estas últimas estão presentes principalmente na borda esquerda, fora as cruzes em diagonal e as chamadas cruzes "negativas" – em formato parecido com um "x" –, muitas vezes bordadas em linha escura.

Os dois tipos de cruz que foram bordados na tapeçaria em questão revelam conexões tanto com a arte oriental quanto com a ocidental. As cruzes positivas, em que um dos cabos é longo, provavelmente são de origem oriental e vieram da região da Rússia, com quem os vikings da região da Suécia tiveram intenso e frequente contato. Já as cruzes negativas, com ambos os braços curtos, são encontradas, por exemplo, numa pedra ornamentada em Nigg, na Escócia.

Localizadas na extremidade esquerda da tapeçaria encontram-se três figuras que são tanto emblemáticas quanto polêmicas: três homens, muito próximos um do outro, com ornamentos em suas cabeças que lembram coroas, cada um com traços ou objetos específicos que os diferenciam dos demais. O único fato que pode ser afirmado com certeza é que, no momento de confecção da tapeçaria, essas três figuras foram ilustradas de forma que se destacassem e se diferenciassem das outras presentes.

Costuma-se atribuir a essas figuras as identidades dos reis/santos escandinavos Olavo, Canuto e Érico. No entanto, Terje Leiren questiona essa afirmação, embasando-se na descrição de um templo sueco feita por Adão de Bremen – cronista alemão da Alta Idade Média –, quando da tentativa de cristianizar os escandinavos. Afinal, conforme afirma Rodrigo Marttie, por mais que a *Gesta Hammaburgensis Ecclesiae Pontificum* – História dos Arcebispos de Hamburg-Bremen – de Bremen fosse de cunho propagandístico, objetivando recuperar a memória de sua arquidiocese que havia sido parcialmente incendiada, suas descrições da religião escandinava antiga podem auxiliar em certos pontos.

Durante sua visita ao famoso templo de Uppsala, na Suécia, Adão de Bremen descreve as estátuas de três deuses que supostamente eram cultuados naquele lugar: o mais poderoso deles, Thor, ocupava a posição central, sentado em um trono, enquanto que Odin e Freyr encontravam-se cada um em um de seus lados. Conforme elabora Terje Leiren, apesar de ser o deus criador e pai de tudo, Odin não ocupava o lugar central nesses cultos por ser mais temido do que amado, e, portanto, mantinha-se certa distância respeitosa dele. Já Thor, popular deus dos camponeses, assumia a posição de deidade central no momento dos cultos. Portanto, aplicando esse princípio à narrativa da Tapeçaria de Skog, é possível levantar a hipótese de que os deuses nórdicos poderiam ser facilmente representados de modo disfarçado, passando-se justamente por santos da Igreja católica.

Como a Suécia havia acabado de se converter ao cristianismo, era muito provável que um artista contratado pela Igreja desejasse representar ali os seus deuses antigos, embora encobertos pela temática cristã de modo que fossem tidos por santos ou outras entidades queridas ao cristianismo. Segundo essa linha de raciocínio, contudo, ainda assim é possível identificar, por análise iconográfica, referências explícitas a tais deuses. Santo Olavo, por exemplo, tornou-se frequentemente associado a Thor devido a suas representações portando um machado. No entanto, no caso específico da Tapeçaria de Skog, apesar de portar o supracitado machado, Santo Olavo foi também representado sem um de seus olhos. Esta poderia se tratar de uma referência clara a Odin, que sacrificou um de seus olhos para que pudesse beber da fonte de Mimir e assim obter conhecimento. Além disso, na tapeçaria essa figura também é a que se encontra representada mais próxima de uma árvore que supostamente seria Yggdrasil, onde, segundo os mitos escandinavos, o deus se pendurou de cabeça para baixo, transpassado por uma lança, para que obtivesse o segredo das runas.

Já o rei Canuto, figura central, segura um objeto duvidoso que poderia, a princípio, estar representando um grande crucifixo, mas que também talvez fosse um disfarce para ilustrar o deus Thor segurando seu martelo, Mjöllnir. Por sua vez, localizado à direita, o rei Érico é ilustrado segurando uma espiga de milho, o que nos remete imediatamente à ideia de fertilidade simbolizada pelo deus Freyr, divindade do grupo de deuses vanes associado justamente à fertilidade, abundância, à paz e à riqueza.

Por mais que não se possa chegar ainda a uma conclusão definitiva sobre essas três figuras, vale ressaltar que, se fossem vistas dessa forma, elas estariam representadas na Tapeçaria de Skog da mesma maneira e na mesma ordem em que se encontravam suas estátuas na descrição que Adão de Bremen fez do templo de Uppsala. Thor estaria, nesse arranjo, ocupando a posição central dos três deuses, enquanto que Odin e Freyr guardariam cada um de seus lados.

Victor Hugo Sampaio Alves

Ver também Folclore; Religião; Suécia da Era Viking.

ALVES, Victor Hugo Sampaio. Breves considerações sobre os mitos nórdicos na Tapeçaria de Skog. *Notícias Asgardianas*, n. 11, 2016, pp. 12--21.

BREMEN, Adão de. *History of the Archbishops of Hamburg-Bremen.* Trad. Francis J. Tschan. New York: Columbia University Press, 2002.

DIMAND, Maurice Sven. Mediaeval Textiles in Sweden. *The Art Bulletin,* vol. 6, n. 1, 2015, pp. 11-16.

LEIREN, Terje. *From Pagan to Christian: The Story in the 12th-Century Tapestry of the Skog Church, Hälsingland, Sweden.* Universidade de Washington. 1999. Disponível em: *goo.gl/oJRTZh.* Acesso em 07/02/2017.

MARTTIE, Rodrigo Mourão. Adão de Bremen. In: LANGER, Johnni (org.). *Dicionário de Mitologia Nórdica: símbolos, mitos e ritos.* São Paulo: Hedra, 2015, pp. 15-17.

TAXAÇÕES E TRIBUTOS

Os relatos históricos acerca da tributação e taxações vikings são escassos e em muitas vezes são desconhecidos os termos aplicados para os impostos ou sobre o que eles incendiam. O conhecimento que se possui em geral se refere a algumas fontes posteriores, específicas de determinados reinos escandinavos ou da arqueologia ao se estudar as mercadorias, moedas e outros vestígios materiais. Pelo fato de os nórdicos do Período Viking não terem feito uso da escrita, não dispomos de documentos comerciais, econômicos, alfandegários etc.

Antes do século X, o uso de moedas pelos vikings não foi uma prática regular, logo, uma das medidas adotadas por várias cidades mercantis era o uso de lingotes de prata como moeda de troca. Os lingotes de prata, que poderiam ser também moldados em formato de anéis, pesavam entre 48 g a 50 g, correspondendo ao peso habitual de lingotes encontrados em Gotland, Frísia e na costa do Báltico.

A prata, por ser mais facilmente encontrada na Europa e na Ásia islâmica, tornou-se o principal metal a ser usado nas transações de vários povos. No caso dos nórdicos, muitos lingotes usados no comércio poderiam ser objetos de prata derretida ou fundida, ou até mesmo pedaços de outros objetos feitos de prata. Como o comércio e os impostos alfandegários eram pautados no peso da prata, o uso de balanças foi amplamente generalizado. Pesos de cobre e ferro foram os mais usados.

No entanto, Dagfinn Skyre salienta que em alguns casos os impostos também eram pagos com ouro. Ainda que fosse um metal mais raro de ser encontrado na Europa, foram encontrados lingotes e anéis de ouro similares aos feitos de prata, o que indica que o ouro possa ter sido usado como moeda para o comércio, pagamento de tributos, taxas etc.

Os reis e senhores (*jarl*) cobravam tributos e taxas pelo direito dos súditos de comercializar livremente num mercado, ou por viver sob sua proteção. Esse tributo poderia ser pago em prata, mercadorias, grãos ou animais. Entretanto, desconhece-se a extensão dessa prática nos territórios escandinavos. Thomas Streissguth comenta que a tributação pelo uso da terra e outras propriedades comunais não parece ter sido uma prática comum entre os nórdicos.

Mary Valante observou que, no caso irlandês, tal prática foi bem comum e difundida por toda a ilha quando estava sob jurisdição escandinava. É provável que os nórdicos possam ter se baseado na tributação saxã, germânica e franca da época, nas quais os senhores já cobravam o pagamento de tributos *in natura* ou em dinheiro para usarem suas pontes, portos, estradas, feiras etc.

Todavia, um dos tributos mais conhecidos dos nórdicos era o *danegeld*, cobrado a partir de outros povos como forma de extorsão: um chefe viking instituía o *danegeld* como um acordo de trégua para o povo atacado. Estes deveriam anualmente pagar o tributo geralmente em prata ou em outras mercadorias e produtos para evitar que seu território fosse saqueado.

Leandro Vilar Oliveira

Ver também Comércio; Moedas e cunhagem; Realeza; Sociedade.

GULLBEKK, Svein H. Coinage and monetary economies. In: BRINK, Stefan; PRICE, Neil (eds.). *The Viking World*. London/New York: Routledge, 2008, pp. 159-169.

SKYRE, Dagfinn (ed.). *Means and Exchange: dealing with Silver and the Viking Age*. Oslo: Aarhus University Press, 2007 (Kaupang Excavation Project Publications Series, vol. 2).

STREISSGUTH, Thomas. *Life among the Vikings*. San Diego: Lucent Books, 1999.

VALANTE, Mary A. Taxation, Tolls and Tribute: The Language of Economics and Trade in Viking-Age Ireland. *Proceedings of the Harvard Celtic Colloquium*, vol. 18/19, 1998/1999, pp. 242-258.

TECELAGEM E TECNOLOGIA TÊXTIL

A primeira evidência de produção têxtil na Escandinávia data do Período Neolítico, há aproximadamente, 4.200 a. C. Até essa época a tecelagem de grandes tecidos não era tão desenvolvida, pois as técnicas empregadas para a cardação, fiação e tecelagem ainda eram rudimentares: produzia-se apenas pequenas peças, gastando para isso muito tempo. Com o avanço das técnicas, foi possível que essa produção têxtil ficasse mais dinâmica, e as mulheres, encarregadas de todas as etapas do processo, desde a tosquia das ovelhas e carneiros até os arremates finais do tecido, pudessem tecer mais e com melhor qualidade.

Até o início da Idade do Bronze, os teares grandes ainda não estavam amplamente difundidos na Escandinávia. A primeira prova direta de tecnologia de tecelagem de tear nesta área vem da Jutlândia do Norte, na Dinamarca, durante o início da Idade do Bronze (cerca de 1.800 a. C.). Ao longo do tempo, outros tecidos antigos foram encontrados nos pântanos da Dinamarca, datando da Idade do Bronze em aproximadamente 1.500 a. C. Um desses achados foi o enterro de Egtved, que continha o corpo de uma jovem vestida com várias roupas destinadas para fins rituais. A saia usada pela jovem mulher mostrou técnicas de tecelagem mais avançadas, com uma urdidura mais uniforme e uma trama melhor acabada, de modo que se conclui que o tear que foi utilizado já possuía uma tecnologia mais avançada. A camisa encontrada no enterro foi tecida em um tear mais simples, como se vê em sua trama e urdidura. Essas roupas proporcionam uma visão dos materiais tecidos e da tecnologia têxtil utilizada durante a Idade do

Bronze na Escandinávia, assim como as práticas funerárias incluíam um vestuário ritual específico.

A partir de um número limitado de achados têxteis da Idade do Ferro pré-romana na Escandinávia, concluiu-se que o tecido havia sido produzido com uma tecnologia simples, em um tear de denominado *warp-lock*. Este tipo de tear permitia que a tecelã criasse bordas finalizadas ou ourelas, que nada mais são do que o acabamento do tecido que o arremata nas laterais tanto no sentido do comprimento como da largura, impedindo assim que os fios se desfaçam em todos os quatro lados do tecido. Esses arremates na urdidura do tecido foram detectados nos restos das roupas de uma mulher, encontrada na Jutlândia em 1879, vestindo roupas de lã e um manto de pele de ovelha. Na mesma área, foi encontrada uma peça de vestuário de lã, que foi tecida com a parte superior dobrada sobre a própria trama, a fim de criar uma saliência no tecido. Essas roupas estavam excepcionalmente bem preservadas e esse nível de preservação se dá graças às águas subterrâneas ácidas e falta de oxigênio que ajuda a preservar a lã, o cabelo e a pele, mas destrói a matéria óssea e vegetal. Além das condições ambientais propícias para a sua conservação, deve-se levar em conta que essas peças foram tecidas com um tear de urdidura que permitia que as peças tecidas fossem elaboradas cada vez com mais qualidade e que se produzissem estruturas e padrões de tecelagem mais complexos.

Durante o Período de Migração (300/400-550/600) a Escandinávia, assistiu a um aumento na produção de têxteis e do comércio de tecidos, incluindo aqueles provenientes da Europa continental e do Mediterrâneo. As inovações da Idade do Ferro, como os teares de urdidura e os fusos espirais, permitiram que os tecidos fossem modelados com brocados encontrados nas sepulturas do período de migração norueguês. A evidência dessa produção têxtil pode ser encontrada no sítio do Período de Migração de Vallhagar, Gotland, onde inúmeros pesos de tear e espirais de fuso foram escavados. Durante o Período Vendel (550/600-750/800), ocorre uma alteração nos tecidos produzidos na Escandinávia. Esse período viu um declínio na produção têxtil com a possível importação de tecidos pela aristocracia escandinava. Esta aderiu ao vestuário dos francos, que incluía a importação de tecidos de qualidade idêntica aos utilizados pela nobreza franca.

Durante a Era Viking houve o estabelecimento de redes comerciais, proporcionando maior acesso à importação e exportação de tecidos. Com a expansão do comércio, houve uma maior demanda pelos mais diversos tipos de tecidos e em grandes quantidades, incluindo aqueles tecidos e fibras utilizados nas atividades marítimas – como a população crescia, e consigo a demanda por mais roupas e velas para os navios, a produção em larga escala de tecidos tornou-se fundamental. A variedade de fibras e estruturas têxteis encontradas nos tecidos que sobreviveram é uma espécie de testemunha das habilidades e produtividade das tecelãs. Foram encontradas evidências de uma variedade de tipos de lã vindas das Ilhas Britânicas, do Leste Europeu e de Bizâncio que eram consideradas itens de luxo devido a sua textura e também às técnicas utilizadas na sua elaboração. Os tecidos utilizados para o vestuário, para o uso cotidiano em tarefas domésticas e os fios empregados para a tecelagem das velas de navios foram criados a partir de uma variedade de fios de excelente qualidade – as mais finas lãs, linhos e até seda. As roupas confeccionadas com os tecidos mais finos e caros tornaram-se, ao longo do tempo, produtos mais comuns para aqueles que possuíam um *status* mais elevado, mas os tecidos mais rústicos, feitos a partir de sarças e outras fibras vegetais, continuaram a ser usados pelos mais pobres e no cotidiano.

Na produção dos tecidos, eram usadas algumas ferramentas. A maioria dos tecidos não sobreviveram com o passar do tempo, restando apenas fragmentos, mas algumas ferramentas para tecelagem foram encontradas praticamente intactas, o que possibilita um estudo pormenorizado do seu uso na produção de tecidos na Era Viking. Essas ferramentas podem ser consideradas a prova mais importante e abundante da produção e da tecnologia de têxtil durante os séculos VII, IX e X. Algumas dessas ferramentas incluem fusos, lançadeiras, pesos de tear e agulhas. Uma das ferramentas têxteis mais comuns encontradas em sítios arqueológicos é o fuso circular, que podia ser feito com um pedaço de cerâmica ou pedra. Também foram encontrados alguns feitos em âmbar, osso, marfim e bronze. O peso na ponta do fuso o deixava parado, permitindo que assim se girasse a fibra do fio.

Durante o Período Viking existem muitos exemplos de todas essas ferramentas encontradas principalmente em túmulos. Nas sepulturas de Gotland, foram encontrados fusos, lançadeiras e agulhas. Embora as agulhas fossem consideradas uma "tecnologia antiga", era necessária habilidade e conhecimento para usá-las corretamente.

Luciana de Campos

Ver também Cotidiano; Cultura material; Mulheres; Sociedade.

KLESSIG, Barbara K. *Textile production tools from Viking Age graves in Gotland, Sweden.* Dissertação de Mestrado em Artes pela Faculdade Estadual de Humboldt, 2015.

SMITH, Michèle Hayer. Weaving wealth: cloth and trade in Viking Age and Medieval Iceland. In: HUANG, Angela Ling & JAHNKE, Carsten (eds.). *Textiles and the Medieval Economy: Production, Trade, and Consumption of Textiles, 8th–16th Centuries.* Oxbow Books, pp. 23-40 (Ancient Textile Series, vol 16).

TECNOLOGIA

Os povos escandinavos do Período Viking, voltados à expansão marítima, necessitavam de mão de obra capaz de desenvolver embarcações. Com efeito, pode-se classificar a sociedade escandinava de tal período histórico como uma sociedade baseada em avanços de tecnologia náutica. As colonizações, saques e contatos comerciais desenvolvidos por tais povos estavam, assim, nas mãos de carpinteiros e tecelões que fossem capazes de desenvolver os meios de expansão que permitiria a esses povos o alcance de regiões como a Islândia, Groenlândia e o norte da América.

A navegação do Período Viking foi desenvolvida pela observação do Sol, das estrelas, de marcos mnemônicos terrestres e da observação de animais. Parte dessas observações desenvolveriam equipamentos como a bússola solar e a pedra do sol. A bússola funcionava pela sombra gerada no momento de incidência solar em uma haste de metal presa a uma placa de madeira marcada por coordenadas geográficas; a pedra permitia a captação das luzes solares mesmo em momentos de céu fechado.

A grande tecnologia que impulsionou a expansão escandinava foi a vela, e como fonte de pesquisa sobre o momento inicial de seu desenvolvimento, podemos nos utilizar das imagens presentes nas estelas de Gotland. Ao comparar as imagens anteriores e posteriores ao século VII, as representações nas estelas demonstravam apenas embarcações movimentadas por remos, passando, após o momento supramencionado, a representar a existência de velas. A primeira embarcação movimentada por vela descoberta e datada pela arqueologia foi a embarcação de Oseberg – que, por métodos dendrocronológicos, é situada nos anos 825. O mastro da embarcação de Oseberg foi montando na sobrequilha, colocado logo à frente do meio do navio e era mantido por um apoio que se encontrava no nível do convés. Tal apoio foi denominado como garfo, devido a lembrança que sua estrutura traz do utensílio.

As embarcações eram de tipos diferentes, a começar pelas suas variedades de funções: podemos salientar suas utilizações para o transporte de guerreiros, o comércio e o transporte de cargas pelo mar aberto. Tais funções faziam com que as embarcações do Período Viking variassem também em sua estrutura, sendo chamadas de navios aquelas que, normalmente, possuíam mais de doze remos, e de barcos aquelas com menos de doze remos. Todavia, em um primeiro momento, as embarcações de guerra e de comércio possam ser apontadas como sendo a mesma embarcação. Isso se deve ao fato de que embarcações mercantes foram por vezes utilizadas para guerra, mas quando tratamos de uma utilização predominante, esse quadro tende a mudar.

As embarcações de guerra eram desenvolvidas tanto para a utilização de remos como para a utilização de vela, sendo normalmente largas, longas e esguias. Tais embarcações eram divididas lateralmente, definindo o espaço para a localização dos pares de remadores, chamados quartos, sendo que algumas embarcações possuíam mais de trinta quartos e mais de sessenta remos, de modo a serem denominadas *longships*.

As embarcações mercantis, por sua vez, eram mais compridas do que as de guerra, possuíam um formato arredondado, um grande bordo livre e um calado profundo. Como, na maior parte da vezes, as embarcações mercantis eram utilizadas para a navegação, seus mastros geralmente eram fixos. Em suas proas e popas era possível permanecer de pé ou ainda permanecer sentado nos apoiadores de remo, quando esses existiam, e a carga, normalmente carregada por essas embarcações, ocupava a parte central da mesma.

Tais embarcações podiam ser divididas em duas, as *byrdingur* e as *knorr*, sendo a primeira direcionada para o comércio costeiro com uma tripulação que variava de doze a vinte homens – a embarcação Skuldelev 3, que possui 13,8 m de comprimento e bancos de 3,3 m, é apontada como um exemplo de *byrdingur*. A segunda, por sua vez, é tipologizada como a maior das embarcações comerciais, e como exemplo dessa temos a Skuldelev 1, com 16,3 m de comprimento e com bancos de 4,5 m, normalmente utilizada para navegação em alto mar.

As técnicas de construção naval foram identificadas por métodos de arqueologia experimental desenvolvidas em Roskilde, no momento de recuperação dos Skuldelevs, a partir do corte de madeira – em sua maioria carvalho – de maneira radial, técnica que requer troncos com ao menos um metro de diâmetro e com poucos nós. As pranchas produzidas dessa forma são muito fortes devido ao seguimento do grão da madeira, e após secas dificilmente encolhem ou deformam significativamente. Tal variação diminuta é de suma importância, uma vez que a madeira é, por muitas vezes, trabalhada logo após ser derrubada, algo que se deve a um melhor manuseio em relação à madeira seca. Contudo, mais ao norte, onde a árvore majoritária é o pinho, o tronco é cortado em dois e cada metade é talhada para formar as tábuas utilizadas nas embarcações. A curvatura das pranchas de madeira era, na medida do possível, estabelecida pela curvatura natural da madeira. Tal técnica permitia que a dimensão e o peso da embarcação fossem reduzidos ao mínimo, permitindo o alcance de um dos objetivos essenciais: tornar os navios flexíveis e fortes.

Seguindo as linhas naturais, a construção do navio já podia ser prevista desde seu início, uma vez que, após o posicionamento da base, feita de uma haste de madeira oca que contava com linhas incisivas de cada lado, podia-se ver a partir das próprias linhas as correspondências com os encaixes das demais tábuas do návio. Essas tábuas se juntariam à haste da base, continuando a linha de cada um dos lados no ângulo correto. As tábuas da popa e da proa eram, provavelmente, armazenadas em água para que não secassem, deformassem e rachassem antes de suas utilizações. A análise do Skuldelev 3 demonstrou-nos que o desenho da haste básica era baseado em segmentos de círculos com diferentes diâmetros determinados pelo comprimento desejado da quilha. O corte da madeira deveria ter, assim, uma regra básica e um método simples determinado pelas demarcações feitas com corda e giz, uma vez que o corte por si só determinava o formato e o encaixe da embarcação.

Munir Lutfe Ayoub

Ver também Bússola solar; Embarcações; Navegação.

BONDE, Niels; CHRISTENSEN, Arne Emil. Dendrochronological dating of the Viking Age ship burials at Oseberg, Gokstad and Tune, Norway. *Antiquity*, vol. 67, n. 256, 1993, pp. 575-583.

BONDE, Niels; STYLEGAR, Frans-Arne. Roskilde 6–et langskib fra Norge–Proveniens og alder. *Kuml*, vol. 60, n. 60, 2011, pp. 247-261.

CROOME, Angela. The Viking Ship Museum at Roskilde: expansion uncovers nine more early ships; and advances experimental ocean-sailing plans. *The International Journal of Nautical Archaeology*, vol. 28, n. 4, 1999, pp. 382-393.

CRUMLIN-PEDERSEN, Ole. Aspects of Viking-Age Shipbuilding: In the Light of the Construction and Trials of the Skuldelev Ship-Replicas Saga Siglar and Roar Ege. *Journal of Danish Archaeology*, vol. 5, n. 1, 1986, pp. 209-228.

THING

Thing era a assembleia na qual a lei e justiça eram discutidas. Eram realizadas com intervalos regulares e existiam em níveis locais, regionais e nacionais. A *Thing* mais conhecida é a *Althing* realizada na Islândia. Entretanto, também se tem conhecimento de assembleias realizadas na Noruega e Dinamarca, e eram também estabelecidas em outras colônias escandinavas fora de sua terra natal, como Escócia, Inglaterra e Irlanda. Nas *Things*, o rei, a nobreza local, as elites regionais e o povo reuniam-se para debates, mas a influência relativa das partes variava de reino para reino. Sobre essa e outras perspectivas, a elite local da Suécia aparenta manter sua influência em um grau e tempo maior em comparação com as da Noruega e da Dinamarca.

Na Noruega, as *lögthings*, assembleias da lei, eram obviamente instrumentais, servindo para pavimentar o caminho para as reformas eclesiásticas e reais. Contudo, o oposto ocorria com a monarquia suíça que era provavelmente confrontada por uma forte oposição dentro do sistema provincial das *Things*. Na *Gesta Danorum*, famosa obra de Saxo Grammaticus, que data aproximadamente de 1200, é descrito que o rei dinamarquês deve ser aclamado nas quatro *Things* regionais, expondo a importância das instâncias regionais na legitimação do poder real.

Na Islândia, a *Thing* era uma unidade política no período de autarquia, pois os islandeses aceitaram uma legislação comum, além de possuírem um sistema hierárquico das *Things*, onde a *Althing* se situava no topo. Era do âmbito das funções do *godar* exercer o seu papel judicial e administrativo. O poder foi concentrando-se em um número decrescente de líderes e famílias, convertendo-se em um sistema de senhoria territorial. Apesar da centralização de poder, nenhum senhor local tinha os recursos para estender seu controle sobre toda a Islândia, o que acabou levando a um conflito político que conduziu a anexação da ilha ao reino norueguês.

André Araújo de Oliveira

Ver também Althing; Godi; Islândia na Era Viking.

HOLMAN, Katherine. *Histocial Dictionaries of the Vikings*. Oxford: The Scarecrow Press Inc., 2003.

SIGURÐSSON, Jón Viðar. Iceland. In: BRINK, Stefan; PRICE, Neil (eds.). *The Viking World*. New York. Routledge, 2008, pp. 571-578.

VÉISTEINSSON, Orri. *The Christianization of Iceland: Priest, Power and social change 1000-1300*. Oxford: Oxford University Press, 2000.

TRELLEBORG

Trelleborg é um forte circular situado em Zealand, na Dinamarca. Foi um campo militar que teve papel central na formação do reino de Haroldo Dente Azul durante o século X, exercendo função-chave no controle e na administração das províncias que emergiam no reino dinamarquês. Sua característica inovadora na ilha de Zealand demonstra a influência estrangeira no reino que estava surgindo. Todavia, esse forte não seria o único desse período a apresentar esse padrão: podemos apontar outros fortes circulares como os de Aggersborg ao norte da Jutlândia, Fyrkat próximo a Horbo, Nonnebakken em Odense e Borgeby próximo da atual região de Lund, na atual Suécia. Todos fortes demonstram uma aparente uniformidade e seguiram um plano arquitetônico de formato e construção similares, fatos que levam os arqueólogos a afirmarem a construção dessas localidades como coetâneas e apontá-las todas para o século x.

A influência estrangeira sobre os fortes dinamarqueses pode ser também demonstrada pela amostra de artefatos de Trelleborg, que indicam um contato abrangente com as mais distantes regiões. Foram encontradas peças de cerâmica que possuem paralelo com as cerâmicas eslavas da costa sudeste do litoral báltico. Essa influência eslava pode ser estudada também por outros tantos artefatos da região, como os carretéis de costura e os pentes fabricados com cornos de cervos.

No lado externo da saída leste do forte haviam depósitos funerários espalhados de ambos os lados da principal via, sentido leste-oeste, que se ligavam ao complexo. A área escolhida para tais parece, dessa forma, conscientemente integrada ao padrão geral do complexo, ressaltando a dialética da utilização de ambas as partes (forte e sepulturas) para a formação de um conjunto de significados. Adentrar ao forte pela sua entrada oeste era, assim, ter de passar pelos que ali estavam depositados, em um constante contato com os antigos guerreiros que haviam habitado a região.

Parte dos depósitos funerários de Trelleborg foi escavada entre os anos de 1938 e 1940. Um total de 133 sepulturas foram estudadas, contando com o depósito de 157 indivíduos, porém os fragmentos de ossos espalhados indicam que o cemitério originalmente continha depósitos adicionais. Grande parte das sepulturas continham depósitos individuais, mas três das 133 sepulturas estudadas podem ser interpretadas como contendo depósitos de muitos indivíduos, como as sepulturas de número 23, que continha 11 indivíduos, e as de número 47 e 87, que contavam com 5 indivíduos cada, além de podermos destacar também depósitos duplos como os de número 97 e 98. Todos os depósitos eram inumações em túmulos de pouca profundidade, originalmente marcados sobre o chão, provavelmente por pequenos montículos. As sepulturas tinham orientação leste-oeste, com boa parte dos mortos com suas faces voltadas em sentido leste.

Os achados de artefatos nas sepulturas da região não foram muitos: um total de 27 sepulturas continham pequenas facas, em 9 casos achadas junto com pedras de afiar. Outros artefatos presentes nos depósitos funerários incluem a presença de contas de vidro em nove dos depósitos, além de alguns outros achados de acessórios de vestimenta. Apenas três depósitos contavam com armas, todos possuindo exclusivamente machados.

O estudo arqueológico de maior repercussão sobre o forte de Trelleborg não ocorreu, no entanto, durante o século XX, mas viria apenas a ocorrer em 2011 e envolveria a análise de isótopo de estrôncio dos ossos achados nos depósitos funerários da região. O principal objetivo de tal estudo era conseguir determinar os locais de origem dos homens que haviam sido depositados em Trelleborg, uma vez que a arquitetura do forte e os achados da região apontavam para influências advindas do mundo eslavo.

Os estudos de isótopo de estrôncio são realizados pela comparação dos índices do isótopo presente no osso humano com os índices de isótopo presentes em ossos de animais ou mesmo na flora das diferentes regiões. Esse método utiliza-se da variação de isótopo de estrôncio que ocorre de forma distinta nas mais diversas formações geológicas, dependendo da idade de tais formações e do conteúdo original de rubídio nas rochas e sedimentos de cada região. Os isótopos de estrôncio movem-se das rochas para as formações ósseas humanas ao longo da vida por meio da cadeia alimentar, e o estrôncio age no corpo humano como um substituto do cálcio na formação dos ossos. Os ossos são continuamente remodelados durante a vida humana, de modo que sua composição química reflete os últimos anos de vida de um indivíduo, com exceção do esmalte dentário, que se forma durante a infância e sofre poucas mudanças em fases posteriores. O isótopo de estrôncio presente no esmalte dos dentes humanos é utilizado, assim, para delimitar o local de origem de cada indivíduo, enquanto o mesmo isótopo em outros ossos indica o local em que esses viveram os últimos anos de suas vidas.

Ao fim, o estudo do isótopo de estrôncio no esmalte dos dentes dos indivíduos de Trelleborg demonstrou grande variedade em seus valores, fato que levou os arqueólogos a afirmarem a origem desses homens não apenas para os atuais países nórdicos, como Noruega e Suécia, mas de todo o mar Báltico. Os estudos do forte concluíram, assim, que a armada que o ocupava era composta por um misto de mercenários das mais diversas regiões do norte da Europa.

Munir Lutfe Ayoub

Ver também Dinamarca da Era Viking; Fortificações; Tecnologia; Viking.

BRUSGAARD, Nathalie Østerled. *Places of Cult and Spaces of Power*. Master Thesis, Leiden University, 2012.

DOBAT, Andres Siegfried. Danevirke Revisited: An investigation into military and socio-political organisation in South Scandinavia (c. AD 700 to 1100). *Medieval Archaeology*, vol. 52, n. 1, 2008, pp. 27-67.

PRICE, T, Doulgas; FREI, Karen Margarita; DOBAT, Andres Siegfried; LYNNERUP, Niels; BENNIKE, Pia. Who was in Harold Bluetooth's army? Strontium isotope investigation of the cemetery at the Viking Age fortress at Trelleborg, Denmark. *Antiquity*, vol. 85, n. 328, 2011, pp. 476--489.

RAFFIELD, Ben. Antiquarians, Archaeologists, and Viking Fortifications. *Journal of the North Atlantic*, vol. 20, n. 1-29, 2013, pp. 01-29.

URBANIZAÇÃO

Comparada a outras regiões da Europa, nas quais nota-se um processo urbano que retoma a Roma imperial, a urbanização da Escandinávia começou durante a Alta Idade Média, lentamente alavancando-se nos séculos IX e X com a política e a economia, isso em termos da Era Viking (séculos VIII-XI), pois os países nórdicos somente começaram a se tornar mais urbanizados no final do medievo. Dagfinn Skre comenta que durante a Era Viking apenas 1% ou 2% da população escandinava habitava cidades, e esse percentual no começo do século IX estava restrito basicamente a quatro cidades: Birka na Suécia, Kaupang na Noruega, Ribe e Hedeby na Dinamarca. Juntas, essas cidades deveriam, segundo Skyre, contar com uma população de 3 a 4 mil habitantes.

Por mais que se fale em cidades vikings, é preciso ter em mente que se tratavam de pequenos núcleos urbanos que em geral não tinham mais de mil habitantes. Muitas das cidades escandinavas, devido à prosperidade que alcançaram nos séculos IX e X, foram muradas. Assim, uma das características básicas de uma cidade escandinava da Era Viking era ser um aglomerado de casas, de forma desordenada na maioria das vezes, embora em alguns casos houvessem ruas largas e pavimentadas, cercadas por uma muralha de madeira e terra. Cidades como Hedeby, Birka e Dublin possuíam essa característica específica.

Pelo fato de a maioria das edificações terem sido construídas com madeira, elas não resistiram ao passar do tempo. Logo, pouco se conhece sobre a extensão, organização e aparência dessas cidades. Muito do que se conhece da disposição de sua geografia advém de relatos de viajantes. Por outro lado, algumas cidades foram abandonadas e outras surgiram em cima das cidades velhas, o que dificulta o trabalho arqueológico de investigação.

Hans Andersson comenta que os motivos que levaram ao surgimento das cidades entre os vikings não são homogêneos. Determinados fatores locais podem ter sido essenciais para o surgimento de cidades. Em alguns casos nota-se que muitas cidades costeiras como Kaupang, Hedeby, Ribe e Birka teriam se formado a partir de fatores econômicos e de sobrevivência. Pelo fato de tais cidades possuírem rios navegáveis ou saídas para o mar, isso favorecia o transporte, a pesca, o contato e o comércio. Uma vez que alguns camponeses passaram a enxergar a possibilidade de vender seu excedente agrícola ou fabricar objetos, ferramentas e armas para fora, feiras começaram a se desenvolver em tais locais.

Apesar de fatores diferentes terem influenciado o início dos centros urbanos, o comércio foi a principal motivação para o desenvolvimento urbano, como observam Hans Andersson, Helen Clarke e Dagfinn Skre. Os habitantes das cidades deixaram de se preocupar com os afazeres agrícolas e pecuários e focaram na produção manufatureira e no comércio. Em geral tal característica é comum entre vários povos e ainda hoje se sucede. As cidades podem concentrar as indústrias, lojas e mercados, mas a matéria-prima ainda vem de fora. No caso viking, isso não foi diferente.

Para Skre, a Escandinávia passou por duas ondas de urbanização. A primeira começou em meados do século VIII, quando surgiu a cidade de Birka, situada numa pequena ilha no lago Mälaren, na Suécia. Por ser uma rota de passagem de quem vinha do interior para a costa, Birka começou a atrair os viajantes. Com isso as fazendas locais começaram a oferecer alimentos, bebidas e acomodações para os viajantes. Com o tempo, estalajadeiros, mercadores, artesãos etc. se estabeleceram ali e formaram uma feira, atraindo os produtores locais para negociar seus produtos e comprar mercadorias importadas. Skre sublinha que tais características parecem ter ocorrido no caso de Ribe, Kaupang e Vestfold.

Por sua vez, a segunda onda de urbanização somente ocorreu no final da Era Viking, começando por volta do ano 1000. Nesse período algumas cidades como Birka, haviam sido abandonadas, enquanto cidades como Kaupang, Jelling, Vestfold, Ribe e Hedeby ainda se mantinham. Data dessa segunda expansão o surgimento das cidades de Sigtuna na Suécia, Århus, Lund e Roskilde na Dinamarca, Oslo e Trondheim na Noruega. Oslo é a atual capital da Noruega, e Trondheim era na época a cidade mais ao norte do reino norueguês.

O processo de urbanização escandinavo da Era Viking esteve principalmente relacionado a fatores econômicos, pois apesar de algumas cidades serem grandes e ricas para os padrões da época, não significava que os reis as habitassem. Por exemplo, na Dinamarca, as cidades de Ribe e Hedeby eram as mais economicamente desenvolvidas, mas os reis Gorm, o Velho, Haroldo Dente Azul e Sueno Barba Bifurcada viviam em Jelling, situada no meio da península da Jutlândia. Ribe e Hedeby possuíam saídas para o mar, o que favorecia o comércio, mas também a chegada de frotas inimigas. No caso de Hedeby, sua proximidade com o Sacro Império Romano germânico a tornou alvo dos germanos e eslavos.

Por tais motivos, algumas dessas cidades mercantis não se tornaram a sede dos reinos – apesar de serem locais prósperos e que possuíam defesas para caso de invasão, os monarcas preferiam outras localidades. No entanto, isso não retirava a importância política e estratégica dessas cidades mercantis, que eram fortificadas para inibir ataques e impedir que invasores se apossassem de suas riquezas.

O processo de urbanização contribuiu para o crescimento comercial, a conexão com o comércio internacional, aumentou os interesses políticos e militares de controle dessas rotas e produções, além de ter favorecido para a difusão de uma fé estrangeira, o cristianismo. Hans Andersson aponta que uma das características do cristianismo antigo era ser difundido primeiro nas cidades para depois alcançar os moradores do campo. Na Escandinávia, ocorreu o mesmo.

As primeiras igrejas e catedrais da Dinamarca, Noruega e Suécia foram erguidas nas cidades mercantis, pois além de serem locais que atraíam mercadores, atraíam também toda a variedade de viajantes, por distintos fatores e interesses. Assim, ainda no século IX, encontram-se missionários como São Oscar viajando pela Dinamarca e Suécia e iniciando as obras de igrejas.

Leandro Vilar Oliveria

Ver também Comércio; Era Viking; Escandinávia; Habitação.

ANDERSSON, Hans. Urbanisation. In: HELLE, Knut (ed.). *The Cambridge History of Scandinavia*. New York: Cambridge University Press, 2003, pp. 312-342 (vol. 1: Prehistory to 1520).

CLARKE, Helen. Cidades, comércio e ofícios. In: GRAHAM-CAMPBELL, James (org.). *Os vikings*. Barcelona: Editora Folio S.A., 2006, pp. 78-88.

SAWYER, Peter H. *Kings and Vikings: Scandinavia and Europe AD 700--1100*. London/New York: Routledge, 1982.

SKRE, Dagfinn. The development of urbanism in Scandinavia. In: BRINK, Stefan; PRICE, Neil (eds.). *The Viking World*. London/New York: Routledge, 2008, pp. 83-93.

VALSGARDE

Valsgarde é uma fazenda às margens do rio Fyris, na localidade de Vendel no distrito de Uppland, cerca de três quilômetros ao norte de Gamla Uppsala, centro da antiga religião nórdica e dos antigos reis Svears. A fama dessa localidade deriva dos depósitos funerários que datam do período entre os séculos VI ao XI. A região seria escavada por arqueólogos pela primeira vez na década de 1920 e ficaria famosa pelos achados de 1933 que contemplaram o depósito funerário número 7.

Tal depósito funerário apresentaria equipamentos de guerra: um elmo típico do Período Vendel, três escudos, duas espadas, dois saxes, uma ponta de lança, 53 pontas de flecha e dois cintos com bainhas para espada; peças de jogos; achados têxteis, como uma cama de penas e alguns travesseiros; pentes feitos de ossos de animais; animais sacrificados, encontrando-se ossos de gado, porco, ovelha, coruja, galo, pato e ganso; ferraduras de cavalo; uma sela; quatro freios; coleiras para cães e um corno de bebida. O depósito foi realizado por inumação em uma embarcação de 8,5 m de comprimento construída em carvalho.

Por achados como o do deposito funerário de número 7, Valsgarde seria classificada como um local pertencente à aristocracia e reforçaria a importância da localidade de Vendel, contribuindo para o nome dado ao período da Idade do Ferro entre os séculos VI e VIII. Não por acaso, quando tratamos de dividir a Idade do Ferro sueca, encontramos o nome da já supramencionada localidade, no denominado Período Vendel.

Munir Lutfe Ayoub

Ver também Arqueologia da Era Viking; Suécia da Era Viking; Viking.

ALKEMADE, Monica. A history of Vendel Period archaeology: Observations on the relationship between written sources and archaeological interpretation. In: THEUWS, Franciscus Cornelius Wilibald Josephus; ROYMANS, Nico (eds.). *Images of the past: Studies on Ancient Societies in Northwestern Europe*. Amesterdam: Universiteit van Amesterdam Giffen-Institut, 1991, pp. 267-291.

ALMGREN, Bertil. Helmets, Crowns and Warrior's Dress: From the Roman Emperors to the Chieftains of Uppland. *Vendel Period Studies*, vol. 2, 1983, pp. 11-16.

ANDERSON, Phyllis. Aspects of site topography and boat morphology of the inhumation boat graves of Vendel period Sweden. *Vendel Period Studies*, vol. 2, 1983, pp. 31-38.

ARRHENIUS, Birgit. The chronology of the Vendel graves. *Vendel Period Studies*, vol. 2, 1983, pp. 39-70.

VAREGUES

Varegue, também conhecidos na literatura lusófona como varegues ou varângios, foi a denominação dada inicialmente pelos bizantinos e mais tarde pelos rus aos vikings que se aventuraram nas terras ao leste da Escandinávia, denominada pelos nórdicos de Austrvegr em algumas de suas fontes. Esses vikings eram inicialmente provenientes da Suécia, mas eventualmente o termo se tornou generalizante para escandinavos em Rus e para mercenários vindos do norte em Bizâncio. A nomenclatura, tanto *varangoi*, no idioma grego, quanto *variag*, no eslavo eclesiástico antigo, tem sua raiz na palavra *væringi*, do nórdico antigo. Sigfús Blöndal e Benedikt Benedikz argumentam que o termo significaria "companheiro fiel" devido ao significado do radical *vár* (fé em, voto de fidelidade). O termo em si viria do germânico *wādrenga*, tendo o sentido de um estrangeiro que serve seu senhor a partir de um contrato de lealdade. Mas os autores chamam atenção para o fato de que a nomenclatura apareceu em Rus antes do que em Bizâncio, e o sentido se aplicaria mais para a relação dos escandinavos com os gregos.

A partir do século VIII, os varegues começaram a se aventurar pelas terras do leste em busca de prata e produtos como peles e âmbar. Ingmar Jansson afirma que a principal atividade econômica dos varegues seria o comércio e tributação, o que deu origem a um processo de colonização. Um desses grupos de varegues que se assentou na Rússia Europeia foram denominados de rus por francos, bizantinos e árabes. A tradição da *Crônica dos Anos Passados* afirma que os varegues chegaram inicialmente em Rus em meados do século IX, com os irmãos Riúrik, Sineus e Truvor sendo requisitados pelos eslavos locais para que os liderassem. Mas evidências arqueológicas mostram que os nórdicos estiveram presentes na Rússia europeia desde o século VIII, com seu posto comercial em Staraia Ladoga no atual noroeste da Rússia. É aceita pela historiografia a possibilidade da existência de uma unidade política antes do estabelecimento de Riúrik e seus irmãos no território, cuja unidade seria conhecida como Caganato de Rus, embora não se saiba onde se localizava sua capital, sendo Staraia Ladoga, Gnezdovo e Riurikovo Gorodische as principais candidatas.

A partir do final do século IX e motivados por um comércio direto com Bizâncio, os rus que antes se encontravam no norte foram ao sul, em direção ao rio Dniepre e à cidade de Kiev. O caminho fazia parte de uma das rotas mais importantes do leste: a chamada Rota dos Varegues aos Gregos, que ligava o mar Negro ao mar Báltico. Mas em 860 os varegues atacaram e pilharam os arredores da capital imperial e, mesmo sem conseguir atacar Constantinopla devido a sua fortificação, eles se mostraram, conforme fontes bizantinas, como forças devastadoras. Os varegues de Rus atacaram os bizantinos várias vezes entre os séculos IX e X, aparentemente entrando em trégua após a morte de Sviatoslav Igorevich (964-972). Alguns tratados de paz entre os varegues de Rus e os bizantinos presentes na *Crônica* dão uma noção do poder político dos escandinavos dentro da Rússia europeia: no tratado de 912 aparecem quinze varegues com nomes claramente escandinavos a serviço de Oleg, o Profeta (882-912), sucessor de Riurik, e dos outros príncipes e aristocratas de Rus que estavam sob o comando de

Oleg, demonstrando que o príncipe de Kiev tinha a primazia entre os demais. Os varegues fizeram parte da elite de Rus durante toda a Era Viking até a eventual "eslavização da elite", em especial formando o séquito militar que servia como um exército particular dos príncipes conhecido como *drujína*.

Os varegues rus também chegaram em terras islâmicas. A maior parte da prata que os varegues buscavam vinha das regiões subjugadas ao Califado Abássida e de outros territórios islamizados, sob a forma de moedas de prata chamadas *dirhams*. A grande quantidade dessas moedas presentes ao longo do leste geralmente são utilizadas por arqueólogos para verificar locais de assentamentos varegues e a datação de suas estadias ou viagens. Parte da Rússia europeia, a Bulgária do Volga foi um dos territórios islamizados, localizada na rota que ligava o rio Volga ao mar Cáspio, rota esta que foi inicialmente mais importante do que aquela cujo destino era Constantinopla. As trocas não aconteciam somente nos locais árabes, mas também em Staraia Ladoga, Novgorod e Itil, capital do Caganato da Cazária, por meio de intermediários, geralmente cázaros, entre os árabes e os escandinavos. Além da prata, os varegues conseguiam com os árabes contas e seda, e em troca ofereciam escravos, mel, cera e peles.

Alguns varegues preferiram ficar em Mikligardr (nome com o qual os escandinavos chamavam Constantinopla) e atuaram como uma guarda mercenária a serviço do exército bizantino e do Imperador, em uma elite militar conhecida como Guarda Varegue. É provável que essa elite tenha existido desde o século IX, com uma menção de rus vindos da Suécia e enviados pelo imperador bizantino Teófilo (829-842) presente na fonte carolíngia *Annales Bertiniani,* mas ela só passou a ganhar força a partir da última década do século X, no governo de Basílio II (960-1025), e do envio de tropas varegues por Vladimir I Sviatoslávitch (978-1015) para auxiliar o imperador contra uma revolta interna. A Guarda Varegue era inicialmente composta somente por varegues de Rus, porém noruegueses, dinamarqueses e até bretões se juntaram à elite guerreira com o passar dos anos, e é provável que até mesmo alguns eslavos também tenham feito parte. Mesmo que a maioria fosse escandinava, o líder não era necessariamente um varegue, podendo ser bizantino desde que compreendesse o idioma dos varegues.

Segundo Raffaele D'Amato, o número de guerreiros chegou a seis mil no século X, mas essa quantidade pode ser exagero das fontes. Nestas, o número oscila entre as descrições de batalhas, com o número máximo podendo chegar realmente a três mil varegues. A Guarda Varegue foi utilizada esporadicamente e somente em últimas instâncias, e nos grandes cercos eles tinham o direito do primeiro saque e pilhagem. Não se sabe ao certo a estratégia de batalha dos varegues, mas eles utilizavam primariamente machados e lanças. Conforme o relato de Anna Commena, é possível que parte da Guarda possuíse uma cavalaria ou alguns varegues pudessem batalhar a cavalo. De acordo com Blöndal e Benedikz, a Guarda Varegue sobreviveu até o século XIII, aceitando mercenários do norte que não necessariamente eram escandinavos, mas alguns resquícios permaneceram na organização militar bizantina até a dominação otomana em 1453. Um dos membros mais ilustres, o rei norueguês Haroldo Hardrada (1046-1066) fez parte da Guarda Varegue entre 1034 e 1041, quando um incidente com os imperadores bizantinos fez com que ele fosse preso e fugisse de Constantinopla.

Além de Rus e do Império Bizantino, os varegues se aventuraram pela região do Báltico. Conforme diz André Muceniecks, as expedições nórdicas ao leste são diretamente relacionadas com as primeiras incursões no Báltico. A arqueologia mostra que havia atividade de escandinavos na Estônia e na Letônia desde o século VI, enquanto na Lituânia não havia um contato expressivo. O rio Daugava possuía uma rota que permitia o acesso à Rota do Varegues aos Gregos, e há indícios de postos comerciais na área fundados no século X. Mas a quantidade de *dirhams* encontrada ao longo da região é pequena, indicando que o Báltico não era fundamental na comercial varegue. Heiki Valk ainda afirma que não houve um impacto escandinavo considerável na cultura dos povos bálticos, mesmo com a relação entre ambos sendo baseada em aspectos comerciais e militares.

Leandro César Santana Neves

Ver também: Crônica dos Anos Passados; Kiev; Mikligardr; Novgorod; Olga de Kiev; Rus; Rússia da Era Viking; Staraia Ladoga; Vladimir I de Kiev.

BLÖNDAL, Sigfús. *The Varangians of Byzantium*. Trad. Benedikt S. Benedikz. Cambridge: Cambridge University Press, 1978.

D'AMATO, Raffaele. *The Varangian Guard 988-1453*. Oxford: Osprey, 2010 (Men-at-Arms series, 459).

DUCZKO, Wladsyslaw. *Viking Rus: studies on the presence of Scandinavians in Eastern Europe*. Leiden: Koninklijke Brill NV, 2004.

JANSSON, Ingmar. Warfare, Trade or Colonisation? Some General Remarks on the Eastern Expansion of the Scandinavians in the Viking Period. In: HANSSON, Pär. *The Rural Viking in Russia and Sweden*. Örebro: Örebro kommuns bildningsförvaltning, 1997, pp. 09-55.

MUCENIECKS, André S. *Austrvegr e Garðaríki: (re)significações do leste na Escandinávia tardo-medieval*. Tese de Doutorado em História Social. São Paulo: Faculdade de Filosofia, Letras e Ciências Humanas, USP, 2014.

SHEPARD, Jonathan. The Viking Rus and Byzantium. In: BRINK, Stefan; PRICE, Neil (eds.). *The Viking World*. London: Routledge, 2008, pp. 476-516.

VALK, Heiki. The Vikings and the Eastern Baltic. In: BRINK, Stefan; PRICE, Neil (eds.). *The Viking World*. London: Routledge, 2008, pp. 485-495.

VESTUÁRIO

As descobertas arqueológicas de roupas do Período Viking podem ser consideradas raras, pois todas as peças do vestuário eram feitas com fibras naturais e, portanto, degradáveis. Esses achados, em sua maioria provenientes de descobertas realizadas em enterramentos, geralmente são pequenos pedaços de material preservados por acaso. Nosso conhecimento sobre o vestuário viking é complementado por fontes escritas, como as sagas, e por roupas retratadas em figuras pequenas, como pingente e algumas tapeçarias.

Os homens e as mulheres se vestiam de acordo com sexo, idade e *status* econômico e social. Os homens usavam as calças e as túnicas, e as mulheres usavam faixas que envolviam as pernas e o baixo ventre, como roupas íntimas. As roupas mais comuns, usadas no cotidiano e principalmente para o trabalho nas fazendas, eram feitas de materiais cultivados pelas próprias famílias, como lã e linho, que eram cardados, fiados e tecidos pelas mulheres. Alguns fragmentos de tecido encontrados em túmulos de indivíduos mais ricos mostram que algumas roupas eram importadas. Os mais abastados exibiam sua riqueza utilizando adornos nas roupas feitos com fios de seda e ouro, importados principalmente de Bizâncio. Alguns acessórios, como se denomina hoje, complementavam o vestuário, tais como joias e peles de diferentes animais, os quais eram usadas para complementar as capas e túnicas e também como estolas que tinham uma finalidade estética, ao mesmo tempo que aqueciam o pescoço e as orelhas.

As mulheres normalmente usavam uma veste que recebia o nome de *smokkr*. Essa veste era composta por uma túnica larga (que é uma *chemise*, utilizada pelas mulheres durante toda a Idade Média), feita de linho ou lã – que servia tanto para uso diurno quanto como roupa de dormir, facilitando assim o ato de vestir-se pela manhã – e um avental, usado sobre a túnica, feito de um tecido mais grosso, geralmente lã, que era ajustado ao corpo e costurado. Além disso, esses aventais possuíam pregas que eram costuradas no vestido para modelá-lo, deixando-o mais resistente. Esse avental era ajustado sobre o peito e preso por uma alça em cada ombro. A alça era fixada na frente com um par de broches, geralmente de forma oval e abaulados, feitos com diferentes materiais. As mulheres mais ricas usavam broches de metais preciosos; as mais pobres usavam os mesmos ornamentos feitos geralmente com ossos e até com madeira. Entre os dois broches, era comum se usar um colar feito com contas coloridas de vidro, âmbar, madeira e conchas. O tamanho do colar também dependia do quão abastada era a dona, de modo que as mulheres mais ricas possuíam os maiores deles. As mulheres também usavam uma capa sobre os ombros, que ficava presa com um pequeno broche redondo, e, além das peles, o manto e o vestido podiam ser decorados com bordas tecidas e faixas decorativas.

As roupas usadas pelas crianças eram muito semelhantes às roupas usadas por seus pais. As meninas jovens vestiam túnicas e aventais, enquanto meninos jovens vestiam túnicas e calças.

Os homens geralmente usavam uma túnica, uma calça e uma capa. A túnica era uma camisa de braços compridos sem botões e poderia descer até os joelhos, muito semelhante à *chemise* feminina. Sobre os ombros, o homem usava um manto, que ficava preso com um broche. O manto ficava recolhido sobre o braço com o qual ele puxava a espada ou o machado. Desta maneira, era possível reconhecer se um homem era destro ou canhoto. As calças tinham um corte simples e eram bem largas para não prender os movimentos, com duas partes iguais, costuradas nas laterais internas e externas, enquanto na cintura eram presas por cordões de tecido ou couro. Em torno das pernas, para mantê-las aquecidas, enrolavam faixas largas de lã. Como calçado, tanto os homens como as mulheres usavam sapatos ou botas de couro, muitas vezes forrados com pele para ficarem mais quentes. Suas roupas não possuíam bolsos, e homens e mulheres podiam usar cintos ou então cordões presos ao redor da cintura para segurar suas roupas. Em seu cinto, podiam levar uma bolsa ou uma faca. A bolsa poderia conter vários objetos, como um pente, um limpador de unhas, peças de jogo, moedas de prata e agulhas. Alguns homens também usavam uma espécie de gorro, forrado e ornamentado com pele. Algumas roupas recebiam um tratamento especial para ficarem impermeáveis. Os fios de lã eram tratados com cera de abelha para torná-los macios e óleo de peixe para que fossem impermeáveis.

Durante a Era Viking, os mais ricos tiveram acesso a produtos vindos de várias partes do mundo e isso se refletiu em suas roupas. O estilo de vestuário da corte bizantina, em particular, inspirou algumas das roupas usadas pela alta aristocracia dinamarquesa. Prova disso é que os enterros dinamarqueses que datam do final da década de 900 apresentam fragmentos de roupas e ornamentos que faziam parte dos círculos judiciais europeus cristãos, que importavam tecidos de Bizâncio. Nesses círculos, a seda estava entre os materiais mais procurados e era associada ao prestígio. Além disso, as diferentes cores de seda simbolizavam riqueza e poder. As cores azul e vermelha eram especialmente procuradas justamente por serem as mais chamativas e estarem diretamente associadas ao poder social e econômico. Estes tecidos e cores foram usadas pelo príncipe Mammen de Bjerringhøj, na Jutlândia, Dinamarca. Suas roupas vermelhas e azuis eram as de um homem muito rico e poderoso.

As roupas foram tecidas em muitas cores diferentes. O fio colorido poderia ser produzido ao ser fervido com várias plantas que produziam corantes. As cores que os arqueólogos identificaram como as mais usadas na Era Viking foram o amarelo, vermelho, roxo e azul. O azul só foi encontrado nos enterros de indivíduos ricos, pois aparentemente era uma cor de difícil acesso e custava caro. A cor azul podia ser encontrada em plantas nativas ou então importadas, como é o caso do índigo, que era adquirido no exterior. Cerca de 40% dos achados de tecido da Era Viking foram identificados como linho. O linho deve, portanto, ter sido uma planta importante para a produção de roupas para toda a comunidade. As pesquisas apontam que eram necessários mais de vinte quilos de fibra de linho para produzir material suficiente para fazer uma túnica, por exemplo. Além disso, a tarefa – desde a semeadura do linho até a túnica totalmente pronta – provavelmente exigia quase quatrocentas horas de trabalho. Em vários locais da Dinamarca foram encontrados vestígios da produção quase industrial de linho. O linho deve, portanto, ter sido um produto importante no comércio da Era Viking.

Luciana de Campos

Ver também Cotidiano; Cultura material; Mulheres; Tecelagem

GUTAOP, Else Marie. *Medieval Manner of Dress. Documents, images and surviving examples of Old Northen Europe, Emphasizing Gotland in the Baltic Sea.* The Country Museum of Gotland, 2001.

JESCH, Judith. *Women in the Viking Age.* London: Boydell & Brewer Ltd, 1999.

SMITH, Michèle Hayeur. Textiles, Wool and Hair. In: SVEINBJARNARDÓTTIR, Guðrún (ed.). *Reykholt: the church excavations.* Reykjavík: The National Museum of Iceland, 2016, pp. 139-150.

VIKING

Este termo tem origem e significado polêmicos e é discutido pela historiografia contemporânea, bem como empregado genericamente com dois sentidos: étnico, enquanto sinônimo para habitante da Escandinávia durante a Era Viking, e ocupacional, referindo-se a ações náuticas efetuadas por alguns nórdicos. O debate sobre o uso do termo envolve diversas perspectivas da escandinavística, além do seu uso popular pela mídia e arte.

Etimologia: Existem diversas explicações para a origem do termo viking, concentradas em torno de cinco hipóteses principais:

1. Pessoas da região de *Viken* (*Vík*, em nórdico antigo), no sudoeste da Noruega, significando simplesmente "homens de Viken". Segundo Eldar Heide, as fontes não indicam objetivamente uma ligação com essa região em específico.

2. Pessoas que saíram da baía (*vik*). Foi derivada do termo feminino *vík*, baía, enseada, referindo-se às pessoas que embarcavam em baías.

3. Alguém que está afastado de sua casa seria relacionado com a palavra *víkja* (mover, caminhar, trilhar); viking teria, então, o significado de alguém que está afastado de sua casa. Nesta hipótese, principalmente o masculino Víkingr é levado em conta.

4. Do inglês antigo *wicing* (f.), pessoa que visitou o *wic*. Contração da palavra báltica *wic* – segundo Stefan Brink, uma germanização da palavra latina *vicus* (porto, local de comércio), que é encontrado em locais como Ipswich, Norwich, Hamwich. Para Eldar Heide, o termo foi originado do Período Merovíngio, enquanto para Otto Gronvik teria sido tomado de empréstimo da palavra anglo-frísia *wítsing* (guerreiro acampado). Essa ideia corrobora o fato de que muitas rotas eram conhecidas pelos guerreiros. Viking seria, então, alguém que teria visitado esses *vicii* ou *wics* e posteriormente foram denominados de *wicingas*, *víkingar*. Vik era um dos nomes dados aos locais de comércio na Europa Setentrional visitados pelos piratas, pois muitos eram conhecidos como *wic* (centros de comércio, como Hamwic na Inglaterra). Como houve um grande desenvolvimento comercial a partir do século VIII, inicialmente esses locais eram visitados por comerciantes, que passaram depois a serem piratas e depredarem essas mesmas regiões.

A expressão "sair à viking" (*fara í Víking*) pode ter derivado dos locais onde os piratas estavam localizados ou então onde estavam protegidos antes de atacar os seus alvos. Isso é ainda mais relevante se percebermos que, nos manuscritos anglo-saxões e glossários anglo-latinos do século X (como no poema *Widsith*: *siþþan hy forwræcon wicinga cynn*, desde que repeliram seus parentes vikings), o termo *wicing* está atrelado a um sentido de pirataria ou saque (os próprios saxões eram conhecidos como *archipirata*) e foi utilizado até o século XIII. Mas Christine Fell observa que essa atividade náutica não era exclusivamente relacionada aos escandinavos, sendo a semântica da palavra associada de modo mais genérico e deste modo, questiona a associação direta entre as palavras *viking* (inglês moderno), *víkingr* (nórdico antigo) e *wicing* (inglês antigo). No final da Era Viking, temos os usos de *víkingr* – no sentido de saqueador ou pirata; e guerreiro do mar ou assediador (*víking*).

5. Derivado da palavra *vika* (feminino, sueco antigo, unidade de distância náutica). Essa hipótese foi reforçada em 1944 por Fritz Askeberg e posteriormente por Clas Brunius em 1982. A ideia básica é que o sentido da palavra seria bem anterior à Era Viking, apesar de ser ainda utilizado nesse período pelos escandinavos para se referirem a pessoas que foram para outras regiões. Em 1983, o pesquisador Av Daggfeldt propôs outra interpretação, mas ainda seguindo esta hipótese da relação com o termo em nórdico antigo *vikja* (turno). Para ele, a expressão viking significava "os remadores que trocam de turno", também baseado em runas encontradas em remos da Groenlândia, que mencionavam a constante substituição devido ao cansaço da atividade. O sentido da expressão, deste modo, seria bem mais antigo que a Era Viking e associado estritamente com atividades náuticas durante o período das migrações e não seria exclusivamente nórdico, mas germânico em geral. Em 2005, Eldar Heide aprofunda essa mesma hipótese, justificando que a origem etimológica (século IV) condiz com a nova tecnologia das velas e remos entre os germanos antigos. Assim, associação da palavra viking (homem do remo) com os povos escandinavos seria secundária e posterior. Ela já seria usada, por exemplo, entre os antigos frísios (como em *witzing*, século V).

Terminologias não escandinavas para os nórdicos: Fora da Escandinávia, outros nomes para viking foram comumente utilizados, como pagãos, nórdicos, danes, rus, estrangeiros. Em anglo-saxão, a palavra *wicing* é aplicada em algumas tribos germânicas antes da Era Viking, mas durante os séculos IX e X ela passa a ser aplicada para os viajantes escandinavos. No poema da batalha de Maldon (séc. XI), a palavra é utilizada significando marinheiro nórdico. Não é consenso que o termo *wicing* tenha relação direta com o termo viking. O termo viking não era comumente utilizado na Era Viking. Na França os escandinavos eram conhecidos por *nordmanni* ou *dani* e na mesma época, na Inglaterra eram chamados de pagãos ou danes. Na Irlanda eles eram denominados de pagãos e uma distinção era feita entre noruegueses (conhecidos por *finngall*, estrangeiros brancos) e danes (*dubgall*, esntrangeiros negros). No Leste, os suecos eram conhecidos por *rus* (sueco antigo: **roþs*, remadores) ou *varjag* (do nórdico antigo *væringi*). Outro termo comum para escandinavo era pagão (*paganus, gentilies*, em latim; *majus*, em árabe). Foi na Inglaterra do século IX (fora da Escandinávia) que o termo viking foi mais comumente aplicado para os nórdicos.

Viking nas inscrições rúnicas: Segundo Stefan Brink, no nórdico antigo, *víkingr* é uma palavra masculina, normalmente traduzida por guerreiro do mar (uma pessoa), enquanto *víking* é feminina, significando expedições militares no mar (a atividade). O termo masculino, *Víkingr*, é utilizado em nomes pessoais masculinos em inscrições rúnicas da Escandinávia, ou mesmo associado a antropônimos como *Toki Víkingr*. A palavra é relacionada nessas inscrições a homens que participaram de expedições com outras pessoas, uma jornada coletiva. Certamente a maioria desses indivíduos faziam parte de expedições militares, conduzidas por um grupo de guerreiros (*lið*) sob o commando de um líder, chefe ou rei.

Isso é exemplicado na inscrição encontrada em Harlingstorp, Suécia, datando do século XI, que narra como Toli atravessou o oeste com vikings (*varþ dauþr a vestrvegum i vikingu*). A inscrição de Hablingbo (G 370, Gotland), narra que Helgi tinha partido para oeste com vikings (*með vikingum*). Outro exemplo é fornecido pela inscrição de Bro (U 617), onde uma mulher patrocinou o monumento para o seu falecido marido: *saR x uaR x uikika x uaurþr x miþ x kaeti* (que foi um guarda de Gettir contra os vikings). Para Judit Jesch, as pessoas da Era Viking sabiam da conexão entre o substantivo víkingr e o nome pessoal Víkingr, este último tendo conotações positivas.

O termo feminino, víking, indica a atual expedição, a jornada, e somente ocorre três vezes no *corpus* epigráfico rúnico, sendo duas dinamarquesas (D 330 e D 334) e uma sueca (vg 61). Todas comemoram homens que morreram partindo *à viking* (*í víkingu*). A inscrição de Gardstanga (Suécia, D 330) informa que um grupo fez parte da expedição (*váru víða óneisir í víkingu*, "foram muito longe em atividades vikings"). Para Stefan Brink, o mais coerente seria considerar que o viking (masculino) é quem estava fora em viking (feminino), não tendo deixado a Escandinávia para uma jornada pacífica. O componente semântico do sentido guerreiro seria o verdadeiro originador da palavra.

Viking na literatura nórdica medieval: O termo viking começou a ser usado de forma geral a partir do século VII na Inglaterra anglo--saxônica até meados do ano 1300, quando desapareceu de forma geral das línguas escandinavas e anglo-saxãs, com exceção do islandês – que a utilizou estritamente no sentido de pirata. Nesse período, não tinham conotações étnicas ou geográficas, sendo utilizadas nas fontes anglo-saxãs e nórdicas como qualquer pessoa que realizasse atividades como pirata, marinheiro ou depredador. Assim, nessas fontes, um viking não era sinônimo de escandinavo em geral. O cronista Adão de Bremen registrou em *Gesta Hammaburgensis ecclesiae pontificum* IV (1070 d.C.) a seguinte afirmação: *Ipsi enim pyratae, quos illi Wichingos appellant* ("Eles mesmo se intitulam piratas, apelidados de wichingos").

Na poesia escáldica no século X temos alguns casos da utilização da palavra, empregados num sentido de incursores, mas usualmente "eles, os inimigos": ingleses, bretões ou nórdicos. Não existem casos de usos onomásticos para o termo Víkingr na poesia escáldica. O contexto pejorativo em que a expressão é utilizada aparece em vários poemas, geralmente para inimigos ou adversários de um rei. O poema *Liðsmannaflokkr*, ao descrever um ataque à Inglaterra, caracteriza os vikings como inimigos (*hríð víkingar kníðu*), assim como a *Eiríksdrápa* de Markús Skeggjason: *Víking hepti konungr fíkjum* ("O rei parou os vikings com muita força").

Mas a partir do século XI a poesia escáldica começa a dar um sentido positivo, de modo muito semelhante, como por exemplo na poesia de Egill Skallagrimson. A *Egills saga* narra que após o então menino Egill ter matado outo garoto com um machado, sua mãe Bera afirmou que ele se comportava como um verdadeiro viking (*kvað Egill vera víkingsefni, Lausavísur 3, Egills saga* 40) e quando ele fosse mais velho, seria conveniente lhe dar um barco de guerra, ou seja, uma ocupação altamente valorizada pelo contexto poético. Foi preservado outro poema de Egill, no qual ele afirma que em um navio partiria com vikings (*fara á brott með víkingum, Egills saga* 40). Na mesma saga, novamente se utiliza o termo, desta vez na narrativa prosaica para descrever as expedições piratas de junto a Thorolf na Suécia, na qual se descreve a bravura dos guerreiros também na poesia de Egill (*gangr vas harðr af víkingum, Egills saga* 48).

Outro exemplo de poesia escáldica é o poema *Víkingarvísur*, escrito por Sigvatr Þórðarson. Apesar de o manuscrito original não conter este nome (que foi conferido no século XIX), ele contém diversas referências das atividades do jovem Olavo Haraldsson (*leið vikinga sceiða*) enquanto pirateava e batalhava nas costas da Inglaterra.

Na poesia éddica também encontramos referências. Na narrativa de Brunhilde, quando ela viaja para Hel, é interrogada por uma giganta, que afirma que ela manchou sua mão com sangue de homens (em suas atividades enquanto valquíria), ao que Bruhilde responde que teria participado de expedições vikings (*þótt ek væraki víkingu, Helreið Brynhildar* 3). No mesmo poema, o herói Sigurd é denominado de viking danês (*víkingr Dana, Helreið Brynhildar* 12). Nesse sentido, a literatura nórdica medieval tanto utiliza o termo enquanto sinônimo para pirata, como também acaba destacando aspectos marciais e heroicos das atividades náuticas, empregadas conjuntamente com a mesma palavra.

Em algumas sagas islandesas o termo também ocorre. Na *Olafs saga Tryggvasonar en mesta* (século XIII), Snorri Sturluson utiliza três variações do termo. Em primeiro lugar, ao descrever as ações de pirataria de jovens reis, como Haraldo e Olavo (*vikingum*, capítulo 15; *vikingar*, capítulo 16; *i víking*, capítulo 52). Em segundo, para caracterizar ações náuticas para o oeste (*vestrviking*, capítulo 2). E por último, em referência aos famosos mercenários da região de Jórmsborg (*Iomsvikingum*, capítulo 86), também citados na *Jómsvíkinga saga*.

Viking e etnicidade na Alta Idade Média: A historiadora Clare Downham percebe que a Escandinávia da Era Viking foi constituída por um mosaico de etnias e de tensões locais, nem sempre unidos pelos reinos da Dinamarca, Suécia ou Noruega. A arqueologia reforça a ideia de laços locais muito fortes, concentrados em múltiplas camadas de comunidades, famílias e regiões. Filiações nacionais certamente foram muito fracas. Existem poucas fontes sobre como os nórdicos viam as atividades náuticas fora da Escandinávia e, portanto, quais as suas percepções da terra natal. As fontes geralmente são escritas por estrangeiros. Outra questão é o intenso hibridismo cultural derivado do contato dos nórdicos com os povos de outras regiões, obtido pelas migrações sucessivas e originando novas identidades. Os vikings da Rússia e Ucrânia fundiram-se aos elementos da sociedade eslava, báltica e oriental, enquanto que na Normandia eles foram rapidamente inseridos na cultura dos francos. Em Dublin a fusão das culturas gaélicas e escandinava foi testemunhada pela onomástica, arte e religiosidade. A hibridização cultural é uma das marcas do século x. Em outras áreas a identidade viking persistiu por mais tempo, como a Islândia e as ilhas Faroé. A Era Viking teve um impacto significante em muitas identidades locais da Europa medieval. Ao mesmo tempo, porém, essa identidade viking foi ampla e multifacetada, com muitas variações locais e algumas estruturas em comum, como a linguagem. As pessoas que viviam na Escandinávia não tinham consciência de nossas periodizações modernas e nem teriam considerado os vikings como fatores cruciais em suas vidas, mas ao mesmo tempo a Era Viking testemunhou a diáspora nórdica, bem como grandes transformações culturais, econômicas e políticas por toda a Europa. O sucesso dos vikings como fenômeno estava relacionado com suas habilidades de adaptação e modificação de acordo com as circunstâncias locais.

Em recente tese de doutorado, a historiadora Katherine Cross demonstrou que a identidade viking foi utilizada politicamente na Europa Setentrional durante a Era Viking. Durante os séculos ix, x e xi as ações dos incursionistas nórdicos alterou profundamente o panorama social, político e cultural do mundo medieval. Essencialmente apoiada em material genealógico, literário e histórico da Inglaterra e Normandia, a historiadora demonstra como essas duas regiões diferiram suas percepções sobre o patrimônio viking e seu impacto nas relações étnicas do período. A tese demonstra o desenvolvimento de uma única identidade viking na Normandia (definida em contraste com os francos), ao contrário da área inglesa, onde identidades vikings e escandinavas foram desenvolvidas em diversos sentidos e implementadas em ocasiões diferenciadas. Mas em qualquer situação, reivindicações dessa identidade não eram uma expressão de contato com a Escandinávia. Os textos normandos definem a identidade viking dentro de um contexto franco. Limites genealógicos, históricos e geográficos foram construídos entre a Normandia e a área dos francos – mas essas narrativas não visavam o resto do mundo nórdico. Na Inglaterra, por sua vez, a herança viking e escandinava foi utilizada na negociação de diversas formas de relacionamento. Às vezes era utilizada para definir limites dentro da Inglaterra, mas também foi usada para delimitar os habitantes do reino e as forças externas. O contato contínuo entre a Inglaterra e a Dinamarca fez com que o significado de viking e dinamarquês permanecesse ambíguo e dependente de um contexto. A falta de um contato entre a França e a Escandinávia permitiu que os normandos e seus vizinhos impusessem um significado consistente para uma identidade viking.

Viking na arte e nacionalismo moderno: Algumas das primeiras traduções modernas da literatura nórdica medieval, como a *Heimskringla* em 1633 (na tradução ao dinamarquês de Peder Claussøn Friis), ainda utilizavam a tradução de viking como pirata e não como substituto para nórdico. Foi a partir do século XVIII que os acadêmicos resgataram o termo das fontes medievais numa tentativa de criar um passado mais glorioso para seus países em processo de nacionalização. Especialmente as sagas islandesas tornaram-se fonte predileta para essa associação e como efeito direto disso, a palavra viking é mencionada no *Oxford English Dictionary* de 1807. Mas foram com os poetas suecos Erik Gustav Geijer, com o poema *Vikingen*, e Esaias Tegnér, com sua nova versão de *Friðþjófs saga*, que o termo viking se tornou uma palavra utilizada quase que exclusivamente como referência ao povo escandinavo.

Erik Geijer (1783-1847) foi um professor, historiador, músico e poeta dedicado ao liberalismo e ao nacionalismo sueco. Foi o líder da sociedade gótica, um grupo dedicado a promover performances do mundo nórdico antigo, como a leitura das *Eddas* e o consumo de hidromel, além de editar a revista *Iduna*, dedicado a estudos antiquários e poesia antiga. Nesse periódico, publicou em 1811 o poema *Vikingen*, talvez a mais influente obra artística para a propagação do imaginário moderno sobre o tema dos nórdicos aventureiros. Na narrativa, Geijer reconstitui a trajetória de um personagem com a idade de quinze anos que inicialmente se sente deslocado de seu ambiente doméstico e bucólico. O mar torna-se um atrativo e um dia ele abandona sua mãe e embarca em uma expedição marítima. Com a espada herdada de seu falecido pai, ele promote conquistar o seu país. Após lutar contra fortalezas e palácios e beber muito hidromel, rapta uma donzela em Valland. Tempos depois, após intensas aventuras, ele acaba morrendo no mar, com vinte anos. Geijer acaba valorizando o comportamento sangrento do personagem, inclusive ao raptar mulheres, mas o ponto central do poema é a liberdade e a glória proporcionada pela aventura marítima. Viking aqui torna-se tanto uma palavra associada a um guerreiro que sai em expedições (*kämpe*), quanto o rei do mar (*sjökonung*). Liberdade, independência e autogoverno na obra de Geijer confundem-se com a própria ideia de nação que a Suécia vinha construindo ao início do século XIX. Esse referencial foi tema da pintura *Viking* (1845), do norueguês Frederik Nikolai Jensen, onde um nórdico sequestra uma jovem mulher, esta com os ombros desnudos e com olhar apavorado. Envolvendo ela com seu braço (que porta um machado), o saqueador possui a autoridade da conquista e do saque, num misto de autoridade masculina e poder militar, algo antevisto na poesia de Geijer.

Também influenciado por Erik Geijer, em 1825 o professor e bispo sueco Esaias Tegnér publica a sua versão da *Frithiofs saga*, que se tornaria o grande épico nacional da Suécia do Oitocentos, traduzidos para diversas línguas. Essa obra é uma narrativa de amor entre o herói, Frithiof, e sua irmã adotiva, Ingeborg, cuja paixão é rejeitada pelos irmãos. Especialmente em um trecho desta obra, "Vikingabalk" ("O código Viking"), as empreitadas náuticas recebem uma valorização heroica, transformadas em uma série de normas, cujo âmago central são:

coragem, masculinidade, honra. Tegnér romantizou diversas passagens da *Edda* e radicalizou ainda mais a visão de um herói invencível, que não se detem por nenhum obstáculo ou temor. Neste sentido, a covardia é vista como um elemento passível de morte. Mas ao contrário de Geijer, o viking de Tegnér é moldado pelo cristianismo, ou seja, é um personagem "civilizado", sem comportamentos desregrados ou depredadores. Mas também os antigos nórdicos são associados positivamente ao contexto do paganismo, ainda que repleto de estereótipos, como no poema *A Vikings hall* (1830), do norueguês Henrik Wergeland. Nele, os guerreitos estão inseridos num contexto de grandes beberagens, junto aos seus armamentos e sob a proteção de Odin e Thor.

A partir da década de 1830 o termo viking passa a ser constante em inúmeros livros, obras artísticas, seminários e cartas, originando uma moda romântica – os nórdicos vistos como os antepassados ou pela figura do "outro", revelando aspectos das noções de identidade por parte dos intelectuais e artistas do século XIX. Especialmente a Era Vitoriana vai revelar muitas das suas noções de raça, nação, gênero e classe aplicadas ao contexto medieval, muito mais do que a referenciais históricos precisos. O termo também vai fazer sucesso do outro lado do Atlântico. Em 1841, foi publicada a primeira menção norte-americana ao termo: "I was a Viking old", no poema *The skeleton in Armor*, por Henry Wadsworth Longfellow, professor de línguas estrangeiras no Harvard College, em Massachussetts. Em síntese, o poema trata das aventuras heroicas e românticas de um escandinavo, desde as terras nórdicas até sua vinda para os Estados Unidos, onde constrói a torre de Newport para sua amada esposa. O protagonista é valente guerreiro que não tem medo de nada, que explora as escuras florestas em busca de grandes animais selvagens, como o urso, uiva como o lobo e navega pelo mar desconhecido. Nas novas terras, o viajante volta a explorar as exuberantes matas. Mas essa imagem de heroísmo também tem uma contrapartida. O viking imaginário, além de sua coragem, é um grande beberrão, gosta de grandes festas com muita cerveja. O poema termina com o característico brinde escandinavo: "Skoal! To the Northland! Skoal!". Esta idealização do viking como um intrépido aventureiro iria marcar profundamente a sociedade norte-americana, especialmente nas posteriores comemorações do dia de Leif Erickson.

No contexto da época, a palavra viking tornou-se tão usual que o linguista norueguês Ivar Aasen a inseriu em seu dicionário *Aasen 1 (1850)*, no sentido de habitante masculino da região de Vig, um contexto totalmente distante de como o termo aparecia no medievo. Ela também se torna frequentemente um referencial inserido no contexto político do momento, como em 1861 quando o professor londrino George Dasent proclamou: "Os vikings eram como a Inglaterra no século XIX. Criaram fábricas e ferrovias antes de todo mundo, foram os melhores na corrida da civilização e progresso. Não é de se admirar que eles sempre ganhavam".

Em 1899, a dupla de escritoras Edith Somerville e Violet Florence Martin criaram o termo vikingismo, aplicado num contexto de comportamento masculino extremado, sendo a partir dessa época usual em inglês coloquial. Mais recentemente, o acadêmico Andrew Wawn reutiliza o conceito num sentido das percepções imaginárias do período vitoriano sobre o passado escandinavo e elenca algumas das acepções que o viking possuía para a arte oitocentista: bárbaros, aventureiros, mercenários, piratas, soldados, colonos pioneiros, fazendeiros, democratas primitivos, *berserkir* psicopatas, amantes ardorosos, entre outros.

Nesse sentido, talvez nenhuma obra artística do século XIX tenha sido mais canônica do que a pintura *A viking funeral*, de Frank Bernard Dicksee, realizada em 1893. Nela, um grupo de guerreiros nórdicos arremessa uma embarcação sobre o mar, com o corpo de um homem e seus equipamentos, enquanto outro grupo observa a cena. Em primeiro plano, um dos guerreiros porta a tocha que acendeu a pira funerária e com o outro braço saúda o morto. A cena é tipicamente pré-rafaelita, com as cores vermelhas e brilhantes sendo destacadas na pira e na tocha, enquanto o resto do quadro é muito mais escuro. O quadro foi influenciado diretamente pela descrição do funeral do deus Balder (*Eddas*) e passou a ser um referencial canônico para qualquer funeral de reis e líderes da Era Viking, tanto no cinema quanto quadrinhos e literatura – mesmo não existindo referências históricas que confirmem essa prática. Outros elementos do quadro de Dicksee também são estereotipados, como os escudos de metal, capacetes com chifres e guerreiros com o busto nu, inspirados essencialmente pela ópera wagneriana. Para Joseph Kestner, essa pintura foi um produto da ideologia do império britânico, que vê os vikings como antecipadores do domínio marítimo do mundo pelos ingleses, do mesmo modo que as citadas ideias de George Dasent. Neste caso, o poder barbárico (representando pela força masculina e bélica) é visto positivamente, com o sentido de ter antecedido os feitos históricos da nação britânica.

A segunda metade do Oitocentos também foi envolvida pelos usos políticos do conceito. Na Finlândia, o periódico *Vikingen* foi criado em 1870 por um grupo de intelectuais envolvidos na conservação do uso da língua sueca no país (falado por uma minoria da população total). Nesse caso, o nome da revista ressignificava o passado com as pretensões nacionalistas do período. Um dos ativistas mais influenciados por este grupo fino-sueco foi o escritor Arvid Mörne, que mesclou o fervor nacionalista da língua com ideias socialistas. Em seus escritos sobre as sagas dos reis, ele expressava ideias patrióticas com o idealismo liberal e socialista.

O conceito Era Viking é adotado a partir dos anos 1870 na Suécia e no final do Oitocentos começou a ser disseminado em várias línguas e utilizado também por arqueólogos e historiadores. No século XX, o termo viking passou a ser relacionado genericamente com a Era Viking – um período de intensa atividade nórdica fora da Escandinávia. Os estereótipos, as imagens canônicas e todo o imaginário criado em torno dos aventureiros nórdicos penetra a cultura popular contemporânea, principalmente na Europa e Estados Unidos, especialmente associados à referenciais da cultura material (como as embarcações e o elmo com chifres).

O termo viking na academia contemporânea: Alguns pesquisadores atuais (como John Lind e Frederik Svanberg) defendem que o termo viking deveria ser substituído por outros mais neutros, como escandinavos, nórdicos ou pela a região específica que se pretende pesquisar, mas ao mesmo tempo, percebem que na prática isso é inconcebível, devido ao enraizamento do termo tradicional na cultura popular, na academia e na sociedade em geral. A pesquisadora Gudrun Whitehead analisou o impacto da imagem dos vikings e de seus estereótipos na formação de uma identidade nacional islandesa e britânica, por meio dos museus que possuem conteúdo relacionado e também concorda com um uso contextualizado do mesmo.

Influenciado por Stefan Brink e a historiografia britânica, o arqueólogo T. Douglas Price (*Ancient Scandinavia*, 2015) continua a utilizar o termo em equivalência com nórdico, especialmente em questões relacionadas a expansão, colonização e comércio no início da Era Viking. Em 2008, na obra *The Cambridge History of Scandinavia*, a dinamarquesa Elsa Roesdahl e o norueguês Preben Sørensen utilizam o termo cultura viking no sentido das tradições anteriores ao cristianismo e como o conjunto das tradições culturais presentes na Era Viking. Diversos pesquisadores europeus (como Judith Jesch, Katrina Burge, Shane McLeod, Bernard Mees, Clare Downham, entre outros) vêm empregando o conceito de identidade viking, num sentido de diversas tradições políticas, culturais e linguísticas desenvolvidas por comunidades nórdicas dentro e fora da Escandinávia durante a Era Viking – especialmente em confronto com outras etnias e conectados a conceitos mais amplos (como diáspora e hibridismo transcultural).

No Brasil, uma das utilizações mais antigas do termo foi com o livro *Vikings, os senhores do mar* (1970), escrito por Roberto Pereira de Andrade. Nesse manual de popularização científica, o autor questiona o sentido étnico tradicional e já aponta algumas indicações do uso ocupacional nas fontes medievais, mas sem maiores aprofundamentos. Foi somente em 2001 com o artigo "Fúria odínica: a criação da imagem oitocentista sobre os Vikings", publicado no periódico acadêmico *Varia História* (UFMG), que o Brasil tomou contato pela primeira vez com uma historiografia sobre esse tema. No artigo, os autores realizam um balanço das pesquisas arqueológicas, a etimologia e o conceito de viking nas crônicas e fontes literárias medievais, as representações artísticas do medievo, as representações literárias, históricas e artísticas do século XIX e os modernos estereótipos na cultura midiática e popular. Em 2010, o tema voltou a ser debatido no artigo "Notas sobre o termo viking" (*Alethéia* n. 2), realizando algumas discussões sobre os usos ocupacionais e étnicos do conceito.

Johnni Langer

Ver também Era Viking; Escandinávia; Vikings e Alemanha moderna; Vikings na literatura; Vikings na música; Vikings nas artes plásticas; Vikings no cinema; Vikings nos quadrinhos; Vikings na televisão; Vikings no Brasil.

BRINK, Stefan. Who were the Vikings? In: BRINK, Stefan; PRICE, Neil (eds.). *The Viking world.* London: Routledge, 2008, pp. 04-07.

CROSS, Katherine Clare. *Enemy and Ancestor: Viking Identities and Ethnic Boundaries in England and Normandy, c.950-c.1015.* Tese de Doutorado, University College London, 2014.

DAGGFELDT, Av Bertil. Vikingen: roddaren. *Fornvännen*, vol. 78, 1983, pp. 92-94.

DOWNHAM, Clare. Viking ethnicities: a historiographic overview. *History compass*, vol. 10, n. 1, 2002, pp. 01-12.

FELL, Christine. Old english wicing: a question of semantics. *Proceedings of the British Academy*, 1986, pp. 295-316.

HEIDE, Eldar. Viking – rower shifting? An etymological contribution. *Arkiv för nordisk filologi*, vol. 120, 2005, pp 41-54.

HEIDE, Eldar. Rus 'eastern Viking' and the viking 'rowershifting' etymology. *Arkiv för nordisk filolologi*, vol. 121, 2006, pp. 75-77.

JESCH, Judith. *Ships and men in the Late Viking Age.* London: Boydel, 2001.

LANGER, Johnni; SANTOS, Sérgio. Fúria odínica: a criação da imagem oitocentista sobre os Vikings. *Varia Historia* n. 25, 2001, pp. 214-230.

LANGER, Johnni. The origins of the imaginary Viking. *Viking Heritage* 4, 2002, pp. 06-09.

LIND, John. "Vikinger", vikingetid og vikingeromantik. *Kulm* (Årbog for Jysk Arkæologisk Selskab), vol. 61, 2012, pp. 151-168.

VIKINGS E ALEMANHA MODERNA

O termo "vikings" possui conotações históricas passíveis de discussão quanto à uniformidade de sua conceituação, a depender da visão historiográfica, antropológica, sociológica e mesmo étnica a que se filie o pesquisador que se debruce sobre o tema. Deslocando-se a partir das regiões que hoje englobam a Dinamarca, Noruega e Suécia, como bem assevera Johnni Langer (2015), o vocábulo pode, de forma resumida, ser associado a todos aqueles que partiram da Escandinávia Medieval em aventuras marítimas, e para os quais os objetivos contumazes consistiam em pilhagens, saques e expedições beligerantes, cunhando-se, de certa maneira, um período da Alta Idade Média europeia denominada Era Viking. Período este que chegou ao auge de suas atividades entre os anos 800 e 1050, tendo como seu *terminus a quo* o ataque ao mosteiro de Lindisfarne, localizado a nordeste da atual Inglaterra, em 08 de junho de 793, e como seu *terminus ad quem* o século XI – com seu ápice na derrota e morte de Haroldo Hardrada diante de Haroldo Godwinson na batalha de Stamford Bridge, em 25 de setembro de 1066.

Historiadores do porte de Boyer (1986; 2001), Brøndsted (2004), Graham-Campbell (2006) e Johnni Langer (2015), apenas para citar aqueles cuja bibliografia é de mais fácil acesso aos pesquisadores e interessados lusófonos, enfocam aspectos da cultura viking através dos mais diversos prismas, como práticas de religiosidade, cosmologia, estruturação social, organização política, aspectos culturais, entre outros. Todavia, a pluralidade de abordagens sobre os vikings ressalta sempre o traço de belicosidade e ferocidade dos homens do norte, como atestado pela frase, "*Libera nos, domine, a furore normannorum*". Debruçando-se apenas em suas características guerreiras efetivas, Birro (2011) destaca o armamento, as táticas empregadas em combate, a coesão entre as fileiras a partir de testemunhos literários e documentação da cultura material a partir de análises historiográficas. A eficiência dos *raids*, já a partir dos deslocamentos por mar em *drakkars*, e completada com ataques rápidos e ferozes, criou e propagou uma aura quase que de invencibilidade dos homens do norte. Nove séculos depois haveria a retomada dos valores marciais vikings como tradições inerentes ao mundo germânico continental, que tinha na Alemanha nacional-socialista seu maior centro difusor.

Já no século XIX estabeleceu-se um viés fortemente nacionalista na historiografia europeia, que buscava legitimar as nações através de uma remissão a um passado remoto. No caso do Império Alemão, formado em 1871 após a vitória conjunta da Prússia e seus aliados sobre a França, a legitimação histórica deu-se também pelo ufanismo reinante naquele momento. Na música, na literatura e nas artes em geral, voltou-se o olhar para a Antiguidade em uma busca das raízes de uma "germanicidade" comum, uma *Deutschtum*. Richard Wagner, ao final da ópera *Tristan und Isolde*, faz surgir em cena um grupo de guerreiros com elmos córneos, isto é, com galhadas, o que não condiz efetivamente com o que se possui de comprovações arqueológicas a respeito dos vikings. É certo, contudo, que a representação que mais os associou ao imaginário nacionalista e pangermanista dos Oitocentos aludia a aspectos guerreiros e ao seu físico. Langer (2001) aponta para a imagem de bárbaros rudes, guerreiros intrépidos e ferozes, além de possuírem estatura avantajada – 1,70m a 1,80m e tom de pele geralmente aloirado ou ruivo. Tais concepções gerais da época foram fundamentais para o surgimento e consolidação de um estereótipo largamente manipulado política e ideologicamente nos anos 30 do século seguinte.

Os anos que se seguiram à derrota do Império Alemão na Primeira Guerra Mundial e à instauração da República de Weimar em 1919 foram politicamente turbulentos na Alemanha, e já nos anos 20 o Partido Nacional-socialista dos Trabalhadores Alemães (NSDAP) afigurava-se como força política emergente, a qual, porém, sofreu um golpe repentino com o fracassado *Putsch* de 1923. A ascensão do NSDAP ao poder foi então concebida através do viés democrático, e praticamente um ano após as eleições presidenciais de 1932, Adolf Hitler foi convidado pelo então presidente, Paul von Hindenburg, a assumir o cargo de chanceler do *Reich*. Com a chegada do NSDAP ao poder, a política rearmamentista e nacionalista do Partido estendeu-se ideologicamente sobre todos os campos da cultura e vida alemãs da década de 30. Nesse sentido, a retomada e consolidação de valores considerados como basilares para o regime incluía um retorno ao legado guerreiro vitorioso do passado, que se assentava nas vitoriosas migrações e conquistas dos antigos povos bárbaros de ascendência germânica. Paralelamente a isso, a teoria racial da pretensa superioridade ariana, desenvolvida especialmente por Alfred Rosemberg (1930), difundiu-se no sistema escolar alemão, alegando que a supremacia nórdica também se fundamentava pelo tom de pele, cor dos olhos e altura elevada. Tais elementos, juntos, encontravam-se na principal força paramilitar de sustentação do regime, criadas em 1933, os Esquadrões de Proteção ou, em sua sigla em alemão, ss.

Com o início da Segunda Guerra Mundial (1939-1945) e a crescente necessidade de mais soldados para os fronts, as ss, já denominadas como Waffen ss (ss em Armas), começaram a intensificar uma propaganda de cooptação e recrutamento de jovens oriundos de países ocupados pela Alemanha, cuja aproximação "racial" e histórica serviria como elo de união do conquistado e do conquistador. Com esse intuito, ecos positivos reverberaram em várias regiões da Europa ocupada e principalmente da Dinamarca, Flandres, Holanda e Noruega, com o alistamento de jovens dispostos a lutar contra o bolchevismo. Criaram-se, no decurso do conflito, as seguintes divisões das Waffen ss com preponderante ascendência germânica: 6ª Divisão de Montanha ss – Nord; 11ª Divisão de Infantaria Motorizada de Voluntários das ss – Nordland; 23ª Divisão Blindada de Voluntários das ss – Nederland; 27ª Divisão de Infantaria de Voluntários das ss – Langemarck; 28ª Divisão de Infantaria de Voluntários das ss – Wallonien; 34ª Divisão de Infantaria de Voluntários das ss – Landstorm Nederland. Contudo, a mais importante dentre essas divisões de voluntários e a que mais representava o ideal nacional-socialista de deslocamento do passado viking para o guerreiro alemão do século XX era a 5ª Divisão Blindada ss – Wiking, criada em 1940.

Bragança Júnior (2014) discute o fato de que a absorção de voluntários com o perfil que se coadunava com as teorias de uma "raça ariana" foi facilitada pela propaganda visual em cartazes de recrutamento, que demonstravam uma solidez e vigor físicos, tão inquebrantáveis quanto os valores que defendiam. A associação entre virilidade viking e o soldado das Waffen ss é a ponte que une a ancestralidade nórdica à contemporaneidade, levando ao supersoldado da ideologia nazista. O homem do Norte é chamado para participar de uma missão histórica em defesa de sua pátria, tendo ao seu lado a imagem do "seu" antepassado viking.

Outro ponto de vinculação nazista entre o elemento nórdico contemporâneo, a saber, o norueguês, e o viking histórico completa-se com o motivo das embarcações desses, os *drakkars*, que levavam os guerreiros à realização de seus temidos *raids* na Europa a partir do século VIII, como se pode observar no cartaz de recrutamento para a Legion Norske, da Noruega.

Ressalte-se, em suma, a desapropriação indevida e falaciosa de um passado histórico, em que a personagem histórica e do imaginário viking serviu aos propósitos totalitários do nacional-socialismo durante os treze anos do *Reich* de mil anos.

Álvaro Alfredo Bragança Júnior

Ver também Era Viking; Escandinávia; Vikings na literatura; Vikings na música; Vikings nas artes plásticas; Vikings no cinema; Vikings nos quadrinhos; Vikings na televisão; Vikings no Brasil.

BIRRO, Renan Marques. *Uma história da guerra viking*. Vitória: DLL, UFES, 2011.

BOYER, Régis. *Die Piraten des Nordens – Leben und Sterben als Wikinger*. 2ª edição. Stuttgart: Klett-Cota, 2001.

BOYER, Régis. *Le mythe viking dans les letrres françaises*. Paris: Editions Du Porte-Glaive, 1986.

BRAGANÇA JÚNIOR, Álvaro Alfredo. O germano e os *Ritter* a serviço do nacional-socialismo: propaganda e reapropriação política da imagem dos germanos e dos cavaleiros medievais na Alemanha dos anos 40. *Brathair*, vol. 2, n. 14, 2014, pp. 79-96.

BRØNDSTED, Johannes. *Os Vikings: História de uma fascinante civilização*. São Paulo: Hemus, 2004.

GRAHAM-CAMPBELL, James. *Os vikings*. Barcelona: Folio, 2006.

KEEGAN, John. *Waffen-ss: Soldados da morte*. Rio de Janeiro: Renes, 1973.

LANGER, Johnni. Vikings. In: LANGER, Johnni (org.). *Dicionário de mitologia nórdica*. São Paulo: Hedra, 2015, pp. 546-549.

LANGER, Johnni; SANTOS, Sérgio Ferreira dos. Fúria odínica: a criação da imagem oitocentista sobre os vikings. *Vária História*, vol. 25, 2001, pp. 214-230.

ROSENBERG, Alfred. *Der Mythus des 20. Jahrhunderts: Eine Wertung der seelisch-geistigen Gestaltenkämpfe unserer Zeit.* München: Hoheneichen, 1930.

VIKINGS NA ÁFRICA E MEDITERRÂNEO

A expansão viking, principalmente em seu auge no século IX, levou incursões à Península Ibérica, por onde chegaram ao Mediterrâneo, estabelecendo contatos com cidades até mesmo na África. Não se sabe ao certo como os vikings tomaram conhecimento acerca do sul da Europa – possivelmente em contato com os saxões e francos, eles passaram a ter noção da extensão do continente e da existência de um mar interior e de outro continente ao sul da Europa.

A primeira incursão viking à Península Ibérica conhecida na história foi datada de 844, mas o arqueólogo Neil Price assinala que algumas fontes árabes apontam para possíveis incursões vikings desde o começo do século IX, a região do País Basco, hoje na fronteira entre Espanha e França. Mas como esses relatos são ainda inconclusivos, toma-se a data de 844 para o primeiro ataque a península.

De acordo com a *Chronicon Rotensis* de 883, no ano de 844, as cidades de Gijón no Reino da Galiza e La Coruña no Reino das Astúrias foram atacadas pelos vikings. Não obtendo o êxito esperado nesses dois ataques, a frota contornou a península, indo atacar Lisboa, na época território controlado pelo Emirado de Córdoba (756-929). Desde o começo do século VIII os árabes haviam chegado na Península Ibérica e rapidamente, em menos de um século, já ocupavam a porção sul da península. Lisboa foi saqueada por volta de 20 de agosto de 844.

De lá a expedição continuou contornando a costa e adentrou o Mediterrâneo pelo estreito de Gibraltar. A partir de setembro, as cidades de Cádiz, Medina, Sidonia e Algeciras foram saqueadas e incendiadas pelos ataques vikings. Possivelmente, a cidade de Asilah no atual Marrocos também foi atacada nessa época, consistindo no primeiro ataque viking conhecido no continente africano. No mês de outubro, navegando pelo rio Guadalquivir, a cidade de Sevilha foi saqueada e ocupada por cerca de um mês. A partir de Sevilha, várias cidades e outras localidades vizinhas foram alvos da pilhagem viking.

Após os ataques nos domínios árabes do Emirado de Córdoba não se sabe se aquela expedição viking teria prosseguido adiante na exploração do Mediterrâneo. Apesar de terem saqueado várias cidades nessa passagem do ano de 844, os árabes se mostraram bastantes difíceis de serem derrotados e extorquidos. Uma nova expedição viking à Península Ibérica somente ocorreria vários anos depois.

Em 859 teve início a segunda grande expedição à Espanha e ao Mediterrâneo, liderada por Hasten e Björn Flanco de Ferro, contando com cerca de 62 navios. Nessa segunda expedição, os dois líderes evitaram atacar as importantes cidades árabes, optando em assaltar portos menores e mais vulneráveis na região de Algarves, no sul do atual território português, e portos na costa marroquina. como Mazimma. De acordo com o historiador al-Bakri, os *majus*, termo árabe para se referir aos vikings, teriam ocupado Mazimma por oito dias, sequestrado duas nobres e exigido pagamento de resgate. De lá a frota seguiu para assaltar localizações nas Ilhas Baleares. Segundo as crônicas árabes da época, os vikings tinham como objetivo chegar até Roma.

De fato, a expedição viking de Björn e Hasten foi avistada ao sul da França. As cidades de Narbonne, Nmes, Aries e Valencia foram alvos de ataque. Posteriormente, a frota chegou à península Itálica. Em 860 a cidade de Luca foi saqueada pelos vikings. De acordo com relatos posteriores, eles acreditavam que Luca fosse Roma. Além dessa cidade, Pisa e Fiesole também foram atacadas. Desse ponto em diante o destino da frota viking é desconhecido. Aponta-se que continuaram a navegar pela costa italiana e teriam se dirigido para o Oriente.

Em 861, fontes árabes voltam a mencionar a passagem da frota viking, que atacou seus territórios novamente. E em 862, a cidade de Pamplona foi invadida pela frota de Björn e Hasten. Na ocasião, como apontam os cronistas árabes, o rei García de Pamplona foi feito refém, e cobraram-se 70 mil peças de ouro para liberá-lo, assim como sua cidade. Depois de tal acontecimento, a frota viking, que possuía por volta de 20 navios, retornou para a França, após três anos de viagem.

Outra grande expedição como essa não voltaria a ser vista. No século x novos ataques ao Reino da Galiza ocorreram em 951, 965-966. Nesse ano também se relatou uma batalha entre vikings e lusitanos ao norte de Lisboa. Em 968 o chefe Gunnraudr assassinou Sisnando, bispo de Santiago de Compostela. Na época a cidade já era um local de peregrinação cristã. Novos ataques à península, principalmente a Galiza devido a sua localização no norte, ocorreriam até o século xi, mas de forma esporádica.

No entanto se desconhece até onde outros navios se aventuraram pelo Mediterrâneo, pois os árabes intensificaram a vigilância do estreito de Gibraltar após a expedição de 859-862. Encontram-se menções de que navios vikings foram avistados na Grécia e no Egito, mas não há provas que corroborem tais avistamentos.

Leandro Vilar Oliveira

Ver também Era Viking; Viking; Vikings na Península Ibérica.

HAYWOOD, John. *Historical Atlas of Vikings*. London: The Penguin Books, 1995.

LOGAN, F. Donald. *The Vikings in History*. London/New York: Routledge, 1991.

MIKKELSEN, Egill. The Vikings and Islam. In: BRINK, Stefan; PRICE, Neil (eds.). *The Viking World*. London/New York: Routledge, 2008, pp. 543-549.

PRICE, Neil. The vikings in Spain, North Africa and the Mediterranean. In: BRINK, Stefan; PRICE, Neil (eds.). *The Viking World*. London/New York: Routledge, 2008, pp. 462-469.

VIKINGS NA FRANÇA

A primeira incursão escandinava ao Reino Franco aconteceu em 799, na região de Vendée. Até a década de 830, contudo, os *reides* vikings foram esporádicos, concentrados especialmente na Frísia, Flandres e no estuário do Sena. As principais regiões do Império Carolíngio atingidas pelas invasões foram a bacia do Sena, a Aquitânia, a Bretanha, a Nêustria e a área do Meuse, baixo Reno. Na perspectiva de Simon Coupland, podemos dividir a expansão viking em três fases, tanto na França quanto na Inglaterra: 1) 790-840: *reides* raros e de pequeno porte às regiões costeiras; 2) 841-875: aumento no número, escopo e escala das incursões; 3) 876-911: estabelecimento no território ocupado (colonização).

Neil Price, por sua vez, num estudo de caso sobre a Bretanha, separou as atividades vikings em cinco etapas: 1) 799-856, primeiros *reides*; 2) 856-892, agressão à França; 3) 892-907, paz de Alan, o Grande; 4) 907-939, conquista e ocupação da Bretanha; 5) 939-1076, últimos vikings. Para o autor, o ano de 856 é um marco fundamental, pois assinala o início de ofensivas mais intensas à Frância ocidental. Com efeito, a chamada Grande Invasão (856-862) e o cerco de Paris (885-886) distinguiam-se das investidas anteriores em virtude de sua meticulosa organização. Tais balizas cronológicas variam entre os historiadores, visto que, evidentemente, são meras convenções didáticas – na realidade, nunca existiu um plano viking (consciente e coletivo) que coordenasse as etapas, natureza e alcance da expansão na Europa. As invasões e colonizações de partes da Frância eram feitas por grupos independentes, que, muitas vezes, guerreavam entre si.

As explicações para as frequentes vitórias escandinavas sobre os carolíngios já foram (e ainda são) muito debatidas pela historiografia. Segundo Albert d'Haenens, as causas do sucesso viking foram a mobilidade de suas tropas (tanto na terra quanto nos mares/rios) e as estratégias militares, como o ataque surpresa. Janet L. Nelson, por sua vez, aponta certos motivos, como a escolha do momento propício para a ofensiva (à noite, p. ex.), a destreza naval e, talvez o mais importante, a capacidade para construir boas fortificações. Numa visão recente, Coupland afirma que as razões capitais foram as divisões políticas entre os francos, bem como a tática dos vikings de erguer acampamentos em locais de difícil acesso (como em ilhas) e evitar uma batalha aberta e demorada para reagrupar, reorganizar e, depois, voltar a lutar – sempre em ataques rápidos.

Seja como for, esses triunfos vikings construíram ao longo dos séculos uma imagem de "catástrofe" do mundo franco, em decorrência de profundas e duradouras crises socioeconômicas e políticas que teriam ocorrido. Devemos, no entanto, salientar de antemão que a ideia de um "catastrofismo" deriva sobretudo do exagero das fontes textuais daquela época, escritas quase sempre por clérigos. De fato, elas apresentam muitas vezes uma dicotomia religiosa entre "pagãos" (vikings) e "cristãos" (francos), num discurso que via os nórdicos como "ameaças apocalípticas", o "flagelo" enviado por Deus para punir os pecados dos carolíngios. As testemunhas oculares também registravam exageros numéricos, muitos deles relacionados à quantidade de inimigos – em 885, por exemplo, o monge Abbon Cernuus (c. 850-923) afirma que Paris foi atacada por "mais de mil vezes quarenta homens", cifra que não faz sentido quando confrontada à demografia (franca e viking) e às possibilidades limitadas de transporte e manutenção da tropa em território hostil.

Em verdade, a partir da década de 1960, os historiadores e arqueólogos iniciaram uma revisão historiográfica que matizou a visão "catastrófica" encontrada nas fontes cristãs e aquelas que eram oriundas de uma interpretação errônea (literal, p. ex.) dos documentos. É claro que os textos medievais não foram abandonados, mas eles passaram a ser interpretados principalmente à luz das descobertas arqueológicas, cada vez mais frequentes a partir da segunda metade do século xx. Com relação ao impacto dessas invasões no mundo carolíngio, observamos a mesma reconsideração nos historiadores contemporâneos.

Pierre Bauduin, por exemplo, lançou uma tese que minimiza os resultados das invasões vikings na civilização franca. Ele sustenta a ideia de uma "acomodação" dos invasores, que, obviamente, não estavam numa contínua guerra com os carolíngios. Na realidade, em várias regiões a consequência da chegada dos nórdicos foi muito menor do que se imagina. As destruições e combates não foram tão arrasadores e frequentes; muitas vezes, esses recém-chegados eram absorvidos e seus assentamentos assimilados por concessões e negociações. Houve uma "aproximação" entre vikings e carolíngios, na qual variadas estratégias e compromissos eram usados para atenuar os problemas que surgiam durante a integração e coexistência. Para o historiador, o caso paradigmático de "acomodação" foi o estabelecimento dos escandinavos na Nêustria (séculos ix-x), cujo resultado seria a formação da Normandia. Já o caso clássico da "integração" concedida pelos carolíngios aos vikings seria o batismo dos chefes nórdicos em solo franco.

Existe uma antiga teoria de que os vikings eram motivados por um "paganismo militante", que os fizeram conduzir uma guerra religiosa contra as populações cristãs da Frância. Essa proposição foi retomada por John Michael Wallace-Hadrill (1975), que a defendeu com seis argumentos principais: 1) a alta frequência do uso do termo "pagão" em referência aos nórdicos; 2) a destruição de igrejas e mosteiros; 3) o ataque a altares, sacristias e relicários; 4) a tortura de monges e a morte deles sem uma razão clara; 5) a prática de sacrifício ritual; 6) a aparente conversão de certos francos ao paganismo. Já Lucien Musset havia afirmado que o "paganismo agressivo não tinha inspirado muito os vikings", e coube a Coupland rebater cada um desses pontos.

Para Coupland, 1) o termo "pagão" nem sempre é o mais citado nas fontes – na verdade, ele aparece como sinônimo de "bárbaro", inclusive em referência aos muçulmanos e eslavos; 2) os edifícios religiosos eram atacados por guardarem riquezas e serem pouco protegidos; 3) a destruição de relíquias e outros itens era causada, quase sempre, para a obtenção de ouro e prata que eles continham; 4) não está claro que as torturas e mortes de cristãos foram causadas por uma "motivação pagã", pois os vikings prefeririam fazer prisioneiros, que poderiam escravizar ou vender (resgate); 5) não podemos generalizar, já que provavelmente existe apenas uma evidência de sacrifício, que teria ocorrido em 845 na região do Sena; 6) nos casos de conversão ao paganismo, não há qualquer sinal de adoração aos deuses ou mesmo uma obrigação para isso.

A presença dos vikings no mundo carolíngio chamou a atenção da Igreja, que, juntamente com a monarquia, passou a atuar na conversão desses pagãos. Algumas vezes, o batismo era precedido pela troca de reféns; na maioria dos casos, o "padrinho" (monarca) franco entregava presentes ao chefe viking batizado. O dinamarquês Haroldo Klak foi o primeiro soberano escandinavo a ser convertido ao cristianismo, o que aconteceu em Mainz (826) por iniciativa do imperador Luís, o Piedoso. As conversões em território franco continuaram nas décadas seguintes, como o batismo de Weland (862) por Carlos, o Calvo, além daqueles de Godfrid (882) e Hundeus (897), ambos por Carlos, o Simples. É claro que nem todas as conversões tiveram êxito, como foi o caso do chefe viking Rodulf, que, mesmo já sendo batizado, terminou "sua vida de cão com uma morte apropriada" em 873, pelo menos é o que afirma uma fonte carolíngia. De acordo com Stéphane Coviaux, a partir da segunda metade do século IX, os governantes francos praticaram esses batismos, em primeiro lugar, para conter as invasões vikings e proteger o reino – o sentido "missionário" era secundário.

Com a "fundação" da Normandia e sua progressiva cristianização, os ataques vikings diminuíram. Houve, contudo, uma tentativa de conquista da Bretanha, onde os nórdicos conseguiram estabelecer um principado em Nantes (921). Esse domínio, porém, não durou muito tempo: em 939, o chefe bretão Alan II conseguiu expulsá-los da região. O medo dos escandinavos ainda assombraria o território francês por muitas décadas, como quando a cidade bretã de Dol foi queimada pelos vikings em 1014. Também no início do século XI, Emma de Ségur, esposa do visconde de Limojes, foi raptada pelos nórdicos e libertada apenas mediante a intervenção do duque normando.

Guilherme Queiroz de Souza

Ver também França na Era Viking; Normandia; Rollo.

BAUDUIN, Pierre. *Le monde franc et les Vikings: VIIIe-Xe siècle*. Paris: Albin Michel, 2009.

COUPLAND, Simon. The Rod of God's Wrath or the People of God's Wrath? The Carolingian Theology of the Viking Invasions. *The Journal of Ecclesiastical History*, vol. 42, 1991, pp. 535-554.

COUPLAND, Simon. The Vikings in Francia and Anglo-Saxon England to 911. In: MCKITTERICK, Rosamond (ed.). *The New Cambridge Medieval History (c. 700-c. 900)*. Cambridge: Cambridge University Press, 2008, vol. 2, pp. 190-201.

COUPLAND, Simon. The Carolingian Army and the Struggle against the Vikings. *Viator*, vol. 35, 2004, pp. 49-70

COVIAUX, Stéphane. Baptême et conversion des chefs scandinaves du IXe au XIe siècle. In: BAUDUIN, Pierre (dir.). *Les fondations scandinaves en Occident et les débuts du duché de Normandie*. Caen: Publications du CRAHM, 2005, pp. 67-80.

D'HAENENS, Albert. *As Invasões Normandas: Uma Catástrofe?* São Paulo: Perspectiva, 1997.

MUSSET, Lucien. *Las invasiones: el segundo asalto contra la Europa cristiana, siglos VII-XI*. Barcelona: Labor, 1982.

NELSON, Janet L. The Frankish Empire. In: SAWYER, Peter (ed.). *The Oxford Illustrated History of the Vikings*. Oxford-New York: Oxford University Press, 1997, pp. 19-47.

NISSEN JAUBERT, Anne. Some aspects of Viking research in France. *Acta Archaeologica*, vol. 71, 2000, pp. 159-169.

PRICE, Neil. *The Vikings in Brittany*. London: Viking Society for Northern Research, University College London, 1989.

VIKINGS NA ITÁLIA

A presença dos vikings na Itália é um bastante difícil de ser encontrado nas documentações. Encontramos poucos relatos referidos a alguns momentos históricos que descrevem as formas como os vikings estiveram na península Itálica. Isso aconteceu, seja enfrentando viagens navegando pelo oceano Atlântico e pelo mar Mediterrâneo, ou provindo pelas vias terrestres.

Assim, nos deparamos com narrativas que descrevem fatos supostamente ocorridos no período entre 859 e 862 d.C., nos quais os vikings, durante uma expedição marinha, depois de saquear várias cidades do Portugal e da Espanha, chegaram à região sul da França onde se estabeleceram por um tempo. Em seguida, tornando a navegar, saíram em direção à península Itálica, beirando as costas da Ligúria e da Toscana, chegaram ao estuário do rio Arno, navegando até alcançarem as cidades de Pisa e Fiesole que, naquele período, eram abastadas e desenvolvidas. Por essa razão, conta-se que foram depredadas pelos vikings em procura de fortuna.

Em outra narrativa encontramos relatos sobre uma outra cidade, localizada na costa da Toscana, que foi saqueada pelos vikings. Trata-se de Luni, uma antiga localidade etrusca que, mais tarde, tornou-se uma famosa colônia romana. Dudo de São Quentin, em um texto do século XI, conta que, depois de terem saqueados as cidades de Pisa e

Fiesole, voltando pelo mar e continuando nas suas navegações, os vikings, comandados por Hasting, acreditaram ter alcançado a cidade de Roma, meta almejada pelos guerreiros nórdicos. Assim, com a pretensão de entrar sem grandes esforços na cidade, aprontaram o seguinte estratagema: mensageiros foram enviados ao local para comunicar que o chefe viking estaria muito doente, e que, antes de morrer, teria o desejo de ser batizado. Desse modo, aceitando a vontade de Hasting, as autoridades locais prepararam uma solenidade em honra do chefe estrangeiro. Porém, durante a cerimônia, o chefe simula de morrer, e foi assim que em seguida a armadilha se realizou. Durante o velório organizado pelos governantes, o finto cadáver sai do caixão e, com um golpe de espada, mata o bispo que estava celebrando o ritual. Foi dessa maneira que, no meio da confusão, os guerreiros vikings, que já estavam preparados, invadiram e saquearam a cidade. Só posteriormente perceberam que o lugar saqueado não era Roma, mas que se tratava da cidade de Luni. Ainda assim, continuaram a navegação, desistindo, contudo, de procurar a antiga cidade italiana.

Outro relato de povos escandinavos que estiveram na península Itálica refere-se aos varegues. Trata-se de navegadores nórdicos conhecidos como comerciantes, piratas e mercenários que, em suas navegações, utilizando-se do sistema de rios dos territórios da Rússia, chegaram até Constantinopla, então capital do Império Bizantino. Assim, pela reputação de serem também grandes guerreiros, no final do século X, foram engajados para fazer parte da guarda pessoal do imperador do Império Bizantino. Por isso, no início do século XI, quando parte da Itália (a atual Apúlia) ainda era dominada pelos bizantinos, diversos soldados varegues foram agregados às tropas que suportavam o catepano Basil Boioannes, regente da cidade de Bari. Arturo Mariano Iannace relata que, quando estava em curso uma luta entre bizantinos e longobardos, Basil enviou um destacamento de soldados varegues em apoio às tropas que estavam combatendo em Canas em 1018, conseguindo assim uma valiosa vitória. Nos anos seguintes participaram de outras lutas que ocorriam com frequência na área. Outras narrativas relatam que, no andar do tempo, alguns deles se estabeleceram no lugar de forma definitiva, deixando de ser soldados e formando núcleos familiares na Apúlia. Como nota interessante, acrescentamos que Haroldo Hardrada, o futuro Haroldo III, rei da Noruega, foi uma figura muito importante da Guarda Varegue, na qual permaneceu por quase dez anos antes de ser coroado. Histórias contam da participação de Haroldo em batalhas contra os normandos no sul da Itália aproximadamente em 1038.

Além desses primeiros relatos sobre a presença dos vikings na Itália, encontramos novas informações que descrevem como pessoas que provinham dos países nórdicos chegaram até lá. Vários escritos escandinavos, em particular de origens islandesa e norueguesa, reportam "viagens ao sul" (*sudrferdir, sudrgöngur*) que tinham um escopo comercial ou diplomático ou, como no caso dos clérigos, referiam-se às visitas *ad limina Petri*, ou seja, aos encontros que aconteciam a cada cinco anos, nos quais os bispos se encontravam em Roma com o Papa. Além disso, também os primeiros peregrinos escandinavos convertidos ao cristianismo começavam a viajar para encontrar o Papa ou para visitar lugares sagrados, às vezes transitando pela península Itálica em direção de Jerusalém.

Fabrizio D. Raschellà argumenta que um dos primeiros casos de peregrinação escandinava em Roma foi aquele do escaldo islandês Sighvatr Þórðarson que, além de ser o poeta preferido pelo rei Olavo II da Noruega (Óláfr Haraldsson), era também um conselheiro de confiança dele. Sighvatr, aproximadamente em 1027, foi para Roma em visita ao Papa e, provavelmente em função da sua proximidade com Olavo, a sua não foi somente uma viagem de cunho religioso, mas também uma viagem de natureza política. Mas, naquele período, Sighvatr não era o único representante escandinavo presente em Roma: Canuto II, ou como era mais conhecido, Canuto, o Grande, rei da Dinamarca, encontrava-se na cidade para o coroamento de imperador Conrado II do Sacro Império Romano-Germânico. Nesse caso, a permanência do rei escandinavo em Roma deu a Sighvatr a oportunidade de desempenhar diferentes ofícios: além de cumprir a formalidade de prestigiar o cerimonial da coroação de Conrado II, ou servir como reverência ao vigário de Pedro, supomos que tenha sido uma boa ocasião para entrelaçar relações com as outras autoridades que se encontravam na cidade, e, mormente, para ser reconhecido e respeitado como figura reinante frente aos outros soberanos. A confirmar isso, o historiador medieval inglês do século XII, Guilherme de Malmesbury, reproduziu uma carta que o rei da Dinamarca escreveu aos notáveis da Ânglia, na qual Canuto explicaria todas as particularidades da sua estadia em Roma, e os resultados obtidos devido a sua argúcia política. Destarte, lendo esse relato, percebemos quanto, para Canuto, foi importante permanecer por um tempo em Roma, delonga que permitiu ao rei manifestar e adquirir uma posição e uma força ainda maiores do que aquelas que já tinha.

Concluindo, podemos deduzir que a presença dos escandinavos na Itália na Era Viking se deu de múltiplas formas, cada uma com seu valor no contexto dos acontecimentos.

Lorenzo Sterza

Ver também Era Viking; Viking; Vikings na África e Mediterrâneo.

BERGAMO, Nicola. *L'esercito di Bisanzio in Italia (535-1071): dalla riconquista giustinianea alla caduta di Bari.* Roma: Soldiershop, 2017.

CIANCI, Eleonora. Vichinghi, Variaghi e la "Grande città". In: FAZZINI, Elisabetta (org.). *Culture del Mediterraneo: Radici, contatti, dinamiche.* Milão: Edizioni Universitarie di Lettere Economia Diritto, pp. 45-61, 2014.

DI MAURO, Nicola. *Normanni: I predoni venuti dal Nord.* Florença-Milão: Giunti, 2003.

IANNACE, Arturo Mariano. *Per una biografia del catepano Basilio Boioannes: il contributo della storiografia e della trattatistica militare.* Tese (Curso de Graduação em Ciências Históricas). Faculdade de Letras e Filosofia, Sapienza Università di Roma, 2017.

MALMESBURY, Guglielmo di. Org. PIN, Italo. *Gesta Regum.* Pordenone: Studio Tesi, 1992.

MARTURANO, Aldo. *I Variaghi: Un'organizzazione di tipo mafioso apparsa in Terra Russa nel primo Medioevo.* Disponível em: *goo.gl/r1cW6y.* Acesso em: 12 jun. 2017.

RASCHELLÀ, Fabrizio D. I pellegrinaggi degli scandinavi nel medioevo. In: STOPANI, Renato (org.). *990-1990 millenario del viaggio di Sigeric, Arcivescovo di Canterbury.* Centro Studi Romei, pp. 31-41, 1990.

SCAMPOLI, Emiliano. *Firenze, archeologia di una città: (secoli I a.C.-XIII d.C.)*. Florença: Firenze University Press, p. 169, 2010.

TEATRO Universale. De Pellegrinaggi. *Teatro Universale: Raccolta enciclopedica e scenografica*, vol. 5, p. 139, 1838.

VIKINGS NA LITERATURA

As histórias, lendas e mitologias dos nórdicos têm sido fonte de inspiração para um enorme número de obras literárias, tendo uma grande influência nos escritores e poetas, especialmente da Escandinávia, Alemanha e Inglaterra. Inúmeras obras literárias foram escritas ao longo dos últimos dez séculos com temáticas relacionadas aos vikings.

Os antigos nórdicos foram grandes narradores e poetas. As sagas, mitos e poesia dos vikings se equiparam aos grandes tesouros literários do mundo. Nelas, homens fortes e mulheres inteligentes se envolvem em uma luta heroica contra uma natureza dura e inflexível e enfrentam os eternos problemas humanos: amor e ódio, crime e castigo, viagens e aventura. Essa literatura foi produzida principalmente na Islândia, ilhada em meio ao Atlântico Norte e povoada principalmente por exilados noruegueses, que encorajados pela tradição oral que mantiveram, produziram uma vasta literatura em verso e em prosa. Com diferença do que se passou na Inglaterra ou Alemanha, a nova fé cristã não antagonizou completamente os islandeses com a antiga religião pagã. A partir do século XII, certos eruditos e poetas islandeses, como Ari Thorgilsson e Snorri Sturluson, dedicaram-se a recompilar e redigir os poemas, histórias, mitos e lendas que desde épocas pagãs se transmitiam de maneira oral. A principal obra de Snorri, a *Edda Prosaica*, tem sido uma das principais fontes sobre a mitologia nórdica ao longo dos séculos. De igual maneira, foi principalmente durante o século XIII que a maioria das sagas, relatos geralmente épicos escritos em prosa, foram redigidos.

Todo esse *corpus* literário islandês teve uma imensa repercussão não somente na literatura posterior, mas também nas artes plásticas e nos estudos históricos. Essas fontes apresentavam uma sociedade heroica, criando uma impressão atrativa e colorida dos vikings, fascinando as gerações posteriores de escritores, artistas e historiadores, que empregaram essas sagas, poemas e lendas como fontes de inspiração.

Devido a um crescente interesse pelo passado escandinavo, a partir dos séculos XVI e XVII muitas destas obras medievais começaram a ser empregadas como fontes primárias. Três livros tiveram um importante papel nesse redescobrimento dos vikings: a *Gesta Danorum* (*História danesa*) de Saxo Grammaticus (impressa pela primeira vez em 1514), a *Historia de omnibus Gothorum Sueonunque regibus* (*História de todos os reis dos godos e suecos*) de Johannes Magnus (1554), e a *Historia de Gentibus Septentrionalibus* (*Descrição dos povos do Norte*) de Olaus Magnus (1555). No século XVII um grande número dos manuscritos onde as sagas e *Eddas* estavam escritas foram transportados para a Dinamarca e Suécia, o que facilitou seu estudo e tradução. Entre os eruditos que empregaram essas fontes, destaca-se o dinamarquês Ole Worm, que publicou um número considerável de livros sobre runas e monumentos antigos da Dinamarca e viajou extensivamente pela Europa, sendo uma figura importante na divulgação do conhecimento sobre os vikings fora da Escandinávia. Também alguns desses textos islandeses começaram a ser traduzidos para o latim. Na segunda metade do século XVII, o dinamarquês Peder Hansen Resen traduziu pela primeira vez a *Edda Prosaica* de Snorri Sturluson ao latim, junto a vários fragmentos da *Edda Poética*, como o *Hávamál* e a *Völuspá*. Nessa mesma época o antiquário dinamarquês Thomas Bartholin, o Jovem, dedicou-se a colecionar e recompilar antigos manuscritos islandeses, alguns dos quais traduziu ao latim e publicou.

Essas novas obras foram bastante conhecidas na Europa Ocidental e ocasionaram um certo interesse nos escritores e poetas, principalmente nos países com uma relação histórica e cultural com os vikings, a saber, os países nórdicos, mas também Inglaterra e Alemanha. Com o surgimento do romantismo e o nacionalismo, muitas nações começaram a voltar a atenção ao período pagão ou medieval tentando identificar um passado nacional. Na Escandinávia, graças a todas as novas fontes e obras sobre os antigos nórdicos, ocorre o descobrimento próprio de seu passado heroico como nações independentes de antiguidade e individualidade; enquanto isso, a Inglaterra intensificou o interesse na literatura nórdica pois se acreditava que os textos islandeses representavam as tradições pré-cristãs dos anglo-saxões, que não foram registradas nas Ilhas Britânicas devido a sua rápida cristianização.

Pela segunda metade do século XVIII, começa-se a produzir bastantes textos literários com temática nórdica, divididos em dois grupos. Um deles pretendia traduzir poemas dos manuscritos escandinavos, por meio de traduções prévias do nórdico antigo ao latim. Essas obras se descrevem melhor como ingênuas "imitações" ou "adaptações" livres, e não como intentos de tradução filologicamente precisas. O segundo grupo consiste em obras de temática viking majoritariamente originais.

O suíço Paul-Henri Mallet traduziu numerosos fragmentos da *Edda* de Snorri e outros textos islandeses ao francês e os publicou, em 1756, com o título de *Monumens de la mythologie et de la poesie des Celtes, et particulièrement des anciens Scandinaves*. Apesar de mesclar os então populares celtas com os igualmente misteriosos escandinavos, a obra de Mallet teve um êxito notável e imediatamente foi traduzida a vários outros idiomas e propagou as ideias do Norte pagão através dos círculos letrados da Europa.

Como parte do romanticismo nacionalista na Suécia e Dinamarca, no teatro começou-se a empregar temáticas do passado nórdico. Em 1773, Johannes Ewald escreveu, na Dinamarca, sua extremamente popular obra de teatro, *A morte de Balder*, baseada no trágico destino do filho de Odin. A peça obteve um grande êxito e foi representada em múltiplas ocasiões, causando forte influência em toda a Escandinávia e norte europeu.

Na Inglaterra, vários escritores e poetas românticos escreveram obras com temática viking. O poeta inglês Thomas Gray escreveu dois poemas com temática viking: "The Fatal Sisters" e "The Descent of Odin", ambos publicados em 1768. Varias décadas mais tarde, em 1817, o escritor romântico Walter Scott, que tinha um grande interesse pela literatura nórdica, publicou o poema "Harold the Dauntless", sobre a relação entre um violento nobre viking do norte da Inglaterra com o cristianismo e sua posterior conversão. Alguns outros escritores e poetas ingleses de finais do século XVIII e princípios do XIX que escreveram textos com temática viking são William Blake, William Wordsworth e Ann Radcliffe.

Durante o século XIX, período apicilar do nacionalismo romântico, a temática viking era muito popular na literatura da Escandinávia e do norte da Europa. O heroísmo pagão, a mitologia e o folclore, assim como o valor e o desdém pela morte dos antigos nórdicos, resultaram em temáticas incrivelmente atrativas para os artistas da época. Em 1825 o escritor sueco Esaias Tegnér publicou o poema épico *Frithiofs saga*, baseado diretamente nas sagas e outras fontes nórdicas. Foi um dos poemas do nacionalismo romântico mais populares de princípios do século XIX, não somente na Escandinávia mas também no resto da Europa, já que foi traduzido para vários idiomas. Sua importância foi tal que por muitos anos foi considerada como uma referência para a interpretação da Era Viking.

Na Rússia czarista do século XIX, a história e o folclore também começaram a ter um especial atrativo. O papel que os vikings do Oriente, os rus ou varegues, tiveram nas origens da Rússia começou a ser mais estudado e desde então esteve rodeado de debates e controvérsias. Isso ocasionou o surgimento de um interesse, principalmente literário, pelos primeiros líderes escandinavos do antigo estado russo registrados na *Crônica de Nestor*, obra medieval que narra a história antiga russa. O poeta Alexander Pushkin foi um dos influenciados pelas histórias desses personagens semilendários, a quem celebra em sua obra *A canção do sábio Oleg*, de 1825.

Uma das obras oitocentistas com temática nórdica e germânica mais importantes é sem dúvida o ciclo de quatro óperas do alemão Richard Wagner, *O anel dos Nibelungos*, elaborado entre 1848 a 1874. As obras estão baseadas em personagens e histórias das sagas nórdicas e da *Gesta dos Nibelungos*. A trama se desenrola ao redor de um anel mágico que concede o poder para dominar o mundo, sendo cobiçado por deuses, gigantes e heróis. Na história, figuram deidades nórdicas como Odin (sob o nome de Wotan), Freya e as três Nornas, além de heróis como Sigfrido. Estreando em 1876, o ciclo de óperas teve bastante êxito e durante os anos seguintes foi apresentado em diversos países, como Inglaterra e Itália.

Durante a segunda metade do século XIX até as primeiras décadas do XX, os vikings seguiram sendo um tema popular, emanando certa fascinação no Reino Unido, França, Alemanha e Estados Unidos, para onde um grande número de escandinavos havia migrado durante esse mesmo período de tempo. Nesses anos foi publicado um grande número de livros populares sobre histórias, lendas e mitologia dos nórdicos, a maioria deles ilustrados e dirigidos a um público infantil. Nesse cenário destacam-se autores como o estadunidense Hamilton Wright Mabie, que em 1882 publicou o livro *Norse Stories, Retold from the Eddas*.

Já no século XX o interesse pelo passado viking continuou na literatura e nas artes. A novela histórica *Röde Orm*, do sueco Frans G. Bengtsson, foi publicada em dois momentos: em 1941 e 1945, e narra as aventuras do viking Röde Orm (Serpente Roxa) e suas viagens pela Europa do século X. A novela teve um incrível êxito, tem sido traduzida para mais de vinte idiomas, passando a ser um dos livros mais lidos na Suécia até a atualidade.

A história e a mitologia nórdicas foram uma importante fonte de inspiração para a literatura fantástica, gênero que a partir do século XX começou a crescer notoriamente em popularidade. Um autor de menção indispensável nesse sentido é J.R.R. Tolkien, acadêmico de Oxford que em 1937 publicou sua famosa novela *O Hobbit*, com a qual apresentaria o fantástico mundo da Terra Média, onde se desenvolve a maioria de seus outros escritos, como a trilogia de *O Senhor dos Anéis* (1954-1955). Tolkien foi um grande amante e estudioso das mitologias germânicas e nórdicas, que tiveram uma enorme influência em sua obra.

Nos últimos anos, têm ocorrido publicações de um grande número de novelas históricas e de fantasia com temática viking. Para mencionar duas delas, *American Gods* do britânico Neil Gaiman, publicada em 2001, onde se narra que em nosso mundo os deuses antigos vivem entre os humanos, sendo os deuses nórdicos Odin e Loki personagens primordiais na novela. Outro exemplo é a série de novelas históricas *The Saxon Chronicles* de Bernard Cornwell (2004-), que ocorre na Inglaterra dos séculos IX e X, quando as Ilhas Britânicas foram invadidas pelos daneses.

Daniel Salinas Córdova

Ver também Era Viking; Escandinávia; Vikings e Alemanha moderna; Vikings na música; Vikings nas artes plásticas; Vikings no cinema; Vikings nos quadrinhos; Vikings na televisão; Vikings no Brasil.

BORGES, Jorge Luis. *Literaturas germánicas medievales*. Buenos Aires: Alianza Editorial-Emece, 1979.

RIX, Robert W. (ed.). Norse Romanticism: Themes in British Literature, 1760-1830. *Romantic Circles Electronic Edition*, 2012. Disponível em: *goo.gl/7KpFQy*. Acesso em: 23 nov. 2017.

WAWN, Andrew. *The Vikings and the Victorians. Inventing the Old North in 19th Century Britain*. Cambridge: D. S. Brewer, 2000.

WILSON, David M. *Vikings and Gods in European Art*. Aarhus: Moesgård Museum, 1997.

VIKINGS NA MÚSICA

O cenário sobre o mundo nórdico tem sido ampliado cada vez mais nos mais diversos meios culturais da sociedade, e devido a uma massificação desse universo por parte de uma indústria cultural, que passamos a ver com um olhar mais atento a presença desta temática dentro da vasta gama que compõe a música. Sem mergulhar em um "ídolo das origens", mas compreendendo que essa presença viking na música não surge em um universo contemporâneo, mas acompanha toda uma trajetória conjuntural histórica, que varia com bases em recortes temporais e espaciais, este verbete acaba por riscar uma superfície de um mar profundo, que é os "VIKINGS NA MÚSICA".

A primeira obra que devemos apontar é a tetralogia de Richard Wagner em seu famoso ciclo de ópera chamado *O Anel dos Nibelungos* (c. *Der Ring des Nibelungen*), composta com base em fontes literárias do mundo nórdico, especialmente a *Saga dos Volsungos* (c. *Völsunga-saga*). Sem dúvida, a composição foi uma virada nas formas de ser ver os nórdicos e suas fontes pois, através de uma visão "operalizada" (se nos permitem o neologismo), Wagner cria uma ótica particular que se torna representativa dos "vikings", como comenta Árni Björnsson. A tetralogia se divide nas seguintes partes: *Das Rheingold* ("O Ouro do

Reno"), *Die Walküre* ("A Valquíria"), *Siegfried* e *Götterdämmerung* ("O Crepúsculo dos Deuses"). Essa produção, feita entre 1848 e 1874, impactou de modo tão incisivo o imaginário sobre nórdicos que elementos próprios dela, como os elmos de chifres e com asas, apetrechos de vestimentas, tranças e cortes de cabelo, entre tantos outros, tornaram-se marcas estereotípicas dos vikings em todo mundo.

A grande popularização dessa obra se deve não apenas ao seu triunfo como realização artística, mas sobretudo pelas condições históricas em que tomou forma. No século XIX, ocorre um forte momento de formação das identidades nacionais e seus nacionalismos, como comenta Eric Hobsbawm, e isso acaba por propagar os ideais e referências dessa fonte, popularizando ainda mais a sua representação específica sobre os nórdicos. Além disso, Wagner foi amplamente recomendado como um autor ufanista e de referência dentro do regime nazista, o que o propaga ainda mais por toda a Europa no século XX, juntamente com uma associação de grandes discursos que acompanhavam as visões de "realidade" produzidas em seu ciclo de óperas.

Mas, como menciona Sam Dunn, umas das habilidades de Richard Wagner é a forma musical da composição de sua ópera. Apesar de largas pesquisas e referências, algo que muitas obras salientam, é sua ousadia musical e visual que lhe colocam em um patamar diferenciado, possibilitando a popularização de sua obra no imaginário. A sonoridade dele resgatava elementos que ficaram distantes da música devido à conjuntura medieval, que durante vários séculos condenou o uso do trítono – que se acreditava ter uma ligação com a invocação do Diabo, e por isso se tornou conhecida como o "Som do Diabo", "Nota do Diabo", *Diabolo in Musica*, um intervalo entre alturas de notas musicais, com a quarta aumentada ou a quinta diminuta em que se insere o fá sustenido ou sol bemol. O uso desse intervalo é facilmente ouvido nas composições do Black Sabbath, que vai usar desse imaginário de "nota" demoníaca para compor mais traços para sua imagem.

O uso desse intervalo, que se inicia com Ludwig van Beethoven (mas claramente em sua famosa 5° sinfonia), traz sensação ímpar na música, apresentando uma tensão composta de uma celeridade que transmite sensação de movimento. Wagner amplia esse recurso em sua obra: além de transmitir essa sensação, sua composição tem peso e um tratamento de grave inédito, devido ao uso de tubas, contrabaixos e octobaixos (seguindo bases do *Traité del'harmonie réduite à ses principes naturels* de J. P. Rameau de 1722). Para se entender tal sonoridade, recomenda-se ouvir *Götterdämmerung*, famoso pelo prelúdio "Cavalgada das Valquírias" (*Die Walküre*), como comenta Richard Taruskin. Logo, sua "rebeldia" musical e suas pesquisas na mitologia e literatura nórdica, somadas a uma realidade conjuntural específica, trouxeram para essa obra um destaque enorme no que tange à temática nórdica na música, tornando Richard Wagner um dos maiores compositores desse imaginário.

A partir do final da década de 1960, recebendo grande influência do *blues* e do peso de composições como as de Wagner, há um crescimento e popularização do *rock* e suas mais variadas vertentes, tornando-se um vetor de propagação da temática nórdica na música, como comenta Iam Christe.

Partindo do *rock* tradicional, que resgata lendas, mitos e figuras dracônicas, como Dio, até referências mais diretas como do *rock* progressivo de Asgærd, em 1972, tem-se a formação de uma produção cultural que busca trazer uma profusão histórica em suas letras, assim como criar uma identidade visual que por vezes remete a elementos medievais. Mas vale o destaque para a banda Led Zepellin, no álbum *Led Zepellin III*, lançado em outubro de 1970. Nele, encontra-se uma canção intitulada "Immigrant Song", inspirada em uma turnê na Islândia e composta pelo vocalista Robert Plank. A canção retrata o descobrimento da América do Norte por Leifr Eiríksson, assim como vários elementos da religião pagã. A música se tornou popular entre os fãs, sendo chamada de *Hammer of the Gods* (Martelo dos Deuses), a ponto de virar chave para o título de uma biografia da banda lançada em 1985: *Hammer of the God: The Led Zeppelin Saga*, de Stephen Davis. A banda Iron Maiden, um dos maiores ícones do *heavy metal*, também merece nota, pois seu primeiro EP (*Extended Play*), *The Soundhouse Tapes*, lançado em nove de novembro de 1979, tem como primeira música "Invasion", que retrata a belicosidade e violência dos vikings, ainde que de uma forma estereotipada, em razão das produções que a antecederam.

Mas, de fato, a visão de mundo que surge nesse período da década de 1970 e 1980, juntamente com uma rebeldia musical, é um traço de um movimento composto de jovens de contracultura que se forma em várias partes do mundo, como reflexo desse movimento do *rock*. Já nos fins da década de 1980, quando o *heavy metal*, estilo que se origina do *rock*, se consolida, tem-se ainda mais um crescimento dessa temática na música, com destaque para um movimento de contracultura que se forma na Noruega, usando o *black metal* como ferramenta de expressão. Esse estilo surge em meados de 1980, marcando-se por batidas agressivas, vocais rasgados (guturais e viscerais), músicas aceleradas (através do uso do *tremolo picking* e do *blast beat* de uma aplicação de *lo-fi* na sonoridade) e com um alto impacto sonoro.

Tal gênero teve fortes influências de estilos que lhe precediam, como o *heavy metal* e o *punk*. Com um estilo cru e agressivo, que articula em suas letras temas como satanismo, paganismo, anticristianismo, misantropia, revolta ao sistema, liberdade social e cultural, o *black metal* acaba por influenciar fortemente toda uma juventude da década de 1980. Entrementes, a "origem" do nome surge de um álbum da banda Venom de 1982, o álbum *Black Metal*, que hoje seria pertencente a um outro subgênero do metal, o *thrash metal*, embora seja inegável o ar de agressividade e de anticristianismo – mesmo sem uma força filosófica na sua concepção – que a banda cria, dando assim base para a fundação de um novo estilo, o *black metal*, que se modificará a partir de sua influência.

Deve-se compreender que a música como forma de expressão artística circula dentro da sociedade e é interpretada pelos sujeitos sociais, possuindo uma energia própria, a chamada energia social. Esta circula e implica uma série de processos cognitivos e psicológicos, com base na conjuntura dos receptores, formando assim novas interpretações e estilos dentro da mesma dinâmica artística, podendo gerar fases de produção no gênero.

O processo supracitado articulará elementos que serão o dínamo para uma segunda fase do estilo do *black metal*, quando, a partir de 1991, na Noruega um movimento forte de contracultura e de um anticristianismo, exaltado por uma busca de ideais pagãos e misantropos, ressignificará estética e artisticamente o estilo. Essa segunda fase é conhecida como a fase do *black metal* norueguês, marcando-se por controvérsias e problemáticas, sobretudo com relação aos conflitos e ataques diretos a instituições cristãs, ocasionando concomitantemente publicidade e divulgação midiática do estilo e suas concepções artísticas e estéticas. Tal momento ficará marcado pela presença de bandas como Mayhem, Darkthrone, Burzum, Gorgoroth, Immortal, Emperor e muitas outras. O cenário em torno do gênero crescia em bandas e fãs pelo mundo, principalmente na Europa, mas é na Noruega, entre os anos de 1991-1994, que um grupo/movimento chamado *the black circle* ou *black metal inner circle* se destacará.

Esse grupo, devido aos seus atos, acabará por ser visto como satânico, mas o que se tem de fato é que a força inicial do movimento reside em um resgate da cultura pagã e dos vikings, o que por vezes implicava em um ataque ao cristianismo. Tem-se que os ataques a túmulos e igrejas tornaram ainda mais midiáticas suas expressões e ideias, demonizando-os diversas vezes. Mas as músicas produzidas aqui foram de grande força para uma representatividade da temática nórdica na música. Ademais, esse elemento de resgate ao pagão acabará por moldar novos estilos que saem dessa concepção de rebeldia e contracultura, tais como o *pagan metal*, o *viking metal* e o *folk metal*, segundo comenta Aslhey Walsh.

Estes estilos vão ser grandes massificadores da temática nórdica e de representações sobre os vikings, a ponto de um estilo musical inteiro se formar em torno dessa concepção, originado a partir da banda sueca Bathory (c. 1988) – *o viking metal* –, e chegando hoje a uma popularidade mundial, com nomes famosos, como o de Amon Amarth. Ainda nesse mesmo período, outro subgênero do *heavy metal*, através de um resgate de mitologias, lendas, narrativas literárias, fantasias medievais e outros elementos, acabou por dar ainda mais destaque para os vikings, o *power metal*.

Portanto, o rock e o metal serão os grandes propagadores da temática viking na música a partir da segunda metade do século XX, constituindo-se, quantitativamente, como um dos cenários mais vastos de produção com essa temática. Não à toa, é uma tarefa hercúlea e beirante do impossível mapear quanto desses gêneros foi produzido em torno de representações nórdicas, ainda mais pelo constante crescimento em torno disto.

Os dois pontos aqui escolhidos representam, segundo nos consta, os principais elementos, na música, que destacaram a temática viking, principalmente pela quantidade de suas representações, embora também pela forma que esses elementos se difundiram no imaginário popular e na indústria cultural. Mas o que se tem de fato é que a temática viking está presente em múltiplos estilos e em múltiplas temporalidades, seja no *pop*, no *folk*, nas músicas eletrônicas (como o *techno viking*, usado amplamente nas mídias sociais) e em estilos que buscam resgatar uma sonoridade do medievo em tempos contemporâneos. Riscou-se, assim, apenas a superfície dos pontos que trouxeram popularizações e remodelações da temática viking (em múltiplas concepções desse termo) na música.

José Lucas Cordeiro Fernandes

Ver também Era Viking; Escandinávia; Vikings e Alemanha moderna; Vikings na literatura; Vikings nas artes plásticas; Vikings no cinema; Vikings nos quadrinhos; Vikings na televisão; Vikings no Brasil.

Björnsson, Árni. *Wagner and the Volsungs: Icelandic Sources of Der Ring des Nibelungen.* University College London: Viking Society for Northern Research, 2003.

CHRISTE, Iam. *Sound of the Beast: The Complete Headbanging History of Heavy Metal.* Goodreads Author, 2004.

DUNN, Sam; MCFAYDEN, Scot; FELDMAN, Sam. *Metal: A Headbanger's Journey.* Documentário. EUA: Warner Home Video, 2005.

FERNANDES, José Lucas Cordeiro. A Sabedoria Perdida: uma análise da imagética de *Dauði Baldrs* do Burzum (1994-1997). *Notícias Asgardianas*, n. 11, 2016, pp. 95-105.

FRIDH, Sanna. *In Pursuit of the Vikings: an anthropological and critical discourse analysis of imagined communities in Heavy Metal.* Master's Thesis in Global Studies. Gothenburg: University of Gothenburg – School of Global Studies, 2012.

KAHN-HARRIS, Keith. *Extreme Metal: Music and Culture on the Edge.* Oxford: Berg, 2007.

MARSHALL, David (org.). *Mass Market Medieval: essays on the Middle Ages in Popular Culture*. North Carolina: McFarland, 2007.

MOYNIHAN, Michael; Søderlind, Didrik. *Lords of Chaos: The Bloody Rise of the Satanic Metal Underground*. Los Angeles: Feral House, 2003.

TARUSKIN, Richard. *Music in the Nineteenth century*. Oxford, New York: Oxford University Press, 2005.

VON HELDEN, Imke. Scandinavian Metal Attack: The Power of Northern Europe in Extreme Metal. In: HILL, Rosemary; SPRACKLEN, Karl (eds.). *Heavy Fundametalisms: Music, Metal and Politics*. E-Book, Oxford, 2009, pp. 33-42.

WALSH, Aslhey. *A great heathen fist from the North: Vikings, Norse Mythology, and Medievalism in Nordic Extreme Metal Music*. Master's Thesis for Nordic Viking and Medieval Culture- ILN. Trykk: Reprosentralen, Universitetet i Oslo, 2013.

WESTON, Donna; BENNET, Andy (orgs.). *Pop Pagans: Paganism and Popular Music*. Durham: Acumen, 2013.

VIKINGS NA PENÍNSULA IBÉRICA

Localizada na periferia do que era o mundo conhecido pelos escandinavos, a Península Ibérica foi um cenário secundário da Era Viking. São conhecidas dezenas de investidas no território, mas, regra geral, sem a intensidade e as consequências sentidas na França ou nas Ilhas Britânicas. Pelo menos assim o indicam fontes existentes, embora se deva notar que elas são apenas fragmentos de informação que sobreviveram até ao decorrer dos anos e que, em sua maioria, consistem em narrativas ou alusões breves. O que restou foi uma noção limitada dos acontecimentos e pode-se afirmar com segurança que ocorreram episódios não relatados, ou cujos relatos não sobreviveram.

Algumas fontes existentes ignoram ataques que outras referem, dão um relato parcial que surge com maior extensão em outros textos ou oferecem uma visão geral que esconde acontecimentos por relatar. Por exemplo, as crônicas nada dizem sobre as investidas que atingiram a cidade de Tui, mas dois documentos de cartulários medievais mencionam incursões contra a povoação nos séculos X e XI, incluindo uma que teria levado à morte ou captura do bispo e a pilhagem da povoação. Outro caso são as três crônicas que mencionam a grande incursão de 968-9, em que apenas a de Sampiro refere o ano de pilhagem da Galiza após a batalha de Fornelos. Atentando para as datas oferecidas pelo *Muqtabis* de Ibn Hayyan, nota-se que os vikings que estiveram treze dias na região de Lisboa, em agosto de 844, demoraram cerca de um mês para chegar a Sevilha, em uma viagem marítima que podia ter sido feita em menos tempo, mas que por algum motivo foi demorada. Se isso se deveu a mau tempo, batalhas navais ou ataques costeiros é algo que não se sabe, precisamente porque as fontes não dizem tudo e são apenas fragmentos de informação sobrevivente.

Esse limite de conhecimento acerca da Era Viking na Península Ibérica sugere uma moderação nas análises e conclusões sobre o sucedido. Concretamente, não se pode assumir que episódios ocorridos em locais ou alturas próximas estão ligados ou foram protagonizados pelo mesmo grupo de nórdicos, porque podem ter sido levados a cabo por bandos distintos, mas essa distinção não fica clara nas fontes sobreviventes. Por exemplo, já se propôs que os nove meses de saque que atingiram a região entre os rios Douro e Ave em 1015-16 foram da responsabilidade dos mesmos vikings que, em setembro de 1016, chegaram ao castelo de Vermoim, a poucos quilômetros a norte do rio Ave. Na base desse raciocínio está a proximidade geográfica e cronológica dos acontecimentos, mas, dado que sobreviveram apenas fragmentos de informação e não um registro completo das incursões nórdicas, não é possível depreender essa conclusão. O episódio de 1015-16 pode ter sido levado a cabo por um bando de vikings e o de 1016 por outro, tal como, segundo os *Anais de São Bertino*, em 859 havia um grupo no rio Sena e outro um pouco mais a norte, no Somme.

À complexidade fragmentária das fontes junta-se a parcialidade ideológica própria da época e ainda a diversidade de origens e formas de preservação dos textos, os quais provêm do norte cristão da Ibéria medieval, do sul muçulmano do território, da Europa latina além dos Pireneus e, é claro, da Escandinávia, seja em manuscritos próprios ou cópias, em versões tardias ou próximas dos acontecimentos, com ou sem transmissão oral pelo meio e com ou sem enfabulamento. A suposta expedição ibérica de Olavo Haraldsson por volta de 1013 é um caso exemplar dos problemas que podem advir dessa complexidade, pois o relato que o coloca junto do estreito de Gibraltar é produto da fusão de um poema do século XI e duzentos anos de transmissão (escrita ou oral?) num período conturbado da história da Noruega. Desse modo, não é possível confirmar a veracidade do que é dito na *Heimskringla* ou encará-la como um relato coeso feito de uma só vez por um único autor, como se as sagas de reis fossem uma espécie de diário de bordo.

Outro tema que merece um olhar crítico é o das motivações dos vikings que chegaram à Península Ibérica. Ainda hoje circula a ideia de que foram atraídos pelo ouro ou esplendor de Santiago de Compostela, o que é anacrônico, dado que o santuário jacobeu era um local de culto menor no século IX, quando se deram os primeiros ataques nórdicos em território ibérico. Basta pensar que as grandes crônicas asturianas da época – a *Albeldense* e a de *Alfonso III* – datadas de 883 em diante, nada dizem sobre Santiago de Compostela ou a suposta descoberta do túmulo do apóstolo Tiago. E se assim é, se os textos nativos ignoram o santuário, é difícil acreditar que os vikings que atingiram a Galiza em 844, 858 e 859 estivessem mais bem informados. Foi só a partir de meados do século X que o santuário jacobeu começou a adquirir fama internacional. Antes desse período, o mais provável é que os nórdicos tenham atacado o território ibérico devido a um desejo genérico de fama e fortuna rápidas, talvez sem noção do que iam encontrar ao navegarem para ocidente dos Pireneus.

O próprio alcance geográfico de algumas das incursões contradiz a ideia de um enfoque especial em Santiago de Compostela. Por exemplo, em 844, após passarem ao largo das Astúrias e atacarem a região da Corunha, seguiram até Lisboa e de lá para Sevilha. Também em 858 navegaram até a foz do Guadalquivir e um ano depois, em 859, não só atingiram o extremo sul da Península Ibérica, como atravessaram o estreito de Gibraltar, atacaram o que é hoje a região de Múrcia e chegaram ao sul da França, onde passaram o inverno numa ilha no rio Ródano. A partir dessa base, levaram a cabo ataques a povoações francas e italianas antes de pelo menos parte do grupo regressar ao sul ibérico. Nada disso seria de esperar se, conforme dizem alguns, os vikings tivessem como alvo o putativo túmulo do apóstolo Tiago em Compostela.

Também no século X houve dispersão geográfica, embora menor, uma vez que, de acordo com as fontes sobreviventes, os nórdicos não teriam passado do Algarve ou do sul de Espanha. Por exemplo, em 966 teria havido uma batalha naval no rio Arade, que passa junto à povoação de Silves, ou então perto da foz do mesmo, talvez ao largo do que é atualmente a cidade de Portimão. E na década de 970, um conjunto de pequenas notas palacianas árabes dão notícia do avistamento de vikings ou pelo menos do alarme causado pela sua aproximação na região da foz do Tejo ou mais a sul. A mesma fonte contém ainda uma possível alusão a um ataque à cidade de Santander, talvez em junho de 971, e uma prova de cooperação entre o califado de Córdova e um aristocrata dos reinos cristãos do norte, por ventura Gonçalo Moniz, conde de Coimbra. Não é claro, no entanto, se a colaboração norte-sul deveu-se apenas a um medo comum dos vikings ou também às especificidades da política coimbrã, já que, por tratar-se de um território de fronteira, o condado era propenso a laços com o sul muçulmano. Basta pensar que quando Almançor entrou em Coimbra, em 987, os filhos de Gonçalo Moniz aliaram-se ao caudilho islâmico.

O século X assistiu também a uma das maiores investidas vikings em território ibérico, quando, em 968, uma frota descrita como tendo cem navios desembarcou na costa oeste galega, pilhou os arredores de Iria Flávia – hoje Padrón e à época sede episcopal – e derrotou em batalha o bispo de Iria-Compostela, que morreu no combate. O que seguiu, segundo a *Crônica de Sampiro*, foi um ano de pilhagem da Galécia, não se sabendo com precisão por onde andaram os vikings. Mas uma série de documentos do século X, preservados em diversos cartulários medievais, aludem a ataques e ao medo, embora não digam ao certo em que anos, sendo possível que pelo menos alguns deles referiram-se aos acontecimentos de 968-9. E não deixa de ser significativo que essa investida seja também a única cujo líder é conhecido por nome: Gunderedo, talvez uma latinização de Gunnrauðr ou Gunrød. Isso é indicativo do que se teria passado até esse período, já que um ano de presença viking na Galiza teria produzido contatos diários com os nórdicos, a ponto de o nome do seu líder ter sido retido e depois vertido para o texto das grandes crônicas medievais. A incursão de Gunderedo terminou em 969 com a morte do mesmo no seguimento de uma derrota nórdica em local desconhecido, mas cuja fase final teria tido lugar numa zona costeira ou perto de um rio navegável, dado que a *Crônica de Sampiro* refere a destruição da frota nórdica.

Para o século XI, a imagem transmitida pelas fontes sobreviventes é uma de maior concentração no nordeste ibérico, sem que se saiba se isso se deve a um enfoque de fato ou apenas à quantidade e origem limitadas das fontes de informação que sobreviveram até hoje. Mas são desse período dois textos preciosos que nos dão um vislumbre mais cotidiano da atividade viking no ocidente ibérico, já que se referem à captura e posterior resgate de habitantes locais. Um desses documentos, datado de 1018, oferece inclusive um parâmetro cronológico para um grande ataque que começou três anos antes, em julho de 1015, e só terminou na primavera de 1016, período durante o qual os nórdicos pilharam a região entre os rios Douro e Ave. O que quer dizer que houve certamente uma base de inverno viking no que atualmente corresponde ao norte de Portugal, embora a sua exata localização não seja conhecida, dado que não é referida no texto e não se conhecem, pelo menos até hoje, quaisquer vestígios arqueológicos. Igualmente fascinante é um documento de 1026 que relata a libertação de duas mulheres na região Santa Maria da Feira, episódio cuja data exata não é conhecida, mas que tem a particularidade de ser um resgate não em ouro ou prata, mas gêneros: uma pele de lobo, uma camisa, três lenços, uma espada, uma vaca e uma porção de sal. Como é que se chegou a essa lista de bens é algo que o texto não diz, mas pode ter havido alguma forma de regateio, caso em que é legítimo perguntar se terá sido verbal e, nesse caso, se terão havido intérpretes, por ventura um ou mais nórdicos que soubessem latim ou uma variante da língua latina.

Após a Era Viking, a presença violenta de marinheiros nórdicos na Península Ibérica prolongou-se por mais algumas décadas, embora sob a forma de cruzados que, em viagem rumo à Palestina, navegavam ao longo da costa ibérica e por vezes investiam contra povoações costeiras. É o caso em particular do rei norueguês Sigurðr Jórsalafari, que atacou Sintra, Lisboa e provavelmente Alcácer do Sal por volta de 1109. E em 1147, descendentes dos nórdicos que colonizaram a Normandia no século x participaram na conquista da cidade de Lisboa. Embora se chamassem normandos e fossem mais precisamente anglo-normandos, pois eram já um produto da tomada do trono inglês por Guilherme, o Conquistador em 1066, o termo não deve induzir ao erro e levar a endendê-los como vikings. Podiam ser seus descendentes, mas os habitantes da Normandia do século xi em diante eram indivíduos assimilados pela cultura francesa da época e integrados no universo latino-cristão, retendo apenas alguns vestígios das suas origens nórdicas. É o caso da toponímia, do vocabulário e da construção naval, esta última patente na Tapeçaria de Bayeux e a primeira presente ainda hoje na paisagem regional.

Não se dispõe do mesmo grau de vestígios da Era Viking na Península Ibérica, apesar da tradição popular ou análises menos cuidadosas que elevam embarcações tradicionais galego-portuguesas ao estatuto de sinais da presença nórdica no território. É o caso, por exemplo, do rabelo do rio Douro, cujo casco trincado, calado baixo e forma esguia tornam-no semelhante aos barcos dos vikings. Mas as parecenças não têm que ser explicadas pela presença dos nórdicos no que é hoje o norte de Portugal entre os séculos ix e xi, até porque a Idade Viking ocorreu há cerca de mil anos, não há dez ou cem, tendo havido múltiplas ocasiões de contato e troca de influências com o norte da Europa sem que se tenha que apontar logo para os vikings. Por exemplo, sabe-se que alguns dos cruzados que participaram na conquista de Lisboa em 1147 ficaram em Portugal e podem ter introduzido na cultura portuguesa elementos de origem nórdica que subsistiam na Normandia, entre eles a construção naval. Ou então podemos apontar para as relações comerciais e diplomáticas entre Portugal e os reinos de França e Inglaterra, dois territórios colonizados por grandes números de escandinavos e onde ficaram vestígios culturais da Era Viking, os quais podem depois ter sido transmitidos aos portugueses por franceses e ingleses do século xii em diante.

Já para a toponímia, há pelo menos duas possibilidades de locais cujo nome talvez esteja relacionado com os nórdicos. São eles a povoação leonesa de Lordemanos e a aldeia portuguesa de Lordemão, na atual Coimbra. Ambas podem estar relacionadas com a palavra *lordemani*, que é usada para identificar os vikings nas fontes ibéricas, mas se há uma relação direta entre o vocábulo e os topônimos, o motivo é uma incógnita. Pode ser uma memória de presença nórdica temporária nos moldes de um acampamento ou base, embora não se conheça qualquer notícia de um ataque a Coimbra ou no rio Mondego – o que por sua vez pode ser apenas o produto de fontes fragmentárias – e para o exemplo leonês haja apenas uma referência enigmática à chegada dos vikings aos "campos", talvez os Campos Góticos em Leão. Mas também pode ser uma reminiscência toponímica de uma colonização desses locais por vikings, voluntária ou forçada, como por exemplo cativos nórdicos levados a trabalhar a terra em zonas de fronteira durante a chamada Reconquista Cristã, quando a insegurança obrigava muitas vezes a constituir ou fixar populações recorrendo a criminosos, despojados ou servos.

Finalmente, o impacto de longo prazo da Era Viking na Península Ibérica parece ter sido pouco ou mesmo nenhum, seja porque a presença dos marinheiros nórdicos foi de fato limitada à pirataria, sem processos de conquista ou colonização em larga escala, como os que ocorreram nas Ilhas Britânicas, seja porque o conflito multissecular da Reconquista Cristã dissipou ou apagou quaisquer impactos do Período Viking no território ibérico. Afinal, a chegada dos nórdicos à península não introduziu a guerra numa região que estava em paz, não quebrou uma unanimidade religiosa e também não levou à criação de novos reinos ou entidades regionais à semelhança da Escócia ou da Normandia. Afetou a vida regional, sem dúvida, e nesse sentido conhecem-se algumas fortificações que foram erguidas para proteger as populações ou comunidades religiosas. Mas o impacto não foi duradouro e mesmo a possibilidade de os ataques vikings terem gerado um incremento naval no al-Andalus deve ser encarada com limites, dado que esse efeito pode ter sido apagado pelo tempo logo no século XIII, quando a presença islâmica na Península Ibérica ficou reduzida ao pequeno Reino de Granada.

Hélio Pires

Ver também Era Viking; Escandinávia; Viking.

AZEVEDO, Rui Pinto de. A expedição de Almançor a Santiago de Compostela em 997 e dos piratas normandos à Galiza em 1015-16. *Revista Portuguesa de História*, vol. 14, 1973, pp. 73-93.

PIRES, Hélio. Nem Tui, nem Gibraltar: Oláfr Haraldsson e a Península Ibérica. *En la España Medieval*, vol. 38, 2015, pp. 313-328.

PIRES, Hélio. *Os Vikings em Portugal e na Galiza*. Lisboa: Zéfiro, 2017.

PRICE, Neil. The Vikings in Spain, North Africa and the Mediterranean. In: BRINK, Stefan; PRICE, Neil (eds.). *The Viking World*. London/New York: Routledge, pp. 462-469.

VIKINGS NA TELEVISÃO

A primeira aparição dos vikings em produções para TV remete a 1959 em *Tales of the Vikings*, série de 39 episódios, sobre as façanhas de um chefe viking e seus dois filhos. A série foi realizada pela Brynaprod S.A., produtora de propriedade do ator Kirk Douglas, numa tentativa de aproveitar-se do sucesso do filme *The Vikings* (*Vikings, os Conquistadores*), lançado no ano anterior, protagonizado e também produzido por Douglas. A série, no entanto, contava com um orçamento consideravelmente mais baixo que o longa; enquanto o filme dispunha de elenco estelar e gravações externas na própria Escandinávia, a série tinha no elenco atores desconhecidos do público e era completamente gravada em estúdio, além de ainda ser em preto e branco, pois a transmissão em cores para TV só se popularizaria na década seguinte. Por outro lado, a representação dos vikings na série segue o mesmo padrão que o filme trouxe: bravos guerreiros sedentos por batalhas, com a exceção das cenas mais violentas e com teor sexual presentes no longa, já que a censura para a televisão era muito mais rígida do que para o cinema.

No mesmo ano, enquanto *Tales of the Vikings* era produzido para a TV americana, na Inglaterra o canal BBC produzia uma série animada infantil intitulada *Noggin the Nog*, sobre o jovem príncipe Nogging, filho de Canuto, rei dos Nogs. A animação era bastante simples, utilizando a técnica de *stopmotion* conhecida como *cut-out animation*, que faz uso de recortes para criar o movimento dos objetos, cenários e personagens, que curiosamente tiveram seu visual inspirado no famoso Xadrez de Lewis, uma coleção de peças de xadrez que se acredita serem originários da Escandinávia Medieval. *Noggin the Nog* trazia um enredo bastante fantasioso onde o povoado fictício de Nog era atacado por dragões e outras feras mitológicas, tudo narrado como se fosse uma antiga saga sobre os "homens do norte". A série teve 21 episódios até 1965 e na década de 1980 um *remake* foi produzido, com a colorização dos antigos episódios e com o acréscimo de seis episódios inéditos, além de ter dado origem a uma longa série de livros infantis vendida até hoje. Também nessa década, em 1966, o super-herói da Marvel Comics que teve sua criação inspirada na mitologia nórdica ganha sua primeira aparição na TV com a série animada *Mighty Thor*, contando com apenas 13 episódios onde o deus do trovão loiro e com elmo alado enfrenta ameaças de seu próprio panteão, como seu meio-irmão Loki, e de outras mitologias, a exemplo do semideus grego Hércules.

Na década de 1970, uma outra série animada para TV é realizada, dessa vez uma coprodução entre Alemanha, Áustria e Japão chamada *Vicky the Viking*, baseada em um livro infantil de 1963 do autor sueco Runer Jonsson, sobre um garoto viking que usa sua inteligência para ajudar seu pai, o chefe da vila de Flake, e seus amigos em várias aventuras. A série teve 78 episódios transmitidos entre 1974 e 1975 e apresenta vários estereótipos, como os famosos elmos com chifres e as embarcações com vários escudos pendurados à mostra, muito provavelmente com uma forte influência dos quadrinhos do viking *Hägar, o Horrível*, criado pouco tempo antes pelo cartunista americano Dik Browne. Em 2009 e 2011 foram produzidos dois longas *live action* adaptando a série e mais recentemente, em 2013, foi feito um *remake* em animação 3D da série produzido por um estúdio francês de animação.

Em 1980, a série documental *Vikings!* da BBC de Londres estrearia uma longa tradição de programas em formato de documentário para TV, sejam episódios individuais ou séries completas, sobre a temática dos vikings. A série era uma adaptação do livro do jornalista islandês Magnus Magnusson, criador, apresentador e narrador do programa, dividido em 10 episódios que apresentavam aspectos da cultura material e eventos históricos importantes da Era Viking. A grande particularidade das produções documentais sobre a temática é a forma simplificada e muitas vezes descuidada com que o assunto é tratado, frequentemente reforçando estereótipos, exageros e até mesmo fornecendo informações equivocadas. Essa, infelizmente, não é uma especificidade da temática viking, mas uma prática cada vez mais difundida por canais ditos especializados: a "espetacularização" do conhecimento histórico e da história como um todo. No entanto, há raras exceções com pelo menos um mínimo de coerência nas informações, como por exemplo as recentes produções do canal BBC *The Viking Sagas*, de 2011, a minissérie em três episódios *Vikings*, de 2012 e o especial para TV de 2014 focado na arte da Era Viking, de nome *The Culture Show: Viking Art*.

Em 1991, o personagem Príncipe Valente, criado para os quadrinhos por Hal Foster em 1937, ganha uma série animada para TV com duas temporadas, somando 65 episódios, intitulada *The Legend of Prince Valiant*. Nela, o protagonista, acompanhado por seus amigos Rei Arthur e os cavaleiros da Távola Redonda, protegem Camelot dos malvados guerreiros vikings. Aqui há forte teor de fantasia influenciado pela explosão de filmes do subgênero conhecido como espada e feitiçaria, a exemplo de *Conan the Barbarian* (*Conan, o Bárbaro, 1982*), personagem que também ganharia uma série em animação em 1992 e outra em *live action* em 1997, e que assim como os filmes, quadrinhos e livros dos quais se originam, apresentavam forte influência da cultura viking e de seus estereótipos. Ainda na década de noventa, em 1997, uma série animada chamada *Loggerheads* é produzida na Alemanha em parceria com a Irlanda. Com um humor bastante influenciado pelas séries animadas da Warner Bros. famosas na época, como *Animaniacs* e *Pink e Cérebro*, a série contou com apenas uma temporada de 16 episódios.

Em 2001, estreia no Reino Unido a minissérie de oito episódios *There's a Viking in my Bed* sobre um garoto do mundo atual que, de repente, encontra debaixo de sua cama um guerreiro da Era Viking. Apresentando um humor infantil extraído principalmente das situações em que o protagonista enfrenta diante do problema de esconder um brutamontes medieval das pessoas ao seu redor, a produção tem inspiração na série de livros de mesmo nome escritos por Jeremy Strong. Seguindo a mesma ideia de crianças modernas que, de alguma forma, encontram-se com o universo da Era Viking, em 2005 outra série infantil é realizada: *Jul il Valhal* é uma produção para a televisão dinamarquesa sobre jovens amigos que encontram um portal para Valhalla, a morada dos deuses nórdicos. A série contou com apenas 24 episódios, mas teve relativa boa recepção, ganhando, em 2007, uma continuação em forma de filme para TV. Outra curiosa produção escandinava sobre a temática, dessa vez da Suécia, retratava a vida de um pequeno vilarejo da Era Viking através do famoso formato de séries cômicas americanas conhecido como *sitcom*. *Hem till Midgård* contou com duas temporadas de 12 episódios cada, transmitidos na TV sueca entre 2003 e 2004, e trazia piadas relacionadas ao mesmo tempo à Suécia contemporânea e à medieval, com personagens vestidos de formas extravagantes e usando armas exageradamente esdrúxulas.

Após o sucesso do longa de animação *How to Train Your Dragon* (*Como Treinar Seu Dragão*) em 2010, a produtora Dreamworks tratou de expandir o universo do jovem viking Soluço e seus amigos domadores de dragões para a TV, primeiro, ainda em 2010, com uma minissérie em três episódios chamada *How to Train Your Dragon Legends*, depois em 2012 com *Riders of Berk* (*Dragões: Pilotos de Berk*), de 20 episódios, e em 2014, juntamente com a continuação do filme, *Defenders of Berk* (*Defensores de Berk*), também de 20 episódios. Em 2015 estreia a nova série, *Dragons: Race to the Edge* (*Dragões: Corrida Até o Limite*) atualmente com a quinta temporada em produção. Todas as séries, assim como os filmes que as originaram, mostram uma versão extremamente fantasiosa da Era Viking, explorando intensamente e levando para a realidade o mito dos dragões tão presente nas narrativas medievais escandinavas. Além disso, é constante a presença de elmos com enormes chifres e armas descomunais.

Em 2013, é lançada a mais pretensiosa produção para TV envolvendo a temática viking até hoje: criada por Michael Hirst para o canal History, a série *Vikings* contou com orçamento milionário e filmagens na Irlanda, aproveitando-se do belo cenário do país, propiciando maior verossimilhança visual. A série tem seu protagonista inspirado no semilendário herói Ragnar Lothbrok e apresenta sua ascensão de um simples camponês em um pequeno povoado até tornar-se rei, mostrando suas incursões até a região hoje conhecida como Grã-Bretanha. A série, apesar de subverter vários eventos da Era Viking em prol de assegurar uma narrativa estimulante para manter o interesse da ótima audiência do programa, traz uma representação razoavelmente acertada em alguns pontos, como as vestimentas, arquitetura, armamentos e cultura material no geral. Peca, por outro lado, em pontos como algumas expressões da religiosidade e da organização social. No entanto, tendo em vista o histórico de produções superestereotipadas sobre o tema tanto para TV como para qualquer outro meio como cinema, literatura, quadrinhos, jogos, entre outros, a série apresenta um excelente avanço nas representações culturais e artísticas sobre os vikings, considerando ser uma produção de tão amplo alcance. *Vikings* tem atualmente sua quinta temporada em produção, dando poucos sinais de desgaste de sua audiência.

Por influência do sucesso da série *Vikings*, a BBC América produz em 2015 uma produção adaptando a aclamada série literária de Bernard Cornwell, *Crônicas Saxônicas*. A série *The Last Kingdom* (*O Último Reino*) nos apresenta a estória do saxão Uhtred, desde sua infância, quando é capturado pelos vikings que atacaram o castelo de seu pai até sua maturidade como guerreiro, quando precisa se dividir entre seu passado e fé ligados aos vikings e a proteção das terras onde nasceu. A narrativa faz uma combinação entre fatos, eventos e personagens históricos reais, como o rei Alfredo, o Grande, e criações fictícias, como o próprio protagonista. A série tem atualmente sua terceira temporada em produção e uma boa recepção de público e crítica. Mais recentemente, em 2016, uma série norueguesa de comédia intitulada *Vikingane* brinca com uma pequena vila na Era Viking ironizando o modo de vida das pessoas daquela época. No mesmo ano uma minissérie de 12 episódios inspirada no poema épico *Beowulf* é produzida no Reino Unido, intitulada *Beowulf: Return to the Shieldlands*, cuja produção demonstra pouca ou nenhuma preocupação em evitar equívocos e quebrar estereótipos em suas representações.

Desde a década de 1960, os vikings fazem também pequenas aparições, quase sempre como vilões e ostentando vistosos capacetes chifrudos, em episódios de séries de TV, principalmente de animações, como em 1968 no episódio *Freeze's Frozen Vikings* do desenho animado *The Batman/Superman Hour*; em 1977 no episódio *The Curse of the Viking Lake* do *Show do Scooby-Doo*; em um hilário número musical dos *Mup-*

pets em 1980; num encontro entre duas mitologias na série animada da Disney *Hercules*; em 1998 no episódio *Hercules and the Twilight of the Gods*; mais recentemente, em 2004, no episódio *A Kick in the Asgard* de *As Terríveis Aventuras de Billy e Mandy* ou em 2008 no episódio *Dear Vikings* de *Bob Esponja*, entre muitas outras não mencionados.

Elvio Franklin Menezes Teles Filho

Ver também Era Viking; Viking; Vikings na literatura; Vikings nas artes plásticas; Vikings no cinema.

BURKE, Peter. *Testemunha Ocular: História e Imagem*. Bauru (SP): Edusc, 2004.

HARTY, Kevin J. (org.) *The Viking on Film: essays on depictions of the Nordic Middle Ages*. North Carolina: McFarland & Company, 2011.

LANGER, Johnni. Fúria odínica: a criação da imagem oitocentista sobre os Vikings. *Varia História*, Belo Horizonte, MG, vol. 25, n. 25, 2001, pp. 214-230.

LANGER, Johnni. Fé, exotismo e macabro: algumas considerações sobre a religião nórdica antiga no cinema. *Ciências da Religião*, Mackenzie Online, vol. 13, 2015, pp. 155-180.

NOTÍCIAS ASGARDIANAS n. 10, 2015, dossiê Série Vikings.

VIKINGS NAS ARTES PLÁSTICAS

Desde o final do século XVIII e da primeira metade do XIX, os vikings têm sido temática recorrente nas artes plásticas, especificamente na Escandinávia. Com o surgimento do romanticismo nacionalista, muitos artistas europeus encontraram no passado antigo ou medieval uma importante fonte de inspiração para suas obras, formando parte do desenvolvimento das identidades nacionais enquanto busca pela origem das nações em seus passados remotos. Vários artistas do norte da Europa utilizaram o tema dos vikings como modelo do passado glorioso nórdico e germânico.

Após o fim da Era Viking, fora da Escandinávia praticamente todo o conhecimento sobre os vikings se perdeu. Durante a Idade Média nos países nórdicos, principalmente na Islândia, muitas histórias, sagas e mitos pagãos foram registrados por escrito por autores cristãos. Essas histórias foram redescobertas nos séculos XVI-XVII e muitas delas foram publicadas, como a *História danesa* de Saxo Grammaticus. Também certos sábios publicaram estudos sobre o passado nórdico, como Johannes Magnus e Olaus Magnus. Algumas dessas edições estavam ilustradas com gravuras, cuja iconografia foi frequentemente reproduzida durante os duzentos anos seguintes. Essas fontes mostraram uma sociedade heroica na qual guerra, inteligência e valor se combinaram com uma grande série de deuses e heróis projetando uma visão atrativa e misteriosa sobre os vikings. Essa imagem fascinou as futuras gerações de escritores, artistas e historiadores tanto da Escandinávia como de outros países europeus.

A partir do século XVII o conhecimento sobre os vikings e o passado nórdico começou a se propagar fora da Escandinávia, principalmente graças ao erudito dinamarquês Ole Worm, que viajou extensivamente pela Europa e publicou um número considerável de livros sobre runas e monumentos antigos da Dinamarca. Na Europa Ocidental, principalmente na Inglaterra, surgiu pouco a pouco um interesse pelos nórdicos, seu idioma, escrita e literatura. Diversas sagas, *Eddas* e outros textos islandeses começaram a ser traduzidos ao latim e outros idiomas por autores e acadêmicos escandinavos. Durante esse período, as temáticas nórdicas estiveram praticamente ausentes na arte da Europa Ocidental, mas não tanto na Escandinávia. O rei dinamarquês Christian IV, que reinou de 1588 a 1648, comissionou uma série de pinturas ilustrativas sobre a história da Dinamarca a um número de artistas holandeses para decorar o grande salão do castelo real de Kronborg. Algumas dessas pinturas representavam pela primeira vez certas paisagens dos escritos de historiadores dos séculos XVI e XVII e das fontes medievais que esses utilizaram.

Depois da série de Kronborg, artistas e patrocinadores da Escandinávia e do resto da Europa prestaram pouca atenção às temáticas vikings por mais de um século. Isso mudou com a chegada do romantismo, na segunda metade do século XVIII. Foi nesse período que a interpretação da história nórdica floresceu. Foi a época do movimento do *Sturm und Drang* (Tormenta e ímpeto) na literatura e na arte alemã, que, inspirado na primitiva tradição heroica germânica, exaltava a natureza, os sentimentos e o individualismo humano, contrapondo-se ao culto ilustrado do racionalismo. Foi um período da arte europeia no qual houve uma confluência entre o desejo de validar a mitologia e o pensamento do norte, porém sem abandonar completamente os moldes clássicos. É um exemplo claro dessa proposta estética a pintura mais famosa do suíço Johann Heinrich Füssli, *Thor lutando contra a serpente de Midgard*, de 1790. Nela, a figura desnuda de Thor claramente foi inspirada por Michelangelo e Giulio Romano, cujas obras Füssli havia estudado na Itália, porém o tema segue claramente a mitologia nórdica que começava a ser cada vez mais conhecida na Europa.

Na Escandinávia, com o auge do nacionalismo, floresceu o interesse pelo passado como um *tópos* romântico. Na Dinamarca, o escultor e desenhista neoclássico Johannes Wiedewelt promoveu a postura de representar os heróis e deuses nórdicos seguindo os moldes de figuras clássicas: Odin como um Júpiter escandinavo, Thor como Vulcano ou Marte, Freya como Vênus. No que diz respeito ao interesse pela idade heroica da Escandinávia, o pintor escandinavo mais importante do período romântico foi o dinamarquês Nicolai Abildgaard, que pintou várias cenas históricas e mitológicas, como por exemplo *Ymir amamentado pela vaca Audhumbla* de 1777.

No início do século XIX, impulsionada pelas sociedades patrióticas na Escandinávia, o interesse da arte escandinava pela mitologia nórdica se intensificou: na década de 1810, tanto em Estocolmo como em Copenhague, foram oferecidos cursos sobre o uso correto desse material mitológico nas belas artes. Porém, os artistas ainda não lograram abandonar completamente o classicismo e encontrar uma estética puramente nórdica. Por exemplo, o escultor sueco Bengt Erland Fogelberg, entre 1828 e 1844, realizou três grandes esculturas em mármore de Odin, Thor e Balder, encomendadas pela comissão do rei Karl XIV Johan, as quais continuavam tendo grandes similitudes com os modelos de Marte e Hércules que Fogelberg estudou em Roma. Na Dinamarca, sucedeu algo similar com o *Friso Ragnarök* do escultor H.E. Freund, cuja representação das cenas da batalha final segue um modelo clássico, no qual as armas, vestimentas e muitas das poses dos personagens são claramente greco-romanas.

Nessa época também teve início a sistematização dos restos arqueológicos na Escandinávia. Os museus nacionais dos países escandinavos foram reorganizados e se publicaram vários catálogos de peças arqueológicas que resultaram em muitas influências nos pintores históricos. Com estas novas fontes à disposição, os artistas podiam basear suas obras em objetos e ornamentos reais e próprios da Escandinávia em vez dos elementos da tradição clássica greco-romana.

Por outro lado, principalmente na Noruega, começou a se desenvolver uma tradição pictórica diferente, que evocava o nacionalismo norueguês por meio das paisagens românticas, dando ênfase às árvores, montanhas e águas norueguesas. Um bom exemplo disso é a pintura a óleo de Johannes Flintoe, *Duelo em Skiringssalr*, de 1835, que ilustra uma cena da *Saga de Egill Skallagrímson*. A obra de Flintoe abordou um aspecto selvagem na iconografia dos vikings até então inédito na pintura.

O interesse pelo passado nórdico começou a crescer fora da Escandinávia, embora em muitos países mesclava-se com o ciclo ossiânico da mitologia irlandesa e a grande épica medieval alemã da *Nibelungenlied*. Influenciadas pelo teatro, as representações associadas a essas histórias estavam repletas de elmos alados e harpas, os quais em meados do século xix também começaram a aparecer em certas obras de arte como um dos principais atributos dos heróis e guerreiros vikings. Uma das primeiras pinturas de importância sobre o passado viking da França é a obra romântica *O conde Eudes defende Paris contra os normandos*, de Jean-Victor Schnetz, terminada em 1837. Essa pintura representa a heroica defesa da capital francesa durante o cerco viking de 885-886. Tal fato histórico, assim como o assentamento viking na Normandia, inspirou um grande número de ilustrações românticas de livros ao longo do século. Na Alemanha, o movimento romântico foi, como em muitos outros países, uma expressão da busca da identidade nacional. A atenção se centrou na *Canção dos Nibelungos*, que compartilha muitas personagens e heróis com a mitologia nórdica. Vários artistas pintaram cenas ou ilustraram edições da *Nibelungenlied*, sendo um dos mais destacados Julius Schnorr von Carolsfeld, que, em um período de quarenta anos, pintou os muros e tetos da Residência de Munique com cenas do *Cantar*.

Na Inglaterra também houve certas pinturas que representavam o passado da ilha antes da invasão normanda, entre elas algumas com temáticas relacionadas aos ataques daneses contra os reinos saxões. Um exemplo é a colorida obra *Alfredo, o rei saxão na tenda de Guthrum, o danês*, de 1852, que representa uma das lendas mais populares sobre Alfredo, o Grande. Na Rússia de finais do século XIX e princípios do XX alguns artistas também mostraram certo interesse pelo papel que os nórdicos orientais, os rus ou varegues, tiveram na formação do estado russo. O mais destacado é sem dúvida Nicolai Roerich, cuja obra *Visitantes de ultramar*, de 1901, é a mais famosa nesse aspecto. Nela se mostram dois barcos cheios de vikings navegando pela costa russa.

No final do século XIX houve, na pintura europeia, um renascimento das temáticas mitológicas e lendárias. Isso se deve em parte à produção de livros infantis acessíveis e amplamente ilustrados, por meio dos quais pela primeira vez se divulgou informações sobre os ditos temas a um público muito mais amplo e menos especializado. As ilustrações sobre o passado viking da Dinamarca e a mitologia nórdica de Lorenz Frølich foram extremamente populares, graças ao êxito da história ilustrada da Dinamarca de Adam Fabricius, originalmente publicada em 1852 e reeditada constantemente durante os seguintes cinquenta anos.

Durante a onda do crescente nacionalismo, que culminou com a separação de Noruega e Suécia em 1905, os artistas daneses voltaram uma vez mais a ver o heroico passado viking como fonte de inspiração. Como parte desse movimento, Peter Nicolai Arbo pintou uma de suas mais emblemáticas obras: *A caçada selvagem de Odin*, em 1868 e *A valquíria*, em 1869.

As novas descobertas arqueológicas sobre o passado nórdico durante a segunda metade do século XIX influenciaram a maneira como os artistas retratavam esse passado. O descobrimento do barco de Gokstad em 1880 mudou drasticamente a maneira de representação dos navios vikings. Os pintores não mais dependiam somente de sua imaginação e dos exemplos da tradição clássica: podiam desenhar seguindo o modelo de um barco viking real. O barco de Gokstad não somente estimulou um interesse geral nos vikings como grandes navegantes, como também impulsionou o desenvolvimento de um estilo romântico nacionalista na Noruega, que se expressou principalmente na arquitetura e nas artes aplicadas. O barco e seus objetos, assim como as tradicionais igrejas de madeira (*stavkirke*), serviram como inspiração para desenhistas daneses e, em menor medida, suecos. A joalheria, os móveis, telas e porcelana e a decoração de interiores foram alguns dos itens nos quais se empregou de modo amplo motivos inspirados na arte viking, decorando-os com complexos nós e representações de cabeças de bestas e dragões.

A mais notável obra do século XX com temática sobre o heroico passado escandinavo é, sem dúvida, a controversa *Midvinterblot* (Sacrifício de inverno), de Carl Larsson, uma pintura de grande formato comissionada pelo Museu Nacional da Suécia. A cena, feita para decorar o último muro livre da escadaria central do edifício, representa o sacrifício pagão do rei Domaldi no templo de Uppsala para evitar um período de fome. Larlsson utilizou os textos de Adão de Bremen e Snorri Sturlusson como inspiração. Desde que se expuseram os primeiros estudos a obra recebeu muitas críticas, principalmente pelo tema, considerado pouco relevante para a Suécia moderna, e também pela presença de numerosos anacronismos nos objetos e armas presentes na obra. Apesar das recriminações e de vários estudos e versões, em 1915 Larlsson terminou sua monumental pintura (de 6.4 m x 13.6 m) e a considerou sua obra-prima. O debate continuou e fortes opiniões foram expressas a favor e contra a obra por artistas, historiadores da arte, políticos, arqueólogos e o público em geral. Finalmente, a pintura foi rejeitada pelo conselho do Museu Nacional e iniciou uma grande, e por vezes desafortunada, peregrinação, que terminou em 1997, quando por fim o Museu Nacional da Suécia comprou a obra e a instalou permanentemente na área onde Carl Larsson havia planejado que fosse exposta.

A imagem que se tinha sobre os vikings durante as décadas de 1930 e 1940 esteve marcada pela visão nazista do passado nórdico. Os limites entre a Escandinávia e a Alemanha, que desde finais do século XVIII começaram a ser mais evidentes, se articularam em uma suposta fraternidade fomentada pela propaganda na década de 1930 e imposta aos países ocupados nos anos 1940. Os pôsteres e propagandas emitidas pelos partidos nacional-socialistas daneses e noruegueses exploraram constantemente a imagem dos guerreiros nórdicos loiros, utilizando elementos como runas, barcos e armas vikings. Um pôster promovendo a Legião Norueguesa ao longo de 1942 mostra um soldado da Waffen-ss e um civil norueguês em um barco viking com uma cabeça de dragão ao fundo, acompanhado da legenda "Com a Waffen-ss e a Legião da Noruega contra o inimigo comum, contra o bolchevismo". Artistas como o alemão Wilhelm Petersen realçaram a figura humana por meio de um tipo de neoclassicismo com qualidades realistísticas, seguindo o ideal nórdico do nazismo. Petersen estudou amplamente os restos arqueológicos da Escandinávia e suas representação dos vikings eram as mais fiéis produzidas até então.

Apesar da carga ideológica que o nazismo impôs aos vikings depois da Segunda Guerra Mundial, estes continuam sendo muito populares e sua imagem tem sido renovada graças às histórias em quadrinhos (sendo a mais famosa a de *Thor*, da Marvel, desenhado por Jack Kirby), filmes comerciais, séries de televisão e *videogames*. Nas últimas décadas, pintores e escultores nórdicos como Asger Jorn, Arne Vinje Gunnerud, Bror Marklund, Sigurd Vasegaard, Anker Eli Petersen e Bjørn Nørgaard têm trabalhado temas relacionados com o passado viking. Sem dúvida alguma, as histórias e mitologias dos antigos escandinavos seguem cativando até nossos dias.

Daniel Salinas Córdova

Ver também Era Viking; Escandinávia; Vikings e Alemanha moderna; Vikings na literatura; Vikings na música; Vikings no cinema; Vikings nos quadrinhos; Vikings na televisão; Vikings no Brasil.

CUELLAR ROMERO, Sara. La mitología nórdica en el arte. *Los vikingos en la historia. II Jornadas de Cultura Vikinga*. Granada: Libros EPCCM, 2015, pp. 387-450.

SALINAS CÓRDOVA, Daniel. Nicolai Roerich y las representaciones de los rus en su pintura. *Notícias Asgardianas*, n. 11, 2016, pp. 22-33.

WAWN, Andrew. *The Vikings and the Victorians. Inventing the Old North in 19th Century Britain*. Cambridge: D. S. Brewer, 2000.

WILSON, David M. *Vikings and Gods in European Art*. Aarhus: Moesgård Museum, 1997.

VIKINGS NO BRASIL

Um dos grandes paradigmas da arqueologia do século XIX foi identificar traços do Velho Mundo nas Américas, especialmente os vinculados aos fenícios e vikings. Durante a consolidação do Segundo Reinado brasileiro, a partir dos anos 1840, a ideia de que nórdicos haviam aportado no Brasil antes de Cabral torna-se uma das mais profícuas entre os historiadores e arqueólogos do Rio de Janeiro.

Inicialmente, essa tese era defendida por dinamarqueses sócios do Instituto Histórico e Geográfico Brasileiro (IHGB), como Carl Rafn, Peter Claussen e Peter Lund. Estes dois últimos realizaram estudos de campo em Minas Gerais de 1833 a 1845. E também uma equipe do IHGB copiou as inscrições da Pedra da Gávea e confiou a sua decifração ao tcheco Rochus Schüch, que trabalhava no gabinete de D. Leopoldina (futuro Museu Nacional), que imediatamente as relacionou com as runas. O mesmo erudito ainda acreditava que as línguas dos índios da Amazônia eram semelhantes às nórdicas.

Muitas pessoas buscaram supostos indícios dessa intrépida aventura náutica em nosso passado. Em Santa Catarina, na ilha do Arvoredo, aludia-se a inscrições semelhantes à Gávea. Imediatamente, a tese viking tomou ares internacionais. Em 1841, Pierre Lerebous publicou um livro afirmando que a cidade perdida da Bahia, descrita no famoso manuscrito 512 da Biblioteca Nacional, teria origem nórdica: a célebre estátua da praça central seria inclusive uma alegoria do deus Thor.

Mas um fato pouco conhecido na atualidade é a teoria de que eles estiveram no litoral catarinense. Tudo teve início com narrativas sobre supostas inscrições encontradas na ilha do Arvoredo, SC (ao noroeste de Florianópolis), durante o início do Oitocentos. Nessa época, circulavam estórias sobre supostos "letreiros", como eram chamadas as manifestações visuais dos antigos indígenas (conhecidas em nossos dias como petróglifos ou gravuras rupestres). Embebidos em ideias eurocêntricas, tanto os moradores locais quanto os intelectuais da região não acreditavam que essas esculturas geométricas teriam sido realizadas pelos antigos habitantes da região, mas seriam vestígios de povos "mais avançados" perdidos na bruma dos tempos – no caso, navegantes europeus antes de Colombo e Cabral.

Mergulhado nesse referencial, o viajante e artista Jean-Baptiste Debret percorreu essa região e realizou um registro dos petróglifos indígenas da ilha do Arvoredo, posteriormente inserido em sua obra *Viagem pitoresca e histórica ao Brasil* (1834). Nela, percebemos claramente que ele concede um referencial civilizatório aos vestígios, tomados como "inscrições". No início do Oitocentos, diversos estudos deram fama ao referencial da epigrafia arqueológica – os hieróglifos egípcios foram traduzidos em 1822 por Champollion, lançando um modismo intelectual da busca por antigas e misteriosas escritas perdidas pelo mundo todo. E além disso, o caráter "monumental" era algo recorrentemente buscado, tendo o painel da ilha do Arvoredo todos esses elementos: era inóspito, localizado no mar, afastado das grandes cidades da época.

Em 1839 os historiadores do IHGB iniciaram seus estudos na famosa Pedra da Gávea, RJ, que também supostamente conteria uma inscrição misteriosa. O bibliotecário e mineralogista do gabinete imperial, Rochus Schuch, enviou uma cópia das inscrições da Gávea, alegando que as mesas eram "runas", portanto, teriam sido esculpidas pelos navegantes nórdicos durante a Idade Média. Schuch foi influenciado pelas publicações do escandinavista Carl Rafn, que em seu livro *Antiquitates Americanae* (1837) afirmava que os vikings estiveram na América do Norte (especialmente na região da Nova Inglaterra), tendo como base uma série de inscrições em rochedos. Os arqueólogos modernos confirmam que também se tratavam de gravuras esculpidas pelos indígenas locais, assim como os da ilha do Arvoredo, mas para os referenciais da época eram provas concretas da passagem de navegadores europeus.

Os acadêmicos do IHGB tomaram muito entusiasmo pelos escritos de Carl Rafn, tanto que acabaram traduzindo alguns de seus artigos na *Revista do Instituto*. Também o paleontólogo e correspondente do IHGB, Peter Lund, de origem dinamarquesa e que estava pesquisando em Minas Gerais durante essa época, acreditava que os nórdicos haviam visitado o litoral brasileiro durante o medievo.

No final de 1839, o IHGB recebe uma carta de Florianópolis, aludindo às ditas inscrições da ilha do Arvoredo, que poderiam ser de origem escandinava, confirmando as hipóteses dos pesquisadores cariocas. Imediatamente um sócio corresponde do Instituto, Falcão da Frota, é enviado para pesquisar o dito "letreiro", o que acaba não acontecendo.

Com a vinda dos anos 1840, as pesquisas arqueológicas do IHGB concentram-se na busca da cidade perdida da Bahia (hoje sabemos que foi uma localidade imaginária). E após a década de 1850, a hipótese viking acaba sendo transferida para o espaço amazônico, uma região ainda mais misteriosa e inacessível que nosso litoral. As ditas inscrições da Gávea acabaram caindo no ostracismo intelectual após o final do império (a geologia moderna confirma que são produtos de erosão) e os petróglifos da ilha do Arvoredo são hoje buscados pelos turistas e arqueólogos. Quanto a sua ligação com os vikings, foi curta, mas instigante, demonstrando que por diversas vezes a academia procurou criar uma origem gloriosa para a nação brasileira, afastando-se do seu verdadeiro passado material.

Com a aproximação dos anos 1850, a teoria viking deixa de atrair a atenção dos intelectuais cariocas. Mas ela persistiu esparsamente, como nos escritos do naturalista João Barboza Rodrigues. Ele procurava encontrar os vestígios do que denomina de "Os filhos de Odin", a herança da cultura nórdica pelos habitantes da Amazônia em sua cultura material, língua, religião e costumes. Posteriormente, a tese nórdica acaba sendo questionada pela academia e encontra eco somente na arte, seja nos quadrinhos, cinema ou então, na literatura de Arqueologia fantástica e nos neodifusionistas, que insistem na veracidade dessa tese pela internet até nossos dias.

Johnni Langer

Ver também Era Viking; Escandinávia; Vikings e Alemanha moderna; Vikings na literatura; Vikings na música; Vikings nas artes plásticas; Vikings no cinema; Vikings nos quadrinhos; Vikings na televisão.

LANGER, Johnni. Os vikings no Brasil. *Habitus*, vol. 1, 2003, pp. 75-102.

LANGER, Johnni. Os vikings no Brasil. *Nossa História*, vol. 3, 2004, pp. 21-25.

LANGER, Johnni. Vikings na selva. *Revista de História da Biblioteca Nacional*, vol. 80, 2012, pp. 80-84.

LANGER, Johnni. Os vikings no Brasil: a história de um mito arqueológico. In: *Deuses, monstros, heróis*. Brasília: Editora UNB, 2009, pp. 149-168.

VIKINGS NO CINEMA

As primeiras representações cinematográficas de vikings datam dos primeiros anos dessa forma de arte, muito antes dos filmes falados e em cores, e há pouquíssimas informações sobre elas. O primeiro filme de que temos conhecimento sobre a temática chama-se *The Viking's Bride*, produzido no Reino Unido em 1907 e com poucos minutos de duração, cuja narrativa exibe a estória de um viking que tem sua noiva raptada por um grupo inimigo no dia de seu casamento e precisa resgatá-la. Pela dificuldade de acesso, é difícil dizer como, visualmente, o filme representa aspectos materiais da cultura e sociedade viking, mas o enredo sugere alguns estereótipos, como o sequestro de mulheres. A esse curta seguiram-se algumas produções norte americanas, também de curtas metragens, todas dirigidas por J. Stuart Blackton: *The Viking's Daughter: The Story of the Ancient Norsemen* de 1908, também sobre um sequestro, e no mesmo ano *The Elf King: a Norwegian Fairy Tale*, que pelo título supomos tratar de temas míticos, e em 1910 *The Last of the Saxons*, baseado em um livro de 1847. Em 1914 são produzidos *The Viking Queen* e *The Oath of a Viking*, dirigidos respectivamente por Walter Edwin e J. S. Dawley.

Em 1924, o renomado diretor alemão Fritz Lang produz sua obra épica *Die Nibelungen (Os Nibelungos)*, dividido em dois longas intitulados *A Morte de Siegried* e *A Vingança de Kriemhild*, tendo como inspiração o ciclo de óperas *O Anel dos Nibelungos* de Richard Wagner, do final do século XIX e no poema épico *A Canção dos Nibelungos*, do século XIII. Lang dedica o filme, logo na introdução, ao povo alemão, demonstrando o intuito em criar um efeito de identidade tão caro à população alemã no período após a Primeira Grande Guerra. O filme herda da ópera também alguns estereótipos, como elmos contendo asas e chifres e uma divisão em cânticos. Também influenciado pela ópera wagneriana e pela própria obra de Fritz Lang, estreia, em 1928 o primeiro grande filme americano envolvendo a temática do mito da colonização nórdica nos Estados Unidos, *The Viking (Os Deuses Vencidos)*. Baseado no romance de 1902 *The Thrall of Leif the Lucky*, o filme apresenta ainda mais estereótipos e reforça o tom fantasioso acerca da brutalidade e coragem dos vikings, além de indumentária e armamentos espalhafatosos.

Apenas muitos anos depois, na década de 1950, os vikings voltam a aparecer em produções cinematográficas. Em 1954 há a primeira adaptação dos quadrinhos de Hal Foster *Prince Valiant (O Príncipe Valente)*. O filme copia a representação estereotipada que já existia nos quadrinhos de Foster, com a presença de elmos cornudos e armas exageradas, além de apresentar os vikings como vilões na narrativa. Em 1957 é lançado um filme bastante audacioso para a época, dirigido pelo famoso Roger Corman *The Saga of the Viking Women and Their Voyage to the Waters of the Great Sea Serpent (A Mulher Viking e a Serpente Marinha)*, fala sobre um grupo de mulheres que decidem sair ao resgate dos homens do vilarejo após estes serem raptados por inimigos. Aqui ainda há presença dos estereótipos, sendo o mais claro a exploração da sensualidade através dos trajes das personagens, mas é interessante notar a inversão dos papéis de gênero em relação à temática do rapto nas primeiras produções.

No ano seguinte, 1958, a maior e mais ambiciosa produção cinematográfica sobre o tema até o momento é produzida, *The Vikings (Vikings, os Conquistadores)*, dirigido por Richard Fleischer e elenco com grandes astros da época como Tony Curtis, Janet Leigh e Kirk Douglas. Baseado no livro *The Viking* de 1951, escrito por Edison Marshall, conta a estória de um grande guerreiro e um escravo que se apaixonam por uma princesa raptada sem saberem que são meio irmãos. Ao contrário de *Prince Valiant*, o filme representa os vikings como heróis e guerreiros valorosos e, por ter recebido consultoria de arqueólogos e historiadores durante a produção, traz bastante fidelidade à cultura material e equipamentos, além de ter sido o primeiro do gênero a utilizar a verdadeira paisagem escandinava como cenário, tendo suas cenas externas filmadas nos belos fiordes noruegueses, o que contribuiu imensamente para o deslumbramento do público e para a sensação de veracidade histórica, algo desejado pela produção. No entanto, durante a produção e mesmo antes, o filme foi alvo da rígida censura americana da época, que não aprovou o excesso de violência e sexualidade evidenciadas no roteiro. O pretexto utilizado pelos produtores do filme era de que tais cenas e sua brutalidade trariam maior verossimilhança ao filme, já que, segundo eles, assim era a sociedade dos vikings. Após a liberação de algumas dessas cenas, a utilização da justificativa passou a ser recorrente em filmes posteriores, reforçando bastante certos estereótipos e difundindo vários clichês do gênero.

Na década seguinte, por influência do enorme sucesso de *The Vikings*, o tema da Escandinávia medieval e seus intrépidos habitantes passa a ser explorado amplamente pela cultura pop no geral. Entre as produções mais relevantes, podemqos destacar o filme *The Long Ships* (*Os Legendários Vikings*) de 1964, um dos poucos a retratar a aproximação dos vikings com populações islâmicas. No entanto, há forte presença de estereótipos, como na cena em que um grupo de guerreiros vikings entra em um harém cheio de mulheres e as atacam violenta e sexualmente. É importante perceber que o público desse gênero cinematográfico, até então e durante muito tempo, era majoritariamente masculino, o que explica a grande quantidade de cenas de teor sexual presentes nesses filmes, muitas vezes sem nenhuma utilidade para o desenrolar do enredo. Nessa década de 1960 o cinema italiano sofria forte influência das grandes produções hollywoodianas, ocasionando a realização de vários filmes que tentavam "imitar" gêneros americanos, como, por exemplo, o chamado *Western Spaghetti*, em alusão ao faroeste estadunidense, e os filmes de aventura e épicos. Assim, uma grande quantidade de filmes de aventura com temática viking acaba sendo produzida na Itália, geralmente com orçamentos diminutos. Alguns exemplos são *Gli Invasori* (*A Vingança dos Vikings*), *I Tartari* (*Os Bravos Tártaros*) e *L'ultimo dei Vikinghi* (*O Último dos Vikings*), todos de 1961, *I Normanni* (*A Batalha que Salvou um Império*) de 1962, *Erik, il Vichingo* (*Érico, o Viking*) e *Il Tesoro della Foresta Pietrificata* (*Audácia dos Vikings*) ambos de 1965, sendo este último inspirado na ópera wagneriana, e *I Coltelli del Vendicatore* (*Os Punhos do Vingador*) de 1966, entre outros. Esses filmes, na maioria das vezes, seguiam o exemplo das produções americanas, repetindo e reforçando estereótipos e por vezes até exagerando-os como forma de chamar a atenção do público. Nessa época começam a aparecer, ainda que escassamente, as primeiras produções de filmes escandinavos sobre o tema. O famoso diretor sueco Ingmar Bergman realiza, em 1960, *Jungfrukällan* (*A Fonte da Donzela*). O filme apresenta questões sobre a permanência de costumes da religiosidade pagã em uma Suécia já cristianizada, além de temas recorrentes na filmografia do diretor como a moralidade e problemas filosóficos. Em 1967 é lançada uma coprodução entre Suécia, Islândia e Dinamarca,*Den røde kappe*, baseado na famosa lenda do folclore escandinavo *Hagbard and Signe*. Em 1976 um curioso filme é lançado na Dinamarca, realizado por uma dupla de artistas plásticos dinamarqueses, Poul Gernes e Per Kirkeby. *Normannerne* trata-se de uma espécie de visita guiada por sagas e lendas da mitologia escandinava com alguns momentos de reconstituição, funcionando quase como um filme didático sobre o assunto. Em 1981 é produzido na Islândia o filme *Útlaginn* inspirado na *Saga de Gísli*, uma das muitas sagas de famílias islandesas. Também na Islândia, o proeminente cineasta Hrafn Gunnlaugsson dirige e escreve uma série de três filmes, que ficou conhecida como *Raven Trilogy* (*A trilogia do Corvo*), explorando belamente a temática dos vikings, são eles *Hrafninn Flýgur* de 1984, sobre um irlandês que busca vingança após um grupo de guerreiros vikings matarem seus pais, *Í Skugga Hrafnsins* de 1988, inspirado na lenda de Tristão e Isolda e *Hvíti Yíkingurinn* de 1991, todos os três fazendo uma excelente representação de costumes, cultura, sociedade e especialmente da religiosidade da Escandinávia Medieval. É visível nas produções escandinavas uma maior preocupação com a não disseminação dos estereótipos em relação às produções americanas. Nestas últimas, há, em sua maioria, um enfoque narrativo na belicosidade e na violência, enquanto nas primeiras há uma maior e melhor representatividade da vida cotidiana e na religiosidade.

Em 1982 é lançado *Conan the Barbarian* (*Conan, o Bárbaro*), adaptação para os cinemas do personagem criado por Robert E. Howard. Apesar de se passar em um universo criado pelo autor, são claras as influências da cultura e da religiosidade viking nas aventuras do guerreiro, além da permanência de todos os estereótipos vistos anteriormente. Após o sucesso de Conan the Barbarian, rapidamente a produção de filmes do subgênero da fantasia conhecido como *espada e feitiçaria* cresce exponencialmente, geralmente caracterizados por guerreiros supermusculosos, armas exageradas e personagens femininas hipersexualizadas, seguido novamente por uma leva de filmes italianos que tentavam "pegar carona" nessas produções. Esses filmes, juntamente com as histórias em quadrinhos, levaram a uma forte associação da cultura viking com a fantasia, tornando-os quase sinônimos. Indo para um outro caminho, em 1989 o grupo de comédia britânico Monty Python produz o filme *Erik the Viking* (*As Aventuras de Érico, o Viking*) dirigido por Terry Jones, satirizando tanto o modo de vida viking, fazendo uso de clichês e estereótipos de forma irônica e inteligente, quanto a própria sociedade da época em que o filme foi produzido.

No fim dos anos 1990 dois filmes sobre o tema tiveram maior destaque: a segunda adaptação para o cinema de *Prince Valiant* de 1997, ainda na onda dos filmes "espada e feitiçaria" da década anterior, e um filme que já se tornou um clássico sobre a temática viking, *The 13th Warrior* (*13º Guerreiro*) de 1999. O filme é inspirado no livro *Devoradores de Mortos* de Michael Chrichton, que, por sua vez, toma como base os manuscritos do árabe Ahmad ibn Fadlan sobre suas viagens por terras escandinavas, e também o famoso poema épico anglo-saxão *Beowulf*. E apesar de conservar a presença de alguns estereótipos, faz uma boa representação do cotidiano e da estrutura social das aldeias, bem como da indumentária e armamentos. No mesmo ano, uma outra reinterpretação de Beowulf chega aos cinemas, intitulado *Beowulf* (*Beowulf: O Guerreiro das Sombras*), estrelado por Christopher Lambert, nos apresenta uma versão pós-apocalíptica do mito, unindo ficção-científica à fantasia.

Na década seguinte houve pelo menos mais quatro adaptações cinematográficas do poema, a primeira em 2005, *Beowulf and Grendel* (*A Lenda de Grendel*), com ótimas representações da cultura material, principalmente dos equipamentos e indumentárias militares e com cenas externas gravadas na Islândia. Em 2007 foi produzido para TV, *Grendel*, um filme com estereótipos extremamente exagerados, como elmos com chifres enormes e guerreiros batalhando sem nenhuma proteção peitoral, e efeitos especiais ainda mais esdrúxulos com um Grendel que mais se assemelha a um lobisomem do que qualquer outra coisa. E no mesmo ano estreia aquela que é possivelmente a mais conhecida adaptação para os cinemas do poema até hoje, *Beowulf* (*A Lenda de Beowulf*), dirigido por Robert Zemeckis e com roteiro de Neil Gaiman. O filme utiliza uma técnica de captura de movimento transformando os atores em animação, de forma que também cenário, objetos de cena e até os trajes dos personagens fossem criados digitalmente. Apesar do tom fantasioso dado ao enredo, diferente da adaptação de 2005, as representações são bastante coerentes. E por último, outra adaptação que, como a de 1999, entrelaça ficção científica e fantasia, *Outlander* (*Outlander – Guerreiro vs. Predador*) de 2008, o filme conta sobre uma nave alienígena que cai na Noruega do século VIII ao tentar fugir de uma fera extraterrestre. O único tripulante da nave precisa, então, da ajuda dos habitantes locais para combater a terrível criatura. Aqui, ainda que com algumas ressalvas, como a alusão a mulheres guerreiras, e alguns equívocos sobre eventos históricos, há uma boa representação da cultura material e da sociedade escandinava da época em que o filme é ambientado, com destaque às cenas de combate, sem muitos excessos.

Ainda em 2007 o filme *Pathfinder* (*Desbravadores*) chama atenção pelos exageros com que os guerreiros vikings são representados, quase como monstros gigantes, com armaduras grotescas e um dialeto gutural e apresentando uma fotografia estranhamente escura, o que se tornaria uma referência de muitos dos filmes posteriores sobre o tema. O filme é uma adaptação de uma produção norueguesa de 1987 dirigida por Nils Gaup, *Ofelas* (*Fugindo da Morte*), que, diferente de seu sucessor norte americano, nos entrega um belo enredo minimalista com ótimas representações da religiosidade pagã e da cultura dos habitantes do extremo norte da Escandinávia por volta do ano 1000 d.C.

A partir do final da primeira década dos anos 2000, com o advento de várias facilidades técnicas e de produção, vários filmes independentes e de baixo orçamento são produzidos, alguns deles para serem exibidos na TV e outros para *home video* ou internet; alguns com uma melhor representação dos vikings como *A Viking Saga – Son of Thor*, de

2008, 1066 (1066 - a Batalha Pela Terra Média), de 2009, A Viking Saga – The Darkest Day, de 2013, outros com um maior grau de fantasia e estereótipos, muito inspirados pelo sucesso da adaptação milionária do herói da Marvel, Thor, para os cinemas em 2011, como Almighty Thor (O Poderoso Thor), de 2011, e Vikingdom (Vikingdom – O Reino Viking), de 2013. Outro forte catalisador para produções sobre a temática foi a estreia da série Vikings em 2013, gerando pequenas produções como Hammer of the Gods (Martelo dos Deuses), de 2013, Northmen – A Saga Viking (Northmen – A Saga Viking), de 2014, e Sword of Vengeance (Espada da Vingança), de 2015. Mais recentemente, em 2016, Nils Gaup, diretor de Ofelas (Fugindo da Morte), inspira-se na pintura Birkebeinerne på Ski over Fjeldet med Kongsbarnet, do norueguês Knud Bergslien, para produzir o filme Birkebeinerne (O Último Rei). Esse filme trata da fuga e a proteção de um bebê, filho bastardo do rei, durante a guerra civil norueguesa, que ocorreu entre os séculos XII e XIII. E ainda que questões sociais e políticas não sejam aprofundadas no filme, ele traz uma narrativa instigante e bastante crível do ponto de vista histórico.

No campo da animação, as primeiras produções de que se tem notícia são dois curtas do Pernalonga de 1957 e 1961, respectivamente What's Opera, Doc?, parodiando a ópera wagneriana, e Prince Violent, claramente uma brincadeira com o personagem de Hal Foster. Ambos os curtas, como é de se esperar, reproduzem uma série de estereótipos e exageros na intenção de acentuar a comicidade das produções. Em 1986 uma surpreendente animação dinamarquesa chamada Valhalla, de Peter Madsen e Jeffrey James Varab, trata questões mitológicas de forma leve, com forte inspiração nas animações da Disney. O sucesso do longa gerou ainda oito curtas, tendo um de seus personagens como protagonista. Em 1986, o viking Hägar, o Horrível, criado em 1973 pelo quadrinista Dik Browne, ganha um curta metragem em animação, apresentando um pequeno compilado dos estereótipos vistos em seu material original. Apenas muitos anos depois, em 2006, os vikings são referenciados em uma animação de destaque: Astérix et les Vikings (Asterix e os Vikings) traz o gaulês criado por Albert Uderzo e René Goscinny em sua oitava aventura animada, baseada no álbum Asterix e os Normandos de 1966. Nela, são apresentados vikings com capacetes chifrudos e bebendo cerveja em canecas feitas de caveira humana, além de terem todos nomes terminados em "af", em contraponto aos gauleses, que têm nomes terminados em "ix". Em 2009, uma coprodução entre França, Bélgica e Irlanda nos mostra a vida em um mosteiro prestes a ser atacado por vikings, os quais, por serem mostrados do ponto de vista cristão, são representados como criaturas horrendas, lembrando muito os vistos em *Pathfinder* (*Desbravadores*). Em 2010, é lançada *How to Train Your Dragon* (*Como Treinar Seu Dragão*), a maior produção cinematográfica de animação tendo os vikings como protagonistas até então. Baseando-se na série de livros infantis de Cressida Cowell, o filme apresenta uma visão extremamente fantástica, de forma que mal podemos dizer que se trata de uma comunidade viking se eles mesmos assim não se denominassem e não portassem os famosos capacetes com chifres. O enorme sucesso do filme originou ainda duas continuações e várias séries televisas.

Elvio Franklin Menezes Teles Filho

Ver também Era Viking; Escandinávia; Vikings e Alemanha moderna; Vikings na literatura; Vikings na música; Vikings nas artes plásticas; Vikings nos quadrinhos; Vikings na televisão; Vikings no Brasil.

BURKE, Peter. *Testemunha Ocular: História e Imagem*. Bauru (SP): Edusc, 2004

HARTY, Kevin J. (org.). *The Viking on Film: essays on depictions of the Nordic Middle Ages*. North Carolina: McFarland & Company, 2011.

LANGER, Johnni. Fúria odínica: a criação da imagem oitocentista sobre os Vikings. *Varia História*, vol. 25, n. 25, 2001, pp. 214-230.

LANGER, Johnni. A volta dos bárbaros: Asterix e os Vikings no cinema e na HQ. *História, Imagem e Narrativas*, vol. 3, 2006, pp. 267-274.

LANGER, Johnni. Vikings, cultura e região: o mito arqueológico dos Estados Unidos. *Olho da História*, (UFBA), n. 18, 2012.

LANGER, Johnni. Fé, exotismo e macabro: algumas considerações sobre a religião nórdica antiga no cinema. *Ciências da Religião* (Mackenzie. Online), vol. 13, 2015, pp. 155-180.

VIKINGS NOS QUADRINHOS

A exemplo do cinema, as histórias em quadrinhos desde os seus primórdios tiveram os guerreiros nórdicos como um de seus grandes temas. Em parte porque grande soma dos leitores era de adolescentes ávidos por aventuras em locais exóticos e distantes de sua sociedade. Por outro lado, devido ao fascínio que a Era Viking manteve no Ocidente desde o romantismo, envolvida em mistérios e estereótipos diversos.

Desta maneira, um dos grandes clássicos da nona arte, *Príncipe Valente*, teve como principal protagonista um descendente dos nórdicos. Com desenhos belíssimos, sequências formidáveis e uma narrativa envolvente, criada pelo genial Hal Foster em 1937, a série fundia História Medieval com fantasia – fazendo com que personagens históricos circulassem entre seres fantásticos –, paisagens fidedignas e se mesclando a seres como dragões e outras criaturas monstruosas. Ao mesmo tempo em que são os heróis (na figura do protagonista), os vikings também foram vilões – o quadrinho de Foster foi um dos principais propulsionadores do estereótipo do guerreiro nórdico: dotado de chifres e equipamentos imaginários, beberrão, irreverente e intrépido. A fusão de personagens e datas em um mesmo e anacrônico período também acabou sendo um modelo para o cinema até os anos 1960: no início da Alta Idade Média, os vikings encontram-se com o rei Artur em uma sociedade totalmente feudalizada, em meio a castelos, torneios e armaduras completas. *Príncipe Valente* recebeu várias versões ao cinema, sendo mais famosa a de 1954. O quadrinho foi tema de uma dissertação de mestrado em História Comparada pela UFRJ: *Entre luzes e trevas: o Príncipe Valente e as representações políticas e civilizacionais nos quadrinhos*, de autoria de Carlos Manoel de Hollanda Cavalcanti.

Um dos quadrinhos franceses mais famosos, o gaulês Asterix recebeu a visita dos nórdicos em 1967, no volume *Asterix et les Normans*, com várias traduções brasileiras. Como em grande parte da coleção, o humor, a ironia e o cômico histórico fazem parte dessa narrativa, mas também não faltam os estereótipos, presentes especialmente na figura do viking portador de grande quantidade de crânios (para beber, para uso em amuletos, em rituais etc). Recebeu uma adaptação cinematográfica em 2006, de grande sucesso. A principal novidade do filme em relação ao quadrinho original foi a inclusão de uma personagem feminina, Abba.

Em 1981, o álbum europeu *Os vikings* foi integrante de uma famosa coleção francesa de 1981 (A descoberta do mundo, com nomes de peso como Hugo Pratt, Guido Crepax, Sergio Toppi, Enrique Sió, Sergio Toppi, entre outros). O álbum e a coleção como um todo, diferenciam-se pelo seu forte caráter histórico, caracterizando-se por ser uma espécie de História Universal aos moldes da historiografia dos Annales em forma de quadrinho. O álbum sobre vikings possui duas narrativas: a primeira, *Drakkars a leste*, reconstituí a trajetória dos nórdicos no mundo eslavo, com o maravilhoso traço de Eduardo Coelho e argumento de Jean Ollivier. A segunda, *Os reis do mar*, de José Bielsa e Jacques Bastian, descreve as expedições nórdicas no Atlântico Norte, baseadas especialmente nas sagas islandesas. O ponto alto dessa segunda estória fica para a narrativa de Freydís Eiríksdóttir em Vínland, em uma de suas melhores reconstituições visuais até nossos dias.

Uma sensacional série franco-belga foi criada em 1977 pela dupla Rosinski e Van Hamme, *Thorgal*, fundindo História Medieval com fantasia aos moldes do universo de Howard Carter e algumas pitadas de ficção científica. O traço é muito colorido e as narrativas envolventes, com personagens admiráveis e belas sequências. No Brasil foram publicados os quatro primeiros álbuns (A feiticeira traída; Os três anciões do país d´Aran; A galera negra e; A ilha dos mares gelados, todos pela VHD). A série atualmente conta com 35 álbuns. Alguns elementos das sagas islandesas foram fundidos com elementos históricos e crônicas medievas, concedendo um ritmo extremamente dinâmico para as narrativas, mas sempre dentro do referencial dos nórdicos como heróis aventureiros.

Uma curiosa produção dos quadrinhos italianos (fumetti), publicada originalmente em 1980, com o famoso personagem Tex, foi *A ilha misteriosa*. A premissa remete ao filme *A ilha do topo do mundo* (produção Disney de 1974), onde um grupo de caubóis encontra uma comunidade nórdica da Era Viking isolada e vivendo incólume, tal como teria sido no medievo, em pleno século XIX. O resultado é um tanto grotesco, onde os vikings são representados como bárbaros primitivos e supersticiosos. Essa ideia de uma "cápsula do tempo" fez muito sucesso na ficção televisiva e quadrinistica, resultando em outros encontros espetaculares entre nórdicos com culturas de temporalidades diversificadas: *Tarzan e os vikings* (animação para a TV, 1976); a terceira versão de *Jonny Quest* (episódio: Alligators and Okeechobee Vikings, de 1996). Mais uma vez, motivos utópicos se convertem em elementos para contrapor os valores do leitor com os elementos históricos e imaginários do passado, valorizando o mundo medieval como fonte para a aventura – em especial, os vikings enquanto mantenedores de um passado exótico e quase sempre muito misterioso.

Mas nem sempre a Escandinávia foi tomada dentro de um referencial positivo. *Desbravadores*, um quadrinho de 2006 criado por Laeta Kalogridis e Christopher Shy, com uma bela arte sequencial, cores escuras e fortes e boas sequências de ação, é um bom exemplo disso. A narrativa gira em torno do encontro entre os indígenas norte-americanos e os nórdicos, estes últimos vistos de forma negativa e muito estereotipada. O filme homônimo de 2007 conseguiu piorar visualmente ainda mais os vikings no imaginário coletivo, sendo estes muito mais seres surgidos do mais profundo inferno cristão do que colonos e exploradores do Novo Mundo – com equipamentos e vestimentas sempre em tons escuros, com dezenas de formatos de chifres e embarcações com imaginários esporões laterais. O comportamento também é macabro: cruéis exploradores que penetram na América para capturar escravos para o mercado europeu, destruindo a pureza da cultura nativa norte-americana.

Também o Oriente teve interesse na história nórdica. Vinland, série de mangá japonês criado por Makoto Yukimura em 2005, manteve suas narrativas criadas em torno da colonização nórdica no Atlântico Norte, mas com resultados pouco precisos. Equipamentos, cotidiano, contexto histórico e outros detalhes são superficiais ou fantasiosos. Alguns escandinavos utilizam *shurikens* (estrelas com pontas afiadas para arremesso) e balestras, equipamentos desconhecidos na Era Viking. De um ponto de vista artístico, a obra também é muito inferior a outros quadrinhos japoneses de teor histórico, como a série *Lobo Solitário*, de Koike e Gojima.

Um dos quadrinhos cômicos mais famosos de todos os tempos foi *Hägar*, criado por Dik Browne em 1973. Mais do que reconstituir os nórdicos da Era Viking, a série ironiza o estilo de vida e a sociedade norte-americana, com resultados formidáveis e fazendo muito sucesso até nossos dias. A série recebeu uma dissertação de mestrado em História pela PUC-SP: *O humor e a crítica em Hägar*, de Fabio Antonio Costa. Nesse estudo foi analisado o desenvolvimento de uma concepção de mundo por meio da desconstrução de ideias e discursos através de seus múltiplos recursos e forma de linguagem, valorizando outras manifestações humanas e grupos sociais pouco evidentes na conturbada década de 1970 nos Estados Unidos.

Nos quadrinhos de Hägar percebemos imagens corretas e também anacrônicas sobre a Idade Média. Para citar alguns exemplos, o formato da casa escandinava da Era Viking está adequado dentro dos parâmetros da cultura material: janelas sem vidro, cobertura de palha ou turfa, fronte do telhado terminando na intersecção de dois dragões ou pontas estilizadas. Em algumas histórias surgem armaduras completas de placas metálicas, que realmente estão corretas, mas seu uso somente popularizou-se depois do século XIII e nunca foi conhecida na Escandinávia da Era Viking. O escudo de metal para os nórdicos é errôneo (utilizavam madeira) e o capacete com chifres é um estereótipo que foi criado durante o século XIX. Apesar da mulher escandinava ter um grande poder dentro da esfera doméstica, a relação entre Helga e seu marido Hägar não corresponde às fontes medievais: é antes um reflexo da sociedade norte-americana pós anos 1950 e a crescente visibilidade da mulher nos novos papéis sociais. Ao ler as séries quadrinísticas de Hägar, o leitor deve estar atento para perceber como os vikings (e a própria Idade Média) servem de contraponto aos valores modernos, e a comicidade representa uma ferramenta poderosa para criticar, refletir, repensar ou imaginar o passado e o presente.

Seguindo diversas tendências artísticas, mas ao mesmo tempo inovando em muitos pontos, o escritor Brian Wood criou uma nova proposta quadrinística em 2007. Leitor das sagas islandesas e de obras acadêmicas sobre a Era Viking, lançou-se em uma empreitada para quadrinizar de forma realista o mundo da Europa Setentrional e Oriental na transição da Alta Idade Média para Central. O resultado geral foi razoável, com alguns resultados mais fracos e outros excepcionais. As primeiras histórias foram publicadas no Brasil mensalmente com o selo *Vertigo* até 2011 (n. 20, inicialmente como *Vikings*, depois como *Nórdicos*). Desta fase, destacam-se o ciclo de Svein, com o desenhista Davide Gianfelice, e os contos *Irmãs de escudo* (analisado em Langer, 2012) e *Lindisfarne* – este, sem sombra de dúvida, o melhor momento do início da série, relatando uma atípica situação de conversão ao paganismo por um cristão no mundo da Inglaterra anglo-saxônica invadida pelos dinamarqueses. O quarto volume (coletânea dos fascículos mensais), *The Plague Widow*, publicado no Brasil recentemente como *Vikings: a viúva do inverno*, é inteiramente dedicado a uma narrativa transcorrida no Volga do século XI, numa vila ameaçada por uma peste. Em meio a uma imensa hostilidade ambiental, a personagem Hilda e sua filha Karin sobrevivem também a conflitos violentos entre as lideranças da comunidade. Além da intensa dramaticidade, a narrativa possui o melhor artista de toda a coleção, Leandro Fernandez, que fez uma detalhada pesquisa gráfica sobre o cotidiano material, militar, arquitetônico e ambiental do mundo nórdico na área eslava. Com certeza, o ponto culminante de toda a obra de Wood.

O quinto volume, (*Metal*), tem momentos altos e baixos. A primeira narrativa, *The Sea Road*, apresenta um interessante conto de uma viagem de islandeses para o Ártico, com desenhos de Fiona Staples. A segunda parte, o ciclo *Metal*, possui um artista inferior, Riccardo Burchielli, resultando em um trabalho que oscila entre o histórico, o estereótipo e a fantasia pura. Novamente o confronto entre paganismo e cristianismo é um dos pontos retratados por Wood, mas o uso de armamento exagerados (como a espada do personagem Érico), a intervenção da deusa Hulda, o ressuscitar do vilão, a existência de vilas cristãs na Noruega do ano 700 d.C., entre outros deslizes, não conseguem convencer o leitor mais exigente. O conto *The Girl in the Ice*, bem ao contrário, é estupendo. Trata de uma narrativa ambientada na Islândia durante a Era dos Sturlungar, século XIII, onde um camponês encontra o corpo de uma moça preservado dentro do gelo, tendo de arcar com as consequências sócio-religiosas dessa descoberta singular.

O sexto volume, *Thor's daughter*, apresenta várias histórias independentes. A primeira, *The siege of Paris*, remonta à pilhagem da cidade francesa em 885, com uma boa caracterização das técnicas de combate e armamentos, mas o desenhista Simon Gane possui um traço que tende ao semicaricatural, atrapalhando muito o andamento épico da narrativa. O próximo conto, *The Hunt*, a respeito de um caçador sueco do ano mil, apresenta um excelente confronto entre a sobrevivência humana e animal, mas ao mesmo tempo esse mesmo argumento de ficção quadrinística já havia sido criado por Berardi e Milazzo para um álbum de *Ken Parker* dos anos 1990, perdendo o tom de originalidade. O álbum se encerra com *Thor´s daughter*, uma bela história ambientada nas ilhas Hébridas em 990 d.C., mas que se aproxima mais das sagas lendárias do que das de família. Nela, a jovem Birna, filha de um líder da comunidade, assume o papel da chefia militar e política após a morte do mesmo. O traço a lápis de Marian Churchland reforça uma poderosa identidade feminina para o conto, que não corresponde ao papel sócio-histórico da mulher na sociedade escandinava – ao contrário da representação altamente realista de Hilda em *Vikings: a viúva do inverno* – mas com resultados bem mais interessantes que as guerreiras do conto *Irmãs de escudo* (*The shield maidens*).

A série teve o fim oficialmente anunciado com o volume *The icelandic trilogy*, publicado em 2013, com desenhos de Paul Azaceta, Declan Shalvey e Danijel Zezelj. O trabalho de Brian Wood poderia ser muito melhor caso a parte gráfica fosse designada para somente um artista, como o competente Leandro Fernandez – ou alguém com o estilo do autor das maravilhosas capas, Massimo Carnevale. *Northlanders* é inferior aos melhores trabalhos da escola franco-belga que retrataram temas nórdicos medievais, como *Nordman*, de Stalner e Bardet, e principalmente as maravilhosas coleções *Moi Sven*, *L´Epte* e *Italia Normannorum*, todas do genial roteirista Riamel. Em todo caso, a série é indispensável para todos aqueles que se interessam pela Escandinávia Medieval e são fãs de quadrinhos de temática histórica.

Em 2009 outra série foi criada, *Viking*, pela dupla Ivan Brandon e Nic Klein. Com desenhos mais grosseiros e uma estética muito mais agressiva do que a série *Northlanders*, o quadrinho *Viking* também apresenta narrativas bem estereotipadas e repletas de clichês. As cenas de aventuras, lutas, batalhas e conflitos são a tônica da obra, não dando espaço para outros aspectos da Escandinávia da Era Viking, como colonização, vida cotidiana no meio rural, artesanato, caça e comércio etc. Os detalhes dos equipamentos e vestuário também são muito superficiais e grosseiros, muito inferiores aos diversos quadrinhos anteriores. Nos últimos anos, a quantidade de títulos envolvendo a Era Viking ou temas mitológicos nórdicos aumentou consideravelmente. Em 2014 foi criado um quadrinho baseado na série televisiva *Vikings*, com roteiro de Michael Hirst e desenhos de Dennis Calero. O resultado foi extremamente fraco, com uma narrativa pobre e ilustrações muito simples. Um dos mais recentes e empolgantes lançamentos foi o álbum *Sagas of the Northmen* (2015), produzido por diversos escritores e ilustradores, entre os quais Sean Fahey e Marcelo Basile. A coleção não se baseia em protagonistas ficcionais, mas em personagens históricas e as narrativas envolvem áreas de colonização ou influência nórdica, como Islândia, América, Bizâncio e Ilhas Britânicas. As sete estórias foram desenhadas em preto e branco, possuindo um viés clássico e bem detalhista, com bons resultados visuais. Algumas das narrativas são bastante tradicionais, como *Satan's hordes*, reconstituindo o ataque a Lindisfarne, enquanto que *No king but the law* é uma impressionante dramatização envolvendo o sistema jurídico da Islândia em 939 d.C. A estória mais impressionante é *Heart of iron*, escrita por Susan Wallis e ilustrada por Todor Hristov, a respeito da epopeia de Freydís Eiríksdóttir em Vínland. Além do belo traço, habilmente contrastando técnicas de claro/escuro, a ambientação une-se à uma densa narrativa de psicologia de sobrevivência dos assentamentos nórdicos do Novo Mundo, que foram registrados pelas sagas do Atlântico Norte.

Johnni Langer

Ver também Era Viking; Escandinávia; Vikings e Alemanha moderna; Vikings na literatura; Vikings na música; Vikings nas artes plásticas; Vikings no cinema; Vikings na televisão; Vikings no Brasil.

CAVALCANTI, Carlos Manoel de Hollanda. *Entre luz e trevas: o Príncipe Valente e as representações políticas e civilizacionais nos quadrinhos (1936-1946)*. Rio de Janeiro: Dissertação de Mestrado em História Comparada, UFRJ, 2007.

COSTA, Fabio Antonio. *O humor e a crítica em Hagar, o Horrível, de Dik Browne, no Jornal Folha de São Paulo (1973-1974)*. Dissertação de Mestrado em História. São Paulo: PUC-SP, 2013.

LANGENBRUCH, BeateLa *Fabrique de la Normandie médiévaledans quelques bandes dessinées historicisantes*. Rouen: Colloque La Fabrique de la Normandie, 2011.

LANGER, Johnni. Guerreiras na Era Viking? Uma análise do quadrinho Irmãs de Escudo (Série Northlanders). *Roda da Fortuna*, 1(1), 2012, pp. 267-293.

LANGER, Johnni. O ensino de História Medieval pelos quadrinhos. *História, imagem e narrativas*, vol. 8, 2009, pp. 01-24.

LANGER, Johnni. Os vikings e o estereótipo do bárbaro no ensino de História. *História & Ensino*, vol. 8, 2002, pp. 85-98.

VADILLO, Mônica Ann Walker. Comic Books Featuring the Middle Ages. *Itinéraires*, 2010-2013, pp. 153-163.

VÍNLAND

Terra das Vinhas ou Terra das Parreiras são duas possíveis traduções que podemos fazer para *Vínland*, termo que os nórdicos, durante o processo de descobrimento da América do Norte, deram para esta nova terra que haviam descoberto. A narrativa sobre a descoberta dessa nova terra, descrevendo sua jornada e a razão que a sustentou, pode ser encontrada nos vestígios arqueológicos, principalmente em L'Anse aux Meadows e também através do registro literário das Sagas do Atlântico Norte.

A descoberta da Terra das Parreiras ocorre de forma diferente dentro das narrativas que compõem o conjunto de sagas supracitado. Na Saga dos Groenlandeses, temos o relato da viagem de Bjarni Herjúlfsson. Este, após aportar em Eyrar,na Islândia, resolveu partir com a sua tripulação para a Groenlândia, mesmo sem conhecer o trajeto: "Deve parecer estúpida a nossa viagem, já que nenhum de nós nunca foi ao mar da Groenlândia" (ANÔNIMO, 2007a, p. 61). De fato, esse desconhecimento acaba culminando em perda de direção por parte de Bjarni, que passa vários dias sem saber qual a direção que estavam velejando.

Após se localizarem, ainda viajaram por vários dias até que avistaram uma terra: "Minha decisão é que velejemos para perto da costa", fala Bjarni (ANÔNIMO, 2007a, p. 61).
Viram uma terra plana, repleta de florestas e pequenas elevações, sempre mantendo a terra a bombordo. Após dois dias de afastamento dessa terra, eles avistam uma outra terra, ainda sem saber se era a Groenlândia, algo que consideram improvável pela ausência de geleiras. Esta terra era plana e verde, e mesmo com a necessidade de água e madeira, Bjarni opta por não desembarcar. Deram as costas para a terra e por mais três dias velejaram com vento sudoeste, até que avistarem uma terceira terra, com traços montanhosos e coberta por geleiras, e pela "[...] terra me parece não ter muito a oferecer", o líder Bjarni, novamente segue o "curso" sem desembarcar. Costearam a região, compreendendo que se tratava de uma ilha, deram novamente as costas para a terra e seguiram viagem por mais quatro dias, quando avistaram uma quarta terra, que finalmente era a Groenlândia.

Este relato de uma terra observada é fundamental para a descoberta efetiva da nova terra dentro da narrativa. Bjarni Herjúlfsson vai ao encontro de Érico Hákonarson, na Noruega, e conta de sua viagem até a Groenlândia, tornando-se membro da guarda pessoal desse líder. Ao retornar para a Groenlândia após um ano, Leifr Eiríksson, que era filho de Érico, o Vermelho, vai ao seu encontro, com interesse em seu relato e na compra de seu navio e contratação da tripulação de trinta e cinco homens que passou pela viagem confusa para a Groenlândia. Sendo assim, fica elencado o motivo e a forma com quais as novas terras foram vistas e que estimularam Leifr Eiríksson a viajar rumo à futura Vínland. Na *Saga de Eirík Vermelho*, é dito que Leifr Eiríksson, após ir à corte do rei Óláfr Tryggvason, acaba sendo jogado pelo mar e perde seu rumo, encontrando novas terras. Portanto, tem-se versões diferentes: a primeira é bem mais detalhada acerca do processo, mas a segunda também apresenta traços e elementos importantes.

Leifr Eiríksson é considerado o grande descobridor da América do Norte, já que seu pai fora o colonizador e "descobridor" da Groenlândia, que hoje faz parte do território da América. Segundo o que é contado na *Saga dos Groenlandeses*, Leifr parte seguindo os passos dos relatos de Bjarni, e usando o conhecimento de sua tripulação para chegar nas terras vistas. Primeiramente, ele chega na terceira terra vista por Bjarni, chamando-a de *Helluland*, a Terra da Placa de Rocha, em que profere: "Conosco não aconteceu, quanto a esta terra, como aconteceu com Bjarni, de não termos pisado em terra. Agora darei um nome à terra e hei de chamá-la Helluland". Portanto, apesar de Bjarni ter visto à terra primeiro, foi Leifr o que primeiro pisou nesta terra, sendo efetivamente o seu descobridor.

Voltando para o navio, eles encontram algum tempo depois a segunda terra vista por Bjarni, indo até a costa e novamente desembarcando. Nessa costa, Leifr fala: "Pelas suas riquezas hei de dar um nome a esta terra e chamá-la de Markland [*Terra coberta por floresta*]". Depois de dias chegaram em uma ilha ao norte da terra, que por um banco de areia se separava de um cabo que dava a ver terra. Foram em direção a esta terra, e "Não faltavam lá salmões, nem no rio nem no lago, os maiores salmões que eles já haviam visto. A terra lá era tão rica, conforme se lhes mostrou, que nenhum animal doméstico precisaria de cuidado durante o inverno [...]".

Neste local de grande riqueza, quase uma contraposição ao cenário gélido e ríspido da Groenlândia, Leifr resolve construir casas e dividir sua tripulação, para que pudesse de fato efetivar uma exploração de terra, garantindo o que podemos denominar de primeiro assentamento na nova terra. Após um tempo de exploração, Tyrkir, pai de criação de Leifr, um alemão – "o homem do sul" – muito próximo dele, havia sumido por um tempo, preocupando os outros. Ao retornar para o grupo de Leifr, ele revela: "Eu não havia caminhado muito mais longe do que vós. Acho que tenho uma novidade para contar; eu achei parreiras e uvas", e assim passaram a colher essas uvas para uma viagem de retorno à Groenlândia: "E no início da primavera eles se aprontaram e velejaram embora, e Leifr deu nome à terra pelas suas riquezas, chamou-a de Vínland [*Terra das Vinhas ou Terra das Parreiras*]".

É dessa forma que os relatos de fontes escritas e literárias nos revelam como se deu a nomenclatura de Vínland (elementos que aparecem tanto em obras de Adão de Bremen como em Ari, o sábio), algo que foi fundamental para se encontrar na década de 1960 os vestígios arqueológicos em L'Anse aux Meadows (região de Terra Nova e Labrador no Canadá), que se fizeram provas da presença nórdica na América do

Norte, sendo possivelmente postulado como o assentamento de Leifr, apesar da existência de outras teorias e de uma impossibilidade precisa de afirmar que o assentamento encontrado foi de fato o de Leifr Eiríksson.

Após sua viagem, ainda temos a viagem de Thorvaldr e de Thorfínnr Karlsefni, em que ambos acabam por encontrar com novos elementos desta terra, os esquimós – *skrælingjar*. Aqui, temos tanto trocas amistosas quanto combates mortais. Os conflitos marcados por esses combates acabam sendo o grande vetor que impossibilita uma efetiva colonização da América do Norte por parte dos nórdicos, apesar de seu intento, principalmente na expedição de Karlsefni. Esses relatos vão nos revelar ainda traços, mesmo que dúbios, desses esquimós e aspectos de sua estruturação social, apresentando-nos uma visão desses povos autóctones da América, mesmo sendo uma representação de um escrito cristão nórdico do início do século XIII, que baseia sua narrativa em uma forte dinâmica de tradição oral.

Portanto, podemos definir Vínland como uma terra nova, com muitas riquezas e facilidades em relação às dificuldades climáticas e ambientais da Escandinávia, principalmente da Groenlândia e da Islândia, que sofriam com crises climáticas fortes, gerando longos períodos de fome. É essa condição natural que modela o sujeito da Escandinávia, que lhe injeta uma dimensão de explorador muito antes de Colombo pensar sobre as artes da navegação.

José Lucas Cordeiro Fernandes

Ver também Brattahlid; Groenlândia nórdica; Leif Eriksson; Sagas do Atlântico Norte.

ANÔNIMO. A Saga do Groenlandeses. In: *As três sagas Islandesas*. Tradução de Théo Moosburger. Curitiba: Editora UFPR, 2007a.

ANÔNIMO. A Saga de Eiríkr Vermelho. In: *As três sagas Islandesas*. Tradução de Théo Moosburger. Curitiba: Editora UFPR, 2007b.

HAYWOOD, John. *The Penguin Historical Atlas of the Vikings*. London: Penguin Group, 1995.

INGSTAD, Helge; Ingstad, Anne Stine. *The Discovery of a Norse Settlement in America: Excavations of Norse Settlement in L'Anse aux Meadows, Newfoundland*. New York: Checkmark Books, 2001.

JONES, Gwyn. *The Norse Atlantic Saga: Being the Norse Voyages of Discovery and Settlement to Iceland, Greenland, and North America*. Oxford and New York: Oxford University Press, 1986.

O'DONOGHUE, Heather. *Old norse-Icelandic Literature: a short introduction*. Hoboken: Blackwell Publisher, 2005.

RAFNSSON, Sveinbjörn. The Atlantic Islands. In: SAWYER, Peter (ed.). *The Oxford Illustrated History of the Vikings*. Oxford: Oxford University Press, 2001, pp. 110-133.

ROSS, Margaret Clunies (ed.). *Old Icelandic Literature and Society*. Cambridge: Cambridge University Press, 2000.

SHAFER, John Douglas. *Saga accounts of norse far-travellers*. Durham: Durham University, 2010.

UMBRICH, Andrew. *Early Religious Practice in Norse Greenland: From the Period of Settlement to the 12 th Century*. Reykjavík: Universidade da Islândia, 2012.

VLADIMIR I DE KIEV

Vladimir Sviatoslavich de Kiev, também conhecido como Volodimer, Vladimir I, o Grande ou Vladimir, o Sol Vermelho, foi o último dos príncipes de Kiev a professar o paganismo, assim como foi o primeiro a adotar o Cristianismo Ortodoxo Grego como religião oficial da Rus de Kiev. Fontes do século XVI afirmam que ele nasceu em 958, e a *Crônica dos Anos Passados* data sua morte no ano de 1015. Filho de Sviatoslav Igorevich (964-972) e da servente Malusha, Vladimir foi príncipe de Novgorod até subir ao trono kievano em 980 após tomar a cidade de seu irmão Iaropolk Sviatoslavich (973-980) e assassiná-lo. De acordo com Janet Martin, o governo de Vladimir até o final da década de 980 foi marcado uma forte tentativa de instauração e oficialização do politeísmo em Kiev como um meio de centralização do poder por meio do culto a deuses eslavos. O principal desse panteão, Perun, era uma divindade associada ao trovão e à guerra. É provável que sua promoção tenha sido uma estratégia de Vladimir para conseguir apoio da elite militar descendente dos varegues que se assentaram na Rus, em sua maioria seguidores de Thor. Vladimir também conseguiu anexar diversos territórios vizinhos povoados por tribos eslavas por meio de alianças com as próprias tribos e também com os escandinavos.

Vladimir converteu-se ao cristianismo entre 987 e 988, permanecendo cristão até sua morte em 1015. De acordo com a tradição imortalizada na *Crônica dos Anos Passados*, representantes de diversos territórios vieram até Rus oferecendo ao príncipe suas religiões, dentre elas o cristianismo ortodoxo grego, ao qual Vladimir eventualmente se converteu devido à beleza e opulência da religião. O batismo ocorreu em um contexto em que o imperador bizantino Basílio II (960-1025) precisou de ajuda militar da Rus para controlar uma série de revoltas militares dentro do império. Pelo auxílio, Vladimir recebeu a mão de Anna, irmã do imperador, como esposa. Após sua conversão, ele supostamente destruiu todos os altares e estátuas dedicados às divindades pagãs e, se o que a *Crônica* diz for verdade, a estátua de Perun foi amarrada a um cavalo e arrastada ao redor de Kiev, e em seguida espancada por doze homens. Vladimir foi eventualmente canonizado no século XIII e até hoje é celebrado como santo pela Igreja Ortodoxa: seu dia festivo é 15 de julho.

Um fato interessante da vida de Vladimir que foi omitido nas fontes de Rus seria sua relação com o rei norueguês Olavo Tryggvason (995-1000). Conforme a *Saga do rei Olavo Tryggvason*, o futuro monarca passou a infância e a juventude no Principado de Novgorod, cujo príncipe na época era Vladimir (ou Valdamar, como presente na fonte). Enquanto lá permanecia, Olavo foi levado pelo seu tio Sigurth, um guerreiro importante a serviço de Vladimir, à rainha Allogia de Novgorod após cometer um crime. Allogia convenceu Vladimir a cuidar de Olavo como se fosse seu filho. Alguns autores acreditam que Allogia seria na verdade sua avó Olga de Kiev (c. 945-964), todavia é mais provável que ela seja apenas mais uma das numerosas esposas do príncipe. Eventualmente, Olavo se tornou um dos melhores guerreiros de Vladimir e provavelmente tinha a sua própria drujína (séquito militar), mas os laços de amizade dos dois foram cortados devido à rumores e intrigas provocadas por inveja, ocasionando a partida de Olavo para o Báltico. Além do tratamento dado a Olavo, Vladimir manteve boas relações com os escandinavos durante seu governo, principalmente no âmbito comercial onde os Rus eram capazes de obter produtos bizantinos e árabes pelas mãos dos nórdicos. Muitos varegues fizeram parte de suas numerosas campanhas militares contra Iaropolk e contra as tribos das estepes. Vladimir também ajudou Basílio II cedendo guerreiros varegues. Mas o príncipe não foi amigável com os nórdicos em todas as ocasiões. Ao tentar obter mais aliados em sua luta contra Iaropólk, Vladimir recorreu ao príncipe Rogvolod de Polotsk, o mesmo também sendo um varegue, e pediu por guerreiros e pela mão de sua filha Rogneda. Esta não aceitou pois não queria se tornar esposa de um escravo, e Vladimir então matou Rogvolód e tomou forçosamente Rognéda como esposa. A *Crônica* também fala sobre alguns varegues que ajudaram Vladimir na campanha contra seu irmão e que pediram por tributos. Vladimir recusou-lhes qualquer direito a tributação e expulsou-os para Constantinopla, e ainda enviando mensageiros dizendo para não confiar nos varegues.

Leandro César Santana Neves

Ver também: Crônica dos Anos Passados; Kiev; Novgorod; Olga de Kiev; Rus; Rússia da Era Viking; Varegues.

BUTLER, Francis. *Enlightener of Rus'. The Image of Vladimir Sviatoslavich across the Centuries.* Bloomington: Slavica, 2002.

CROSS, Samuel H. La tradition islandaise de saint Vladimir. *Revue des études slaves,* tomo 11, n. 3-4, 1931, pp. 133-148.

FRANKLIN, Simon; SHEPARD, Jonathan. *The Emergence of Rus 750-1200.* Essex: Longman, 1996.

MARTIN, Janet. *Medieval Russia 980-1584.* Cambridge: Cambridge University Press, 2007.

VERNADSKY, George. *Kievan Russia.* New Haven: Yale University Press, 1972.

W ᛈ

WOLIN

Wolin é uma cidade situada na ilha homônima, entre os estuários dos rios Oder e Dziwna, atualmente no noroeste da Polônia. Na Alta Idade Média a cidade de Wolin foi um importante porto comercial do mar Báltico, além de possuir estradas que a ligavam a outras importantes cidades germânicas e eslavas na época. O comércio em Wolin prosperou de tal forma que ali eram comercializadas mercadorias francas e bizantinas, além de moedas de prata de origem árabe.

A ilha de Wolin tornou-se um local propício para o desenvolvimento de um núcleo urbano, além de um polo mercantil e manufatureiro, graças, entre outros fatores, ao fato de a região ser rica em pesca e possuir muitas fazendas. Nesse sentido, Broich e Duczko assinalam que a disponibilidade de alimentos em Wolin possa ter sido um chamariz para que comerciantes usassem a cidade como entreposto de rotas comerciais, ao mesmo tempo em que feiras agrícolas possam ter se desenvolvido a ponto de atrair a população da região para seu mercado.

Segundo John Broich, Wolin teria alcançado uma população estimada em 3 mil habitantes durante a Era Viking (séculos VIII-XI), número alto para a época. A cidade fazia parte da rota de importantes entrepostos comerciais no norte da Europa, bem como Dorestad, na Alemanha, Birka, na Suécia e Hedeby, na Dinamarca. Sua grande população seria reflexo de sua importância como centro econômico regional, um dos principais portos no sul do Báltico.

De acordo com Adão de Bremen, essa cidade era conhecida dos vikings pelo nome de Jumne. Os dinamarqueses e suecos mantiveram um contato com essa cidade por três séculos pelo menos. Adão a descreve como sendo uma cidade próspera, grande, possuindo contatos comerciais com os saxões, os nórdicos e os gregos (bizantinos). No entanto sua população era predominantemente pagã ainda naqueles tempos.

Leswik Gardela comenta que se desconhece propriamente o período em que os dinamarqueses e suecos passaram a comercializar com os habitantes de Wolin, mas escavações arqueológicas apontam que a cidade teria sido abandonada por volta do século VII, voltando a ser restabelecida no século seguinte. Por essa época o comércio escandinavo do Período Vendel (séculos V-VIII) estava prosperando, e os vestígios arqueológicos atestam mercadorias de procedência eslava em território escandinavo, o que sugere que Wolin, no século VIII, já provavelmente mantivesse atividades comerciais com mercadores escandinavos, mesmo que em pequena profusão.

Todavia, Wolin tornou-se um centro mercantil na Era Viking entre os séculos IX e X, época em que cidades escandinavas como Birka, Hedeby, Ribe e Kaupang estavam prosperando e a expansão nórdica já havia alcançado todo o Arquipélago Britânico, o Mediterrâneo, Constantinopla e a Ásia. Assim, longas rotas comerciais haviam sido desenvolvidas e mercadorias vindas de muito longe começavam a chegar a Escandinávia, e Wolin, devido a sua proximidade com a Dinamarca, tornou-se um dos postos de parada importante dos mercadores que vinham do Leste Europeu.

Ao longo do século IX, como sugere John Broich, a cidade vivenciou uma massiva expansão urbana. Seu porto foi ampliado e novas residências foram erguidas seguindo o que parece ter sido um projeto urbanístico, pois as casas foram organizadas em blocos de quatro, nos quais cada construção media entre 5 a 6 metros de extensão. Esse novo bairro foi erguido sobre a Colina de Prata (Silver Hill). Não obstante, algumas ruas desses blocos residenciais eram pavimentadas com troncos de carvalho, o que sugere a riqueza da região, possivelmente se tratando de um bairro de condições econômicas elevadas.

O crescimento urbano levou ao surgimento de um subúrbio situado na zona sul da cidade. Mas além da construção de casas, foram construídos também lojas e armazéns. Data do século X, de acordo com Katherine Holman, o desenvolvimento de uma produção artesanal bastante prolífica na cidade. Vestígios arqueológicos encontrados nas escavações apontam trabalhos manufatureiros no campo da metalurgia, ourivesaria, carpintaria etc., tendo-se encontrado objetos de madeira, osso, âmbar, cerâmica, ouro, prata, ferro, entre outros.

Devido a essa prosperidade, a cidade tornou-se alvo de piratas, de modo que os muros foram constantemente reforçados e ampliados. Além disso, uma cadeia de fortes foi erguida ao longo do rio Dziwna, para evitar que navios tentassem sitiar a cidade por via fluvial.

No século X, de acordo com Adão de Bremen, o rei Haroldo Dente Azul da Dinamarca teria imposto seu governo a Wolin, o que incluiu mais incentivo comercial e a construção de uma fortaleza. Embora não se tenha certeza se o rei Haroldo realmente governou de alguma forma a política de Wolin, sabe-se que, por volta de 985-986, quando foi deposto por seu filho Sueno Barba-bifurcada, o ex-monarca exilou-se em Jumne (Wolin), onde teria morrido por volta de 987.

Wolin também é conhecida na literatura nórdica antiga por supostamente ser a sede de um grupo de mercenários vikings chamados Jomsvikings, os quais teriam atuado no século X. Segundo a *Jómsvíkinga saga* (c. 1200), esses mercenários viveriam no forte Jómsborg, possivelmente situado na ilha de Wolin, tendo lutado durante os reinados de Haroldo Dente Azul e seu filho Sueno Barba-bifurcada. Possuiriam um estrito código de lealdade e seriam bravos guerreiros.

No século XI a cidade começou a entrar em crise. John Broich aponta que o desgaste do meio ambiente teria sido um dos fatores que comprometeram o crescimento da cidade, pois naquele tempo a população de Wolin era estimada em 8 mil habitantes e o número de árvores disponíveis na ilha havia caído drasticamente, a ponto de gerar escassez de lenha e matéria-prima. Não obstante, apesar das fortificações erguidas ao longo dos séculos IX e X, no ano de 1046, Magno, o Bom, à época rei da Noruega, ordenou a invasão e saque de Wolin. Desde o ano de 1043, Magno vinha realizando campanhas de pirataria no Báltico, e a captura e saque de Wolin foi o grande feito dessas campanhas. Vestígios arqueológicos apontam que parte da cidade e seus templos foram incendiados.

Atualmente em Wolin é celebrado anualmente, há mais de vinte anos, o *Festiwalu Slowian i Wikingow* (Festival Eslavos e Vikings), que consiste no evento de reconstitucionismo histórico (*living history*) de temática viking e eslava mais importante da Polônia e um dos mais reconhecidos da Europa.

Leandro Vilar Oliveira

Ver também Comércio; Rus; Rússia da Era Viking.

BREMEN, Adão de. *History of the archibishops of Hamburg-Bremen*. New York: Columbia University Press, 1959.

BROICH, John. The Wasting of Wolin: Environmental Factors in the Downfall of a Medieval Baltic Town. *Environmental and History*, vol. 7, n. 2, special issue, 2001, pp. 187-199.

DUCZKO, Wladyslaw. Viking-Age Wolin (Wollin) in the Norse context of the Southern Coast of the Baltic Sea. *Scripta Islandica*, n. 65, 2014, pp. 143-151.

GARDELA, Leszek. Vikings in Poland. A critical overwiew. In: ERIKSEN, Marianne Hem *et al.* (eds.). *Viking Worlds: things, spaces and movement*. Oxford: Oxbow Books, 2014, pp. 213-234.

HOLMAN, Katherine. *Historical dictionary of the vikings*. Lanham: Scarecrow Press Inc, 2003.

COLEÇÃO HEDRA

1. *Iracema*, Alencar
2. *Don Juan*, Molière
3. *Contos indianos*, Mallarmé
4. *Auto da barca do Inferno*, Gil Vicente
5. *Poemas completos de Alberto Caeiro*, Pessoa
6. *Triunfos*, Petrarca
7. *A cidade e as serras*, Eça
8. *O retrato de Dorian Gray*, Wilde
9. *A história trágica do Doutor Fausto*, Marlowe
10. *Os sofrimentos do jovem Werther*, Goethe
11. *Dos novos sistemas na arte*, Maliévitch
12. *Mensagem*, Pessoa
13. *Metamorfoses*, Ovídio
14. *Micromegas e outros contos*, Voltaire
15. *O sobrinho de Rameau*, Diderot
16. *Carta sobre a tolerância*, Locke
17. *Discursos ímpios*, Sade
18. *O príncipe*, Maquiavel
19. *Dao De Jing*, Lao Zi
20. *O fim do ciúme e outros contos*, Proust
21. *Pequenos poemas em prosa*, Baudelaire
22. *Fé e saber*, Hegel
23. *Joana d'Arc*, Michelet
24. *Livro dos mandamentos: 248 preceitos positivos*, Maimônides
25. *O indivíduo, a sociedade e o Estado, e outros ensaios*, Emma Goldman
26. *Eu acuso!*, Zola | *O processo do capitão Dreyfus*, Rui Barbosa
27. *Apologia de Galileu*, Campanella
28. *Sobre verdade e mentira*, Nietzsche
29. *O princípio anarquista e outros ensaios*, Kropotkin
30. *Os sovietes traídos pelos bolcheviques*, Rocker
31. *Poemas*, Byron
32. *Sonetos*, Shakespeare
33. *A vida é sonho*, Calderón
34. *Escritos revolucionários*, Malatesta
35. *Sagas*, Strindberg
36. *O mundo ou tratado da luz*, Descartes
37. *O Ateneu*, Raul Pompeia
38. *Fábula de Polifemo e Galateia e outros poemas*, Góngora
39. *A vênus das peles*, Sacher-Masoch
40. *Escritos sobre arte*, Baudelaire
41. *Cântico dos cânticos*, [Salomão]
42. *Americanismo e fordismo*, Gramsci
43. *O princípio do Estado e outros ensaios*, Bakunin
44. *O gato preto e outros contos*, Poe
45. *História da província Santa Cruz*, Gandavo
46. *Balada dos enforcados e outros poemas*, Villon
47. *Sátiras, fábulas, aforismos e profecias*, Da Vinci
48. *O cego e outros contos*, D.H. Lawrence
49. *Rashômon e outros contos*, Akutagawa
50. *História da anarquia (vol. 1)*, Max Nettlau
51. *Imitação de Cristo*, Tomás de Kempis
52. *O casamento do Céu e do Inferno*, Blake
53. *Cartas a favor da escravidão*, Alencar
54. *Utopia Brasil*, Darcy Ribeiro
55. *Flossie, a Vênus de quinze anos*, [Swinburne]
56. *Teleny, ou o reverso da medalha*, [Wilde et al.]

57. *A filosofia na era trágica dos gregos*, Nietzsche
58. *No coração das trevas*, Conrad
59. *Viagem sentimental*, Sterne
60. *Arcana Cœlestia e Apocalipsis revelata*, Swedenborg
61. *Saga dos Volsungos*, Anônimo do séc. XIII
62. *Um anarquista e outros contos*, Conrad
63. *A monadologia e outros textos*, Leibniz
64. *Cultura estética e liberdade*, Schiller
65. *A pele do lobo e outras peças*, Artur Azevedo
66. *Poesia basca: das origens à Guerra Civil*
67. *Poesia catalã: das origens à Guerra Civil*
68. *Poesia espanhola: das origens à Guerra Civil*
69. *Poesia galega: das origens à Guerra Civil*
70. *O chamado de Cthulhu e outros contos*, H.P. Lovecraft
71. *O pequeno Zacarias, chamado Cinábrio*, E.T.A. Hoffmann
72. *Tratados da terra e gente do Brasil*, Fernão Cardim
73. *Entre camponeses*, Malatesta
74. *O Rabi de Bacherach*, Heine
75. *Bom Crioulo*, Adolfo Caminha
76. *Um gato indiscreto e outros contos*, Saki
77. *Viagem em volta do meu quarto*, Xavier de Maistre
78. *Hawthorne e seus musgos*, Melville
79. *A metamorfose*, Kafka
80. *Ode ao Vento Oeste e outros poemas*, Shelley
81. *Oração aos moços*, Rui Barbosa
82. *Feitiço de amor e outros contos*, Ludwig Tieck
83. *O corno de si próprio e outros contos*, Sade
84. *Investigação sobre o entendimento humano*, Hume
85. *Sobre os sonhos e outros diálogos*, Borges | Osvaldo Ferrari
86. *Sobre a filosofia e outros diálogos*, Borges | Osvaldo Ferrari
87. *Sobre a amizade e outros diálogos*, Borges | Osvaldo Ferrari
88. *A voz dos botequins e outros poemas*, Verlaine
89. *Gente de Hemsö*, Strindberg
90. *Senhorita Júlia e outras peças*, Strindberg
91. *Correspondência*, Goethe | Schiller
92. *Índice das coisas mais notáveis*, Vieira
93. *Tratado descritivo do Brasil em 1587*, Gabriel Soares de Sousa
94. *Poemas da cabana montanhesa*, Saigyō
95. *Autobiografia de uma pulga*, [Stanislas de Rhodes]
96. *A volta do parafuso*, Henry James
97. *Ode sobre a melancolia e outros poemas*, Keats
98. *Teatro de êxtase*, Pessoa
99. *Carmilla — A vampira de Karnstein*, Sheridan Le Fanu
100. *Pensamento político de Maquiavel*, Fichte
101. *Inferno*, Strindberg
102. *Contos clássicos de vampiro*, Byron, Stoker e outros
103. *O primeiro Hamlet*, Shakespeare
104. *Noites egípcias e outros contos*, Púchkin
105. *A carteira de meu tio*, Macedo
106. *O desertor*, Silva Alvarenga
107. *Jerusalém*, Blake
108. *As bacantes*, Eurípides
109. *Emília Galotti*, Lessing
110. *Contos húngaros*, Kosztolányi, Karinthy, Csáth e Krúdy
111. *A sombra de Innsmouth*, H.P. Lovecraft
112. *Viagem aos Estados Unidos*, Tocqueville
113. *Émile e Sophie ou os solitários*, Rousseau
114. *Manifesto comunista*, Marx e Engels

115. *A fábrica de robôs*, Karel Tchápek
116. *Sobre a filosofia e seu método — Parerga e paralipomena (v. II, t. I)*, Schopenhauer
117. *O novo Epicuro: as delícias do sexo*, Edward Sellon
118. *Revolução e liberdade: cartas de 1845 a 1875*, Bakunin
119. *Sobre a liberdade*, Mill
120. *A velha Izerguil e outros contos*, Górki
121. *Pequeno-burgueses*, Górki
122. *Um sussurro nas trevas*, H.P. Lovecraft
123. *Primeiro livro dos Amores*, Ovídio
124. *Educação e sociologia*, Durkheim
125. *Elixir do pajé — poemas de humor, sátira e escatologia*, Bernardo Guimarães
126. *A nostálgica e outros contos*, Papadiamántis
127. *Lisístrata*, Aristófanes
128. *A cruzada das crianças/ Vidas imaginárias*, Marcel Schwob
129. *O livro de Monelle*, Marcel Schwob
130. *A última folha e outros contos*, O. Henry
131. *Romanceiro cigano*, Lorca
132. *Sobre o riso e a loucura*, [Hipócrates]
133. *Hino a Afrodite e outros poemas*, Safo de Lesbos
134. *Anarquia pela educação*, Élisée Reclus
135. *Ernestine ou o nascimento do amor*, Stendhal
136. *A cor que caiu do espaço*, H.P. Lovecraft
137. *Odisseia*, Homero
138. *O estranho caso do Dr. Jekyll e Mr. Hyde*, Stevenson
139. *História da anarquia (vol. 2)*, Max Nettlau
140. *Eu*, Augusto dos Anjos
141. *Farsa de Inês Pereira*, Gil Vicente
142. *Sobre a ética — Parerga e paralipomena (v. II, t. II)*, Schopenhauer
143. *Contos de amor, de loucura e de morte*, Horacio Quiroga
144. *Memórias do subsolo*, Dostoiévski
145. *A arte da guerra*, Maquiavel
146. *O cortiço*, Aluísio Azevedo
147. *Elogio da loucura*, Erasmo de Rotterdam
148. *Oliver Twist*, Dickens
149. *O ladrão honesto e outros contos*, Dostoiévski
150. *O que eu vi, o que nós veremos*, Santos-Dumont

«SÉRIE LARGEPOST»

1. *Dao De Jing*, Lao Zi
2. *Cadernos: Esperança do mundo*, Albert Camus
3. *Cadernos: A desmedida na medida*, Albert Camus
4. *Cadernos: A guerra começou...*, Albert Camus
5. *Escritos sobre literatura*, Sigmund Freud
6. *O destino do erudito*, Fichte
7. *Diários de Adão e Eva*, Mark Twain
8. *Diário de um escritor (1873)*, Dostoiévski

«SÉRIE SEXO»

1. *Tudo que eu pensei mas não falei na noite passada*, Anna P.
2. *A vênus das peles*, Sacher-Masoch
3. *O outro lado da moeda*, Oscar Wilde

4. *Poesia Vaginal*, Glauco Mattoso
5. *Perversão: a forma erótica do ódio*, Stoller
6. *A vênus de quinze anos*, [Swinburne]

COLEÇÃO «QUE HORAS SÃO?»

1. *Lulismo, carisma pop e cultura anticrítica*, Tales Ab'Sáber
2. *Crédito à morte*, Anselm Jappe
3. *Universidade, cidade e cidadania*, Franklin Leopoldo e Silva
4. *O quarto poder: uma outra história*, Paulo Henrique Amorim
5. *Dilma Rousseff e o ódio político*, Tales Ab'Sáber
6. *Descobrindo o Islã no Brasil*, Karla Lima